発熱　低体温症　全身倦怠感　けいれん　ショック　チアノーゼ　脱水　浮腫 リンパ節腫脹　発疹　瘙痒(かゆみ)　褥瘡　肥満　やせ　貧血　出血傾向　易感染性	全身
頭痛　失神　意識障害　言語障害　不眠　不安	脳・神経
感覚障害　視覚障害　耳鳴　めまい	感覚器
咳嗽・喀痰　血痰・喀血　呼吸困難　喘鳴　嗄声　胸水	呼吸器
胸痛　動悸　高血圧　低血圧	循環器
腹痛　嚥下困難　食欲不振　悪心・嘔吐　口渇　腹部膨満(感)　吐血　下血　下痢　便秘　黄疸	消化器
排尿痛　乏尿・無尿・尿閉　多尿・頻尿　尿失禁　膿尿・細菌尿　血尿　蛋白尿	腎・泌尿器
腰痛　レイノー現象　関節痛　四肢のしびれ　運動麻痺・運動失調　筋萎縮　不随意運動	筋・骨格

第**4**版

緊急度・重症度からみた

症状別
看護過程

+ 病態関連図

編集

井上智子
国際医療福祉大学大学院教授・成田看護学部長

窪田哲朗
つくば国際大学医療保健学部臨床検査学科教授

医学書院

ご注意

　本書に記載されている治療法や看護ケアに関しては，出版時点における最新の情報に基づき，正確を期するよう，著者，編集者ならびに出版社は，それぞれ最善の努力を払っています．しかし，医学，医療の進歩から見て，記載された内容があらゆる点において正確かつ完全であると保証するものではありません．

　したがって，看護実践への活用にあたっては，常に最新のデータに当たり，本書に記載された内容が正確であるか，読者御自身で細心の注意を払われることを要望いたします．本書記載の治療法・医薬品がその後の医学研究ならびに医療の進歩により本書発行後に変更された場合，その治療法・医薬品による不測の事故に対して，著者，編集者，ならびに出版社は，その責を負いかねます．

株式会社　医学書院

緊急度・重症度からみた 症状別看護過程＋病態関連図

発　行	2011 年 11 月 1 日　第 1 版第 1 刷
	2013 年 2 月 1 日　第 1 版第 3 刷
	2014 年 11 月 1 日　第 2 版第 1 刷
	2018 年 11 月 1 日　第 2 版第 5 刷
	2019 年 11 月 1 日　第 3 版第 1 刷
	2023 年 1 月 1 日　第 3 版第 3 刷
	2023 年 11 月 1 日　第 4 版第 1 刷Ⓒ

編　集　井上智子・窪田哲朗

発行者　株式会社　医学書院

　　　　代表取締役　金原　俊

　　　　〒113-8719　東京都文京区本郷 1-28-23

　　　　電話　03-3817-5600(社内案内)

印刷・製本　山口北州印刷

本書の複製権・翻訳権・上映権・譲渡権・貸与権・公衆送信権(送信可能化権を含む)は株式会社医学書院が保有します．

ISBN978-4-260-05305-1

本書を無断で複製する行為(複写，スキャン，デジタルデータ化など)は，「私的使用のための複製」など著作権法上の限られた例外を除き禁じられています．大学，病院，診療所，企業などにおいて，業務上使用する目的(診療，研究活動を含む)で上記の行為を行うことは，その使用範囲が内部的であっても，私的使用には該当せず，違法です．また私的使用に該当する場合であっても，代行業者等の第三者に依頼して上記の行為を行うことは違法となります．

JCOPY 〈出版者著作権管理機構　委託出版物〉

本書の無断複製は著作権法上での例外を除き禁じられています．複製される場合は，そのつど事前に，出版者著作権管理機構(電話 03-5244-5088，FAX 03-5244-5089，info@jcopy.or.jp)の許諾を得てください．

はじめに

　地域包括ケアの推進や在院日数のさらなる短縮化で，医療を受ける場所が外来や在宅にシフトすることは，普段の生活を継続しつつ医療を受けられるという点で人々にとっては喜ばしい変化である．しかしその一方，入院治療を受ける人々は重症化，高齢化し，治療の高度化は増すばかりである．そして，そのことが初めて看護を学ぶ人や新人看護師にとっての学びのハードルを高めていることに気づく．

　すなわち看護学生が臨地実習の場として足を踏み入れる病棟は，急性・重症・複雑化した病態をもつ人々が多数を占め，向き合う看護スタッフの業務密度は驚くほど濃く，看護学生にとっては学びやすい現場とは言い難い現実がある．

　「社会の中での授業」と言われる看護の臨地実習は，その複雑さや人間関係も含めた多くの要因が絡むため，いつの時代においても看護学生にとっては緊張の場であるが，同時にかけがえのない学びの機会でもあることに変わりはない．そして，その学びの場において対象とする患者の病態が急性・重症化した今日では，それに応じた学び方が求められている．

　本書は，その書名『緊急度・重症度からみた症状別看護過程＋病態関連図』がすべてを物語るように，60以上に及ぶ様々な「症状」を軸にして，思考と行動が展開できるような構成となっている．まず「症状の知識」として，その現れ方(目でみる症状)，病態生理，患者の訴え方，診断，考えられる疾患，治療法・対症療法と続き，「看護ケア」につなげるための看護過程の展開へと移る．看護過程フローチャートで看護の全体像を示した後，看護の基本的な考え方，アセスメント，看護問題リスト，問題ごとの看護計画へと続くが，何と言っても本書の特徴は，「症状の知識」と「看護ケア」の双方で，病期・病態・重症度に応じた視点(治療フローチャートおよびケアのポイント)が記載されていることであろう．

　さらにこのたび，変化する医療現場の実態に合わせ，また最新の情報を盛り込むために第4版の刊行の運びとなった．医療は，人々の症状や病状を軽減・回復させるために提供されるものであるが，悪化・重症化することは決して稀ではない．本書はそれらを想定し，むしろその兆候をいち早くつかみ，予防するための看護ケアを組み立てることを意図している．

　臨床の場がいかに複雑・高度化しようとも，患者の苦痛や心身の不調の一つひとつを見逃さず，持てる知識や技術を総動員して問題解決のために力を注ぐ看護のスタンスはいつの時代も変わりない．「緊急度・重症度」にも動じない有能な次世代を担う看護職が育つことを願っている．

　最後に，常に最新の情報と知見が読者に送り届けられるよう，実に多くの執筆者をとりまとめ，的確なアドバイスも忘れない医学書院編集者の方々に，改めて感謝の意を捧げたい．

2023年8月 　　　　　　　　　　　　　　　　　　　　　編集者を代表して　井上智子

編集

井上　智子　国際医療福祉大学大学院教授・成田看護学部長
窪田　哲朗　つくば国際大学医療保健学部臨床検査学科教授

執筆

医学解説　　　　　　　　　　　　　　　　　　　　　　　　　　　　（五十音順）

青柳　　傑　塩田記念病院名誉院長・脳神経外科部長
新井　文子　聖マリアンナ医科大学主任教授・血液・腫瘍内科学
泉　　並木　武蔵野赤十字病院院長
磯部　光章　榊原記念病院院長
稲次　基希　東京医科歯科大学病院脳神経外科講師
井上　秀樹　地域医療機能推進機構 熊本総合病院腎センター診療部長
入岡　　隆　国家公務員共済組合連合会 横須賀共済病院脳神経内科部長
臼井　　裕　埼玉医科大学病院呼吸器内科客員教授
枝松　秀雄　前東邦大学医療センター大森病院教授・耳鼻咽喉科学
大川　　淳　横浜市立みなと赤十字病院院長
大草　敏史　順天堂大学大学院医学研究科寄付講座腸内フローラ特任教授
大野　十央　東京医科歯科大学病院頭頸部外科講師
大野喜久郎　東京医科歯科大学名誉教授
大野　京子　東京医科歯科大学大学院医歯学総合研究科教授・眼科学
小笠原淳一　地域医療機能推進機構 徳山中央病院脳神経内科主任部長
岡田英理子　東京医科歯科大学大学院医歯学総合研究科准教授・臨床医学教育開発学・消化器内科学
小田　剛史　東京医科歯科大学病院医療情報部講師
柿沼　　晴　東京医科歯科大学大学院医歯学総合研究科教授・疾患生理機能解析学
影山　幸雄　埼玉県立がんセンター病院長
片山　一朗　大阪公立大学大学院医学研究科特任教授・皮膚病態学
金子　　俊　東京医科歯科大学大学院医歯学総合研究科助教・消化器連携医療学
神谷　麻理　東京医科歯科大学大学院医歯学総合研究科助教・膠原病・リウマチ内科学
川上　　理　埼玉医科大学総合医療センター泌尿器科教授
神田　　隆　脳神経筋センターよしみず病院院長
北原　聡史　仁和会総合病院泌尿器科部長
喜多村　健　湘南医療大学副学長
木村百合香　東京都立荏原病院耳鼻咽喉科医長
車地　暁生　早宮クリニック心療内科・精神科
黒崎　雅之　武蔵野赤十字病院副院長
桑原　宏哉　東京医科歯科大学大学院医歯学総合研究科講師・脳神経病態学
小井戸薫雄　東京慈恵会医科大学附属柏病院消化器・肝臓内科非常勤講師

編集者・執筆者一覧

小山　高敏	東京医科歯科大学大学院医歯学総合研究科非常勤講師・血液内科学
坂下千瑞子	東京医科歯科大学大学院医歯学総合研究科特任助教・血液内科学
笹野　哲郎	東京医科歯科大学大学院医歯学総合研究科教授・循環制御内科学
塩飽　裕紀	東京医科歯科大学大学院医歯学総合研究科准教授・精神行動医科学
神　靖人	国家公務員共済組合連合会 平塚共済病院副院長
杉原　健一	東京医科歯科大学名誉教授
武居　哲洋	横浜市立みなと赤十字病院救命救急センター長
田中　智大	アイオワ大学臨床助教・消化器肝臓内科
辻野　元祥	東京都立多摩総合医療センター内分泌代謝内科部長
角田　篤信	順天堂大学医学部附属練馬病院耳鼻咽喉・頭頸科教授
手塚　大介	AIC八重洲クリニック循環器内科科長
寺田　典生	高知大学医学部教授・内分泌代謝・腎臓内科学
東條　尚子	東京都教職員互助会 三楽病院臨床検査科部長
東田　修二	東京医科歯科大学大学院医歯学総合研究科教授・臨床検査医学
富澤　將司	東京ベイ・浦安市川医療センター整形外科部長
冨田　公夫	東名厚木病院名誉院長
長澤　正之	武蔵野赤十字病院小児科部長
夏目　一郎	国家公務員共済組合連合会 横須賀共済病院呼吸器内科部長
成相　直	新都心たざわクリニック院長
西尾　綾子	東京医科歯科大学病院耳鼻咽喉科助教
野々口博史	北里大学メディカルセンター総合内科
蜂谷　仁	土浦協同病院循環器内科部長
林　憲吾	横浜桜木町眼科院長
樋口　哲也	東邦大学医療センター佐倉病院教授・皮膚科学
古家　正	古家内科医院院長
古川　裕	国立病院機構 金沢医療センター脳神経内科医長
増田　均	国立がん研究センター東病院泌尿器・後腹膜腫瘍科科長
松浦　雅人	東京医科歯科大学名誉教授
松沢　優	東京医科歯科大学大学院医歯学総合研究科准教授・疾患生理機能解析学
水澤　英洋	国立精神・神経医療研究センター理事長特任補佐・名誉理事長
三高千惠子	順天堂大学大学院医学研究科特任教授・麻酔科学
三宅　修司	みやけ医院院長
宮崎　泰成	東京医科歯科大学大学院医歯学総合研究科教授・統合呼吸器病学
三好　正人	東京医科歯科大学大学院医歯学総合研究科助教・消化器病態学
森田めぐみ	あだち入谷舎人クリニック院長
安井　豊	武蔵野赤十字病院消化器科副部長
保田　晋助	東京医科歯科大学大学院医歯学総合研究科教授・膠原病・リウマチ内科学
山田　哲也	東京医科歯科大学大学院医歯学総合研究科教授・分子内分泌代謝学
山田　正仁	国家公務員共済組合連合会 九段坂病院院長

横関	博雄	横関皮膚科クリニック院長
横田	隆徳	東京医科歯科大学大学院医歯学総合研究科教授・脳神経病態学
横地	章生	関東労災病院腎臓内科部長
吉村	哲規	東京都立病院機構 東京都立大塚病院外科部長
渡邉	守	東京医科歯科大学高等研究院特別栄誉教授

看護過程解説　　　　　　　　　　　　　　　　　　　　　　　　　　　　（五十音順）

會田	信子	信州大学学術研究院保健学系教授・老年看護学
秋山	智	広島国際大学看護学部看護学科教授・成人看護学
荒井	知子	杏林大学医学部付属病院看護部
有田	清子	湘南鎌倉医療大学看護学部看護学科教授・基礎看護学
伊藤	伸子	青森県立中央病院看護部看護専門官・急性・重症患者看護専門看護師
内堀	真弓	自治医科大学看護学部看護学科准教授・基礎看護学
江本	厚子	関西医科大学大学院看護学研究科教授・老年看護学
大木	正隆	東京工科大学医療保健学部看護学科教授
川本	祐子	東京医科歯科大学大学院保健衛生学研究科助教・成人看護学
栗原	弥生	新潟医療福祉大学看護学部看護学科講師・基礎看護学
國府	浩子	熊本大学大学院生命科学研究部教授・臨床看護学
小原	泉	自治医科大学看護学部教授・基礎看護学・がん看護学
佐々木吉子		東京医科歯科大学大学院保健衛生学研究科教授・災害・クリティカルケア看護学
茂田	玲子	国立看護大学校看護学部助教・基礎看護学
茂野香おる		淑徳大学看護栄養学部看護学科教授
嶋田	理佳	京都先端科学大学健康医療学部看護学科教授・成人看護学
庄村	雅子	東海大学大学院医学研究科教授・がん看護学
杉山	文乃	国立看護大学校看護学部准教授・成人看護学
高比良祥子		長崎県立大学看護栄養学部看護学科教授・成人看護学
滝島	紀子	川崎市立看護大学名誉教授
多久和善子		昭和大学認定看護師教育センター講師
竹内佐智恵		三重大学大学院医学系研究科看護学専攻教授・成人看護学
立野	淳子	小倉記念病院看護部クオリティマネジメント課課長・急性・重症患者看護専門看護師
田村	由衣	昭和大学保健医療学部看護学科講師・成人看護学
塚本	尚子	上智大学総合人間科学部看護学科教授・基礎看護学
中神	克之	名古屋女子大学健康科学部看護学科教授・成人看護学
永野みどり		東京慈恵会医科大学医学部看護学科教授・成人看護学
中村	美幸	東京医療学院大学保健医療学部看護学科講師・老年看護学
那須佳津美		安田女子大学看護学部看護学科助教・基礎看護学
鳴井ひろみ		青森県立保健大学健康科学部看護学科教授・臨床看護学
平尾	明美	千里金蘭大学看護学部看護学科教授・クリティカルケア看護学

編集者・執筆者一覧

深田　順子 愛知県立大学看護学部看護学科教授・成人急性期看護学

藤島　麻美 慶應義塾大学看護医療学部助教・成人看護学

益田美津美 名古屋市立大学大学院看護学研究科准教授・クリティカルケア看護学

三浦　英恵 日本赤十字看護大学看護学部教授・成人看護学

矢富有見子 国立看護大学校看護学部教授・基礎看護学

山﨑　智子 東京医科歯科大学大学院保健衛生学研究科非常勤講師・災害・クリティカルケア看護学

横堀　潤子 東京医科歯科大学病院がん先端治療部

吉井　真美 日本看護学教育評価機構

本書のコンセプトと効果的な学習法

看護過程のプロセスを体系的に解説しています

● 看護過程を実際にどのように臨床現場で展開したらよいのかを学生が学ぶことは非常に難しいことです. 本書では, 看護過程がそもそもどのようなものであるかに徹底的にこだわり, 学生が看護過程における思考過程を理解しやすいように, ステップを踏みながら体系的に解説しました. 本書における看護過程の考え方は『系統看護学講座 基礎看護技術Ⅰ』に準拠しています.

● 各項目における看護過程の解説では, まず最初に全体像を把握できるように「看護過程のフローチャート」を掲載しています. 観察項目→看護問題(看護診断)→看護目標(看護成果)→看護活動(看護介入)の流れが系統だてて理解できるようにしました. また, 見落としてはならない重要なポイントや基本的なスタンスを理解してから実習に臨めるよう, 道しるべとなる「基本的な考え方」を冒頭に掲載しています.

● 本書では看護過程を「Step 1 アセスメント」, 「Step 2 看護問題の明確化」, 「Step 3 計画」, 「Step 4 実施」, 「Step 5 評価」という 5 つのステップに分けて解説しています. それぞれのステップにおけるポイントや着眼点がすぐにわかるように重要事項は赤い文字で記載し, また, 背景となる根拠を徹底して明記するようにしました. とくに学生が苦手とするアセスメントについては, どこに着眼したらよいか, 見落としやすいのはどこかといった点に配慮しながら記載しています.

● 患者と家族の全体像を把握するために, 各項目の最後には一般的な患者像を想定した「病態関連図と看護問題」を掲載しました. 病態をベースにした根拠を理解することができます.

全国の看護学校で幅広く使えます

● 本書では, 各看護学校や教科ごと, あるいは対象の特性によって使い分けられている特定の看護理論やアセスメントの枠組みを尊重し, あえて特定のアセスメントの枠組みを設定せずに, フィジカル・イグザミネーションの基本である head to toe の構成で情報を整理しています. ゴードン, オレム, ヘンダーソン, ロイ, 分類法Ⅱ(NANDA-I)など, 実際の教育内容に沿ってご活用ください. 参考までに, 基礎教育で広く採用されているリンダ J. カルペニート『看護診断ハンドブック』に準拠したゴードンの機能的健康パターンによる分類(例:栄養-代謝パターン)を「看護問題リスト」のなかで併記するようにしました. ゴードンの機能的健康パターンを採用している学校はもとより, カルペニートの『看護診断ハンドブック』を採用されている学校でも, 本書を活用することで一貫性のある学習が可能です.

● 本書では看護問題をキーワードに看護過程を展開していますので, NANDA-I などの看護診断を使っていなくても問題ありません. 看護問題の表記は臨床的かつ平易な表現で記載しています.

NANDA-I, カルペニート, ゴードンの看護診断を併記

● 電子カルテの導入に伴って, 臨床では共通言語となる看護診断名を導入する医療施設が増えてきています. そこで本書では, NANDA-I の看護診断名を基本に, NANDA-I では未採用でも臨床的に有用と思われる看護診断名はカルペニートの『看護診断ハンドブック』からも採用し, 「看護診断」として併記しました. カルペニートもゴードンも, 基本的な看護診断名は NANDA-I から採用していますので, カルペニートやゴードンを使って授業を受けている場合でも, 本書に記載した内容で授業に対応できます.

viii

本書のコンセプトと効果的な学習法

幅広い対象者を想定して看護過程を展開しています

● 実際の臨床では患者の状況はさまざまで，個別性が高く，また，時間の経過とともに常に変化していきます．そこで本書では，ある特定の患者像をつくり上げず，ある程度幅のある状況を想定し，臨床的に起こりうる看護問題をなるべく広い視点で拾い上げるようにしました．これは特定の患者像に限定された知識だけを吸収してしまうことで，学生が臨機応変に対応できなくなることを危惧したからです．本書で得た知識をベースに，実際の授業や実習において患者個々における個別性を加味した看護過程を展開されると，本書による学習効果を一層実感できます．

● さらに，さまざまな状況に学生が臨機応変に対応できるよう，医学解説では「病期・病態・重症度別にみた治療フローチャート」，これに対応してケアプランでは「病期・病態・重症度に応じたケアのポイント」を掲載しています．

本書 1 冊で最新の医学知識を学べます

● 本書では，基本となる病態生理を学生に徹底して理解してほしいという思いから，臨床医家向けの医学書と同等のレベルでありながら，解説としては非常に明解でわかりやすい文章で医学解説を掲載しました．いま臨床では実際にどのような診断，治療が行われているのか，いずれの項目もその道のエキスパートである医師が執筆していますので，内容的な信頼度はもとより，最新の情報が記載されています．学生がカルテを見たとき，患者に使われている薬が何かが理解できるよう，処方例もふんだんに取り入れながら，治療薬一覧表も併せて掲載しました．各項目の冒頭にはひと目で病態生理を把握できるように，イラストを中心にした「目でみる症状」を掲載しています．

ix

本書の構成と使い方

症状解説

基本的な医学的知識をわかりやすく
ワンポイントで解説しています。

ひと目でわかる
症状の病態生理

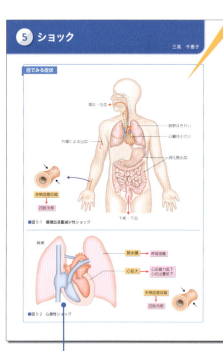

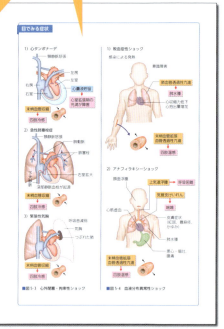

各項目の冒頭には「目でみる症状」を掲載
しています．まず最初に症状の全体像をつ
かみましょう．

本書の構成と使い方

> 症状の知識として，
> ● 病態生理
> ● 患者の訴え方
> ● 診断
> ● 治療法・対症療法
> を簡潔に記載しています．
> カルテを見たら確認してみましょう．

> ポイントはわかりやすく赤文字で記載

> 自覚症状を表現する言葉は様々です．随伴症状も含めてチェックしましょう．

> どのような疾患を念頭に，どのようなステップで診断が行われるのか，流れをつかみましょう．

第1章 全身

病態生理

ショックとは、何らかの原因で低血圧になり、臓器灌流量が低下して臓器への酸素運搬が低下した状態をいう。酸素欠乏が長引くと細胞機能が維持できなくなり、全身の臓器機能障害に陥る。

- 低血圧とは収縮期血圧 90 mmHg 未満あるいは普段の血圧よりも 40 mmHg 以上低い場合であり、臓器灌流量の低下は臓器障害、乏尿、気腫アシドーシスなどを指す。
- ショックの分類：循環血液量減少性ショック、心原性ショック、心外閉塞・拘束性ショック、血液分布異常性ショックに分類される（表 5-1、図 5-1〜4）。

患者の訴え方

- 主症状の訴え。
- 全身状態が悪く、主症状の訴えが不可能である場合が多い。
- 共通の症状は、低血圧による全身蒼白、虚脱、冷汗、頻脈、脈拍触知不可、頻呼吸、意識障害（興奮、錯乱、せん妄、昏睡）、乏尿、代謝性アシドーシスなどである。
- 四肢は冷たいことが多いが、敗血症性ショックでは末梢血管拡張のため四肢の皮膚は温かい。
- 随伴症状
  原因により様々な症状がある（表 5-2）。
（循環血液量減少性ショック）
- 出血（多発外傷、大動脈瘤破裂、吐血・下血・タール便などの消化管出血）、脱水（嘔吐、下痢）、四肢冷感、乾いた皮膚、乾いた舌や口腔粘膜、頻脈などである。
（心原性ショック）
- 急性心筋梗塞の場合は激しい胸痛を訴える。四肢冷感、呼吸困難、断続性副雑音、動悸などがある。
- 肺水腫を起こしている場合は気管からピンク色の泡沫が出てくる。
（心外閉塞・拘束性ショック）
- 心タンポナーデ：全身倦怠感、脱力感、外頸静脈怒張、奇脈（吸気時に収縮期血圧が 10 mmHg 以上低下し脈が弱くなる）がみられる。
- 急性肺血栓塞栓：胸痛、呼吸困難、頻拍、顔面蒼白、チアノーゼ、四肢冷感がみられる。
- 緊張性気胸：胸部外傷や人工呼吸中に気道内圧が上昇した場合に起こる。胸痛、呼吸困難、努力様呼吸、頸静脈怒張、皮下気腫、チアノーゼがみられ、患側の呼吸音が減弱する。
（血液分布異常性ショック）
- 敗血症性ショック：急激な悪寒戦慄を発熱する。呼吸促迫、頻呼吸、全身倦怠感があり、四肢は温かくウォームショックと呼ばれる。
- アナフィラキシーショック：血管拡張による低血圧と血管透過性亢進による浮腫が特徴である。皮膚症状（蕁麻疹、紅斑、顔面浮腫、瘙痒感）、呼吸困難（喉頭浮腫、声門浮腫、喘鳴発作、いれん）、胃腸障害（悪心・嘔吐、腹痛、下痢）などがある。早期に起こるもの（即時反応）と、最初の反応から 6〜12 時間後にメディエーター放出のために起こる遅延反応がある。

診断

診断のポイントは、ショックの原因を素早く突き止めることである。

- 原因・考えられる疾患（表 5-1）
（循環血液量減少性ショック）
- 出血（多発外傷、大動脈瘤破裂、食道静脈瘤破裂、消化管出血）、非出血性の体液喪失（熱傷、嘔吐、下痢、イレウス、尿細管、強力な利尿薬投与）によって起こる。
（心原性ショック）
- 心ポンプ機能不全（心筋梗塞、心筋炎、心筋症）、不整脈（洞不全症候群、房室ブロック、心室頻拍、心室細動）によって起こる。
（心外閉塞・拘束性ショック）
- 心タンポナーデ：心嚢腔に大量の心嚢液が急激に貯留し、心嚢内圧が上昇して右房圧や右室拡張期圧と同じになった結果、右房と右室の拡張障害が生じて起こる。心嚢炎、急性心筋梗塞の心破裂、外傷性心破裂、上行大動脈解離などによって起こる

表 5-1 ショックの原因または考えられる疾患（すべての症状・疾患で緊急対応を考する）

循環血液量減少性ショック	心原性ショック	心外閉塞・拘束性ショック	血液分布異常性ショック
● 出血	● 心ポンプ機能不全	● 心タンポナーデ	● 敗血症性ショック
● 多発外傷	● 急性心筋梗塞	● 急性肺塞栓症	● アナフィラキシーショック
● 大動脈瘤破裂/大動脈解離	● 心筋炎	● 緊張性気胸	
● 食道静脈瘤破裂	● 心筋症	● 胸部外傷	
● 消化管出血	● 心臓弁膜症	● 人工呼吸中	
● 非出血性の体液喪失	● 非代償心不全		
● 熱傷	● 不整脈		
● 嘔吐	● 洞不全症候群		
● 下痢	● 房室ブロック		
● イレウス	● 心室頻拍		
● 尿細管	● 心室細動		
● 強力な利尿薬投与			

表 5-2 ショックの随伴症状と考えられる疾患（すべての症状・疾患で緊急対応を考する）

	随伴症状	考えられる疾患
循環血液量減少性ショック	出血	多発外傷
	胸痛	大動脈瘤解離・破裂
	吐血	上部消化管出血（食道静脈瘤破裂、十二指腸出血）
	嘔吐、下痢	イレウス、腸炎
	皮膚または他の組織の損傷	熱傷
	尿量増加	尿崩症 強力な利尿薬投与
心原性ショック	胸痛	急性心筋梗塞
	感冒様症状、下痢、腰痛、動悸、胸痛	心筋炎
	動悸、意識消失、胸痛、失神	心筋症
	呼吸困難、下肢のむくみ	心臓弁膜症
	動悸、失神	不整脈
心外閉塞・拘束性ショック	頸静脈怒張、奇脈	心タンポナーデ
	胸痛、呼吸促迫、チアノーゼ	急性肺塞栓症
	頸静脈怒張、呼吸困難、努力様呼吸、皮下気腫、患側呼吸音	緊張性気胸
血液分布異常性ショック	感染徴候（悪寒戦慄、発熱）、四肢は温かい	敗血症性ショック
	皮膚症状（紅斑、蕁麻疹、かゆみ、顔面浮腫）、呼吸困難（喉頭浮腫、声門浮腫、喘鳴発作）、喘鳴、胃腸障害（悪心・嘔吐、腹痛、下痢）	アナフィラキシーショック

本書の構成と使い方

治療方針を理解することでケアの質の向上につなげましょう．

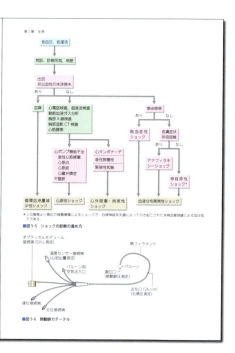

実際の患者さんに使われている薬がわかるように，具体的な処方例を記載しています．さらに処方の目的がわかるように薬効名も併記しています．カルテを見たら確認しましょう．

※処方例について：症状の背景にある疾患によっては，健康保険が適用されない処方も一部含まれます．

本書の構成と使い方

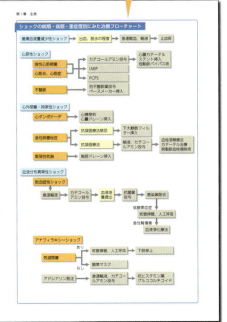

病期・病態・重症度別に治療の流れをフローチャート化

ひと目でわかる治療薬一覧．薬の副作用は早期に発見するためにもチェックしておきましょう

本書の構成と使い方

看護過程解説
情報収集からアセスメント，ケアプラン，評価まで，どんな患者さんにも対応できるよう，詳細に解説しています．

Step 1 アセスメント
情報収集とアセスメントのポイント，その根拠を解説しています．それらの情報を通して浮かびあがってきそうな看護問題も併記しました．受け持ち患者さんと照らし合わせてアセスメントしてみましょう．

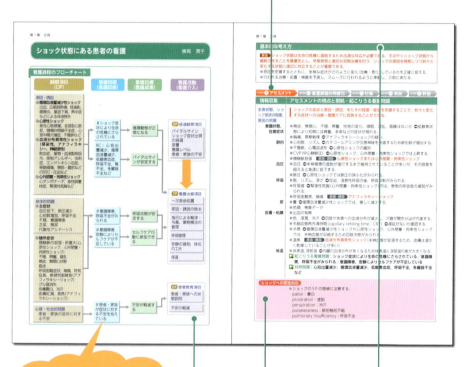

ひと目でわかる看護過程のフローチャート
看護過程の概要をひとまずオーバービューすることで全体像をつかみましょう．

ケアの基本的な考え方をまず理解しておきましょう．ここからスタート！

特に緊急度の高い場面では，観察やアセスメントと同時並行で対処が必要です．

※「看護過程のフローチャート」で明示される［看護問題（看護診断）］には，「Step 1 アセスメント」から導き出された看護問題を，［看護目標（看護成果）］には「Step 3 計画」で展開されるケアプランから抜粋した内容を記載しています．

本書の構成と使い方

Step 2　看護問題の明確化

ここでは想定される一般的な看護問題リストを提示しました。フォーカスアセスメントはその後のケアプランにも影響する大切なステップです。「看護問題の優先度の指針」を参考にしながら、患者さんと家族が抱える看護問題を慎重に検討しましょう。

Step 3　計画

それぞれの看護問題に対して、看護診断、看護目標、看護計画、介入のポイントと根拠を具体的に記載しています。患者さんの状態に合わせてケアプランを工夫してみましょう。

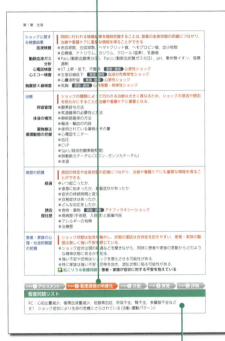

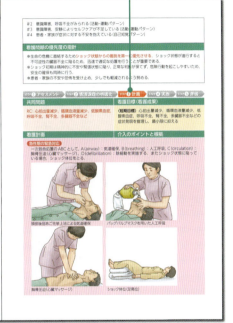

アセスメントの枠組みとして「機能的健康パターン」を使った場合の分類を参考までにカッコ内に付記しました（分類や表記は、リンダ J. カルペニート『看護診断ハンドブック 第12版』による）。

※共同問題は、リンダ J. カルペニート『看護診断ハンドブック 第12版』によりRC（risk for complications, 合併症リスク状態）として表記しました。

XV

本書の構成と使い方

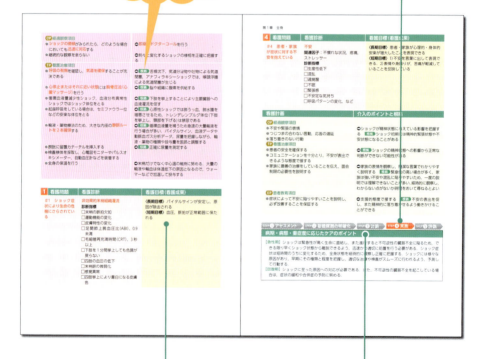

本書の構成と使い方

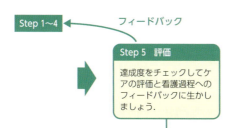

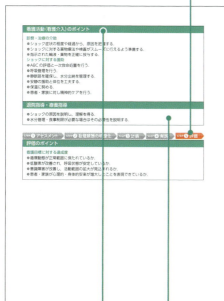

ケアのポイントをしっかりおさえましょう．

退院指導はナースの大切な役割です．

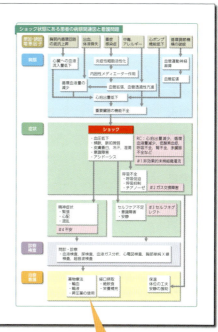

病態関連図で全体像をまとめました．この図を参考に受け持ち患者さんの病態関連図を描いてみましょう

xvii

目次

緊急度・重症度からみた 症状別看護過程＋病態関連図

はじめに………………………………………………井上智子　iii

本書のコンセプトと効果的な学習法………………………… viii

本書の構成と使い方…………………………………………… x

第1章　全身

1　発熱………………………………………………新井文子／栗原弥生　2

2　低体温症…………………………………………武居哲洋／内堀真弓　22

3　全身倦怠感……………………………田中智大・黒崎雅之／中村美幸　36

4　けいれん…………………………………………松浦雅人／荒井知子　49

5　ショック…………………………………………三高千惠子／横堀潤子　66

6　チアノーゼ………………………………………神　靖人／立野淳子　85

7　脱水………………………………………………森田めぐみ／内堀真弓　105

8　浮腫………………手塚大介・磯部光章／山﨑智子・吉井真美・國府浩子　121

9　リンパ節腫脹……………………………………東田修二／三浦英恵　165

10　発疹………………………………………………横関博雄／嶋田理佳　181

11　瘙痒（かゆみ）…………………………………片山一朗／滝島紀子　197

12　褥瘡………………………………………………樋口哲也／永野みどり　213

13　肥満………………………………………………山田哲也／中村美幸　230

14　やせ………………………………………………辻野元祥／中村美幸　246

15　貧血………………………………………………坂下千瑞子／中神克之　259

16　出血傾向…………………………………………小山高敏／中神克之　276

17　易感染性…………………………………………長澤正之／小原　泉　292

第2章　脳・神経系

18　頭痛………………………………………………青柳　傑／益田美津美　308

19　失神………………………………古川　裕・山田正仁／藤島麻美　324

20　意識障害…………………………古川　裕・山田正仁／茂野香おる　342

21　言語障害………………稲次基希・成相　直・大野喜久郎／秋山　智　362

22　不眠………………………………………………車地暁生／佐々木吉子　374

23　不安………………………………………………塩飽裕紀／塚本尚子　393

目次

第3章　感覚器系

24 感覚障害 ……………………………… 入岡　隆・水澤英洋／小原　泉　408

25 視覚障害 ……………… 林　憲吾・大野京子／伊藤伸子・鳴井ひろみ　423

26 耳鳴 …………………………………… 枝松秀雄／茂野香おる　438

27 めまい ………………………… 西尾綾子・喜多村　健／有田清子　453

第4章　呼吸器系

28 咳嗽・喀痰 ………………………………… 三宅修司／平尾明美　470

29 血痰・喀血 …………………………………… 臼井　裕／平尾明美　486

30 呼吸困難 ……………………… 宮崎泰成・古家　正／山﨑智子　500

31 喘鳴 ……………………………………… 夏目一郎／立野淳子　519

32 嗄声 ………………………… 大野十央・角田篤信／會田信子　537

33 胸水 …………………………………… 東條尚子／會田信子　554

第5章　循環器系

34 胸痛 …………………………………… 笹野哲郎／杉山文乃　572

35 動悸 …………………………………… 蜂谷　仁／杉山文乃　593

36 高血圧 ……………………… 井上秀樹・冨田公夫／杉山文乃　610

37 低血圧 ………………………………… 野々口博史／川本祐子　629

第6章　消化器系

38 腹痛 ………………… 小田剛史・吉村哲規・杉原健一／矢富有見子　646

39 嚥下困難 …………………………… 木村百合香／深田順子　663

40 食欲不振 ……………………… 小井戸薫雄・大草敏史／高比良祥子　688

41 悪心・嘔吐 …………………… 小井戸薫雄・大草敏史／中神克之　705

42 口渇 …………………………………… 柿沼　晴／庄村雅子　722

43 腹部膨満(感) ……………… 松沢　優・柿沼　晴／庄村雅子　741

44 吐血 ……………………… 金子　俊・柿沼　晴／中神克之　758

45 下血 ……………………… 三好正人・柿沼　晴／中神克之　773

46 下痢 ……………… 岡田英理子・渡邉　守／竹内佐智恵　786

47 便秘 ……………… 岡田英理子・渡邉　守／竹内佐智恵　804

48 黄疸 ……………………… 安井　豊・泉　並木／滝島紀子　822

xix

第7章　腎・泌尿器系

49 排尿痛 ……………………………………………… 北原聡史／江本厚子　840

50 乏尿・無尿・尿閉 ……………………………………… 川上　理／那須佳津美　854

51 多尿・頻尿 ……………………………………………… 増田　均／茂田玲子　871

52 尿失禁 ……………………………………………………… 増田　均／江本厚子　888

53 膿尿・細菌尿 …………………………………………… 影山幸雄／那須佳津美　908

54 血尿 ……………………………………………………… 寺田典生／那須佳津美　924

55 蛋白尿 …………………………………… 横地章生／田村由衣・多久和善子　938

第8章　筋・骨格系

56 腰痛 ………………………………… 富澤將司・大川　淳／鳰田理佳　952

57 レイノー現象 ……………………………………… 神谷麻理／三浦英恵　972

58 関節痛 ……………………………………………… 保田晋助／深田順子　991

59 四肢のしびれ ………………………… 入岡　隆・水澤英洋／大木正隆　1013

60 運動麻痺・運動失調 ……………… 小笠原淳一・神田　隆／佐々木吉子　1028

61 筋萎縮 ………………………… 桑原宏哉・横田隆徳／大木正隆　1049

62 不随意運動 …………………… 小笠原淳一・神田　隆／秋山　智　1064

看護診断名索引 ………………………………………………………… 1078

索引 ……………………………………………………………………… 1080

第1章

全身

1 発熱

新井 文子

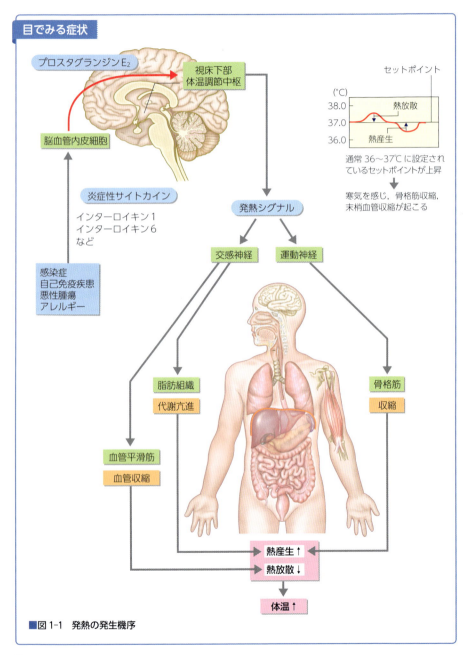

図 1-1 発熱の発生機序

病態生理

発熱とは体温が上昇した状態をいい，臨床的には 37.5℃ 以上とすることが多い．測定は腋窩で行われることが多いが，測定困難な場合は直腸で測定することもある．直腸温は腋窩温より約 1℃ 高い．

- 感染症，自己免疫疾患，悪性腫瘍，アレルギーなどに伴う炎症によって，体内でインターロイキン 1 やインターロイキン 6 などの炎症性サイトカインが産生される．これらは脳内の血管内皮細胞に作用し，プロスタグランジン E_2 の産生を促す．
- プロスタグランジン E_2 は，視床下部にある体温調節中枢に働き，体温上昇に関わるシグナル（発熱シグナル）を活性化させる．体温調節中枢からの発熱シグナルは，主に交感神経と運動神経を通して末梢組織の体温調節器官へと送られ，熱産生および体表面からの熱放散抑制によって体温が上昇する．
- 交感神経は末梢組織の熱産生を亢進させ，体温が上昇する．また，血管平滑筋にも作用し，末梢血管収縮によって熱放散が抑制されて体温が上昇する．
- 運動神経は骨格筋の収縮，いわゆるシバリング（ふるえ）を起こして熱産生を亢進させ，体温が上昇する．
- 体温が上昇すると，体内に侵入した細菌やウイルスなどの病原体の増殖が抑制される．さらに免疫系も活性化されるため，原因疾患のコントロールに働くと考えられている．

患者の訴え方

- **主症状の訴え**
- 発熱の主な自覚症状は熱感と寒気であるが，多くの患者は体調不良とともに自身で検温し医療機関を受診するので，「熱がある」と訴えて来院することが多い．
- **随伴症状**
- 原因疾患（表 1-1）により様々な随伴症状（表 1-2）を伴う．
- 全身症状：体重減少，倦怠感，易疲労感．他覚的所見として血圧低下，ショックなどバイタルサインの異常や意識障害を伴うことがある．
- 局所（臓器）症状：頭痛，耳痛，咽頭痛，鼻汁，咳，痰，胸痛，腹痛，下痢，腰痛，関節痛，皮疹などの病変部位の炎症症状を伴う．

■表 1-1　発熱の原因または考えられる疾患 (赤字は緊急対応を要する疾患)

感染症	非感染症
●**病変部位による分類**	●**自己免疫疾患**
●中枢神経感染症（脳炎，髄膜炎）	●全身性エリテマトーデス（SLE）
●頭部感染症（副鼻腔炎，中耳炎）	●血管炎
●気道感染症（上気道炎，気管支炎，肺炎）	●リウマチ熱，リウマチ性多発筋痛症，成人発症スチル病
●消化管感染症（感染性胃腸炎，虫垂炎，大腸憩室炎）	●**薬剤性**
●胆道系感染症（胆嚢炎，胆管炎）	●抗菌薬，抗けいれん薬，抗不整脈薬，麻酔薬が多いが，すべての薬剤が原因となりうる
●尿路感染症（腎盂腎炎，尿道炎）	●**悪性腫瘍**
●その他（敗血症，感染性心内膜炎など）	●がん，リンパ腫，白血病など
●**病原体による分類**	●**その他**
●細菌感染症（肺炎球菌→成人市中肺炎，グラム陰性桿菌→胆嚢炎，尿路感染症）	●代謝性疾患，中枢神経疾患，血栓症など
●ウイルス感染症（インフルエンザ，麻疹，風疹，水痘，新型コロナウイルス感染症）	
●その他（真菌感染症，原虫感染症，寄生虫感染症）	

1

発熱

3

第 1 章　全身

■表 1-2　発熱の随伴症状と考えられる疾患（赤字は緊急対応を要する疾患とその随伴症状）

	随伴症状	考えられる疾患
全身症状	体重減少	慢性感染症 (結核，腹腔内膿瘍，HIV 感染症，感染性心内膜炎)，悪性腫瘍
	倦怠感，易疲労感	慢性感染症 (結核，腹腔内膿瘍，HIV 感染症)，悪性腫瘍
	血圧低下	敗血症，薬剤性 (アレルギー)
	意識障害	敗血症，中枢神経感染症，中枢神経疾患，代謝性疾患，薬剤性 (アレルギー)
局所 (臓器) 症状	頭痛	髄膜炎
	耳痛	中耳炎
	咽頭痛，鼻汁，咳，痰	気道感染症，扁桃腺炎，副鼻腔炎
	胸痛，心雑音	感染性心内膜炎，悪性腫瘍
	腰痛，排尿困難，排尿痛	尿路感染症，悪性腫瘍
	右季肋部痛，黄疸	肝胆道感染症，悪性腫瘍
	下痢，嘔吐，腹痛，排便異常	感染性腸炎，腹膜炎，憩室炎，虫垂炎，急性膵炎，悪性腫瘍
	関節痛	自己免疫疾患
	リンパ節腫脹	リンパ腫，悪性腫瘍，リンパ節炎，自己免疫疾患
	皮疹	ウイルス感染症 (麻疹，風疹，水痘)，薬剤性
	随伴症状がない，もしくは乏しい	薬剤性，自己免疫疾患など

診断

| 意識状態，バイタルサインを確認する．異常を認めた場合，敗血症 (血圧低下，意識障害など)，中枢神経疾患 (意識障害，項部硬直など) を疑う．それらに異常がなければ，感染症，自己免疫疾患，悪性腫瘍，薬剤性を鑑別していく．

● 原因・考えられる疾患
● 発熱をきたす疾患は表 1-1 に示すように多岐にわたる．感染症か非感染症か，どの臓器による発熱か，を軸に診断を進めるとよい．
● 鑑別診断のポイント
● 体温，発熱持続期間を確認する．41℃ 以上の発熱はグラム陰性菌による敗血症もしくは体温調節障害の可能性を考える．
● 頻度は低いものの診断の遅れが重篤な結果につながる髄膜炎，感染性心内膜炎には注意が必要である．

治療法・対症療法

| 治療の原則は，原因疾患の治療である．よって以下には解熱を目的とした治療を述べる．

● 治療方針
● 原因が確定し，治療が開始されている発熱の場合，または発熱自体が病態を悪化させている場合には，解熱を目的とした治療を行うことがある．
● 薬物療法
● 解熱薬として通常は非ステロイド性抗炎症薬 (NSAIDs) を用いるが，血圧低下，ショックを伴う時にはステロイド (副腎皮質ホルモン製剤) を用いることもある．
● 体温が 41℃ 以上の場合はアルコール塗布，輸液などによる機械的解熱を行うことがある．
Px 処方例 下記のいずれかを用いる．
● ロキソニン錠 (60 mg)　1 回 1 錠もしくは 2 錠　1 日 3 回　朝昼夕食後　←非ステロイド性抗炎症薬
　※もしくは，1 回 1 錠　発熱時頓用 (1 日 2 回 180 mg まで)

4

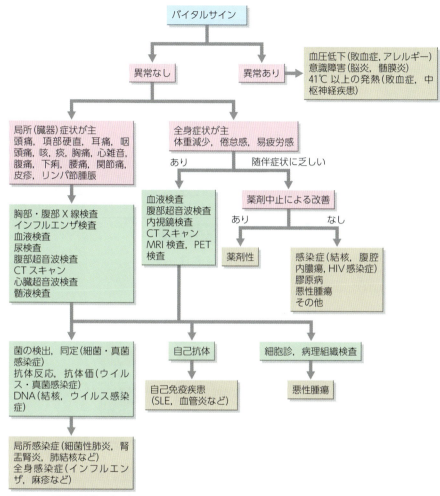

■図1-2 発熱の診断の進め方

- ブルフェン錠(200 mg)　1回1錠　1日3回　朝昼夕食後　←非ステロイド性抗炎症薬
  ※もしくは，1回1錠　発熱時頓用（1日2回　600 mg まで）
- カロナール錠(200 mg)　1回2錠　1日3回　朝昼夕食後　←非ステロイド性抗炎症薬
  ※もしくは，1回2錠　発熱時頓用（1日2回 1,500 mg まで）
- アセリオ静注液(1,000 mg)　1回 300～1,000 mg　点滴静注　発熱時頓用（4～6時間あけて1日 4,000 mg まで）　←非ステロイド性抗炎症薬
- ボルタレン坐薬(25・50 mg)　1回1錠　発熱時頓用（1日2回まで）　←非ステロイド性抗炎症薬
- 水溶性ハイドロコートン注(100・500 mg)　1回 100～1,000 mg　静注，点滴静注　発熱時頓用（1日数回まで）　←副腎皮質ホルモン製剤
- ソル・コーテフ注(100・250・500・1,000 mg)　1回 50～1,000 mg　静注，点滴静注　発熱時頓用（1日数回まで）　←副腎皮質ホルモン製剤

第1章　全身

■表1-3　発熱の主な治療薬

分類	一般名	主な商品名	薬の効くメカニズム	主な副作用
非ステロイド性抗炎症薬（NSAIDs）	ロキソプロフェンナトリウム水和物	ロキソニン	シクロオキシゲナーゼを抑制し，プロスタグランジン E_2 産生を抑制する	胃潰瘍，血小板機能低下（カロナール以外），アスピリン喘息
	イブプロフェン	ブルフェン		
	ジクロフェナクナトリウム	ボルタレン		
	アセトアミノフェン	カロナール，アセリオ		
副腎皮質ホルモン製剤	ヒドロコルチゾンリン酸エステルナトリウム	水溶性ハイドロコートン	炎症性サイトカイン産生，シクロオキシゲナーゼなどを抑制する	過敏症，胃潰瘍，糖尿病（長期使用で），感染症，骨粗鬆症
	ヒドロコルチゾンコハク酸エステルナトリウム	ソル・コーテフ		

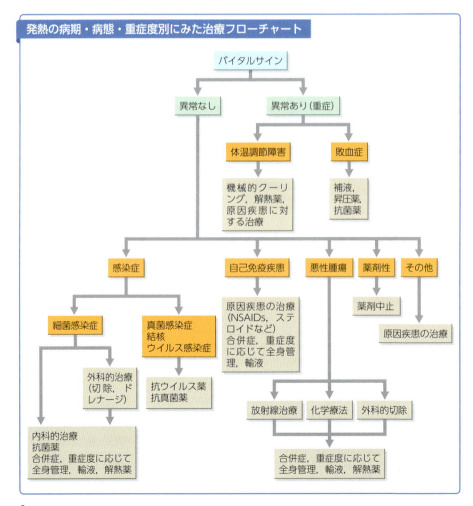

発熱の病期・病態・重症度別にみた治療フローチャート

発熱のある患者の看護

栗原　弥生

1
発熱

看護過程のフローチャート

観察項目 （OP）	看護問題 （看護診断）	看護目標 （看護成果）	看護活動 （看護介入）

原因・誘因
- 感染，外傷，血管炎，自己免疫疾患，代謝・内分泌疾患（甲状腺機能亢進症，副腎不全），悪性腫瘍（悪性リンパ腫，白血病など），原因不明
- 感染症の種類：肺炎，胆嚢炎，胆管炎，尿路感染症，前立腺炎，血管内留置カテーテル感染症，椎体炎，褥瘡，膿瘍形成，深部静脈血栓症，薬剤熱，偽痛風，結核

身体的問題
- **主症状**
  体温上昇，発汗，熱感，悪寒，ふるえ，顔色不良
- **随伴症状**
  倦怠感，顔色紅潮，心悸亢進，血圧低下，呼吸数増加，呼吸困難，食欲不振，悪心・嘔吐，手足のけいれん
  意識障害
  舌苔，口渇，皮膚粘膜の乾燥，尿量減少
- **その他**
  頭痛，めまい，耳痛，発疹，出血斑，関節痛，筋肉痛

心理・社会的問題
患者・家族の症状に対する不安

#原因・誘因により症状が進行する可能性がある → 原因・誘因が除去，軽減される

#治療による抵抗力の低下がみられる → 免疫力，体力が回復する

#発熱がある → 体温が正常に戻る

#発汗，不感蒸泄増加，口内炎などによる水分摂取困難により，体液量が不足する → 尿量や皮膚・粘膜の統合性が維持される / 電解質が基準値内に維持される

#発熱，炎症に関連して呼吸困難の可能性がある → 呼吸の異常がない

#口腔内乾燥，舌苔により栄養摂取が困難である → 栄養状態が改善する

#口腔粘膜が障害される → 口腔粘膜の炎症や乾燥が改善する

#抵抗力，免疫力が低下している → 感染症を起こさない

#発熱による関節痛，筋肉痛があり安楽が障害される可能性がある → 安楽を保つことができる

#患者・家族が症状に対する不安を抱えている → 不安が軽減する

OP 経過観察項目

症状の程度，原因，誘因，経過
血液データ
薬の副作用
経口摂取量
尿量，電解質
患者・家族の不安

TP 看護治療項目

原因・誘因の除去

感染予防

呼吸苦，関節痛に対する安楽

指示による輸液，与薬，食事や水分摂取の促し

清拭や衣服の交換，シーツ交換

冷罨法，温罨法，水分補給

EP 患者教育項目

患者・家族の状態説明

不安の軽減

患者・家族への口腔ケア指導

退院指導

7

第 1 章　全身

基本的な考え方

● 多様な原因を把握するとともに，症状緩和や安楽の援助を行わなければならない．原則は原因疾患の治療であり，安易な対症療法はすべきでない．
● 発熱の程度，随伴症状を観察し，その影響にも注意する．
緊急 緊急処置の必要な敗血症時の高熱や手足のけいれんや熱中症，麻酔の合併症である悪性高熱症に対しては迅速な対応が必要である．これらの疾患を疑わせるサインや情報を見逃さないよう十分な観察を行う．特に弛張熱などの熱型を確認し，極端な高温多湿や重度の脱水などにより体温調節機能が働かないような環境にないかを確認する．水・電解質のアンバランス，手足のけいれん，昏迷，昏睡には注意する．

STEP ❶ アセスメント ▶ STEP ❷ 看護課題の明確化 ▶ STEP ❸ 計画 ▶ STEP ❹ 実施 ▶ STEP ❺ 評価

情報収集	アセスメントの視点と根拠・起こりうる看護問題
病歴の把握	患者・家族から発症の経過，症状の変化を聞くことで，原因・誘因の特定や全身状態の把握につながり，治療や看護ケアにも重要な情報を得ることができる．
経過	● いつから，どのくらい続いているか． ● 急激に始まったか，前駆症状があったか． ● 症状の変動の有無（月経・妊娠の有無，運動・入浴・外気温などとの関係の有無）
誘因	● 体力の低下 ● 免疫力の低下　**原因・誘因** 抗がん剤，免疫抑制薬，抗菌薬 ● 服薬との関係　**原因・誘因** 抗がん剤，抗炎症薬，抗菌薬，免疫抑制薬など ● 手術侵襲，全身麻酔　**原因・誘因** **緊急** 悪性高熱症 ● カテーテル挿入との関係 ● 周囲の環境との関係 ● 高温多湿の環境 ● ヒステリーなど精神的な誘因
随伴症状	● 悪寒戦慄（シバリング），心悸亢進，血圧低下，呼吸困難，口渇，尿量減少，意識障害などの随伴症状はないか． ● 随伴症状と発熱との時間的関係
生活歴	● 睡眠状況，不安やストレスなどの有無 ● 室温，湿度などの環境 ● 仕事上の問題の有無
既往歴	● 発熱の経験の有無 ● 膠原病，自己免疫疾患，代謝・内分泌疾患などの既往 ● 熱によるけいれんの既往　**原因・誘因** **緊急** 手足のけいれんに注意
常用薬	● 薬物の服用
職業歴	● 高温多湿な地下や工事現場，工場など特殊環境下での仕事　**緊急** 重度の熱中症 ● 夏の炎天下でのスポーツや作業などの環境　**緊急** 重度の熱中症
その他	● 月経，妊娠との関係　**妊婦** 妊娠や月経周期などによる体温の変動がある．
主要症状の出現状況，程度，熱型の把握	発熱の持続時間・期間，熱型，日内変動を把握するとともに，全身状態・局所の随伴症状の訴えの有無を確認し，原因疾患の特定につながる情報を得る．
前駆症状	● 悪寒戦慄を伴うか　**原因・誘因** 中枢性 ● 突然の発熱か　**原因・誘因** アレルギー反応，感染
熱型の種類	● 稽留熱：日内変動1℃以内の高熱，何日も持続する熱　**原因・誘因** 腸チフス，クループ性肺炎，発疹チフス ● 弛張熱：1℃以上の日内変動があるが，1日中平熱にならない状態　**原因・誘因** 敗血症，化膿性疾患，結核の末期 ● 間欠熱：日内変動が激しく，1日のうち一度は平熱になる時がある　**原因・誘因**

8

発熱の持続時間	マラリア **緊急** 悪心・嘔吐，下痢，腹痛の症状が重篤な場合，高熱が続き意識障害がある場合は生命の危険がある． **短期発熱をきたす疾患** ●主として呼吸器症状を呈する **原因・誘因** 風邪，インフルエンザ，急性扁桃炎，急性気管支炎，急性肺炎 ●主として腹部症状を呈する **原因・誘因** **緊急** 急性肝炎，急性虫垂炎，食中毒 ●主として中枢神経症状を呈する **原因・誘因** **緊急** ポリオ，急性ウイルス性脳炎，急性髄膜炎，悪性症候群 ●その他 **原因・誘因** 化膿性皮膚疾患(せつ，ようなど)，肛門周囲炎 ●感染症 **原因・誘因** 尿路感染症，敗血症，腎盂腎炎，肝膿瘍，胆道感染症，サルモネラ感染症，結核(粟粒(ぞくりゅう)結核，腎結核)，細菌性心内膜炎 **緊急** 敗血症，細菌性心内膜炎 など **長期発熱をきたす疾患** ●悪性腫瘍 **原因・誘因** 白血病，悪性リンパ腫，その他の腫瘍熱(末期) ●膠原病 **原因・誘因** SLE(全身性エリテマトーデス)，リウマチ熱 ●その他 **原因・誘因** 薬物アレルギー，中枢性発熱(脳出血，脳梗塞，脳腫瘍)，脱水症，術後発熱 **微熱をきたす疾患** ● **原因・誘因** 慢性感染症(呼吸器系，尿路系，胆道系)，甲状腺機能亢進症，月経前熱，妊娠，悪性腫瘍，膠原病，寄生虫疾患

発熱への緊急対応

〈緊急対応が必要な場面〉
●強い侵襲を伴う手術や外傷，感染，出血に伴う発熱：炎症反応によるものであり，血圧低下，ショック状態，低酸素状態を伴う多臓器不全に移行しやすい．
●感染症が重症化した際の高熱：敗血症性ショックの初期症状であり，ほかに悪寒戦慄，顔面紅潮，頻脈，呼吸促迫，過換気による呼吸性アルカローシスがみられる．
〈緊急対応〉
●高熱が続くと大量の発汗や不感蒸泄から脱水となり，心拍出量が減少し，循環血液量減少性ショックに似た症状を呈する．不穏や意識障害を起こすこともあるため，意識レベルに注意する．
●ショック状態に移行する前に，バイタルサイン測定を行い，血圧低下や脈拍異常などの初期症状を早期に発見する．
●呼吸状態が悪化する場合，体位の工夫，気道確保，呼吸管理を行う．
●高熱がみられる場合は冷罨法を行うとともに，脱水症状に注意し輸液開始を検討する．

全身状態，随伴症状の把握 バイタルサイン	症状の経過の把握とともに，他の症状の有無，随伴症状を観察し，治療，看護計画の立案に有効に反映させる． ●体温 ➡機械的刺激からの発熱，化学的刺激か，精神的刺激かを鑑別する． ●血圧，脈拍・リズム ➡循環器疾患を鑑別する． ●呼吸状態を確認する． ●発熱による脱水状態を同時に把握する．
全身状態	● **緊急** 意識障害の有無を確認する **原因・誘因** 急性ウイルス性脳炎，悪性高熱症 ●体格 ➡長期の発熱による食欲不振，悪性腫瘍による体重減少がないか確認する． ●皮膚 ➡脱水による皮膚の乾燥やツルゴール(緊満度)の観察，発疹・出血斑の有無 ●貧血の有無を確認する． ●黄疸，呼気アンモニア臭の有無 ➡肝疾患を鑑別する． ● **緊急** 呼気アセトン臭の有無 **原因・誘因** 糖尿病性ケトアシドーシスを鑑別する．
頭頸部	●頭部 ➡外傷，打撲からの感染による腫脹，熱感を観察する． ●顔貌，表情 ➡ヒステリー，神経症などの精神疾患では，大脳皮質から視床下部への刺激により発熱することが考えられる．

1

発熱

9

第1章　全身

胸部 腹部	● 顔面 ➡顔面紅潮，発汗，熱感などを観察する. ● **緊急** 甲状腺腫，リンパ節腫脹を確認する　**原因・誘因** 甲状腺クリーゼ ● 項部硬直の有無を確認する　**原因・誘因** 急性髄膜炎，くも膜下出血 ● 打診，聴診 ➡感染による胸水貯留などの有無を確認する. ● 腹部の圧痛の有無 ➡部位と程度によって消化器疾患，虫垂炎などの腹膜疾患を鑑別する. ● 腹部の触診 ➡腹部膨隆や腹腔内腫瘍の有無をみる.
四肢	● 腹部の聴診 ➡腸蠕動音によって食中毒や虫垂炎などの腹膜疾患を鑑別する. ● チアノーゼ，呼吸苦などの有無 ➡呼吸器・循環器疾患を鑑別する. ● 四肢の冷感
口腔 神経系	● 口内炎，口腔内の乾燥，舌苔の有無によって，発熱による脱水の状態を把握する. ● **緊急** 髄膜刺激症状，反射の亢進・低下，知覚の鈍麻，乳頭浮腫の有無を確認する 　**原因・誘因** 髄膜炎，DIC(播種性血管内凝固)，敗血症，多臓器不全 ● 🔍 **起こりうる看護問題**：抵抗力の低下がみられる／栄養摂取が困難である／呼吸困難の可能性がある／身体的苦痛がある／発熱により体液量が不足する／口腔粘膜が障害される
患者・家族の心理・社会的側面の把握	● 家族の不安を把握する ➡発熱の持続，発熱からくる苦痛様の顔貌や食欲不振，口腔粘膜の炎症などが持続すると，家族は患者の身体に何が起こっているのか不安に感じている. ● 家族が患者にできる援助について助言する ➡患者のそばにいる家族も大きな苦痛を感じている. 少しでも患者の支援ができたという思いは，家族の苦悩を軽減する. ● 患者の苦痛の把握 ➡発熱の持続，高熱は患者の不安を増大させ，疾患の悪化を連想させる. また，随伴症状(熱感，シバリング，発汗，口腔内の乾燥，口腔粘膜の炎症，倦怠感など)は常に患者を苦しめる. 身体的に持続する症状は，患者の精神的な苦痛につながり，うつ状態や闘病意欲の低下に結びつく. ● 日常生活への影響がないか，社会生活に支障をきたしていないかなどを把握する ➡高熱でなくとも倦怠感，活動意欲の低下，体重減少など，いろいろな症状を呈するために，意欲の低下から社会的な役割を十分果たせない場合もある. ● 🔍 **起こりうる看護問題**：身体的苦痛による不安がある／家族が不安を抱えている

STEP ❶ アセスメント　**STEP ❷ 看護課題の明確化**　STEP ❸ 計画　STEP ❹ 実施　STEP ❺ 評価

看護問題リスト

#1　発熱がある(栄養-代謝パターン)

#2　発汗，不感蒸泄増加，水分摂取困難により，体液量が不足する(栄養-代謝パターン)

#3　発熱，炎症に関連して呼吸困難の可能性がある(活動-運動パターン)

#4　発熱により口腔粘膜が障害される(栄養-代謝パターン)

#5　口腔内乾燥，舌苔により栄養摂取が困難である(栄養-代謝パターン)

#6　抵抗力，免疫力が低下している(栄養-代謝パターン)

#7　発熱による関節痛，筋肉痛があり，安楽が障害される可能性がある(認知-知覚パターン)

#8　患者・家族が発熱に対する不安を抱えている(自己知覚パターン)

看護問題の優先度の指針

● 急性期に症状が最も強い. 第一に苦痛の強い悪寒や熱感を軽減させる. 次に身体への影響として，脱水や栄養の低下も起こりやすいため，これらへの対処を早期に行う.

● 解熱薬によりショック状態を引き起こす場合があるため，十分な管理が必要である.

● 関節痛や全身倦怠感など，発熱による苦痛を緩和し安楽な体位を工夫する.

● 患者・家族の不安の解消に努める.

| STEP ❶ アセスメント | STEP ❷ 看護課題の明確化 | **STEP ❸ 計画** | STEP ❹ 実施 | STEP ❺ 評価 |

1 発熱

看護問題	看護診断	看護目標（看護成果）
#1 発熱がある	**高体温** **関連因子**：脱水症 **関連する状態**：発汗反応低下，健康状態の悪化，敗血症，医薬品 **診断指標** □皮膚の紅潮 □けいれん発作 □頻脈 □頻(多)呼吸	〈長期目標〉平熱に戻る 〈短期目標〉1)解熱し，脈拍・呼吸が落ち着く．2)脱水が軽減し，皮膚・口腔粘膜が正常に戻る

看護計画	介入のポイントと根拠

急性期の緊急対応

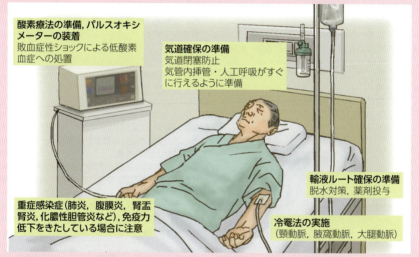

- 酸素療法の準備，パルスオキシメーターの装着
  敗血症性ショックによる低酸素血症への処置
- 気道確保の準備
  気道閉塞防止
  気管内挿管・人工呼吸がすぐに行えるように準備
- 重症感染症(肺炎，腹膜炎，腎盂腎炎，化膿性胆管炎など)，免疫力低下をきたしている場合に注意
- 輸液ルート確保の準備
  脱水対策，薬剤投与
- 冷罨法の実施
  (頸動脈，腋窩動脈，大腿動脈)

OP 経過観察項目
- 緊急性の高い症状に対しては迅速な対応が求められる．悪寒戦慄，顔面紅潮，頻脈，呼吸性アルカローシス(過呼吸)，意識障害や低血圧，乳酸アシドーシス，乏尿といった症状は要注意である
- 心拍数の増加や手足の皮膚が温かいことが特徴的な症状(ウォームショック)の有無と程度

➡疑われる症状がみられたらドクターコールをする

➡エネルギー需要量の増大を反映して末梢血管が拡張しているため手足が温かい
➡継続的な観察を怠らない

TP 看護治療項目
- 高熱状態の患者には，意識レベルを確認し，必要時**気道を確保**する
- 病原体の侵入を最小限にするよう，無菌操作で各ライン刺入部の清潔保持を図る
- **ショック状態の場合**，下肢を上げるなどショック体位をとり，調整する．仰臥位は避け，側臥

➡ **根拠** 直腸温が41℃以上になると脳組織の機能障害がみられ，43℃を超すと細胞壊死により昏睡などの意識障害を起こす

➡ **高齢者** 特に高齢者や全身衰弱の著しい患者に発熱がみられると，急激に意識レベルが低下する

第1章　全身

位または腹臥位で，誤嚥しないように顔は横を向かせる

●高熱の持続，発汗，不感蒸泄による脱水症状がみられる場合，補液のための**静脈ルートの確保**を行う

●末梢血管収縮による冷感に対しては，全身の保温を心がける

可能性が高い

EP 患者教育項目
●発熱に伴う苦痛のなかで患者が抱えている**不安**を**解消**する

●緊急時には家族に状況を説明するなど，看護師がなるべく声かけをして家族の不安を軽減する

➡特に高熱が続く場合は不安が増大するため，話を聞く姿勢を忘れず，そばにいる時間を増やす

OP 経過観察項目
●発熱の経過と程度，出現時間，間隔，熱型
●発熱に伴う症状(悪寒戦慄)
●倦怠感の有無，程度
●呼吸状態，回数
●発汗，尿量，尿の性状
●口腔内乾燥の有無，舌苔，皮膚の乾燥の有無と程度
●頭痛，悪心の有無と程度，食欲・食事摂取量
●睡眠状態
●脈拍，血圧，バイタルサイン

➡考えられる原因を把握し，原因を除去する
根拠 関連を把握することで原因疾患を推測し適切な看護計画につなげることができる 高齢者 特に高齢者は体温上昇に気づかない場合が多く，重症化しやすいため肺炎などの症状に注意する

TP 看護治療項目
●冷罨法を行う

➡根拠 熱(低温)の伝導によって血液が冷却される．表在性の動脈(頸動脈や腋窩動脈，大腿動脈)を冷やすと効果が高い
➡長時間にわたる同一部位への使用は避け，頻回に観察する 根拠 凍傷，感覚障害，低体温を回避する

●悪寒戦慄時は毛布・布団などで保温する．電気毛布などを使用する場合は短時間にとどめ，直接皮膚に当たらないようにする(低温熱傷に注意する)

●口腔内乾燥時は含嗽や口腔清拭を行い，口腔内の清潔を保つ

●発汗時はすばやく清拭する，もしくは乾燥したタオルで汗を拭き取る

●発汗時は，なるべく早く乾いた寝衣に交換する．寝具が濡れている場合は交換する

●室内の温度調整を行い，保温に努める
●安楽な体位をとる
●食事は食べやすいものや口当たりのよいもの，消化のよいものにする
●水分摂取を促す

➡保温により体温を調整する 根拠 保温は血液温度を体温調節中枢の温度設定(高温値)に近づけ，それに伴う悪寒を最小限にする

➡唾液分泌の減少 根拠 口腔内が乾燥すると唾液による口腔細菌の除去力が低下する
➡体表面についた汗が，皮膚汚染の原因となり臭気の原因ともなる
➡根拠 濡れたままの寝具は，不快感だけでなく体温低下と疲労感を招く
➡根拠 適切な室温調節は不要なエネルギー消耗を防ぐ
➡刺激物を避け消化管に負担をかけない食べ物を選択する
➡飲水は一度に多量摂取をするのではなく，少しずつとるように勧める

EP 患者教育項目
●水分補給の必要性を説明する
●衣服や寝具が汗で濡れてしまった場合，すぐ交換する必要性を説明する

➡根拠 理解不足による不安を軽減させる

12

2 看護問題	看護診断	看護目標（看護成果）
#2 発汗，不感蒸泄増加，水分摂取困難により，体液量が不足する	**体液量不足** **関連する状態**：進行する体液量の喪失 **診断指標** □血圧低下 □体温上昇 □尿量減少 □尿中濃度の上昇 □のど・口内の渇き □脱力	〈長期目標〉適切な水分摂取ができる 〈短期目標〉1) 尿量が維持されている．2) 電解質が基準値内にある

1 発熱

看護計画	介入のポイントと根拠
OP 経過観察項目 ●バイタルサイン，熱型 ●口渇，舌の乾燥，皮膚の乾燥・緊張 ●食事摂取量，食事形態，患者の嗜好	⮞ 根拠 脱水の種類と程度を明確化する ⮞ 根拠 摂取できている場合でも，食事の形態によって必要なエネルギーや水分がとれていないことがある 高齢者 高齢者の場合は，口渇がない，自覚症状が乏しく体液量が不足していることに気づかないことが多いため，けいれんや倦怠感などの前駆症状を見逃さない．前駆症状がある場合は，早めの対応をする
●尿量，尿の色，比重，腎機能の検査データ（血中尿素窒素，血清クレアチニンなど），水分出納 ●体重 ●脱力感，悪心・嘔吐，めまい ●水分摂取量，食事摂取量 ●血圧変動，頻脈，末梢血管の脈圧 ●血液検査データ：電解質，ヘマトクリット値，総蛋白，血中尿素窒素 ●活気，精神症状	⮞ 根拠 腎臓機能の総合的評価が必要である ⮞ 毎日同じ条件で体重を測定する 根拠 正確な体重は，体液のバランスを反映する．脱水を呈している場合，めまいやふらつきも生じるため，測定時は転倒に注意する ⮞ バイタルサインが安定していない場合には，頻回に測定する 根拠 血圧の低下や頻脈などのバイタルサインの変化は体液の変化を反映するため，症状の悪化を早期に発見できる ⮞ 脱水による活気のなさ，混乱，落ち着きのなさなど精神症状に注意する 高齢者 特に高齢者は体温上昇から意識もうろうとなり，転倒やベッドからの転落の危険がある
TP 看護治療項目 ●医師に指示された輸液，薬物を投与する ●薬剤投与後の副作用の出現に注意する ●室温の調整，温罨法，冷罨法を行う ●皮膚ケアを行う ●経口水分摂取，氷片を口に含むことなどを勧める ●必要時，経口補水液摂取を促す	⮞ 安全に行う 根拠 坐薬などの急激に熱を下げる薬剤は副作用も強い．血圧低下などに注意する 小児 小児では体動により，ルートトラブルや自己抜去のリスクが高いので注意する ⮞ 体温を調整する 根拠 不感蒸泄による体液の喪失を防ぐ ⮞ 発汗による皮膚の汚れを防ぎ，清潔に保つ 根拠 脱水で乾燥した皮膚は，損傷を受けやすい ⮞ 意識レベルが低下していない場合は，氷片など口腔内を冷やし摂取しやすいものを選択する．水だけでなく電解質補正ができるイオン飲料などを勧める

13

第1章　全身

EP 患者教育項目
- 輸液の必要性について説明する
- 経口摂取が許可されたら，徐々に水分をとるよう促す

⮕患者・家族の理解を得る　**根拠** 説明することにより，点滴の苦痛を受け入れてもらえる

3 看護問題	**看護診断**	**看護目標（看護成果）**
#3 発熱，炎症に関連して呼吸困難の可能性がある	**非効果的気道浄化** **関連因子**：貯留した分泌物 **関連する状態**：気道感染症，肺胞の滲出液，重症疾患 **診断指標** □咳が出ない □呼吸副雑音 □呼吸リズムの変化 □過剰な喀痰	〈**長期目標**〉気道分泌物がなくなり呼吸が穏やかになる 〈**短期目標**〉1) 副雑音が消失する．2) 喀痰が減少する．3) 誤嚥を起こさない

看護計画 / 介入のポイントと根拠

OP 経過観察項目
- 喀痰の性状，量
  - ⮕ **根拠** 肺機能の総合的評価が必要である
- 副雑音の有無，発熱，発汗
  - ⮕ **根拠** 呼吸数の増加や咳嗽は体力の消耗を招く
- 呼吸数，呼吸リズム，チアノーゼ
  - ⮕ **根拠** 発熱により呼吸中枢の興奮性が高まる．このため発熱時は呼吸が促迫となる
- 呼吸の姿勢，咳嗽
  - ⮕ **根拠** 肺炎を合併する場合，呼吸苦から起座呼吸となる．安楽な体位を整える
- 体温，熱型
  - ⮕熱の高さと呼吸の状態から判断する
- 水分摂取量，水分出納
- 血液検査データ：C反応性蛋白質，白血球数，電解質，喀痰培養
  - ⮕バイタルサインが安定していない場合には，頻回に測定する　**根拠** 血圧の低下や頻脈などのバイタルサインは，体液の変化を反映するため，症状の悪化を早期に発見することができる
- 活気，精神症状
  - ⮕呼吸困難からくる低酸素や二酸化炭素の蓄積による活気のなさ，混乱，意識障害，けいれんなどに注意する　**根拠** 脳内の酸素の減少を示すことがある
- 胸部X線所見，動脈血ガス分析
  - ⮕呼吸困難の原因を把握するためには重要なデータである

TP 看護治療項目
- 医師に指示された輸液，薬物を投与する
  - ⮕安全に行う　**根拠** **小児** 小児では体動により，輸液ルートトラブルや自己抜去のリスクが高いので注意する
- 体位ドレナージ，深呼吸，口すぼめ呼吸を促す
  - ⮕十分な酸素を体内に取り込む　**根拠** 口すぼめ呼吸や深呼吸は肺胞を広げ酸素を取り込みやすくする
- 経口水分摂取を勧める
  - ⮕ **根拠** 不感蒸泄による体液の喪失から痰の粘性が高まり，喀出しにくくなるのを防ぐ
- 寝衣を調整する
  - ⮕ゆったりした楽な寝衣　**根拠** 胸郭や腹部の圧迫を除いて動きやすくし，呼吸運動を楽にする
- 適切な休息時間をつくる（咳嗽，食事後）
  - ⮕ **根拠** 咳嗽は体力を消耗しやすい．休息により体力の低下を最小限にする

EP 患者教育項目
- 喀痰がある時は，飲み込まずに吐き出すことを説明する
- 口腔内を清潔に保つ

- 呼吸困難時の安楽な体位について説明する
- 輸液の必要性について説明する
- 必要時，気道分泌物を吸引する
- 室内の環境整備，加湿をする

- ➲喀痰に含まれる細菌や口腔内の細菌が体内に入る危険性を説明する
- ➲ 高齢者 咀嚼および嚥下の力が低下し，口腔内での細菌が繁殖しやすい状態になるため，誤嚥性肺炎に注意する
- ➲安楽な体位の工夫も必要である
- ➲患者・家族の理解を得る 根拠 説明することにより，呼吸苦や点滴の苦痛を受け入れてもらえる

4 看護問題	看護診断	看護目標（看護成果）
#4 発熱により口腔粘膜が障害される	**口腔粘膜統合性障害** **関連因子**：唾液分泌減少，脱水症 **関連する状態**：感染，免疫抑制 **診断指標** □摂食困難 □舌苔 □口腔内潰瘍 □口内炎	〈**長期目標**〉口腔粘膜の炎症や乾燥などがなくなり，二次的な合併症を起こさない 〈**短期目標**〉発熱による口腔内の乾燥や炎症が軽減される

看護計画 / 介入のポイントと根拠

OP 経過観察項目
- 口渇，舌の乾燥
- 口腔粘膜の炎症，充血，舌苔，潰瘍
- 疼痛の有無，程度
- 唾液の量
- 口臭，口唇の乾燥

- 口腔粘膜を刺激する食物の種類
- 発熱の経過と程度，熱型，発汗の程度
- 尿量，尿の色，比重
- 食事摂取量，水分摂取量
- 体重

TP 看護治療項目
- 口腔ケア，口腔内を清潔にする
- 口腔内の湿潤を保つ
- 口唇を保湿する

EP 患者教育項目
- 口腔ケアの必要性とその方法，観察方法について説明する
- 飲水とうがいを促す
- 水分摂取の必要性を説明する

- ➲ 根拠 脱水状態の総合的評価が必要である
- ➲口腔内の炎症状態の確認 根拠 炎症，潰瘍は痛みを伴い，食事摂取量低下と体力消耗につながる
- ➲ 根拠 唾液には抗菌作用，pH緩衝作用，保護作用などがあり，細菌からの感染を防ぎ止血して傷の治癒を促進する作用がある
- ➲食事が苦痛になっていないか，何が食べられるのか確認する

- ➲食事量や体重を確認する 根拠 食事が苦痛なく食べられることは，精神的な安定にもつながる

- ➲ 根拠 口腔内を清潔に保ち，細菌の繁殖を防ぐ
- ➲ 根拠 脱水で乾燥した口腔内は，損傷を受けやすい

- ➲患者・家族の理解を得る 根拠 説明することにより，こまめな飲水やうがいができる
- ➲口腔ケアは口腔内の観察につながることを説明する

第1章　全身

5 看護問題	看護診断	看護目標（看護成果）
#5　口腔内乾燥，舌苔により，栄養摂取が困難である	栄養摂取バランス異常：必要量以下 **関連因子**：味覚の変化，口腔内の損傷 **診断指標** □食物摂取量が1日当たりの推奨量以下	〈**長期目標**〉1日の栄養必要量が摂取でき，栄養状態が改善する 〈**短期目標**〉1) 軟らかい，刺激の少ない食物を摂取することができる．2) 血清総蛋白，アルブミンが基準値以内になる

看護計画

OP 経過観察項目
● 体重
● 食事による口腔内の痛みの有無
● 痛みを感じる食べ物，味，濃さ
● 食事摂取量
● 悪心・嘔吐，腹痛，食欲
● 口腔内乾燥，口内炎の有無，程度
● 活気，機嫌，表情
● 血清総蛋白，アルブミン

TP 看護治療項目
● 口腔内への刺激が少なく，軟らかい食べ物を選択する

● 口腔内を刺激しないよう，食べ物の温度を考慮する
● 小さく食べやすい大きさにする
● ゼリーやプリンなど食べやすい形状にする
● 輸液から栄養補給する場合は，指示された量を投与する
● 許可された範囲で，消化によいものを少量ずつ開始する
● 食べ物の選択は，患者の好みも加味して決める
● 疼痛がなく摂取できた場合は徐々に量や種類を増やしていく
● 適切な口腔ケアを実施する

EP 患者教育項目
● 少しでも摂取できるような食べ物を選ぶことの大切さを説明する
● 食べやすい食事内容を家族に指導する

介入のポイントと根拠

⮕ 毎日同じ条件で測定する　**根拠** 栄養状態を評価する
⮕ 口内炎がみられる場合は，状態や口腔内乾燥との関連を観察する　**根拠** 食事を勧めてよいか評価する

⮕ **根拠** 長期に経口摂取できない場合は，経静脈栄養が開始される

⮕ **高齢者** 消化機能が弱くなっている高齢者では，特に気をつける．経腸栄養剤（エンシュア・リキッド，メイバランスなど）を経口摂取するなどして，栄養がとれるように工夫する
⮕ 口腔内の環境を悪化させ，疼痛を誘発する刺激物などは避ける．プリンやゼリー，粥など患者の好みも踏まえて選択肢から選ぶ　**根拠** 炎症があると，濃い味や香辛料が強い食べ物は炎症部位にしみて疼痛を感じる．硬くて大きい食べ物は，口腔内の粘膜に当たり刺激となる
⮕ 食事は徐々に進めていく　**根拠** 急な食事量の増加は，口腔粘膜にさらなる刺激と炎症を与える

⮕ 食事は栄養の補給とともに精神的な安定にもつながるため，少しでも口に運ぶことの必要性を説明し協力を得る

6 看護問題	看護診断	看護目標（看護成果）
#6 抵抗力，免疫力が低下している	**非効果的防御力** **関連する状態**：血液凝固障害，免疫系疾患，新生物（腫瘍），医薬品，治療計画 **診断指標** □咳嗽 □悪寒 □発汗の変化 □倦怠感 □呼吸困難 □組織の治癒障害	〈**長期目標**〉感染の危険因子がわかり，予防行動がとれる 〈**短期目標**〉1) 悪寒戦慄，発熱がない．2) 感染の予防行動がとれる．3) 必要なエネルギーが食事によって充足される

1

発熱

看護計画 / 介入のポイントと根拠

OP 経過観察項目
- ●感染徴候
- ●発熱の経過と程度，熱型，悪寒戦慄
- ●化学療法に伴う倦怠感，呼吸困難
- ●検査データ：白血球，好中球，血小板，血液凝固データ，Ｃ反応性蛋白質
- ●尿の性状
- ●ドレーンからの排液の性状
- ●水分摂取量，水分出納
- ●血圧変動，頻脈，末梢血管の脈圧
- ●食欲不振，倦怠感
- ●細菌が侵入しやすいラインの有無
- ●活気，精神症状

⮕免疫力が低下する原因に注意する 〔根拠〕
〔小児〕〔高齢者〕小児や活動性の低下している高齢者は，すぐに感染症に進展し重症化しやすい

⮕感染の徴候を観察する 〔根拠〕特に術後はドレーンやライン，創部からの感染を起こしやすい
⮕〔根拠〕抵抗力が低下している場合，末梢血管が収縮しショック症状を呈する場合がある

TP 看護治療項目
- ●感染徴候を早期に発見する
- ●創部の処置時は感染源とならないように努める
- ●食事を適切にとり，栄養が確保できるように支援する

⮕感染徴候を観察する 〔根拠〕免疫力が低下している場合は，感染症が重症化しやすいため早期に発見し対処する必要がある
⮕高蛋白，高エネルギーで消化しやすい食べ物を選択する 〔根拠〕高熱時の蛋白質の燃焼率は健康時の3〜4倍といわれる

EP 患者教育項目
- ●輸液の必要性について説明する
- ●感染予防の手洗いやうがい，清潔な衣類の選択などができるように指導する
- ●家族と患者に感染の徴候を伝える
- ●食事摂取と感染の関連について指導し，食事がとれるような工夫を促す

⮕予防行動の必要性の指導 〔根拠〕抵抗力が低下している場合は，二次感染の危険がある

⮕食べやすい食事の工夫 〔根拠〕発熱は消化機能の低下や食欲不振を引き起こしやすい

17

第1章　全身

7 看護問題	看護診断	看護目標（看護成果）
#7 発熱による関節痛，筋肉痛があり，安楽が障害される可能性がある	**安楽障害** **関連する状態**：病気に関連した症状 **診断指標** □熱感 □泣く □イライラした気分 □リラックスすることが困難 □睡眠覚醒サイクルの変化 □苦しみうめく	〈長期目標〉発熱がおさまり関節痛，筋肉痛がなくなり，日常生活が安楽に送れる 〈短期目標〉1) 苦痛が軽減する．2) リラックスした日常生活が送れる

看護計画

OP 経過観察項目
- 発熱の経過と程度，熱型
- 呼吸数，呼吸困難や咳嗽，チアノーゼの有無
- バイタルサイン
- 関節痛，腰背部痛，脱力感の有無と程度
- 筋肉痛の部位，程度
- 出血傾向，出血斑の有無
- 睡眠状態
- 倦怠感，行動範囲
- 意識レベル

TP 看護治療項目
- 発熱時は冷罨法を行う
- 発熱の前駆症状がみられる場合は，電気毛布などを使って温罨法を行う
- 医師の指示により，解熱鎮痛薬を使用する

- 必要時，マッサージを行う
- 体位変換を手伝う．安楽な体位を確保する
- 発汗時は，衣類・寝具の交換や清拭を行う
- リラックスできるように環境を調整する

EP 患者教育項目
- 発熱の前駆症状を説明し，早めの対処を行う
- 家族に安楽な体位を説明し，必要時はクッションなどの使用を勧める

介入のポイントと根拠

➡ **根拠** 熱型の変化は体力の消耗をもたらし，安楽を妨げる

➡関節痛，腰背部痛，筋肉痛は身体的のみならず精神的な安楽も阻害する　**根拠** 痛みによる睡眠の中断，長時間にわたる痛みや強い痛み，表現しようがない痛みにより不安が増大する
➡高熱による倦怠感は行動範囲を制限するので注意する　**根拠** 発熱から行動範囲が狭くなり，寝衣や下着の交換や清潔セルフケアが妨げられている可能性があるため十分配慮する

➡速やかに対処する　**根拠** 熱の伝導によって血液を冷却する．皮膚の冷感刺激は全身に気持ちよさをもたらし，心身の安楽を図れる
➡適切な量の確認と使用後の状態を観察する
根拠 薬による血圧低下が考えられるため，使用後のバイタルサインに注意し転倒・転落を防ぐ
➡日常生活行動で不足しているセルフケアを的確に捉え援助する　**根拠** 発熱・発汗に伴う消耗性疲労があると考えられる．セルフケアの援助は安楽な環境の提供につながる．発汗をそのままにしておくと常に湿った状態となり不快感をもたらす

➡家族の理解を得る　**根拠** 関節痛など，どうしようもない痛みに対し，そばにいる家族がすぐに対応できる体位などの具体的な援助法を学んでもらうことが大切である

8　看護問題	看護診断	看護目標（看護成果）
#8　患者・家族が発熱に対する不安を抱えている	**不安** **ハイリスク群**：状況的な危機状態にある人，周術期の人 **診断指標** □緊張を示す □呼吸パターンの変化 □不安定な気持ち □不眠 □どうすることもできない無力感	〈**長期目標**〉発熱が軽減し，不安がなくなる 〈**短期目標**〉1)不安や疑問を言葉に出して表現できる．2)不安から生じる不眠や倦怠感，落ち着きのなさなどが軽減する

1 発熱

看護計画	介入のポイントと根拠
OP 経過観察項目 ●表情，言動：怒り，無視，落ち着きがない様子，もうろうとした状態，うつろな目など ●家族との会話の様子，家族の表情 ●不安や心配の訴え ●状態や治療に対する質問の有無 ●医師からの説明内容 ●疾患や症状の捉え方，それらに対する怒りや恐怖の有無 ●家族の協力体制	➡非言語的表現を捉える　根拠　小児　高齢者 言語表現が十分ではない小児や活動性の低下している高齢者の場合には，表情など非言語的なサインを見逃さないよう注意する．また意識のある患者や家族でも言葉にできない場合があるので，同様に表情などから判断することが重要である ➡発熱がつらいことをうまく伝えられない時や強い倦怠感，呼吸苦，不眠がある場合には，不安だけでなく恐怖を感じるため，どのように捉えているのかを知ることが重要である
TP 看護治療項目 ●不安が表出できるよう，患者や家族のそばにいる時間を増やす ●心配や不安を医療者に伝えることは，精神的な安定に有効であると，患者・家族へ説明する ●呼吸困難，健康状態の変化など，患者の不安を促進している要因を取り除く ●治療や処置を行う場合は，事前に説明をするとともに心配や質問がないか聞き，丁寧に答える ●タッチングなどの非言語的コミュニケーションも十分行う	➡支援的態度で接する．家族には積極的に話しかける　根拠　不安の表出，言語化は不安解消につながる．看護師がいつもそばにいて支援することを家族に伝えることは，家族の安心につながる ➡不安の原因を除去する　根拠　原因を取り除くことにより，不安も消失する ➡不安の表情を見ながらわかりやすく説明する 根拠　発熱の原因検索のために苦痛を伴う治療や処置が多くなる．治療や処置の前に丁寧に説明することで，心配を抱くことのないようにする ➡身体的苦痛がある場合，会話はさらに苦痛を増大させることがある　根拠　患者・家族の不安を軽減できる．患者に無理なく精神的な支援ができる
EP 患者教育項目 ●家族が患者にできる支援について説明する ●わからないこと，心配なことがあれば遠慮せずに質問するよう伝える	➡家族は，患者のために何もしてあげられないという苦痛を感じていることが多い．患者のために何かができた，という満足感をもってもらう ➡質問をしやすい環境を作る　根拠　知識を得ることで，不安を軽減する対処ができる

第1章　全身

STEP **1** アセスメント　STEP **2** 看護課題の明確化　STEP **3** 計画　STEP **4** 実施　STEP **5** 評価

病期・病態・重症度に応じたケアのポイント

【急性期】発熱の原因は様々である．早期にその原因が特定され，適切な治療が行われることが重要となる．急性期の対処として，発熱を抑え安静にすることが必要となるが，発熱以外にも全身状態を把握し，看護ケアにつなげていく．重篤な感染症は，発熱のケアだけでなく，様々な処置やケアを安全に行い，患者に苦痛を与えないことが大切である．体位変換による血圧低下など，生命に直結することも多いため，病態を十分に把握する．

【回復期】全身状態の改善に伴い，活動範囲を少しずつ広げていく．この時期には自宅に帰ることを視野に入れ，患者自身による観察，ケアが行えるよう指導を行う必要がある．

看護活動（看護介入）のポイント

診察・治療の介助
●発熱や熱型などの症状や経過から，原因を把握する．
●基礎代謝の亢進に伴う身体状態を把握し，循環器系，呼吸器系，消化器系の管理を行う．
●指示された輸液，薬物を正確に投与する．

発熱に対する援助
●安静にできるよう環境を整える．
●発汗により汚れた衣類・寝具は交換し，清潔に努める．
●安楽な体位をとる．
●指示された輸液を正確に行い，水分出納を評価する．

栄養摂取の援助
●水分の補給を十分に行う．経口摂取が開始されたら，許可された食べ物を少量から始め，徐々に種類や量を増やしていく．経口摂取が不十分な時には，経腸栄養剤の摂取を促す．
●発熱による体力消耗を防ぎ，高エネルギー，高蛋白質の食事とビタミン，電解質を十分補給する．

退院指導・療養指導

●水分や電解質摂取の必要性を説明する．
●食事摂取方法を説明し，無理せずに進めていくことを指導する．
●感染症の症状が出現してきたり発熱が再びみられるようであれば，再度受診するよう説明する．

STEP **1** アセスメント　STEP **2** 看護課題の明確化　STEP **3** 計画　STEP **4** 実施　STEP **5** 評価

評価のポイント

看護目標に対する達成度
●発熱が軽減しているか．
●発汗が消失しているか．尿量が十分に保たれているか．
●清潔な寝衣・寝具が提供できているか．
●安楽な環境が提供できているか．
●適切な水分摂取ができているか．栄養状態が改善しているか．
●ショック状態に陥るリスクを回避できているか．
●患者・家族が心理的・身体的安楽が増大したことを表現できているか．

発熱のある患者の病態関連図と看護問題

1 発熱

原因・誘因 増悪因子
- 機械的刺激 脳出血，脳腫瘍，頭蓋底骨折など
- 化学的刺激 外因性発熱物質
- 化学的刺激 内因性発熱物質
- 精神的刺激

病態
- 視床下部
- 病原微生物（細菌，ウイルスなど），薬物（プロスタグランジンの産生増など）
- インターロイキン（IL-1, IL-6），腫瘍壊死因子（TNF）
- ヒステリー神経症

→ 体温調節中枢 ← 大脳皮質

- 内分泌系からの熱放散
- 交感神経の緊張からの熱放散の抑制
- 体性神経系からの熱の増産

症状

脱水
- 脱力感
- 血圧変動
- 頻脈，徐脈
- 顔面蒼白
- 尿量減少
- 口渇，皮膚乾燥

発熱
- 腹痛，食欲不振
- 頻脈，徐脈
- 顔面蒼白

#1 高体温
#6 非効果的防御力

#2 体液量不足
#4 口腔粘膜統合性障害

呼吸状態
- 頻呼吸
- 呼吸困難
- チアノーゼ

#3 非効果的気道浄化

精神症状
- 心配
- 緊張した表情
安楽の障害
- 関節痛，筋肉痛
- 倦怠感

栄養障害
- 体重減少
- 衰弱
- 活気の低下

#5 栄養摂取バランス異常：必要量以下

診察 検査

#7 安楽障害
#8 不安

問診・診察
- バイタルサイン，意識状態
- 血液検査，尿検査，血液ガス分析，心電図，胸部単純 X 線検査，超音波検査，CT・MRI 検査

治療 看護

薬物療法
- 輸液
- 解熱鎮痛薬の使用
- 電解質の補正
- 抗菌薬の投与

罨法
食事療法
安静

21

2 低体温症

武居 哲洋

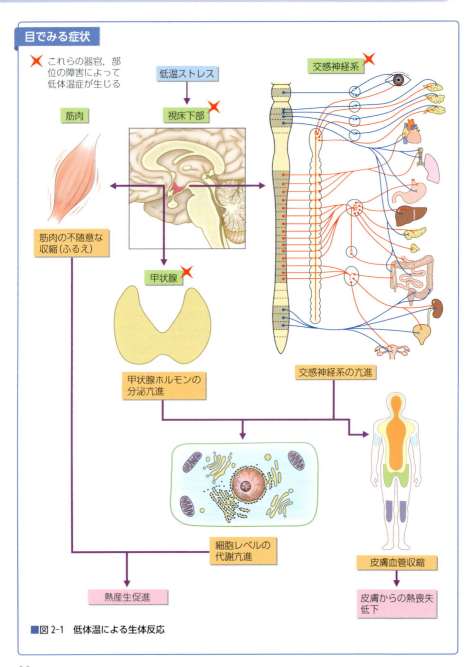

■図 2-1 低体温による生体反応

病態生理

低体温症は核心温 (深部体温, 中枢温) が 35℃ 以下の状態を指し, 重症度により, ①軽度低体温症: 32〜35℃, ②中等度低体温症: 28〜32℃, ③高度低体温症: 28℃ 未満に分類される.

- 体温は熱産生と熱喪失のバランスにより規定され, 常に一定の範囲に保つホメオスタシス (恒常性) が働いている.
- 熱は定常状態では細胞の代謝 (主に肝臓, 脳, 心臓) により産生されている. 低体温時には, さらにふるえ熱産生 (＝シバリング, 不随意な筋収縮による熱産生) が生じる.
- 熱喪失は皮膚と肺で行われ, ①蒸発 (不感蒸泄と発汗), ②放射 (赤外線電磁エネルギーの放出), ③伝導 (冷たい水などへの接触), ④対流 (冷たい気体への接触) の 4 つの機序による.
- 視床下部は低温ストレスに対し, ふるえ熱産生と甲状腺ホルモン, 副腎皮質ホルモン, 交感神経系の働き (細胞代謝, 血管収縮) を亢進させる.
- 交感神経系を介した血管収縮は, 皮膚からの熱喪失を減弱させる.
- 低体温時には細胞膜の機能や酵素の働きが損なわれ, 重症では死に至る.

患者の訴え方

低体温症の重症度により異なる症状が出現する.

●主症状の訴え
- 低体温症そのものは自覚症状に乏しい.

●随伴症状
- 呼吸器系: 初期は過換気となるが, 進行すると徐呼吸となり換気量が低下する.
- 循環器系: 初期は頻脈となるが, 進行すると徐脈となり心拍出量が低下する. 心電図で J 波 (オズボーン波) がみられる. しばしば心房細動を合併する. 重症では血圧が低下し, また心室細動や心静止をきたす.
- 神経系: 構語障害, 判断力低下, 運動失調から始まり, 進行すると昏睡に至る. 深部腱反射が消失する.
- 内分泌代謝系: 副腎不全や粘液水腫性昏睡では低血糖, 高カリウム (K) 血症, むくみがみられる.
- その他: 初期は寒冷利尿 (寒さが刺激となり排尿回数や尿量が増加した状態) により多尿となるが, 次第に乏尿へと移行する. 赤ワイン色の尿がみられたら横紋筋融解症を考慮する. ふるえ熱産生は軽度低体温症のみにみられる. 凍傷, 褥瘡, 骨折などをしばしば合併している.

診断

通常の体温計では 34℃ 以下の体温は測定できないので, 特殊な温度プローブを用いて食道温, 直腸温, 鼓膜温などの深部体温を確認することが重要である.

●原因・考えられる疾患
- 低体温症は, 若年者の溺水 (できすい) や遭難よりもむしろ高齢者に多い症候である. 冬に多く, 独居者の頻度が高いという特徴をもつ. 原因疾患は多岐にわたり, 骨折・中毒などの外因性疾患から内分泌・代謝異常などの内因性疾患まで, 動けなくなる疾患はすべて鑑別に挙げなくてはならない (表 2-1).

●鑑別診断のポイント
- 病歴の詳細な聴取が最も重要であるが, 状況が不明のことも少なくない.
- 内因性 (内分泌疾患, 脳血管障害など) から外因性 (薬物過量服用, 脊髄損傷, 大腿骨頸部骨折など) まで広く原因を鑑別する (表 2-1).
- 疾患そのものが体温を低下させる場合 (一次性) と, 骨折・中毒などの外因性疾患や内分泌・代謝異常などの内因性疾患を発症し, 動けないために寒冷環境に曝露されて体温が低下する場合 (二次性) がある. 後者の頻度が高い.
- 復温が困難な例では, 副腎不全や甲状腺機能低下の合併も考慮する.
- 高齢者はしばしば重症感染症において低体温症をきたすため, 注意が必要である.

第1章　全身

■**表 2-1　低体温症の原因と考えられる疾患**(赤字は緊急対応を要する疾患)

外因性	内因性
●寒冷環境曝露	●一次性
●雪山遭難	●敗血症
●溺水	●粘液水腫
●薬物など	●副腎不全
●アルコール酩酊	●下垂体機能低下
●睡眠薬過量服用	●重症飢餓
●抗うつ薬	●二次性
●β遮断薬	●低血糖症
●一酸化炭素中毒	●糖尿病性昏睡
●外傷	●肺炎
●頭部外傷	●脱水
●脊髄損傷	●脳血管障害
●下肢骨折	●パーキンソン病
	●中枢神経感染症

■**表 2-2　低体温症の随伴症状と考えられる原因・疾患**(赤字は緊急対応を要する疾患とその随伴症状)

	随伴症状	考えられる原因・疾患
意識障害あり	アルコール臭	アルコール酩酊
	片麻痺，失語	脳血管障害
	全身のむくみ，巨舌	粘液水腫性昏睡
	るいそう	重症飢餓，低血糖
	アセトン臭，クスマウル大呼吸	糖尿病性昏睡
	縮瞳	薬物中毒
意識障害なし	下肢変形・腫脹，脚長差	下肢骨折
	四肢麻痺，両下肢麻痺	脊髄損傷
	副雑音	肺炎

治療法・対症療法

▌**重症度や背景疾患により各種復温法を選択する.**
- ●**受動的体表復温法**：これ以上の熱喪失を抑え，熱産生が熱喪失を上回ることを期待する復温法である. 軽度低体温症が適応となる. 室温を高めに保ち，濡れた服を脱がせ体を毛布でくるむ.
- ●**能動的体表復温法**：32℃ 未満の中等度〜高度低体温症と受動的体表復温法の無効例が適応となる. 電気毛布，加温パッド，温浴，温風などで体表から熱を加える治療法である. 四肢を先に加温したり全身を同時に加温すると低血圧，アシドーシス，体温再低下，心室細動をきたすことがあるため，体幹を先に加温するのが基本である. 2℃/時以上の復温速度を目安とする.
- ●**能動的体内復温法**：心肺停止を含む高度低体温症や能動的体表復温法の無効例が適応となる. ①加温したガスによる人工呼吸，②加温した生理食塩液による胃・胸腔・腹腔・膀胱灌流，③体外循環による血液加温を考慮する. 特に心肺停止症例では③が有効である.
- ●**治療方針**
- ●重症例はいわゆる蘇生の ABC(気道確保，呼吸，循環)の順に対処し，心肺停止時は心肺蘇生法に準ずる. ただし，低体温症による心肺停止例では，長時間の心肺蘇生によって社会復帰した例があるため，原則的に復温するまで蘇生の継続を考慮する.
- ●心室細動は除細動抵抗性であり，30℃ 未満において除細動抵抗性の場合は 30℃ 以上に復温してから行うことを考慮する.
- ●中等度・高度低体温症では血管内容量減少と低血圧をきたすため，40〜42℃ に加温した輸液を太い静脈路から大量投与する.

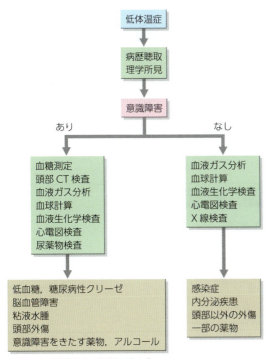

■図 2-2　低体温症の診断の進め方

- 低体温症では心臓の被刺激性が亢進しており，患者移動時などに粗暴に扱うと心室細動を誘発することがあるため愛護的に扱う．
- 凍傷部位は 40〜42℃ の温湯に 15〜30 分間つける．
- ●薬物療法
- 感染症が背景にある場合は広域スペクトル抗菌薬を投与する．
- 副腎不全などの内分泌疾患の可能性があるため，副腎皮質ホルモン製剤の投与を考慮する．同様に甲状腺ホルモン製剤の投与も状況により考慮する．

Px 処方例　感染症が疑われる場合
- スルバシリン注(1.5 g)　1回 3 g　1日 2回　点滴静注　←抗菌薬

Px 処方例　副腎不全が疑われる場合　下記のいずれかを用いる．
- ソル・コーテフ注(100 mg)　1回 100 mg　点滴静注　←副腎皮質ホルモン製剤
- デカドロン注(3.3 mg)　1回 3.3 mg　静注　←副腎皮質ホルモン製剤

Px 処方例　粘液水腫が疑われる場合
- チラーヂン S 錠(50 μg)　1回 250 μg　胃管から投与　←甲状腺ホルモン製剤

■表2-3 低体温症の主な治療薬

分類	一般名	主な商品名	薬の効くメカニズム	主な副作用
抗菌薬	(合剤)スルバクタムナトリウム・アンピシリンナトリウム	スルバシリン	抗細菌作用	下痢
副腎皮質ホルモン製剤	ヒドロコルチゾンコハク酸エステルナトリウム	ソル・コーテフ	抗ショック作用，カテコールアミン作用促進，ナトリウム体内保持	消化性潰瘍，易感染性
	デキサメタゾンリン酸エステルナトリウム	デカドロン		
甲状腺ホルモン製剤	レボチロキシンナトリウム水和物	チラーヂン S	細胞代謝促進	頻脈

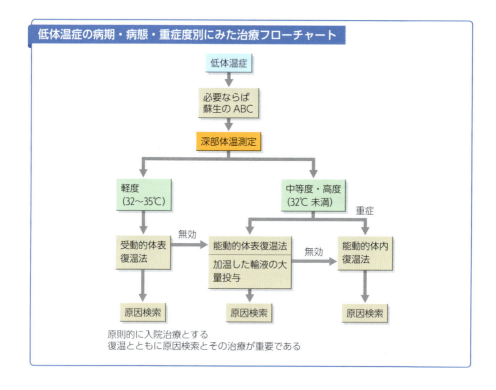

低体温症の患者の看護

内堀　真弓

2
低体温症

看護過程のフローチャート

観察項目 （OP）	看護問題 （看護診断）	看護目標 （看護成果）	看護活動 （看護介入）

原因・誘因

●外因性
寒冷環境曝露，薬物（アルコール酩酊，睡眠薬・解熱薬過量服用，麻酔，抗うつ薬など），頭部外傷など

●内因性
一次性（敗血症，粘液水腫，副腎不全，下垂体機能低下，重症飢餓）
二次性（低血糖症，糖尿病性昏睡，肺炎，脱水，脳血管障害，パーキンソン病，中枢神経感染症）

#原因・誘因により症状が進行する可能性がある

→ 原因・誘因が除去，軽減される

OP 経過観察項目
体温
意識レベル，血圧・脈拍・呼吸状態
不整脈の有無
心電図変化
チアノーゼの有無
血液検査

身体的問題

●主症状
冷感
皮膚温低下

●随伴症状
軽度低体温：無関心，健忘，言語障害，運動障害
中等度低体温：昏迷，心房細動，不整脈，筋硬直，意識レベル低下，心拍数・呼吸数の減少，瞳孔拡大，無反応
高度低体温：反射・痛覚消失，高度低血圧，自動運動減退，筋硬直，心室細動
超低体温：脳波消失，心室細動，無呼吸，筋硬直，心不全

#低体温がある

#恒常性失調による酸素供給低下により活動耐性が低下している

#脳細胞の活動低下による意識障害から転倒・転落を起こす可能性がある

#復温法の実施によりさらなる深部体温の低下を引き起こす可能性がある

→ 保温・加温により適切な復温効果が得られる

不整脈による生命の危機を回避できる

脱水による随伴症状が改善する

良好な体液バランスの状態となる

転倒により身体を損傷することなく入院生活を送ることができる

復温時の血圧低下と不整脈を回避できる

TP 看護治療項目
原因・誘因の除去
濡れた衣服やリネンを交換する
適切な保温・復温法の実施
指示により，酸素，輸液を投与する

心理・社会的問題
患者・家族の症状に対する理解の不足と不安

#体温低下を引き起こす要因についての知識が不足している

#症状出現と身体的苦痛に対する脅威がある

→ 体温低下を引き起こす危険性について理解できる

身体・心理的不安が軽減し，生活環境を整えることができる

EP 患者教育項目
患者・家族への状態・治療の説明
患者・家族への心理的援助
低体温予防のための日常生活における注意点の説明

27

第1章　全身

基本的な考え方

- 的確な早期治療が予後改善に重要である．そのためには原因把握のため正確な情報収集と臨床所見の迅速な判断を必要とする．
- 意識障害のある患者のバイタルサインを測定する場合には，手掌から感じる患者の体温にも十分注意する．
- 偶発性低体温症による心肺停止の場合は蘇生率が高いため，決して蘇生を諦めてはいけない．
- **緊急** 深部体温が低下した状態の偶発性低体温症は重篤な救急疾患であり，病態に応じた復温法と呼吸・循環管理を中心に迅速な対応を必要とする．心肺機能の低下に注意する．

STEP **❶ アセスメント**	STEP **❷ 看護課題の明確化**	STEP **❸ 計画**	STEP **❹ 実施**	STEP **❺ 評価**

情報収集	アセスメントの視点と根拠・起こりうる看護問題
病歴の把握	患者・家族から低体温になった経過，症状の変化を聞くことは，低体温を助長する基礎疾患の有無，原因・誘因の特定や全身状態の把握につながり，治療や看護ケアにも重要な情報を得ることができる．
経過	● どのような状況で，いつから，どのくらい続いているか **緊急** 心肺停止の場合には時間経過の情報は特に重要である． ● 症状の変動の有無
誘因	● 生活，自然環境との関係 **原因・誘因** 冬山遭難，低水温の水難事故，生活環境の不備など ● 加齢 **原因・誘因** 体温調節機能の低下，身体活動量の減少，筋肉量の減少 ● 服薬との関係 **原因・誘因** 解熱薬の大量投与，加温しない冷蔵保存血液の大量輸血，精神安定薬の常用など ● アルコール摂取状況との関係 ● 手術，麻酔 **原因・誘因** 麻酔薬による体温調節反応の抑制 **緊急** 虚血性心疾患，出血量の増加，術後感染
随伴症状	● 意識レベル低下，運動障害の有無 ● 体温の低下と随伴症状出現との時間的関係
既往歴	● 低体温症の経験の有無 ● 低栄養，内分泌障害，末梢循環不全，重症感染症など ● 重症熱傷 **原因・誘因** 熱傷部位からの熱の喪失が大きい．
嗜好品，常用薬 生活環境	● アルコール，薬物の服用 ● 冷暖房の使用状況，就寝状況 **原因・誘因** 気温が低くなくても奪熱により体温が低下する **高齢者** **小児** 冬季以外であっても，高齢者や乳幼児は冷房や扇風機などに長時間さらされた場合には，偶発性低体温症となることがある．
主要症状の出現状況，程度の把握	深部体温，症状の出現状況，低体温を助長する基礎疾患の有無，凍傷や外傷の合併の有無を把握することで，原因疾患の特定，重症度の把握につながる情報が得られる．
症状の出現状況	● 深部体温低下を助長する基礎疾患の関与がない **原因・誘因** 一次性 ● 深部体温低下を助長する基礎疾患の関与がある **原因・誘因** 二次性 ● 全身麻酔，硬膜外麻酔の使用 **原因・誘因** 中枢温の急激な低下による再分布性低体温 ● 復温の過程での体温低下 **原因・誘因** 復温により熱が体表に加わることで末梢血管が拡張し，中心循環系に冷たい血液が流れることで深部体温が低下する（after-drop現象），再度血圧が低下することによる再加温ショック（rewarming shock） **緊急** 心室細動
体温低下の程度	● 深部体温（核心温）から体温低下の程度を確認する．

28

心肺停止を伴う低体温症への緊急対応

- 蘇生が期待できる低体温症には，復温するまで蘇生を継続する．
- 高度の低体温時には，体外循環による復温法も考慮する．それにより，復温中の **rewarming shock**（末梢血管の拡張による血圧低下）や致死性不整脈，**after-drop 現象**（深部体温が低下する）などへの対応が容易となる．
- さらなる体温喪失を防ぐため，濡れた衣服を脱がせ，全身を観察する．

全身状態，随伴症状の把握 **バイタルサイン**	**低体温症の経過の把握とともに，深部体温の測定，随伴症状の観察をし，治療，看護計画の立案につなげる．** ● 体温 ➡深部体温（核心温）を測定する（表 2-4）． ● 血圧，脈拍・リズム 〔原因・誘因〕高度徐脈，血圧高度低下，心室細動の有無を確認する 〔緊急〕致死性不整脈 ● 呼吸状態 〔原因・誘因〕分時換気量低下による低酸素状態 〔緊急〕意識レベル低下，チェーン-ストークス呼吸 ● 重症例では高度の脱水状態を同時に把握する．
全身状態	● 皮膚 ➡チアノーゼ，皮膚のツルゴール（緊張）を観察する． ● 貧血の有無 ● アルコール臭の有無 ➡アルコール中毒を鑑別する．
頭頸部	● 頭部 ➡外傷，打撲の有無を確認する． ● 顔貌，表情 ➡脳血流低下に伴う意識障害に注意する． ● 結膜 ➡貧血，黄疸の有無を確認する． ● 瞳孔 ➡瞳孔不同があれば，脳神経疾患の可能性がある． ● 眼振 ➡脳神経，耳鼻科疾患を鑑別する．
胸部 **四肢**	● 打診，聴診 ➡心肺疾患の有無を鑑別する． ● シバリング（悪寒，ふるえ），筋硬直の有無 ➡脳血管障害を鑑別する． ● 下腿浮腫の有無 ➡循環器疾患，腎疾患，肝疾患を鑑別する． ● チアノーゼの有無 ➡呼吸器疾患，循環器疾患を鑑別する． ● 凍傷，外傷の有無 🔍 **起こりうる看護問題**：低体温がある／酸素供給低下により活動耐性が低下している／復温法の施行によりさらなる深部体温の低下を引き起こす可能性がある／症状出現と身体的苦痛に対する脅威がある
患者・家族の心理・社会的側面の把握	**体温低下に伴う身体の変化を経験したことから，驚きととまどいを抱えているので患者が安心して治療に臨めるよう援助する．** ● 症状出現時や経過に関する話を聞きながら，疾患や身体の変化に対する気持ちの表出を促し，不安の原因を明らかにする． ● 身体症状の改善の経過とともに，退院後の生活の注意点など個別の状況に合わせた指導が必要となる． 🔍 **起こりうる看護問題**：症状出現と身体的苦痛に対する脅威がある

STEP ❶ アセスメント　STEP ❷ 看護課題の明確化　STEP ❸ 計画　STEP ❹ 実施　STEP ❺ 評価

看護問題リスト

#1　低体温がある（栄養-代謝パターン）
#2　恒常性失調による酸素供給低下により活動耐性が低下している（活動-運動パターン）
#3　症状出現と身体的苦痛に対する脅威がある（自己知覚パターン）
#4　体温低下を引き起こす要因についての知識が不足している（認知-知覚パターン）

2
低体温症

29

第1章　全身

■表 2-4　体温の測定部位と測定方法

測定部位	特徴	方法
血液温 (中枢温)	連続的に測定可能だが，侵襲的なカテーテルの挿入が必要である	肺動脈内に挿入された肺動脈カテーテルのセンサーによって測定する
膀胱温 (中枢温)	連続的に測定可能だが，専用カテーテルが必要である	サーミスタつきの膀胱留置カテーテルによって測定する
食道温 (中枢温)	連続的に測定が可能であるが，粘膜損傷の可能性がある	経口もしくは経鼻的にサーミスタつきのプローブを挿入して測定する
直腸温 (中枢温)	プローブによる不快や排便に伴う位置・測定誤差が生じる	直腸内に温度プローブを挿入して測定する
鼓膜温 (≒中枢温)	数秒で測定が可能であるが，耳垢や測定部位のずれによる測定誤差が生じやすい	体内から放出する赤外線量を測定することにより体温を測定する
腋窩温 (末梢温)	測定が簡便である (中枢温よりも，成人で0.4℃程度，小児で0.8℃程度の低値を示す) 環境による影響を受けやすく，皮膚や粘膜の密着状態により誤差が生じやすい	腋窩に電子体温計をはさみ，わきを閉じ外気に接しないようにして測定する
皮膚温 (末梢温)	末梢循環不全がある場合は中枢温との誤差が大きくなる	皮膚のサーミスタつきのプローブを装着して測定する

中田諭：第4章クリティカルケア看護に必要な看護技術　G 体温管理. 系統看護学講座 別巻 クリティカル看護学 第2版，p.232，表 4-19，2020 より一部改変

看護問題の優先度の指針

- 高度の低体温症は，有効な蘇生処置の妨げとなる可能性がある．心停止や呼吸停止への迅速な対応とともに適切な復温法を行う必要がある．
- 不安定な呼吸・循環状態の改善とともに，脱水による循環血液量減少と循環不全に対する治療も必要となる．
- 意識レベルの低下は，身体状態の急激な変化を示すとともに，適切な治療実施の妨げとなる場合がある．危険を回避し，最大限の治療効果が得られる環境を整える必要がある．
- 患者・家族は，身体状態の変化への驚きととまどいのなかにあるため，気持ちに寄り添い不安解消に努める．

| STEP❶ アセスメント | STEP❷ 看護課題の明確化 | STEP❸ 計画 | STEP❹ 実施 | STEP❺ 評価 |

1 看護問題	看護診断	看護目標(看護成果)
#1　低体温がある	**低体温** **関連因子**：環境温度が低い，介護者の低体温予防についての知識不足，栄養不良(失調) **関連する状態**：薬剤 **診断指標** □震え □頻脈 □徐脈 □換気低下 □触れると冷たい皮膚 □意識低下	〈**長期目標**〉体温が正常範囲内に戻る 〈**短期目標**〉1) 適切な治療により復温効果が得られる．2) 呼吸・循環状態が改善する．3) 復温時の血圧低下と不整脈を回避できる．

30

看護計画	介入のポイントと根拠

OP 経過観察項目
- 深部体温 (核心温)
- 低体温発症の経過, 持続時間
- 血圧, 脈拍・リズム
- 呼吸状態
- 意識状態
- 血液データ: 全血球計算, 生化学, 凝固系, 感染症, 血液ガスなど
- 心電図変化
- 尿量, 尿の色, 比重
- 体温低下を助長する病態の有無

- 凍傷, 外傷の有無, 皮膚の状態

- 頭部外傷の有無

➡手掌で感じる温度に注意し, 搬入時より直腸, 膀胱などの深部体温 (核心温) を持続的にモニターする **根拠** 重症度を把握することで, 優先すべき処置や検査を予測し, 迅速で適切な看護を実施することができる

➡復温を妨げる要因を把握し, 迅速に対応する **根拠** 体温調節機能低下, 熱産生低下, 栄養不良, 重症感染症など復温を妨げる要因を把握することで, 病態に合った適切な看護計画につなげることができる **高齢者** 高齢者や栄養不良のある患者は循環動態が不安定になる可能性が高い

➡手指, 足趾, 耳介, 鼻介などの皮膚の状態, 加温後の変化を観察する

➡ **根拠** 意識低下時の転倒などにより受傷の可能性がある

TP 看護治療項目
- 室温を調節し, 濡れた衣服の交換を素早く行い肌の露出を避ける
- 医師の指示により適切な復温法を実施する
  - 能動的体表復温法: 皮膚表面から直接熱を加える方法. 温風加温器, 赤外線ヒーター, 電気毛布, 浸漬加温 (温水浴) などによる復温

  - 能動的体内復温法: 加温生理食塩液による胃, 胸腔, 腹腔, 膀胱灌流, 加温輸液の投与 (43℃), 加温した酸素の投与 (42～46℃), 体外循環による血液加温

➡復温効果の得られる環境を整える **根拠** さらなる体温喪失を防ぐことで復温効果を高める

➡深部体温の低下や低血圧に注意する **根拠** 体表面のみを加温すると末梢血管が拡張し, 冷えた血液が末梢から中枢に流れ深部体温が低下したり (after-drop 現象), 循環血液量減少性ショックが起こる危険性がある

➡心肺停止を含む高度低体温症や能動的体表復温法が無効の場合など, 急速加温に適応する **根拠** 迅速な復温により心機能への負担も少なく, rewarming shock や after-drop 現象の発生も少ない

EP 患者教育項目
- 体温の低下が身体へ与える影響を説明する
- 実施される処置の必要性について説明する

➡ **根拠** 理解不足による不安を軽減させる

---

2 看護問題	看護診断	看護目標 (看護成果)
#2　恒常性失調による酸素供給低下により活動耐性が低下している	**活動耐性低下** **関連因子**: 体調の悪化, 酸素の供給/需要の不均衡 **診断指標** □心電図の変化 □倦怠感を示す □全身の脱力	〈**長期目標**〉呼吸・循環が安定した状態で活動できる 〈**短期目標**〉1) 生命の危機を招く不整脈が出現せず心拍が安定する. 2) 適正な酸素供給を維持することができる. 3) 良好な体液水分の状態となる. 4) 不安や恐怖心が軽減される. 5) 可能な限り活動を拡大することができる

2 低体温症

第1章　全身

看護計画	介入のポイントと根拠

OP 経過観察項目
- 深部体温（核心温）の変動
- 動脈圧，中心静脈圧，尿量，尿の色，比重
- 血圧変動，頻脈，末梢血管の脈圧
- 水分出納

- 血液データ：全血球計算，生化学，凝固系，感染症，血液ガスなど
- 呼吸状態
- 意識状態
- ベッド周囲の環境
- 不安や心配の訴え

➡ 経時的に体温を測定・観察する **根拠** 復温速度が速すぎると rewarming shock や after-drop 現象，心室細動を起こしやすい
➡ **根拠** 高度の脱水を伴う場合は，復温時の低血圧や腎機能低下に注意が必要である
➡ 復温に伴う血液データの変化に注意する
根拠 血清カリウム値は復温による末梢組織灌流で上昇する場合がある

➡ 転倒・転落の危険性についてアセスメントする
根拠 低体温症による判断力の低下，血圧の低下により転倒・転落の危険が生じている

TP 看護治療項目
- 末梢静脈ルートの確保，必要な採血を行う
- 12誘導心電図検査を行う

- 医師に指示された輸液，薬物を投与する

- 室温の調整，衣服，掛け物により保温を行う
- 皮膚ケアを行う

- 安全な環境を整備する
- 安静の指示の範囲内で筋力低下予防の運動を行う

➡ 呼吸・循環状態の把握と判断により，迅速な対応への準備を整える **根拠** 重症例では高度の脱水を伴うことが多く，低体温症では末梢血管が収縮し，末梢循環が悪化する可能性がある
➡ 加温装置などで加温した輸液を用いる **根拠** 通常の輸液セットでは患者の体内に入る前に輸液の温度が下がってしまう
➡ 適切な復温法の実施により体温を調整する
➡ 皮膚の状態を観察しながら全身の清潔を保つ
根拠 凍傷により皮膚の感覚が鈍くなっている場合は損傷を受けやすい
➡ ベッド柵やベッド周囲の整備，センサーの使用などにより転倒・転落を回避する

EP 患者教育項目
- 輸液，検査，処置の必要性について説明する
- 安静の必要性を説明する

➡ わかりやすい言葉を用いて説明する **根拠** 現状の理解から，わからないことによる不安と処置に伴う苦痛の軽減を図る

3 看護問題	看護診断	看護目標（看護成果）
#3　症状出現と身体的苦痛に対する脅威がある	**非効果的コーピング** **関連因子**：高度な脅威，状況に対処する能力に十分な自信がない **診断指標** □感情反応の変化 □情報に注意を向けることができない □問題解決不足	〈長期目標〉患者・家族は，心理的・身体的安楽が増大したと述べる 〈短期目標〉1) 不安な気持ちやつらさを表現できる．2) 安楽を高める活動をみつけることができる

看護計画	介入のポイントと根拠

OP 経過観察項目
- おびえたような表情，緊張の様子
- 呼吸数，心拍数

➡ 患者の反応に着目する **根拠** 非言語的表現のなかに不安や恐怖の訴えが潜んでいる可能性があ

	る
●不安や心配の訴え	➡受容的態度を示し，傾聴することから何に不安を抱いているかを正確に把握する

TP 看護治療項目
- 患者のそばに寄り添い，訴えに丁寧に対応する
- 感情を表出しやすい環境づくりをする
- 不安を助長させないように，声かけは丁寧にゆっくりと患者のペースに合わせる
- 必要時には不安や緊張を取り除く音楽，リラクセーション法やマッサージなどを取り入れる
- 処置や検査を行う場合には，できるだけ苦痛の少ない方法を工夫する

➡患者の表出する感情を共感的態度で受け止める　根拠 現状を正確に把握できないことや，不確実な情報は不安を不要に増幅させる

➡患者がこれまでとってきた個別の対処方法を取り入れることで過緊張を取り除く

EP 患者教育項目
- 現在実施されている治療や看護，低体温の状況について説明する

➡専門用語を用いず，理解しやすい言葉を用いて説明する

---

4 看護問題	看護診断	看護目標（看護成果）
#4　体温低下を引き起こす要因についての知識が不足している	**知識不足** **関連因子**：情報不足,資源(リソース)についての知識不足 **診断指標** ☐低体温になった要因についての不正確な発言 ☐不適切な行動	〈長期目標〉体温低下を引き起こす危険性について述べることができる 〈短期目標〉1) 低体温になった要因を述べる．2) 自身の生活に合わせた低体温の予防策を述べる

看護計画	介入のポイントと根拠
OP 経過観察項目 ●家族構成，趣味，嗜好，生活習慣 ●低体温と低体温に至った経過の認識 ●退院に向けてどのような情報が必要だと考えているか ●生活様式の変更への取り組み意欲	➡家族関係，社会的役割，生活習慣について情報を収集する　根拠 これまで何気なく行ってきた生活習慣が低体温の原因となっている場合がある ➡患者(家族)の受け止めの変化を把握する　根拠 これまでの経過をともに振り返ることで，今後の健康への認識の変化を促し，自身の体を観察する能力を養うことを援助する
TP 看護治療項目 ●現時点での疑問，新たに情報が加わることで生じる問題について，いつでも対応する姿勢を示す ●今後の生活での問題解決に向けての目標設定を患者(家族)とともに行う	➡患者の疑問に迅速に対応する　根拠 患者を取り巻く環境は常に変化しているのでそのつど対応する必要がある ➡患者が主体的に問題解決に取り組めるように援助する　根拠 生活習慣の変更には患者の認識の変化が必要となる　小児 高齢者 自身で対応が十分に行えない場合には家族の協力が重要になる
EP 患者教育項目 ●恐怖心を植えつけるのではなく，患者自身が知りたいという気持ちを引き出す ●体温を低下させる病態に応じた低体温症の可能性を説明する ●生活習慣が原因で低体温となった場合には，改善の必要性を説明する	➡個別の対応をする　根拠 自身の状態の情報を整理することにより，具体的な危険の回避，緊急時の対応への備えに役立つ

第1章　全身

STEP ❶ アセスメント ▶ STEP ❷ 看護課題の明確化 ▶ STEP ❸ 計画 ▶ STEP ❹ 実施 ▶ STEP ❺ 評価

病期・病態・重症度に応じたケアのポイント

【急性期】低体温症を引き起こす原因は様々であり，死亡率の高い重篤な状況であることを念頭におく．発生機序，年齢，合併症，重症度により，その後の経過は異なるが，どのような要因から引き起こされたものであっても早期に的確な治療が行われることが重要となる．最初に患者の身体に触れた際に手掌で感じる体温を手がかりに，迅速に病態を判断し復温への治療を開始する．重度の低体温症の場合には，意識障害，循環不全を伴うおそれがあるため，復温に並行して蘇生処置が必要となる．

【回復期】復温の過程で，熱が体表に加わると末梢血管が拡張し，中心循環系に冷たい血液が流れることで，再度深部体温が低下する可能性がある．経時的な体温測定と観察による慎重な復温が必要である．全身状態の改善に伴い，患者に現状へのとまどいや不安が生じる可能性があるため，正確な情報提供と丁寧な説明が必要である．

看護活動（看護介入）のポイント

診察・治療の介助
- ●体温低下の程度，発生機序，低体温を助長する基礎疾患の有無を把握する．
- ●重度の低体温症の場合には，急速な復温と並行して蘇生処置を要する．
- ●指示により輸液を加温し，正確に投与する．

復温への援助
- ●室温の調整と濡れた衣服やリネンの交換を行い，復温効果を高める．
- ●凍傷や外傷，脱水の有無を観察しながら皮膚の清潔を保つ．
- ●脱水，栄養不良を考慮し，水分出納を評価する．
- ●安全な環境を整備する．

現状理解への援助
- ●急激に発生した場合には，患者・家族の不安の表出に注意し，丁寧に対応する．
- ●治療や検査の必要性について説明する．

退院指導・療養指導

- ●体温を低下させる病態に応じた低体温症の可能性を説明する．
- ●生活習慣が原因で低体温症となった場合には，改善の必要性を説明し，具体策をともに検討する．

STEP ❶ アセスメント ▶ STEP ❷ 看護課題の明確化 ▶ STEP ❸ 計画 ▶ STEP ❹ 実施 ▶ STEP ❺ 評価

評価のポイント

看護目標に対する達成度
- ●体温が正常範囲内か．
- ●適切な復温効果が得られているか．
- ●心拍が安定しているか．
- ●適正な酸素供給が維持されているか．
- ●安全対策がとられた環境で治療を受けることができているか．
- ●可能な範囲内で生活活動が拡大されているか．
- ●患者・家族が心理的・身体的安楽が増大したことを表現できているか．
- ●体温低下を引き起こす要因について述べることができるか．

低体温症の患者の病態関連図と看護問題

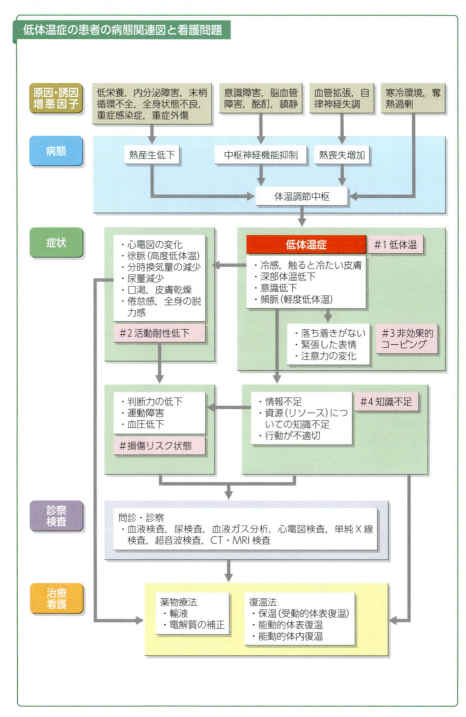

3 全身倦怠感

田中 智大・黒崎 雅之

目でみる症状

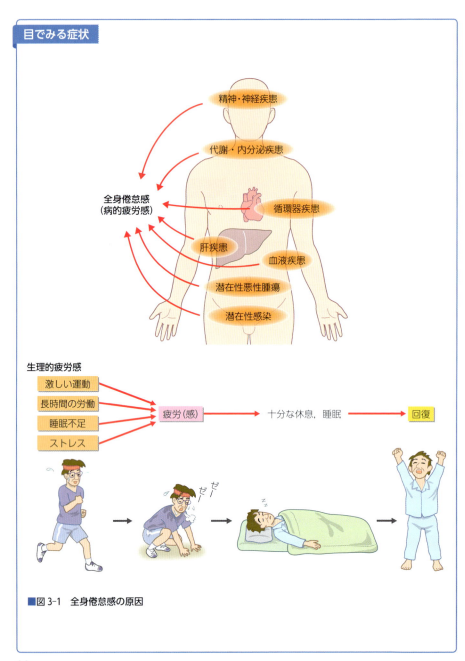

■図 3-1　全身倦怠感の原因

病態生理

▌**全身倦怠感とは，易疲労感，だるさなどと同義語で，日常診療においてきわめてありふれた症状である．**

- 健常人でも，長時間の労働，睡眠不足，ストレスなどにより倦怠感を感じることがあるが，これは生理的なものであり，適切な休息により軽快することが多い．
- 多くの疾患では多少なりとも全身倦怠感が起こりうるため，身体疾患のあらゆる病態が原因となりうる．さらに，心理社会的な(器質的でない)要因に起因する症状である場合も多いため，全人的な視野が必要となる．

患者の訴え方

▌**全身倦怠感のほかに訴えがはっきりしないことが，逆に診断を困難にしていることが多い．**

- **主症状の訴え**
- 「だるい」「元気がない」「疲れやすい」など．
- **随伴症状**
- 原因疾患により，様々な症状を訴える(表 3-1)．
- 随伴症状を伴わず，全身倦怠感のみを訴える場合も多いが，常に表 3-2 に挙げた疾患を念頭におき，慎重に診断を行う必要がある．

診断

▌**問診と診察を十分に行い，病歴や随伴症状を検討する．器質的疾患がない場合でも「異常ありません，気のせいでしょう」という対応は慎むべきである．**

- **原因・考えられる疾患**
- 全身倦怠感をきたす疾患は，代表的なものでも表 3-1 のように多岐にわたる．詳細な問診と全身診察を行うが，必ずしもそれだけでは原因疾患にたどり着くことは容易ではないため，基本的な検査(血液検査，検尿，検便，胸部 X 線検査，心電図検査)が必須となるが，器質的疾患だけを念頭においたやみくもな検査は避けるべきである．

■**表 3-1　全身倦怠感の原因または考えられる疾患**(赤字は緊急対応を要する疾患)

生理的疲労感	原因疾患なし	
病的疲労感	非器質的	●**精神・神経疾患** ●神経性食欲不振症(神経性やせ症)，不安神経症，自律神経失調症，心身症，うつ病，統合失調症，睡眠障害
	器質的	●**血液疾患** ●貧血 ●**循環器疾患** ●低血圧，心不全，不整脈，心弁膜症 ●**潜在性感染** ●扁桃・耳・鼻感染，結核，腎盂腎炎，原虫・寄生虫感染症，ウイルス肝炎，慢性 EB ウイルス感染，リウマチ熱(溶連菌感染症) ●**肝障害** ●ウイルス肝炎，アルコール性肝炎，自己免疫性肝炎，原発性胆汁性肝硬変，非アルコール性脂肪肝炎(NASH) ●**内分泌疾患** ●甲状腺機能低下症，アジソン病，下垂体前葉機能低下症 ●**代謝疾患** ●糖尿病(糖尿病性ケトアシドーシス，非ケトン性高浸透圧性昏睡) ●電解質異常(低カリウム血症，低ナトリウム血症，高カルシウム血症) ●アミロイドーシス ●**悪性腫瘍**
	慢性疲労症候群*	

＊慢性疲労症候群(CFS)：原因不明の易疲労性が少なくとも 6 か月以上続き，日常の活動に支障をきたす疾患

第1章　全身

■表 3-2　全身倦怠感の随伴症状と考えられる疾患(赤字は緊急対応を要する疾患とその随伴症状)

	随伴症状	考えられる疾患
非器質的疾患	食行動の異常，無月経，体重減少など	神経性食欲不振症
	めまい，動悸など	自律神経失調症
	種々の精神症状	不安神経症，心身症，うつ病，統合失調症，睡眠障害
器質的疾患	めまい，頭痛，立ちくらみなど	貧血
	四肢冷感，立ちくらみ，寝起きの悪さなど	低血圧
	浮腫，呼吸苦，頻脈など	心不全，心弁膜症
	動悸など	不整脈
	発熱(微熱を含む)	感染性疾患(敗血症)
	黄疸，浮腫，腹部膨満など	肝障害
	浮腫，徐脈など	甲状腺機能低下症
	皮膚色素沈着など	アジソン病
	口渇など	糖尿病(糖尿病性ケトアシドーシス，非ケトン性高浸透圧性昏睡)
	周期性四肢麻痺など	低カリウム血症
	悪心，多尿，意識障害など	高カルシウム血症
	体重減少など	悪性腫瘍

■表 3-3　全身倦怠感の主な治療薬(悪性腫瘍に対する緩和治療などに限定)

分類	一般名	主な商品名	薬の効くメカニズム	主な副作用
副腎皮質ホルモン製剤	デキサメタゾン	デカドロン	抗炎症効果，食欲増進	消化性潰瘍，精神症状，易感染性
	ベタメタゾン	リンデロン		

- **●鑑別診断のポイント**
- ●訴えの持続時間が長くなるほど非器質的疾患の割合が多い．
- ●器質的疾患の中でも，持続時間により原因疾患が推測できることがある．急速に出現した倦怠感の場合には，慢性心疾患，脱水症，電解質異常を疑う．比較的短期間持続する症状であれば感染症などを疑う．慢性化している場合には，膠原病，糖尿病，慢性肝疾患，心疾患，悪性腫瘍などを念頭におく．特に体重減少がある場合には，器質的疾患を見逃さないよう十分に検査を行う．
- ●非器質的疾患と診断するためには，器質的疾患が除外できることが最低限の条件であり，その場合には自律神経失調症，神経症，心身症などを考えるべきである．また，慢性疲労症候群も考慮に入れるべきである．

治療法・対症療法

診断・治療の原則は原因疾患を突き止めることである．原因が判然としない段階で対症療法を行うことは厳に慎む．
- **●治療方針**
- ●原因疾患が見つかればそれに対する根本治療を行う．原因疾患の改善により全身倦怠感の改善が期待される．
- **●対症療法**
1)十分な休息および休養，睡眠．規則正しい生活の励行．
2)運動や気分転換．
3)十分な栄養．可能な限り経口摂取を励行する．

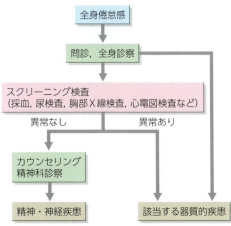

■図 3-2　全身倦怠感の診断の進め方

●薬物療法
●薬物療法に限らず，原則として原因疾患に対する治療が行われない限り，全身倦怠感の改善は期待できない．ただし，悪性腫瘍と診断がついている場合，下記の対症療法が有効となることがある．

Px 処方例　悪性腫瘍で生命予後が1か月以内で，全身倦怠感が強い場合　下記のいずれかを用いることも選択肢となる．投与後も経過を観察する．一定期間（2～3週間）効果が確認できなければ中止．
●デカドロン錠(0.5 mg)　1回2～4錠　1日1～2回　夕食後もしくは朝夕食後　←副腎皮質ホルモン製剤
●デカドロン注(1.65 mg)　1回1.65～3.3 mg　1日1～2回　点滴静注　←副腎皮質ホルモン製剤

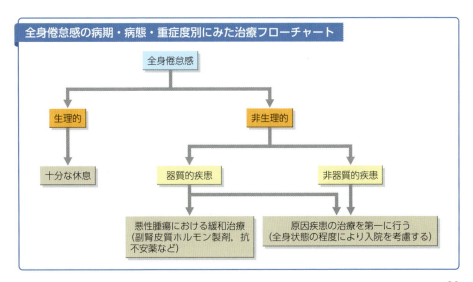

第1章 全身

全身倦怠感のある患者の看護

中村　美幸

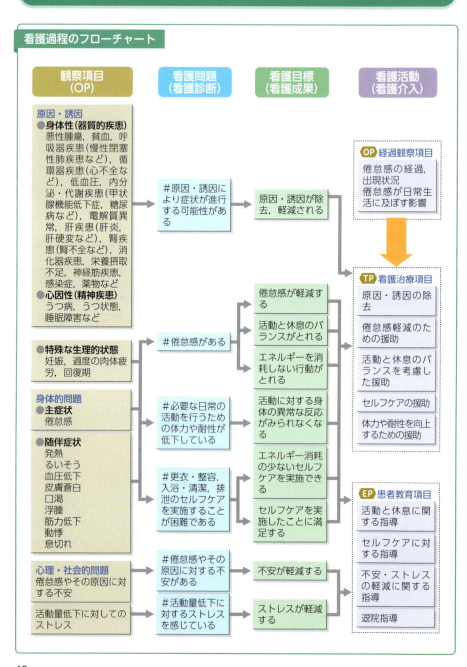

40

基本的な考え方

- 倦怠感は身体的・精神的な様々な疾患の自覚症状として現れるほか，肉体疲労などの生理因子によっても出現する．倦怠感は特異的な症状ではないだけに，症状の現れ方や随伴症状などについて詳しく情報収集することが原因の特定につながる．
- 倦怠感を主訴とする患者の半数以上は心因性ともいわれているが，身体的疾患にうつ状態などの精神的な疾患を合併していることもある．したがって，身体的疾患が認められても，患者の訴えを注意深く聞き，うつ状態などがないかを観察する必要がある．
- 倦怠感や随伴症状によって，臥床がちとなり日常生活動作(ADL)に影響を及ぼすことがある．また倦怠感による活動量低下は，身体機能の低下を招き，さらに倦怠感を増悪する結果となる．したがって，倦怠感の原因を把握するとともに，日常生活への援助，倦怠感軽減のための援助を行わなければならない．

緊急 急激に出現した倦怠感では，肝不全や心不全などの急性増悪の可能性があるため，迅速な対応が必要である．これら臓器不全では，倦怠感以外にもその疾患に特徴的な症状を呈するため，情報を見逃さないようにバイタルサインや全身の観察を行う(全身倦怠感，悪心・嘔吐，食欲不振，黄疸などに加え，意識障害，腹水などがある場合⇒肝不全．全身倦怠感，浮腫，呼吸困難⇒心不全，など)．

STEP ❶ アセスメント	STEP ❷ 看護課題の明確化	STEP ❸ 計画	STEP ❹ 実施	STEP ❺ 評価

情報収集	アセスメントの視点と根拠・起こりうる看護問題
病歴の把握	倦怠感の出現経過，症状の変化を聞くことで，病因・誘因の特定や全身状態の把握につながり，治療や看護ケアにも重要な情報を得ることができる．
経過	●倦怠感の出現はいつ頃からか． ●倦怠感の出現は急激であったか，徐々に出現したか． ●倦怠感の程度と経過(増悪しているのか，平衡状態か)
誘因	●常用薬物の有無，種類，使用状況 ●アルコール摂取，過度の喫煙の有無 ●倦怠感が出現した時期に生活上の変化はなかったか．
随伴症状	●発熱，るいそう，血圧の低下，皮膚蒼白，口渇，浮腫，筋力低下，動悸，息切れなど．患者が症状を自覚していない場合もあるため，症状を具体的に説明し確認する．
生活歴	●睡眠や休養の状態 ●生活の規則性　**原因・誘因** 不規則な生活などによるサーカディアンリズムの障害 ●ストレス，不安の有無 ●仕事上の問題の有無 ●仕事や家庭生活への影響 ●ADLへの影響
既往歴，治療歴	●呼吸器・循環器疾患，悪性腫瘍，貧血，感染症，内分泌疾患，肝疾患，腎疾患，糖尿病，うつ病などの既往　**高齢者** 高齢者のうつ病では，抑うつ感より食欲不振，体重減少，胃腸症状，便秘，不眠，疲労感などの身体的な症状を訴えることが多く，うつ病を見逃す場合もあるため注意する． ●基礎疾患があれば，これまでの経過，現在の治療状況 ●放射線療法，化学療法，手術の有無と治療を受けた時期
職業歴	●有機溶剤を使用する職業(印刷業，ドライクリーニングなど)，鉛を使用する職業(製造業：蓄電池・ペンキなど，鉛再生，造船，解体業)　**原因・誘因** 鉛・有機溶剤中毒
その他	●妊娠・月経　**妊婦** 妊娠16週くらいまでは微熱や倦怠感がみられるため，妊娠可能な女性である場合，妊娠の可能性も考慮する．
主要症状の出現状況の把握	症状の出現状況を把握することで，病因の特定につながる情報が得られる．
出現状況	●急激に発症(時間～日単位)　**原因・誘因** 肝不全，心不全などの急性増悪，多発性

第1章　全身

日内変動	筋炎などの筋疾患 ●徐々に発症（週〜月単位）　**原因・誘因** 悪性腫瘍，自己免疫疾患，感染症，貧血，栄養不良，抑うつなどの精神症状 ●朝の症状増悪　**原因・誘因** うつ病，うつ状態 ●休息や睡眠により軽減　**原因・誘因** 身体性の倦怠感，疲労
全身状態，随伴 症状の把握 バイタルサイン	倦怠感以外の症状を伴う場合は，器質的疾患を疑い，随伴症状を把握すると同時に身体所見を観察し，看護計画の立案に反映する． ●血圧 ⟴血圧低下，低血圧の有無を観察する． ●発熱 ⟴感染症を鑑別する． ●頻脈 ⟴貧血や心不全の有無をみる．
全身状態	●体重減少 ⟴悪性腫瘍（特に消化器系）による体重減少がないか確認する 　**原因・誘因** 高血糖症状（口渇，多尿，多飲）を伴う体重減少では糖尿病を鑑別する 　**緊急** **小児** 1型糖尿病による高血糖状態の可能性がある． ●**緊急** 意識障害の有無，程度　**原因・誘因** 肝性脳症，糖尿病ケトアシドーシスによる昏睡を鑑別する． ●**緊急** 呼気のアセトン臭の有無　**原因・誘因** 糖尿病ケトアシドーシス ●浮腫 ⟴循環器疾患，腎疾患，甲状腺機能低下症などを鑑別する． ●息切れ ⟴貧血，循環器・呼吸器疾患を鑑別する．
皮膚・爪	●皮膚の乾燥 ⟴脱水症，甲状腺機能低下症を鑑別する． ●皮膚色，皮膚温：蒼白，冷感などの末梢循環状態 ⟴貧血の有無を確認する．黄染 ⟴肝炎，肝硬変を鑑別する． ●チアノーゼ，ばち指 ⟴呼吸器疾患を鑑別する． ●スプーン状爪 ⟴鉄欠乏性貧血を鑑別する．
頭頸部	●活気のない表情 ⟴うつ病，うつ状態や甲状腺機能低下症を鑑別する． ●眼球結膜 ⟴黄染の有無を確認する　**原因・誘因** 肝炎，肝硬変を鑑別する． ●眼瞼結膜 ⟴蒼白　**原因・誘因** 貧血の有無を確認する． ●頸静脈の怒張　**原因・誘因** 心不全を鑑別する．
胸部 腹部	●打診，心音と呼吸音の聴取 ⟴呼吸器・循環器疾患の有無をみる． ●肝腫大，脾腫大 ⟴肝疾患，血液疾患などを鑑別する．
四肢	●筋力低下の有無　**緊急** 筋力低下（左右対称性，四肢近位筋優位）と筋萎縮，筋痛の有無を確認する　**原因・誘因** 多発性筋炎
その他	●6か月以上持続する全身倦怠感で原因となる疾患がない場合，急激に出現した全身倦怠感で，十分な休養をとっても回復せず，ADLに支障があるなどの特徴があり，労作性疲労感，筋肉痛，多発性関節痛（腫脹はない），頭痛，咽頭痛，睡眠障害，思考力や集中力の低下などがある場合 ⟴慢性疲労症候群の可能性も考慮する． 🔍 **起こりうる看護問題**：セルフケアを実施することが困難である／日常の活動を行うための体力や耐性が低下している
患者・家族の心 理・社会的側面 の把握	倦怠感は原因が明らかでない場合も多いため，症状による苦痛とともに，不安を感じることも多い．また倦怠感による活動量低下は，自分が行いたい活動を実施する障害となり，ストレスへとつながる． ●疾患や症状に対して，患者や家族がどのように感じているか，どのような点に不安を感じているかを聞く． ●倦怠感による活動量低下に対してどのように感じているかを聞く． ●日頃のストレス対処行動と倦怠感による対処行動への影響について聞く． 🔍 **起こりうる看護問題**：倦怠感やその原因に対する不安がある／活動量低下に対するストレスを感じている

| STEP **1** アセスメント | STEP **2** 看護課題の明確化 | STEP **3** 計画 | STEP **4** 実施 | STEP **5** 評価 |

3 全身倦怠感

看護問題リスト

- #1 倦怠感がある（自己知覚パターン）
- #2 倦怠感のため，更衣・整容，入浴・清潔，排泄のセルフケアを実施することが困難である（活動-運動パターン）
- #3 必要な日常の活動を行うための体力や耐性が低下している（活動-運動パターン）

看護問題の優先度の指針

- ●倦怠感による苦痛が強い場合は，第一に倦怠感を軽減するための援助を行う．
- ●強い倦怠感は日常生活に支障を及ぼすため，患者のセルフケア行動のレベルを判断し，必要な援助を行う．
- ●倦怠感の原因が解消・軽減し，倦怠感が改善したら，倦怠感のため減退した体力や耐性を改善するための援助を行う．

| STEP **1** アセスメント | STEP **2** 看護課題の明確化 | STEP **3** 計画 | STEP **4** 実施 | STEP **5** 評価 |

1 看護問題	看護診断	看護目標（看護成果）
#1 **倦怠感がある**	**倦怠感** **関連因子**：体調の悪化，抑うつ症状 **診断指標** □疲労感 □脱力感 □日常的な身体活動の継続困難 □いつもの日課の継続困難 □注意力の変化	〈長期目標〉倦怠感が改善する 〈短期目標〉1）活動と休息のバランスがとれる．2）エネルギーを消耗しない行動がとれる．3）ケアによって倦怠感が軽減したことを表現できる

看護計画

OP 経過観察項目

- ●倦怠感の有無，程度，持続時間，倦怠感の悪化や軽減につながる誘因の確認
- ●睡眠時間や睡眠の質
- ●休息の頻度
- ●ADL の実施状況，困難な活動の確認

- ●倦怠感の原因となっている疾患などに対する観察（栄養状態，呼吸状態など）

TP 看護治療項目

- ●食事，清潔のケア，治療・処置などの1日のスケジュールは，活動と休息のバランスを考慮して計画する
- ●倦怠感が比較的軽度の時間帯があれば，この時間に活動スケジュールを合わせる
- ●食後1時間は休息ができるように援助する
- ●休息や睡眠を援助し，効果的な休息・睡眠がとれるようにする

介入のポイントと根拠

- ⊃倦怠感の状態を観察する　**根拠** 倦怠感の誘因を把握し，ケアに活用する
- ⊃ **根拠** 効果的な休養や睡眠がとれているかを把握する
- ⊃ **根拠** 倦怠感の日常生活への影響を観察し，看護ケアに反映させる
- ⊃ **根拠** 倦怠感を軽減するには，原因となっている疾患の改善が必須である

- ⊃ **根拠** 活動と休息のバランスをとることで，倦怠感を増強させないようにする

- ⊃ **根拠** 休息をとることによって，組織に十分な酸素が供給される．また睡眠による感覚の遮断は，

43

第1章　全身

・室内環境(騒音や採光，温度など)や寝具(重さや硬さ)，寝衣(ゆったりしており，締めつけ感がない)などにも留意する
・枕やクッションなどを利用して，安楽な体位を工夫する
● 倦怠感が特に強い部位に，マッサージ，指圧，温罨法などを実施する
● 下肢の倦怠感に対しては，足浴を実施する
● 可能であれば入浴やシャワーを促す
● 気分転換を図るための活動を生活のリズムに合わせて計画し，状況に合わせゆっくり休みながら行う

EP 患者教育項目
● エネルギー消耗を軽減する方法を指導する
・動作をゆっくり行う
・重要な活動と除外できる活動を明確にする
・身体的な負担が大きな活動は，1週間を通して分散して実施する
・活動を実施する際には，立つより座って行う
● 休息は短時間で頻回にとるように説明する

● 放射線療法などの治療に伴う倦怠感の場合は，倦怠感の出現時期などについて説明する
● 運動の利点を説明し，実施可能な運動(散歩など)を習慣づけられるように指導する
● 倦怠感が生活に及ぼしている影響に関する感情を表出できるように促す
● 倦怠感や随伴症状の悪化がみられる場合は，受診するように伝える

倦怠感を軽減する

➡ 自力での体位変換が困難な場合は，患者の希望も取り入れながら体位変換を行う
➡ 根拠 温熱刺激やマッサージなどは，全身の血液循環を促進し，倦怠感の原因となっている代謝産物の排泄を促進する効果がある．またマッサージや指圧は，タッチングの効果もある．これらの援助は，患者が快の感覚を得ることができ，気分転換にもつながる

➡ 根拠 ゆっくりとした動作は酸素消費を少なくする効果がある

➡ 根拠 休息は一度に長時間とるよりも，頻回に短時間とるほうが効果的である　妊婦 倦怠感の起こる理由(基礎代謝の上昇，ホルモンの変化など)と，過労を避け，睡眠・休養をとる必要性を説明する
➡ 根拠 症状出現時期を患者が把握することで，疲れないように調整するなどの対策が可能となる
➡ 根拠 運動不足による体力の低下を防ぐため．また気分転換にもつながる
➡ 根拠 倦怠感による精神的なストレスの軽減を図る
➡ 根拠 倦怠感の原因疾患が悪化している可能性がある

2 看護問題	看護診断	看護目標(看護成果)
#2　倦怠感のため，更衣・整容，入浴・清潔，排泄のセルフケアを実施することが困難である	**更衣，入浴，排泄セルフケア不足** **関連因子**：活動耐性の低下，体力の低下，状況的抑うつ，非代償性の筋・骨格系の障害，疼痛または不快感 **診断指標** □衣類の選択が困難 □衣類の持ち上げが困難 □衣類の着脱が困難 □体を洗うことが困難 □体を拭くことが困難 □トイレでの清潔行動完了が困難 □トイレまで行くのが困難 □トイレの便器から立ち上がれない	〈長期目標〉期待される最適なレベルで，セルフケア活動に参加できる 〈短期目標〉1) エネルギーの消費の少ないセルフケアの方法を実施できる．2) セルフケアを実施できたことの満足を述べる

看護計画	介入のポイントと根拠
OP 経過観察項目 ● 倦怠感の有無，程度，持続時間，倦怠感の悪化や軽減につながる誘因の確認 ● セルフケア行動の実施状況，困難な行動の確認 ● セルフケア行動実施への意欲	● **根拠** 倦怠感がセルフケア行動に及ぼしている影響を把握する．またセルフケアの援助方法や実施時間に関する情報にもなる
TP 看護治療項目 ● 患者の状態に合わせて，更衣・整容，入浴・清潔，排泄に関するセルフケア行動を援助する ● セルフケア行動のなかでも，患者がエネルギーを使うべきこと以外でのエネルギー消耗が軽減されるように援助する ● セルフケア行動の実施は，食事や治療・処置などの時間と連続しないようにする ● セルフケア行動時には適宜休息を入れながら行う	● できるかぎり，患者が望む方法で実施できるように援助する ● 排泄に関しては，トイレまでの移動は車椅子で行う．入浴やシャワー浴に関しては，浴室までの移動は車椅子で行うなど援助する ● **根拠** 疲労を避け，セルフケア実施のためのエネルギーを確保する
EP 患者教育項目 ● エネルギー消耗を軽減する方法を指導する 　・動作をゆっくり行う 　・行動を実施する際には，立つより座って行う 　・排泄や入浴などで立ち上がりなどの動作を伴う場合は，手すりを使うなどする	● **根拠** ゆっくりとした動作は酸素消費を少なくする効果がある

3 看護問題	看護診断	看護目標（看護成果）
#3　必要な日常の活動を行うための体力や耐性が低下している	**活動耐性低下** **関連因子**：体調の悪化 **診断指標** □倦怠感を示す □労作性（時）不快感 □労作性（時）呼吸困難 □活動時の異常な心拍反応	〈**長期目標**〉活動に対する身体の異常な反応がみられなくなる 〈**短期目標**〉1）エネルギーを消耗しない行動がとれる．2）安全に身体活動を増やすことができる

看護計画	介入のポイントと根拠
OP 経過観察項目 ● 活動の前後でのバイタルサイン（血圧，脈拍，呼吸） ● 活動の実施状況とその活動中・後の患者の自覚症状 ● 実施が困難な活動は何か ● 活動に対する意欲 ● 患者が実施している適応技術とその効果	● 活動直後，3分後に測定し，安静時と比較する **根拠** 活動に対する患者の反応は，活動前後のバイタルサインを比較することで評価ができる ● ADL，歩行，座位保持，ベッド上での体位変換などが自力で可能かを確認する
TP 看護治療項目 ● 患者の体力や耐性に合わせ徐々に活動を増やす 　・活動をゆっくり実施する 　・休憩時間や援助を増やして，実施時間を短くする 　・目的を伴う活動を計画する	 ● 昼食をとるために椅子に座る，外を眺めるために窓まで歩くなど **根拠** 目的があるため，やる

第1章　全身

・活動中に呼吸困難，胸痛，脈拍の増加，めまいなどがみられたら中止する
●患者の1日のスケジュールに従って，安静時間を計画する．活動と休息の時間を交互にとれるようにする

EP　患者教育項目
●活動のためのエネルギーを消耗しない方法を説明する
・活動の合間や食後1時間は安静時間とする
・呼吸困難，胸痛，脈拍の増加，めまいが出現したら活動を停止することを指導する
●活動量のわずかな増加であっても，患者の進歩を認め，励ます

気を促すことができる
➡ 根拠 これらは活動による低酸素血症の徴候であり，耐性の範囲を超えた過度の活動で出現する
➡ 根拠 安静によって症状が緩和される

➡ 根拠 活動による低酸素血症の徴候は過度の活動で出現する
➡ 根拠 活動することが自信につながる

| STEP❶ アセスメント | STEP❷ 看護課題の明確化 | STEP❸ 計画 | STEP❹ 実施 | STEP❺ 評価 |

病期・病態・重症度に応じたケアのポイント

【急性期】倦怠感は様々な身体的，精神的疾患の症状として出現する．倦怠感は重篤な疾患の一症状として出現している場合もある．重篤な疾患が疑われる場合には，早期に原因が特定され，適切な治療が行われる必要がある．したがって急性期の患者には，倦怠感を含む全身状態を観察し，原因の把握に努める．また，原因疾患が特定されれば，疾患に応じた看護ケアを実施する．これらと並行して，倦怠感を軽減するための援助や，倦怠感や随伴症状が支障をきたしている日常生活の援助を行う．

【回復期】原因疾患の軽快に伴い，倦怠感も軽減していく．倦怠感や随伴症状を観察しながら，日常生活のなかでの患者自身が実施できる活動が徐々に増えるように支援していく．

看護活動（看護介入）のポイント

診察・治療の介助
●倦怠感の経過やその他の症状，既往歴などから，倦怠感の原因を把握する．
●疾患による倦怠感の場合，輸液や薬物による原因疾患の治療が行われるため，これらを正確に実施する．

倦怠感に対する援助
●活動と休息のバランスを考慮して1日の計画を立案し，効果的に休養・睡眠がとれるように環境の調整を行う．
●足浴，マッサージなどリラックスができ，倦怠感を軽減できる援助を行う．

日常生活への援助
●倦怠感のために実施困難となっているセルフケアを援助する．
●倦怠感の程度を把握しながら，患者がセルフケアを実施できるように援助する．

退院指導・療養指導

●日常生活でも，活動と休息のバランスを取り入れ，無理をしないように説明する．
●倦怠感や随伴症状の悪化や出現があれば，再度受診をするように説明する．

| STEP ❶ アセスメント | STEP ❷ 看護課題の明確化 | STEP ❸ 計画 | STEP ❹ 実施 | STEP ❺ 評価 |

評価のポイント

看護目標に対する達成度

- 患者は日々の生活でエネルギーを消耗しないような行動をとることができ，倦怠感を増強させることなく活動ができているか．
- 活動と休息のバランスがとれているか．
- 足浴，マッサージなどのケアによって，心地よさを得ることができ，倦怠感の改善につながっているか．
- エネルギー消耗の少ないセルフケア行動の方法を実施できているか．
- セルフケア行動を実施できたことの満足感を述べているか．
- 安全に身体活動を増やすことができているか．

● 参考文献
1) 阿部まゆみ：倦怠感緩和のための看護技術，ターミナルケア増刊号 11：277-285，2001
2) 橋本信也：慢性疲労症候群の新しい診断指針，治療 90 (3)：444-448，2008
3) 高久史麿ほか監：新臨床内科学　第 9 版，医学書院，2009
4) 井上智子編：症状からみた看護過程の展開，医学書院，2007
5) 高木永永監：看護過程に沿った対症看護　第 5 版，学研メディカル秀潤社，2018
6) 池松裕子，山内豊明編：症状・徴候別アセスメントと看護ケア，医学芸術社，2008

3 全身倦怠感

第1章 全身

全身倦怠感のある患者の病態関連図と看護問題

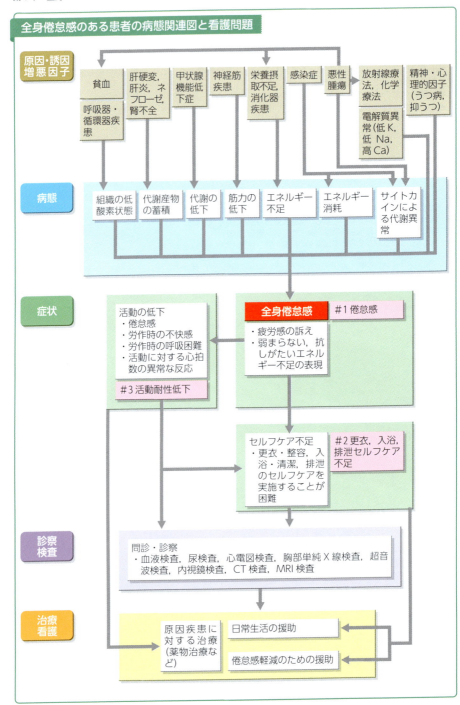

4 けいれん

松浦 雅人

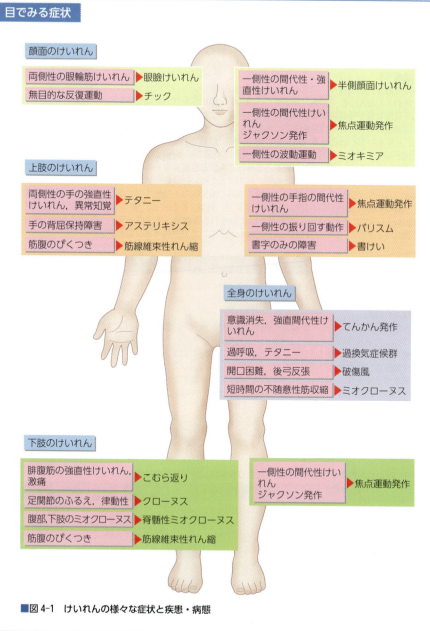

■図 4-1　けいれんの様々な症状と疾患・病態

第1章　全身

病態生理

けいれんとは症状名であり，全身あるいは身体の一部に生じる筋の急激で不随意な収縮である．

- けいれんを起こす原因は様々で，発症年齢によって原因となる疾患に特徴がある（表4-1）．慢性脳疾患であるてんかんのけいれん発作のほかに，各種の脳疾患や身体疾患の急性期症状としてのけいれん，薬物やアルコールの乱用と関連して生じるけいれん，特定の状況でのみ誘発される反射けいれんなどがある．
- てんかんは，様々な原因によって脳の神経細胞に過剰な電気的興奮が生じ，自発発作を繰り返す慢性脳疾患である．脳全体が瞬時に過剰興奮する全般てんかんと，脳の一部の病的興奮から始まる焦点てんかんがある（表4-2, 図4-2, 3）．
  ①全般てんかん：種々の全般起始発作が生じ，急激な筋収縮を伴うてんかん性スパズム，ミオクロニー発作，強直発作，間代（かんたい）発作，強直間代発作などがけいれんと呼ばれる．
  ②焦点てんかん：焦点起始発作が生じ，身体の一部に限局する焦点性運動発作，運動症状が身体部位を移動しながら拡延するジャクソン・マーチ型運動発作，偏向・向反・回旋発作，姿勢発作，そして脳全体を巻き込む両側強直間代発作などがけいれんと呼ばれる．
- 筋れん縮（スパズム）とは不随意に生じる筋の短い収縮であり，中枢神経疾患のほかに末梢神経疾患も原因となる．てんかん性スパズムは，乳児期の点頭てんかん（ウェスト症候群）に典型的にみられるが，乳児期に発症して難治の経過をとる他のてんかん症候群にも生じる．より短時間のミオクロニー発作や，より長時間の強直発作と厳密に区別するためには，ビデオ脳波記録が必要である．
- ミオクローヌスは筋の一部あるいは一連の筋群の瞬間的な不随意収縮であり，てんかん性のミオクロニー発作のほかにも，脳の変性疾患や低酸素症，脊髄・小脳疾患，驚いた時や睡眠時（入眠時ぴくつき）など生理的にもみられる．安静静止時にみられる安静時ミオクローヌス，運動によって増強される運動時ミオクローヌス，刺激によって反射的に生じる反射性ミオクローヌスがある．

患者の訴え方

本人，家族，あるいは発作を目撃した人から，けいれんだという症状の詳細を聴取することが大切である．

- **主症状の訴え**
- てんかん性スパズムやミオクロニー発作は，「身体がピクッとした」「カクンとした」など，瞬間的な動きとして訴えられる．
- 強直発作は，「ひきつれた」「突っ張った」「固くした」「力が入った」などと訴えられる．
- 間代発作は，「ピクピク」「ガクガク」「ビクンビクン」など，反復的な動きとして訴えられる．
- 転倒を伴う場合は，「棒のように倒れた」「強く引き倒された」などと訴えられる．
- 「動きまわった」「走り出した」「暴れた」など，身体の移動として訴えられることもある．
- **随伴症状**
- 振戦，チック，ミオクローヌス，ジスキネジア，ジストニア，舞踏運動などといった不随意運動．
- 疲労などによる筋のぴくつきやこむら返りなどの生理的な筋緊張異常，反復・常同行動などの突発的

■表4-1　けいれんおよびけいれん様症状を生じる疾患（赤字は緊急対応を要することのある疾患）

	疾患
新生児期	周産期異常（低酸素脳症，頭蓋内出血），先天性代謝異常症，低血糖症，低カルシウム血症，中枢神経感染症，脳奇形
乳幼児期	先天性代謝異常症，急性髄膜炎・脳炎・脳症，熱性けいれん，憤怒けいれん，年齢依存性てんかん，軽症胃腸炎関連けいれん，良性乳児けいれん
学童期	特発性てんかん，もやもや病，光過敏性けいれん，失神，心因性発作，睡眠時随伴症（夜驚症，錯乱性覚醒，睡眠時遊行症）
青年・成人期	症候性てんかん，特発性てんかん，失神，心因性発作，子癇，頭部外傷，薬物乱用，アルコール離脱
高齢期	脳血管障害（梗塞，出血），脳腫瘍，電解質・代謝性疾患，症候性てんかん，失神，心因性発作，睡眠関連運動障害（周期性四肢運動障害），レム睡眠行動障害，認知症

50

■表 4-2　てんかんに生じるけいれん発作

分類	けいれん発作		症状
全般起始発作	てんかん性スパズム		突然，屈筋と体幹筋が収縮するため，両上肢を挙上し，頭を垂れる．しばしば反復して生じ，シリーズを形成する
	ミオクロニー発作		両側の四肢や体幹の筋群が瞬間的にピクッと収縮する．片側あるいは両側の上肢に生じることが多く，1回のことも連続することも，また周期性のことも非周期的のこともある．全身性に生じれば突然投げ出されたように転倒する
	強直発作		比較的長い時間の筋収縮が持続し，強直けいれんとも呼ばれる．全身性の強直発作はレノックス-ガストー症候群に典型的にみられ，覚醒時よりも睡眠中に頻発する
	間代発作		筋収縮と筋弛緩とが交替して律動的に反復出現し，間代けいれんとも呼ばれる．四肢に生じれば屈曲と伸展，あるいは内旋と外旋などの交互運動がみられる
	強直間代発作		全身けいれん発作（いわゆる大発作）とも呼ばれる．最初に全身の筋をつっぱる強直相が生じ，徐々に四肢を規則的に震わせる間代相に移行する．発作後は深い睡眠に移行する（終末睡眠ともいわれる）か，浅い意識混濁のまま目的のない動作や行動がみられる（もうろう状態）
焦点起始発作	意識保持発作	焦点性運動発作	身体の一定部位に限局した規則的あるいは不規則な筋収縮である．筋収縮のリズム，大きさ，範囲は，日により，時間により変化する．数分以上持続する発作の後には，一過性の麻痺が残る（トッド麻痺，あるいはてんかん発作後麻痺）
	意識保持・意識減損発作	ジャクソン・マーチ型運動発作	焦点性運動発作で始まり，次第に隣り合う身体部位へ拡延・波及していく．手から始まって顔面へ上行する型が多く，手から下肢へ下行する型もある．マーチ（けいれんの進行）が全身に達すると意識が消失する
		偏向発作／向反発作／回旋発作	偏向発作は眼球が持続的に一側に偏位する．向反発作は眼球偏位とともに頭部が偏向し，回旋発作は体軸が回旋する
		姿勢発作	眼球偏位や頭部の偏向とともに，同側の上肢を強直・外転・挙上する．あたかも患側の手や腕を見つめるかのような姿勢となり，健側の手で患側の上肢を抑えるかのような行動を示すこともある
	両側強直間代発作		意識保持あるいは意識減損発作で始まり，やがて脳全体に広がって両側性の強直間代発作（全身けいれん発作）に至る

な行動もけいれんと訴えられることがあるので注意を要する．問診の際には，けいれん様症状出現時に，意識があったかなかったか，全身性か身体の一部か，覚醒時か睡眠中か，随伴症状の有無，誘因の有無を聴取する．

● けいれん様症状が，不随意運動，生理的筋緊張異常，小児の反復・常同行動などであれば，発作時の意識は清明で，睡眠中には症状が消失する．症状発現時期と睡眠覚醒リズムとの関連も重要である．特発性てんかんのミオクロニー発作や強直間代発作は，朝覚醒してから1時間以内，あるいは昼寝から起きた直後などに生じ，不規則な生活や睡眠不足によって誘発される．

● 乳幼児期は良性てんかんや非てんかん性の機会けいれん（状況関連発作），憤怒けいれん，睡眠時随伴症，行動異常など，良性の経過を示すけいれんやけいれん様症状が好発する時期である（表 4-3）．症状発現時に発熱，啼泣（ていきゅう），下痢の有無，空腹だったかどうか，急に立ち上がるなどの動作との関連，テレビ視聴やビデオゲームなどとの関連も聴取する．

● 小児・成人期や，特に高齢期のけいれんやけいれん様症状では，服用中の薬物を確認する必要がある（表 4-4）．多くの薬物では中毒量でけいれんが誘発され，時には治療用量によっても生じる．テオフィリンでは重篤なけいれん重積を起こすことがあり，血圧降下薬による低血糖症に起因するけいれん，向精神薬などによって生じた低ナトリウム血症に伴うけいれん，細胞毒性をもつ薬剤による可逆性後部白質脳症症候群（RPLS）に伴うけいれんなどが重要である．原因薬物の除去や適切な治療が遅れると，不可逆的な後遺症を生じることもある．

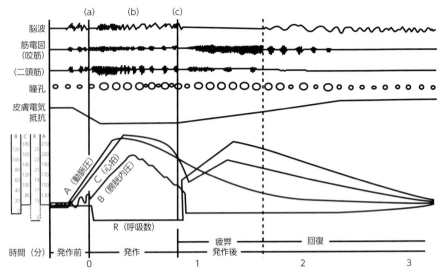

(a) 初期の強直相では脳波の脱同期化，筋電図の増高，瞳孔の散大，皮膚電気抵抗の低下，血圧・心拍・膀胱内圧の上昇とともに，呼吸が停止する．発作が突然始まると，胸郭筋が収縮して肺内の空気が強制的に排出され，叫び声のような大きな声を発する（てんかん性叫声）．
(b) 次第に間代相に移行し，脳波，筋電図，瞳孔が律動的に振動し，血圧・心拍・膀胱内圧が低下し始めるが，呼吸は停止したままなのでチアノーゼを呈する．
(c) 発作の終了とともに大きな呼吸が再開し，膀胱内圧がゼロとなって失禁する．発作終了後の呼吸再開時には口腔内の分泌物を一気に排出する（俗に「泡を吹く」といわれる）．

■図4-2　全身けいれん発作時の身体徴候
Gastaut H : Generalized convulsive seizures without local onset. In Vinken PJ, Bruyn GW (eds) Handbook of Clinical Neurology Vol.15 ; The epilepsies. Amsterdam, Northholland, pp.107-129, 1974

診断

様々な脳疾患や身体疾患の急性期にけいれんが生じるため，まずこれらを鑑別しなければならない．
- 家族歴，既往歴，発達歴，病歴の聴取に加え，身体的診察，神経学的診察，尿検査，血液検査，脳波検査，頭部CT・MRI検査，髄液検査などを行う．

●原因・考えられる疾患
- 緊急検査と迅速な治療を要し見逃してはいけないものに，髄膜炎，脳炎，脳症，くも膜下出血，脳内出血，そのほかの頭蓋内圧亢進をきたす疾患，電解質異常などがある．

●鑑別診断のポイント
- 脳波検査はてんかんの確定診断に重要であるが，その感受性と特異性はさほど高くない．てんかんの約半数は睡眠賦活を含む初回の脳波検査でてんかん性異常波を示さないため，1回の記録時間を増やしたり，繰り返し脳波検査を行う．また，非てんかん性疾患でも急性期にはてんかん性異常脳波が出現することがある．
- けいれん発作に似た心因性発作は心因性非てんかん性発作（psychogenic non-epileptic seizure ; PNES）と呼ばれ，誤って抗てんかん薬の投与を受けたり，救命救急センターで不必要な医療的介入を受けたりすることがある．ほかの疾患を除外するために諸検査を行うが，その診断は発作症状の詳細な聴取が決め手となる（表4-5）．医療者が発作を観察するか，発作時のビデオ・脳波同時記録が得られれば，診断は比較的容易となる．

けいれん発作を起こしている少年を描いたこの絵は、37歳で夭折したラファエロ(1483-1520)の遺作『キリストの変容』の一部である。右方に描かれた少年は右上肢を挙上し、頭部と眼球はその右手を見るかのように偏位し、上体を強く捻転していて、姿勢発作あるいは焦点性強直発作と呼ばれるてんかん発作である。

■図4-3 『キリストの変容(一部)』(1520)に描かれたてんかんの少年

治療法・対症療法

初回のけいれん発作でただちにてんかんの治療を開始することはない．急性の脳疾患や身体疾患が除外されれば，治療せずにそのまま経過をみることがある．二度目のけいれんが発来したら，抗発作薬治療を開始する．

●治療方針

- 焦点起始発作であればカルバマゼピンなどを，全般起始発作であればバルプロ酸ナトリウムなどを投与する．急激に増量するとカルバマゼピンでは複視や運動失調，バルプロ酸ナトリウムでは胃腸障害や振戦などの用量依存性副作用が出現するため，漸増が基本である．特異体質性副作用には，カルバマゼピンでは投与早期のスティーヴンス-ジョンソン症候群，維持期の白血球減少や低ナトリウム血症がある．バルプロ酸ナトリウムでは早期の致死性中毒性肝炎，維持期の高アンモニア血症などがある．バルプロ酸ナトリウムは胎児に二分脊椎などの奇形が生じることがあるため，妊娠可能な女性への高用量投与は避ける．
- 急性脳疾患などの場合に，初回発作がてんかん重積として発来することがある．てんかん重積とは，てんかん発作が頻回に生じ，次の発作が起こる前に，前の発作から完全に回復していない状態をいう．けいれん性てんかん重積は生命の危険を伴う神経学的緊急事態である．発作の抑制だけでなく，低酸素による脳障害の予防，頭蓋内圧亢進の予防，血圧の維持，代謝性アシドーシスの補正などが必要となる．ジアゼパム静注により発作が抑制されることが多いが，その効果の持続は短いので，ホスフェニトインナトリウム水和物静注などの追加処置が必要となる．小児のけいれん重積にはフェノバルビタールナトリウムの静注薬も用いられる．これらのいずれにも反応しないけいれん重積の場合は，ICU環境で人工呼吸器管理下に，強力な麻酔薬による昏睡誘導が必要となる．

●薬物療法

Px 処方例 全般起始発作
- デパケンR錠(200 mg)　1回1錠　1日2回　朝夕食後　←抗発作薬
  ※以後2週ごとに200 mgずつ漸増し，発作が抑制されるまで，あるいは耐容限界まで(最大1,200 mg)投与する．

Px 処方例 焦点起始発作
- テグレトール錠(100 mg)　1回1錠　1日2回　朝夕食後　←抗発作薬
  ※以後2週ごとに200 mgずつ漸増し，発作が抑制されるまで，あるいは耐容限界まで(最大1,200 mg)投与する．

Px 処方例 てんかん重積
- セルシン注またはホリゾン注　1回10 mg　静注　←抗発作薬
  ※発作が抑制されないときは同量を追加投与する．

第1章 全身

■表 4-3 乳児期の良性けいれんと類縁疾患

カテゴリー	疾患	症状
機会けいれん	熱性けいれん	38℃以上の発熱に伴う全身性強直間代発作
	軽症下痢に伴うけいれん(軽症胃腸炎関連けいれん)	軽度の下痢・嘔吐が2～5日続いて起こる無熱性の全身性強直間代発作. 脳波, 電解質は正常
憤怒けいれん	泣き入りひきつけ(チアノーゼ型)	痛み, 怒り, 不機嫌により激しく泣いて, 急に息を止め, チアノーゼが出て身体を弛緩させ, 長引くと全身性の強直発作あるいは強直間代発作になる
	息止め発作(蒼白型)	不意の痛み, 驚き, 恐怖により急に意識を失い, 身体を弛緩させ, 顔面蒼白となる
良性てんかん	良性乳児けいれん	無熱性で原因のない全身性強直発作あるいは強直間代発作. 発達や脳波は正常, 時に家族歴がある
	乳児早期良性ミオクローヌス	筋れん縮(スパズム)が群発あるいはシリーズを形成するが, 発達や脳波は正常
睡眠時随伴症	頭打ち(head banging), 頭振り(head rolling), 体幹振り(body rolling)	入眠期に身体全体を揺らしたり, 頭を枕や布団に打ちつけたり, 頭を左右に振る
行動異常	身震い発作(shuddering attack)	スパズムやミオクローヌスに似るが, 身震いするような細かい動き

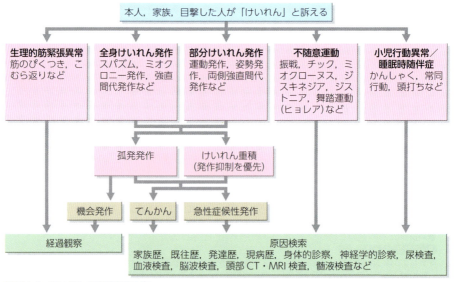

■図 4-4 けいれんの診断の進め方

- ホストイン注 1回 5～22.5 mg/kg 静注 ←抗発作薬
  ※経口投与が可能になったら内服治療に切り替える.
- ノーベルバール注 1回 15～20 mg/kg 静注 ←抗発作薬

■表4-4　けいれんを生じる薬物

カテゴリー	分類	薬物
単独のけいれんを生じる	抗うつ薬	アモキサピン，クロミプラミン塩酸塩，マプロチリン塩酸塩
	抗精神病薬	クロルプロマジン，ゾテピン
	抗生物質・抗菌薬	アミノグリコシド系，カルバペネム系，セフェム系，テトラサイクリン系，ペニシリン系，ニューキノロン系，ナリジクス酸
	抗ウイルス薬	アシクロビル，アマンタジン塩酸塩，ガンシクロビル
	抗ヒスタミン薬	クロルフェニラミンマレイン酸塩，クレマスチンフマル酸塩
	H₂受容体遮断薬	シメチジン，ファモチジン
	抗アレルギー薬	シプロヘプタジン塩酸塩，ケトチフェンフマル酸塩
	制吐薬	ドンペリドン，メトクロプラミド
	副腎皮質ホルモン製剤	ヒドロコルチゾン，メチルプレドニゾロン，プレドニゾロン
	抗不整脈薬	アプリンジン塩酸塩，プロパフェノン塩酸塩
	全身麻酔薬	ケタミン塩酸塩
	局所麻酔薬	リドカイン塩酸塩
	覚醒剤・麻薬	アンフェタミン，ペチジン塩酸塩，コカイン塩酸塩，オピオイド（ペンタゾシンなど）
	その他	アロプリノール，バクロフェン，ダントロレンナトリウム水和物，デフェロキサミンメシル酸塩，エルゴメトリンマレイン酸塩，フェンタニル，イソニアジド，レボドパ，メチルフェニデート塩酸塩，オキシトシン，ペニシラミン，プロチレリン酒石酸塩，血糖降下薬，プロスタグランジン類
低ナトリウム血症（抗利尿ホルモン分泌異常症：SIADH）に伴うけいれんを生じる	抗精神病薬	フェノチアジン系，ブチロフェノン系
	抗うつ薬	三環系抗うつ薬，選択的セロトニン再取り込み阻害薬（SSRI）
	抗発作薬	カルバマゼピン，バルプロ酸ナトリウム
	血糖降下薬	クロルプロパミド，メトホルミン塩酸塩
	抗がん剤	シスプラチン，シクロホスファミド水和物，イホスファミド，ビンクリスチン硫酸塩
	抗不整脈薬	プロパフェノン塩酸塩
	抗利尿ホルモン製剤	デスモプレシン酢酸塩水和物，オキシトシン
	利尿薬	サイアザイド系利尿薬
	その他	非ステロイド性抗炎症薬（NSAIDs），経口避妊薬，クロフィブラート，インターフェロンα，ニコチン，制吐薬，下剤
可逆性後部白質脳症症候群（RPLS）によるけいれんを生じる	抗がん剤／代謝拮抗薬	シスプラチン，シタラビン，メトトレキサート
	免疫抑制薬	シクロスポリン，インターフェロンα，タクロリムス水和物，免疫グロブリン
その他の脳症に伴うけいれんを生じる	気管支拡張薬	メチルエフェドリン塩酸塩，テオフィリン
	強心利尿薬	アミノフィリン水和物
	非ステロイド性抗炎症薬（NSAIDs），オピオイド	アスピリン，ジクロフェナクナトリウム，インドメタシン，メフェナム酸，チアラミド塩酸塩，ペンタゾシン

第1章　全身

■表 4-5　心因性けいれんが示唆される所見

問診所見	・環境変化，情動葛藤，暗示，人前で起こる ・睡眠中では，いったん覚醒したあとに生じる ・けいれん様症状が緩徐に始まり，緩徐に終わる ・全身けいれん様症状が 2 分以上続く ・全身けいれん様症状にチアノーゼを伴わない ・全身けいれん様症状後にもうろう状態がない ・発作中に症状の強度が変動する ・打ち身や切り傷は起こりうる ・(口腔内粘膜や舌横端ではなく) 舌先や口唇をかむ ・失禁 (意図的な放尿) は起こりうる ・発作のたびに症状や持続時間が異なる
発作中の所見	〈眼症状〉 ・眼瞼に速い振戦がみられる ・ずっと閉眼している ・強制開眼に抵抗する ・強制開眼すると眼球は上方に転位している ・対光反射，角膜反射が存在する ・頭部を回転させても眼球位置が固定したまま ・散瞳は起こりうる 〈口症状〉 ・ずっと口を硬く結んでいる ・強制開口に抵抗する 〈運動症状〉 ・左右四肢の非協調運動 ・後弓反張 ・下腹部を突き出す動き ・頭部や全身を左右に振る運動 ・すすり泣きや啼泣，悲鳴やうめき声 ・複雑な内容のささやき 〈刺激への反応〉 ・身体的診察や神経学的検査に抵抗する ・痛み刺激への反応がないことがある ・意識清明と思われる反応がみられる
検査所見	〈脳波検査〉 ・意識障害を思わせる状態にもかかわらずα波が出現している ・両側性の運動症状がみられるにもかかわらず脳波変化がない 〈血液検査〉 ・けいれん様症状終止後 30 分以内の採血で，血中ステロイド，プロラクチンの上昇がない ・全身けいれん様症状の重積状態で動脈血ガス分析に変化がない

■表 4-6　けいれんの主な治療薬

分類	一般名	主な商品名	薬の効くメカニズム	主な副作用
抗発作薬 内服薬	バルプロ酸ナトリウム	デパケン	神経伝達物質の作用を介した脳内の抑制系の賦活作用	高アンモニア血症，ライ様症候群
	カルバマゼピン	テグレトール		肝障害，皮膚症状，骨髄抑制
抗発作薬 注射薬	ジアゼパム	セルシン，ホリゾン		依存性
	ホスフェニトインナトリウム水和物	ホストイン		呼吸循環抑制
	フェノバルビタールナトリウム	ノーベルバール		過鎮静

けいれんのある患者の看護

荒井　知子

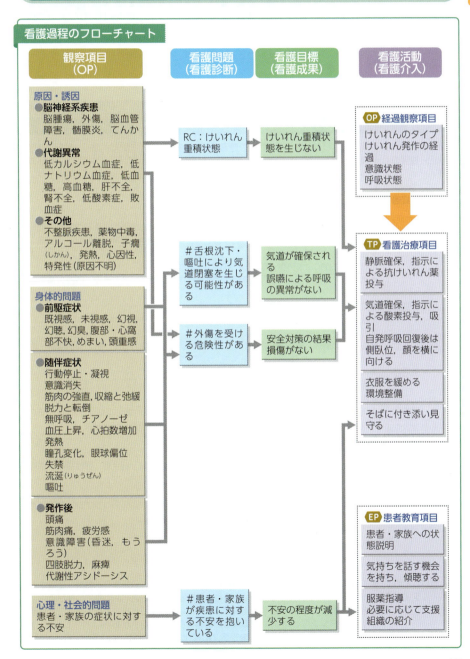

第1章　全身

基本的な考え方

- けいれんを起こす疾患は年齢によって様々であるため，特徴を把握しておく．
- てんかんとの違い：てんかんは意識，行動，感情，運動・感覚機能の障害を起こす慢性の脳疾患である．てんかん発作の症状が筋肉をふるわせる運動性である時，けいれんと呼ぶ．けいれんは，1つの症状であり，てんかん以外の病因でも生じる．

緊急 意識状態と呼吸状態の観察が最優先である．呼吸停止に対しては迅速な気道確保と換気維持が必要である．けいれん発作を起こした患者のそばから決して離れず，けいれんのタイプ（強直性・間代性，全身性・局所性），口腔内，眼を観察する．

STEP❶ アセスメント	STEP❷ 看護課題の明確化	STEP❸ 計画	STEP❹ 実施	STEP❺ 評価

情報収集	アセスメントの視点と根拠・起こりうる看護問題
病歴，症状の出現状況，程度の把握	患者および目撃者から，発症の経過や症状の変化を聞くことで，原因・誘因の特定につながる．けいれんの場合，類似症状（失神や意識障害など）との鑑別および正確な診断のため病歴把握が重要である．病院内では医療者が第一発見者になりやすいため，経過と同様の内容について観察を行う．
経過	● 発作出現時の自覚症状，記憶 ● 発作の頻度 ● 発作の前および発作中の症状（何をしていた時か，患者の反応，手足の動き，開・閉眼，眼球の位置の偏り・大きさ・左右差，発声，顔色，呼吸，脈拍） ● 症状の持続時間 ● 転倒・打撲による外傷，咬舌（舌を咬む），尿失禁の有無 ● 発作後の行動，どんな状態であったか（精神状態，視野などの感覚，四肢の運動が正常か）．
誘因	● 発作と覚醒，睡眠との関係 ● 飲酒歴，麻薬使用歴 ● 月経周期 ● 服薬との関係　**原因・誘因** ステロイド薬，新規服用薬の有無，服用薬の変更・中断の有無，ベンゾジアゼピン系薬剤，免疫抑制薬
生活歴	● ストレスの有無 ● 睡眠障害の有無 ● 胃腸障害の有無
現病歴	● 低酸素状態，感染徴候の有無，低栄養状態，電解質不均衡の可能性　**小児** 38℃以上の発熱，出生時の外傷　**妊婦** 妊娠悪阻（おそ），妊娠高血圧症候群
既往歴	● てんかんの既往 ● 過去のけいれん発作の有無 ● 頭部外傷や脳血管疾患，心房細動，心疾患，糖尿病，腎・肝疾患，悪性腫瘍，精神疾患，アルツハイマー病などの中枢神経変性疾患 ● 家族歴（てんかんと診断された人はいるか）
けいれんと他の症状の鑑別	● けいれんと区別が必要な症状に失神，一過性脳虚血発作，ナルコレプシーなどがある．けいれんに特徴的と考えられる症状を把握しておく． 　・発作時に左右対称な筋肉の収縮を伴う． 　・発作中に失禁（尿・便）がある． 　・発作中眼の焦点が合わない，舌を咬むような動作がある． 　・発作後に意識障害や筋の脱力がある．
けいれんのタイプ	● てんかんの国際分類があり，けいれんもそれに基づいて分類する．観察・聴取された症状に基づき分類することは，正確な診断とその後の適切な治療につながる． ● 焦点起始発作：局所に症状が出現する．時に症状が局所から全身へ広がることがあり（ジャクソン型という），意識障害がある場合とない場合がある． 　・感覚器系の症状：既視感，未視感，幻視（ピカピカ光る），幻聴（ブンブン，リン

リンという音），幻臭，めまい，頭重感，恐怖
- ・自律神経症状：腹部・心窩部不快，顔面蒼白，発汗，顔面紅潮，立毛，瞳孔散大
- ・運動器系の症状：唇をピチャピチャさせる，咀しゃくする，手で何かをつかもうとするなどの無意識の運動
- ●全般起始発作
  - ・欠神発作：突然意識が消失し，数十秒程度で意識が戻る，凝視，眼球の上方への偏位
  - ・ミオクロニー発作：瞬間的な意識障害，全身性の短くて速い(強い電流を身体に受けた時のような)筋の収縮
  - ・強直発作：意識が消失するが眼を見開いている，全身の筋肉が緊張した状態，呼吸停止によるチアノーゼ
  - ・強直間代発作(最も頻度が高いけいれん)：意識消失，強直性けいれんを生じたのちに間代性けいれんに変わる，瞳孔散大，呼吸停止によるチアノーゼ，尿失禁
  - ・脱力発作：突然に脱力し，バタンと倒れたりする(主に小児に起こる).
- ●熱性けいれん(小児に起こる)

全身状態，随伴症状の把握	けいれんはてんかんや神経系疾患のほか，様々な疾患でみられる症状の1つである．けいれんの経過を把握するとともに，随伴症状を観察し，原因疾患の状態の把握にも努め，看護計画に反映する．
バイタルサイン	●体温 ➡ 原因・誘因 感染症　 小児 熱性けいれん ●血圧 ➡起立性低血圧，循環器疾患との鑑別 ● 緊急 致死的不整脈，高度徐脈による失神の可能性 ●呼吸状態(回数・型)，チアノーゼ ●意識(呼びかけて眼を開くか)
全身状態	●脱水状態 ➡起立性低血圧の鑑別 ●皮膚 ➡外傷の有無を確認する，黄疸の有無をみる　 原因・誘因 脳外傷，肝不全 ●血糖値　 原因・誘因 低血糖，非ケトン性高血糖状態 ●血液検査　 原因・誘因 低ナトリウム血症，低カルシウム血症，腎不全の可能性，肝不全の可能性 ●チアノーゼ，経皮的酸素飽和度(SpO_2)の確認　 原因・誘因 低酸素状態(強直性けいれんでは呼吸停止からチアノーゼが出現)
頭頸部	●眼球の偏位，瞳孔散大，瞳孔不同，対光反射の消失 ●頭部 ➡外傷，打撲の有無　 原因・誘因 硬膜下血腫，硬膜外血腫，くも膜下血腫，脳挫傷 ●頭痛，嘔吐，眼のかすみの有無　 原因・誘因 脳腫瘍
循環器系	● 緊急 心拍数減少，不整脈を確認する　 原因・誘因 不整脈疾患(高度な徐脈，心室細動)，急性心筋梗塞
神経系	●髄膜刺激症状(項部硬直，頭痛，悪心・嘔吐の有無)の有無　 原因・誘因 髄膜炎，くも膜下出血 🔍 起こりうる看護問題：けいれん重積状態をきたすおそれがある／気道閉塞を生じる可能性がある／誤嚥の可能性がある／外傷を受ける危険性がある 🔍 共同問題：けいれん重積状態

けいれんへの緊急対応

- ●そばを離れず，けいれんのタイプと持続時間を観察する．
- ●意識，呼吸，眼の観察を行う．眼の観察にはペンライトを用いるが，刺激によりけいれんがさらに生じる可能性もあるため，最低限にとどめる．
- ●呼吸が停止している場合はすぐに気道確保を行う．口腔内を観察し，嘔吐している場合は吸引を行う．窒息予防のため顔を横に向ける．舌を噛むことを予防しようと口腔内に何か物を入れてはいけない．救急カートを準備し，医師の指示により酸素投与を行う．

第1章　全身

	● けいれんの際に用いる薬剤を医師の指示で準備する. ● 四肢の動きにより外傷の危険があるため，ベッド柵を布団などで覆い，ベッドを平らにする.
患者・家族の心理・社会的側面の把握	**患者・家族は，けいれんの症状，原因，予後に対して不安を感じ，またけいれんを起こすのではないかと恐れている．患者・家族への精神的サポートが不可欠である．** ● 症状出現を家族がみていた場合は，詳細に聞き取りを行うとともに，現在の状況をどう捉え，どう感じているのか，会話を通じて把握する. ● 患者・家族は，治療管理，予後，社会適応に関して不安を増す可能性があるため，必要な情報が得られるように関わる. 🔍 **起こりうる看護問題：患者・家族が病状・疾患に対する不安を抱いている**

STEP ① アセスメント　STEP ② 看護課題の明確化　STEP ③ 計画　STEP ④ 実施　STEP ⑤ 評価

看護問題リスト

RC：けいれん重積状態(全般性強直間代発作による)
#1　舌根沈下・嘔吐により気道閉塞を生じる可能性がある (活動-運動パターン)
#2　外傷を受ける危険性がある (健康知覚-健康管理パターン)
#3　患者・家族が病状・疾患に対する不安を抱いている (自己知覚パターン)

看護問題の優先度の指針

● けいれんの原因が致死的不整脈であった場合は，一刻も早い蘇生処置が必要である．また，けいれん発作中の呼吸停止により気道閉塞が生じる可能性があるため，発見時はそばを離れず速やかに救命処置を行う必要がある.
● けいれんの持続による神経障害の発症を防ぐため，医師の指示に基づいてけいれんを止めるための処置を行う必要がある.
● けいれん発作中に誤嚥を生じると，気道閉塞や肺炎併発のリスクがあるため，誤嚥を予防する必要がある．また，転倒や激しい動きにより外傷を受けることがあるため，外傷を予防する.
● 患者と家族の不安の軽減，対処への支援を行う.

STEP ① アセスメント　STEP ② 看護課題の明確化　STEP ③ 計画　STEP ④ 実施　STEP ⑤ 評価

共同問題	看護目標(看護成果)
RC：けいれん重積状態	〈長期目標〉けいれん発作症状を最小限に管理できる 〈短期目標〉けいれんの症状を把握し，すぐに対処する

看護計画	介入のポイントと根拠
けいれん出現時の緊急対応	
OP 経過観察項目 ● けいれん出現時から継続的な観察を怠らない	➡ けいれんそのものが，緊急を要する事態である．ただちに応援を要請する
TP 看護治療項目 ● けいれんを起こしている患者を発見したら，医師に知らせるとともに，必要に応じて気道確保	➡ **根拠** けいれんが続く場合は，呼吸が十分に行えないため，低酸素状態になり，脳の低酸素症を

60

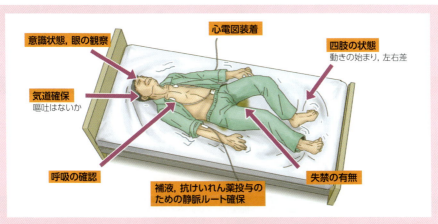

を行う
- 心電図モニターを装着し，不整脈の有無を確認する
- マスクで酸素を投与する
- 抗けいれん薬投与のための静脈ルートの確保を行う

引き起こす
- ⇒ 根拠 けいれん様の動きは，心室細動などの致死的不整脈の際にもみられるため鑑別しなくてはならない
- ⇒ 根拠 低酸素状態を防ぐため酸素投与を行う
- ⇒ 根拠 重積状態を避けるため，即効性のある抗けいれん薬の投与が必要である

OP 経過観察項目
- 発作発生時の自覚症状，記憶
- けいれん時の意識状態
- 発作の頻度
- 発作の前および発作中の症状（何をしていた時か，最初にけいれんが観察された部位，患者の反応，手足の動き，開・閉眼，眼球の位置の偏り・大きさ・左右差，発声，顔色，脈拍）
- 症状の持続時間（開始時刻と終了時刻）
- 瞳孔の観察
- 舌を噛む，尿失禁の有無
- 呼吸停止の有無，呼吸様式（型・回数），SpO₂，チアノーゼの有無
- 発作後の行動，状態（精神状態，視野などの感覚，四肢の運動が正常か）
- けいれん消失後，抗けいれん薬投与後も継続的な観察を行う

⇒ 根拠 けいれんを起こした状況，症状を確認し，鑑別診断に役立てることで，適切な治療と看護計画につなげることができる

⇒ けいれんが消失しても，意識が戻らず再びけいれんが起こる，頻繁に繰り返される状態はけいれん重積状態といえる．即効性のある薬物効果が切れた時にも生じる可能性がある ⇒ 根拠 不可逆的な脳障害を防ぐため，継続したモニタリングが必要である

TP 看護治療項目
- 薬物投与を確実に行う
- 光や音などによる過度の刺激がないよう環境整備を行う
- 必要に応じて気道確保を行う（経鼻エアウェイの挿入準備）
- 患者を右側臥位とする

⇒ 根拠 けいれんを誘発する因子を軽減する

⇒ 根拠 口腔内の唾液・嘔吐物を口腔より排出させる．また舌根沈下を防ぐ

EP 患者教育項目
- 意識回復後，現状や薬物治療の必要性について

⇒ 現状認識を促進し，不安の軽減に努める

第1章　全身

説明する
● 前兆となる症状がある場合は，感じた時に医療者へ知らせるよう説明する　　➡ 根拠 異常の早期発見，対処につながる

1 看護問題	看護診断	看護目標（看護成果）
#1　舌根沈下・嘔吐により気道閉塞を生じる可能性がある	**非効果的気道浄化** **関連因子**：気道内の異物，貯留した分泌物，舌根沈下 **診断指標** □呼吸副雑音 □チアノーゼ	〈**長期目標**〉気管支音，肺胞音が清明である 〈**短期目標**〉1) 嘔吐物による気道の閉塞がない．2) 誤嚥の徴候がない

看護計画	介入のポイントと根拠
OP 経過観察項目 ● 呼吸困難の状況 ● 呼吸様式（型・回数） ● SpO₂ ● チアノーゼの有無 ● 嘔吐の有無，量 ● 呼吸音（左右差，副雑音の有無） **TP** 看護治療項目 ● 呼吸停止している場合は，気道確保を行う（下顎を挙上する）．呼吸が再開し安定するまで，気道確保を維持する ● けいれんが消失したのち，必要に応じて口腔内の唾液，吐物を吸引する ● けいれん消失後，意識が回復するまで側臥位にする．できない場合は，気道確保が維持されるよう下顎を挙上するため後頭部から肩へ枕を入れる．場合によっては経鼻エアウェイを挿入する ● 医師の指示により飲食を禁止する **EP** 患者教育項目 ● けいれんの間の対処方法について説明する	➡ 呼吸状態を観察し，異常がみられた場合はただちに対処する ➡ 呼吸停止による低酸素状態を防ぐ．気道確保の際，口腔内に物を入れて気道を確保しようとしない．二次損傷や気道閉塞の原因になる ➡ けいれん発作中に嘔吐する可能性がある．吐物は気道閉塞を生じさせるリスクがある ➡ けいれん後は，しばらく意識が回復しないことがあるため，唾液などで気道が閉塞しないよう引き続き注意する ➡ 気道閉塞を予防するための方法を伝える

2 看護問題	看護診断	看護目標（看護成果）
#2　外傷を受ける危険性がある	**損傷リスク状態** **危険因子**：物理的障壁 **関連する状態**：効果器の機能障害	〈**長期目標**〉1) 外傷がない．2) 患者の見当識が正常に保たれる 〈**短期目標**〉けいれん発作時に安全な環境が整えられている

看護計画	介入のポイントと根拠
OP 経過観察項目 ● けいれん発作中・後の意識状態 ● けいれん後の会話能力，混乱，麻痺の有無 ● けいれんの持続時間，間隔，頻度	➡ 根拠 けいれん後，意識がすぐに戻らず眠っていたり，覚醒しても意識が清明ではない場合がある

- 四肢の動き
- 失禁の有無

TP 看護治療項目
- ベッド柵を上げておく
- 衣類を緩める
- 口をかたく閉じている場合は，無理に開口しようとしない
- 部分けいれんであっても，そばにいて見守る

EP 患者教育項目
- けいれんの前兆がある場合，前兆を訴えたら患者を臥位にする
- 家族に，けいれんが生じた時の対応について説明する

➡ 根拠 ベッド柵により転落を予防する
➡ 根拠 衣服により呼吸が抑制されることもある
➡ 根拠 無理な開口は，歯の損傷につながる

➡ 根拠 焦点起始発作から全般起始発作へ移行する可能性がある

➡ 根拠 転倒による外傷を防ぐ

➡ 根拠 第一発見者になる可能性がある人物が，外傷を防ぐための方法を知っていることが望ましい

3 看護問題	看護診断	看護目標（看護成果）
#3　患者・家族が病状・疾患に対する不安を抱いている	**不安** **関連因子**：ストレッサー **診断指標** □不安定な気持ち □不眠 □警戒心が増す	〈**長期目標**〉1）患者・家族が心理的・身体的安楽が増大したことを表現できる．2）けいれんに対し，対処ができそうだと捉えている発言がある 〈**短期目標**〉不安を表出することができる

看護計画	介入のポイントと根拠
OP 経過観察項目 ● 患者の表情，落ち着きのない様子 ● 不安の有無・程度 ● 身体的反応（声や身体のふるえ，頻脈，頻呼吸，不眠，涙ぐむ，顔面蒼白，頭痛） ● 多弁，発汗 ● パニック状態	➡非言語的な表現を捉える ➡何度も声をかけ，不安に思っていないか尋ねる 根拠 言葉に出してよいのか，誰に相談してよいかわからずに，漠然とした不安を抱えていることがある
TP 看護治療項目 ● 不安が表出しやすいよう落ち着いた態度で接する ● 不安という言葉の表出があった場合は，どんな時にそう感じるのか具体的に聞いていく ● 処置やケアを行うときは，説明してから実施し，質問がないか確認する．質問には丁寧に返答し，患者の状況に合わせて説明する	➡支援的態度で接することで不安の表出を促す ➡ 根拠 不安という言葉は漠然としているため，話すことで感情の表出を図りながら不安の原因を具体的にしていく ➡ 根拠 説明により，不要な心配を抱くことがないようにする．情報を伝達し不安の軽減を図るが，患者がパニック状態にある時は，かえって混乱を招くことがあるため慎重に話す
EP 患者教育項目 ● わからないこと，心配なことは何でも話してよいことを伝える	➡積極的に質問を受け入れ，不安を軽減するための対処を促す

4
けいれん

第1章　全身

`STEP ① アセスメント` ▶ `STEP ② 看護課題の明確化` ▶ `STEP ③ 計画` ▶ `STEP ④ 実施` ▶ `STEP ⑤ 評価`

病期・病態・重症度に応じたケアのポイント

【急性期】けいれんの特徴を捉え，本当にけいれんであるのか，そうではなく別の原因による失神であるのか，鑑別することが求められる．けいれんの特徴を捉えることで，次回の対処の参考になり，確定診断へつながり，適切な検査・治療が行われることになる．けいれん発作時は，患者の生命危機への迅速な対応，安全確保が必要になる．それらの処置を行いながら，同時に生命状態を安定させるためのケアと二次的合併症予防のケアを展開していく．

【回復期】けいれんがコントロールでき，服薬管理やけいれんの原因になった疾患の治療継続がなされる時期である．けいれんが起きることは，患者や家族にとってのショックも大きく，大変不安なことである．規則正しい生活と服薬が行えるよう指導を行う必要がある．

看護活動(看護介入)のポイント

診察・治療の介助
- けいれんのタイプから，けいれんの鑑別診断につなげられるよう情報を得る．
- けいれん発作を発見した場合，患者の安全確認と気道確保を行う．
- 指示された薬物を正確に投与する．

けいれんに対する援助
- 外傷を受けないよう環境を整える．
- 吐物や唾液で気道が閉塞しないよう，吸引や気道確保，体位の調整を行う．
- けいれんの頻度，けいれん後の意識状態の観察を続け，重積状態にならないよう医師へ報告する．

退院指導・療養指導

- 薬物療法の必要性を説明する．
- けいれんの誘発因子を説明し，できるかぎり規則正しい生活リズムが保てるよう指導する．
- けいれんに関する観察記録をつけ，薬物管理を忘れないよう，家族などの支援を受けることを勧める．

`STEP ① アセスメント` ▶ `STEP ② 看護課題の明確化` ▶ `STEP ③ 計画` ▶ `STEP ④ 実施` ▶ `STEP ⑤ 評価`

評価のポイント

看護目標に対する達成度
- けいれんが消失しているか．
- 気道閉塞が回避できているか．
- 損傷が回避できているか．
- 患者・家族が心理的・身体的安楽が増大したことを表現できているか．
- 患者・家族がけいれんに対処ができそうだと捉えているか．

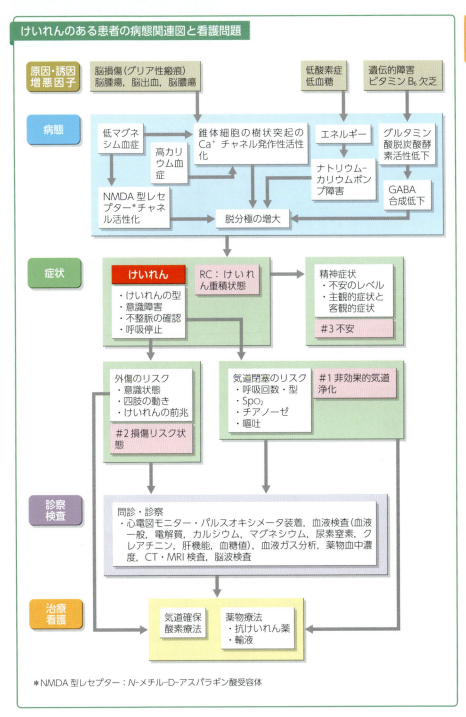

5 ショック

三高　千恵子

目でみる症状

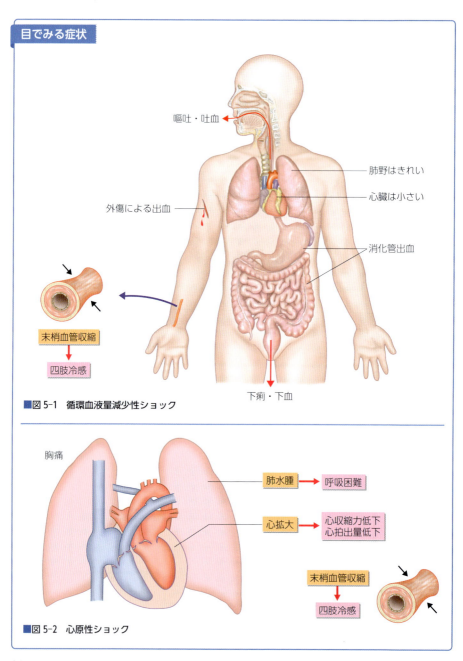

■図 5-1　循環血液量減少性ショック

■図 5-2　心原性ショック

目でみる症状

1) 心タンポナーデ

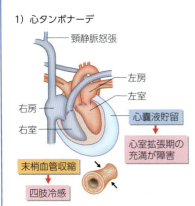

2) 急性肺塞栓症

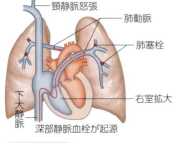

3) 緊張性気胸

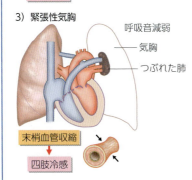

■図 5-3 心外閉塞・拘束性ショック

1) 敗血症性ショック

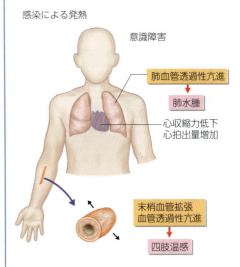

2) アナフィラキシーショック

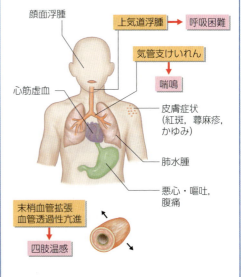

■図 5-4 血液分布異常性ショック

第1章　全身

病態生理

| ショックとは，何らかの原因で低血圧になり，臓器灌流が低下して臓器への酸素運搬が低下した状態をいう．酸素欠乏が長引くと細胞機能が維持できなくなり，全身の臓器機能障害に陥る.

- 低血圧とは収縮期血圧 90 mmHg 未満あるいは普段の血圧よりも 40 mmHg 以上低い場合であり，臓器低灌流とは意識障害，乏尿，乳酸アシドーシスなどを指す.
- ショックの分類：循環血液量減少性ショック，心原性ショック，心外閉塞・拘束性ショック，血液分布異常性ショックに分類される（表 5-1, 図 5-1〜4）.

患者の訴え方

● 主症状の訴え
- 全身状態が悪く，主症状の訴えが不可能である場合が多い.
- 共通の症状は，低血圧による全身蒼白，虚脱，冷汗，頻脈，脈拍触知不能，頻呼吸，意識障害（興奮，錯乱，せん妄，昏睡），乏尿，代謝性アシドーシスなどである.
- 四肢は冷たいことが多いが，敗血症性ショックでは末梢血管拡張のため四肢の皮膚は温かい.

● 随伴症状
- 原因により様々な症状がある（表 5-2）.

〈循環血液量減少性ショック〉
- 出血（多発外傷，大動脈瘤破裂，吐血・下血・タール便などの消化管出血），脱水（嘔吐，下痢），四肢冷感，乾いた皮膚，乾いた舌や口腔粘膜，頻脈などである.

〈心原性ショック〉
- 急性心筋梗塞の場合は激しい胸痛を訴える．四肢冷感，呼吸困難，断続性副雑音，動悸などがある.
- 肺水腫を起こしている場合は気管からピンク色の泡沫が出てくる.

〈心外閉塞・拘束性ショック〉
- 心タンポナーデ：全身倦怠感，脱力感，外頸静脈怒張，奇脈（吸気時に収縮期血圧が 10 mmHg 以上低下し脈拍が弱くなる）がみられる.
- 急性肺塞栓症：胸痛，呼吸促迫，呼吸困難，頻脈，顔面蒼白，チアノーゼ，四肢冷感がみられる.
- 緊張性気胸：胸部外傷や人工呼吸中に気道内圧が上昇した場合に起こる．胸痛，呼吸困難，努力様呼吸，頸静脈怒張，皮下気腫，チアノーゼがみられ，患側の呼吸音が減弱する.

〈血液分布異常性ショック〉
- 敗血症性ショック：急激な悪寒戦慄後に発熱する．呼吸困難，頻呼吸，頻脈，全身倦怠感があり，四肢は温かくウォームショックと呼ばれる.
- アナフィラキシーショック：血管拡張による低血圧と血管透過性亢進による浮腫が特徴である．皮膚症状（蕁麻疹，紅斑，顔面浮腫，瘙痒感），呼吸困難（喉頭浮腫，声門浮腫，気管支けいれん），胃腸障害（悪心・嘔吐，腹痛，下痢）などがある．早期に起こるもの（即時反応）と，最初の反応から 6〜12 時間後にメディエーター放出のために起こる遅延反応がある.

診断

| 診断のポイントは，ショックの原因を素早く突き止めることである.

● 原因・考えられる疾患（表 5-1）
〈循環血液量減少性ショック〉
- 出血（多発外傷，大動脈瘤破裂，食道静脈瘤破裂，消化管出血），非出血性の体液喪失（熱傷，嘔吐，下痢，イレウス，尿崩症，強力な利尿薬投与）によって起こる.

〈心原性ショック〉
- 心ポンプ機能不全（心筋梗塞，心筋炎，心筋症），不整脈（洞不全症候群，房室ブロック，心室頻拍，心室細動）によって起こる.

〈心外閉塞・拘束性ショック〉
- 心タンポナーデ：心膜腔に大量の心囊液が急激に貯留し，心膜腔内圧が上昇して右房圧や右室拡張期圧と同じになった結果，右房と右室の拡張障害が生じて起こる．心膜炎，急性心筋梗塞の心破裂，外傷性心破裂，上行大動脈解離などによって起こる

68

■表 5-1　**ショックの原因または考えられる疾患**（すべての症状・疾患で緊急対応を要する）

循環血液量減少性ショック	心原性ショック	心外閉塞・拘束性ショック	血液分布異常性ショック
●出血 ●多発外傷 ●大動脈瘤破裂/大動脈解離 ●食道静脈瘤破裂 ●消化管出血 ●非出血性の体液喪失 ●熱傷 ●嘔吐 ●下痢 ●イレウス ●尿崩症 ●強力な利尿薬投与	●心ポンプ機能不全 ●急性心筋梗塞 ●心筋炎 ●心筋症 ●心臓弁膜症 ●術後低心拍出量症候群 ●不整脈 ●洞不全症候群 ●房室ブロック ●心室頻拍 ●心室細動	●心タンポナーデ ●急性肺塞栓症 ●緊張性気胸 ●胸部外傷 ●人工呼吸中	●敗血症性ショック ●アナフィラキシーショック

■表 5-2　**ショックの随伴症状と考えられる疾患**（すべての症状・疾患で緊急対応を要する）

	随伴症状	考えられる疾患
循環血液量減少性ショック	出血	多発外傷
	胸痛	大動脈瘤解離・破裂
	吐血	上部消化管出血（食道静脈瘤破裂，胃・十二指腸出血）
	下血	消化管出血
	嘔吐，下痢	イレウス，腸炎
	皮膚またはその他の組織の損傷	熱傷
	尿量増加	尿崩症 強力な利尿薬投与
心原性ショック	胸痛	急性心筋梗塞
	感冒様症状，下痢，腹痛，動悸，胸痛	心筋炎
	動悸，息切れ，胸痛，失神	心筋症
	呼吸困難，下肢のむくみ	心臓弁膜症
	動悸，失神	不整脈
心外閉塞・拘束性ショック	頸静脈怒張，奇脈	心タンポナーデ
	胸痛，呼吸促迫，チアノーゼ	急性肺塞栓症
	頸静脈怒張，呼吸困難，努力様呼吸，皮下気腫，患側呼吸音減弱	緊張性気胸
血液分布異常性ショック	感染徴候（悪寒戦慄，発熱），四肢は温かい	敗血症性ショック
	皮膚症状（紅斑，蕁麻疹，かゆみ，顔面浮腫），呼吸困難（喉頭浮腫，声門浮腫，肺水腫），喘鳴，胃腸障害（悪心・嘔吐，腹痛，下痢）	アナフィラキシーショック

第1章　全身

- 急性肺塞栓症：深部静脈や心臓内で形成された血栓が遊離して，肺血管を閉塞することによって生じる．手術翌日の離床時や，長期臥床患者に起こりやすい．
- 緊張性気胸：肺胞または末梢気道の破裂が原因で，吸気ガスが胸腔内に漏出して気胸となり，さらに気道内圧の上昇により胸腔内圧が上昇して静脈還流が減少し，急激に呼吸・循環障害が生じたものである．胸部外傷や人工呼吸中，ファイティング（患者の呼吸と人工呼吸器の換気が合わないこと）で気道内圧が急に上がったときに発生しやすい．

〈血液分布異常性ショック〉

- 敗血症性ショック：感染症もしくは感染症が疑われ，sequential organ failure assessment (SOFA) スコア 2 点以上の急上昇があり，死亡率を増加させる可能性のある重篤な循環，細胞，代謝の異常を有するもの
  ・診断基準：適切な輸液負荷にもかかわらず，平均血圧≧65 mmHg を維持するために血管収縮薬を必要とし，かつ血中乳酸値＞2 mmol/L を認める場合．
- アナフィラキシーショック：アナフィラキシー反応，アナフィラキシー様反応を起こすものには，食物（ピーナッツ，大豆，卵白，貝），毒素（ヘビ，ハチ，サソリ），薬物（抗菌薬，局所麻酔薬，造影剤，化学療法薬など），血液製剤（赤血球，血小板，血漿，アルブミン，γグロブリン製剤），膠質液（ヒドロキシエチルデンプン），抗血清などがある．
  ・アナフィラキシー反応：抗原の感作により産生される抗原特異的免疫グロブリン（IgE）を介する抗原抗体反応である．抗原が再度入ってくると，肥満細胞や好塩基球表面の IgE と結合して細胞が活性化され，細胞内顆粒より様々なメディエーターが放出されて起こる．
  ・アナフィラキシー様反応：免疫学的機序を介さずに肥満細胞や好塩基球を直接刺激したり補体を活性化することによって起こる．

- 鑑別診断のポイント
- 症状の経過，随伴症状を考えて鑑別する．
- 出血はあるか→あれば，出血による循環血液量減少性ショック．
- 脱水症状があるか→あれば，循環血液量減少性ショックの疑い．
- 胸痛，不整脈があるか→あれば，心原性ショックの可能性大．
- 悪寒戦慄，発熱があるか→あれば，敗血症性ショックの疑い．
- 頸静脈怒張があるか→あれば，心外閉塞・拘束性ショック（心タンポナーデ，急性肺塞栓症，緊張性気胸のうちのいずれか）．
- 呼吸音は左右聴取できるか→左右差があれば，緊張性気胸の疑い．
- 何かの薬剤を投与した直後か→投薬直後ならば，アナフィラキシーショックの疑い．
- 何かの食物を食べたあとか→食物摂取直後ならば，アナフィラキシーショックの疑い．
- 胸部 X 線検査：肺うっ血，肺水腫，気胸があるか→①肺うっ血があれば，心原性ショックの疑い．②肺水腫があれば，心原性ショック，敗血症性ショック，アナフィラキシーショックのいずれか．③気胸があれば，緊張性気胸．
- 胸部造影 CT 検査：肺動脈の欠損はないか→肺動脈欠損があれば，急性肺塞栓症の疑い．
- 心電図検査：ST 上昇，ST 低下（心筋虚血）はないか→あれば，急性心筋梗塞の疑い．
- 心エコー検査：①左室収縮力が低下していないか→低下していれば，急性心筋梗塞または敗血症性ショックの疑い．②心嚢液が貯留していないか→貯留していれば，心タンポナーデ．③右室の拡大はないか→拡大していれば，急性肺塞栓症の疑い．
- 血算：貧血はないか，白血球は増加あるいは減少しているか→①貧血があれば，出血性ショックの疑い．②白血球増加あるいは減少があれば，敗血症性ショックの疑い．
- 生化学検査：心筋酵素が上昇しているか→上昇していれば，急性心筋梗塞の疑い．D ダイマーが上昇しているか→上昇していれば，急性肺塞栓症の疑い．
- 肺動脈カテーテル（図 5-6）：スワン-ガンツカテーテルともいう．ショックの原因を突き止めるためには，肺動脈カテーテルが役立つ．カテーテル先端にあるバルーンを膨らませて血流に乗せ，圧をモニターしながら肺動脈にカテーテルを挿入する．これにより，肺動脈圧，右房圧，肺毛細血管楔入圧（PCWP），心拍出量（CO），混合静脈血酸素飽和度（SvO₂）を測定し，血行動態を把握する．肺動脈カテーテルで測定できるパラメーターによるショックの血行動態を表 5-3 に示した．PCWP は前負荷の指標であり，後負荷の指標は体血管抵抗（SVR）である．SVR は末梢血管が拡張しているか収縮しているかを表し，拡張している時は低く，収縮している時は高くなる．例えば，心原性ショック

70

の時のように末梢血管が収縮していれば SVR は高く四肢が冷たくなり，反対に敗血症性ショックのように末梢血管が拡張している時には SVR は低く四肢が温かい.

治療法・対症療法

診断・治療の原則は，ショックの原因を突き止めつつ蘇生を開始することである.

●治療方針
- ●できるだけ早く血圧を上げ，血行動態を安定化させることが先決であり，同時に原因を検索する．原因が判明したら，原因に対する治療を行う.

〈循環血液量減少性ショック〉
- ●出血の場合は止血を行いつつ，急速輸血，晶質液(乳酸リンゲル液)や膠質液(ヒドロキシエチルデンプン，5% アルブミン)を急速輸液する.
- ●血圧が上がらない場合は，カテコールアミン持続投与を併用して血圧を上げる.

〈心原性ショック〉
- ●カテコールアミンを持続投与し，輸液を少なくするのが原則である．右室梗塞の場合は例外で，輸液は多めにする．状態に応じて大動脈内バルーンパンピング(IABP)や経皮的心肺補助装置(PCPS)を使用して血行動態を維持する．肺うっ血をとるためにループ利尿薬のフロセミドを使用する.
- ●急性心筋梗塞の場合は，冠動脈造影，ステント挿入，必要ならば冠動脈バイパス術を行う.

〈心外閉塞・拘束性ショック〉
- ●心タンポナーデ：心膜穿刺，心嚢ドレーン挿入，心膜切除術による排液を行う.
- ●急性肺塞栓症：抗凝固療法(ヘパリン)，輸液，カテコールアミン持続投与，血栓溶解療法(組織プラスミノゲンアクチベータ)を行う．抗凝固療法が禁忌の場合は，下大静脈フィルターを挿入する.
- ●緊張性気胸：胸腔ドレーンを挿入する.

〈血液分布異常性ショック〉
- ●敗血症性ショック：晶質液が 30 mL/kg 以上を 3 時間以内に急速投与し，平均動脈圧を 65 mmHg 以上に保つように血管収縮薬を持続投与する．昇圧薬の第 1 選択薬はノルアドレナリンである．第 2 選択薬としてピトレシンを使用する．初期輸液と循環作動薬に反応しない敗血症性ショックに対して，低用量ステロイド(ヒドロコルチゾン)を投与する．輸液は晶質液や，膠質液のうちアルブミンを使用する(膠質液のヒドロキシエチルデンプンは腎機能障害を起こすことがあるので使用しない)．血液培養を提出してから，広域抗菌薬を投与する．感染巣を検索し，その除去を行う．低酸素血症があれば，気管挿管をして人工呼吸を行う．急性腎障害には血液浄化療法を行う.
- ●アナフィラキシーショック：気道閉塞があれば，気管挿管し人工呼吸を行う．気道閉塞がなければ，酸素投与を行う．アドレナリンを筋注し，急速輸液，カテコールアミン持続投与を行う．抗ヒスタミン薬やグルココルチコイドの投与を行う.

●薬物療法 (表 5-4)
Px 処方例 下記のいずれかを用いる.
- ●イノバン注　3～20 µg/kg/分　持続静注　←カテコールアミン系薬剤
- ●ノルアドレナリン注　3～20 µg/分　持続静注　←カテコールアミン系薬剤
- ●ボスミン注　3～20 µg/分　持続静注　←カテコールアミン系薬剤
- ●ドブトレックス注　3～20 µg/kg/分　持続静注　←カテコールアミン系薬剤
- ●ピトレシン注　0.03 U/分　持続静注　←下垂体後葉ホルモン製剤
- ●水溶性ハイドロコートン注，ソル・コーテフ　200～300 mg/日　静注　←ヒドロコルチゾン
- ●ジフェンヒドラミン塩酸塩注　1 回　10～30 mg　皮下注または筋注　←抗ヒスタミン薬

第1章　全身

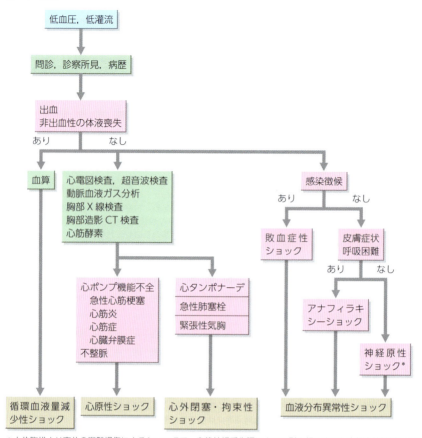

*上位胸椎より高位の脊髄損傷によるショックで，自律神経系失調によって引き起こされた末梢血管弛緩による血圧低下である．

■図 5-5　ショックの診断の進め方

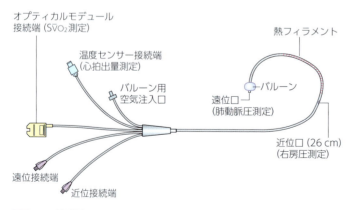

■図 5-6　肺動脈カテーテル

■**表5-3　ショックの血行動態**

ショックの分類	前負荷 (PCWP)	心拍出量 (CO)	後負荷 (SVR)	酸素需給バランス (Sv̄O₂)
循環血液量減少性	↓	↓	↑	↓
心原性	↑	↓	↑	↓
心外閉塞・拘束性	↑	↓	↑	↓
血液分布異常性	↓→	↑	↓	↑

PCWP = 肺毛細血管楔入圧（左房圧を反映），CO = 心拍出量
SVR = 体血管抵抗（末梢血管が収縮しているか拡張しているかの指標），Sv̄O₂ = 混合静脈血酸素飽和度

■**表5-4　ショックの主な治療薬**

分類	一般名	主な商品名	薬の効くメカニズム	主な副作用
カテコールアミン系薬剤	ドパミン塩酸塩	イノバン，ドパミン塩酸塩	末梢血管収縮，血圧上昇	不整脈，麻痺性イレウス，末梢血管収縮（虚血）
	ノルアドレナリン	ノルアドリナリン	末梢血管収縮，血圧上昇	徐脈，動悸，血圧異常上昇，胸内苦悶，頭痛，羞明，悪心・嘔吐，悪寒
	アドレナリン	ボスミン，エピペン	末梢血管収縮，血圧上昇，心収縮力上昇，心拍出量増加，気管支拡張作用	呼吸困難，肺水腫，心停止，心悸亢進，頭痛，悪心・嘔吐
	ドブタミン塩酸塩	ドブトレックス，ドブタミン，ドブタミン塩酸塩	心収縮力上昇，心拍出量増加，末梢血管収縮，血圧上昇	不整脈，動悸
下垂体後葉ホルモン製剤	合成バソプレシン	ピトレシン	末梢血管収縮，血圧上昇	横紋筋融解症，心不全，心停止，心室頻拍，心筋虚血
グルココルチコイド	ヒドロコルチゾンリン酸エステルナトリウム	水溶性ハイドロコートン	抗炎症作用	感染の悪化，消化性潰瘍，消化管出血，高血糖
	ヒドロコルチゾンコハク酸エステルナトリウム	ソル・コーテフ，ヒドロコルチゾンコハク酸エステルNa		
	メチルプレドニゾロンコハク酸エステルナトリウム	ソル・メドロール		
抗ヒスタミン薬	ジフェンヒドラミン塩酸塩	レスタミン，ジフェンヒドラミン塩酸塩	抗蕁麻疹，抗瘙痒作用	眠気

●参考文献
1) Singer M, et al：The Third International Consensus Definitions for Sepsis and Septic Shock（Sepsis-3）. JAMA 315(8)：801-810, 2016
2) 日本版敗血症診療ガイドライン 2020 特別委員会編：日本版敗血症診療ガイドライン 2020．日本集中治療医学会雑誌，28(Suppl)，2021

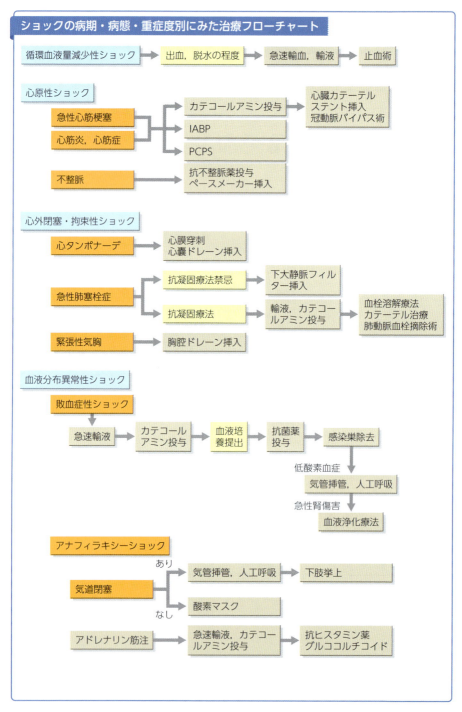

ショック状態にある患者の看護

横堀 潤子

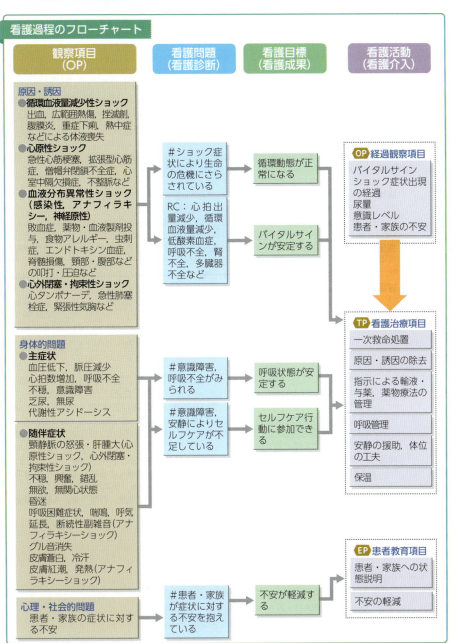

第1章　全身

基本的な考え方

緊急 ショック状態は生命の危機に直結するため迅速な対応が必要である．すばやくショック状態から離脱させることを最優先とし，早期発見と適切な初期治療を行う．ショックの原因を検索しつつ刻々と変化する状態に適切に対応することが重要である．
- 原因を把握するとともに，多様な症状がどのように変化（改善・悪化）しているかを正確に捉える．
- 行われる治療・処置・検査を予測し，スムーズに行われるように準備し，介助にあたる．

STEP ❶ アセスメント	STEP ❷ 看護課題の明確化	STEP ❸ 計画	STEP ❹ 実施	STEP ❺ 評価

情報収集	アセスメントの視点と根拠・起こりうる看護問題

全身状態，ショック症状の程度，原因の把握

ショックの症状と原因・誘因，またその程度・経過を把握することで，刻々と変化する症状への治療・看護ケアに反映することができる．

意識状態，自覚症状
- 無欲，無関心，不穏，興奮，性格の変化，傾眠，混乱，昏睡はないか ➡低酸素状態により初期には興奮，多幸などの症状が現れる．
- 胸痛，悪寒戦慄 ➡アナフィラキシーショックの疑い．

脈拍
- 心拍数，リズム ➡カテコールアミンが交感神経を刺激するため脈拍数が増加する．
- 不整脈，心電図波形 ➡心原性ショックの鑑別．
- CVP（中心静脈圧）➡心原性ショック，心外閉塞・拘束性ショックでは上昇する．
- 頸静脈怒張　**原因・誘因** 心原性ショックまたは心外閉塞・拘束性ショック

血圧
- 血圧 ➡末梢循環の虚脱が進行するまで維持されていることが多いが，その限度を超えると急速に低下する．
- 脈圧 ➡心原性ショックでは脈圧の狭小化がみられる．

呼吸
- 数，リズム，深さ ➡促迫，浅表性呼吸の後，呼吸抑制がみられる．
- 呼吸音 ➡緊張性気胸（心外閉塞・拘束性ショック）では，患側の呼吸音の減弱がみられる．
- 呼吸困難感，喘鳴　**原因・誘因** アナフィラキシーショック

尿
- 量 ➡循環血液量減少性ショックでは，著しく減少する．
- 色調，検査データ

皮膚・粘膜
- 出血の有無
- 色，湿潤，冷汗 ➡四肢や体表への血液分布が減少し，汗腺が開き分泌が亢進する．
- 毛細血管再充満時間（capillary refilling time：CRT）➡遅延がないか確認する．
- 冷感 ➡循環血液量減少性ショックや心原性ショック，心外閉塞・拘束性ショックでは，末梢血管が収縮するため四肢冷感がみられる．
- 温感　**原因・誘因** 血液分布異常性ショック（末梢血管が拡張するため，皮膚は温かく乾燥していることが多い）

体温
- 体表温，深部温 ➡内臓の血液分布が多くなるため体表温と深部温の差が大きくなる．

🔍**起こりうる看護問題**：ショック症状により生命の危機にさらされている／意識障害，呼吸不全がみられる／意識障害，安静によりセルフケアが不足している

🔍**共同問題**：心拍出量減少，循環血液量減少，低酸素血症，呼吸不全，多臓器不全など

ショックへの緊急対応

- ショックの5Pの徴候に注意する．
  pallor：蒼白
  prostration：虚脱
  perspiration：冷汗
  pulselessness：脈拍触知不能
  pulmonary insufficiency：呼吸不全

ショックに関する検査結果	同時に行われる検査結果を随時把握することは,患者の全身状態の把握につながり,治療や看護ケアに重要な情報を得ることができる.
血液検査	●赤血球数,白血球数,ヘマトクリット値,ヘモグロビン値,血小板数
	●血糖値,ナトリウム,カリウム,クロール(塩素),乳酸値
動脈血液ガス分析	●PaO_2(動脈血酸素分圧),$PaCO_2$(動脈血炭酸ガス分圧),pH,重炭酸イオン,塩基過剰
心電図検査	●ST 上昇・低下,不整脈 原因・誘因 心原性ショック
心エコー検査	●左室収縮低下 原因・誘因 血液分布異常性ショック
	●心嚢液貯留 原因・誘因 心原性ショック
胸腹部 X 線検査	●気胸 原因・誘因 心外閉塞・拘束性ショック
治療	ショックの種類によって行われる治療は大きく異なるため,ショックの原因や誘因を明らかにすることが治療や看護ケアに重要となる.
呼吸管理	●酸素投与方法
	●気道確保の必要性と方法
体液の補充	●静脈路確保の方法
	●輸液・輸血の内容
薬物療法	●使用されている薬物とその量
循環動態の把握	●心電図モニター
	●血圧
	●CVP
	●SpO_2(経皮的酸素飽和度)
	●肺動脈カテーテル(スワン - ガンツカテーテル)
	●体温
病歴の把握	原因の特定や全身状態の把握につながり,治療や看護ケアにも重要な情報を得ることができる.
経過	●いつ起こったか.
	●急激に始まったか,前駆症状があったか.
	●症状の持続時間と変化
	●自覚症状はあったか.
	●どんな対応をしたか.
誘因	●食物・薬物 原因・誘因 アナフィラキシーショック
既往歴	●現病歴(手術歴,入院歴)と服薬内容
	●アレルギーの有無
	●治療歴
患者・家族の心理・社会的側面の把握	ショック状態は生命を脅かし,状態の遷延は合併症を招きやすい.患者・家族の動揺は激しく強い不安を感じている.
	●ショック症状出現の経過などを聞きながら,同時に患者や家族の言動からどのような精神状態にあるかを知る.
	●強い不安や恐怖はショックを悪化させる可能性がある.
	●特に家族は強い不安・恐怖を抱き,混乱状態に陥る可能性がある.
	🔍 起こりうる看護問題:患者・家族が症状に対する不安を抱えている

STEP ❶ アセスメント　STEP ❷ 看護課題の明確化　STEP ❸ 計画　STEP ❹ 実施　STEP ❺ 評価

看護問題リスト

RC:心拍出量減少,循環血液量減少,低酸素血症,呼吸不全,腎不全,多臓器不全など
#1　ショック症状により生命の危機にさらされている(活動-運動パターン)

第1章 全身

#2 意識障害，呼吸不全がみられる（活動-運動パターン）
#3 意識障害，安静によりセルフケアが不足している（活動-運動パターン）
#4 患者・家族が症状に対する不安を抱えている（自己知覚パターン）

看護問題の優先度の指針

- 生命の危機に直結するため**ショック状態からの離脱を第一に優先させる**．ショック状態が進行すると不可逆性の臓器不全に陥るため，迅速で適切な処置を行うことが重要である．
- ショック初期は精神的に不安や緊張状態に陥り，正常な判断が保てず，危険行動を起こしやすいため，安全の確保も同時に行う．
- 患者・家族の不安や恐怖を受け止め，少しでも軽減されるよう努める．

STEP ① アセスメント　STEP ② 看護課題の明確化　STEP ③ 計画　STEP ④ 実施　STEP ⑤ 評価

共同問題	看護目標（看護成果）
RC：心拍出量減少，循環血液量減少，低酸素血症，呼吸不全，腎不全，多臓器不全など	〈短期目標〉心拍出量減少，循環血液量減少，低酸素血症，呼吸不全，腎不全，多臓器不全などの症状発現を管理し，最小限に抑える

看護計画	介入のポイントと根拠

急性期の緊急対応

一次救命処置のABCとして，A（airway）：気道確保，B（breathing）：人工呼吸，C（circulation）：胸骨圧迫（心臓マッサージ），D（defibrillation）：除細動を実施する．またショック状態に陥っている場合，ショック体位をとる．

頭部後屈あご先挙上法による気道確保

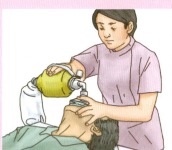
バッグバルブマスクを用いた人工呼吸

胸骨圧迫（心臓マッサージ）

ショック体位（足高位）

OP 経過観察項目
- ショックの徴候がみられたら，どのような場合においても迅速に対応する
- 継続的な観察を怠らない

⮕ 即座にドクターコールを行う

⮕ 刻々と変化するショックの様相を正確に把握する

TP 看護治療項目
- 呼吸の有無を確認し，気道を確保することが先決である

- 心停止またはそれに近い状態には胸骨圧迫（心臓マッサージ）を行う
- 循環血液量減少性ショック，血液分布異常性ショックではショック体位をとる
- 起座呼吸をしている場合は，セミファウラー位などの安楽な体位をとる

- 輸液・薬物療法のため，大きな内径の静脈ルートを2本確保する

- 膀胱に留置カテーテルを挿入する
- 検査検体を採取し，心電図モニターやパルスオキシメーター，自動血圧計などを装着する
- 全身の保温を行う

⮕ 根拠 舌根沈下，気道分泌物や吐物による気道閉塞，アナフィラキシーショックでは，喉頭浮腫による気道閉塞が生じる
⮕ 根拠 脳や組織に酸素を供給する

⮕ 根拠 下肢を挙上することにより主要臓器への血液灌流を促す
⮕ 根拠 心原性ショックでは肺うっ血，肺水腫を増悪させるため，トレンデレンブルグ体位（下肢を挙上し，頸部を下げる）は禁忌である
⮕ 根拠 循環血液量を補うため急速の大量輸液を行う場合が多い．バイタルサイン，血液データや動脈血ガス分析データ，尿量を把握しながら，輸液・薬物の種類や投与量を医師と調整する
⮕ 根拠 正確に尿量を測定する

⮕ 末梢だけでなく中心温の維持に努める．大量の輸液や輸血は体温低下の原因となるので，ウォーマーなどで加温して投与する

1 看護問題	看護診断	看護目標（看護成果）
#1 ショック症状により生命の危機にさらされている	**非効果的末梢組織灌流** **診断指標** □末梢の脈拍欠如 □運動機能の変化 □皮膚特性の変化 □足関節上腕血圧比(ABI)，0.9未満 □毛細管再充満時間(CRT)，3秒以上 □下肢を1分間挙上しても色調が戻らない □四肢の血圧の低下 □末梢脈の微弱化 □感覚異常 □四肢挙上により蒼白になる皮膚色	〈長期目標〉バイタルサインが安定し，原因が除去される 〈短期目標〉血圧，脈拍が正常範囲に保たれる

5
ショック

第1章　全身

看護計画	介入のポイントと根拠
OP 経過観察項目 ●血圧変動，脈拍，脈圧，CVP ●心電図波形 ●呼吸数，呼吸音，呼吸困難感・喘鳴の有無 ●意識状態 ●皮膚の冷感・温感，頸静脈怒張の有無 ●尿量，尿の色調，比重 ●動脈血ガス分析データ：PaO₂，PaCO₂，pH，重炭酸イオン，塩基過剰 ●血液データ：赤血球数，白血球数，ヘマトクリット値，ヘモグロビン値，血小板数，血糖値，ナトリウム，カリウム，クロール，乳酸値	●刻々と変化するショックの症状と程度を経時的に把握し，原因を検索する　**根拠** 関連を把握することで，原因を推測し，適切な看護計画につなげることができる
TP 看護治療項目 ●医師に指示された輸液，薬物を投与する ●行われる検査，処置の準備や管理をする ●安全の確保を行う	●安全，確実に行う ● **根拠** 検査結果は病状を把握するうえで重要であり，迅速に行われるようにする ● **根拠** 意識がもうろうとしている場合はベッドからの転落やライン類の抜去の危険がある
EP 患者教育項目 ●声かけを行い，精神的ケアを行う ●必ずよくなること，最善を尽くしていることを説明する	● **根拠** 患者の不安や恐怖を軽減させる

2 看護問題	看護診断	看護目標（看護成果）
#2　意識障害，呼吸不全がみられる	**ガス交換障害** **関連因子**：肺胞-毛細血管膜の変化，換気血流不均衡 **診断指標** □動脈血 pH の異常 □呼吸リズムの変化 □呼吸深度の変化 □皮膚色の異常（例：蒼白，黒みがかかる） □低酸素血症 □低酸素症	〈**長期目標**〉原因が除去され，呼吸状態が安定する 〈**短期目標**〉低酸素状態から脱することができる

看護計画	介入のポイントと根拠
OP 経過観察項目 ●SpO₂（経皮的酵素飽和度） ●動脈血ガス分析データ：PaO₂，PaCO₂ ●意識状態，舌根沈下の有無 ●気管分泌物の量，性状 ●呼吸音，呼吸副雑音，喘鳴の有無	● **根拠** 酸素化の総合的評価が必要である ● **根拠** 意識障害が進行するにつれて舌根沈下が起こってくる ●肺水腫では断続性副雑音やピンク色の泡沫状の痰がみられる
TP 看護治療項目 ●医師に指示された酸素投与量，または呼吸器のモードで管理する	●組織への酸素供給を行う

- 呼吸音聴取や呼吸器のグラフィックで気道の分泌物が確認されたら，気道吸引を行う

- 口腔内ケアを行う

➲ほとんどの場合，体液喪失により気道の分泌物は粘稠（ねんちゅう）度を増している．バイタルサインが安定するまでは体位ドレナージなどは行わない
➲清潔に保つ　根拠 意識障害や気管挿管によって，口腔内は清潔に保ちにくい状態にあるため，呼吸器合併症のリスクが高くなる

EP 患者教育項目
- 酸素投与の必要性について説明する
- 呼吸困難感や呼吸苦が生じたら，すぐに伝えるよう説明する

➲可能な限り患者の理解を得る
➲ 根拠 症状の程度をすぐに把握できるようにする

3 看護問題	看護診断	看護目標（看護成果）
#3　意識障害，安静によりセルフケアが不足している	セルフネグレクト 関連因子：実行機能障害 診断指標 □不十分な個人の衛生意識	〈長期目標〉患者は食事行為，更衣行為，排泄行為，入浴行為などのセルフケア活動に，身体的または言語的に参加する 〈短期目標〉1) 意識状態が改善する．2) 活動・行動範囲が拡大する

看護計画	介入のポイントと根拠
OP 経過観察項目 ● 意識レベル ● 血圧，脈圧，脈拍，CVP ● SpO$_2$，呼吸音，胸部 X 線所見 ● 体温 ● 心電図波形 ● 血液検査データ ● 廃用症候群（心肺機能低下，筋萎縮，関節拘縮，褥瘡）の有無 ● ライン類の刺入部・挿入部	➲安静度の拡大およびセルフケア行動が可能かどうかを総合的に評価する ➲長期の安静は廃用症候群を招き，安静度拡大の障害となる ➲出血や感染徴候の有無を把握する
TP 看護治療項目 ● 環境整備を徹底する ● 2〜3 時間ごとに体位変換を行い，良肢位を保つ ● ライン類の刺入部・挿入部は清潔に保ち，汚染されていたら，すぐにドレッシング材などを交換する	➲循環動態や呼吸状態を評価しながら行う 根拠 体位変換，良肢位の保持は同一部位の皮膚の圧迫や拘縮を避けるだけでなく，循環機能や呼吸機能を改善させる ➲ 根拠 二次的感染により安静臥床が長期化する可能性がある
EP 患者教育項目 ● 患者が自分でできることは，援助されることなく自立して行う．患者に選択肢を与え，できないことだけ援助するよう家族に指導する	➲援助なく身の回りのことができることは患者の自信につながる．また患者自身がセルフケア能力を高めようとすることで，ウェルネスを増進できる

第1章　全身

4 看護問題	看護診断	看護目標（看護成果）
#4　患者・家族が症状に対する不安を抱えている	不安 **関連因子**：不慣れな状況，疼痛，ストレッサー **診断指標** □生産性低下 □混乱 □過覚醒 □不眠 □緊張感 □不安定な気持ち □呼吸パターンの変化，など	〈長期目標〉患者・家族が心理的・身体的安楽が増大したことを表現できる 〈短期目標〉1) 不安を言葉に出して表現できる．2) 表情や身振りが，苦痛が軽減していることを反映している

看護計画 / 介入のポイントと根拠

OP 経過観察項目
- 不安や緊張の表情
- つじつまの合わない言動，応答の遅延
- 落ち着きのない行動

● ショックが精神状態に与えている影響を把握する　**根拠** ショック初期には精神的緊張状態や不安状態になることがある

TP 看護治療項目
- 患者の安全を確保する
- コミュニケーションを十分とり，不安が表出できるような態度で接する
- 家族に最善の治療をしていることを伝え，面会制限の必要性を説明する

● **根拠** ショックの精神状態への影響から正常な判断ができない可能性がある

● 家族の表情を観察し，簡潔な言葉でわかりやすく説明する　**根拠** 緊急性の高い場合が多く，家族は強い不安や混乱に陥りやすいため，一度の説明では理解できないことが多い．経時的に観察し，わからない点がないか時間をおいて尋ねるとよい

EP 患者教育項目
- 症状によって不安に陥りやすいことを説明し，必ず改善することを保証する

● 支援的態度で接する　**根拠** 不安の表出を促し，また精神的に落ち着かせるよう働きかけることができる

STEP **1** アセスメント　STEP **2** 看護課題の明確化　STEP **3** 計画　STEP **4** 実施　STEP **5** 評価

病期・病態・重症度に応じたケアのポイント

【急性期】ショックは緊急性が高く生命に直結し，また進行すると不可逆性の臓器不全に陥るため，できる限り早くショック状態から離脱できるよう，迅速かつ適切に処置を行う必要がある．ショック症状は短時間のうちに変化するため，全身状態を経時的に観察し正確に把握する．ショックには様々な原因があり，早期にその種類と程度を把握し，適切な治療や検査がスムーズに行われるよう，予測して行動する．

【回復期】ショックに至った原因への対応が必要である．また，不可逆性の臓器不全を起こしている場合は，症状の緩和や合併症の予防に努める．

看護活動（看護介入）のポイント

診察・治療の介助
- ●ショック症状の程度や経過から，原因を把握する．
- ●ショックに対する薬物療法や検査がスムーズに行えるよう準備する．
- ●指示された輸液・薬物を正確に投与する．

ショックに対する援助
- ●ABC の評価と一次救命処置を行う．
- ●呼吸管理を行う．
- ●静脈路を確保し，水分出納を管理する．
- ●安静の援助と体位を工夫する．
- ●保温に努める．
- ●患者・家族に対し精神的ケアを行う．

退院指導・療養指導

- ●ショックの原因を説明し，理解を得る．
- ●水分管理・食事制限が必要な場合はその必要性を説明する．

STEP ❶ アセスメント　STEP ❷ 看護課題の明確化　STEP ❸ 計画　STEP ❹ 実施　STEP ❺ 評価

評価のポイント

看護目標に対する達成度
- ●循環動態が正常範囲に保たれているか．
- ●低酸素が改善され，呼吸状態が安定しているか．
- ●意識障害が改善し，活動範囲の拡大が見込まれるか．
- ●患者・家族が心理的・身体的安楽が増大したことを表現できているか．

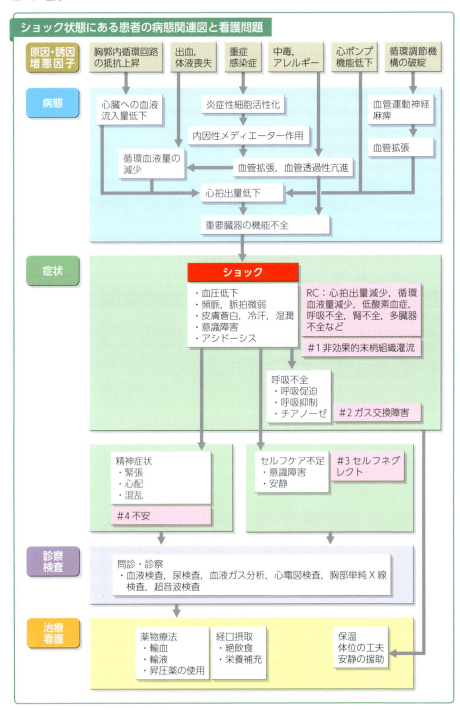

6 チアノーゼ

神　靖人

目でみる症状

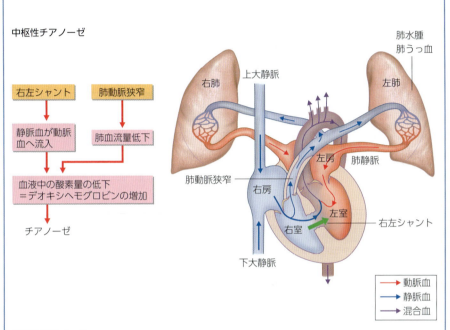

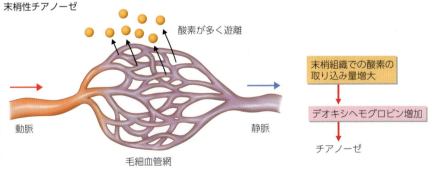

■図 6-1　チアノーゼの発生機序

第1章　全身

病態生理

> 皮膚や粘膜の毛細血管を，暗青色のデオキシヘモグロビン（還元型ヘモグロビン）濃度が高くなった血液が流れることにより，皮膚や粘膜の色調が青色に変化することをチアノーゼという．

- 赤血球の中のヘモグロビン（血色素）は酸素を運搬するが，毛細血管内を通過するに従い，酸素を組織に遊離する．酸素を結合したオキシヘモグロビン（酸化型ヘモグロビン）は鮮紅色で，酸素を遊離したデオキシヘモグロビン（還元型ヘモグロビン）は暗青色である．皮膚の血管内でのデオキシヘモグロビンの割合が増加すると，皮膚は青味がかりチアノーゼという状態になる．
- 心臓から拍出された動脈血液内の酸素量が低下している場合を中枢性チアノーゼと呼び，低下していない場合を末梢性チアノーゼという（表 6-1）．末梢性チアノーゼでは心臓から出た血液中のデオキシヘモグロビンは多くないが，末梢組織での酸素の取り込み量が多く，血液が四肢末端に到達したときはデオキシヘモグロビンが増え，青色を呈するようになっている．また皮膚に青い色素が沈着することによる偽性チアノーゼがある．
- 中枢性チアノーゼは，十分な酸素が肺胞に供給されない（到達できない）か，肺胞から毛細血管へ移動できない病態が起きる状態が生じる疾患であれば，起こりうる．
- 末梢性チアノーゼは，末梢組織で酸素が赤血球から取り除かれる（抽出される）状態が生じれば，起こりうる．
- 一般的に，チアノーゼは毛細血管中のデオキシヘモグロビンの絶対量が 5 g/dL 以上に増加すると認められる．中枢性チアノーゼでは動脈中のデオキシヘモグロビンは 3.5 g/dL 以上である．貧血のある患者ではヘモグロビン量が少ないため発症しにくい．デオキシヘモグロビンがチアノーゼを呈する量に達してしまうと，そこにオキシヘモグロビンが加わってもチアノーゼは消失しない．

■表 6-1　**チアノーゼの原因または考えられる疾患**（すべての疾患で緊急対応を要する）

	疾患
中枢性チアノーゼを呈する場合	●**心血管性チアノーゼ** ●先天性心血管奇形：出生直後（肺動脈弁閉鎖症，高度肺動脈弁狭窄症，大血管転位，エプシュタイン奇形），生後数日以内（総肺静脈還流異常，左心低形成，総動脈幹症，単心室），それ以後（心房間シャント，心室間シャント） ●後天性心疾患：心不全（特に右心不全）など ●肺水腫 ●**呼吸性チアノーゼを呈する疾患**（呼吸不全を生じる下記の疾患） ●肺の広範囲の炎症（肺炎） ●大量の胸水 ●中枢気道狭窄，閉塞 ●気管支喘息重積発作 ●肺動脈血栓塞栓症（右心不全を呈するほど重症例） ●間質性肺疾患，塵肺症 ●神経筋疾患に伴う呼吸不全 ●気胸 ●肺結核後遺症 ●肝肺症候群 ●気道熱傷 ●気道外傷 ●胸郭の外傷 ●**血液性チアノーゼ** ●異常ヘモグロビン症（メトヘモグロビン血症など） ●赤血球増加症
末梢性チアノーゼを呈する場合	●末梢循環不全 ●閉塞性動脈硬化症 ●レイノー病 ●バージャー（ビュルガー）病 ●血管のれん縮（寒冷刺激などによる）

＊チアノーゼと間違えやすい皮膚の青色には，色素沈着，薬剤性（アミオダロンによる），染料の付着によるものがある．

■表6-2　チアノーゼの随伴症状と考えられる疾患（すべての疾患で緊急対応を要する）

分類		随伴症状	考えられる疾患
中枢性チアノーゼを呈する場合	心血管性チアノーゼ	出生時よりの心雑音 太鼓ばち指，労作時のしゃがみこみ 胸痛，断続性副雑音，Ⅲ音の聴取，泡沫状痰	先天性心疾患 ファロー四徴症 虚血性心疾患，急性心不全
	呼吸性チアノーゼを呈する疾患*	発熱，黄色痰 呼吸音減弱，胸痛 気管狭窄音，呼吸音減弱，苦悶状表情 呼気の延長，呼吸音減弱，意識障害 Ⅱ音の分裂，失神発作 捻髪音 筋萎縮，胸郭運動低下 胸痛，呼吸音低下 胸郭変形，四肢の浮腫 クモ状母斑，腹水	肺の広範囲の炎症（肺炎） 大量の胸水 中枢気道狭窄，閉塞 気管支喘息重積発作 肺動脈血栓塞栓症（右心不全を呈するほど重症例） 間質性肺疾患，塵肺症 神経筋疾患に伴う呼吸不全 気胸 肺結核後遺症 肝肺症候群
	血液性チアノーゼ	動脈血酸素分圧正常 ヘモグロビン高値	異常ヘモグロビン症（メトヘモグロビン血症など） 赤血球増加症
末梢性チアノーゼを呈する場合		四肢の冷感，冷汗，頻脈 間欠性跛行，障害肢の動脈拍動減弱，潰瘍 手指が蒼白 足指に潰瘍	末梢循環不全 閉塞性動脈硬化症 レイノー病 バージャー（ビュルガー）病

＊呼吸不全を生じる疾患の多くは呼吸困難を認める．

- 皮膚の色はメラニン，カロチン，ヘモグロビン，デオキシヘモグロビンにより決まる．メラニンをつくる細胞はメラノサイトといい，メラノサイト内で産生されたメラニンはメラノソーム（メラニン顆粒）内に沈着し，隣接するケラチノサイトに転送される．皮膚の色はメラノサイト内部ではなくケラチノサイト内部のメラニン顆粒による．
- チアノーゼは口唇，口腔内，頬，爪床，四肢などで認めやすい．
- 一酸化炭素はヘモグロビンと強固に結合する．一酸化炭素と結合したヘモグロビンは酸素と結合できないが鮮紅色を呈しており，チアノーゼを認めない．

患者の訴え方

▌チアノーゼをきたす疾患は多く，その訴え方は多彩である．
- 主症状の訴え
- 手足，爪床，唇が青くなる．
- 随伴症状
- 原因疾患により様々な症状を訴える（表6-2）．呼吸困難，胸痛，動悸，頻脈，頻呼吸，冷感，意識障害など．

診断

- 原因・考えられる疾患
- チアノーゼの原因，考えられる疾患として，①呼吸器または循環器の疾患，②静脈血が動脈血に混入する病態，③異常なヘモグロビン（酸素を運搬できないメトヘモグロビンなど）が存在する時，の3つが挙げられる．
- メトヘモグロビンが1.5 g/dL以上に上昇し，チアノーゼを呈する病態をメトヘモグロビン血症という．先天性メトヘモグロビン血症はまれで，後天性メトヘモグロビン血症は亜硝酸塩，ニトロプルシド，ニトログリセリン，塩素酸塩，スルホンアミド，アニリン色素，ニトロベンゼン，抗マラリア薬など

第1章 全身

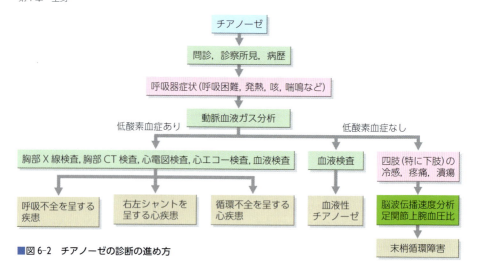

■図6-2 チアノーゼの診断の進め方

の薬剤が原因となる（表6-3）.動脈血酸素分圧（PaO_2）が正常であるにもかかわらず,全身性のチアノーゼを認める時は薬物性を疑う必要がある. メトヘモグロビン濃度が30%を超える場合は,メチレンブルー（1%溶液）1〜2 mg/kgを5分以上かけて静注する.

● 鑑別診断のポイント
● 病歴：発症時期（以前からみられたか,その場合は幼児期・小児期からか,最近始まったか）,発症形式（急に発症したか,緩徐に発症したか）,発症経過（増悪しているか,寛解・増悪を繰り返しているか）,などを確認する.
● 身体所見：指先,顔面（口唇,頬,耳たぶ,鼻尖）などによくみられる. チアノーゼであれば,皮膚を圧迫して血流を遮断すると青色が消失し白色調になる. 血圧,末梢動脈の拍動を確認する. 呼吸と胸郭を観察し,呼吸数,呼吸のリズム,呼吸の深さ,努力呼吸の有無を確認する. 末梢性チアノーゼでは末梢の皮膚は青いが,口腔粘膜はピンク色である.
● 検査所見：チアノーゼは低酸素血症やショックの徴候であることが臨床的には多い. 動脈血液ガス分析を行う. 中枢性チアノーゼの場合だけ低酸素血症を呈する.

治療法・対症療法

原因となっている疾患を突き止めながら治療を行う.
● 治療方針
● 急性発症であれば低酸素血症やショックを起こしており生命に危険を伴う状態であることが多いので,まず酸素投与,血圧維持などの全身管理を行う.
● 意識障害や中枢気道閉塞などがあれば気道確保を行う.
● 慢性発症の場合は原因疾患の診断を優先する. 慢性呼吸器疾患のなかには高濃度酸素吸入で呼吸抑制が起き,CO_2ナルコーシスを生じる場合もあるので注意を要する.
● 薬物療法
  Px 処方例 重症気管支喘息に対して点滴治療で軽快後に内服薬と吸入薬に切り替える場合
● レルベア200 エリプタ 30 吸入用　吸入（口）　1回1吸入　1日1回　毎日同じ時間帯に　←気管支拡張薬
● ユニフィル LA 錠（400 mg）　1回1錠　1日1回　就寝前　←気管支拡張薬
● キプレス錠（10 mg）　1回1錠　1日1回　就寝前　←抗アレルギー薬
● メプチンエアー（10 μg）吸入 100 回　発作時2吸入　←気管支拡張薬

> **Px 処方例 レイノー症状の場合**
> - プロサイリン錠 (20 μg)　1回1錠　1日3回　朝昼夕食後　←プロスタグランジン製剤
> - バイアスピリン錠 (100 mg)　1回1錠　1日1回　朝食後　←抗血小板薬
>
> **Px 処方例 慢性心不全に対する経口治療薬**
> - カルベジロール錠 (1.25〜10 mg)　1回1錠　1日2回　朝夕食後　←慢性心不全治療薬
>   ※初回投与量は1回1.25 mg　1日2回だが，安定すれば1回2.5〜10 mgを1日2回とする.
> - ブロプレス錠 (4 mg)　1回1錠　1日1回　朝食後　←降圧薬
> - ラシックス錠 (40 mg)　1回1錠　1日1回　朝食後　←利尿薬
> - アルダクトンA錠 (25 mg)　1回1錠　1日1回　朝食後　←利尿薬
>
> **Px 処方例 虚血性心疾患に対して**
> - ニトロールRカプセル (20 mg, 徐放)　1回1カプセル　1日2回　朝夕食後　←硝酸薬
>
> **Px 処方例 心不全を伴うアイゼンメンゲル Eisenmenger 症候群**
> - ラシックス錠 (40 mg)　1回1錠　1日1回　朝食後　←利尿薬
> - トラクリア錠 (62.5 mg)　1回1錠　1日2回　朝夕食後　←血管拡張薬

■表6-3　チアノーゼを生じる疾患の主な治療薬

分類	一般名	主な商品名	薬の効くメカニズム	主な副作用
強心薬	ドブタミン塩酸塩	ドブタミン	β_1受容体を刺激し心拍出量を増大させる	心筋虚血のある患者は注意，不整脈
	ドパミン塩酸塩	イノバン，カコージン	α受容体刺激により心拍出量を増大させる	大量で末梢血管収縮作用,不整脈,頻脈
	ノルアドレナリン	ノルアドリナリン	α・β受容体刺激による心拍出量増加	動悸，めまい，不安
利尿薬	フロセミド	ラシックス	利尿により浮腫・胸水の軽減，前負荷の減少	低カリウム血症，脱水症
	スピロノラクトン	アルダクトンA		高カリウム血症，腎機能障害
抗菌薬 ペニシリン系	(合剤) アンピシリンナトリウム・スルバクタムナトリウム	ユナシン-S	細菌性肺炎に対する殺菌的治療	下痢，皮疹，肝障害など
セフェム系	セフトリアキソンナトリウム水和物	ロセフィン		下痢，皮疹，胆石など
抗菌薬 マクロライド系	クラリスロマイシン	クラリシッド	細菌性，非定型性肺炎に対する治療	下痢，肝機能障害，好酸球増多など
抗菌薬 ニューキノロン系	レボフロキサシン水和物	クラビット		腹痛，下痢，肝機能障害，頭痛，好酸球増多など
プロスタグランジン製剤	ベラプロストナトリウム	ドルナー，プロサイリン	血管拡張作用，血小板凝集抑制作用	出血傾向，ショック
	アルプロスタジル	パルクス		ショック，アナフィラキシー様症状

第1章 全身

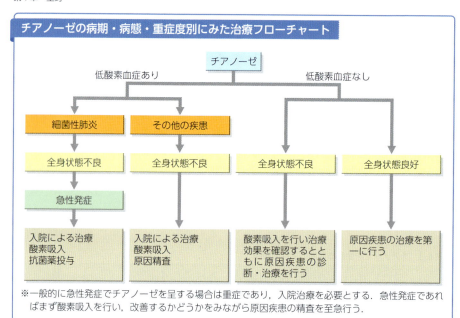

チアノーゼのある患者の看護

立野　淳子

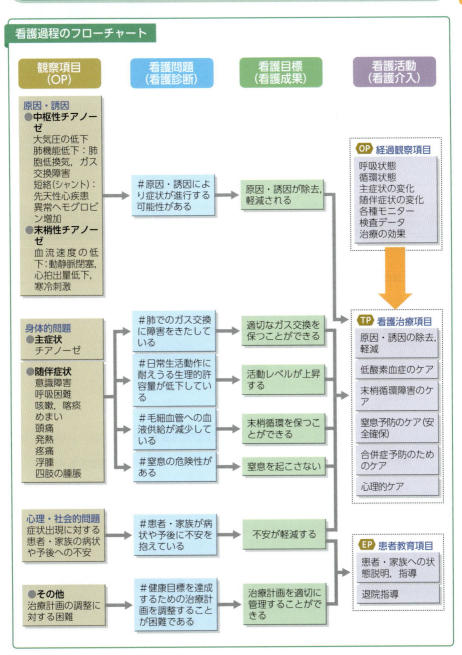

第1章　全身

基本的な考え方

- 中枢性か末梢性かにより介入方法が異なるため，症状の出現部位や持続時間，随伴症状，酸素投与による症状の変化などからチアノーゼのタイプを判別することが重要である．
- 成人のチアノーゼでは，呼吸器疾患のなかでも COPD（慢性閉塞性肺疾患）の急性増悪による頻度が高い．急性増悪の予防や対処を中心とした療養生活上の管理方法を指導することが大切である．
- 先天性心疾患の既往がある場合には，アイゼンメンゲル症候群を考慮する必要がある．
- うっ血性心不全で肺水腫を伴う場合などでは，中枢性と末梢性の混合型チアノーゼを呈することもある．
- 小児のチアノーゼの原因は多岐にわたるが，ファロー四徴症や心室中隔欠損症などチアノーゼ性先天性心疾患が強く疑われる．
- 異常ヘモグロビンの増加を疑う場合には，職業や服薬歴などを詳しく問診し，特殊な化学物質や薬剤に曝露していないかを把握することが大切である．

緊急 中枢性チアノーゼは低酸素血症を示す所見であり，見逃してはならない．重要臓器や組織への影響を最小限にするために，低酸素血症をもたらしている原因を鑑別し，ただちに適切な治療を開始する必要がある．特に，急性に出現した場合には，生命に関わる重篤な病態が考えられるため緊急処置を要する．

STEP ❶ アセスメント	STEP ❷ 看護課題の明確化	STEP ❸ 計画	STEP ❹ 実施	STEP ❺ 評価

情報収集	アセスメントの視点と根拠・起こりうる看護問題
病歴の把握	**患者・家族から症状の経過，症状の変化を聞くことは，原因・誘因の特定や全身状態の把握につながり，治療や看護ケアにも重要な情報を得ることができる．**
経過	● いつから，どのくらい続いているか．
	● 急性に増悪したか **緊急** **中枢性**
	● 労作による変化の有無 **緊急** **中枢性**
月齢，年齢	● 何歳または生後何か月か **小児** 原因の推測に役立つこともある．
環境	● 急激な気温変化の有無 **原因・誘因** 寒冷刺激
随伴症状	● 呼吸困難 **原因・誘因** 呼吸器疾患，うっ血性心不全，異常ヘモグロビン増加
	● 頭痛，めまい **原因・誘因** 循環不全，異常ヘモグロビン増加
	● 四肢のしびれ，疼痛 **原因・誘因** 循環器疾患
	● 以前にも同じような症状が出現したことがあるか．
既往歴	● 先天性心疾患
	● 呼吸器疾患，循環器疾患
服薬歴	● 常用薬の服用状況
	● 症状出現前に服用した薬剤の有無 **原因・誘因** 薬剤の過剰摂取または副作用，異常ヘモグロビン増加
職業歴	● 有機溶剤，化学薬品など特殊な物質を扱うことはないか **原因・誘因** 異常ヘモグロビン増加
その他	● 症状出現前に摂取したものはないか **小児** **高齢者** 異物や食事の誤嚥による窒息を考える．
主要症状の出現状況，程度，状態の把握	**症状の出現状況や状態を把握することで，原因疾患の特定につながる情報が得られる．**
部位	● 全身性か局所性か．
	・全身性：口唇，爪，指先，顔面，全身 **原因・誘因** **成人** 呼吸器疾患，うっ血性心不全 **小児** 先天性心疾患
	・局所性：口唇，爪，四肢 **原因・誘因** 循環器疾患，寒冷刺激
左右差	● チアノーゼに左右差，上下差はないか **原因・誘因** 循環器疾患
出現状況	● 急性か慢性か **緊急** 急激な発症

症状の変化	●症状の持続性の有無 ●労作による悪化の有無　原因・誘因 呼吸器疾患，うっ血性心不全 ●保温により改善するか　原因・誘因 寒冷刺激 ●酸素投与により改善するか. 　改善あり　原因・誘因 呼吸器疾患 　改善なし　原因・誘因 先天性心疾患，異常ヘモグロビン増加，循環器疾患

チアノーゼへの緊急対応

●チアノーゼは低酸素血症によるものが多い. チアノーゼを認めた際は，血液ガス分析をただちに施行し，PaO_2，$PaCO_2$ を把握したうえで，医師の指示に従い酸素投与を行う.
●重篤な低酸素血症では，意識レベル，バイタルサインを確認し，心肺停止またはそれに近い病態であれば速やかに心肺蘇生法を開始する.
●ショック状態にある場合には，ショック体位の保持，酸素投与，静脈路確保などを行い，呼吸，循環の維持に努める.
●チアノーゼのタイプ(中枢性か末梢性か)を鑑別し，原因の除去，軽減を図る.

全身状態の把握	症状経過の把握とともに，全身状態，随伴症状を観察し，治療，看護計画の立案に有効に反映する.
バイタルサイン	●体温 ➡感染症を鑑別する. ●血圧 ➡実測値だけでなく左右差の有無を確認する. ●血圧，脈拍 ➡ショック状態の有無を確認する.
意識レベル 呼吸状態	●意識レベル ➡低酸素血症による意識の変化を確認する. ●呼吸数 ➡低酸素血症による呼吸の異常を確認する. ●呼吸の深さ，リズム ➡低酸素血症に伴う呼吸パターンの異常を確認する. ●呼吸様式　原因・誘因 低酸素血症 ●咳嗽，喀痰　原因・誘因 呼吸器疾患 ●異常呼吸音(副雑音)の聴取　原因・誘因 呼吸器疾患，うっ血性心不全
循環状態	●心雑音，心音 ➡先天性心疾患の有無を確認する. ●末梢動脈の触知 ➡末梢動脈循環を評価する　原因・誘因 循環器疾患 ●皮膚温の左右差　原因・誘因 循環器疾患 ●浮腫の有無
モニタリング	●パルスオキシメーター ➡チアノーゼのタイプを鑑別する. ●心電図検査，心エコー検査 ➡循環器疾患を鑑別する. ●胸部 X 線検査 ➡呼吸器疾患を鑑別する. ●動脈血ガス分析 ➡チアノーゼのタイプを鑑別する. 貧血や多血の有無を把握する. 🔍 起こりうる看護問題：肺でのガス交換に障害をきたしている／日常生活動作に耐えうる生理的許容量が低下している／毛細血管への血液供給が減少している／窒息の危険性がある／健康目標を達成するための治療計画を調整することが困難である
患者・家族の心理・社会的側面の把握	病状や予後についての不安の有無・程度を観察し，心理的安寧に向けた援助を行う. 心理・社会的側面のアセスメントは，療養生活の質に影響するため重要である. ●病状や予後についての理解や不安の有無・程度を把握する. ●認知レベル，年齢 ➡治療計画の自己管理能力を評価する. ●社会的役割 🔍 起こりうる看護問題：患者・家族が病状や予後に不安を抱えている／健康目標を達成するための治療計画を調整することが困難である

93

第1章　全身

STEP❶ アセスメント　**STEP❷ 看護課題の明確化**　STEP❸ 計画　STEP❹ 実施　STEP❺ 評価

看護問題リスト

#1　肺でのガス交換に障害をきたしている (活動−運動パターン)
#2　日常生活動作に耐えうる生理的許容量が低下している (活動−運動パターン)
#3　毛細血管への血液供給が減少している (活動−運動パターン)
#4　患者・家族が病状や予後に不安を抱えている (自己知覚パターン)
#5　健康目標を達成するための治療計画を調整することが困難である (健康知覚−健康管理パターン)
#6　窒息の危険性がある (健康知覚−健康管理パターン)

看護問題の優先度の指針

● 生命に関わる低酸素血症の改善は最も優先しなければならない問題である．肺でのガス交換障害をきたしている原因を鑑別すると同時に，パルスオキシメーターや血液ガス分析を経時的にモニタリングしながら酸素投与を行い，酸素化の改善に努める．改善を認めない場合には，医師の指示のもと人工呼吸器を装着し厳重に管理する．
● 末梢循環障害が原因の場合には，疼痛やしびれなどの感覚障害や機能障害を伴い日常生活動作 (ADL) の低下を招くおそれがあるため，苦痛緩和の介入を行う．セルフケア能力も低下するため適切な援助が必要である．
● 患者や家族の不安にも並行して介入する．
● 窒息は致死的にもなりうるため，特に小児や高齢者では危険の回避に努める．

STEP❶ アセスメント　STEP❷ 看護課題の明確化　**STEP❸ 計画**　STEP❹ 実施　STEP❺ 評価

1 看護問題	**看護診断**	**看護目標 (看護成果)**
#1　肺でのガス交換に障害をきたしている	**ガス交換障害** **関連する状態**：換気血流不均衡 **診断指標** □低酸素血症 □高炭酸ガス血症 □動脈血 pH の異常 □低酸素症 □呼吸深度の変化 □呼吸リズムの変化 □混乱 □傾眠 □皮膚色の異常	〈長期目標〉肺での適切なガス交換を保つことができる 〈短期目標〉1) 血液ガス分析値が改善し，基準値に近づく．2) 呼吸困難が改善する

看護計画

OP 経過観察項目
● 意識レベル

● 呼吸の有無，呼吸回数，呼吸の深さとリズム，呼吸様式，起座呼吸の有無
● 異常呼吸音の有無，部位
● 呼吸困難の有無，程度
● 咳嗽，喀痰の状況
● チアノーゼのタイプ

介入のポイントと根拠

❍ 心肺停止またはそれに近い病態であれば速やかに心肺蘇生法を開始する
❍ チアノーゼの出現は，低酸素血症を示す所見であり，呼吸状態について厳重に経過観察する必要がある

❍ 成人にみられる中枢性チアノーゼでは，呼吸器疾患に起因している場合も多く，肺胞でのガス交

	換障害が原因である可能性を考える必要がある
●随伴症状の有無，程度	●頭痛やめまいなどを伴う場合には，異常ヘモグロビンの増加を念頭におく必要がある
●心音，心雑音	●異常心音（Ⅲ音，Ⅳ音）や心雑音を聴取した場合には，心不全を考慮する **根拠** うっ血性心不全では，肺胞でのガス交換が障害され，中枢性チアノーゼが出現する
●ばち指の有無	●慢性の心疾患や呼吸器疾患の有無を確認できる
●パルスオキシメーターによる動脈血酸素飽和度のモニタリング	●末梢循環不全のある場合は動脈血酸素飽和度（SpO₂）に測定誤差が生じるため注意する **根拠** パルスオキシメーターの測定には脈動が必要であるが，末梢循環不全を生じている場合には，測定部位の脈動をとらえにくい
●胸部 X 線検査	●呼吸器疾患の評価に有用である
●心電図検査，心エコー検査	●循環器疾患の評価に有用である
●血液ガス分析	●血液ガス分析は，ガス交換の状態を評価する指針となる．PaO₂，PaCO₂，BE，HCO₃⁻，pH，SaO₂を観察する **根拠** PaO₂，SaO₂の推移は，治療効果の判定や低酸素血症の評価に有用である
●血液検査	●ヘモグロビン，ヘマトクリットの値から貧血または多血の有無を確認する **根拠** 貧血ではチアノーゼは出現しにくく，逆に多血では出現しやすい
	●異常ヘモグロビンの増加が疑われる場合には，メトヘモグロビン値，各種薬剤（サルファ剤や亜硝酸塩など）の血中濃度を評価する **根拠** メトヘモグロビンは，正常では血中に 1% 前後検出されるにすぎないが，メトヘモグロビン血症ではその割合が増加する．また，各種薬剤の血中濃度を測定することにより，原因物質を特定できる
TP 看護治療項目	
●医師の指示に従い，酸素投与を行う	● COPD 患者への酸素投与時には，PaCO₂を経時的にモニタリングする **根拠** 炭酸ガス（CO₂）ナルコーシスの危険性がある
	● PaO₂ 100 mmHg 前後になることを目標に酸素投与量を調整する **根拠** 過剰な酸素投与は，肺毛細血管や内皮細胞を障害する
●安静を促す	● **根拠** 酸素需要量を減少させ，労作による症状の悪化を防止する
●安楽な体位をとるよう援助する	●気管支喘息や COPD などの急性増悪には，前傾姿勢の座位をとるよう援助する **根拠** 横隔膜や呼吸補助筋を最大限に活用して呼気を呼出しやすくする
	●うっ血性心不全には，頭部を挙上させ背もたれに寄りかからせるような姿勢とする **根拠** 座位をとることで心臓への静脈還流量を減少させ呼吸しやすくする
●指示された薬剤を適切に投与するよう管理する	●原因疾患により，循環動態に影響する薬剤（強心薬など）を投与する場合もある
●深呼吸を促す	●十分息を吐き出してから，ゆっくり鼻から息を吸う **根拠** 呼気が十分に呼出されると，楽に多

第1章　全身

	くの空気を吸い込むことができる
●必要に応じて，気管内吸引を行う	➡聴診により主気管支の痰の貯留を確認した場合に実施する．末梢の細気管支に痰が貯留している場合には，体位ドレナージなどにより主気管支へ痰の移動を促す　**根拠** 主気管支に痰がなければ気管内吸引を実施しても痰は引けず，患者に苦痛を与えてしまう
●必要に応じて，用手的呼気介助法を行う	➡呼出が困難な患者には，ゆっくりと腹式呼吸をするように指導しながら，患者の呼気に合わせて胸郭を圧迫する　**根拠** 呼出量，吸気量を増加させることにより呼吸困難を改善させる
●原因物質を除去する	➡異常ヘモグロビンの増加をもたらす原因物質が付着した衣服を脱がせ，皮膚を洗浄する
●医師の指示に従い，胃洗浄の準備と介助を行う	➡胃洗浄後，活性炭と下剤を注入し，原因物質の再吸収防止と排泄促進を促す．終了後は，胃液喪失による電解質異常に注意する
●人工呼吸器，緊急手術の準備を行う	➡低酸素血症の改善がみられない場合は，人工呼吸器を装着することもある．先天性心疾患による場合は，緊急根治術が行われることもある

EP 患者教育項目

●ガス交換障害をきたしている原因やその結果生じる症状について説明する	➡**根拠** 症状出現の原因や治療方法，現状を理解してもらうことで，治療や看護ケアへの理解と協力を得る

2 看護問題	看護診断	看護目標（看護成果）
#2　日常生活動作に耐えうる生理的許容量が低下している	**活動耐性低下** **関連因子**：酸素の供給／需要の不均衡 **診断指標** □労作性（時）呼吸困難 □労作性（時）不快感 □活動時の異常な血圧 □活動時の異常な心拍反応 □倦怠感を示す □心電図の変化 □全身の脱力	〈**長期目標**〉活動レベルが改善する 〈**短期目標**〉1）効果的な呼吸方法を実施できる．2）エネルギーを温存させる方法を述べることができる．3）可能な活動レベルを述べることができる

看護計画	介入のポイントと根拠
OP 経過観察項目 ●安静時の血圧，脈拍，呼吸数 ●活動レベル	➡**根拠** 安静時のバイタルサインは，活動レベルの評価の基準となる ➡脈拍数，リズム不整の有無を観察する　**根拠** 頻脈やリズム不整を認める場合には，活動増加の適否について医師に相談する必要がある ➡**根拠** 現在の活動レベルを把握することで，看護介入の範囲や方法を立案することができる．また，活動レベルをどの程度改善させるかについて目標設定が可能となる

- ●活動時およびその後のバイタルサインの変化，チアノーゼ出現の有無，随伴症状の有無

⮩バイタルサインの変化がある場合は，活動前のレベルに戻るまでの時間を測定する　根拠　活動後の過度な呼吸数，脈拍，血圧の上昇を認める場合や活動前のレベルに戻るまでに時間を要する場合は，活動の強度を弱くしたり，持続時間を短縮する必要がある

- ●睡眠状態，休息時間

⮩　根拠　活動耐性低下の症状は，安静により緩和される．1日のスケジュールは，活動と休息の時間を交互に取り入れるように計画する必要がある

TP 看護治療項目
- ●活動レベルに合った介助を行う（例：車椅子への移乗，入浴，歩行など）

⮩　根拠　必要以上の介助は，ADL 維持の妨げとなる

- ●活動中に以下の症状がみられた場合には，活動を中止し，改善がみられない場合には医師に報告する
  - ・胸痛，めまいなどの訴え
  - ・脈拍数の低下
  - ・収縮期血圧が上昇しない
  - ・収縮期血圧の低下
  - ・拡張期血圧が 15 mmHg 程度増加する
  - ・呼吸反応の低下
- ●状態をみながら徐々に活動を増やす

⮩現実的で達成可能な短期の活動目標を立てて実施する　根拠　非現実的な目標設定は，患者の活動に対する意欲を低下させる
⮩活動頻度，活動時間，活動強度の順に適応させるように支援する　根拠　この順番で適応させることによって，最終的に望ましい活動レベルに達することができる．活動強度は，活動時間と活動頻度を減らしたうえで増強する．短時間でより集中した活動への耐性が身に付くにしたがって，活動頻度を増加させることができる

- ●自己効力感を高めるように支援する

⮩　根拠　「自分にもできる」という気持ちは，活動に対する意思に影響する

EP 患者教育項目
- ●酸素需要を高める活動や因子について説明する
  - ・喫煙
  - ・極端な温度環境
  - ・体重過剰
  - ・ストレス

⮩　根拠　喫煙や極端な温度環境，ストレスは，血管を収縮させ，酸素需要を高める原因となる

- ●エネルギーを温存するための方法を提供する（例：休息の時間を1日のスケジュールに取り込む．簡単な仕事と難しい仕事を交互に行う）

⮩　根拠　活動をうまく配分すると，活動の合間に活力を取り戻す時間の余裕があるので，エネルギーの過剰な消費を防ぐことができる

---

3 看護問題	看護診断	看護目標（看護成果）
#3　毛細血管への血液供給が減少している	**非効果的末梢組織灌流** **関連因子**：修正可能な因子に関する知識不足，疾病経過についての知識不足，喫煙	〈**長期目標**〉末梢循環を良好に保つことができる 〈**短期目標**〉疼痛，感覚機能障害，運動障害が改善する

第 1 章　全身

診断指標
☐末梢の脈拍欠如
☐足関節上腕血圧比 (ABI)，0.90 未満
☐毛細血管再充満時間 (CRT)，3 秒以上
☐四肢の血圧低下
☐浮腫
☐感覚異常
☐運動機能の変化
☐6 分間歩行テストで，無痛歩行距離の短縮
☐四肢の痛み

看護計画	介入のポイントと根拠
OP 経過観察項目	
●危険因子	➡危険因子により介入方法が異なる
・加齢による血管の変化	
・基礎疾患	
・動脈・静脈の血流抑制	
・体液量の過剰・不足	
・温度変化	
・喫煙歴	
●末梢循環状態	
・動脈触知	➡動脈循環を評価する．触知できない場合は，ドプラー法を用いて確認する
・ホーマンズ徴候	➡静脈循環を評価する．陽性の場合は，血栓などによる静脈循環障害が考えられる
・皮膚温の左右差，筋緊張度の左右差，チアノーゼ出現部位，程度の左右差	➡末梢動脈に循環不全がある場合は，皮膚温や筋緊張度，チアノーゼの出現に左右差を認める
●随伴症状	
・疼痛やしびれなど感覚障害	➡感覚障害がある場合は，末梢動脈の閉塞，狭窄による血流低下が考えられる
・浮腫，呼吸困難	➡浮腫や呼吸困難を伴う場合は，肺水腫による中枢性チアノーゼを合併している混合型チアノーゼが考えられるため，呼吸器疾患や循環器疾患を評価する必要がある
●活動レベル	➡跛行の有無を確認する
	➡活動レベルの増強に伴い症状が出現する場合は，動脈閉塞など動脈循環不全が考えられる
TP 看護治療項目	
●指示された薬剤を適切に投与する	➡血管拡張薬や抗凝固薬など循環に影響する薬剤が投与されることもある．血圧低下や出血などの副作用に注意する
●血栓を予防する	➡リスクの程度に応じた予防策を行う
・理学療法 (弾性ストッキング，マッサージ)	
・薬物療法	
●脱水を予防する	➡ 高齢者 高齢者は口渇の感覚が低下するため，基礎疾患による制限のない限り水分摂取を勧める
●末梢循環を促進する	➡感覚障害により，高温になっているかどうかの

98

・四肢を保温する

・四肢を挙上する

●活動プログラムを立案する

判断が困難になっている場合があるため，電気座布団や湯たんぽの使用はできるだけ避ける

➲ 根拠 心臓よりも高い位置に挙上することにより静脈循環が促進される．重度の心疾患や呼吸器疾患がある場合には禁忌になることもある

➲患者とともに立案することで，プログラムの実施が容易となり，持続することができる

EP 患者教育項目

●生活習慣の改善について指導する

●禁煙指導をする
●危険因子や疾患の経過，生活への影響などについて説明し，必要に応じて情報を提供する

➲動脈硬化は血管障害のリスクを高めるため，ライフスタイルの見直しにより予防，改善に努める必要がある

➲ 根拠 ニコチンは末梢血管疾患の誘因となる
➲自身の状態を把握してもらうことで，健康管理に対する意欲を高め，病状進行の予防，治療の継続など慢性期の管理が可能になる

---

4 看護問題	看護診断	看護目標（看護成果）
#4　患者・家族が病状や予後に不安を抱えている	不安 関連因子：疼痛，ストレッサー 診断指標 □呼吸パターンの変化 □心拍数増加 □血圧上昇 □不眠 □不安定な気持ち □発汗の増加 □混乱	〈長期目標〉不安が軽減する 〈短期目標〉1)病状が安定する．2)不安な気持ちを表出できる．3)病状や治療について理解できる．4)不安に対して適切なコーピングがとれる

看護計画	介入のポイントと根拠
OP 経過観察項目 ●生理的指標（バイタルサイン，発汗など） ●情緒的指標（イライラしている，落ち着きがないなど） ●不安や心配の訴え ●認知的指標（混乱，放心状態など） ●原因疾患や病状に対する理解の程度 ●認知障害の有無，程度 ●ストレスに対する対処行動	➲非言語的表現をとらえる 根拠 小児 高齢者 言語表現が十分ではない小児や活動性の低下している高齢者には，言葉以外の訴えの表出を見逃さないよう注意する．また家族においても言葉にならない不安を抱えていることがある ➲ 根拠 これまでのストレスに対する対処方法や，現在のストレスに対する対処行動を知ることにより，効果的な支援の方法を見出す
TP 看護治療項目 ●患者のそばに付き添い，訴えを傾聴する ●共感的理解を示す態度で接する ●睡眠に対する援助（睡眠薬の投与を検討する） ●呼吸困難や疼痛などの苦痛を軽減する（「看護問題#1, 3」参照） ●病状についての情報を提供する ●効果的なコーピング行動がとれるように援助す	➲黙って付き添う，自由に泣かせるなど支援的態度で接する 根拠 支援的態度が不安の表出を促す ➲不安の原因を除去する 根拠 原因を取り除くことにより，不安も消失する ➲相手の表情を見ながら，わかりやすく説明する 根拠 治療や処置前に説明することで，不要な心

第1章　全身

る
- リラクセーション法を実施(マッサージ, 足浴など)する
- 面会時間を調整するなど, 家族との時間を確保する
- 治療や処置を行う場合は, 説明を十分に行い心配や質問がないか聞き, 丁寧に答える
- 可能な限り, 遊びやレクリエーションを取り入れる

EP 患者教育項目
- 疾患, 予後, 治療法, 合併症について説明する
- わからないことや心配事があれば質問するよう伝える

配を抱くことのないようにする

⊃気分転換を図る　**根拠**　**小児**　患児の不安を軽減できる

5 看護問題	看護診断	看護目標(看護成果)
#5　健康目標を達成するための治療計画を調整することが困難である	非効果的健康自主管理 **関連因子**:治療計画についての知識不足 **診断指標** □疾患徴候の悪化 □危険因子を減らす行動がとれない □治療計画を日常生活に組み込めない	〈長期目標〉急性増悪を防止するための管理ができる 〈短期目標〉1)現在の病状を把握できる. 2)危険因子を減らす方法を述べることができる. 3)病状悪化の徴候を理解できる

看護計画	介入のポイントと根拠
OP 経過観察項目 ● 原因疾患の経過, 現在の病状, 治療, 合併症に関する理解の程度 ● 自己管理能力の程度 ● 喫煙歴 ● 療養生活に対する心理的問題(不安, 意欲低下など) **EP** 患者教育項目 ● 呼吸器感染の予防の必要性と方法を指導する(例:外出後は手洗い, うがいをする. 人ごみや風邪をひいている人には近づかない. 医師と相談のうえ, インフルエンザの予防接種を行う. 風邪気味の時は, 早めに受診する) ● 活動レベルを理解し, 過度な活動は避けるよう	⊃理解の程度をアセスメントすることで, 個別性のある指導計画を立案することができる ⊃患者がどの程度自己管理できるかについて, 認知症の有無や理解力, 年齢などを総合的にアセスメントし, 自己管理能力に応じた指導計画を立案するとともに, 家族への指導内容を検討することができる　**根拠**　成人のチアノーゼの病因として頻度の高いCOPDは, 慢性的な経過をたどる疾患であり, 治療や合併症の予防などにおいて, 長期的な管理が必要となる ⊃**根拠**　喫煙はCOPDの増悪因子であり, 喫煙者には禁煙指導が必要である ⊃心理的問題は, 療養生活の質を維持するために必要な患者の協力を阻害する要因となる ⊃**根拠**　呼吸器感染は, COPDの急性増悪の原因となるため, 予防することが重要である ⊃**根拠**　無理な活動による過負荷は, COPDや

に指導する
●増悪の症状・徴候について指導する
　・息切れ，労作時の呼吸困難感，倦怠感の増加
　・喀痰量の増加，性状の変化
　・風邪症状（咽頭痛，体温上昇など）
　・活動レベルの低下
　・食欲低下
　・不眠
　・右心不全の徴候（急激な体重増加，浮腫など）
●セルフチェック方法を指導する

●抗凝固薬服用時の注意点と合併症，合併症発症時の対応について説明する

心不全の原因となる
⤷ 根拠 疾患の急性増悪の早期発見，早期対処は，病状の回復や予後に影響するため重要で，理解しておく必要がある
⤷急性増悪の徴候を認めた場合の対処方法や受診方法についてもあわせて指導する

⤷自身の状態を把握できるような項目（体重，浮腫，食事摂取量など）を具体的に挙げて指導する
根拠 日ごろの状態を自身でチェックすることで，異常を早期に気づき急性増悪徴候の早期発見につなげることができる．また，自身の現状を理解しておくことは，療養生活を送るうえで大切である
根拠 循環器疾患では，抗凝固薬を継続して服用する場合があり，適切な服薬が行えるように指導するとともに，出血の予防や対応方法について説明する必要がある

6	看護問題	看護診断	看護目標（看護成果）
	#6　窒息の危険性がある	窒息リスク状態 危険因子：安全対策についての知識不足	〈長期目標〉窒息を起こさない 〈短期目標〉1) 危険を認識できる．2) 疾患の進行，加齢にあわせた運動機能の状態を理解できる．3) 危険を回避できる

看護計画	介入のポイントと根拠
OP 経過観察項目 ●意識レベル ●チョークサイン（国際的な窒息のサイン）の有無 ●呼吸数 ●呼吸困難の有無，程度 ●チアノーゼの部位，程度 ●呼吸音 ●咳嗽の有無 ●異物除去に伴う合併症の有無 ●パルスオキシメーターによる動脈血酸素飽和度のモニタリング ●原因疾患の進行状況 ●認知障害，感覚障害の有無，程度	⤷反応の有無，会話が可能かを判断する ⤷チョークサインとは，呼吸ができないことから患者が自分の首を親指と4本の指でわしづかみにする状態のことである．気道の完全閉塞時に認める ⤷ガス交換能は気道閉塞の程度に規定される．不完全な気道閉塞でガス交換が不良の場合は，弱くて効果のない咳嗽や，速くて甲高い喘鳴音，呼吸困難，チアノーゼの進行を認める ⤷呼吸状態，循環動態に変化がないかを評価する 根拠 不適切な手技による異物除去の実施により，内臓損傷をきたす危険がある．適切に実施したとしても，胃内容の逆流や誤嚥の可能性がある ⤷気道閉塞が解除されなければ，SpO_2 は悪化する ⤷運動機能や感覚機能に障害をきたす疾患では，機能障害の進行状況を確認しておく必要がある ⤷ 小児 高齢者 再度窒息を起こすリスクを評価

第1章　全身

● 危険に対する認識の程度

TP 看護治療項目
● 異物を除去する

● 気道を確保する

● 嘔吐がみられるときは，側臥位にする
● 食事内容を調整する

● ベッド周囲の環境を整備する

EP 患者教育項目
● 誤嚥や窒息の徴候を説明し，緊急対応の方法について指導する

● 安全な食事摂取の方法を指導する
● 安全な療養，養育環境を整えるように指導する

する．リスクの程度に合わせた介護者または保護者への教育指導が必要となる

➲ 異物が目視できる場合には，指でかき出す．鉗子や吸引器の使用も有用である
➲ 頭部後屈あご先挙上法が基本である．うまくできない場合は，口咽頭エアウェイまたは鼻咽頭エアウェイを挿入する
➲ 根拠 吐物の誤嚥を予防する
➲ 根拠 嚥下や咀しゃく機能の程度により，食事内容を調整することで窒息を予防する
➲ 根拠 不慮の誤嚥による窒息を防ぐ

➲ 危険な徴候や緊急時の対応について理解を促すことで，再発時の対応を速やかにし，低酸素による生体への影響を最小限にすることが可能となる
➲ 小児 高齢者 療養，養育環境のなかで誤嚥しやすい物について説明し，食事内容や環境を整備するよう促し，窒息の再発を予防する．介護者や保護者にも指導を行う

STEP ❶ アセスメント ▶ **STEP ❷ 看護課題の明確化** ▶ **STEP ❸ 計画** ▶ **STEP ❹ 実施** ▶ **STEP ❺ 評価**

病期・病態・重症度に応じたケアのポイント

【急性期】心肺停止やそれに近い状態の場合は，適切な心肺蘇生法を実施し，呼吸・循環の維持に努める．肺でのガス交換障害の改善や毛細血管への血液供給，窒息の予防に関するケアが中心となる．急激な病状の変化により不安を抱えている患者や家族への介入も重要である．
【回復期】全身状態の改善に伴い，徐々に活動レベルを上昇させていく．退院を見すえ，継続治療や急性増悪の予防，早期対処などに関する教育的介入を行う．

看護活動（看護介入）のポイント

診察・治療の介助
● 症状出現直後には，心電図検査，胸部X線検査，心エコー検査，血液ガス分析などの検査が行われるため，必要物品の準備や介助，環境整備を行う．患者や家族には，医師からの説明後に，準備や所要時間などについて説明する．
● 治療方法（手術，カテーテル法など）に合った準備を速やかに行う．
● 末梢動脈閉塞の場合は，抗凝固薬が投与されるため適切に管理する．出血などの副作用出現時には，出血部位や出血量を観察し，止血法を実施する．大量出血や止血が困難な場合は，速やかに医師に報告する．
● 循環動態，呼吸状態を定期的に観察し，患者の状態を把握する．異常時には，原因を検索するとともに，速やかに医師に報告する．
● 異常ヘモグロビンが増加している場合は，胃洗浄を行う場合もあるため，医師の指示のもとに速やかに準備し，実施後は胃液喪失による電解質異常に注意する．

呼吸困難に対する援助
● 医師の指示に従い，酸素投与を開始する．酸素化の改善がみられない場合には，人工呼吸器を装着することもあるため，いつでも使用できるように準備しておく．
● 高濃度の酸素投与によるCO_2ナルコーシスに注意する．
● 安静を促し，安楽な姿勢がとれるように援助する．
● 必要に合わせて，呼吸介助や気管内吸引などを実施する．

窒息予防に対する援助

- ●誤嚥しやすい物をベッド周囲から除き，安全を確保する．
- ●嚥下や咀しゃく機能を評価し，食事内容を調整する．
- ●嘔吐の症状がみられるときは側臥位にし，吐物による誤嚥を予防する．

心理・社会的問題への援助

- ●病状について，患者や家族にわかりやすく説明し，不安を軽減するように援助する．
- ●不安に対して適切なコーピングがとれるように援助する．
- ●再発を予防するための方法や，症状が出現した場合の対処方法について説明し，退院後の不安を軽減するように援助する．
- ●内服薬の正しい服用方法や副作用，日常生活での注意点について指導する．

退院指導・療養指導

- ●病状や継続治療の必要性を説明する．
- ●急性増悪の予防方法を指導する．
- ●病状悪化の徴候を説明し，再受診のタイミングや方法を指導する．

STEP❶ アセスメント STEP❷ 看護課題の明確化 STEP❸ 計画 STEP❹ 実施 STEP❺ 評価

評価のポイント

看護目標に対する達成度

- ●チアノーゼが軽減しているか．
- ●呼吸困難は改善しているか．
- ●血液ガス値は改善し，基準値に近づいているか．
- ●効果的な呼吸方法を実施できているか．
- ●活動レベルは上昇しているか．
- ●四肢の疼痛，感覚機能障害，運動障害は改善しているか．
- ●不安な気持ちを表出できているか．
- ●不安は軽減しているか．
- ●不安に対して適切なコーピングがとれているか．
- ●病状を理解できているか．
- ●急性増悪の予防方法や病状悪化の徴候を理解できているか．
- ●窒息のリスクは回避できているか．

6

チアノーゼ

103

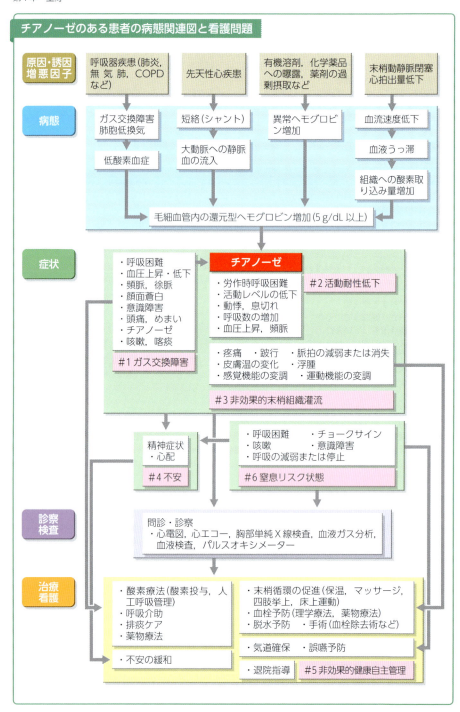

7 脱水

森田 めぐみ

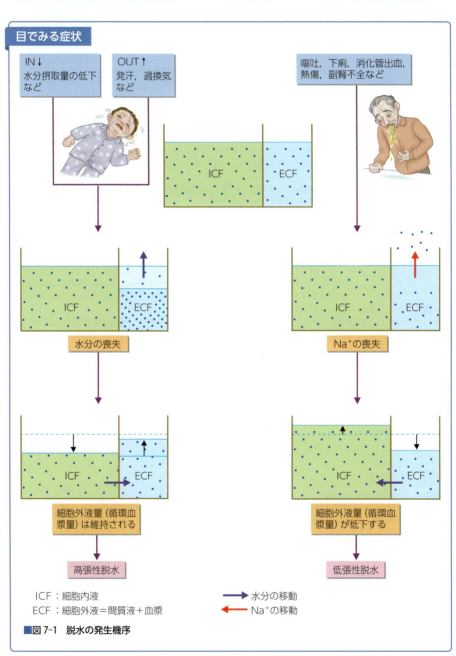

図7-1 脱水の発生機序

第1章　全身

病態生理

脱水とは体液量が減少した状態をいい，臨床的には主に細胞外液量の減少を指す．この際，水分とともに電解質(特にナトリウム：Na)の喪失も伴い，喪失程度の差に応じて以下の3つの病型に分類される．①高張性脱水症(水欠乏性脱水症)：Na に比べ水分が多く失われ，体液の浸透圧が上昇する脱水症．②低張性脱水症(Na 欠乏性脱水症)：水分に比べ Na が多く失われ，体液の浸透圧が低下する脱水症．③等張性脱水症(混合性脱水症)：水分と Na が同じ割合で失われる脱水症．

- 水分や電解質の喪失により細胞内液と細胞外液の間に浸透圧差が生じ，細胞内外で浸透圧差が解消するように水の移動が起こる．このことが要因となって，脱水症の症候が発現する．
- 臨床的には高張性・低張性に明確に分けることは困難で，等張性(混合性，等浸透圧性)脱水症を呈する場合が多い．しかし，脱水症を治療する場合は，水と Na，どちらの喪失が優位かを考慮することが重要である(表7-1)．
- 細胞外液は間質液と血漿からなり，膠質浸透圧の低下(低アルブミン血症)が顕著になると，間質液が貯留し，血漿は減少する(ネフローゼ症候群や肝硬変，悪性腫瘍など)．このような場合，全体の体液量は増加しているにもかかわらず血管内にある循環血漿量は減少していることがある．これは一般的な脱水とは異なるため，臨床的には血管内脱水と呼ばれる．

患者の訴え方

▍基本的に脱水の臨床症状は病型によって特徴がある．

- 高張性脱水症：細胞外液の浸透圧が高くなるため，水が細胞内から細胞外へ移動することにより，細胞内脱水が起こる．症状としては，口渇，皮膚や粘膜の乾燥，脱水が高度となると興奮，不安，幻覚，妄想，せん妄，昏睡など精神症状を呈する．
- 低張性脱水症：細胞外液の浸透圧が低くなるため，水が細胞外から細胞内へ移動し細胞外液が減少する．症状としては，循環血液量減少と細胞内水中毒(脳浮腫など)によるものが主体である．全身倦怠感や立ちくらみ，皮膚緊張度(ツルゴール)の低下，血圧低下，頻脈，蒼白，四肢冷感，悪心・嘔吐，頭痛，進行すると傾眠・昏睡となる．
- 等張性脱水症：細胞内外で浸透圧は等張なため，水分の移動は起こらず，高張性脱水症の口渇，低張性脱水症のめまい，血圧低下など両者の症状が出現する．

●主症状の訴え
- 脱水の症状は非特異的な場合も多い．特に高齢者では口渇感に乏しいなど自覚症状がない場合も多く，注意を要する．

●随伴症状
- 原因疾患によって様々な随伴症状を呈する(表7-2)．
- 様々な原因疾患から脱水を呈するため，脱水の症状以外の随伴症状から原因疾患も鑑別していく．

■表7-1　脱水の原因または考えられる疾患(赤字は緊急対応を要する疾患)

高張性脱水症(水欠乏性脱水症)	低張性脱水症(Na 欠乏性脱水症)
●水分摂取不足	●腎外性体液喪失
●全身衰弱，食欲不振，意識障害，渇中枢障害，嚥下障害	●消化管からの喪失：嘔吐，下痢，消化管出血，消化液吸引
●腎外性水分喪失	●皮膚からの喪失：熱傷，滲出性皮膚疾患
●皮膚からの喪失：発汗，発熱	●腎性体液喪失
●肺からの喪失：過換気，気管切開	●食塩喪失性腎疾患：塩類喪失性腎症
●腎性水分喪失	●副腎皮質機能不全：アジソン病
●浸透圧利尿：糖尿病，高カロリー輸液，高張性造影剤の使用	●利尿薬の過剰投与
●尿濃縮力の低下：尿崩症	●血管外への体液移行
	●胸腹腔内や腸管への貯留：腸閉塞，腹膜炎
	●熱傷による浮腫，水疱形成

診断

高度の脱水は致命的になる場合もあるため，初めにバイタルサインをチェックし，緊急処置が必要かどうかを判断する.

● 脱水による意識障害やショック状態が認められた場合：気道確保，血管確保を行い，急速輸液を開始するとともに，速やかに病型診断，鑑別診断を行い，適切な治療を実施できるようにする.

● 緊急性がない場合：病歴，臨床症状，血算，生化学（総蛋白，BUN，Cr，Na，K，Cl），血漿浸透圧，尿量，尿浸透圧，尿蛋白，尿糖，尿中 Na などの検査を速やかに実施し，脱水の有無，脱水のタイプと重症度，原因疾患の検索を行い，治療方針を決定する.

● 原因・考えられる疾患

● 脱水をきたす疾患は多岐にわたる（表 7-1）. 臨床上は頻度の高い疾患だけでなく，緊急性の高い疾患を念頭において診断を進めていく. また，高齢者は脱水をきたしやすいが，症状は非典型的な場合も多く注意を要する.

● 鑑別診断のポイント

● まずはバイタルサインが安定しているかをチェックし，緊急処置の必要性を考慮する.

● 問診，診察，検査結果を総合して脱水のタイプ，重症度，原因疾患を鑑別していく.

■表 7-2　**脱水の随伴症状と考えられる疾患**（赤字は緊急対応を要する疾患とその随伴症状）

	随伴症状	考えられる疾患
発熱・消耗性疾患	呼吸困難・咳・痰（肺炎），頭痛（髄膜炎），背部痛（腎盂腎炎），意識障害（敗血症）など各種感染症に応じて多岐にわたる	感染症
	関節痛，皮疹など	膠原病
	体重減少，食欲不振など	悪性腫瘍
消化器疾患	下痢，腹痛など	感染性腸炎，急性胃腸炎，食物アレルギーなど
	嘔吐，腹痛など	腸閉塞，感染性胃腸炎など
	吐血，下血，腹痛など	消化管出血（胃・十二指腸潰瘍，胃がん，大腸がんなど）
腎疾患	多尿など	尿崩症，浸透圧利尿，利尿薬など
内分泌・代謝疾患	末梢神経障害，視力低下，自律神経障害などケトアシドーシスではクスマウルの大呼吸，悪心・嘔吐，腹痛など	糖尿病（糖尿病性ケトアシドーシス，非ケトン性高浸透圧性昏睡）
	皮膚粘膜色素沈着	アジソン病
神経・筋疾患（嚥下障害，意識障害，口渇感の障害）	ワレンベルク症候群：小脳失調，顔面の温痛覚障害，眼瞼下垂など球麻痺：構音障害，舌萎縮など	脳血管障害，脳腫瘍，視床下部病変（外傷，炎症など）
	四肢の痙縮，筋萎縮，筋力低下，筋線維束収縮	筋萎縮性側索硬化症などの運動ニューロン疾患
	筋力低下など	筋疾患
熱傷・皮膚疾患	皮膚潰瘍，水疱など	熱傷，滲出性皮膚疾患

第1章 全身

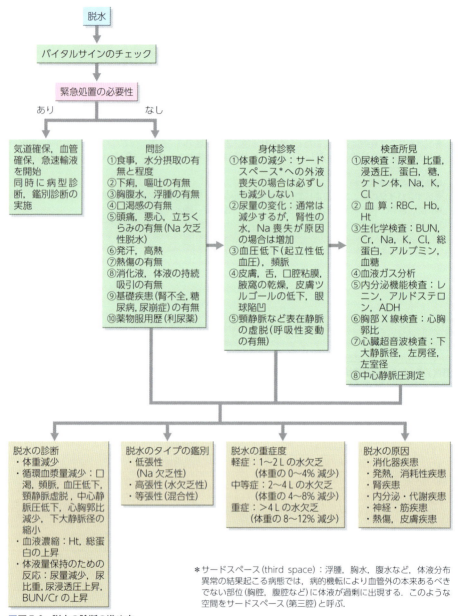

■図7-2 脱水の診断の進め方

■表 7-3　脱水時の主な輸液製剤

分類	一般名	主な商品名	特徴	使用上の注意
等張液（細胞外液）	0.9% 生理食塩液	大塚生食注，テルモ生食	154 mEq/L の Na 等張のため投与後すべてが細胞外液にとどまる	大量投与で相対的 Na 上昇，HCO_3^- 減少によるアシドーシス
	乳酸リンゲル液	ラクテック，ソルラクト，ハルトマン液など	生理食塩液に K や Ca を加え，アシドーシスを防ぐアルカリ化薬（乳酸・酢酸）を加えたもの乳酸は肝代謝，酢酸は筋でも代謝され，重炭酸イオンに変換される	Ca を含むため輸血やメイロン，セフトリアキソンとの併用に注意肝不全やショックで乳酸アシドーシスの危険
	マルトース加乳酸リンゲル液	ポタコール R		
	酢酸リンゲル液	ヴィーン F 輸液		Ca を含むため輸血やメイロン，セフトリアキソンとの併用に注意
	ブドウ糖加酢酸リンゲル液	フィジオ 140		
	重炭酸リンゲル液	ビカーボン，ビカネイト	最初から重炭酸イオンを含み，体内での代謝を必要としないため，肝機能低下時やショック時で有用	
低張液	1 号液（開始液）	ソルデム 1，ソリター T1 号，KN1 号	90 mEq/L の NaK を含まないため腎不全例や病態不明の例の最初の輸液に用いられる	長期に大量に使用すると溢水や K 不足になる可能性
	2 号液（脱水補給液）	ソルデム 2，ソリター T2 号，KN2 号	1 号液よりやや低張で K や P も含まれる	
	3 号液（維持液）	ソルデム 3，3A，ソリター T3 号，フィジオ 35 など	体液量，組成のバランス維持に適している	K を含むため腎機能障害のある場合は注意
	4 号液（術後回復液）	ソリター T4 号，ソルデム 6，KN4 号など	K を含まないので腎不全例の高張性脱水などで使用	低張性脱水では病態を悪化させる
ブドウ糖液	5% ブドウ糖注射液	大塚糖液 5%，テルモ糖注 5%	ブドウ糖は体内ですぐ代謝されるため自由水を投与しているのと同じ	低張性脱水で投与すると細胞内浮腫を増悪させる

治療法・対症療法

脱水の治療は第一にバイタルサインのチェックを行い，ショックや意識障害などの異常があれば急速輸液を行うなどの緊急処置をとり，バイタルサインの安定化を図る．次に脱水のタイプの把握と水欠乏量の推定，原因疾患の鑑別を行い適切な輸液を行う．

●治療方針
- ●意識が正常で嚥下が可能で消化管障害がなければ経口からの補液を行う．経口的に摂取できないか，中等度以上の脱水がある場合には，経静脈的に輸液を行う．高度の脱水があれば急速輸液を行うが，輸液の組成，輸液速度は，脱水のタイプ，発症原因，心機能，腎機能，年齢，体の大きさ，輸液の浸透圧などにより決定する．
  - ●原則的に，高張性脱水では低張液または等張液を，低張性脱水では高張液を，等張性脱水では等張液をそれぞれ欠乏量に相当する量を輸液し，さらに維持量を追加する．
  - ●治療開始後，自覚症状およびバイタルサイン，尿量の経過から効果判定を行い，輸液内容の再評価，変更を適宜行っていく．

第1章 全身

- 脱水が治療されても原因となる基礎疾患，誘因が残存する場合には再発するので，その診断，加療も併せて進める．また，脱水によって生じる合併症（急性腎不全や心筋梗塞，脳梗塞など）にも注意する．
- **輸液療法**
- **Px 処方例** ショックなど血圧低下が著しい場合
- 大塚生食注またはテルモ生食　1回 500〜1,000 mL　全開静注　←生理食塩液（等張液）
- **Px 処方例** 高張性脱水の場合
- 大塚糖液 5% またはテルモ糖注 5%　点滴静注　←ブドウ糖液（低張液）
- **Px 処方例** 等張性脱水の場合
- 大塚生食注またはテルモ生食　点滴静注　←生理食塩液（等張液）
- **Px 処方例** 低張性脱水の場合
- 大塚生食注またはテルモ生食　点滴静注　←生理食塩液（等張液）
  ※急性・重症な場合は 10% NaCl を加えた 3% 高張食塩水を点滴静注

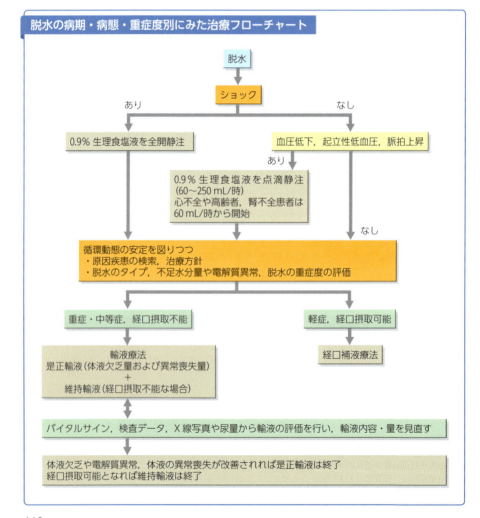

脱水の病期・病態・重症度別にみた治療フローチャート

110

脱水のある患者の看護

内堀 真弓

7 脱水

看護過程のフローチャート

観察項目（OP）

原因・誘因
- 高張性脱水（水欠乏性脱水）
  水分摂取不足，水分過剰喪失，不適切な輸液・経管栄養など
- 低張性脱水（Na欠乏性脱水）
  消化液の大量喪失，皮膚・粘膜からの喪失，不適切なNa摂取制限，Naの体内貯留，利尿薬使用，食塩喪失性腎疾患など
- 等張性脱水（混合性脱水）
  消化液の喪失，嘔吐，下痢，糖尿病，手術など

身体的問題
- 主症状
  口渇，粘膜・皮膚の乾燥，全身倦怠感

- 随伴症状
  高張性脱水：口渇，唾液・涙の減少，濃縮尿，体温上昇，興奮，幻覚など
  低張性脱水：頭痛，食欲不振，悪心・嘔吐，倦怠感，けいれん，立ちくらみ，血圧低下，頻脈，体温低下など
  等張性脱水：口渇，全身倦怠感，脱力感，尿量減少など

心理・社会的問題
患者・家族の症状に対する不安

看護問題（看護診断）

- #原因・誘因により脱水状態が進行する可能性がある
- #体液量が不足している
- #悪心・嘔吐により水分摂取量が不足している
- #皮膚・粘膜の乾燥，尿量減少に伴う自浄作用・抵抗力の低下により呼吸器・尿路感染症を起こす可能性がある
- #立ちくらみ，血圧低下などにより転倒・転落，身体損傷の可能性がある
- #悪心・嘔吐，倦怠感によりセルフケアが不足している
- #患者・家族が症状悪化，再発に対する脅威を抱えている

看護目標（看護成果）

- 脱水の随伴症状が改善する
- 水分・電解質が好転し，症状の改善がみられる
- 水分摂取量と排泄量のバランスが保持される
- 悪心・嘔吐が改善する
- 感染を起こさない
- 感染の危険因子と予防に必要な注意事項を説明できる
- 転倒・転落により身体を損傷することなく入院生活を送ることができる
- セルフケア不足を補うことができる
- 患者・家族の身体・心理的不安が軽減し，生活環境が整えられる

看護活動（看護介入）

OP 経過観察項目
発症の経過・程度
バイタルサイン
体重，水分出納
皮膚，口腔粘膜，舌の乾燥，皮膚の弾力性
精神症状
表在静脈の虚脱
血液・尿検査
患者・家族の不安

TP 看護治療項目
原因・誘因の除去
水分，Na補給
指示による輸液の実施
室温・湿度，寝衣・寝具の調節
転倒・転落予防と日常生活動作への援助
皮膚・粘膜の保護
患者・家族への心理的援助

EP 患者教育項目
患者・家族への状態説明
脱水予防のための日常生活の注意点の説明

第1章　全身

基本的な考え方

- 病態によって現れる症状や検査所見は異なり，それにより治療方法も異なる．脱水症状は，その症候から軽症，中等症，重症に分類される．高度の脱水の場合には死亡するケースも多いため，緊急処置が必要かどうかを迅速に判断する必要がある．
- 高齢者や小児は脱水になりやすく，症状が現れなかったり，症状を訴えても他の原因との区別が難しい場合があるため，注意を要する．

緊急 高度の脱水でショックや意識障害などがある場合は，気道確保と酸素療法，急速輸液などの緊急処置を必要とする．脱水の病態把握，原因疾患の鑑別とともに，脱水による合併症にも注意する．

STEP❶ アセスメント	STEP❷ 看護課題の明確化	STEP❸ 計画	STEP❹ 実施	STEP❺ 評価

情報収集	アセスメントの視点と根拠・起こりうる看護問題
病歴の把握	患者・家族から発症の経過，症状の変化を聞くことは原因・誘因の特定とそのメカニズム，全身状態の把握につながり，治療や看護ケアにも重要な情報を得ることができる．
経過	● どのような状況で，いつから，どのくらい続いているか． ● 急激に始まったか，前駆症状があったか． ● 症状の変動はないか．
誘因	● 水分摂取と喪失の状況，食事摂取の状況　**原因・誘因** 天災などにより水分の供給がない，意識障害などで水分摂取ができない，渇中枢の障害などによる水分摂取不足，尿量増加，過呼吸や発熱などによる皮膚や肺からの水分喪失 ● Na摂取と喪失の状況　**原因・誘因** 嘔吐や下痢，消化管出血，消化液の大量吸引などの消化液の大量喪失，熱傷や発汗などによる皮膚や粘膜からの大量喪失，胸腹腔内や腸管への体液貯留，Na輸液の不足など ● 輸液，経管栄養，中心静脈栄養との関係　**原因・誘因** 過剰な利尿薬や緩下剤の服用，不適切な輸液・食事療法など
随伴症状	● 高張性脱水：口渇，皮膚や粘膜の乾燥，興奮，不安，幻覚，妄想，せん妄，昏睡などの精神症状 ● 低張性脱水：全身倦怠感，立ちくらみ，皮膚の緊張度(ツルゴール)の低下，血圧低下，頻脈，蒼白，四肢冷感，悪心・嘔吐，頭痛，傾眠・昏睡など ● 等張性脱水：細胞内脱水と循環血液量減少に伴う両者の症状が出現する　**高齢者** **小児** 高齢者や小児は脱水になりやすい．さらに，症状がはっきりしない，訴えることができないなどにより高度の脱水に陥る危険性がある．そのため，高齢者や小児には，初期から随伴症状だけでなく検査結果にも注意する． **緊急** 種類にかかわらず脱水が高度の場合には，迅速な処置がなされなければ死に至ることがある．
生活歴	● 水分・食事摂取状況 ● 不感蒸泄量が増加するような高温環境下での長時間の作業
既往歴	● 脱水の経験の有無 ● 尿崩症，糖尿病，腎疾患，膠原病，アジソン病，心疾患，脳血管障害，神経・筋疾患などの既往 ● 発熱，熱傷　**原因・誘因** 発熱は不感蒸泄を増加させることによって脱水を引き起こす．また，発熱は脱水の症状としても現れる．
常用薬	● 利尿薬，強心薬，降圧薬の服用
職業歴	● 高温環境に長時間さらされるような仕事
主要症状の出現状況，タイプと程度の把握	症状の出現状況や随伴症状の変化・程度を把握することで，原因疾患の特定，重症度の把握につながる情報が得られる．
症状の出現状況	● 口渇はあるか　**原因・誘因** 高張性脱水

脱水のタイプと程度	● 血圧低下，頻脈はあるか 原因・誘因 低張性脱水 ● 水分補給はできていたか 原因・誘因 遭難などで水分補給ができない，麻酔時，消化管疾患，神経・筋疾患，渇中枢の障害 緊急 意識障害 ● 嘔吐や下痢はあるか 原因・誘因 消化管からの喪失 緊急 腸閉塞（イレウス），感染性胃腸炎，急性胃腸炎，食物アレルギーなど ● 発熱や発汗はあるか 原因・誘因 感染症，高度の発汗，熱傷，日射病・熱射病 ● 尿量の変化 原因・誘因 尿崩症，腎不全の利尿期，高カロリー輸液，高張性造影剤の使用，高血糖 緊急 糖尿病性ケトアシドーシス，高浸透圧高血糖症候群 ● 症状と検査所見から重症の程度を確認する．

■表7-4　脱水のタイプと程度

	高張性脱水（水欠乏性脱水）	低張性脱水（Na欠乏性脱水）
タイプ	細胞外液の浸透圧上昇と細胞内脱水による症状	循環血液量減少と細胞内水中毒による症状
軽症	約1〜2Lの水欠乏（体重の0〜4%前後の脱水） 口渇症状	NaCl 0.5 g/kg以下の欠乏 立ちくらみ，全身倦怠感，脱力感，頭痛（鈍い拍動性），口渇感なし
中等症	約2〜4Lの水欠乏（体重の4〜8%前後の脱水） 著明な口渇症状	NaCl 0.5〜0.75 g/kgの欠乏 血圧低下，めまい，失神，悪心・嘔吐，ツルゴール低下
重症	>4Lの水欠乏（体重の8〜12%の脱水） 興奮，幻覚，妄想，指南力低下，昏睡など	NaCl 0.75〜1.25 g/kgの欠乏 無関心，無欲状態，傾眠・昏睡など

■図7-3　輸液の進め方

● 高度の脱水は，生体にきわめて重大な影響を及ぼし，死に至る可能性もある．どのタイプの脱水であっても，まずバイタルサインをチェックし，緊急処置の必要性に

第1章 全身

- ついて迅速に判断する.
- 意識障害や血圧低下などのショック状態が認められれば,気道確保,血管確保を行い,緊急輸液を行う.

全身状態,随伴症状の把握

バイタルサイン

症状出現の経過の把握とともに,随伴症状を観察し,治療,看護計画の立案に有効に反映する.

- 血圧,脈拍・リズム ➡重症度の把握,体位変換における血圧の変動,循環器疾患を鑑別する.

全身状態

- 体温 ➡不感蒸泄量の状況,感染症や内分泌疾患を鑑別する.
- 体重 ➡水分の変動を敏感に反映する.
- 尿量 ➡病態の把握,原因疾患の鑑別をする.
- 皮膚 ➡発汗の程度,皮膚温,チアノーゼ,皮膚の乾燥,ツルゴール(皮膚の緊張度)を観察する.

患者の皮膚をつまみ,すぐ放す.

皮膚の緊張が低下している場合,元の状態に戻るまでに10〜20秒かかる.正常の場合,数秒で戻る.

■図7-4 ツルゴールのチェック

頭頸部

- 四肢 ➡表在静脈の虚脱の有無を確認する.
- 貧血の有無
- 舌や口腔粘膜の乾燥の程度
- 眼球陥凹の有無
- 頸静脈の虚脱の有無

胸部
- 呼吸音 ➡肺炎の有無を確認する.

腹部
- 腸蠕動,消化器症状の有無 ➡消化管疾患の有無を確認する.

神経系
- 幻覚,錯乱,せん妄,昏迷,昏睡,意識障害の有無
- 筋けいれんの有無

🔍 **起こりうる看護問題**:悪心・嘔吐による水分摂取量の不足から電解質値が変化する可能性がある/体液量が不足している/皮膚・粘膜の乾燥,尿量減少に伴う自浄作用・抵抗力の低下により呼吸器・尿路感染症を起こす可能性がある/循環血液量の減少に伴う立ちくらみ,血圧低下により転倒・転落,身体損傷の可能性がある

患者・家族の心理・社会的側面の把握

脱水に伴う身体の変化,苦痛,生命の危機を経験したことから不安を抱えている.

- 症状出現時や経過に関する話を聞きながら,疾患や身体の変化に対する気持ちの表出を促し,不安の原因を明らかにする.
- 脱水が特定の疾患による場合には,原因疾患のコントロールに関する指導を行う.
- 症状の改善の経過と合わせて,水分摂取方法について,退院後の生活の注意点などを個別の状況に合わせた指導が必要となる.

🔍 **起こりうる看護問題**:患者・家族の症状悪化,再発に対する脅威を感じている

STEP❶ アセスメント ▶ STEP❷ 看護課題の明確化 ▶ STEP❸ 計画 ▶ STEP❹ 実施 ▶ STEP❺ 評価

看護問題リスト

#1 体液量が不足している(代謝-栄養パターン)
#2 悪心・嘔吐による水分摂取量の不足から電解質値が変化する可能性がある(栄養-代謝パターン)
#3 皮膚・粘膜の乾燥,尿量減少に伴う自浄作用・抵抗力の低下により呼吸器・尿路感染症を起こす

可能性がある（栄養-代謝パターン）

#4 循環血液量の減少に伴う立ちくらみ，血圧低下などにより転倒・転落，身体損傷の可能性がある
（健康知覚-健康管理パターン）

#5 患者・家族が症状悪化，再発に対する脅威を抱えている（自己知覚パターン）

看護問題の優先度の指針

● 高度の脱水は，致命的になる場合もあるため，緊急処置の必要性を判断するとともに，迅速かつ適切
に対処する．
● 感染に伴う発熱は不感蒸泄量を増加させ，病態が重篤となるため，感染症のリスクを低減する対応を
早期から行う．
● 患者・家族は，身体状態の変化に驚きととまどいをもっているため，不安の解消に努める．

| STEP ① アセスメント | STEP ② 看護課題の明確化 | STEP ③ 計画 | STEP ④ 実施 | STEP ⑤ 評価 |

1 看護問題

#1 体液量が不足している

看護診断

体液量不足
関連因子：増えた必要水分量を満たすことが困難，水分の必要性についての知識不足，水分摂取不足
診断指標
□尿量減少
□乾燥した粘膜
□乾燥皮膚（ドライスキン）
□ヘマトクリット値上昇
□尿中濃度の上昇

看護目標（看護成果）

〈長期目標〉水分・電解質が好転し，症状の改善がみられる
〈短期目標〉1）尿量が維持されている．2）電解質が基準値以内にある．3）皮膚・口腔粘膜の乾燥が改善する

看護計画

OP 経過観察項目
● 水分摂取量
● 体温，発熱，発汗，血圧変動，頻脈，意識レベル
● 口渇，舌や口腔粘膜の乾燥の程度，皮膚の乾燥・緊張の程度
● 眼球陥凹
● 尿検査：量，比重，蛋白，糖，Na，K，Cl，Ca，浸透圧など
● 血液検査：赤血球，ヘモグロビン，ヘマトクリット，血清総蛋白，アルブミン，Na，K，Cl，Ca，尿素窒素，クレアチニン，血糖，浸透圧
● 血液ガス分析など
● 体重
● 水分出納
● 中心静脈圧
TP 看護治療項目
● 水分，食事，輸液，尿量，便，発汗などを定期的にチェックする
● 経口での水分補給を促す

介入のポイントと根拠

● 脱水の原因，種類と程度を把握する　**根拠** 体液量の不足が高度になった場合には，ショックや意識障害，死に至ることもあり，異常の早期発見が重要となる　**高齢者** 渇中枢の機能低下，口渇感がはっきりしない，尿失禁への恐れなどから適切な飲水ができないことがある

● 毎日同じ条件で体重を測定する　**根拠** 正確な体重は，体液のバランスを反映する重要な情報となる

● **根拠** 異常の早期発見につながる

● **根拠** 脱水は体内の水分が減少している状態な

115

第1章　全身

- 経口摂取できない場合は含嗽を促す
- 医師の指示により輸液剤，薬剤を投与する

ので水分の補給が重要である

⮕安全に行う　[根拠] 脱水のタイプにより輸液剤の種類が異なる　[小児] 小児では，ルートトラブルや自己抜去のリスクが高いので注意が必要である

- 輸液後の患者の状態変化に注意する
- 定期的に水分出納をチェックする
- 環境の調整をし，体温を調節する
- 皮膚・粘膜を保護する

⮕輸液の量と速度に注意する　[根拠] 急速な輸液により脳浮腫，水中毒を引き起こす可能性がある

⮕[根拠] 不感蒸泄による体液の喪失を防ぐ

EP 患者教育項目

- 輸液の必要性について説明する
- 経口からの水分・栄養摂取の必要性を説明する
- 脱水症状の観察方法を説明する

⮕1日に必要な水分量と摂取方法を説明する．たとえば一度に大量に摂取すると排尿を促し体内で有効利用されないため，少量ずつ頻回に摂取することを説明し，生活の場でどのように実施していくか具体的に考えられるように援助する　[小児] 乳幼児は自分で摂取することができないため，家族への説明が重要となる

- 水分出納のチェック方法を説明する
- 皮膚・粘膜の乾燥を防ぐ方法を説明する

⮕水分摂取量と排尿・排便回数を記載できるチェック表を用いる　[根拠] 水分摂取状況を知ることができ，セルフケアにつながる

2 看護問題	看護診断	看護目標（看護成果）
#2　悪心・嘔吐による水分摂取量の不足から電解質値が変化する可能性がある	**電解質バランス異常リスク状態**　**危険因子**：嘔吐，下痢，体液量の不足，修正可能な因子についての知識不足	〈**長期目標**〉悪心・嘔吐がなくなり，電解質が正常範囲内に維持される　〈**短期目標**〉1）悪心が軽減し，嘔吐の回数，量が減少する．2）適切な水分を経口摂取できる

看護計画	介入のポイントと根拠

OP 経過観察項目

- 悪心の有無，程度
- 嘔吐の回数，量，性状，食物残渣の有無，胆汁・血液の混入
- 口腔，皮膚の乾燥・緊張の程度

- 治療に伴う症状の変化

- 尿検査：量，比重，蛋白，糖，Na，K，Cl，Ca，浸透圧など
- 血圧の変動，頻脈，意識レベル
- 水分出納
- 体重
- 血液検査：赤血球，ヘモグロビン，ヘマトクリット，血清総蛋白，アルブミン，Na，K，Cl，Ca，尿素窒素，クレアチニン，血糖，浸透圧
- 血液ガス分析など
- 中心静脈圧
- 腹部X線検査など
- 精神症状

⮕悪心・嘔吐の状況を把握し，原因を除去する　[根拠] 関連を把握することで，原因疾患を推測しつつ適切な看護計画につなげることができる

⮕脱水の種類と程度の明確化　[根拠] 低張性脱水の場合，口渇の症状はみられない

⮕自覚症状・他覚症状の変化に注意する　[根拠] 医原性の脱水に注意する

⮕適切な蓄尿を促す　[根拠] 腎機能を総合的に評価する

⮕バイタルサインが安定するまでは頻回に測定する　[根拠] バイタルサインの変動は，脱水状態の変化を直接表すため，症状の悪化を早期に発見し，迅速な対応につなげることができる　[小児] 生理的に細胞外液の割合が高く，腎機能が未熟であるため，下痢や嘔吐により脱水に陥りやすい

⮕消化器症状の原因の明確化　[根拠] 嘔吐の原因を明確にする

TP 看護治療項目
- 医師の指示により輸液剤，薬剤を投与する
- 安静を図る

- 水分出納をチェックする
- 嘔吐時は，うがいや口腔清拭を行う

- 室温，湿度の調整，換気により体温を調節する
- 医師の指示により経口摂取を促す

➡安全に管理する **根拠** 脱水の治療において輸液の管理は確実な治療効果を得るために重要である

➡定期的に行う **根拠** 水分出納を知ることにより，治療の効果と今後の治療についての情報整理に役立てることができる

➡ **根拠** 不感蒸泄による体液の喪失を防ぐ

➡悪心・嘔吐を誘発しないように少量ずつ勧める **根拠** 一度に大量に摂取することにより嘔吐が誘発される

EP 患者教育項目
- 輸液の必要性を説明する
- 経口からの水分・栄養摂取の必要性を説明する
- 脱水症状の観察方法を説明する
- 水分出納のチェック方法を説明する

➡患者・家族の理解を得る **根拠** 速やかな回復のための患者・家族の治療への参加を促すとともに，理解不足による不安を軽減させる

3	看護問題	看護診断	看護目標（看護成果）
	#3　皮膚・粘膜の乾燥，尿量減少に伴う自浄作用・抵抗力の低下により呼吸器・尿路感染症の可能性がある	**感染リスク状態** **危険因子**：皮膚統合性障害，口腔衛生の不足	〈長期目標〉感染の危険因子と感染予防に必要な注意事項を説明できる 〈短期目標〉1)感染経路の清潔が保たれる．2)感染経路と予防方法について説明できる

看護計画	介入のポイントと根拠

OP 経過観察項目
- 発熱，炎症を示す検査所見
- 尿量，尿の性状，排尿回数，排尿時痛，残尿感
- 自覚症状の有無と変化
- 感染症既往の有無と症状に対する態度

➡ **根拠** 感染の徴候を把握する

➡症状の受け止めを聴取する **根拠** 易感染状態の評価と今後の生活の注意点の明確化につながる

TP 看護治療項目
- 皮膚ケアを行う

- 陰部の清拭・洗浄を行う

- 皮膚・粘膜を保護する
- 褥瘡を予防する
- 水分と十分なエネルギー・蛋白質の摂取を促す

➡清潔に保つ **根拠** 皮膚の乾燥，緊張度の低下は感染リスクを高める

➡ **根拠** 尿量が減少，濃縮された尿の排泄により陰部は刺激されやすい状態にあり，さらに尿路系の自浄作用の低下から尿路感染を起こしやすい

➡乾燥を予防する **根拠** 乾燥を予防することで感染，体液量の喪失を防ぐ

➡ **根拠** 感染への抵抗力を高め，一定量以上の尿量を保つことで自浄作用を高める

EP 患者教育項目
- 感染の可能性と予防の必要性を説明する
- 皮膚・粘膜の乾燥を防ぐ方法を説明する
- 感染徴候の観察方法を説明する
- 経口からの水分・栄養摂取の必要性を説明する

➡日常生活での実施方法を具体的に説明する **根拠** 感染の認識と日々の実践が予防と早期発見には重要である **高齢者** **小児** 自覚症状が乏しく適切な対処ができない場合があるので，家族を含めた教育が必要である

第1章　全身

4 看護問題	看護診断	看護目標（看護成果）
#4　循環血液量の減少に伴う立ちくらみ，血圧低下などにより転倒・転落，身体損傷の可能性がある	**成人転倒転落リスク状態** **危険因子**：立ちくらみ，めまい，血圧低下，倦怠感／生理学的因子；脱水症，下痢／未修正の環境因子；散らかった環境	〈**長期目標**〉転倒・転落や身体損傷なく入院生活を送ることができる 〈**短期目標**〉安全対策がとられた状況で治療を受けることができる

看護計画	介入のポイントと根拠
OP 経過観察項目 ●意識レベル，血圧，脈拍の変動 ●血液，尿検査データ ●自覚症状の有無と変化 ●ベッド周囲の環境 **TP** 看護治療項目 ●安全な環境となるよう整備する ●移動時に介助する **EP** 患者教育項目 ●安静の必要性を説明する ●身体の変化が出現した場合は，すぐに伝えるように説明する	⮕転倒・転落の危険性についてアセスメントする 根拠 意識レベルの低下により，転倒・転落の可能性が高くなる ⮕ 根拠 ベッド周囲に不要な物品が置かれていると移動の妨げになり，転倒の危険性を高める ⮕ベッド周囲を整理するとともに，床の水濡れや不要な物品がないよう整備する．必要時にはベッド柵を用いて，安全に過ごせる環境を整える ⮕ 根拠 意識レベルが低下した状態での移動は予期せぬ転倒の可能性がある ⮕ 根拠 循環血液量の低下により，立ちくらみ，血圧低下がみられるため転倒・転落の危険性が高い

5 看護問題	看護診断	看護目標（看護成果）
#5　患者・家族が症状悪化，再発に対する脅威を抱えている	**非効果的コーピング** **関連因子**：高度な脅威，状況に対処する能力に十分な自信がない **診断指標** □注意力の変化 □情報に注意を向けることができない	〈**長期目標**〉身体・心理的不安が軽減し，生活環境を整えることができる 〈**短期目標**〉1) 不安な気持ちやつらさを言葉に出して表現できる．2)異常の早期発見，対処方法について説明することができる

看護計画	介入のポイントと根拠
OP 経過観察項目 ●表情，落ち着きがない様子 ●不安を示す生理的変化の有無と程度 ●不安や心配の訴え ●状態や治療に対する質問の有無，内容 ●夜間の睡眠状態 ●食欲と食事摂取量 **TP** 看護治療項目 ●感情を表出しやすい環境づくりをする ●患者・家族の訴えに丁寧に対応する ●不安を助長させないように，相手の表情を見な	⮕患者・家族の反応に着目する 根拠 非言語的表現の中に不安や恐怖の訴えが潜んでいる可能性がある ⮕ 根拠 脱水の原因となる疾患によっては，精神的にショックを受けている可能性がある ⮕ 根拠 治療や処置の前に説明することで，不要

がら，丁寧にゆっくりと患者のペースに合わせて声かけをする
- 必要時には不安や緊張を取り除く音楽，リラクセーション法やマッサージなどを取り入れる

EP 患者教育項目
- わからないこと，心配なことがあれば質問するよう伝える

な心配を抱くことのないようにする

➔ **根拠** これまで患者がとってきた対処方法などを積極的に取り入れることで，過緊張を取り除く

➔ **根拠** 現状を正確に把握できないことで不安が増幅している可能性がある

7
脱水

STEP❶ アセスメント　STEP❷ 看護課題の明確化　STEP❸ 計画　**STEP❹ 実施**　STEP❺ 評価

病期・病態・重症度に応じたケアのポイント

【急性期】 高度の脱水は死に至る危険性もあるため，迅速な対応が必要である．バイタルサインをチェックし，意識障害やショックがみられる場合は緊急処置を行う．脱水を起こす疾患は種々考えられるため，初期症状に注意し，脱水のタイプや重症度を把握すると同時に，原因疾患を検討し，適切なケアを行う必要がある．

【回復期】 全身状態の改善に伴い退院後の生活を視野に入れた援助が必要となる．再発予防に向け，生体防御能向上や水分補給の必要性，異常の早期発見に向けたセルフモニタリングの指導が必要である．

看護活動（看護介入）のポイント

診察・治療の介助
- 悪心・嘔吐，発汗などの症状や経過から，原因を把握する．
- 病態に応じ指示された輸液，薬剤の管理を行う．

脱水に対する援助
- 指示された輸液，水分摂取の介助を行い，水分出納を評価する．
- 安静にできるよう環境を整える．
- 口腔内，皮膚の清潔を保つ．

現状理解への援助
- 急激な発症の場合は，患者・家族の不安の表出に注意し，丁寧に対応する．
- 治療や検査の必要性について説明する．

退院指導・療養指導

- 水分と電解質摂取の必要性を説明する．
- 生活習慣が原因で脱水となった場合には，改善の必要性を説明し，具体的方法を一緒に検討する．

STEP❶ アセスメント　STEP❷ 看護課題の明確化　STEP❸ 計画　STEP❹ 実施　**STEP❺ 評価**

評価のポイント

看護目標に対する達成度
- 水分・電解質が好転し，症状の改善がみられているか．
- 悪心・嘔吐が軽減しているか．
- 感染の危険因子と感染予防に必要な注意事項を説明できるか．
- 転倒・転落により身体を損傷することなく入院生活を送ることができているか．
- 患者・家族が身体・心理的不安が軽減したことを表現できているか
- 患者・家族が生活環境の改善方法を述べることができているか．

● 参考文献
福井次矢，奈良信雄編：内科診断学　第3版，pp.516-521，医学書院，2016

119

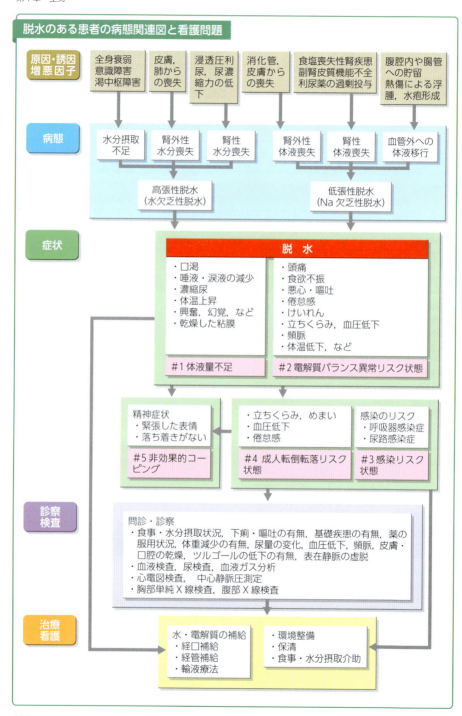

8 浮腫

手塚 大介・磯部 光章

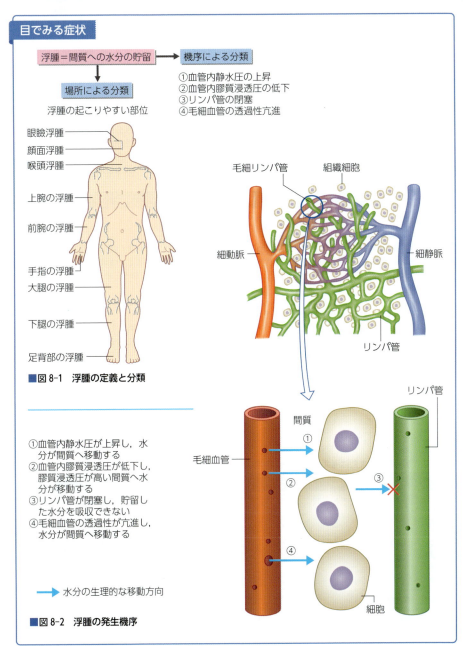

■図8-1 浮腫の定義と分類

■図8-2 浮腫の発生機序

第1章　全身

病態生理

> 浮腫とは皮下に水分が貯留した状態であり，むくみともいう．浮腫は血管内の静水圧の上昇，膠質浸透圧の低下により血管内から血管外に水分が移動し，間質に貯留することで生じる．また間質に貯留した水分はリンパ管に吸収されるため，浮腫はリンパ管の閉塞でも生じうる．毛細血管の透過性が亢進すると局所性浮腫をきたす．

- 浮腫は，①血管内静水圧の上昇，②膠質浸透圧の低下，③リンパ管の閉塞，④毛細血管の透過性亢進により生じる．
- ここでいう静水圧とは毛細血管内圧と間質（血管外の組織）の圧の差のことで，血管内の静水圧が高いと浮腫が生じる．どちらが高いかで水分の移動の方向が決まる．例えば，心不全などで心拍出量が低下すると，静脈に血液のうっ滞が生じ，毛細血管内圧も高くなり，下腿浮腫が現れる．また浮腫のときに弾性ストッキングなどの処置をとるのは，間質の圧を高めるためである．
- 膠質浸透圧とは蛋白質（主としてアルブミン）の濃度により生じる浸透圧をいう．血管壁には小さな穴があいており，蛋白質など高分子は通れず，水分やイオンは通過できる．水分は膠質浸透圧が高いほうへ移動する性質があるため，血管内の膠質浸透圧が低く，間質の膠質浸透圧が高ければ血管外へ漏出する．例えば，肝硬変，低栄養の場合で血中アルブミンの低下があると，血管内の膠質浸透圧が低下し，相対的に間質の膠質浸透圧のほうが高くなるので，水分は血管外へ漏出し浮腫となる．

患者の訴え方

> 浮腫の起こる場所，性質により異なるが，全身性か局所性かで分類可能である．

- **主症状の訴え**
- 眼瞼の浮腫の場合，「朝，まぶたが腫れぼったい」という訴え方が多い．また顔の浮腫で徐々に増悪するものは自分では見慣れてしまうため，他人に指摘されて初めて気づくこともある．
- 喉頭浮腫は，普段は普通の声の人が急にしわがれたり，声を出しづらくなることで気づかれる（嗄声症状）．
- 上肢のむくみの場合，「手が腫れぼったい」という訴え方が多い．手指のむくみの場合は「指輪がきつくなった」という訴えを認めることがある．
- 下腿の浮腫では，「脛骨前面を指で押すとへこむ」「靴下の跡がつく」「足背にむくみがある」という訴えが多い．生理的下腿浮腫においては「夕方になると足がむくむ」「朝になるとむくみがなおる」という訴えもよく聞かれるものである．
- **随伴症状**
- 原因疾患により随伴症状は様々に異なる．また同一疾患でも患者の状態により出現の仕方が異なり，表8-2に掲げてある症状が全部そろうとは限らないことに留意する．

■表8-1　浮腫の原因または考えられる疾患（赤字は緊急対応を要する疾患）

全身性浮腫	局所性浮腫
● **急性心不全**，慢性心不全	● 静脈閉塞（上大静脈症候群，深部静脈血栓症，ほか）
● フレイル	● 悪性腫瘍（リンパ節転移，悪性リンパ腫，ほか）
● 廃用性症候群	● リンパ浮腫
● 腎不全	● リンパ管炎
● ネフローゼ症候群	● 炎症（熱傷，蜂窩織炎，外傷，ほか）
● 肝硬変	● 生理的
● 低栄養	
● 吸収不良症候群	
● 甲状腺機能低下	
● 薬剤性〔解熱鎮痛薬（NSAIDs），甘草，グリチルリチン，ほか〕	
● 特発性	
● アレルギー（**アナフィラキシー**，蕁麻疹）	

■表 8-2　浮腫の随伴症状と考えられる疾患(赤字は緊急対応を要する疾患)

	随伴症状・理学所見	考えられる疾患・状態
全身性浮腫	呼吸困難，喘鳴，血圧低下もしくは高血圧，頻脈，体重増加	心不全
	褥瘡，表皮剥離	廃用性症候群
	貧血，高血圧，体重増加，呼吸困難	腎不全
	腹部膨満，黄疸，羽ばたき振戦，体重増加	肝硬変
	蛋白尿，高コレステロール血症，体重増加	ネフローゼ症候群
	甲状腺腫大，徐脈，皮膚乾燥，体重増加	甲状腺機能低下
	低アルブミン血症	肝硬変，ネフローゼ，低栄養，高齢者
	嗄声，喘鳴，呼吸困難，顔面紅潮，血圧低下	アナフィラキシー
局所性浮腫	呼吸困難，起座呼吸，頸静脈怒張，頭痛，チアノーゼ	上大静脈症候群
	下腿緊満感，下腿疼痛，下腿静脈瘤	深部静脈血栓症
	瘙痒感，発赤，熱感	蕁麻疹，アレルギー性湿疹
	皮膚肥厚(象皮様)	リンパ浮腫
	発熱，圧痛，赤色の線条痕	リンパ管炎
	熱感，腫脹，発赤，疼痛	蜂窩織炎

診断

浮腫の診断は，まず病歴(基礎疾患，体重増加，摂食状態，内服歴)で得た情報を考慮のうえ，浮腫の場所により全身性か局所性かを鑑別していく.

● 全身性浮腫の場合，重力の影響により下腿浮腫として現れることが多い.長期の臥床者では背部や殿部に認められる.全身性なので手指，顔面，眼瞼などほかの部位に現れることも多いが，全例にすべてそろった形で出現するわけではない.下腿では脛骨の前面を指で数秒程度軽く押したあとにできる圧痕の有無を確認する.圧痕を認めれば軽度の浮腫を診断することができる.

● 局所性浮腫の場合，左右差がみられる.上大静脈症候群では両側または一側の上肢，顔面，眼瞼の浮腫が著明となるが，通常下肢には浮腫が出現しないため，局所性の浮腫に分類される.深部静脈血栓症は通常，片側性に下肢の静脈に起こる頻度が圧倒的に高い.乳がんの手術後でリンパ節切除後に起こる上腕の浮腫の場合，左右差が著明で，上腕から前腕まで全体的に腫脹している所見を認めることがある.

●原因・考えられる疾患
● 浮腫をきたす疾患は表 8-1 のように多く，それぞれの疾患についての理解が重要である.また，浮腫の症状は大抵の患者は自覚して来院するが,丁寧な問診や診察から軽度の浮腫を発見することもある.診察の際の観察力が重要である.

●鑑別診断のポイント
● 基礎疾患，病歴，診察所見が重要である.
● 病歴では食事の摂取状況，体重の変化，服薬状況，患者が自覚している体調の変化などに着目する.
● 浮腫の存在している場所が上肢にあるか，下肢にあるか，また左右差があるか，圧痕を残す浮腫であるかないかで，ほぼ考えられる疾患が決まってくる.
● 原因疾患の推定は，実際には随伴症状，基礎疾患，また臨床データに依存するところが大きい.

治療法・対症療法

治療は浮腫の原因となっている疾患の確定診断の後，それぞれの治療法が選択される.原因疾患の治療により浮腫も改善することが多い.

●治療方針
● 心不全，腎不全，肝硬変などの全身性浮腫に対しては主にループ利尿薬が処方される.

第1章 全身

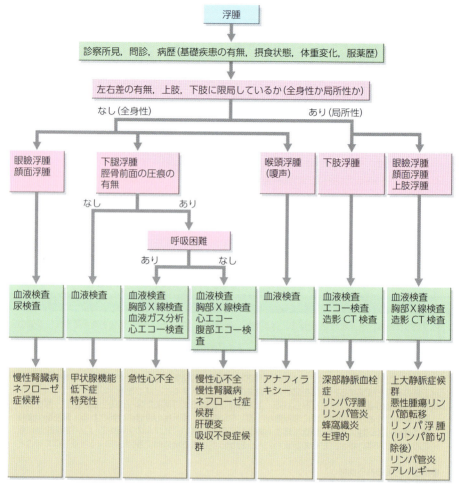

■図8-3 浮腫の診断の進め方

- 利尿薬の投与により血清K(カリウム)値が低下する場合は，カリウム製剤を投与したり，カリウム保持性利尿薬を併用したりする．
- 腎機能の低下している患者では血清K値が上昇していることが多いため，カリウム保持性利尿薬は使用しない．
- 利尿薬の長期投与により脱水をきたしたり電解質異常をきたすことがあるので，利尿薬を投与する患者では腎機能(BUN, Cr)や電解質(Na, Cl, K)などを定期的に検査する．
- リンパ浮腫は乳がんの手術によりリンパ管が切除された患者に多く出現する．弾性スリーブや弾性ストッキングを着用する．寝る際は，上肢，下肢いずれの場合でも下に枕を置くとよい．リンパマッサージが有効な場合もある．
- 生理的下腿浮腫は若年女性や高齢者に多くみられる．いずれも下肢の筋力低下や運動をしないことにより生ずる．
- 高齢者でフレイルの状態にある場合，サルコペニア(筋量低下)により下腿浮腫をきたしやすい．特に

■表 8-3　浮腫の主な治療薬

分類	一般名	主な商品名	薬の効くメカニズム	主な副作用
ループ利尿薬	フロセミド	ラシックス	ループ上行脚 Na-K-Cl 共輸送体阻害	低カリウム血症，脱水
サイアザイド系利尿薬	トリクロルメチアジド	フルイトラン	遠位尿細管の Na/Cl 共輸送体の作用を阻害し，NaCl と水の再吸収を抑制する	高尿酸血症，電解質異常
MR 拮抗薬	エプレレノン	セララ	選択的アルドステロン拮抗作用	高カリウム血症，脱水
水利尿薬	トルバプタン	サムスカ	バソプレシン V_2 受容体拮抗作用	高ナトリウム血症，脱水
SGLT2 阻害薬	エンパグリフロジン	ジャディアンス	ナトリウム/グルコース共輸送体 2(SGLT2) 阻害作用	尿路・性器感染症
抗凝固薬	ワルファリンカリウム	ワーファリン	ビタミン K 依存性血液凝固因子阻害	出血
	エドキサバントシル酸塩水和物	リクシアナ	第 Xa 因子阻害	易出血性
	アピキサバン	エリキュース	第 Xa 因子阻害	易出血性
抗アレルギー薬	エピナスチン塩酸塩	アレジオン	選択的 H_1 受容体拮抗作用	眠気
	レボセチリジン塩酸塩	ザイザル	選択的 H_1 受容体拮抗作用	眠気
	（合剤）ベタメタゾン・d-クロルフェニラミンマレイン酸塩	セレスタミン	H_1 受容体拮抗作用＋抗アレルギー作用	眠気，高血糖，感染の重篤化
	ジフェンヒドラミン	レスタミン	H_1 受容体拮抗作用	過敏性（報告は少ない）
抗菌薬	レボフロキサシン水和物	クラビット	DNA 複製阻害，殺菌的抗菌作用	肝障害，けいれん

日中車椅子に座っている時間の長い患者では，下腿を椅子と同じ高さの台に置いたり，下腿の運動（足あげ），マッサージなどの理学療法的介入が有効な場合がある．
- 深部静脈血栓症の場合は，新たな血栓の生成予防のため抗凝固薬が投与される．
- アレルギー性の浮腫は瘙痒感を緩和させる軟膏や内服の抗アレルギー薬が処方される．
- 蜂窩織炎のような炎症性浮腫の場合は抗菌薬が処方される．リバノール湿布が塗布されることもある．
- **薬物療法**
- **Px 処方例** 軽度の下腿浮腫の場合
- ラシックス錠（20 mg）　1 回 1 錠　1 日 1 回　朝食後　←ループ利尿薬
- フルイトラン（2 mg）　1 回 1 錠　1 日 1 回　朝食後　←サイアザイド系利尿薬
- **Px 処方例** 重症心不全や肝硬変による高度の浮腫を伴う場合　下記のいずれかの薬剤等を，症例により用量を適宜調整したうえで使用することが多い．
- ラシックス錠（40 mg）　1 回 1 錠　1 日 1 回　朝食後　←ループ利尿薬
- セララ錠（25 mg）　1 回 1 錠　1 日 1 回　朝食後　← MR 拮抗薬
- サムスカ（7.5 mg）　1 回 1 錠　1 日 1 回　朝食後　←バソプレシン V_2 受容体拮抗薬
- ジャディアンス錠（10 mg）　1 回 1 錠　1 日 1 回　朝食後　← SGLT2 阻害薬
- **Px 処方例** 深部静脈血栓症
- ワーファリン錠（1 mg）　用量はプロトロンビン時間国際標準化比（PT-INR）を検査して調節する　1 日 1 回　夕食後　←抗凝固薬

- リクシアナ (60 mg) (体重 60 kg 超)　1日1回　朝食後　←抗凝固薬
  リクシアナ (30 mg) (体重 60 kg 以下)　1日1回　朝食後　←抗凝固薬
- エリキュース (5 mg)　1日2回　朝夕食後　←抗凝固薬
  ※リクシアナ，エリキュースは腎機能により適宜，用量調節が必要

Px 処方例 アレルギー性湿疹の場合　下記のいずれかを用いる．
- アレジオン錠 (20 mg)　1回1錠　1日1回　朝食後　←抗アレルギー薬
- ザイザル (5 mg)　1回1錠　1日1回　就寝前　←抗アレルギー薬
- セレスタミン錠　1回1錠　1日3回　朝昼夕食後　←抗アレルギー薬 (ステロイド含)

Px 処方例 蜂窩織炎
- クラビット錠 (500 mg)　1回1錠　1日1回　朝食後　←抗菌薬

Px 処方例 低アルブミン血症による浮腫の場合
- アルブミン製剤　1日1回　点滴静注　←血漿分画製剤

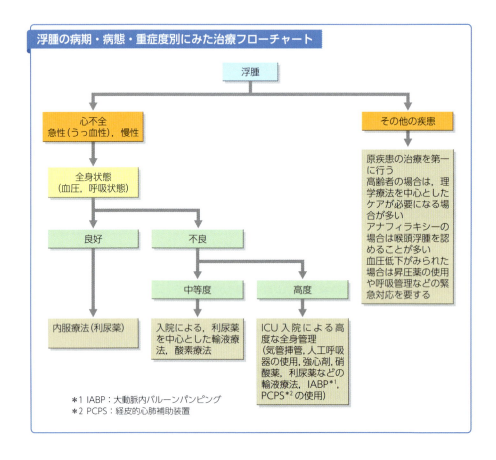

A 浮腫のある患者の看護

山﨑 智子

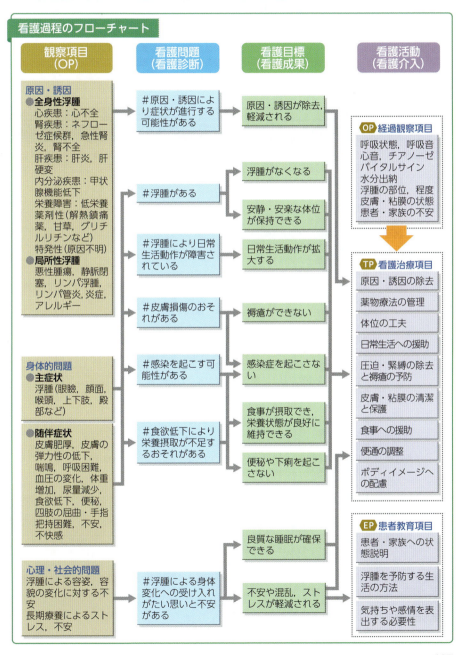

第1章　全身

基本的な考え方

● 浮腫の原因となる疾患は多様であるが，慢性疾患が原因であることが多く，浮腫をきたすそれぞれの疾患についての理解が重要である．全身性の浮腫か，局所性浮腫なのか，病歴や浮腫の出現状況，随伴症状から見極め，緊急性を判断しなければならない.

● 浮腫により活動や体位の制限が生じるため，苦痛症状の緩和や安楽の援助を行わなければならない．また外見的にもボディイメージに影響を与えるため，精神的な援助も重要である.

緊急 急性心不全やアナフィラキシーショックなど，緊急処置の必要な病態に対しては静脈路確保，薬物投与，気道確保や酸素療法などの迅速な対応が必要である．喘鳴や呼吸困難，意識障害，循環障害を疑わせるサインや情報を見逃さないよう十分な観察を行う．特に意識障害は要注意である.

STEP ❶ アセスメント ▶ STEP ❷ 看護課題の明確化 ▶ STEP ❸ 計画 ▶ STEP ❹ 実施 ▶ STEP ❺ 評価

情報収集	アセスメントの視点と根拠・起こりうる看護問題
病歴の把握	**患者・家族から症状出現の経過，症状の変化を聞くことで，原因・誘因の特定や全身状態の把握につながり，治療や看護ケアにも重要な情報を得ることができる.**
経過	● いつからどのくらい続いているのか. ● 急激に始まったのか，徐々にまたは以前から（慢性的に）起こっていたのか. ● 一過性か持続性か. ● 日内変動はないか（朝と夕方の差）.
誘因	● 活動や運動，体位との関係 ● 食べ物との関係 ● 輸液や服薬との関係 ● 感染徴候，過労
随伴症状	● 皮膚の変化：皮膚の弾力性の低下，皮膚の乾燥，皮膚温の低下，チアノーゼの出現，皮膚線条痕，皮膚圧痛，局所の熱感，発赤，膨疹，瘙痒感 ● 消化器症状：浮腫に伴う食欲の低下，便秘，下痢 ● 全身症状：発熱，倦怠感，脱力感 ● 意識障害 ● 呼吸器症状：息苦しさ，咳嗽，喀痰，喘鳴，呼吸困難 ● 循環器症状：徐脈，頻脈，血圧の変動 ● 精神症状：不安な様子，無表情，イライラした様子 ● 体重増加 ● 尿量減少，蛋白尿 ● 下肢腫脹，疼痛，下腿静脈瘤
生活歴	● 日常の活動，体位 ● 生活習慣，食習慣
既往歴	● 高血圧，心疾患，腎疾患，肝疾患，内分泌系疾患の既往，治療状況 ● 外傷，手術歴，放射線照射などの治療歴 ● アレルギー（食物，薬剤ほか） ● 薬物の服用状況（利尿薬，降圧薬，ステロイドの服用ほか）
嗜好品，常用薬	● 食事の嗜好（塩分，アルコール，アレルギー），摂取状況 ● 初めて服用した薬はないか.
家族歴	● 心疾患，腎疾患，内分泌疾患，ネフローゼ症候群などに罹患している家族がいないか，家族のアレルギーの有無
主要症状の出現状況，程度，性状の把握	**浮腫の出現状況やその程度や部位を把握することで，原因疾患の特定につながる情報が得られる.**
浮腫の出現状況	● いつから出現したのか. ● 急性・突然に発症 **原因・誘因** **緊急** アナフィラキシーショック

128

自覚症状	●咳嗽，喀痰の前駆症状を伴う　原因・誘因 肺水腫，うっ血性心不全
	●全身性か局所性か．
	●むくみ：眼瞼の腫れぼったさ，手指の屈曲困難，腕や足の腫れぼったさや重い感じ，下着や靴や靴下の跡がつくなど
	●息切れ，息苦しさ
	●腹部膨満感
浮腫の部位や程度	●全身性浮腫は一般に左右対称性にみられ，局所性の浮腫は一般に片側性にみられる傾向があるが，絶対的なものではない．注意深く浮腫の分布，程度を観察する．
	〈全身性浮腫〉
	●腎性浮腫：全身性ではあるが，特に眼瞼や顔面の浮腫が強い．
	●心性浮腫：一般に右心不全の初期には，夕方に下腿の浮腫が増強する．
	●肝性浮腫：両下肢の浮腫と腹水がみられる．
	●内分泌性浮腫：顔面，頸部，四肢に出現しやすく，浮腫は緊張性で押しても圧痕を認めない．
	〈局所性浮腫〉
	●静脈性浮腫：初期の浮腫は軟らかいが，慢性になると硬くなる．浮腫の周辺部にチアノーゼ，静脈怒張がみられる．
	●リンパ性浮腫：局所より末梢側へと浮腫が拡大していく．
	●血管神経性浮腫：眼瞼，頬，舌，口唇などの顔面に一過性にみられ，瘙痒を伴う．
検査所見	●原因疾患の特定のために客観的な検査結果を吟味する．
	●血液生化学検査・血液一般検査，尿・腎機能検査，肝機能検査，血液ガス分析
	●胸部X線検査
	●超音波検査(心，腹部)，造影CT検査，MRI検査，心電図検査
	🔍 起こりうる看護問題：浮腫がある／浮腫により日常生活動作が障害されている／皮膚損傷のおそれがある／感染を起こす可能性がある／浮腫が長引くことによる不安がある

急激な喉頭浮腫を伴う全身性浮腫への緊急対応

●薬物や食物によるアナフィラキシーショックにより全身に浮腫が起こっている場合は早急な対応が必要である．ステロイド投与や気道を確保し，酸素の投与を行う．

急激な心不全への緊急対応

●急性うっ血性心不全によって急激な心拍出量の低下と肺うっ血を引き起こし，呼吸困難，浮腫，胸内苦悶，チアノーゼ，不整脈などが現れている患者には，救急処置の準備，援助，管理を行う．上体挙上，気道確保，静脈路確保，薬物投与を行う．

全身状態，随伴症状の把握バイタルサイン	症状出現の経過の把握とともに，浮腫の状態や随伴症状を観察し，治療，看護計画の立案に有効に反映する．
	●体温 ⮕感染症や内分泌疾患を鑑別する．
	・発熱　原因・誘因 リンパ管炎
	●血圧，脈拍・リズム ⮕循環器疾患を鑑別する．
	・頻脈　原因・誘因 心不全
	・徐脈　原因・誘因 甲状腺機能低下
	・緊急 急激な血圧低下　原因・誘因 急性心不全，アナフィラキシー
	●呼吸状態
	・緊急 喉頭浮腫による呼吸困難　原因・誘因 アナフィラキシー
	・緊急 呼吸困難　原因・誘因 心不全，腎不全
	・起座呼吸　原因・誘因 上大静脈症候群
	●緊急 意識障害　原因・誘因 アナフィラキシーショック，肝性脳症
	●チアノーゼ　原因・誘因 上大静脈症候群
全身状態	●体格 ⮕悪性腫瘍，慢性疾患による体重減少がないか確認する．

8
浮腫

第1章　全身

頭頸部	● 体重増加　【原因・誘因】**心不全**，ネフローゼ症候群，甲状腺機能低下 ● 尿量減少 ● 倦怠感 ➡ 低栄養，肝機能不全 ● 皮膚 ➡ 湿潤状況，黄疸，発疹を観察する. ● 甲状腺腫大　【原因・誘因】甲状腺機能低下 ● 貧血の有無　【原因・誘因】腎不全 ● 黄疸，呼気アンモニア臭の有無 ➡ 肝疾患を鑑別する. ● 瘙痒，発赤，熱感　【原因・誘因】蕁麻疹，アレルギー性湿疹 ● 頸静脈の怒張 ● 甲状腺腫の有無 ● 顔貌，表情 ➡ 不安感，精神症状 ● 顔面紅潮　【原因・誘因】【緊急】**アナフィラキシー**
胸部	● 結膜 ➡ 貧血，黄疸の有無をみる. ● 打診・聴診 　・心拡大，肺水腫，胸水　【原因・誘因】【緊急】**心不全** 　・肺うっ血による副雑音の聴取　【原因・誘因】【緊急】**心不全** ● 喘鳴，呼吸困難　【原因・誘因】【緊急】**アナフィラキシー，心不全** ● 気道狭窄の有無　【原因・誘因】【緊急】**アナフィラキシー**
腹部	● 胸痛　【原因・誘因】【緊急】**心不全** ● 腹部の触診・視診 ➡ 腹部膨隆や腹腔内腫瘍の有無　【原因・誘因】肝硬変，肝腫瘍 ● 腹部の聴診 ➡ 腸管の動き ● 消化器症状 ➡ 下痢や便秘の有無，程度
四肢	● 浮腫の性状 (圧痕の有無)，全身性か局所性か確認する. ● 下肢腫脹，疼痛，下腿静脈瘤　【原因・誘因】深部静脈血栓症 ● 皮膚肥厚 (象皮様)　【原因・誘因】リンパ浮腫 ● 発熱，圧痛，赤色の線条痕　【原因・誘因】リンパ管炎
セルフケアの レベル	● 活動状況 (体位変換，座位，立位，歩行，関節可動域など) ● 生活の基本動作 (食事動作，洗面，整容，排泄など) への影響 ● 他者への依存度 🔍 **起こりうる看護問題**：浮腫がある／浮腫により日常生活動作が障害されている／ 　皮膚損傷のおそれがある／感染の可能性がある
患者・家族の心 理・社会的側面 の把握	浮腫によって変化した容貌や容姿に耐えがたい気持ちや，この先どうなっていくの かといった不安を抱いている. ● 浮腫により，容貌，容姿が変化することへの受け入れがたい気持ちと，この先どの 　ように経過していくのかという恐怖や不安が生じることを理解し，訴えのみならず 　非言語的なサインを見逃さず，不安の緩和に対応していく必要がある. ● 患者・家族の現状の理解の程度を確認し，必要に応じて丁寧に説明する必要がある. ● 浮腫の原因の多くは慢性疾患であるため，長期的な療養に対しても不安を抱いてい 　ることが多い. 🔍 **起こりうる看護問題**：浮腫によるボディイメージの変化や今後への不安がある

STEP ❶ アセスメント　**STEP ❷ 看護課題の明確化**　STEP ❸ 計画　STEP ❹ 実施　STEP ❺ 評価

看護問題リスト

#1　浮腫がある (栄養-代謝パターン)
#2　浮腫による身体変化への受け入れがたい思いと不安がある (自己知覚パターン)
#3　浮腫による皮膚損傷のおそれがある (栄養-代謝パターン)
#4　浮腫により日常生活動作が障害されている (活動-運動パターン)
#5　感染を起こす可能性がある (栄養-代謝パターン)

看護問題の優先度の指針

- 急速な心機能の低下，アナフィラキシーショックの場合，症状が進めば，呼吸停止，心停止に至ることも考えられる．浮腫の部位，程度，呼吸状態や意識状態，さらに随伴症状を注意深く観察し，浮腫の原因を探り早急に対処する必要がある．
- 浮腫によって日常生活活動が障害されることで，セルフケアが困難になり援助が必要となる．
- 皮膚・粘膜の伸展や脆弱さ，栄養状態の低下で，褥瘡や感染症を起こすと全身状態が悪化し，原因疾患の増悪につながるため，褥瘡予防，感染の予防，栄養管理が重要となる．
- 浮腫による身体像の変化やこれからの不安について十分に援助を行う必要がある．

8
浮腫

STEP ❶ アセスメント	STEP ❷ 看護課題の明確化	STEP ❸ 計画	STEP ❹ 実施	STEP ❺ 評価

1 看護問題	看護診断	看護目標（看護成果）
#1　浮腫がある	**体液量過剰** **関連因子**：調節機構の悪化 **診断指標** □浮腫 □呼吸副雑音 □短期間での体重増加 □摂取量が排泄量よりも多い	〈**長期目標**〉浮腫がなくなる 〈**短期目標**〉1）水分摂取量と排泄量のバランスがとれている．2）浮腫による苦痛症状が軽減する．3）倦怠感，脱力感がない．4）浮腫による二次障害が起こらない．5）浮腫による不安が軽快する

看護計画

OP 経過観察項目
- 浮腫の部位
- 浮腫の程度
  - 上肢・下肢，腹囲は周囲径を測定する
  - 下着や靴下の跡，衣類のしわの跡など
  - 長期臥床の場合，側腹壁，側胸壁，大腿屈側部．男性では陰嚢(のう)に浮腫がみられることがあり留意する
- 浮腫に伴う四肢の屈曲，把持困難の状況
- 食事量，飲水量，輸液量と尿量，体重
- 治療内容とその効果，副作用
- 随伴症状の有無やその変化：倦怠感，呼吸困難，食欲低下，末梢の冷感など
- 検査結果：心機能，腎機能，肝機能，総蛋白，アルブミン，胸部 X 線所見
- 皮膚の損傷の有無

TP 看護治療項目
- 安静を保持する

- 安楽な体位を工夫する
  - 呼吸困難時：ファウラー位，起座位
  - 衣服による圧迫を取り除く

介入のポイントと根拠

➡ 浮腫が軽度の場合は，脛骨前面，足背などを押し続けて判定する必要がある．高齢者，著しくやせている人は，大腿屈側の皮膚をつまみ，指圧痕が残るか否かで判定する　**根拠** 浮腫の推移をアセスメントする

➡ **根拠** 浮腫による日常生活への影響を把握する
➡ **根拠** 水分出納を評価する

➡ **根拠** 全身状態，浮腫による苦痛症状を把握する

➡ **根拠** 浮腫の部位の褥瘡，感染を予防する

➡ **根拠** 運動は酸素消費量やエネルギー消費量を増やし，心臓の負担も増やす．蛋白代謝産物の増加は，心臓，腎臓の負担を増大させ浮腫を増強する．運動による腎血流量の減少は，アルドステロンの分泌が亢進し，尿細管での水やナトリウム(Na)の再吸収を促し，尿量減少に至り，浮腫を増強させる

➡ 枕，座布団，バックレスト，オーバーテーブル，ギャッチベッドなどを利用し，ファウラー位，起座位などをとる　**根拠** 腹水，胸水，肺水腫がある時は，肺の換気面積，横隔膜の運動面積を増大

131

第1章　全身

・浮腫のある部位を挙上する

● 保温する：服・寝具の調整，罨法
● 浮腫を正確に把握するための援助を行う
　・体重，腹囲，上肢・下肢などの計測は，早朝
　　排尿後にベッドサイドで行う
　・食事，飲水量の記録紙を床頭台に置く
● 指示された薬物を管理する（特に利尿薬）

● 活動性の低下による危険を防止するため環境の
　調整を行う
● 栄養状態を管理する
　・塩分制限，水分制限

　・蛋白質の補給あるいは制限

　・エネルギーの補給

● 排便のコントロール状況に合わせて調整（消化
　のよいもの，発酵しにくい食品）する
● 不安への援助を行う

● **EP** 患者教育項目
● 現状や治療内容などわかりやすい言葉で説明す
　る
● 浮腫を予防する生活習慣について説明する
　・原因疾患の治療の継続とその管理の必要性
　・安静や食事療法の必要性
　・心身の疲労を軽減する生活の必要性
　・マッサージなどのセルフケアについて
● 身体的苦痛や不安の増強などがある場合には，
　我慢せず話すように説明する

させる
⊃ 根拠 末梢部位に浮腫がある場合は，その部位
を挙上する
⊃ 根拠 皮膚血管を拡張させ循環をよくし，組織
間液の灌流を促す
⊃ 根拠 自己管理ができるよう行動変容への支援
が必要である

⊃ 根拠 頻繁な排尿で睡眠不足に陥らないよう
に，利尿薬の使用時間などを判断する
⊃ 根拠 可動性の低下やふらつきなどで事故を起
こさないように環境を整える

⊃ 根拠 原因にかかわらず，水とナトリウムの排
泄が障害されているので制限する
⊃ 根拠 血漿蛋白の減少は血漿膠質浸透圧を低下
させ，浮腫を増強させる．しかし急性腎炎の場合
は，蛋白分解産物の排泄が障害されるため，蛋白
質が制限される
⊃ 根拠 エネルギー不足は体蛋白の崩壊を起こし，
蛋白代謝産物を増加させ，腎臓に負担をかける

⊃ 不安なことが表出できるような雰囲気や環境を
提供する 根拠 精神的苦痛は代謝を亢進させる

⊃ 根拠 患者自身が浮腫を予防，軽減する方法を
身につけられるように援助する

2 看護問題	看護診断	看護目標（看護成果）
#2　浮腫による身体変化への受け入れがたい思いと不安がある	**ボディイメージ混乱** **関連因子**：自己知覚の変化 **診断指標** □体の変化に対する非言語的反応 □他者の反応をおそれる □変化の承認を拒む □感じている体の変化に対する非言語的反応 □自分の体の変化を観察する □外見についての考え方の変化を反映した認識	〈長期目標〉新たなコーピングパターンを実行し，容貌の受容を言葉に出して表し，行為に示す 〈短期目標〉1）セルフケアの意欲と能力について表現する．2）身体変化への不安が軽減したことを言葉に出して表現できる．3）表情や身ぶりが苦悩の軽減していることを反映している．4）サポートシステムを新たに確立する

看護計画	介入のポイントと根拠

OP 経過観察項目
- 不安や緊張の表情，落ち着きがない様子，顔色
- 活気，精神症状
- 睡眠の状況

- 身体の変化に対する否定的な言葉や不安の訴え

- 状態や治療に対する質問の有無，内容
- 変化した身体を見ることができるか
- 血圧，脈拍，呼吸状態

➡ 非言語的表現をとらえる　根拠 不安や恐怖の程度を推測する必要がある
➡ 根拠 不安や混乱による睡眠への影響を把握する

➡ 根拠 患者が不安や恐怖をどのようにとらえ，表現しているか，その程度をアセスメントする
➡ 根拠 自分の身体状況をどのようにとらえているかを把握する
➡ 根拠 生理的な反応について十分把握する

TP 看護治療項目
- 1人にしないように頻繁に訪問し，そばに付き添い，落ち着いた態度で接する
- 患者が自身に対してどのようにとらえ，考えているか，見方を表出するよう促す
- 感情や悲嘆を表出させる
- 健康問題や治療，経過，予後について質問するように患者を促す
- 患者がもっているあらゆる誤解を解く（自分自身，治療について，援助者について）
- 同じような経験をしてきた人と経験を分かち合う機会を提供する
- 患者とともに患者のもつ力や資源を探す
- マッサージ，リラクセーション，入眠を促す援助：腰背部のマッサージや足浴，温罨法を行う
- 落ち着けるような環境の整備を行う
- 整容への援助をする

- 治療や処置を行う場合は，十分に説明し，心配や質問がないか聞き，丁寧に答える

- コミュニケーションを十分にとる
- 患者の身体的・精神的状態に家族が対応できるように，家族の状態に合わせて援助を行う

➡ 1人にしない　根拠 すぐに対応してもらえるという安心感を与える
➡ 支援的態度で接する　根拠 支援的態度が不安の表出を促す

➡ 信頼できる情報を提供し，すでに提供された情報を強化する
➡ 同じ境遇にある人と会話をすることで，気持ちが落ち着き，前向きに考える機会となりやすい

➡ 根拠 筋緊張，精神的緊張感を解く

➡ 根拠 自分でセルフケアが行えないことによるストレスを減らす
➡ 患者の不安の表情を見ながら，わかりやすく説明する　根拠 治療や処置の前に説明することで，不要な心配を抱くことのないようにする

➡ 根拠 家族が患者の反応を理解できるように援助する，家族も患者と気持ちを分かち合えるように援助する

EP 患者教育項目
- セルフケアの方法について指導する
- 必要に応じて，どのような資源が利用可能か患者に指導する（セルフヘルプグループ，カウンセリング）

➡ 説明するとともに，質問を積極的に受け入れる　根拠 不安を軽減するための対処を促す

3 看護問題	看護診断	看護目標（看護成果）
#3　浮腫による皮膚損傷のおそれがある	**皮膚統合性障害リスク状態** **危険因子：** 外的因子；分泌物，表面摩擦，過度の水分，介護者の組織統合性の保護についての知識不足，内的因子；浮腫，栄養不良，水・電解質バランス異常，身体活	〈**長期目標**〉褥瘡を起こすことなく皮膚の統合性が保たれる 〈**短期目標**〉1) 褥瘡の予防方法について言える．2) 褥瘡の予防に取り組むことを言える．3) 栄養状態が良好に保てる．4) 皮膚の圧迫，緊縛，摩擦がない

第1章　全身

動減少，皮膚統合性の保護についての知識不足

看護計画	介入のポイントと根拠
OP 経過観察項目 ●浮腫の部位と程度 ●皮膚の乾燥状態，湿潤状態 ●皮膚の発赤，紅斑，表皮剥奪の有無 ●衣服や寝具によるしわや圧迫の様子 ●ベッドや寝具の硬さ ●自力での体位変換の様子，長時間同一体位をとっていないか ●食欲，食事摂取量，血液データ(総蛋白，アルブミン) ●利尿薬の使用や尿失禁の有無	⇨ **根拠** 皮膚の脆弱性をアセスメントする ⇨ **根拠** 外的なリスクをアセスメントする ⇨ **根拠** 体位変換時の援助の必要性を判断する ⇨ **根拠** 栄養状態をアセスメントする
TP 看護治療項目 ●緊縛や圧迫の少ない衣服を選ぶ ●体位変換の援助：状態に合わせて，30分〜2時間おきに体位変換を行う ●特殊マットレス(体圧分散寝具)の使用：エアマットレス，ウレタンフォームマットレスなど ●循環を刺激するために，発赤部位周辺の健常な皮膚表面をマッサージする ●清潔ケアの際は発赤部を刺激の少ない石けんでやさしく洗い，石けんを完全にすすぎ落とし，軽く叩くように拭き，乾燥させる．保湿剤の塗布 ●皮膚の2面が接する場所(鼠径部，陰部)は乾燥させる ●環境を調整する(温度，湿度，換気) ●栄養状態を管理する ●患肢への注射は避ける，患肢の外傷を防ぐ	⇨ **根拠** 循環障害を防ぐ ⇨ **根拠** 発赤部の皮膚損傷のリスクをできる限り除く ⇨ **根拠** 皮膚の状態，細菌やウイルスの繁殖しにくい環境を整える ⇨ **根拠** 栄養状態の低下は組織細胞への栄養供給を低下させる
EP 患者教育項目 ●褥瘡の予防方法について説明する ・体位変換や体重移動の必要性 ・栄養状態を整える必要性 ・清潔を維持する必要性	⇨ **根拠** 自分自身でリスクを減らす活動への参加を促す

4 看護問題	看護診断	看護目標(看護成果)
#4　浮腫により日常生活動作が障害されている	**活動耐性低下** **関連因子**：身体可動性障害，体調の悪化，活動に不慣れ，栄養不良 **診断指標** □労作時不快感 □労作時呼吸困難 □倦怠感を示す □全身の脱力	〈**長期目標**〉日常生活動作が拡大する 〈**短期目標**〉1) 援助でセルフケアが行える．2) 活動への不安が緩和される．3) 夜間熟眠感が得られる．4) 身体症状に応じて活動をコントロールできる

看護計画	介入のポイントと根拠

OP 経過観察項目
- 表情，顔色，活気
- 浮腫による苦痛の程度：倦怠感，呼吸困難，疲労感
- 浮腫による活動制限：体位変換，座位，立位，歩行，関節可動域
- 浮腫による日常生活動作への影響：関節可動域，把持能力
- 夜間の睡眠の状況，熟睡感や睡眠の満足度
- 日中の休息や睡眠状況
- 疲労感，食欲，食事摂取量
- 活動への不安に関する言動，訴え

- 睡眠時間や休息状況
- 排便の状態

➡ 根拠 疲労状況や精神状態を評価する
➡ 根拠 活動に影響する浮腫の程度を把握する
➡ 根拠 どのような活動が制限されるか把握する

➡ 根拠 睡眠の質，日中の休息の様子，睡眠満足感について評価する

➡ 根拠 患者が現在の状況をどのように受け止めているか把握する
➡ 根拠 疲労回復の状況を判断する
➡ 根拠 動かないことにより便秘がちとなり，食欲が低下する

TP 看護治療項目
- 安静時，活動時の脈拍，血圧，呼吸をチェックする
- 必要な日常生活の援助をする：体位変換，移動，排泄，清潔，更衣，食事，整容補助具の使用

- 栄養状態改善への援助をする

- 排便をコントロールする

- 状態をみながら徐々に活動の範囲を広げていく

- 感染症を予防する

- 安楽な睡眠の姿勢を工夫する

- 落ち着けるように環境を整備する

➡ 根拠 どの程度の活動が可能かを判断する

➡ 根拠 急性期は酸素消費量を減らすために，生活活動の大部分を援助する必要がある．また浮腫により動きが制限されることでのセルフケアの不足がある

➡ 呼吸困難，倦怠感，食欲不振により食事摂取量が低下するので摂取しやすい工夫が必要である
根拠 栄養状態が悪化すると浮腫の増強，筋力低下につながる

➡ 根拠 便秘は横隔膜を挙上し，呼吸運動を抑制する．排便時の努責は酸素消費量を増やし，呼吸を促進させる．便秘は食欲不振にもつながる

➡ 急激な負荷とならないように徐々に生活活動を拡大していく 根拠 急激な運動負荷は酸素消費量を増やし，心負荷，呼吸困難を増強する．貧血，めまいなどの事故の危険性を回避する

➡ 根拠 感染により酸素消費量が増し，呼吸困難，倦怠感が増強し，活動の拡大が妨げられる

➡ ギャッチベッドの角度や枕などを利用し安楽な体位を工夫する 根拠 精神的な爽快感や安堵感につながる

➡ 根拠 適切な温度，湿度の設定，使いやすい物品の配置，事故を防ぐための環境が整備されていると落ち着く

EP 患者教育項目
- 毎日の活動・休息のスケジュールを一緒に計画する
- 活動のためのエネルギー節約法について指導する

➡ 根拠 1日の活動と休息の配分について考え，エネルギーを回復させ，かつ消耗を防ぐ
➡ 患者自身が活動と休息をコントロールできるようにする

8
浮腫

第1章　全身

5 看護問題	看護診断	看護目標（看護成果）
#5　感染を起こす可能性がある	**感染リスク状態** **危険因子**：体液のうっ滞，皮膚統合性障害，栄養不良，病原体との接触回避についての知識不足	〈長期目標〉感染を起こさない 〈短期目標〉1）38℃以上の熱が出ない．2）感染経路について説明できる．3）感染予防への栄養の影響を説明できる．4）清潔が保てる

看護計画 ／ 介入のポイントと根拠

OP 経過観察項目
- 体温，脈拍，呼吸状態
- 倦怠感や疲労感
- 皮膚・粘膜の損傷の有無，程度
- 外傷，褥瘡の有無，程度，口腔内の状態
- カテーテルや点滴刺入部の状態
- 栄養状態（総蛋白，アルブミン，体重減少，BMI）
- 検査データ（白血球数，CRP）

➡感染徴候の把握　**根拠** 局所の炎症，感染症は毛細血管壁の透過性を亢進させ局所性の浮腫を増強させる．また全身の代謝を亢進させて，酸素消費量やエネルギー消費量を増大させる

➡ **根拠** 免疫力の評価となる

➡ **根拠** 感染や炎症の徴候を把握できる

TP 看護治療項目
- 全身の清潔ケアを行う
  ・カテーテル挿入部位の消毒
  ・皮膚・粘膜の清潔保持に努める

- 皮膚の擦過傷，打撲傷，外傷を予防する
  ・浮腫の部位への注射は避ける
- 栄養状態改善への援助をする
- 環境を調整（温度，湿度，換気）する
- 感染症を予防する
  ・医療者・面会者の手洗いの徹底
  ・清潔操作の徹底
  ・面会者の制限を行う

➡清拭，部分浴など状態に合わせて，口腔，眼瞼，陰部のケアを行う
➡柔らかい寝衣・寝具の選択，爪の手入れを行う．清潔ケア時も十分注意する

➡ **根拠** ウイルス，細菌からできる限り遠ざける

EP 患者教育項目
- 患者・家族に感染症の原因，危険性，伝染性について指導する
- 感染予防における清潔や栄養補給の重要性を説明する
- 患者・家族に感染の徴候と症状を指導し，それがみられた場合はすぐに報告するよう説明する
- 面会者には患者に会う前に手洗いするよう指導する

➡ **根拠** 患者自らが感染症を予防する行動を起こせるようにする必要がある

STEP❶ アセスメント　STEP❷ 看護課題の明確化　STEP❸ 計画　STEP❹ 実施　STEP❺ 評価

病期・病態・重症度に応じたケアのポイント

【急性期】浮腫の原因は様々であるが，なかでも心停止，呼吸停止などに至るような緊急を要する場合は，問診，診察から緊急に対処すべきか否かを的確に判断し，適切な治療が行われることが重要である．緊急時の対処として，静脈路確保，気道確保，薬物投与などが必要となる．緊急を要しない場合は，浮腫を軽減するような安楽な体位の工夫，皮膚・粘膜の清潔や保護などの援助，活動が制限されることにより障害される生活の援助を行う．

136

【回復期】浮腫の改善に伴い，徐々に日常生活動作を拡大していく援助を行う．この時期には自宅に帰ることを視野に入れ，患者自身による観察，浮腫軽減のための食事の工夫やセルフケアの方法，感染予防のケアが行えるよう指導を行う必要がある．

看護活動（看護介入）のポイント

診察・治療の介助
- 浮腫の状態や随伴症状から，原因を把握する．
- 緊急時は静脈路確保，気道確保，酸素投与の準備をただちに行う．
- 指示された輸液，薬物を正確に投与する．

浮腫に対する援助
- 薬物投与・栄養状態を管理する．
- 安全・安楽な体位を工夫する．
- 皮膚・粘膜の清潔と保護のための援助を行う
- 栄養，排泄，清潔の援助など，日常生活動作の援助を行う．

精神的な安定への援助
- 継続する浮腫はボディイメージの混乱につながるため，患者の思いを傾聴し，ケアにつなげる．
- 恐怖や不安，活動性の低下は睡眠障害へとつながる．身体的，精神的ともに安楽に過ごせるように援助する．

退院指導・療養指導

- 浮腫を軽減するための，食事や生活の送り方について説明する．
- 皮膚・粘膜の保護や感染症予防の意義とその方法について説明する．
- 患者自身が浮腫の状態を観察できるように指導し，異常に気づいた場合には受診するように勧める．

STEP ❶ アセスメント　STEP ❷ 看護課題の明確化　STEP ❸ 計画　STEP ❹ 実施　STEP ❺ 評価

評価のポイント

看護目標に対する達成度
- 浮腫が軽減しているか．
- 浮腫に伴う苦痛が軽減しているか．
- 褥瘡や感染のリスクを回避できているか．
- 心理的・身体的に安楽が増大したことを表現できているか．
- 可能な範囲内で日常生活動作が拡大されているか．

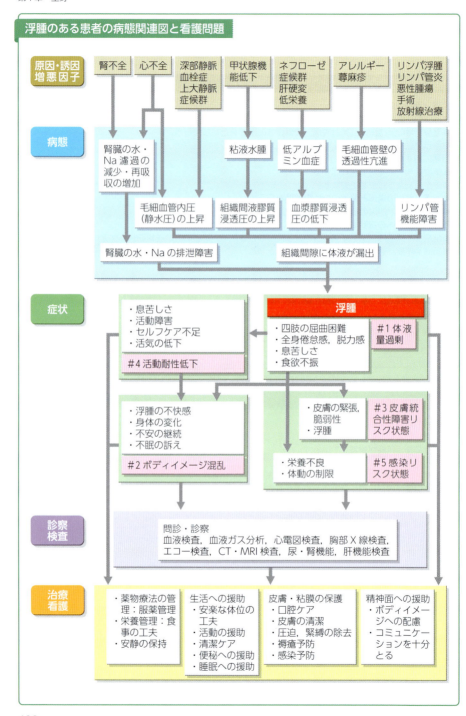

B 下肢のむくみのある患者の看護

吉井 真美

8 浮腫

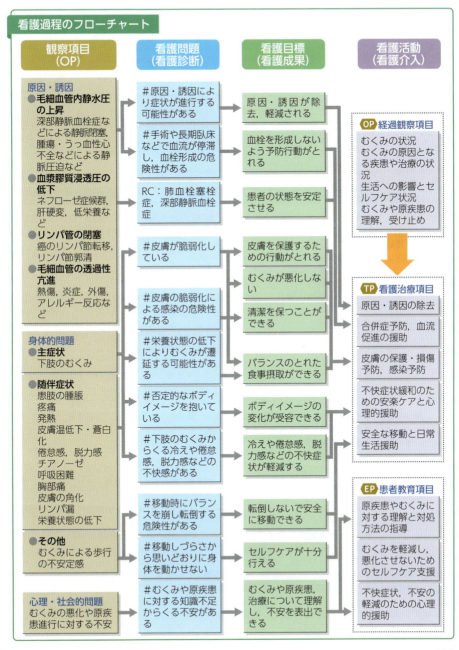

第1章　全身

基本的な考え方

- 下肢のむくみの原因を把握し，原疾患の治療を進めながら，むくみの原因に応じた適切なケアを選択する必要がある．また，皮膚を保護し，損傷・感染を予防するためのスキンケアと，むくみからくる不快症状を緩和するためのケアが重要になる．
- リンパ浮腫は一度発症すると完治は難しいが，適切な治療を受けながら，日常生活のなかでセルフケアを継続的に行うことで，症状マネジメントが可能となる．通常の社会生活を送ることができるよう，適切なセルフケア確立に向けた教育・支援が重要になる．

緊急 外傷や手術を契機として発症する深部静脈血栓症には迅速な対応が必要である．下肢の緊満感，腫脹，ホーマンズ徴候を見逃さないよう観察を行う．また，肺血栓塞栓症を発症した場合，循環動態不全やガス交換不全をきたし，突然死に至ることもある．ベッド上安静が解除になった最初の立位・歩行時に発症しやすいため，初めての離床時には必ず付き添い，迅速に対応できるようにしておく．

緊急 リンパ浮腫でも癌の進行，再発，転移が原因で，リンパ管が閉塞することにより急激にむくみが悪化する場合がある．癌の原発部位，術式，リンパ節郭清範囲，治療歴のほか，現在の癌の転移・浸潤部位，血管やリンパ系，他の臓器への影響を把握する必要がある．

STEP❶ アセスメント	STEP❷ 看護課題の明確化	STEP❸ 計画	STEP❹ 実施	STEP❺ 評価

情報収集	アセスメントの視点と根拠・起こりうる看護問題
病歴の把握	患者・家族からむくみ発生の経過，症状の変化を聞くことで，原因・誘因の特定や全身状態の把握につながり，治療や看護ケアにも重要な情報を得ることができる．
経過	●いつから，どのくらい続いているか. ●急激な発症か，緩やかな進行か. ●症状の変動の有無
誘因	●血栓症の既往 ●年齢　**原因・誘因** **高齢者** **妊婦** 血栓を形成しやすい. ●長期臥床 ●悪性腫瘍 ●手術，リンパ節郭清，癌化学療法，放射線治療　**原因・誘因** 乳癌，子宮癌，卵巣癌，前立腺癌などの手術後にしばしばリンパ浮腫が発生する. ●外傷 ●長時間の立位，下垂座位(腰掛け座位) ●下肢麻痺，ギプスによる下肢固定 ●副腎皮質ステロイド薬，非ステロイド性抗炎症薬(NSAIDs)などの服薬
随伴症状	●患肢の腫脹，疼痛，発熱，皮膚温低下・蒼白化，チアノーゼ，呼吸困難，頻脈 ●皮膚の角化，リンパ漏，栄養状態の低下など
生活歴	●食生活，肥満 ●就業・活動状況 ●ストレスの有無
既往歴	●心疾患，腎疾患，肝疾患，高血圧，糖尿病，膠原病などの既往 ●静脈血栓塞栓症の既往 ●アンチトロンビン欠損症，プロテインC・S欠損症，抗リン脂質抗体症候群などの血栓性素因の既往 ●手術歴　**原因・誘因** **緊急** 人工股関節全置換術，人工膝関節全置換術，股関節骨折手術，帝王切開は静脈血栓塞栓症の高リスクとなる. ●外傷，癌化学療法，放射線治療，リンパ節郭清などの治療歴
嗜好品，常用薬 その他	●アルコール，薬物の服用　**原因・誘因** 経口避妊薬，NSAIDsなど ●月経，妊娠との関係　**妊婦** 妊娠に伴う浮腫，帝王切開後の静脈血栓塞栓症
主要症状の出現 状況，程度，性	症状の出現状況，部位，色調，疼痛を把握することで，原因疾患の特定につながる情報が得られる．

状の把握	
出現状況	●急激なむくみか 原因・誘因 緊急 深部静脈血栓症
	●緩慢なむくみか 原因・誘因 静脈瘤, リンパ浮腫, 全身性浮腫
	●下肢の下垂でのむくみか 原因・誘因 静脈性浮腫 高齢者 廃用性浮腫
部位	●全身性か 原因・誘因 心原性浮腫, 腎性浮腫, 肝性浮腫, 栄養性浮腫, 内分泌性浮腫, 薬剤性浮腫, 特発性浮腫
	●局所性か 原因・誘因 静脈性浮腫, リンパ浮腫, 炎症性浮腫
	●片側性で下肢に発症 原因・誘因 緊急 深部静脈血栓症
	●片側性もしくは左右差のある両側性 原因・誘因 リンパ浮腫
	●両下肢均等, 胸水・腹水, 上肢・顔面のむくみを伴う 原因・誘因 心不全, 腎不全, 肝障害などの全身性浮腫
皮膚の色調	●静脈うっ血で変化する 原因・誘因 緊急 深部静脈血栓症
	●変化することは少ない 原因・誘因 リンパ浮腫, 全身性浮腫
皮膚の張り	●緊満 原因・誘因 緊急 深部静脈血栓症の急性期
	●発症初期は軟らかいが進行すると圧迫痕が残らない 原因・誘因 リンパ浮腫, 深部静脈血栓症の慢性期
	●軟らかくて圧迫痕が残る 原因・誘因 全身性浮腫
皮膚温	●皮膚温が低下しているか.
疼痛	●痛みを伴いやすい 原因・誘因 緊急 深部静脈血栓症
	●痛みは少ない 原因・誘因 リンパ浮腫, 全身性浮腫
合併症	●静脈瘤, うっ血性皮膚炎, 皮膚潰瘍 原因・誘因 深部静脈血栓症
	●蜂窩織炎, 皮膚の角化, 象皮症, リンパ漏 原因・誘因 リンパ浮腫
	●原疾患による全身性の合併症 原因・誘因 全身性浮腫
薬剤効果	●ワルファリンカリウムやヘパリン, ウロキナーゼで効果あり 原因・誘因 深部静脈血栓症
	●利尿薬による改善は少なく, 特効薬はない 原因・誘因 リンパ浮腫
	●利尿薬が効果的, ただし肝硬変などタンパクが減少してみられるむくみには効果が少ない 原因・誘因 全身性浮腫
	🔍 **起こりうる看護問題**: 静脈血栓塞栓症を起こす危険性がある／皮膚が脆弱化している／感染の危険性がある／転倒の危険性がある／移動しづらさから思いどおりに身体を動かせない／むくみによる不快感がある／否定的なボディイメージを抱いている／むくみや原疾患に対する知識不足からくる不安がある
	🔍 **共同問題**: 肺血栓塞栓症, 深部静脈血栓症
全身状態, 随伴症状の把握	むくみの経過の把握とともに, 他の症状の有無, 随伴症状を観察し, 治療, 看護計画の立案に有効に反映する.
	●下肢のむくみの原因・誘因となっている疾患の状態, 治療内容
	●体温
	●血圧, 脈拍・リズム 緊急 血圧低下, 頻脈 原因・誘因 肺血栓塞栓症
	●呼吸状態 緊急 SpO₂低下, 胸痛, 呼吸困難 原因・誘因 肺血栓塞栓症
	●意識レベル
	●体重
	●尿量, 飲水量, 輸液量などの水分出納
	●四肢や腹部の周囲径
	●食事摂取量
	●ADL
	●精神状態
	●血液検査：総タンパク, アルブミン, 電解質, 白血球, 赤血球, ヘモグロビン, ヘマトクリット, 尿素窒素, クレアチニン, 炎症反応など
	●胸部X線検査, 心電図などの循環機能検査
	🔍 **起こりうる看護問題**: 静脈血栓塞栓症を起こす危険性がある／皮膚が脆弱化し

8
浮腫

141

第1章　全身

	ている／感染の危険性がある／栄養状態が低下している／転倒の危険性がある 🔍 共同問題：肺血栓塞栓症，深部静脈血栓症
患者・家族の心理・社会的側面の把握	肺血栓塞栓症，深部静脈血栓症の突然の発症により，生命の危機を認識した患者・家族は不安が高まりやすい．また，むくみや不快症状の持続，見た目の変化，セルフケアの必要性から患者・家族のQOLにも配慮する必要がある． ● 下肢のむくみとその原因・誘因となっている疾患の受け止めと不安の内容 ● 下肢のむくみと不快症状の程度 ● 下肢のむくみが睡眠，活動，食欲などの日常生活に及ぼす影響 ● セルフケアの実施状況 ● 患者・家族のボディイメージの変化と家族関係の変化 🔍 起こりうる看護問題：むくみや原疾患に対する知識不足からくる不安がある／睡眠パターンが混乱している／食欲不振がある／セルフケアが十分にできない／否定的なボディイメージを抱いている／気分転換活動が不足している

STEP❶ アセスメント　STEP❷ 看護課題の明確化　STEP❸ 計画　STEP❹ 実施　STEP❺ 評価

看護問題リスト

RC：肺血栓塞栓症，深部静脈血栓症
#1　肺血栓塞栓症，深部静脈血栓症を発症する危険性がある（活動−運動パターン）
#2　下肢のむくみにより皮膚が脆弱化している（栄養−代謝パターン）
#3　下肢のむくみによる歩行の不安定感により転倒の危険性がある（健康知覚−健康管理パターン）
#4　下肢のむくみからくるだるさ，痛み，冷えなどの不快感がある（認知−知覚パターン）
#5　下肢のむくみにより，否定的なボディイメージを抱いている（自己知覚パターン）

看護問題の優先度の指針

● 生命の危機に関わる肺血栓塞栓症，深部静脈血栓症の発症予防を最優先にする．
● 皮膚の脆弱化により皮膚が傷つきやすく，皮膚損傷を起こすと感染のリスクが高まる．また転倒により新たな創傷や症状が出現することは回復を遅延させ，ADL拡大に支障をきたす．
● 下肢のむくみによる不快症状やボディイメージの混乱があるとQOLが低下し，睡眠や活動にも影響を及ぼす．不快症状や混乱を緩和・解消することで，身体的・精神的安寧が得られ，セルフケアをしていくことにつながる．

STEP❶ アセスメント　STEP❷ 看護課題の明確化　STEP❸ 計画　STEP❹ 実施　STEP❺ 評価

共同問題	看護目標（看護成果）
RC：肺血栓塞栓症，深部静脈血栓症	〈短期目標〉初期の症状と微候を発見し，医師と共同して介入を行い，患者の状態を安定させる

看護計画	介入のポイントと根拠
肺血栓塞栓症への緊急対応 **OP 経過観察項目** ● 緊急性の高い肺血栓塞栓症に対しては迅速な対応が求められる ● 呼吸困難，動悸，胸痛，ショック，失神，咳嗽，血痰などの有無	➡ 疑われる症状がみられたらドクターコールを行う ➡ 根拠 肺血栓塞栓症の症状に特異的なものはない．原因は急性呼吸循環不全によるものであり，

142

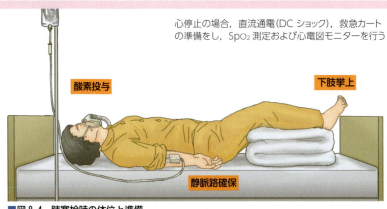

心停止の場合，直流通電（DCショック），救急カートの準備をし，SpO₂測定および心電図モニターを行う

酸素投与　下肢挙上　静脈路確保

■図8-4　肺塞栓時の体位と準備

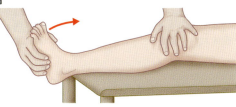

ホーマンズ徴候
仰臥位で膝を伸ばした状態で足関節を強く他動的に背屈させると，腓腹部に疼痛を感じる徴候

■図8-5　深部静脈血栓症の診断テスト

- 意識レベル
- チアノーゼ，四肢冷感や皮膚の色調
- 呼吸状態，SpO₂（経皮的酸素飽和度）

症状の程度も無症状から心停止までと多様である

⇨ 根拠　肺動脈閉塞によるガス交換障害により，まず低酸素血症が起こり，その結果，過換気をきたして低炭酸ガス血症となるため，SpO₂の確認が重要．SpO₂は90％を1つの基準（PaO₂がほぼ60 mmHg）と考え，以後の緊急度を判断する

- 動脈血ガス分析：PaO₂（動脈血酸素分圧）
- バイタルサイン

⇨ 根拠　低酸素血症は軽度であっても，過換気により低炭酸ガス血症をきたしていることがあるため要注意である

- 心電図

⇨ 根拠　肺血栓塞栓症の急性期には，右脚ブロック，STの変化，種々の不整脈が生じる

- 胸部X線検査

⇨ 根拠　心不全や肺炎など他の疾患との鑑別に有用．急性肺血栓塞栓症では，肺動脈の拡大や肺血管陰影の減少などが参考となる

- Dダイマー測定

⇨ 根拠　Dダイマーが基準値以下なら，静脈血栓塞栓症は否定できる

- 心エコー

⇨ 根拠　右室拡大，肺高血圧所見で疑う

TP　看護治療項目
- 呼吸停止，ショック，心停止に陥った患者は，早急に気道確保，人工呼吸，胸骨圧迫（心臓マッサージ）などの心肺蘇生法を行い，救命処置をすることが先決である
- 静脈路を確保し，原因検索のための緊急検査や治療を行えるようにする

⇨ 根拠　呼吸・循環が停止して5分を過ぎると，不可逆的な機能低下をきたし，救命率は著しく低下するため，1分1秒でも早く適切な処置を始めることが救命の鍵となる

第1章　全身

- 車椅子による移動開始時，歩行開始時は，必ず医師・看護師が付き添い，呼吸状態，胸部症状の観察を行う

- 肺塞栓が生じたら，下肢を患者の心臓部より高く挙上し，安静にし，指示の酸素吸入施行と管理を行う（図8-4）
- 肺血栓塞栓症発症予防のためには，深部静脈血栓症の予防行動（「看護問題#1」の看護治療項目参照）を実施する

➲ベッド上安静解除後，初めての離床時には必ず付き添い，迅速に対応できるようにしておく

根拠 ベッド上安静解除後の最初の立位・歩行時に血栓が遊離し，肺血栓塞栓症を発症しやすい

➲ 根拠 下肢挙上は，静脈還流を増大させる生理学的効果がある．踵をベッドより15cm程度挙上する

➲肺血栓塞栓症・深部静脈血栓症（静脈血栓塞栓症）の予防ガイドラインが策定されている．整形外科手術では股関節全置換術，膝関節全置換術，股関節骨折手術が静脈血栓塞栓症の高リスクに挙げられている

EP 患者教育項目

- 発症状況，治療，見通しなど，患者・家族に適宜説明する

- 安静や治療の必要性を説明する
- 症状出現時はすぐに看護師に伝えるよう説明する

➲特に急激な発症では，患者・家族は動揺し，不安が高まる．適宜状況を説明し，患者・家族の情報不足からくる不安を取り除く．また精神的にもサポートしていく

➲ 根拠 離床に向けたADL拡大から，後退したように感じる可能性がある．再度必要な治療，予防行動，安静度について説明し，理解を得て治療を進める

---

1 | 看護問題 | 看護診断 | 看護目標（看護成果）

#1　肺血栓塞栓症，深部静脈血栓症を発症する危険性がある

非効果的末梢組織灌流
関連因子：血栓性素因，坐位中心のライフスタイル
関連する状態：静脈血栓塞栓症，外傷（手術），悪性疾患
診断指標
□四肢挙上により蒼白になる皮膚色
□浮腫
□四肢の痛み
□間欠跛行

〈長期目標〉肺血栓塞栓症，深部静脈血栓症を起こさない
〈短期目標〉1) 下肢の腫脹，疼痛，呼吸苦，胸痛などの異常の出現時報告ができる．2) 肺血栓塞栓症，深部静脈血栓症を予防する行動がとれる

看護計画 | 介入のポイントと根拠

OP 経過観察項目

- バイタルサイン
- 上下肢の腫脹
- 創部以外の疼痛の有無や部位，程度
- 四肢冷感や皮膚の色調，チアノーゼの有無

- 外傷，手術などの治療経過
- 臥床期間，ADL，安静度

➲深部静脈血栓症の症状は，無症状から四肢の循環障害に至るまで様々であるが，典型的な臨床所見は，上肢や下肢の腫脹，疼痛と圧痛，色調の変化（チアノーゼ），表在静脈の怒張などで，多くは片側に認められる

➲周術期患者や長期臥床患者では腫脹などの症状の出現が乏しい　根拠 臥床のために静脈圧が高くないことや，血栓が静脈弁に強く固着せず静脈壁との間に間隙を生じ循環障害の程度が少ないことによる．このような浮遊血栓は物理的に遊離しやすく，結果として肺血栓塞栓症を起こしやすい

- ●ホーマンズ徴候の有無(図 8-5)

⮕深部静脈血栓症に特徴的な徴候 [根拠] 腓腹の静脈に血栓が疑われる場合は，仰臥位で足関節を強く他動的に背屈させると腓腹部に疼痛が誘発される

- ●覚醒状態，意識レベル
- ●呼吸状態(呼吸数，呼吸音，副雑音の有無)，SpO_2
- ●血液ガス(PaO_2)
- ●胸部 X 線検査
- ●血液データ(D ダイマー)
- ●下肢の間欠的空気圧迫装置の使用状況
- ●創部の圧迫の有無，下肢浮腫

⮕フットポンプ，カーフ(腓腹)ポンプがあり，下肢静脈うっ滞を減少させ，静脈内皮の損傷を防止する [根拠] 弾性ストッキングよりも効果が高く，肺血栓塞栓症・深部静脈血栓症の予防ガイドラインのリスクレベルの中リスク群から最高リスク群に使用される

- ●弾性ストッキング，弾性包帯の装着状況，装着による有害事象(皮膚の発赤，瘙痒感，疼痛，水疱形成，潰瘍など)の有無

⮕[根拠] 弾性ストッキング，弾性包帯は下肢を圧迫することにより静脈の血流速度を増加させ，下肢への静脈うっ滞を減少させ，うっ滞や静脈拡張の結果生じる静脈内皮の損傷も予防する．他の予防法と比較して，出血などの合併症がなく，簡易で値段も比較的安価という利点があるが，有害事象の予防に努める必要がある

- ●抗凝固薬の使用の有無，種類，投与量

⮕[根拠] 抗凝固療法は血栓をできなくするための治療法．血栓ができなくなる代わりに，出血性の合併症は増加する

- ●水分出納(点滴や飲水量，尿量，下肢の浮腫の有無と程度)

⮕下大静脈から総腸骨動脈分岐部の血栓は両側下肢の腫脹をきたし，右心不全，肝腎不全，体液過剰との鑑別を必要とする

TP 看護治療項目

- ●麻酔覚醒から早期に下肢の運動(足関節底背屈運動，セッティング運動，下肢伸展挙上運動)を促す

⮕[根拠] 足関節底背屈運動は，静脈還流促進効果が高い．自動運動は他動運動に比較して総大腿静脈血流速度が速く，他動運動より静脈うっ滞除去効果が高い

- ●弾性ストッキング，弾性包帯を正しく使用する

⮕[根拠] 弾性包帯は正しく装着すれば，弾性ストッキングと同様の効果が得られるが，圧迫圧は巻く人の技術に依存し，時間経過とともに圧迫圧が低下するので，注意を要する

- ・サイズ選択

⮕[根拠] サイズの合わない弾性ストッキングは静脈還流促進効果が低下し，有害事象が起こりやすくなるため，サイズ選択は慎重に行う

- ・装着時期

⮕[根拠] 下肢の静脈径は手術中に増大し，血栓形成の原因といわれていることから，静脈径の拡張を予防するためには，術前からの装着が望ましい

- ●下肢の間欠的空気圧迫装置を正しく使用する

⮕[根拠] スリーブ(弾性着衣)の適切な装着や装置の作動を確認するとともに，患者が不快感や拘束感を抱くこともあるので協力を得る

- ・使用時期

⮕十分な歩行が可能となるまで使用を継続する
[根拠] 血栓の多くは術中に形成されるので，術中からの使用が望ましいが，ケースによっては慎重に判断する

第1章　全身

●ベッドアップや早期離床を促す	➡安静での治療が原則とされる患者を除き，可能な限り早期離床を目標とし，長期間に及ぶ臥床状態を避けることが推奨される　**根拠** 歩行は，下肢を積極的に動かすことにより下腿の筋ポンプ機能を活性化させ，下肢への静脈うっ滞を減少させる．早期離床および積極的な運動は静脈血栓塞栓症の低・中・高・最高リスクのすべてのレベルで推奨される予防法である
●脱水予防のため飲水を促す	➡原疾患の病状に応じて勧める　**根拠** **高齢者** 脱水は血液凝固能を亢進させ，静脈血栓の誘発因子となる
●車椅子開始時，歩行開始時は，必ず医師・看護師が付き添い，呼吸状態，胸部症状を観察する	➡**根拠** ベッド上安静解除後の最初の立位・歩行時に血栓が遊離し，肺血栓塞栓症を発症しやすい
●肺塞栓が生じたら，下肢を患者の心臓部より高く挙上し，安静にし，指示の酸素吸入施行と管理を行う	➡**根拠** 下肢挙上は，静脈還流を増大させる生理学的効果がある．踵をベッドより15cm程度挙上する
EP 患者教育項目	
●手術や術後の状態について説明する	
●肺血栓塞栓症，深部静脈血栓症について説明し，症状（下肢の腫脹，疼痛，呼吸苦，胸痛）出現時は看護師に伝えるように指導する	➡術後の回復過程とそれに伴うADL拡大の目安や，手術や長期臥床の合併症として，深部静脈血栓症や肺血栓塞栓症があることを説明する
●予防のための下肢の運動の必要性と方法について説明する	**根拠** 具体的な症状と予防行動を伝えることで，異常の早期発見や予防行動への取り組みの意欲を高める
●弾性ストッキング装着の必要性と装着方法を説明し，痛みやかゆみなど不快症状があれば看護師に伝えるように指導する	

2 看護問題	看護診断	看護目標（看護成果）
#2　下肢のむくみにより皮膚が脆弱化している	**組織統合性障害** **関連因子**：栄養不良（失調）**関連する状態**：浮腫，血行動態不安定 **診断指標** □皮膚統合性障害	〈**長期目標**〉健全な皮膚を維持できる 〈**短期目標**〉1) 皮膚損傷時には速やかに報告できる．2) 皮膚を保護し，皮膚損傷を防ぐ行動がとれる．3) 栄養状態（体重，総タンパク，アルブミン）が基準値以内になる

看護計画	介入のポイントと根拠
OP 経過観察項目	
●むくみの変化，皮膚の張り，色調，湿潤，温度，損傷の有無	➡**根拠** むくみのある皮膚は，一般に薄く伸展し傷つきやすい．汗腺や脂腺の機能が低下し，乾燥していることが多い　**高齢者** 皮膚の乾燥，弾力性の低下があり，皮膚創傷治癒が遅延しやすい傾向がある
●体重，水分出納，輸液量 ●食事摂取量 ●総タンパク，アルブミン	➡肥満とリンパ浮腫は密接に関係するため，体重管理は重要となる ➡栄養状態，水分出納を評価する　**根拠** 低栄養はむくみを遷延させ，免疫力低下により易感染状態となる
●活気，機嫌，表情	➡**根拠** 精神的不安や苦痛は代謝を亢進させる
●清潔保持行動の頻度	➡**根拠** 身体可動性が障害されると，自力で清潔

●バイタルサイン，白血球，CRP（C反応性タンパク）	行動がとれず清潔が保ちにくい．身体損傷から感染を起こす危険性もあるため，感染徴候に注意する
●ドレーン，ルート類の有無	

TP 看護治療項目

●皮膚の清潔，保湿，保護を行う	●柔らかいタオルで洗う．拭き取りは押さえ拭きにする．皮膚感覚が鈍くなっているため，熱傷に注意する　**根拠** リンパ浮腫は，角質層のバリア機能低下，皮膚の弾力性低下，組織内の免疫低下から易感染状態にあり，蜂窩織炎を起こしやすいため，スキンケアが重要になる．皮膚を清潔にすることで血液循環を促し，新陳代謝を高め，感染予防にもなる
●皮膚の擦過傷,打撲,外傷の予防と転倒予防（「看護問題#3」参照）に努める	●柔らかい寝衣・寝具類の選択，爪の手入れをする　**根拠** 掻き傷や外傷のある皮膚は，漏出液によって治りにくく，感染や炎症を持続させやすい ●患肢への虫刺され予防のため，素肌の露出を避け，虫よけスプレーの携帯を習慣づける　**根拠** 虫刺されが原因で感染が生じてしまうとリンパ浮腫の危険因子となる
●むくみの悪化を予防する	●リンパ浮腫では弾性包帯あるいは弾性着衣による圧迫療法や圧迫下での運動療法を実施する　**根拠** 下肢リンパ浮腫は重力の影響を強く受けるため，リンパ浮腫用圧迫衣は心臓方向に徐々に減圧されており，リンパ還流が無理なく促されるようになっている
●緊縛や圧迫を避ける	●弾性ストッキングの踵やゴムの部分は要注意　**根拠** 衣服による締めつけは循環障害を引き起こし，むくみを増強させる
●体位を工夫する	●長時間の下垂座位は避け，下肢を挙上する　**根拠** 長時間の同一体位は循環障害を引き起こし，むくみを増強させる
●栄養補給を行う	●原疾患の病状に応じて，食事内容・量・形態を選択する．経口摂取で栄養補給が不十分な時は，経腸・経静脈栄養で補う　**根拠** 低栄養は，感染の危険性を高め，むくみや原疾患の回復の遅延を招く
●環境整備を行う	●シーツのしわや皮膚の落屑を取り除く　**根拠** 皮膚の圧迫を避け，清潔な環境を整える

EP 患者教育項目

●皮膚を保護し，傷つけないための行動をとるように説明する	●皮膚保護の重要性と具体的な皮膚損傷の危険行動を説明し，セルフケアできるように指導する
●皮膚を損傷した時には，速やかに報告するように説明する	● **根拠** 皮膚の損傷から感染を起こす危険性があるため，速やかに洗浄，消毒，保護する

3 看護問題	看護診断	看護目標（看護成果）
#3 下肢のむくみによる歩行の不安定感により転倒の危険性がある	**成人転倒転落リスク状態** **危険因子：**姿勢バランス障害，立ちくらみ，下肢筋力低下 **関連する状態：**貧血，起立性低血圧，歩行補助具	〈長期目標〉転倒しない 〈短期目標〉1）転倒しやすい状況がイメージでき，避けることができる．2）移動時，転倒しないための行動がとれる

第1章　全身

看護計画

OP 経過観察項目
● むくみの程度，冷感などの不快症状の有無

● バイタルサイン
● 創部痛
● ドレーン，ルート類の有無
● 関節可動域，安静度，ADL の状況
● 補助具の使用状況
● 活気，精神症状
● 血液データ：ヘモグロビン
● ベッドサイドの環境

TP 看護治療項目
● むくみが悪化しないように下肢挙上を促す
● 足に合った，底の滑りにくい靴を履くように指導する
● 筋力や柔軟性を強化する運動を行う
● 補助具の正しい使用方法を指導する
● ベッドサイドの環境整備を行う

EP 患者教育項目
● 浴室やトイレなど床が濡れていそうな所は注意して歩くよう説明する
● ドレーン，ルート類に引っかからないように注意するよう説明する
● めまいやふらつきを感じたら，無理に移動せず看護師を呼ぶよう伝える

介入のポイントと根拠

● **根拠** むくみや冷感，脱力感が強いと，立位時の安定性に支障をきたしやすい
● 起立性低血圧に注意　**根拠** **高齢者** 長期臥床中の患者は起立性低血圧を起こしやすい

● **根拠** 関節可動域制限があるとバランス保持が難しくなる．補助具を正しく使うことで，患肢に負荷をかけず，安全に歩行できる
● 貧血に注意　**根拠** 手術中の出血量が多いと貧血となり，ふらつきが出現する可能性がある

● **根拠** 静脈還流を促進させる
● **根拠** 足に合わない窮屈な靴は皮膚を損傷しやすい
● **根拠** 運動することで，筋肉ポンプを動かし，静脈のうっ滞を防ぐ
● **根拠** ドレーンやルート類の整理を行い，動きやすい環境を整える

● 転倒するおそれのある状況を認識し，それらを避けるように説明する
● ドレーンやルート類に注意を払えるように声をかける
● **根拠** むくみのほかに貧血や筋力低下などが生じていることもあるので，患者の状況に応じた移動手段を選択する必要がある　**高齢者** なかには看護師に頼ることをためらう高齢者もいるので，必要性を十分説明する

4　看護問題	看護診断	看護目標（看護成果）
#4　下肢のむくみからくるだるさ，痛み，冷えなどの不快感がある	**安楽障害** **関連する状態**：病気に関連した症状（血流障害，腫瘍，リンパ節郭清，身体可動性の障害） **診断指標** □不快感を示す □冷感 □状況への不満	〈**長期目標**〉不快感がなくなる 〈**短期目標**〉1）ケアの実施後に不快感が軽減したと言う．2）不快感を軽減するためのセルフケアができる

看護計画

OP 経過観察項目
● むくみの進行，左右差
● 皮膚の色調・光沢，張り，しわの寄り方，皮膚の厚み，圧迫痕，乾燥，硬化
● むくみからくる不快感の内容や程度

介入のポイントと根拠

● **根拠** リンパ浮腫は両側性でも左右差が生じる
● **根拠** 早期のリンパ浮腫は指で 10 秒間圧迫すると圧迫痕が残るが，慢性期は圧迫痕が残らない
● 冷え，だるさ，疲れやすさなどが多い
● **高齢者** 皮下脂肪の減少からも冷えを感じやすい

- 不快感が増強・軽減する時間帯や体位，行動
- 不快感が生活に及ぼす影響
- 血液検査，心電図，X線検査，超音波検査
- 栄養状態，体重，総タンパク，アルブミン
- むくみの原因となる原疾患の状況や治療状況
- ケア実施による不快症状の変化，自覚症状
- バイタルサイン

（TP）看護治療項目
- むくみの診断に合ったケアを実施する
- 不快感が軽減する体位や行動をともに探す

- 下肢挙上を行い，下肢のむくみを軽減する

- 長時間の端座位はできるだけ避ける
- 温罨法を行い，下肢を保温する

- 室温を調整し，掛け物や靴下を使用する
- 下肢の運動や歩行を促す

- マッサージを行う

（EP）患者教育項目
- むくみが悪化しないように，セルフケアの重要性と具体的な実施方法を説明する

⮕（根拠）不快感を軽減するケアの工夫に活用する
⮕（根拠）不快感が睡眠や活動を妨げることがある
⮕（根拠）全身性浮腫は血液検査，心電図，X線検査である程度診断が可能．静脈疾患とリンパ浮腫の鑑別には超音波検査が有効である
⮕（根拠）同じケアでも人により感じ方が違うので，個別に快適性を追求していく

⮕（根拠）むくみの原因により，ケアが変わる
⮕（根拠）患者の感覚を尊重し，安楽ケアにつなげる
⮕（根拠）重力の影響を回避して静脈還流を促進する
⮕（根拠）長時間の端座位はむくみを増悪させる
⮕（根拠）温罨法は局所の血管を拡張させ，血液やリンパ液の循環を促進し，新陳代謝が盛んになり皮膚呼吸が促進され，うっ滞が除去される
⮕ホットパックや湯たんぽ使用時は低温熱傷に注意（根拠）むくみのある皮膚は温度感覚が鈍くなる
⮕普段から冷えないようにする
⮕（根拠）歩行することで全身の血液循環を促進する
⮕全身性浮腫の場合，末梢から中枢に向かってマッサージを行う（根拠）筋肉に圧をかけることで血液循環を促進する
⮕リンパ浮腫の場合，リンパ液を最終的に流し込む健康なリンパ節からマッサージを開始し，徐々に末梢へと進め，最後に末梢から健康なリンパ節に大きくリンパ液を流していく（根拠）過剰にたまっている組織液やリンパ液を健康なリンパ管に誘導するため，マニュアル（徒手）リンパドレナージは専門のセラピストによって施行される
⮕静脈血栓塞栓症発症時のマッサージは禁忌である（根拠）血栓が遊離しやすくなる

⮕（根拠）無理なく継続できる方法を提案する．原疾患の病状によって，施術も変わることを説明する

5 看護問題	看護診断	看護目標（看護成果）
#5 下肢のむくみにより，否定的なボディイメージを抱いている	**ボディイメージ混乱** **関連因子：**身体意識（体の意識），体の機能への不信感 **診断指標** □体の変化に対する非言語的反応 □自分の体を見ない □自分の体に触らない □変化に心を奪われている □社会参加の変化	〈**長期目標**〉ボディイメージの変化を肯定的に受容できる 〈**短期目標**〉1) ボディイメージの変化を受容する肯定的な発言をする．2) 下肢のむくみに対するセルフケアができる．3) 下肢のむくみにとらわれないで，気分転換活動ができる

第1章　全身

看護計画	介入のポイントと根拠
OP 経過観察項目 ●下肢のむくみや原疾患の状態や変化 ●下肢のむくみに対する言動，受け止め ●精神状態，睡眠状態，食欲，活気 ●下肢のむくみに対するセルフケア状況 ●家族や友人などの人的サポート状況	⬤むくみの進行によりボディイメージの混乱が増し，絶望感，喪失感などから抑うつ状態となる可能性もあるため，精神活動面の観察も併せて行う ⬤ **根拠** ボディイメージの混乱があると，セルフケアが進まない場合がある．むくみの受容がどの程度の段階にあるのかアセスメントすることが重要である
TP 看護治療項目 ●下肢のむくみによる自己イメージの変容や苦悩を傾聴する ●患者の過度のとらわれや誤解を解くように関わる ●下肢のむくみが悪化しないためのケアと心地よさを感じられるケアを行う ●下肢のむくみが目立たないように生活上の工夫をする ●同様の症状のある人と経験を分かち合う機会をもてるようにする ●下肢のむくみが受容できるよう，家族や友人のサポートが得られるように協力を求める	⬤話しやすい雰囲気と環境に配慮する **根拠** 否定的な感情もありのままに表出できる場を設定する ⬤受容的共感的態度で傾聴し，明らかな誤解は誠意をもって伝える **根拠** 知識・情報不足からくる誤解を解き，正しい知識・情報を提供していく ⬤ **根拠** むくみをコントロールできる感覚と心地よさを得ることで，否定的な感情を軽減する ⬤長めのスカートの着用や座位時に掛け物を掛けることを勧める **根拠** 不要に人目にさらさない ⬤ **根拠** 同じ悩みを分かち合うことで，現実的な対処の選択肢を増やすきっかけとなる ⬤ **根拠** 身体が変化しても，家族・友人にとっては変わらず価値のある大切な存在であると伝えることで，ボディイメージの混乱を解消していく
EP 患者教育項目 ●下肢のむくみが悪化しないためのセルフケアを指導する ●下肢のむくみの症状や対処に関しての疑問・質問がある時はいつでも尋ねるように伝える ●下肢のむくみにとらわれ過ぎないように，適宜気分転換活動を取り入れるように説明する	⬤むくみの受容の段階に合ったセルフケア支援を進めていく **根拠** ボディイメージが混乱している時は，セルフケアに肯定的になれないことが多いため，最初は看護師がケアを行い，ケアに慣れるところから始める ⬤ **根拠** **高齢者** リフレッシュできることを行い，セルフケアへの意欲を維持する

STEP ❶ アセスメント ▶ **STEP ❷ 看護課題の明確化** ▶ **STEP ❸ 計画** ▶ **STEP ❹ 実施** ▶ **STEP ❺ 評価**

病期・病態・重症度に応じたケアのポイント

【急性期】下肢のむくみの原因となる原疾患を特定し，その治療が適切に行われることが重要．急激な下肢のむくみが出現する時は，原疾患の進行や静脈血栓塞栓症発症の可能性があるため，バイタルサインやホーマンズ徴候，検査データなどを併せてみていく必要がある．

【慢性期】傷つきやすくなった皮膚を保護していくこと，むくみによる不快感の軽減と，移動や保清などの日常生活行動をサポートし，安全・安楽に療養できるように支援する．また，ボディイメージの混乱を解消し，身体の変化を肯定的に受け入れられることが，セルフケア継続の鍵となる．

【回復期】下肢のむくみを軽減し，悪化させないためのセルフケア支援を行い，退院後も継続できるように介入する．

看護活動(看護介入)のポイント

原因・誘因の特定
- 下肢のむくみの状態や経過から,原因を把握する.
- 下肢のむくみを生じさせる原疾患の状態と治療を把握する.
- 下肢のむくみが療養生活にどのような影響を及ぼしているのかアセスメントする.

下肢のむくみに対する援助
- 皮膚の脆弱化に対して,清潔,保湿,保護のスキンケアを徹底し,皮膚の損傷を予防する.
- 下肢のむくみが遷延しないように栄養状態や感染徴候にも注意する.
- 下肢のむくみを軽減し,悪化させないためのセルフケアができるように支援する.

療養への援助
- 歩行の不安定感があるなかでも安全に移動でき,日常生活を送れるように援助する.
- 下肢のむくみによる不快感の軽減のために体位の工夫,温罨法,マッサージなど安楽ケアを提供する.
- 下肢のむくみによるボディイメージの変化を肯定的に受容できるように,心理面のサポートを行いながら,具体的な対処方法を見つけていく.

退院指導・療養指導

- 下肢のむくみを軽減し,悪化させないためのセルフケアを指導し,退院後も継続できるようにする.
- 安全に日常生活を送れるように,皮膚損傷の危険を回避できるように指導する.
- 下肢のむくみにとらわれ過ぎないように気分転換活動も取り入れ,セルフケアへの意欲を維持する.

STEP❶ アセスメント　STEP❷ 看護課題の明確化　STEP❸ 計画　STEP❹ 実施　STEP❺ 評価

評価のポイント

看護目標に対する達成度
- 肺血栓塞栓症,深部静脈血栓症を予防する行動がとれているか.
- 下肢の腫脹,疼痛,呼吸苦,胸痛などの異常の出現時に報告できているか.
- 皮膚を保護するためのスキンケアができているか.
- 皮膚を損傷しないための行動がとれているか.
- 転倒しないで安全に移動できているか.
- 下肢のむくみからくる不快感が緩和できているか.
- ボディイメージの変化を肯定的に受容できているか.
- 下肢のむくみが悪化していないか.

● 参考文献
1) 岩本幸英編:神中整形外科学　改訂23版,上巻,pp.835-839,南山堂,2013
2) 山勢博彰編:特集 静脈血栓塞栓症予防のエビデンス,EB nursing 7(3):10-73,2007
3) 井沢知子監:特集 リンパ浮腫ケアの最新常識,月刊ナーシング 29(13):6-39,2009
4) 奥朋子:リンパ浮腫―全身状態を考慮した症状マネジメント,Nursing Today 24(6):127-137,2009
5) 井上智子編:成人看護1急性期・周手術期 第2版,照林社,2022
6) 肺血栓塞栓症および深部静脈血栓症の診断,治療,予防に関するガイドライン(2017年改訂版)
　　https://www.j-circ.or.jp/cms/wp-content/uploads/2017/09/JCS2017_ito_h.pdf(2023年8月1日閲覧)
7) 日本リンパ浮腫学会編:リンパ浮腫診療ガイドライン2018年版. 金原出版,2018
8) 北村薫監:エビデンスに基づいたリンパ浮腫実践ガイドブック　基本手技と患者指導. へるす出版,2018

第1章 全身

下肢のむくみのある患者の病態関連図と看護問題

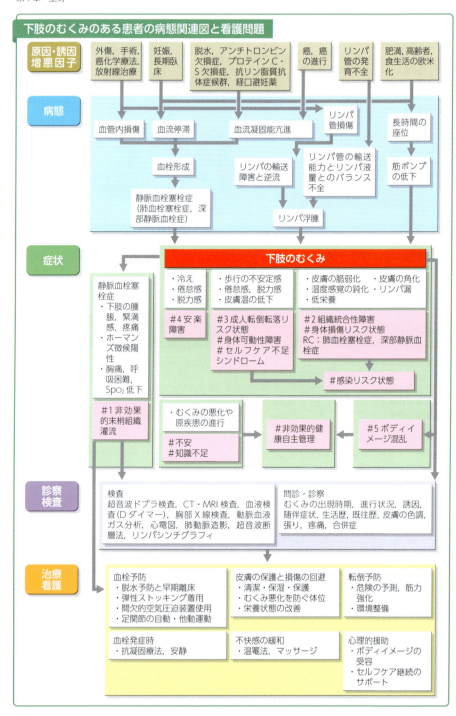

C リンパ浮腫のある患者の看護

國府　浩子

8 浮腫

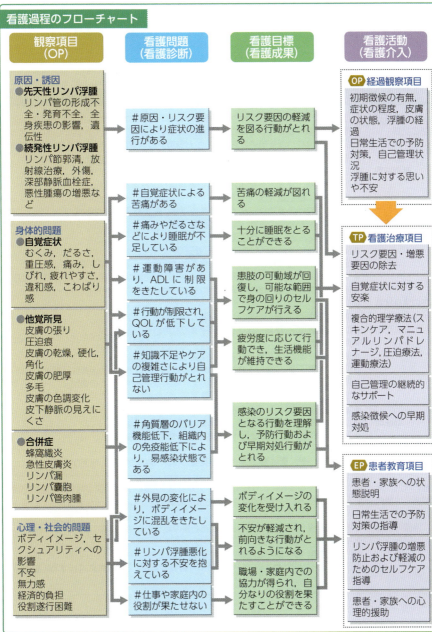

153

第1章　全身

基本的な考え方

- リンパ浮腫の初期徴候や自覚症状に関する知識を身につけて，早期発見・早期対処により浮腫を軽度にとどめ，よい状況を保っていけるように援助することが重要となる.
- 患者が主体的にケアに取り組み，セルフケアの重要性を実感できるように援助することが重要であり，そのことが患者の QOL を向上させることにつながる.
- リンパ浮腫の原因およびリンパ浮腫による苦痛のアセスメントに基づく，現実的な目標設定を患者とともに行うことが必要である.

STEP ❶ アセスメント	STEP ❷ 看護課題の明確化	STEP ❸ 計画	STEP ❹ 実施	STEP ❺ 評価

情報収集	アセスメントの視点と根拠・起こりうる看護問題
原因となる基礎疾患の把握	浮腫にはその原因からいくつかの種類があり，それぞれ提供するケアが異なるため，浮腫の種類を見分けるために必要な情報である. また，手術や放射線治療などはリンパ浮腫発症の危険因子である. リンパ浮腫発症や重症化を防ぐうえで，リンパ浮腫発症の危険性を見極め，予防的行動をとることは重要である.
基礎疾患	● 悪性腫瘍の有無 ➡診断時のステージと現在のがんの病態 ● がんの転移・浸潤の有無 ➡皮膚への転移はリンパ浮腫の悪化，リンパ漏の発症につながる　原因・誘因 悪性腫瘍 ● がんの脈管への浸潤や圧迫 ➡末梢側の浮腫　原因・誘因 悪性腫瘍
治療歴	● 腋窩リンパ節郭清の有無　原因・誘因 手術 ● 術式と切除範囲　原因・誘因 手術 ● 放射線治療の有無と照射範囲　原因・誘因 放射線治療 ● 放射線照射部位 ➡腋窩，胸壁，鎖骨下領域の場合，発症頻度が高い. ● 化学療法薬の種類　原因・誘因 ドセタキセル水和物の副作用としての浮腫の鑑別 ● 化学療法の期間 ➡治療後 3 年以内に発症しやすい.
現在の全身状態	● バイタルサイン ● 体重　原因・誘因 肥満はリンパ浮腫の危険因子 ● 血圧　原因・誘因 高血圧はリンパ浮腫の危険因子 ● 貧血の有無 ● 栄養状態　原因・誘因 低栄養から浮腫が生じる. ● 肝機能　原因・誘因 肝不全から血漿膠質浸透圧の低下による全身性浮腫との鑑別 ● 腎機能　原因・誘因 毛細血管内圧の上昇による全身性浮腫との鑑別 ● 深部静脈血栓症の有無　原因・誘因 深部静脈血栓症は急激に発症し，痛みを伴う. ● 活動性　原因・誘因 四肢の筋ポンプ作用低下による廃用性浮腫との鑑別
既往歴	● 心疾患の既往　原因・誘因 心性浮腫(全身性浮腫との鑑別) ● 腎疾患の既往　原因・誘因 腎性浮腫(全身性浮腫との鑑別) ● 現在使用している薬剤 ● 患肢の感染歴　原因・誘因 感染を契機にリンパ浮腫が発症，増悪する場合が多い.
浮腫の状況，発症経過，治療内容の把握	リンパ浮腫の病期により提供するケアが異なるため，浮腫の正確な状態把握に必要な情報である. 今後の治療やケア方法を構築するうえで不可欠な情報が得られる.
浮腫の状況	● 部位と程度(下肢：片側性もしくは左右差のある両側性，上肢：大部分は片側性) ● 周径値 ● 凹みの有無 ➡1 期では圧迫痕が残るが，2 期後期に進行すると圧迫痕は残らない. ● 浮腫の軽減状態 ➡1 期では挙上により軽減するが，2 期以降に進行すると軽減しない.

154

■表8-4　リンパ浮腫の病期分類（国際リンパ学会）

0期	腫脹が明らかでなく，無症状の状態．組織の軽度の線維化がリンパ管造影などで認められる
1期	疾患の発症初期で，組織液が貯留しているが，挙上により軽減する．圧痕を生じる
2期前期	挙上のみにより腫脹が改善しなくなり，圧痕が明らかである
2期後期	組織線維化が明らかになり，圧痕がみられなくなる
3期	皮下組織が高度に線維化し（象皮症），圧痕は生じない．表皮肥厚，脂肪沈着などの皮膚変化がみられるようになる

皮膚の状態

- 色調変化 ●発症早期や増悪期に暗赤色や淡いピンク色に変化
- 発赤 **原因・誘因** 炎症所見．炎症は浮腫の悪化につながる **緊急** 蜂窩織炎や急性皮膚炎の合併
- 皮膚の張り ●つまめるか，皮膚のしわの寄り方，光沢（浮腫のある部位は，皮膚が張りつめ，しわが少なく，光沢がある）
- 乾燥の程度
- 角化，硬化 ●2期後期になると線維化が進み皮膚が硬くなる．
- 皮下静脈の見え方 ●浮腫がある側の静脈が見えにくい．
- 多毛 ●組織間液の貯留により毛根を刺激し多毛が生じる．

自覚症状

- だるさ，重さ，疲れやすさ ●老廃物や乳酸を排出する機能が低下するため生じる．
- 痛み，しびれ ●浮腫の急激な悪化

発症経過・変化

- 発症のきっかけ
- 自覚症状の変化
- 変化の持続期間
- どんな時に症状が増強するか．
- どんな時に症状が軽減するか．
- 周径値 ●左右差および浮腫の変化，ケアの効果を把握

治療内容

- 治療時期
- 治療内容
- 🔍 起こりうる看護問題：リンパ浮腫による疲労感，不快感，疼痛がある／痛みやだるさなどにより睡眠が不足している／易感染状態である

蜂窩織炎への対応

- 医師の適切な診察を受け，炎症の治療を最優先する（抗菌薬の使用）．
- マッサージ，弾性着衣の使用，圧迫などは中止する．
- 患肢の安静と挙上（心臓より高く保持する）
- 熱感のある患部の冷却（ビニール袋などを利用した氷嚢を使用）
- 保冷剤や皮膚に貼る冷却剤は，皮膚の損傷を引き起こすことがあるため使用しない．
- 水分を多く摂取し，安静を保持する（発熱があるため）．
- 繰り返す場合は，日常生活に起因した原因を見直す．

リンパ浮腫に対する理解度と生活状況の把握　生活状況

> 日常生活動作（ADL）がリンパ浮腫の危険因子となる場合が多く，セルフケアの継続が不可欠である．日常生活上の動きやセルフケア能力を把握することで，発症の予防，増悪防止が可能になり，日常生活を健やかに過ごせるよう援助できる．

- 仕事内容，労作度，勤務時間帯 ●患肢にかかる負担
- 家事や育児の状況 ●患肢にかかる負担
- 疲労の程度
- 食習慣 ●肥満につながる
- 運動量，趣味や娯楽 ●患肢への負担，皮膚を傷つけることはリンパ浮腫の危険因子となる．
- 草取りや散歩の習慣 ●患肢にけがをする可能性や患肢にかかる負担が大きい．

第1章　全身

セルフケア状態	●着衣 ⏵身体を締め付けているものはないか. ●リンパ浮腫の観察状況 ⏵日々の変化がよくわかるのは患者自身であるため，早期発見につながる. ●患肢（腕や脚）を圧迫しないように注意しているか. ●患肢（腕や脚）を酷使しないように注意しているか. ●虫刺され対策や日焼け対策など患肢（腕や脚）を傷つけないケアを行っているか. ●スキンケア状況 ●体重管理 ⏵適正体重の維持 ●セルフケアへの取り組み意欲
疾患や治療に関する理解度	●リンパ浮腫の病態や原因 ●リンパ浮腫の初期徴候 ⏵早期発見，早期対処につながる. ●リンパ浮腫の経過と特徴 ⏵2期以降の段階では不可逆的となる. ●リンパ浮腫の治療方法と効果 ●リンパ浮腫の合併症とその対策 ●日常生活上の注意点 ⏵患者の主体的対処には必要不可欠である. 🔍 **起こりうる看護問題**：浮腫による日常生活への支障がある／浮腫の増大により思い通りに身体を動かすことができない／セルフケアに対する知識不足やケアの複雑さにより自己管理行動がとれない
日常生活への影響と患者の思いの把握 生活への影響 リンパ浮腫の受け入れ状況	**リンパ浮腫は身体的苦痛だけでなく，多大な心理的・社会的苦痛をもたらす症状である．患者が何に不安になっているのか，どのように日常生活に困難をきたしているのか，その原因を把握するために必要な情報である.** ●ADL状況 ⏵どのようなことが自分で行うのに困難なのか，その状況をどのようにとらえているのか．自立性の低下はないか. ●家事や育児役割の変化，負担感 ●仕事内容や役割の変化，負担感 ●交友関係の変化 ●生活パターンの変化 ⏵長い経過をたどる. ●リンパ浮腫治療の経済的負担状況 ●リンパ浮腫の経過をどのようにとらえているのか ⏵患者の期待する結果と現実的な改善の見通しに落差がないか．抑うつや過剰期待につながる. ●身体的変化をどのようにとらえているか. ●リンパ浮腫になったことをどのように思っているか ⏵自分の責任と感じていないか. ●どのようなことが不安なのか. 🔍 **起こりうる看護問題**：症状・経過に対する不安を抱えている／自立性の低下がみられる／自尊心の低下がみられる／仕事や家庭内の役割が果たせない／ボディイメージに混乱をきたしている／セクシュアリティへの影響がみられる／レジャー，趣味が制限される／抑うつ傾向がみられる／経済的負担が増大する
家族・周囲のサポート状況の把握 家族のサポート状況 職場のサポート状況 その他のサポート状況	**患者によるセルフケアの継続が重要であるため，身体的にも精神的にも周囲の人のサポートが必要である．周囲のサポート状況の把握は，セルフケア継続のための重要な情報となる.** ●家族構成，キーパーソン ●家族のリンパ浮腫と治療に対する理解度 ●家族のケアへの関心度と協力体制 ●職場への説明状況 ●職場での協力体制 ●同病者との交流状況 ●情報網の種類（本や雑誌，インターネット）と量 ●リンパ浮腫に対する治療環境

156

- リンパ浮腫の相談窓口
- 弾性着衣の療養費支給状況 ●金銭的負担軽減
- 🔍 **起こりうる看護問題：家族が不安を抱えている／周囲のサポートが不足している**

8

浮腫

| STEP ❶ アセスメント | STEP ❷ 看護課題の明確化 | STEP ❸ 計画 | STEP ❹ 実施 | STEP ❺ 評価 |

看護問題リスト

- #1　自覚症状による苦痛がある（認知−知覚パターン）
- #2　浮腫の増大により，思い通りに身体を動かすことができない（活動−運動パターン）
- #3　知識不足やケアの複雑さにより自己管理行動がとれない（健康知覚−健康管理パターン）
- #4　角質層のバリア機能低下，組織内の免疫能低下により，易感染状態である（栄養−代謝パターン）
- #5　リンパ浮腫悪化に対する不安を抱えている（自己知覚パターン）

看護問題の優先度の指針

- 看護問題の優先順位を考えるとき，生命の危機につながる問題が優先順位の上位となる．蜂窩織炎などの感染症を併発した場合やリスクが高い場合には，感染による問題が最優先となる．
- 患者の苦痛や基本的な生活行動への障害などを考慮し，顕在している問題と潜在的問題はどれかを総合的に考えて優先順位を決定する．リンパ浮腫は経過が長く，患者個々により苦痛の感じ方が異なるため，患者が最も苦痛と感じていること，一番解決を望んでいる問題を優先する．

| STEP ❶ アセスメント | STEP ❷ 看護課題の明確化 | STEP ❸ 計画 | STEP ❹ 実施 | STEP ❺ 評価 |

1 看護問題	看護診断	看護目標（看護成果）
#1　自覚症状による苦痛がある	**安楽障害** **関連する状態**：病気に関連した症状（老廃物や乳酸の排出機能低下），状況管理が不十分 **診断指標** □苦しみうめく □不快感を示す □心理的苦痛を示す □状況への不満 □状況に不安（落ち着かない）	〈**長期目標**〉疼痛などの症状が緩和され，苦痛が軽減する 〈**短期目標**〉苦痛緩和方法を習得し，適切に実行できる

看護計画	介入のポイントと根拠
OP 経過観察項目 ●疼痛・しびれの部位，程度，強さの変動 ●重圧感の部位，程度，強さの変動 ●疲労度 ●表情，動作 ●運動障害，ADL 困難の程度	●悪性腫瘍の転移，神経浸潤との鑑別 **根拠** リンパ管の輸送障害では，鋭く耐えがたい痛みは起こらない ●苦痛の程度，日常生活への影響の程度を把握 **根拠** 症状の対処法を考える手がかりが得られる
TP 看護治療項目 ●患肢を挙上する ●患肢の負担軽減を図る ●症状の増強因子を探り，取り除くための援助を	●患肢を心臓より高い位置に保持する **根拠** 重力を利用しリンパ液の心臓への還流を促す ● **根拠** 患肢の使い過ぎで浮腫が強くなると痛みを訴え，重圧感など苦痛症状が強くなる ●個々の生活での行動をみていく

157

第1章　全身

行う
● 安楽な体位をとる
● 痛みやしびれをアセスメントし，それに基づき　　　⟹ 症状が強い場合は，精神的要因も考慮する
薬の使用を医師とともに検討する
EP 患者教育項目
● リンパ浮腫の症状やメカニズムを説明する　　　　⟹ **根拠** 理解不足による不安を軽減させる
● 重圧感，しびれへの対処法を説明する　　　　　　⟹ 自分で症状の軽減を図ることができるようにす
● 日常生活の注意点を説明する　　　　　　　　　　る　**根拠** 苦痛を軽減することで精神的な安定が
図れる

2 看護問題	看護診断	看護目標（看護成果）
#2　浮腫の増大により，思い通りに身体を動かすことができない	**身体可動性障害** **関連因子**：浮腫の増大，重圧感，しびれ，疼痛 **診断指標** □関節可動域（ROM）低下 □歩き方の変化（下肢の場合） □鈍くなった動き □ぎこちない動き □不快感を示す	〈**長期目標**〉浮腫の軽減により，患肢が動きやすくなり，生活上の支障がなくなる 〈**短期目標**〉1)生活上生じている問題の対処法を考えることができる．2)複合的理学療法を理解し，取り入れる

看護計画	介入のポイントと根拠
OP 経過観察項目 ● 発赤，熱感 ● 浮腫の部位と程度，周径値 ● 皮膚の張り，凹みの有無 ● 患肢の関節可動域の制限の有無と程度 ● だるさ，重さ，疲れやすさ，痛み，しびれ ● どんな時に症状が増強または軽減するか ● 疲労の程度 ● ADL の状況	⟹ 炎症の徴候を観察する　**根拠** 炎症時は安静の必要がある ⟹ 経過を追って把握する　**根拠** どのような状態で不便さが生じるのか把握し，ケア計画を立てる ⟹ 症状が行動にどう影響するのか把握する ⟹ 日常生活での浮腫増強要因を把握する　**根拠** 日常生活に合わせたセルフケア指導に生かせる ⟹ どのようなことが困難なのか具体的に把握する **根拠** 長期的な経過をとるため，自分で行いやすい工夫を考える
TP 看護治療項目 ● スキンケア ・皮膚を清潔に保つ ・低刺激性の保湿効果のあるクリームを塗布する ・患肢に部分的な圧迫や摩擦が起こらないようにする ● マニュアル（徒手）リンパドレナージ ・前処置（肩まわし，腹式呼吸） ・健康なリンパ節を刺激する ・障害されたリンパ節の領域から健康なリンパ節へリンパ液を誘導する	⟹ やさしく丁寧に洗浄する　**根拠** 皮膚を傷つけない ⟹ 末梢から中枢に向けて塗る　**根拠** 還流を促す．角質層の水分を保持し，乾燥を防ぐ ⟹ 手掌全体で皮膚を大きくずらすように動かす **根拠** 皮膚表面近くにある逆流防止弁のない毛細リンパ管に働きかけ，吸収を促進させる ⟹ 浮腫のある患肢から，処理能力のある健康なリンパ節とへリンパ液を誘導する　**根拠** 全身のリ

158

●圧迫療法	ンパ液の流れを活性化する，患肢からのリンパ液を流れやすくして回収量を増加させる
・腫脹の部位や程度に合わせて適切な圧とサイズの弾性着衣を使用する	➡リンパ液が皮下組織にたまるのを防ぎ，リンパ管や静脈への還流を促進させる
・患肢末梢部位の圧を高くするように弾性包帯を巻く	➡トレーニングを受けたセラピストの指導を受けることが望ましい　根拠 不適切な圧迫は浮腫の悪化につながる
●圧迫下の運動療法	➡患肢末梢部位の圧が最も高く，中枢部に向かうに従って段階的に圧が低くなっていくようにする 根拠 圧の高低差を利用して，中枢方向に流れやすくなる
・圧迫したままの屈伸運動を行う	➡ 根拠 筋肉の緊張と収縮をさせる運動は，筋ポンプ作用が向上し，リンパ液の還流が促される
・ボールを握りしめる運動（上肢の浮腫の場合）を行う	➡ゆっくりとした運動を取り入れる 根拠 過剰な運動は毛細血管圧を上昇させ，浮腫を増強させる
・ウォーキングを行う（下肢の浮腫の場合）	
●困難さに応じて，援助や補助具を使用する	
●自分で動きやすい工夫を患者とともに検討する	
EP 患者教育項目	
●リンパ浮腫の機序と経過について説明する	➡浮腫やセルフケア方法について理解を得る
●皮膚の清潔と保湿について説明する	根拠 起こっている状況を理解することで，適切な管理ができる．セルフケア意欲が向上する
●セルフリンパドレナージ，圧迫療法について説明する	
●運動を促す	

3	看護問題	看護診断	看護目標（看護成果）
	#3　知識不足やケアの複雑さにより自己管理行動がとれない	非効果的健康自主管理 関連因子：複雑な治療計画（セルフケア）の管理困難，治療計画（セルフケア）についての知識不足，ソーシャルサポートの不足 診断指標 □治療計画（セルフケア）を日常生活に組み込めない □危険因子を減らす行動がとれない	〈長期目標〉セルフケアが生活に定着し，継続できる 〈短期目標〉1）セルフケアに対する意欲的な言動がみられる．2）セルフケア方法について述べることができる．3）セルフケアが実施できる．4）セルフケアの妨げになっている要因を明確にする

看護計画	介入のポイントと根拠
OP 経過観察項目	
●リンパ浮腫の観察状況	➡日々の変化を把握しているか 根拠 日々の変化がよくわかるのは患者自身である．浮腫の変化によりケア方法の変更が必要である
●セルフケア状況	
●皮膚の保護や患肢を締め付けない行動の工夫	➡患者が工夫していたことを引き出し，伸ばす関わりを行う
●患肢の負担軽減と疲労を避ける行動	
●セルフケアへの取り組み意欲	
●周囲のサポート状況	
TP 看護治療項目	
●皮膚の保護や傷つけない工夫について患者とと	➡ライフスタイルに応じた継続可能な方法を検討

第1章　全身

もに検討する

- ●患肢を締め付けない工夫について患者とともに検討する

- ●患肢の負担と疲労を避ける方法を検討する

- ●体重管理について検討する

- ●取り入れられるケアを考え，広げていく
- ●自己流のケアを行っていないか確認する
- ●定期的にセルフケア方法を確認する

- ●家族の理解と協力を得る

- ●セルフケアの成果を評価する

EP 患者教育項目
- ●セルフケアの必要性について説明する
- ●複合的理学療法について説明する
- ●日常生活上の注意点について説明する

する　**根拠** 一緒に検討することで動機づけになる
➡脱衣後に跡がつくような下着，きつい靴下や靴（下肢），リュックサックやきつい指輪，腕時計（上肢）は避ける　**根拠** リンパ液の流れを阻害する
➡患肢に重だるさや疲労を感じたら，休む，動く時間を短くするなど自分で判断して管理できるようにする　**根拠** 患肢の負担と過労は，末梢への循環血液量が増え，リンパ液が増強する要因である．日常生活に取り入れられる可能な方法を見いだすことで継続できる
➡適正体重の維持に努めるよう生活を検討する　**根拠** 脂肪組織によって皮下のリンパが圧迫され，リンパ液の流れが阻害される
➡スキンケアから始めていくなど負担にならないケアを少しずつ取り入れていき，生活に定着させる　**根拠** 生活に合わせて積み重ねていくことでQOLの向上につながる
➡圧迫療法などを行っていると，家事などの分担や調整が特に必要　**根拠** 根気強く継続することが大切なため，家族の理解と協力が必要である
➡どの部位がどの程度軽減したか患者とともに評価し伝える　**根拠** 成果をともに喜び，認めることは患者の励みとなる．情緒的支援は大切である

➡指導用のパンフレットなどを準備する　**根拠** 情報提供により，継続して日常生活に取り入れ活用できる
➡説明に対する理解度や患者の思いを十分に確認する　**根拠** セルフケアの継続には，患者の思いや理解が重要である

4 看護問題	看護診断	看護目標（看護成果）
#4　角質層のバリア機能低下，組織内の免疫能低下により，易感染状態である	**感染リスク状態** **危険因子**：皮膚統合性障害（角質層のバリア機能低下），組織内の免疫能低下，感染症の既往	〈長期目標〉感染の徴候がみられない 〈短期目標〉1）感染の症状や徴候を述べることができる．2）感染予防行動をとれる

看護計画	介入のポイントと根拠

蜂窩織炎への対応

OP 経過観察項目
- ●患肢の発赤（蚊に刺されたあとのような発赤や広範囲の発赤）
- ●患肢の熱感，疼痛，患肢の急激な腫脹
- ●体温（38℃以上の高熱）
- ●検査結果（CRP，白血球）

➡感染の徴候を観察し，早期対処する　**根拠** 蜂窩織炎は，放っておくと敗血症をきたし，生命に危険をもたらす
➡急性皮膚炎との鑑別
➡急性皮膚炎との鑑別

160

TP 看護治療項目	
●抗菌薬を投与する	➡医師の指示による
●水分補給と安静を保持する	➡ 根拠 炎症時は体力を消耗している．高熱のため脱水となりやすい
●悪寒時は身体を暖める	
●患肢を安静にし，心臓より高く挙上・保持する	➡ 根拠 炎症により血管の透過性が亢進し，組織液が増加する
●熱感のある患部を冷却(ビニール袋などを利用した氷嚢を使用)する	➡ 根拠 氷や保冷剤を直接使用すると皮膚の損傷を引き起こす．ビニール袋を利用することで，患部に合わせたものとなり，経済的である
●弾性着衣の使用，圧迫などは中止する	
●症状が出現した経過を振り返り，炎症のきっかけとなった日常生活動作を患者とともに検討する	➡原因の追究 根拠 日常生活での感染や炎症の原因を予防することが，感染を繰り返さないために重要である

OP 経過観察項目	
●体温	
●発赤，腫脹，熱感，疼痛の有無	➡感染の徴候を観察する 根拠 発赤，熱感の出現は感染の徴候である
●虫刺され対策や日焼け対策	➡ 根拠 患肢の組織液が正常に循環しないことで，本来の免疫力が低下して感染防御機構が崩れている．そのため，皮膚を傷つけないような日常生活でのセルフケアが必要である
●皮膚の防御状況と傷ができた場合の対処法	
●爪の手入れ状況	
●スキンケア状況	
●疲労度	➡ 根拠 過労は感染のリスクとなる

TP 看護治療項目	
●スキンケアを行う	➡保湿，保清を図る．保湿クリームの使用 根拠 浮腫を起こすと毛穴が開き皮膚が乾燥する．皮膚の乾燥は感染の原因となる
●炎症のきっかけがないか患者とともに検討する	➡ 根拠 日常生活での感染や炎症の原因を除去・軽減することが予防につながる．患者とともに確認することでセルフケア行動を促す
●皮膚を傷つけないような日常生活での工夫を患者とともに話し合う	

EP 患者教育項目	
●感染の徴候と対応を説明し，徴候がみられた場合にはすぐに受診するよう伝える	➡感染の徴候を観察し，早期対処する 根拠 蜂窩織炎は，リンパ浮腫患者の半数が経験する重篤な感染症である．早期対応により軽快する
●皮膚を傷つけない日常生活での注意点を説明する ・虫刺され対策や日焼け対策 ・ひびわれ，ささくれ，巻き爪に注意する ・剃毛には電気カミソリを使用する ・深爪をしない ・洗い物や土いじり時の手袋着用，など	➡否定形ではなく，患者の生活状況に応じた具体的な方法を説明 根拠 生活行動に合わせた指導により，セルフケア行動を促す．否定形の注意は患者の不安を強くする．また，「～をしてはいけない」ばかりを強調すると神経質になってしまう ➡指導用のパンフレットなどを準備する 根拠 日常生活で活用できる
●注意点だけでなく，なぜ傷つけるとよくないのかを説明する	➡ 根拠 理由を理解することにより，患者は納得することができる
●傷をつくった場合の対処方法を説明する	➡ 根拠 対処方法を指導することにより，不安が軽減されセルフケア行動へと結びつく

5 看護問題	看護診断	看護目標(看護成果)
#5 リンパ浮腫悪化に対する不安を抱えている	不安 関連因子：ストレッサー(治療に対する知識不足，治療の不確実性，	〈長期目標〉不安が軽減し，将来に関する希望的感情を言葉に表す 〈短期目標〉1)不安を言葉に出して表現で

第1章　全身

症状の変化)
診断指標
□不安定な気持ち
□ライフイベントの変化について
　の不安
□深く考えすぎる
□混乱

きる．2)表情や身振りが苦痛を軽減していることを反映している．3)今後の治療やセルフケアについて話し合う

看護計画

OP 経過観察項目
●表情，落ち着きがない様子，睡眠状況，食欲

●不安や心配の訴え，怒り
●状態や治療に対する質問の有無，内容
●治療や治療経過に対する言動と受け止め方
●サポート体制，コーピングスタイル

TP 看護治療項目
●不安が表出できるような態度で接する
●ゆっくり話ができる環境を整える
●説明を十分に行い，心配や質問がないか聞き，丁寧に答える

●相談窓口や患者会，サポートグループを紹介する

EP 患者教育項目
●経過や治療について説明する

●わからないこと，心配なことがあれば質問するよう伝える

介入のポイントと根拠

⮕非言語的表現を捉える　**根拠** 言葉に現れなくても生活行動の変化として捉えられる
⮕何に対してどう不安なのか　**根拠** 具体化していき解決のための援助を計画する

⮕効果的な支援の検討　**根拠** サポート力を強化する

⮕受容的・共感的態度，相手の不安の表情を見ながらわかりやすく説明する　**根拠** 言語化することで不安がどこからくるものかを確認できる．看護師が気持ちを受け止めることで精神的に安定し，信頼関係を築いていける
⮕情報提供　**根拠** 相談できるということで安心感につながる．患者会には相互支援による精神的安定，サポートグループには情報提供や精神的支援のプログラムがある

⮕過不足や偏りがない情報提供　**根拠** 正確な説明は未知のことに対する不安を軽減する．心構えができ，セルフケアの実施につながる
⮕質問を積極的に受け入れる　**根拠** 不安を軽減するための対処を促す

STEP **1** アセスメント　STEP **2** 看護課題の明確化　STEP **3** 計画　STEP **4** 実施　STEP **5** 評価

病期・病態・重症度に応じたケアのポイント

【0期(予防期)】還流障害はあるが，リンパ浮腫が顕在化していない時期であるため，患者が予防対策の重要性を認識できるように援助し，早期発見できるような指導が重要である．スキンケア指導や日常生活上の注意が中心となる．
【1期】リンパ浮腫が軽度な状態であるため，複合的理学療法のセルフケア指導により悪化防止を図り，この状態を維持できるように日常生活を見直すような指導が必要である．
【2期】組織の線維化が確認される時期であり，不可逆的となる．セルフケアに加え，医療者によるマニュアルリンパドレナージや弾性着衣とともに弾性包帯による圧迫が必要となる．日常生活に不便を感じるため，症状をみながら自分で工夫し，コントロールできるように一緒に検討することが重要である．
【3期】皮膚の硬さが増して角化が進み，象皮症などを呈する時期である．頻繁に炎症を起こしやすくなり，症状が進行しやすい．感染対策，皮膚軟化剤を使用したスキンケアとともに，根気よく医療者によるマニュアルリンパドレナージを繰り返すことが必要である．

看護活動(看護介入)のポイント

早期発見・早期対処への援助
- リンパ浮腫のリスク要因を把握し，早期から予防対策の重要性を認識できるように援助する.
- 患肢のリンパ浮腫の自覚症状，初期徴候の有無を患者に確認するとともに，客観的観察を行う.
- 患者自身が浮腫の徴候に気づくことができるように，入浴中など観察する機会が定着するように援助する.
- 患者の治療歴などのリスク要因から生じるリンパ浮腫の特徴を予測してアセスメントする.

複合的理学療法への援助
- スキンケアは予防期から取り組むようにする.
- マニュアルリンパドレナージは，生活に取り込みやすいように個々に合わせた方法を工夫する.
- 試着や評価を繰り返すことで，腫脹部位や程度に応じた適切な圧とサイズの弾性着衣を使用する.
- マニュアルリンパドレナージや圧迫療法は安易に行わず，専門のセラピストの指導のもと安全で的確なケアを提供する.
- 生活に取り入れられる範囲の運動を毎日欠かさず行えるように援助する.

セルフケアへの援助
- 患者の生活状況に応じた具体的な方法を検討する.
- 日常生活の留意点は，無理のない範囲で行え，かつ禁止事項を多くし過ぎて患者の負担感が増さないように配慮する.
- ケア方法とともに症状のメカニズムや病態について説明しながら，ケアの根拠を示すことが重要である.
- パンフレットなどを利用し，理解を促すとともに日常生活で継続できるようにする.

心理・社会的問題への援助
- 役割遂行困難，ボディイメージの変化，将来への不安，経済的負担などについて把握し，軽減できるように方策をともに考え，周囲のサポートを得られるように働きかける.
- 患者自身の受け止め方や理解度を十分に確認し，問題が整理できるように不安や疑問点をゆっくりと話し合う場をもつ.
- 患者会などを紹介し，悩みを話し合ったり生活上の工夫を学ぶことができる場を提供する.
- 病状や治療方法について過不足や偏りがない情報提供を行う.

退院指導・療養指導

- セルフケアの必要性を説明する.
- リンパ浮腫の初期徴候を説明し，早期に発見できるようにする.
- 患肢の負担と疲労を避けることを指導する.
- 深爪をしない，患側での採血や注射を避けるなど皮膚を傷つけない工夫を説明する.
- 袖にゴムの入った衣服，指輪や腕時計を避けるなど，患肢を締め付けない工夫を説明する.
- 体重管理について説明する.
- 感染の徴候と対応を説明し，徴候がみられた場合にはすぐに受診するよう伝える.

STEP ❶ アセスメント　STEP ❷ 看護課題の明確化　STEP ❸ 計画　STEP ❹ 実施　STEP ❺ 評価

評価のポイント

看護目標に対する達成度
- 疼痛などの症状が緩和され，苦痛が軽減できているか.
- 浮腫が軽減しているか.
- 患肢が動きやすくなり，生活上の支障が軽減しているか.
- セルフケアが生活に定着し，継続できているか.
- 感染の徴候がみられないか.
- 感染予防行動をとれているか.
- 不安が軽減し，将来に関して希望的感情を言葉に表しているか.

8
浮腫

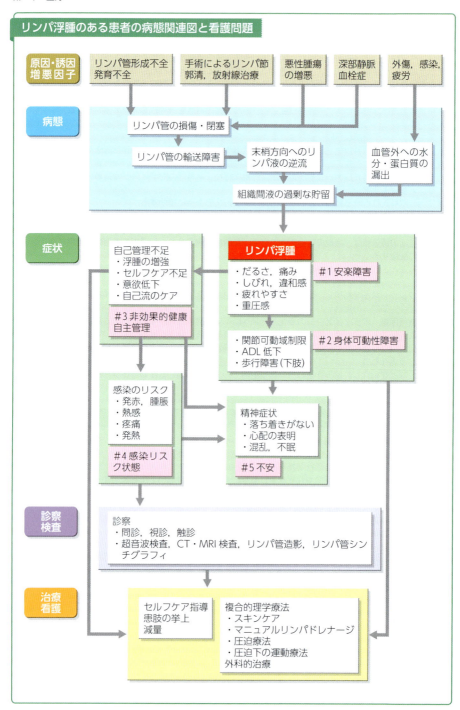

9 リンパ節腫脹

東田 修二

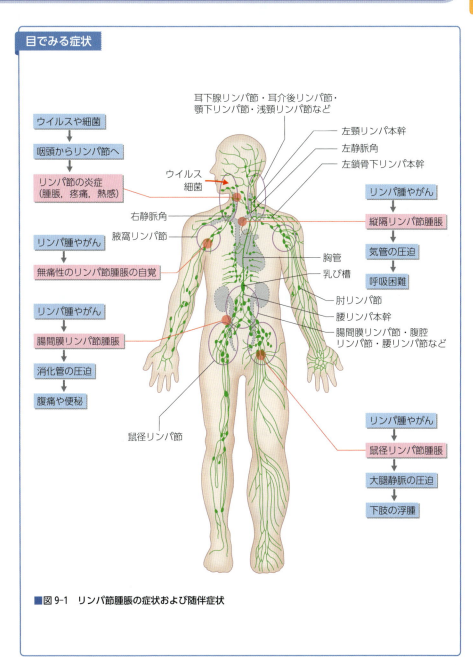

■図 9-1　リンパ節腫脹の症状および随伴症状

目でみる症状

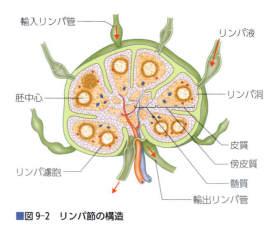

■図 9-2　リンパ節の構造

病態生理

> リンパ節腫脹とは，リンパ節の大きさが病的に増大した状態である．健常人でも直径 1 cm 程度までの扁平で軟らかいリンパ節は触れることがある．

- リンパ節には，頸部，腋窩，鼠径部など体表から触れる場所にある表在性リンパ節と，縦隔，傍大動脈などにある深在性リンパ節とがある．リンパ節はリンパ管によってつながっており，それらが合流して胸管となり，左鎖骨下で静脈に注ぐ．
- 病原体やその抗原，異物，腫瘍細胞などが皮下や粘膜下などで組織液に混ざってリンパ管に入ってリンパ液となる．輸入リンパ管を介してリンパ節の中に入ると，リンパ洞でマクロファージなどにより異物として認識される（図 9-2）．マクロファージからの指令により，皮質の B リンパ球や傍皮質の T リンパ球などが分裂・増殖してリンパ節が腫脹する．細菌感染の場合は，好中球が血管を介して動員されてリンパ節が腫脹する．
- 悪性リンパ腫では，リンパ球が遺伝子変異などにより腫瘍化して生じたリンパ腫細胞がリンパ節内で無秩序に増殖し，リンパ節が腫脹する．がんのリンパ節転移では，リンパ節内に流入したがん細胞がリンパ節内で増殖してリンパ節が腫脹する．

患者の訴え方

- **主症状の訴え**
- 「首，腋の下，脚の付け根のリンパ節が腫れて痛む」，あるいは「特に痛みはないが，腫れていることにたまたま気づいた」などと訴える．「しこり，グリグリがある」などと表現することもある．
- **随伴症状**
- リンパ節腫脹では，原因疾患により様々な全身症状を訴える（表 9-1）．発熱，全身倦怠感，体重減少，皮疹，瘙痒，寝汗など．
- 腫脹したリンパ節により臓器・脈管・神経への圧迫症状をきたす．浮腫（静脈の圧迫），呼吸困難（気管の圧迫），嚥下障害（咽頭や喉頭の狭窄，食道の圧迫），腹痛や便秘（消化管の圧迫），神経や脊髄の障害など．

■表 9-1　リンパ節腫脹の原因または考えられる疾患

	原因または疾患
感染症	●ウイルス：EB ウイルス，アデノウイルス，HIV など ●細菌：ブドウ球菌，連鎖球菌，結核菌，梅毒スピロヘータなど ●その他：リケッチア (ツツガムシ病)，原虫 (トキソプラズマ症)
腫瘍性疾患	●悪性リンパ腫 (ホジキンリンパ腫，非ホジキンリンパ腫) ●がんのリンパ節転移 ●リンパ性白血病，原発性マクログロブリン血症など
炎症性疾患	●膠原病，サルコイドーシス，菊池・藤本病 (亜急性壊死性リンパ節炎)，薬剤アレルギーなど
その他	●キャッスルマン病，脂質代謝異常 (ゴーシェ病)，甲状腺機能亢進症など

診断

▌腫脹したリンパ節が気道を閉塞するような状況がない限り，緊急を要することはない.

●原因・考えられる疾患
●まず，医療面接によってリンパ節腫脹の経過，随伴する症状 (表 9-2)，きっかけの有無 (けが，う歯，虫刺され，動物との接触，薬の服用，性感染症の可能性など) を聴取する.
●次に，腫大しているリンパ節の性状や分布 (表 9-3)，咽頭発赤や扁桃腫大，皮疹や肝脾腫の有無などの身体所見をとる.
●鑑別すべき診断を考え，それに応じて，血算，白血球分画，CRP，血液生化学，ウイルス抗体価などの血液検査や，X 線や超音波検査などを行う.
●腫瘍が疑われる場合や他の検査で診断がつかない場合には，リンパ節生検による病理組織診断を行う.リンパ腫が疑われる場合には，この生検検体を用いて染色体検査とフローサイトメトリーによる細胞表面抗原検査も行う.リンパ腫であることが確定したら，全身の CT 検査，PET 検査，骨髄穿刺・生検などにより病期診断を行う.

●鑑別診断のポイント
●腫瘍性か否か，精査が必要か経過観察のみでよいかを判断する.多くは非特異的なウイルス性リンパ節炎である.
●リンパ節腫脹に偶然気づき，腫瘍を心配して受診する患者もいるが，直径 1 cm 程度の軟らかくて扁平なリンパ節であれば健常人でも認めうる.

治療法・対症療法

▌治療の原則はリンパ節腫脹の原因を明らかにし，原因疾患自体に対する治療を行うことである.

●治療方針
●症状が軽く自然治癒が予想される場合や，診断のために進行性の有無を見極める必要のある場合には，無治療で経過観察を行う.
●かぜ症候群によるウイルス性のリンパ節炎では特異的な治療法はないので，症状に応じて消炎鎮痛薬などによる対症療法を行う.
●巨大に腫脹した頸部リンパ節が気道を閉塞しかけていてリンパ腫の可能性が高い場合は，緊急に生検などを済ませた後，病理検査の結果を待つ間に応急的に副腎皮質ホルモン製剤を投与する.また，必要に応じて，局所の放射線照射や気管切開術を行う.
●悪性リンパ腫の場合は，治療方針を専門医にコンサルトする.低悪性度のリンパ腫では，ただちには治療せずにしばらく経過観察することもある.化学療法後に再発した場合は，自家造血幹細胞移植やキメラ抗原受容体発現 T 細胞 (CAR-T) 療法を行うことがある.

●薬物療法
Px 処方例　ウイルス感染に伴うリンパ節腫脹
●カロナール原末　1 回 0.3〜0.5 g　疼痛時頓用 (1 日 1.5 g まで)　←鎮痛解熱薬
Px 処方例　溶連菌による咽頭炎・扁桃炎に伴うリンパ節腫脹
●サワシリンカプセル (250 mg)　1 回 1 カプセルもしくは 2 カプセル　1 日 3 回　朝昼夕食後　約 10

第1章　全身

■表 9-2　リンパ節腫脹の随伴症状，および検査所見と考えられる疾患

主な症状	基本的な検査所見	考えられる疾患
主に後頸部のリンパ節が腫脹し，軽度の圧痛を伴う．発熱，咽頭痛，扁桃炎，肝脾腫を伴う	血液標本での異型リンパ球増加．EB ウイルス抗体検査での VCA-IgM 陽性と EB ウイルス核内抗原 (EBNA) 陰性	伝染性単核球症 (EB ウイルスの初感染)
多数の小さな軟らかいリンパ節腫脹．麻疹や風疹では特徴的な皮疹を伴う	白血球数は基準範囲内かやや減少し，リンパ球比率が増加．CRP 上昇は軽度	種々のウイルス性リンパ節炎
リンパ節は急速に増大し，自発痛，圧痛，発赤を伴う	白血球数増加，好中球比率増加．CRP 上昇	細菌性リンパ節炎
リンパ節腫脹はゆっくりで，弾性硬で相互に癒着し腫塊を形成．皮膚に瘻孔を形成することあり	結核菌特異的インターフェロン-γ 産生能検査 (IGRA) 陽性．塗抹や培養による結核菌の検出	結核性リンパ節炎
全身性のリンパ節腫脹．皮疹，関節痛などを伴う	抗核抗体陽性	膠原病
無痛性のリンパ節腫脹．咳，息切れ，霧視，皮疹などを伴う	胸部 X 線検査で両側肺門リンパ節腫脹，血清アンジオテンシン変換酵素 (ACE) 上昇	サルコイドーシス
リンパ節は局所性にゆっくりと週から月の単位で増大し，無痛性．弾性硬（ゴム様）で互いに癒着せず可動性あり．急速に増大するタイプでは痛みを伴うことがある	血清の可溶性インターロイキン 2 受容体 (sIL-2R) 増加．確定診断にはリンパ節生検が必須	悪性リンパ腫
リンパ節は石のように硬く，表面が不整で，相互に癒合し，周辺組織にも癒着して可動性がないことが多い	原発巣の検索．原発巣に応じた腫瘍マーカー (CEA など) の上昇	がんのリンパ節転移

■表 9-3　リンパ節腫脹の部位と主な疾患

部位	疾患
頸部	上気道感染症，歯科疾患，伝染性単核球症，菊池・藤本病 (亜急性壊死性リンパ節炎)，結核性リンパ節炎，サルコイドーシス，頭頸部がん
鎖骨上窩	消化器系のがん，肺がん
腋窩	ネコひっかき病，乳がん
肺門，縦隔	結核，サルコイドーシス，肺がん，キャッスルマン病
腹部	腹腔内・骨盤内臓器のがんや炎症，結核
鼠径部	下肢の外傷，性感染症，直腸や性器のがん

※悪性リンパ腫はあらゆる部位に発症しうるので記載していない．

日間　←抗菌薬
※伝染性単核球症が疑われる症例ではサワシリンなどのアミノペニシリンは皮疹を生じるので禁忌．
Px 処方例 **非ホジキンリンパ腫**　以下の 4 剤を併用した CHOP 療法が標準的治療である．1 コース 21 日．
●エンドキサン注　750 mg/m² 　第 1 日　点滴静注　←抗がん剤
●アドリアシン注　50 mg/m² 　第 1 日　点滴静注　←抗がん剤
●オンコビン注　1.4 mg/m²（最大 2 mg）　第 1 日　静注　←抗がん剤
●プレドニン錠 (5 mg)　1 回 10 錠　1 日 2 回　朝昼食後　第 1〜5 日　経口　←副腎皮質ホルモン製剤
Px 処方例 **CD20 陽性の B 細胞性非ホジキンリンパ腫**　CHOP 療法に下記の抗体療法を加える．
●リツキサン注　375 mg/m² 　1 コースあたり 1 回　点滴静注　←抗がん剤
Px 処方例 **ホジキンリンパ腫**　以下の 4 剤を併用した ABVD 療法が標準的治療である．1 コース 28 日．

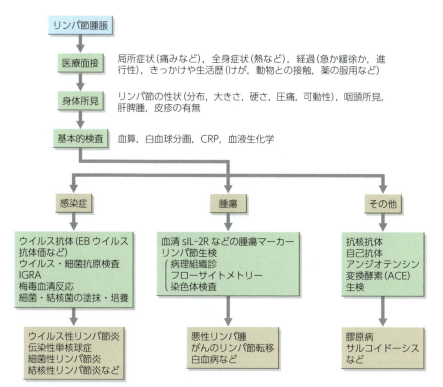

■図9-3 リンパ節腫脹の診断の進め方

- アドリアシン注　25 mg/m² 　第 1, 15 日　点滴静注　←抗がん剤
- ブレオ注　10 mg/m²（最大 15 mg）　第 1, 15 日　点滴静注　←抗がん剤
- エクザール注　6 mg/m²（最大 10 mg）　第 1, 15 日　静注　←抗がん剤
- ダカルバジン注　250～375 mg/m²　第 1, 15 日　点滴静注　←抗がん剤

■表9-4　リンパ節腫脹の主な治療薬

分類	一般名	主な商品名	薬の効くメカニズム	主な副作用
鎮痛解熱薬	アセトアミノフェン	カロナール	脳の痛覚閾値の上昇	肝機能障害
ペニシリン系抗菌薬	アモキシシリン水和物	サワシリン	細菌の細胞壁合成の抑制	アレルギー
副腎皮質ホルモン製剤	プレドニゾロン	プレドニン	リンパ系細胞の殺細胞効果	易感染性，胃潰瘍，高血糖
抗がん剤	シクロホスファミド水和物	エンドキサン	細胞のDNA複製阻害	血球減少，出血性膀胱炎，脱毛
	ドキソルビシン塩酸塩	アドリアシン	細胞のDNAとRNAの合成阻害	血球減少，心筋毒性
	ビンクリスチン硫酸塩	オンコビン	細胞の有糸分裂の停止	末梢神経障害，便秘
	ブレオマイシン塩酸塩	ブレオ	細胞のDNAの切断と合成阻害	間質性肺炎，発熱
	ビンブラスチン硫酸塩	エクザール	細胞の有糸分裂の停止	血球減少，末梢神経障害
	ダカルバジン	ダカルバジン	細胞のDNA複製阻害	血球減少，血管痛
抗がん剤（分子標的治療薬）	リツキシマブ（遺伝子組換え）	リツキサン	CD20陽性Bリンパ腫細胞に結合して破壊	発熱，アナフィラキシー様症状

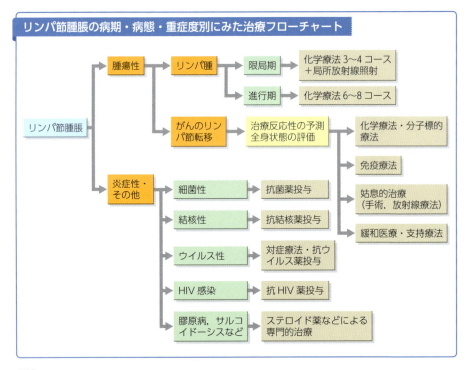

リンパ節腫脹のある患者の看護

三浦 英恵

9 リンパ節脹

看護過程のフローチャート

観察項目（OP）	看護問題（看護診断）	看護目標（看護成果）	看護活動（看護介入）

観察項目（OP）

原因・誘因
- **感染性リンパ節腫脹**
  細菌（結核菌），ウイルス（EB，風疹，麻疹，サイトメガロ，HIV）など
- **腫瘍性リンパ節腫脹**
  悪性リンパ腫，白血病，がんのリンパ節転移など
- **炎症性（反応性）リンパ節腫脹**
  自己免疫疾患，薬剤アレルギーなど
- **その他**
  サルコイドーシス，キャッスルマン病，川崎病，亜急性壊死性リンパ節炎など

身体的問題
- **主症状**
  リンパ節の腫脹
- **随伴症状（原因疾患により異なる）**
  リンパ節腫脹部位の疼痛・硬結，発熱，全身倦怠感，熱感，体重減少，皮疹，瘙痒感，盗汗，臓器・脈管・神経への圧迫症状（浮腫，嚥下障害，嗄声，呼吸困難，鼻閉，乾性咳嗽，腹痛，食欲不振，便秘，下痢，髄膜刺激症状，しびれなど）

心理・社会的問題
リンパ節腫脹に対する不安，原因疾患に対する受け止め，知識，コーピング様式，性格傾向

看護問題（看護診断）

- \#リンパ節腫脹や原因疾患に伴い，痛み，発熱，熱感，体重減少，倦怠感，悪心などの苦痛が生じる
- \#身体的苦痛もしくは苦痛の持続により疲労感，エネルギーの減退を自覚する
- \#リンパ節腫脹に伴い血液，リンパの流れが障害され，周辺組織への圧迫症状が生じる可能性がある
- \#頸部リンパ節の腫脹により食道が圧迫され，嚥下機能が障害される可能性がある
- \#上大静脈・縦隔リンパ節への浸潤による胸水貯留，乾性咳嗽，呼吸困難などが生じる可能性がある
- \#腹腔内リンパ節腫脹，浸潤により腹痛，排尿困難などの症状が生じる可能性がある
- \#患者・家族がリンパ節腫脹に伴う苦痛や原因疾患と治療に対して不安を抱えている
- \#リンパ節腫脹，随伴症状により身体像の変化が生じる

看護目標（看護成果）

- 痛み，発熱，倦怠感，悪心などの苦痛が改善もしくは減少する
- 痛み，発熱などの症状が軽減し，疲労感が減少する，抑えられる
- 血液・リンパ液の循環が維持され，リンパ節腫脹に伴う圧迫症状がみられない
- 嚥下機能が維持される
- 呼吸機能，ガス交換が維持される
- 腹部症状が生じない
- リンパ節腫脹，症状に伴う苦痛，原因疾患に対する不安が軽減される
- リンパ節腫脹に伴う身体的変化を受け入れることができる

看護活動（看護介入）

OP 経過観察項目
リンパ節腫脹の部位と範囲，性状，症状出現状況と経過
病歴，生活歴
疾患・症状に対する理解，受け止め
原因疾患の種類と進行度
随伴症状の種類と程度
日常生活への影響の程度，治療効果・薬剤効果，精神的状態
症状や疾患とその治療に対する不安を示す言動・表情・身体的反応
ストレス対処・コーピング様式など

TP 看護治療項目
リンパ節腫脹と随伴する苦痛の緩和

苦痛の程度に応じた日常生活への支援

原因疾患に対する治療・処置

EP 患者教育項目
患者・家族への症状に関する説明

感染症が原因の場合は，他者への感染防止についての説明・指導

緊急受診の必要がある状況についての説明

171

第1章　全身

基本的な考え方

- リンパ節腫脹が生じる原因，疾患は様々である．リンパ管は全身に網の目のように張り巡らされており，リンパ節腫脹の随伴症状も多様である．したがって，原則は原因疾患の治療を主とし，随伴症状への対症療法を行う．
- リンパ節腫脹の原因が悪性リンパ腫などの腫瘍性リンパ節腫脹なのか，細菌，ウイルスによる感染性のリンパ節腫脹かどうかを鑑別し，検査・治療を進めることが重要となる．

緊急 リンパ節腫脹により緊急対応が必要な事態に陥る可能性は低い．リンパ節腫脹が急速に進行し，気管，食道，中枢神経，腹腔内のリンパ節が圧迫され，髄膜刺激症状から意識障害，気道閉塞による呼吸困難，水腎症，胆管閉塞による腹痛，黄疸などが生じた場合は，緊急処置，迅速な対応が必要となる．これらの疾患を疑わせるサインや情報を見逃さないよう十分な観察を行うことも重要である．

STEP ① アセスメント	STEP ② 看護課題の明確化	STEP ③ 計画	STEP ④ 実施	STEP ⑤ 評価

情報収集	アセスメントの視点と根拠・起こりうる看護問題
病歴の把握	症状発現の経過，誘因，随伴症状を聞くことで，原因の特定や全身状態の把握につながり，治療や看護ケアにも重要な情報を得ることができる．
経過	<ul><li>症状はいつからあるか，急激に始まったか，前駆症状はあったか．</li><li>症状の持続期間</li><li>症状の変動の有無</li></ul>
誘因	<ul><li>動物との接触(ネコ，イヌ，野ウサギなど)　**原因・誘因** ネコひっかき病，トキソプラズマ症などによる細菌性，寄生虫症に伴うリンパ節腫脹</li><li>海外渡航との関係　**原因・誘因** ウイルス，寄生虫などによる感染性リンパ節腫脹</li><li>性交との関係　**原因・誘因** HIV(ヒト免疫不全ウイルス)感染症，梅毒，クラミジアなどによる感染性リンパ節腫脹</li><li>服薬との関係　**原因・誘因** 薬剤アレルギー反応による炎症性リンパ節腫脹(フェニトイン，アロプリノールなど)</li><li>その他：う歯，虫刺され，外傷</li></ul>
随伴症状	<ul><li>リンパ節腫脹部位の疼痛　**原因・誘因** 感染性リンパ節腫脹，川崎病など</li><li>発熱　**原因・誘因** 細菌(結核)，ウイルスによる感染性リンパ節腫脹，悪性リンパ腫，自己免疫疾患，川崎病</li><li>咽頭痛，咳，痰などの呼吸器症状　**原因・誘因** EBウイルス感染症，結核性リンパ節炎</li><li>咳，息切れ，霧視，皮疹など　**原因・誘因** サルコイドーシス</li><li>全身倦怠感，体重減少，盗汗　**原因・誘因** 悪性リンパ腫，進行がんによるリンパ節転移</li><li>しびれ，髄膜刺激症状，頭蓋内圧亢進症状　**原因・誘因** 悪性リンパ腫による中枢神経への浸潤，上大静脈症候群　**緊急** 意識障害(「20 意識障害」参照)</li><li>顔面の浮腫，上肢の浮腫　**原因・誘因** 悪性リンパ腫などに伴う縦隔リンパ節腫脹による上大静脈の閉塞，圧迫</li><li>呼吸困難，咽頭痛，鼻閉感，乾性咳嗽　**原因・誘因** 頸部，ワルダイエル輪，縦隔，肺門部のリンパ節腫脹　**緊急** 気道閉塞(「30 呼吸困難」参照)</li><li>腹部膨満感，腹痛，悪心・嘔吐，食欲不振，排尿困難，黄疸　**原因・誘因** 腹腔内リンパ節腫脹　**緊急** 水腎症，胆管閉塞</li><li>皮疹，関節痛など　**原因・誘因** 膠原病，サルコイドーシスなど</li></ul>
既往歴・生活歴	<ul><li>職歴，趣味，食事傾向(肉類の摂取)，動物との接触，旅行歴，性生活，使用薬剤</li><li>梅毒，結核などの既往，う歯の有無</li></ul>
主要症状の性状と出現部位，程度の把握	症状の性状と出現部位，程度を把握することで，原因疾患の特定につながる情報が得られる．

172

リンパ節腫脹の性状（触診・視診）	●有痛性 [原因・誘因] 感染性（細菌性，ウイルス性）リンパ節腫脹，川崎病など ●無痛性 [原因・誘因] 悪性リンパ腫，がん転移によるリンパ節腫脹，サルコイドーシス，自己免疫疾患 ●硬い [原因・誘因] がん転移によるリンパ節腫脹，壊死性リンパ節炎 ●中等度の硬さ，弾力性がありゴム様 [原因・誘因] 悪性リンパ腫，結核性リンパ節炎 ●軟らかい [原因・誘因] 炎症性リンパ節腫脹 ●周囲組織との癒着がある [原因・誘因] がん転移によるリンパ節腫脹，結核性リンパ節炎 ●可動性，移動性がある [原因・誘因] 悪性リンパ腫
リンパ節腫脹の部位	●腫脹部位の発赤 [原因・誘因] 細菌感染やウイルス感染によるリンパ節腫脹 ●全身性の腫脹 [原因・誘因] 伝染性単核球症，サイトメガロウイルス感染症，風疹，麻疹，トキソプラズマ症，HIV 感染症，結核，梅毒，悪性リンパ腫，白血病，サルコイドーシス，膠原病など ●限局性の腫脹 [原因・誘因] 細菌性リンパ節炎，がん転移によるリンパ節腫脹，近傍臓器の炎症や腫瘍
リンパ節腫脹の大きさ	●1.5 cm 以上 [原因・誘因] がん転移によるリンパ節腫脹 ●1 cm 程度の小さな腫脹 [原因・誘因] 麻疹，風疹などウイルス性リンパ節腫脹，リンパ節周辺の感染に伴う炎症（頭皮，咽頭，眼，耳，う歯などの頭頸部感染症，性感染症）
リンパ節腫脹の出現様式，経過	●緩徐な出現 [原因・誘因] 腫瘍性リンパ節腫脹 ●急激な出現 [原因・誘因] 急性リンパ節炎（伝染性単核球症，麻疹，風疹，う歯・化膿創からの細菌感染） ●リンパ節腫脹が徐々に縮小・消退 [原因・誘因] ウイルス性，細菌性のリンパ節腫脹 ●リンパ節腫脹の持続 [原因・誘因] HIV 感染症，結核，悪性リンパ腫，がん転移によるリンパ節腫脹
全身状態，随伴症状，検査所見の把握	リンパ節腫脹部位と全身状態，随伴症状などをフィジカルアセスメントし，検査所見などを把握することは，治療，看護計画の立案に有効となる．
バイタルサイン	●体温 ●発熱の有無，熱型を確認する． ●呼吸 ●呼吸困難の有無，呼吸状態を確認する [緊急] 気道閉塞 [原因・誘因] 頸部リンパ節腫脹，肺門部リンパ節腫脹，縦隔リンパ節腫脹など
全身状態	●皮膚 ●発疹の有無を確認する [原因・誘因] 麻疹，風疹，膠原病，HIV 感染症，サルコイドーシス，川崎病など ●皮膚 ●皮膚の潰瘍の有無，瘻（ろう）孔の形成の有無 [原因・誘因] 結核性リンパ節炎など ●浮腫の有無 [原因・誘因] 麻疹，膠原病などの自己免疫疾患，悪性腫瘍，悪性リンパ腫など ●発汗・盗汗の有無 [原因・誘因] 進行がんによるリンパ節転移，悪性リンパ腫，結核性リンパ節炎など ●外傷や炎症の有無（皮膚の感染，う歯，扁桃炎など） [原因・誘因] 細菌性リンパ節炎など ●意識レベル [緊急] 意識障害 [原因・誘因] 悪性リンパ腫による中枢神経浸潤に伴う頭蓋内圧亢進 ●体重減少，倦怠感の有無 [原因・誘因] がんのリンパ節転移，悪性リンパ腫など ●貧血の有無 [原因・誘因] がんのリンパ節転移，悪性リンパ腫など ●疼痛の有無と部位 ●リンパ節腫脹部位の疼痛の有無 ●関節痛の有無 [原因・誘因] サルコイドーシス，膠原病など
頭頸部	●頭部 ●外傷，打撲の有無を確認する [原因・誘因] 外傷に伴う感染性リンパ節腫脹

9
リンパ節腫脹

第1章　全身

<table>
<tr><td rowspan="20">胸部</td><td>●顔貌 ⟳顔面浮腫の有無を確認する　原因・誘因 上大静脈症候群</td></tr>
<tr><td>●眼 ⟳眼瞼下垂，眼球突出　原因・誘因 頸部リンパ節腫脹によるホルネル症候群</td></tr>
<tr><td>●結膜 ⟳貧血の有無をみる　原因・誘因 がんのリンパ節転移，悪性リンパ腫</td></tr>
<tr><td>●結膜 ⟳充血　原因・誘因 川崎病</td></tr>
<tr><td>●瞳孔 ⟳瞳孔不同を確認する　緊急 意識障害　原因・誘因 悪性リンパ腫による中枢神経浸潤に伴う頭蓋内圧亢進など</td></tr>
<tr><td>●瞳孔 ⟳縮瞳　原因・誘因 頸部リンパ節腫脹によるホルネル症候群</td></tr>
<tr><td>●霧視　原因・誘因 サルコイドーシス</td></tr>
<tr><td>●項部硬直の有無　原因・誘因 髄膜炎，悪性リンパ腫による中枢神経浸潤による髄膜刺激症状</td></tr>
<tr><td>●頸部リンパ節腫脹の有無，ワルダイエル輪腫脹の有無，嚥下障害，咽頭痛の有無
原因・誘因 上気道感染症，歯科疾患，伝染性単核球症，亜急性壊死性リンパ節炎，結核性リンパ節炎，サルコイドーシス，頭頸部がん，悪性リンパ腫，川崎病など
緊急 気道閉塞</td></tr>
<tr><td>●甲状腺腫の有無　原因・誘因 甲状腺機能亢進症　緊急 甲状腺クリーゼ</td></tr>
<tr><td>●打診，聴診 ⟳リンパ節腫脹を伴わない他の呼吸器疾患との鑑別</td></tr>
<tr><td>●鎖骨上窩リンパ節腫脹の有無　原因・誘因 消化器系のがん，肺がんの転移によるリンパ節腫脹</td></tr>
<tr><td>●腋窩リンパ節腫脹の有無　原因・誘因 ネコひっかき病，乳がん・肺がんに伴うリンパ節腫脹，上肢・胸壁の炎症</td></tr>
<tr><td>●肺門部リンパ節腫脹の有無，縦隔リンパ節腫脹の有無，咳嗽，呼吸困難，胸水の有無　原因・誘因 結核，サルコイドーシス，肺がん，キャッスルマン病，悪性リンパ腫による縦隔浸潤・胸膜浸潤</td></tr>
</table>

<table>
<tr><td rowspan="2">腹部</td><td>●腹部の触診 ⟳肝脾腫の有無を確認する．脾腫あり　原因・誘因 全身性リンパ節腫脹を引き起こす疾患</td></tr>
<tr><td>●腹部症状(腹部膨満感，食欲不振，悪心・嘔吐，腹痛，便秘，下痢など)の有無
原因・誘因 悪性リンパ腫による腹腔内臓器浸潤，腹腔内・骨盤腔内のがんや炎症など　緊急 水腎症，胆管閉塞</td></tr>
</table>

<table>
<tr><td rowspan="4">四肢</td><td>●鼠径リンパ節の腫脹　原因・誘因 下肢の外傷，性感染症，直腸もしくは性器のがん，悪性リンパ腫</td></tr>
<tr><td>●下肢の浮腫　原因・誘因 下肢の外傷，性感染症，直腸もしくは性器のがん，悪性リンパ腫，鼠径部・大腿部リンパ節腫脹</td></tr>
<tr><td>●上肢の浮腫　原因・誘因 悪性リンパ腫の上大静脈浸潤，乳がん，縦隔リンパ節腫脹</td></tr>
<tr><td>🔍 起こりうる看護問題：リンパ節腫脹や原因疾患に伴い，痛み，発熱，体重減少，倦怠感，悪心・嘔吐などの苦痛が生じる／身体的苦痛もしくは苦痛の持続により疲労感，エネルギーの減退を自覚する／日常生活に支障をきたす／リンパ節腫脹に伴い血液，リンパの流れが障害され，周辺組織への圧迫症状が生じる可能性がある／上大静脈・縦隔リンパ節への浸潤により胸水貯留，乾性咳嗽，呼吸困難などが生じる可能性がある／腹腔内リンパ節腫脹，浸潤により腹痛，排尿困難などの症状が生じる可能性がある／患者・家族がリンパ節腫脹に伴う苦痛や原因疾患と治療に対して不安を抱えている／リンパ節腫脹，随伴症状により身体像の変化が生じる</td></tr>
</table>

<table>
<tr><td rowspan="4">患者・家族の心理・社会的側面の把握</td><td>リンパ節腫脹に伴う発熱，疼痛，倦怠感などの身体的苦痛やリンパ節腫脹をもたらす原因疾患とその治療に対して患者・家族は不安や困惑を抱く．また，リンパ節腫脹の部位や程度によっては身体像の変化を生じることもあり，患者・家族の原因疾患に対する理解や受け止め方，心理的・社会的側面を把握することが重要となる．</td></tr>
<tr><td>●患者・家族の原因疾患とその治療，リンパ節腫脹に対する理解や受け止め方</td></tr>
<tr><td>●原因疾患の病状，進行度，重症度</td></tr>
<tr><td>●リンパ節腫脹の部位とその大きさ，随伴する症状の種類と苦痛の程度</td></tr>
</table>

- 治療効果，薬剤効果
- リンパ節腫脹および原因疾患に伴う日常生活への影響の程度
- 患者の生活や社会状況の把握，家族関係，対人関係
- 性格傾向，ストレス対処・コーピング様式
- 🔍 **起こりうる看護問題**：患者・家族がリンパ節腫脹に伴う苦痛や原因疾患と治療に対して不安を抱えている／リンパ節腫脹，随伴症状により身体像の変化が生じる

STEP ❶ アセスメント　STEP ❷ 看護課題の明確化　STEP ❸ 計画　STEP ❹ 実施　STEP ❺ 評価

看護問題リスト

#1　リンパ節腫脹や原因疾患に伴い，痛み，発熱，熱感，体重減少，倦怠感，悪心・嘔吐などの苦痛が生じる (認知-知覚パターン)

#2　リンパ節腫脹に伴う苦痛もしくは苦痛の持続により疲労感，エネルギーの減退を自覚する (自己知覚パターン)

#3　患者・家族がリンパ節腫脹に伴う苦痛，原因疾患と治療に対して不安を抱えている (自己知覚パターン)

看護問題の優先度の指針

- リンパ節腫脹により緊急を要することは少ないが，頸部，腹腔内のリンパ節が腫脹し，気道閉塞，意識障害，尿閉，胆管閉塞を疑う徴候がみられた場合は，迅速に対処する．
- リンパ節腫脹やその随伴症状である，発熱，疼痛，悪心，倦怠感などの苦痛は体力を消耗させ，日常生活に大きな影響を与えるため，原因疾患の治療と並行し，苦痛緩和のケアを行う．
- リンパ節腫脹に伴う発熱，疼痛，倦怠感などの身体的苦痛やリンパ節腫脹をもたらす原因疾患とその治療に対して，患者とその家族は不安や困惑を抱く．不安が強いと必要な治療を受け入れられない場合もあるため，不安の軽減を図る援助も並行して行う必要がある．

STEP ❶ アセスメント　STEP ❷ 看護課題の明確化　STEP ❸ 計画　STEP ❹ 実施　STEP ❺ 評価

1 看護問題	看護診断	看護目標 (看護成果)
#1　リンパ節腫脹や原因疾患に伴い，痛み，発熱，熱感，体重減少，倦怠感，悪心・嘔吐などの苦痛が生じる	**安楽障害** **関連因子**：健康資源 (リソース) の不足，状況管理が不十分 **関連する状態**：病気に関連した症状 (発熱，発汗，体重減少，倦怠感，腹部膨満感，悪心・嘔吐，疼痛) **診断指標** □熱感 □イライラした気分 □苦痛に耐える様子 (苦しみうめくなど)	〈長期目標〉リンパ節腫脹に伴う不快・苦痛が軽減する 〈短期目標〉リンパ節腫脹に伴う不快・苦痛を軽減する方法について表現できる

看護計画

OP 経過観察項目
- リンパ節腫脹の原因疾患の種類 (感染性，腫瘍性，炎症性など) と進行
- リンパ節腫脹の随伴症状に伴う苦痛のタイプ (痛み，発熱，熱感，体重減少，倦怠感，悪心・

介入のポイントと根拠

➡原因疾患の種類と苦痛のタイプとその程度を観察する　**根拠** 疾患により，発現する苦痛の種類や性質も異なる

第1章　全身

嘔吐など）とその程度（頻度，持続時間，性質，強さなど），推移と変化
- 原因疾患に対する治療内容（化学療法，放射線療法，外科的治療など）
- 苦痛がもたらす日常生活・活動への影響（睡眠，食事，排泄，仕事・活動，対人関係など）
- 苦痛による表情や言動の様子とその変化
- 原因疾患，苦痛に対する治療効果，薬剤効果
- 水分出納，バイタルサイン

➡ **根拠** 化学療法や放射線療法の副作用や外科的治療による疼痛は，苦痛を増強させる
➡ **根拠** 苦痛により日常生活・活動が妨げられる可能性がある
➡ 苦痛に関する言動だけではなく，表情も観察する **根拠** 言葉では表現せずに苦痛を我慢していることもある **小児** 言語表現が十分ではない **高齢者** 苦痛を我慢する傾向がある

TP 看護治療項目
- 苦痛のために日常生活動作が行えない時は適宜援助する
- 医師の処方と指示のもと，原因疾患に対する治療，解熱薬，鎮痛薬，制吐薬などを確実に投与する
- 苦痛・不快症状を増強させないような環境を整える（室温，湿度，におい，寝具，体位，光景，照明，食事内容の工夫など）
- 清拭や足浴，手浴，口腔ケアなどで不快感や苦痛を軽減し，爽快感を得られるようにする

➡ できない行動や動作を介助する **根拠** 無理な活動や動作により，苦痛が増強する **小児** **高齢者** 小児は発育途中であったり，高齢者は認知・身体機能の低下により，セルフケア能力が十分ではない可能性がある
➡ **根拠** 環境を調整することで，有害刺激を減らすことができ，苦痛・不快症状の軽減や改善につながる
➡ **根拠** 発熱による発汗，嘔吐による口腔内汚染などは苦痛の増強につながる

EP 患者教育項目
- 患者と話し合い，気を紛らす方法を考え，リラクセーション法について指導する
- 苦痛が薬剤や対処方法によっても改善せず，いつもと違う感覚や，苦痛の増強や悪化を感じた場合は，医療機関を受診する，もしくはナースコールするように伝える

➡ **根拠** 患者のセルフケア能力，自己統制力を高めることにより，苦痛の軽減と緩和につながる
➡ **根拠** 急激な苦痛の悪化は，リンパ節腫脹の拡大，病状の進行を示していることがあり，状態によっては緊急処置が必要となる

---

2 看護問題	看護診断	看護目標（看護成果）
#2　リンパ節腫脹に伴う苦痛もしくは苦痛の持続により疲労感，エネルギーの減退を自覚する	**倦怠感** **関連因子**：睡眠覚醒サイクルの変化，不安，抑うつ症状，栄養不良，疼痛，体調の悪化，ストレッサー **診断指標** □疲労 □疲労感 □脱力感 □休憩の必要性が増す □いつもの日課の継続困難 □日常的な身体活動の継続困難 □注意力の変化	〈**長期目標**〉リンパ節腫脹に伴う苦痛が軽減し，疲労感が軽減される 〈**短期目標**〉1）疲労の原因となる苦痛が軽減する．2）疲労感に応じた活動を行うことができる

看護計画	介入のポイントと根拠
OP 経過観察項目 - リンパ節腫脹の原因疾患の種類と進行度 - リンパ節腫脹の随伴症状に伴う苦痛の種類とその程度（頻度，持続時間，性質，強さなど），推移と変化	➡ 全身状態を把握する ➡ **根拠** 随伴症状の多くは，発熱，疼痛，悪心・嘔吐，倦怠感などであり，これらの症状が，身体の炎症，代謝を亢進させる．また，治療に伴う副

176

- ●原因疾患に対する治療内容(化学療法，放射線療法，外科的治療など)
- ●苦痛がもたらす日常生活・活動への影響(睡眠，食事，排泄，仕事・活動，対人関係など)
- ●疲労感の自覚とその程度，推移と変化

- ●精神的状態，ストレスの有無と程度
- ●リンパ節腫脹，原因疾患に対する受け止め
- ●疲労感を示す言動，表情とその変化
- ●栄養状態を示す血液データ，体型，筋・骨格系の状況とその変化

TP 看護治療項目
- ●病状や苦痛に応じ，日常生活の援助を行う
- ●疲労感の原因となる，苦痛のコントロールを図り，原因疾患に対する治療，薬剤投与を確実に行う
- ●苦痛や疲労感のつらさを表現するように促す

EP 患者教育項目
- ●疲労感を感じる原因・理由について説明する
- ●疲労感の増強につながる状況，要因(不安，ストレスなど)について説明する

- ●エネルギー消費を抑える動作，行動やその方法を指導する
- ●リラクセーション法について指導する

- ●苦痛の悪化，疲労感の増強を感じる時は，遠慮なく医療者に相談するように伝える

作用症状は苦痛を増強させ，疲労感の自覚につながる
➡苦痛がもたらす日常生活への影響の程度をアセスメントする **根拠** 日常生活や活動の不足部分を補う援助方法を検討でき，疲労感の軽減につながる
➡ **根拠** 不安や抑うつなどの精神的状態は，身体的活動性を低下させ，消耗性疲労を招く
➡言動と併せて表情も観察する **根拠** **小児** 消耗性疲労についての言語的表現ができない **高齢者** 認知的・身体的機能の低下があり，言語的表現が十分にできない可能性がある

➡ **根拠** 無理な活動や動作により，苦痛が増強し，エネルギー消費が高まる **小児** **高齢者** 小児は発育途中であったり，高齢者は認知・身体機能の低下により，セルフケア能力が十分ではない可能性がある

➡ **根拠** 疲労感の原因・理由，疲労感を増す要因を理解することで不安が軽減されるとともに，患者の自己統制力を高められ，疲労感の軽減につながる
➡ **根拠** 無理な活動は，苦痛が増強しエネルギー消費も高まる
➡ **根拠** 自己統制力を高め疲労感の軽減につながる
➡ **根拠** 苦痛により消耗性疲労が増し，身体的苦痛だけではなく，治療継続への意欲や先行きへの不安につながるため，症状緩和を図る

9 リンパ節腫脹

3 看護問題	看護診断	看護目標(看護成果)
#3　患者・家族がリンパ節腫脹に伴う苦痛，原因疾患と治療に対して不安を抱えている	**不安** **関連因子**：不慣れな状況，疼痛，ストレッサー **診断指標** □緊張感 □イライラした気分 □不安定な気持ち □睡眠覚醒サイクルの変化 □動悸 □緊張を示す □注意力の変化 □混乱	〈長期目標〉リンパ節腫脹に伴う苦痛に対して，患者・家族が心理的・身体的安楽が増大したことを表現できる 〈短期目標〉不安を言葉に出して表現できる

看護計画	介入のポイントと根拠
OP 経過観察項目 ●リンパ節腫脹や原因疾患の治療に対する質問内容	➡不安の内容や程度を把握する **根拠** 不安の内容や程度から具体的な援助方法が明確になる

第1章　全身

- 不安や緊張の表情，落ち着きがない様子
- 不安や心配の訴え，怒り
- 不安に伴う身体的反応：震え，指の振戦，頻脈，頻呼吸，不眠，食欲不振，無気力など
- リンパ節腫脹や疾患に対する知識と理解の程度
- リンパ節腫脹や疾患の受け止め
- ストレス対処機制，コーピング様式の把握

TP 看護治療項目
- 不安が表出できるような態度で接するとともに，落ち着いて話せる環境を整え，話を傾聴する
- 苦痛が強い時は，症状緩和を図る援助を優先する
- 生活のなかで気分転換を図れるような場や状況をつくる（散歩，音楽鑑賞，ストレッチ，深呼吸など）
- リンパ節腫脹や疾患の疑問がある場合には，医師から説明を受けられるように場を設ける

EP 患者教育項目
- リンパ節腫脹や疾患，治療について，患者にわかりやすい言葉で説明する

- わからないことや質問したいことがあれば，遠慮なく医療者に話すように説明する

◯非言語的表現をとらえる　**根拠**　**小児**
高齢者　言語表現が十分ではない小児や活動性の低下している高齢者は，言葉以外の訴えの表出を見逃さないよう注意する
◯患者だけではなく家族を含めた視点で，病状や治療に関する知識や受け止め方を把握する
根拠　知識不足は不安を強める要因となる

◯支持的態度で接し，話を傾聴することで不安の軽減を図る　**根拠**　不安に関することを言語化することで，気持ちが落ち着く
◯不安の原因となる苦痛を緩和する　**根拠**　身体的苦痛を取り除くことにより，不安も軽減する
◯気分転換を図ることで不安が軽減する　**根拠**　リンパ節腫脹や疾患を忘れられる時間をもつことができ，不安が和らぐ
◯　**根拠**　具体的な情報や知識が不足し，不安を感じている場合は，知識を得ることで安心でき，不安が軽減される

◯患者の家族を含め，日常生活や社会的背景も考慮して説明する　**根拠**　平易な言葉で説明することで理解が進み，不安が軽減される
◯　**根拠**　患者・家族はどこに何を相談してよいかわからず不安になっていることが多い

STEP ① アセスメント　STEP ② 看護課題の明確化　STEP ③ 計画　STEP ④ 実施　STEP ⑤ 評価

病期・病態・重症度に応じたケアのポイント

- リンパ節腫脹が生じる原因，疾患は様々であり，リンパ節腫脹そのものが治療の対象となることはない．原因となる疾患の診断を早期につけ，疾患に対する治療を主とし，随伴症状への対症療法を行う.
【**感染性リンパ節腫脹**】細菌，ウイルス感染による局所性，全身性のリンパ節腫脹がみられ，有痛性であることが特徴である．抗菌薬，抗ウイルス薬の投与を行い，発熱，疼痛，全身倦怠感などの苦痛の緩和を図る．麻疹，風疹，結核，性感染症などは他者へ感染するおそれもあるため，他者への感染防止についての説明，教育を行う必要がある.
【**腫瘍性リンパ節腫脹**】悪性リンパ腫や，がんの転移によるリンパ節腫脹が多く，大半は圧痛がないのが特徴である．悪性リンパ腫やがんの転移によるリンパ節腫脹は，悪性腫瘍という特徴から，患者の不安が強いと推測される．リンパ節腫脹に伴う身体的苦痛の緩和を図るとともに，病状理解ができるように説明を行い，患者の不安の軽減を図る援助が重要である.
【**炎症性（反応性）リンパ節腫脹，その他**】自己免疫疾患が原因の場合は，皮疹や関節痛など多様な症状が出現するため，疾患の確定診断と治療が重要となる．疾患に対する治療・処置を確実に行うとともに，リンパ節腫脹に伴う身体的苦痛の緩和，日常生活への支援と患者・家族の不安軽減への支援を行う.
【**緊急を要する病態**】リンパ節腫脹の増大，腫脹したリンパ節が上大静脈，気道，尿道，消化管，脊髄を圧迫，閉塞する場合がある．意識障害，気道閉塞による呼吸困難，水腎症，胆管閉塞による腹痛，黄疸などが生じた場合は迅速に対応し，臓器障害が不可逆的にならないよう治療・緊急処置を行う.

看護活動（看護介入）のポイント

診察・治療の介助
- リンパ節の腫脹部位，大きさ，出現状況，経過，随伴症状，検査データ，検査所見から病因を把握する．
- リンパ節腫脹の原因疾患の診断が確定したら，原因疾患への治療を確実に実施する．
- 悪性リンパ腫の診断やリンパ節腫脹の原因が特定できない場合は，リンパ節生検を行うため，医師の指示のもと，検査がスムーズに行えるように患者へのオリエンテーションなどを行う．

リンパ節腫脹と随伴する苦痛，日常生活に対する援助
- リンパ節腫脹に伴い，発熱，倦怠感，疼痛，悪心などの苦痛，不快症状が出現する．原因疾患への治療を確実に行うとともに，苦痛緩和が図れるような環境調整と，日常生活への支援を行う．
- リンパ節腫脹によって，臓器への圧迫症状がみられる可能性もある．意識障害，気道閉塞，尿閉，胆管閉塞など，臓器圧迫状の観察を行い，症状出現時は，緊急処置など迅速な対応を行う．
- リンパ節腫脹や随伴する身体症状の出現，持続により，患者のエネルギーは消耗し，疲労感を自覚する．無理な動作や動きは，エネルギー消費を高めるため，患者の状況に応じた日常生活，セルフケアの支援を行う．

患者・家族への心理面への援助
- 不安や心配に感じていることを，患者とその家族が表出できるように働きかける．話やすい場の雰囲気をつくる．
- わからないことや質問したいことがあれば，遠慮なく医療者に話すように伝える．
- リンパ節腫脹，随伴する苦痛，原因疾患とその治療についての不安に対しては時間をかけ，丁寧な説明や情報提供を行う．必要に応じて，医師からも説明する場を設ける．

退院指導・療養指導

- リンパ節腫脹の原因や理由について，原因疾患の病態と合わせて平易な言葉で説明する．
- 感染性リンパ節腫脹では，麻疹，風疹，結核，性感染症が原因となっている場合は，他者へ感染するおそれもあるため，他者への感染防止について説明，教育を行う．
- リンパ節腫脹や随伴する苦痛が，薬剤や対症療法によっても改善せず，いつもと違う感覚や，苦痛の増強・悪化を感じた場合は，医療機関を受診するように説明する．

STEP ❶ アセスメント　STEP ❷ 看護課題の明確化　STEP ❸ 計画　STEP ❹ 実施　STEP ❺ 評価

評価のポイント

看護目標に対する達成度
- リンパ節腫脹は軽減しているか．
- リンパ節腫脹に伴う臓器，組織への圧迫症状はないか．
- 発熱，熱感，発汗，体重減少，倦怠感，腹部膨満感，悪心などの苦痛が軽減しているか．
- リンパ節腫脹を引き起こす疾患への治療効果はあるか．
- リンパ節腫脹の随伴症状，苦痛による疲労感が軽減し，日常生活への支障は改善されているか．
- リンパ節腫脹に伴う苦痛や原因疾患について，患者・家族は不安が軽減したと表現できているか．

● 参考文献
1) カルペニート，LJ（黒江ゆり子監訳）：看護診断ハンドブック　第11版，医学書院，2018
2) 阿部喬樹，福島梅野編：症状別看護アセスメント，JJNブックス，pp.140-143，医学書院，1993
3) 永井良三，大田健総編：疾患・症状別今日の治療と看護　改訂版第3版，南江堂，2013
4) 池松裕子，山内豊明編：症状・徴候別アセスメントと看護ケア，医学芸術社，2008
5) 井上智子，佐藤千史編：病期・病態・重症度からみた疾患別看護過程＋病態関連図　第3版，医学書院，2016

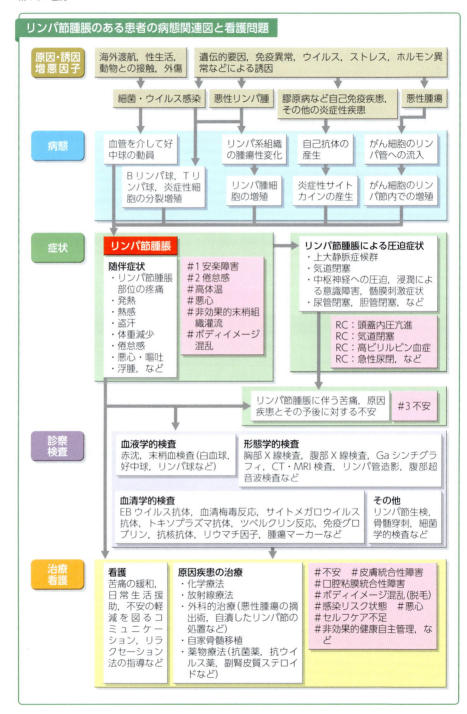

10 発疹

横関 博雄

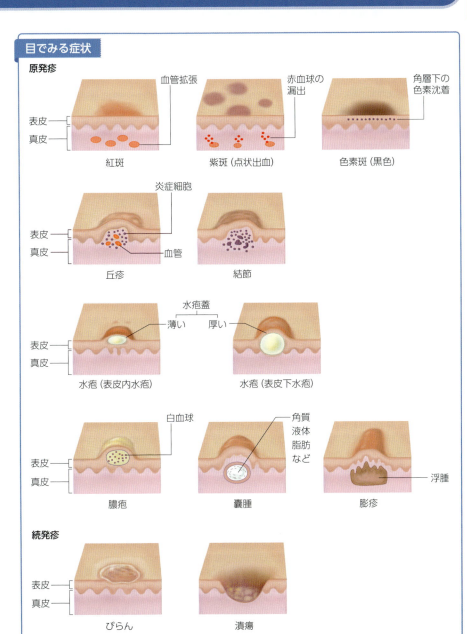

図 10-1　発疹の種類

第1章　全身

病態生理

皮膚・粘膜の病変はすべて発疹と呼ばれ，皮疹と粘膜疹に分類される．また，発疹は原発疹と続発疹に分類される（表10-1, 2）．**原発疹は皮疹の最初に表現されるもので，初発疹ともいわれる．**

- 原発疹の認識は皮膚疾患の診断のうえで非常に大切なことであるため，通常，原発疹と続発疹が混在している状態を詳細に観察することにより，原発疹を確認する必要がある．代表的な原発疹，続発疹を病理解剖的に図10-1に図示した．皮膚は表皮と真皮，皮下組織に分かれ，それぞれの部位への炎症細胞浸潤，腫瘍細胞浸潤，色素の沈着，浮腫などにより原発疹ができる．
- **原発疹**（表10-1）
- 皮膚科疾患の診断のためには皮膚病変の正確な記載が必要である．原発疹は一次的に最初に生じる発疹で，斑，丘疹，結節，腫瘤，膨疹，水疱，膿疱，囊腫などがある．
- 斑：限局性の皮膚色の変化で，原則として隆起などの立体的変化はない．色調から紅斑，紫斑，色素斑，色素沈着，白斑に分類される．
  - ①紅斑：紅色の斑で，真皮乳頭および真皮下層の血管拡張と充血により生じる．したがって，ガラス板で圧迫することにより消退する．出血を伴わない場合は紫色を呈した紅斑もあり得る．紅斑の形態としては滲出性紅斑（辺縁が隆起して中央部に水疱を伴うこともある），環状紅斑（環状を呈する紅斑で，膠原病や感染症などでみられる）などがある．
  - ②紫斑：鮮紅色，紫紅色などを呈する斑で，真皮乳頭層から真皮下層までの血管からの赤血球漏出によりみられる．紫斑は大きさにより，直径3 mm以下のものを点状出血，それより大きいものを斑状出血と呼び分ける．紫斑が発疹の主徴となる疾患は紫斑病である．紫斑はガラス板の圧迫で消退しない．
  - ③色素斑：皮膚表面上での色素の変化を色素斑と呼ぶ．メラニン色素の場合は黒褐色調を呈する．メラニンが皮膚の深い位置にあると青色を呈し，皮膚の表面に近づくに伴い褐色調を呈するようになる．このことから色素斑の色によって病変の位置がわかる．黒色斑は角層下の色素沈着もしくは表皮の多量の色素沈着が考えられる．また，褐色斑は表皮基底層の色素沈着が疑うことができ，カフェオレ斑などが典型的な斑である．青色斑は真皮中層以下の色素沈着で蒙古斑などが典型例である．
  - ④白斑：色素脱失は白色の斑であり，多くはメラニン色素の減少もしくは消失にて発症する．完全脱色素斑と不完全脱色素斑がある．メラニン色素異常以外では，角質層の異常（例：単純性粃糠疹（ひこうしん）など），血管収縮による赤血球減少（例：貧血母斑など）でも白色の斑が認められる．
- 隆起性病変：丘疹，結節，腫瘤
  - ①丘疹：限局性の隆起性病変で，直径が5 mm以下の病変を丘疹と呼ぶ．また，基本的には病理学的に増殖性・肉芽腫性病変は丘疹とはいわず小結節と呼ぶ．隆起の形態は半球状，扁平，円形など様々である．通常は増殖性丘疹であるが，頂点に微小水疱を有するものを漿液性丘疹といい，湿疹性病変により生じる．
  - ②結節：皮膚より隆起した充実性の限局性隆起性病変で，5 mm～3 cmまでの増殖性・肉芽腫性病変を結節と呼ぶ．変化は表皮から真皮まで，真皮と皮下，もしくは皮下のみで，小型のものは小結節と呼ぶ．
  - ③腫瘤：通常3 cm以上の限局性の隆起性病変を腫瘤といい，基本的には増殖性病変を意味することが多い．
- 内容のわかる病変
  - ①水疱：透明な水様の内容を有する病変を水疱と呼ぶ．表皮下水疱は水疱蓋が厚く破れにくいため緊満性水疱になる．一方，表皮内水疱では水疱蓋が薄く破れやすいため弛緩性水疱になる．水疱内容に血液が混じり，紅色を呈するときは血疱と呼ぶ．
  - ②膿疱：水疱の内容が膿で黄色調を呈するものを膿疱と呼ぶ．膿疱には細菌感染に伴う細菌性膿疱と，細菌感染がなく原因不明の無菌状態で生じる無菌性膿疱がある．
  - ③囊腫：真皮から皮下に生じる上皮性・間葉系の壁で囲まれる空洞を有する病変を囊腫と呼ぶ．表皮表面より隆起する場合と隆起しない場合がある．内容は角質，液体成分，細胞成分など種々である．
  - ④膨疹：皮膚の限局性の隆起で，短時間で跡を残さず消退する一過性の隆起性病変を膨疹と呼ぶ．健常皮膚にただちに生じる場合と，最初に紅斑を生じそれが膨疹に変化する場合とがある．
- **続発疹**（表10-1）
- 原発疹が時間的経過とともに続発して生じる発疹で，欠損，表面より隆起，陥凹や発疹状の変化などがある．

182

■表10-1　原発疹と続発疹の種類

原発疹	続発疹
斑：紅斑，紫斑，色素斑，脱色素斑 丘疹，結節，腫瘤 水疱，膿疱 嚢腫 膨疹	表皮剥離（びらん），潰瘍 瘢痕 亀裂 べんち 萎縮 痂皮

■表10-2　原発疹を示す主な皮膚疾患（赤字は緊急対応を要する疾患）

原発疹	主な皮膚疾患
紅斑	乾癬，薬疹（紅斑型），薬疹（TEN*型），環状紅斑，線状紅斑，SLE など
紫斑	皮下出血斑，アナフィラクトイド紫斑，単純紫斑など
色素斑	扁平母斑，太田母斑，色素性母斑など
脱色素斑	白斑，脱色素母斑など
丘疹	湿疹・皮膚炎，痤瘡など
結節	眼瞼黄色腫，サルコイドーシス，基底細胞がんなど
腫瘤	有棘細胞がん，脂肪腫など
水疱	単純ヘルペス，帯状疱疹，虫刺症，天疱瘡，類天疱瘡など
膿疱	伝染性膿痂疹，癰（よう），掌蹠（しょうせき）膿疱症，膿疱性乾癬など
膨疹	蕁麻疹，アナフィラキシー
嚢腫	粉瘤，粘液嚢腫など

＊TEN：中毒性表皮壊死症

- 表皮剥離：搔破や外傷などにより生じた表皮の欠損を意味し，角層のみの浅い欠損では鱗屑（りんせつ）を生じる程度であるが，深いときには出血，滲出液などを伴う場合もある.
- びらん：表皮の欠損であり，紅色を呈し，漿液により湿潤している. 治療後には痕跡を残さず表皮が上皮化して治癒する. 水疱，膿疱を生じたのちにできる.
- 潰瘍：真皮ないし皮下組織に達する深い組織欠損を潰瘍と呼ぶ. 肉芽組織により修復され瘢痕を残して治癒する. 潰瘍底内に出血，漿液滲出，痂（か）皮を伴い，先行病変が一部残存することが多い. 性病性潰瘍の場合は下疳（げかん）と呼び，硬性下疳と軟性下疳がある.
- 亀裂：欠損ではなく角質増殖部に生じた線状の裂け目を亀裂と呼ぶ.
- 萎縮：皮膚組織の退行により生じたもので，表面に細かいしわを生じる.
- 瘢痕：潰瘍，創傷などの皮膚組織欠損が肉芽組織と薄い表皮により修復されたものである. 皮膚表面から隆起するとき，陥凹するとき，変化のないときとがある. 瘢痕部の表皮は萎縮して付属器を欠く.
- べんち：表皮角層が限局性に増殖して肥厚したもの. 鶏眼（けいがん）は皮膚の長期間の刺激により表皮内に突出したものである.
- 鱗屑，痂皮：鱗屑は角質が異常に蓄積した状態で，これが剥がれる状態を落屑という. 正常皮膚では角質細胞が個々に剥がれるので肉眼的には観察できないが，病的状態では鱗屑として観察できる. 粃糠様，雲母状，葉状，膜状，魚鱗癬様など，様々に表現される鱗屑がある. 痂皮は角質と滲出液，血液，膿もしくは壊死組織が固まった状態で，びらん，潰瘍の上に生じる.

患者の訴え方

●主症状の訴え
- 搔痒：湿疹性疾患，痒疹，薬疹，中毒疹など多くの炎症性皮膚疾患ではかゆみを訴える.
- 疼痛：帯状疱疹，丹毒，壊疽などウイルス感染症，細菌感染症，循環障害では痛みを訴える.
●随伴症状
- 発疹を伴う疾患のうち，急性感染症（麻疹，風疹など），膠原病〔全身性エリテマトーデス（SLE），皮膚筋炎〕，薬疹，血管炎などは，原因疾患による発熱，関節痛，腹痛，胸痛など.

第1章 全身

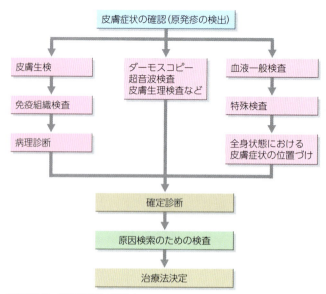

■図 10-2 発疹の診断の進め方

診断

> 原発疹が何であるかを見極めて，皮膚症状の分布，配列，形態，色調などを詳細に観察することにより診断を下す．

- 診断の精度を上げるため，ダーモスコピー，超音波検査，生理学的検査，血液検査，真菌検査，皮膚アレルギー検査など非侵襲的な検査を用いて診断に補助的に役立てる．さらに診断が困難なときは皮膚生検をして病理組織学的・免疫組織学的に診断をする必要がある．このように皮膚症状の詳細な検討により，皮膚症状の全身状態における位置づけをすることが大切である．
- **ダーモスコピー**
- 10 倍程度の拡大鏡を用いて，皮膚表面の状態を詳細に観察する検査方法である．角層の観察のみならず肉眼では光の乱反射で観察しにくい表皮下層まで観察できる．表皮下層はエコー検査に用いるゼリーを使用することにより詳細な観察が可能である．ダーモスコピーは特に色素性病変に有用であり，母斑と悪性黒色腫，基底細胞がん，脂漏性角化症などとの鑑別に効果を発揮する．
- **ガラス圧法**
- ガラス板で皮膚病変部を圧迫し，色素の消退をみる検査である．消退すれば紅斑，消退しなければ紫斑と診断できる．
- **真菌検査法**
- 真菌，虫体の検出には，主に水酸化カリウム(KOH)法が用いられている．鱗屑，水疱，痂皮などを採りスライドグラス上に載せる．検体の上に 20% KOH 液を滴下後カバーグラスを載せ，70〜80℃のホットプレートもしくはアルコールランプで数分加温する．KOH によって角層などが加水分解され，真菌要素のみが残って容易に診断できる．

治療法・対症療法

▌ 治療法は発疹を出す原因疾患の治療が第一である.

●治療方針
- ●感染症では抗菌薬,抗ウイルス薬が処方される必要があり,膠原病,重症薬疹などでは副腎皮質ホルモン製剤の全身投与も必要となる.
- ●皮膚腫瘍性疾患では腫瘍の切除が重要である.
- ●湿疹性疾患,蕁麻疹,痒疹など,瘙痒を伴う疾患では対症療法として抗ヒスタミン薬が処方されることもある.

●薬物療法

Px 処方例 薬疹:軽症,中等症の場合,下記の薬を併用
- ●ビラノア錠(20 mg)　1回1錠　1日1回　空腹時　←抗アレルギー薬(ヒスタミン H₁ 拮抗薬)
- ●アンテベート軟膏(0.05%)　1日2回塗布　←副腎皮質ホルモン製剤

Px 処方例 慢性蕁麻疹
- ●デザレックス錠(5 mg)　1回1錠　1日1回　←抗アレルギー薬(ヒスタミン H₁ 拮抗薬)

■表 10-3　発疹の主な治療薬

分類	一般名	主な商品名	薬の効くメカニズム	主な副作用
抗アレルギー薬	ビラスチン	ビラノア	抗ヒスタミン作用を主とし,抗アレルギー作用	肝機能障害,眠気,口渇
	デスロラタジン	デザレックス	抗ヒスタミン作用を有し,さらに炎症性サイトカインの産生,化学伝達物質の遊離をそれぞれ抑制する	ショック,肝機能障害,黄疸,てんかん,けいれん
副腎皮質ホルモン製剤	ベタメタゾン酪酸エステルプロピオン酸エステル	アンテベート	抗炎症作用	眼瞼皮膚に使用した場合,眼圧亢進,緑内障,白内障のおそれ

185

第1章 全身

発疹のある患者の看護

嶌田　理佳

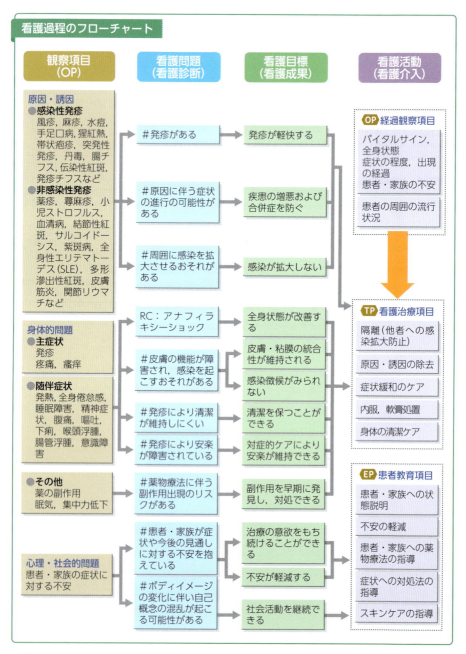

基本的な考え方

- 発疹の原因は多様である．原因を把握するとともに，それが緊急性のあるものか感染性が疑われるものかを判断し，迅速に対処し，症状緩和や安楽に対する援助を行わなければならない．
- 発疹の程度，随伴症状を観察し，その影響にも注意する．

緊急 緊急処置の必要なアナフィラキシーショックに対しては迅速な対応が求められる．これらの疾患を疑わせるサインや情報を見逃さないよう十分な観察を行う．特に呼吸障害，意識障害には要注意である．

STEP ❶ アセスメント	STEP ❷ 看護課題の明確化	STEP ❸ 計画	STEP ❹ 実施	STEP ❺ 評価

情報収集	アセスメントの視点と根拠・起こりうる看護問題
病歴の把握	患者・家族から発疹出現の経過，症状の変化を聞くことで，原因・誘因の特定や全身状態の把握につながり，治療や看護ケアにも重要な情報を得ることができる．
経過	●いつから出現しているか，時間とともに変化するか． ●初発か同様の発疹が出たことがあるか． ●身体のどの部位にできたか，両側性か，片側性か，配列はどうか． ●どのようなタイプの発疹か． ●瘙痒，疼痛，発熱，全身症状など随伴症状はあるか． ●感染性の場合，家族の健康状態や周囲の流行状況はどうか．
誘因	●アレルギー反応に伴う発疹では誘因を見極めて症状を軽減させる　**緊急** アナフィラキシーショックに注意 ●食べ物との関係はないか． ●薬剤との関係はないか　**原因・誘因** 抗菌薬，降圧薬，利尿薬，抗がん剤，非ステロイド性抗炎症薬，抗てんかん薬，など ●着衣，装飾品，装着物との関係はないか． ●周囲の環境との関係はないか（気温，湿度，光線，植物，有機溶剤や化学薬品などの存在）． ●昆虫や鳥獣，植物との接触，咬傷の存在，野山や草むらに入っていないか．
随伴症状	●発熱，悪寒戦慄，腹痛，下痢，頭痛，めまい，視力障害などの随伴症状はないか． ●随伴症状と発疹との時間的関係はないか．
生活歴	●睡眠状態はどうか． ●ストレスの有無
職業歴	●仕事上の問題の有無
既往歴	●感染症罹患の有無 ●予防接種状況 ●発疹の経験の有無 ●妊娠，糖尿病，甲状腺機能異常，免疫不全などの既往はないか． ●内臓悪性腫瘍　**原因・誘因** 内臓疾患に伴う皮膚病変（デルマトーム） ●アレルギーの有無，アレルゲン
嗜好品，常用薬	●アルコール，薬物の服用
職業歴	●有機溶剤，化学薬品など特殊環境下での仕事
主要症状の出現状況，程度，性状の把握	症状の出現状況や発疹物の性状を把握することで，原因疾患の特定につながる情報が得られる．
前駆症状	●感冒様症状，発熱，頭痛，咽頭痛，関節痛，食欲不振，全身倦怠感　**原因・誘因** 感染性の発疹，炎症性紅斑 ●瘙痒感
発疹出現時の状況	●服薬後　**原因・誘因** 薬疹〔スティーブンス-ジョンソン症候群，中毒性表皮壊死症（TEN），薬剤誘発性過敏症症候群〕

第1章　全身

発疹の性状 **発疹の種類**	●食事後　**原因・誘因**　食物によるアレルギー性発疹 ●運動後　**原因・誘因**　食物依存性運動誘発アナフィラキシー ●部位，大きさ，形，隆起の有無，色 ●表面の性状，硬さ，触診時の感触，乾燥・浸軟の有無と程度 ●配列，分布，境界 ●斑 　・紅斑　**原因・誘因**　乾癬，薬疹，環状紅斑，線状紅斑 　　　　　**緊急**　中毒性表皮壊死症，SLE 　・紫斑　**原因・誘因**　皮下出血斑，単純紫斑　**緊急**　アナフィラクトイド紫斑 　・色素斑　**原因・誘因**　扁平母斑，太田母斑，色素性母斑 　・脱色素斑　**原因・誘因**　白斑，脱色素母斑 ●丘疹　**原因・誘因**　湿疹，皮膚炎，ざ瘡 ●結節　**原因・誘因**　眼瞼黄色腫，サルコイドーシス　**緊急**　基底細胞がん ●腫瘤　**原因・誘因**　脂肪腫　**緊急**　有棘細胞がん ●水疱　**原因・誘因**　単純ヘルペス，帯状疱疹，虫刺症　**緊急**　天疱瘡，類天疱瘡 ●膿疱　**原因・誘因**　伝染性膿痂疹，癰(よう)，掌蹠(しょうせき)膿疱症，膿疱性乾癬 ●膨疹　**原因・誘因**　蕁麻疹　**緊急**　アナフィラキシーショック ●囊腫　**原因・誘因**　粉瘤，粘液囊腫

発疹への緊急対応

●アナフィラキシーショックが疑われる場合は，速やかに気道を確保し，救急蘇生ができるように準備する．
●接触や吸入が原因のアレルギーによる発疹は，アレルゲンが患者の周囲にあると症状が改善しないので，疑わしい物品を片づける，または発生源から離れる．
●麻疹(はしか)，風疹，水痘などでは特に伝染力が強く，隔離が必要となる．
●全身症状や発熱を伴う場合，繰り返す場合，長引く場合は，血液検査で炎症反応や肝機能を調べ，異常を認める場合は皮膚だけではなく，全身疾患と考える．

全身状態，随伴 症状の把握 **バイタルサイン** **全身状態** **頭頸部** **口腔**	┃症状の経過の把握とともに，他の症状の有無，随伴症状を観察し，治療，看護計画 ┃の立案に有効に反映する． ●体温　➡感染症や内分泌疾患を鑑別する．発熱と発疹の出現パターンは診断時の情報となる． ●乳児で高熱の後，解熱と同時に発疹　**原因・誘因**　突発性発疹 ●発熱とのどの痛みを伴う発疹　**原因・誘因**　溶連菌感染症 ●血圧，脈拍・リズム　➡循環器疾患を鑑別する． ●**緊急**　血圧低下，頻脈，意識障害　**原因・誘因**　アナフィラキシーショック ●呼吸状態　**緊急**　マイコプラズマ肺炎　**原因・誘因**　マイコプラズマ，麻疹 ●リンパ節腫脹　**原因・誘因**　風疹，EBウイルス(伝染性単核球症) ●高熱・強度の全身倦怠感　**緊急**　膠原病の増悪もしくは感染症の合併 ●発熱，消化器症状(食欲低下，悪心・嘔吐，腹痛，下痢)　**原因・誘因**　マダニによる重症熱性血小板減少症候群(SFTS) ●体格　➡慢性疾患，悪性腫瘍による体重減少がないか確認する． ●肝障害，骨髄抑制　**原因・誘因**　薬疹，中毒疹 ●点状もしくは斑状の紫斑　➡血小板数をチェックし，皮膚粘膜，血尿，下血，月経過多などがみられないか観察する　**原因・誘因**　出血性疾患 ●眼球結膜　➡充血の有無をみる　**原因・誘因**　麻疹 ●喉頭浮腫　**緊急**　アナフィラキシーショック ●鼻背部，頬，耳，頂部，前胸部の紅斑や水疱　**原因・誘因**　光線過敏症 ●口唇・口腔内の発疹　**原因・誘因**　単純ヘルペス　**緊急**　アトピー性皮膚炎でカポジ水痘様発疹症 ●感冒様症状出現後に口腔内に白斑(コプリック斑)　**原因・誘因**　麻疹

188

胸部	●咳・喘鳴・呼吸困難　緊急 喘鳴を伴う急性上気道閉塞，気管支れん縮を確認する	
	原因・誘因 アナフィラキシーショック	
腹部	●腹部の触診 ⬭肝脾腫の有無を確認する　緊急 EBウイルス（伝染性単核球症）	
	●嘔吐・下痢・腹痛　原因・誘因 アレルギー，感染症	
	●腹部の圧痛の有無 ⬭部位と程度によって消化器疾患を鑑別する.	
四肢	●手足口・殿部の発疹　原因・誘因 手足口病	
	●下肢脛骨の米粒から大豆大の発疹　原因・誘因 ギアノッチ症候群	
	●下肢に大豆～コイン大の紫色の出血斑　原因・誘因 血管性（アレルギー性）紫斑病	
	●足趾の冷感やレイノー症状，分枝状・樹枝状斑　原因・誘因 閉塞性動脈硬化症	
	●レイノー症状　原因・誘因 強皮症など膠原病	
	●肘窩や膝窩の苔癬化　原因・誘因 アトピー性皮膚炎	
	🔍起こりうる看護問題：発疹がある／発疹により安楽が障害されている／皮膚の機能が障害され，感染を起こすおそれがある／周囲に感染を拡大させるおそれがある／薬物療法に伴う副作用出現のリスクがある	
患者・家族の心理・社会的側面の把握	外観上の変化による否定的なボディイメージから，自尊感情が低下するなど自己概念の混乱をきたしやすい. また，周囲の無理解，家庭や社会での役割が遂行できなくなることによる社会的機能の変化も自己概念に影響する. アレルギー性の発疹の場合はアレルゲンに注意しながら生活しなくてはならず，原因物質から離れるための転居，職場の配置転換や転職が必要となることもあり，家庭生活や社会生活への影響は大きい. 瘙痒や疼痛による安楽の障害や，寛解と増悪を繰り返し治療が長期に及ぶことの影響も考える必要がある.	
	●症状の有無・程度	
	●原因疾患や自己管理方法に対する患者，家族の理解の程度	
	●社会生活への影響の有無・程度	
	●家族のサポート体制	
	●病態，治療，予後に対する患者，家族の思い	
	🔍起こりうる看護問題：ボディイメージの変化に伴い自己概念の混乱が起こる可能性がある／病態，治療，予後に関連した不安がある／社会生活機能低下に伴うストレスがある	

STEP ❶ アセスメント　STEP ❷ 看護課題の明確化　STEP ❸ 計画　STEP ❹ 実施　STEP ❺ 評価

看護問題リスト

#1　発疹がある（栄養-代謝パターン）
#2　発疹により安楽が障害されている（認知-知覚パターン）
#3　発疹により皮膚の機能が障害され，感染を起こすおそれがある（栄養-代謝パターン）
#4　周囲に感染を拡大させるおそれがある（栄養-代謝パターン）
#5　薬物療法に伴う副作用出現のリスクがある（健康知覚-健康管理パターン）
#6　自己概念の混乱が起こる可能性がある（自己知覚パターン）
#7　患者・家族が症状や今後の見通しに対する不安を抱えている（自己知覚パターン）

看護問題の優先度の指針

●全身状態が悪化している場合は，生命の危機的状況にあると判断し，原因を突き止め救命処置を行う.
●発疹により皮膚機能が障害されており，感染症のリスクや滲出液の増加に伴う体液バランス異常のリスクがあり，対処が必要となる.
●発疹に伴う瘙痒や疼痛を訴えることが多い. これらの症状に対して安楽への援助を行う.
●発疹は知覚的に認知されやすいため，ボディイメージの変化や自己尊重の低下が起こることがある. 患者・家族の精神的サポートに努める.

第1章　全身

STEP ① アセスメント	STEP ② 看護課題の明確化	STEP ③ 計画	STEP ④ 実施	STEP ⑤ 評価

1 看護問題／看護診断／看護目標（看護成果）

看護問題	看護診断	看護目標（看護成果）
#1　発疹がある	**皮膚統合性障害** **関連因子**：不適切な化学物質の使用，排泄物，分泌物，高体温，低体温，湿度，表面摩擦，心因性因子 **診断指標** □皮膚の色の変化 □皮膚の緊張の変化 □破壊された表皮　□急性疼痛 □血腫　□膿瘍　□出血　□瘙痒 □限局された領域に触れると熱い	〈長期目標〉発疹が減退もしくは消失する 〈短期目標〉1) 発疹の原因がわかる．2) 発疹の原因物質を避けることができる．3) 発疹や随伴症状が悪化しない

看護計画／介入のポイントと根拠

急性期の緊急対応

看護計画	介入のポイントと根拠
OP 経過観察項目 ●緊急性の高い**アナフィラキシーショック**に対しては迅速な対応が求められる．**呼吸障害**や**意識障害**などの症状は要注意である ●発疹の原因，誘因，増悪因子は何か ●継続的な観察を怠らない	⇒疑われる症状があればドクターコールを行う ⇒感染性の発疹であれば患者・家族に説明し，速やかに隔離処置を行う ⇒漢方薬，健康食品などが原因と思っていない人も多いので，慎重に確認する ⇒**根拠** 時間の経過とともに症状が悪化する場合もある　**高齢者** 特に全身状態が悪化しやすい
TP 看護治療項目 ●全身状態を管理する ●発疹に伴う症状の緩和と増悪，再発予防に努める	⇒モニターや除細動器を準備する．またいつでも酸素投与ができるよう気道確保の準備をするとともに，静脈路を確保する ⇒バイタルサインなどに注意しながら，患者の苦痛軽減に努める
EP 患者教育項目 ●感染性の場合は周囲への**感染拡大を予防**するため，日常生活上の注意点について説明する ●原因物質が判明した場合は患者に説明し，再び同じ物質との接触を避けるように注意する	⇒**小児** 年齢や理解力に応じた説明を行い，効果的になるようにする ⇒**根拠** 再発や増悪の予防では自己管理が必要になる
OP 経過観察項目 ●バイタルサイン ●発疹の部位，性状，種類，広がり，搔破の有無 ●瘙痒，疼痛，随伴症状の有無と程度 ●発疹出現前の生活状況 ●検査データ	⇒随伴症状との関連を把握し，原因を除去する **根拠** 関連を把握することで，原因疾患を推測しつつ適切な看護計画につなげることができる
TP 看護治療項目 ●ショック時は全身管理を行う ●投薬を確実に行う ●随伴症状への対症的ケアを行う ●皮膚のケアを行う ●汚れた衣服や寝具を交換するなど機械的刺激因	⇒皮膚症状に対しては軟膏処置が多く行われる ⇒**根拠** 不快感を伴う症状は体力を消耗させ，精神的にも悪影響を及ぼすため，速やかに緩和する ⇒皮膚からの滲出液や落屑が付着し，清潔を保ちにくい　**根拠** 感染症の予防を図るとともに安楽

190

子を除去する

● 環境整備を行う

EP 患者教育項目
● 症状緩和や症状の増悪・再発を予防するための自己管理方法について指導する
● 症状の経過を自己観察し，増悪するようであれば速やかに報告するように説明する
● アナフィラキシーに対しては，エピペンの自己注射方法を指導する

を図る．衣服や寝具の素材や縫製不備による症状悪化の可能性がある
➡ **根拠** 温度・湿度調整により症状緩和が期待できる

➡ **根拠** 理解不足による不安を軽減させる
小児 学校生活でアレルゲンに接触しないように，学校とよく相談するよう勧める

10
発疹

---

2 看護問題	看護診断	看護目標（看護成果）
#2 発疹により安楽が障害されている	**安楽障害** **関連因子**：状況管理が不十分，不快な環境刺激 **関連する状態**：病気に関連した症状 **診断指標** □睡眠覚醒サイクルの変化 □瘙痒感　　□易刺激性 □不快感を示す　□不安 □苦痛を伴う症状	〈長期目標〉安楽に過ごすことができる 〈短期目標〉1) 身体的不快の訴えがない．2) 熟睡感が得られる

看護計画	介入のポイントと根拠
OP 経過観察項目 ● 皮膚，発疹の状態 ● 瘙痒，疼痛の有無と程度 ● 睡眠状況 ● 活気，精神症状	➡ **根拠** 観察し，症状による安楽への影響を早期に察知することができる ➡ 症状が活気のなさ，混乱，落ち着きのなさなど精神的な面に影響を及ぼしていないか注意する
TP 看護治療項目 ● 投薬を確実に行う ● 衣類や環境の調整を行う ● 冷罨法を行う ● メントールによる清拭を行う	➡ **根拠** 皮膚の機能をできるだけ正常にすることで症状が緩和できる ➡ **根拠** 皮膚温度を低下させ，皮膚表層の知覚神経の活動閾値を上昇させることにより，瘙痒を軽減する．実施できるかどうかは判断が必要である
EP 患者教育項目 ● 安楽を阻害する原因について説明する ● 苦痛のある症状への対処方法を説明する	➡ **高齢者** 我慢強さや知覚機能の低下がある場合，不快感を表出しないことがあるため，観察を十分に行い，対処方法を指導する

---

3 看護問題	看護診断	看護目標（看護成果）
#3 発疹により皮膚の機能が障害され，感染を起こすおそれがある	**感染リスク状態** **危険因子**：皮膚統合性の障害，病原体との接触回避についての知識不足，ワクチン接種の不足，不十	〈長期目標〉感染症が起こらない 〈短期目標〉1) 感染徴候がみられない．2) 皮膚の保護ができる

191

分な衛生状態，栄養不良(失調)

看護計画	介入のポイントと根拠
OP 経過観察項目 ●発疹の状態 ●皮膚感染徴候の有無・程度 ●白血球数，CRP ●感染リスクに対する知識，理解，行動	➲化学療法や放射線療法を受けている患者は皮膚の基底細胞が減少し，真皮から表皮への酸素や栄養の補給が低下し角質層が薄くなる．汗腺，皮脂腺の分泌抑制により保湿・バリア機能が低下し，皮膚の乾燥や皮膚炎を起こしやすい
TP 看護治療項目 ●投薬を確実に行う ●病変部位の保護を行う ●衣服や環境の調整を行う ●皮膚のケアを行う	➲終末期患者は全身状態悪化に伴い皮膚は脆弱化し損傷を受けやすい．愛護的にケアする必要がある 高齢者 加齢に伴い皮膚は菲薄化，脆弱化する．外的刺激により容易に損傷を受けやすく，易感染状態であり，治癒しにくい 小児 新生児の皮膚は pH 6.34 と菌が繁殖しやすい状態である．小児期は皮膚が脆弱であり易感染状態にある
EP 患者教育項目 ●皮膚の清潔を保つことの重要性を指導する ●瘙痒への対処方法を指導するとともに，爪を短く切るなど掻破予防について説明する ●感染徴候を説明し，異常があれば伝えるように指導する	➲感染を予防するための行動をとれるようにする 根拠 自己管理により症状の悪化を予防する ➲感染徴候を早期に発見し対処する 根拠 全身状態が悪化することを防ぐ

4 看護問題	看護診断	看護目標(看護成果)
#4　周囲に感染を拡大させるおそれがある	**非効果的健康維持行動** **関連因子**：治療計画についての知識不足，認識不足，情報不足，周囲のサポート不足 **診断指標** □感染拡大を予防するための行動がとれない □健康管理についての知識不足	**〈長期目標〉** 他者への感染を予防する **〈短期目標〉** 1) 他者に感染する疾患であることがわかる．2) 感染拡大の予防行動をとることができる

看護計画	介入のポイントと根拠
OP 経過観察項目 ●発疹の状態 ●周囲に同症状の者がみられないか	➲周囲に感染症が重症化しやすい人や妊婦がいる場合は注意が必要である 根拠 免疫不全状態，高齢者，小児などはハイリスクである．妊婦では，母体の感染による胎児への影響が懸念される
TP 看護治療項目 ●スタンダードプリコーションによる感染予防を徹底する ●未罹患の者，ワクチン未接種の者から隔離する	➲それぞれの疾患に応じた予防策が必要である 根拠 疾患により感染経路が異なる
EP 患者教育項目 ●患者・家族に潜伏期間について説明し，症状出現の有無を自己観察するよう指導する	➲周囲への感染拡大を防ぐには患者の協力が不可欠である 根拠 他人に感染させる可能性がある

- 患者に，接触感染や空気感染を予防する必要があることを説明し，予防策について指導する
- 家族や介助者に感染する疾患であることを説明し，感染の可能性がある人に予防策を説明する

➡ 小児 年齢や理解力に応じて疾患と感染拡大の予防行動について説明する 根拠 疾患に対する自覚をもちにくく，予防策の遵守は難しいことがあるが，予防行動がストレスとならないようにする

10 発疹

5 看護問題	看護診断	看護目標（看護成果）
#5 薬物療法に伴う副作用出現のリスクがある	**非効果的健康自主管理** **関連因子**：薬物（ステロイド薬，抗ヒスタミン薬，免疫抑制薬）の使用，薬物療法についての知識不足，薬剤の管理困難，薬物療法に対する否定的な気持ち **診断指標** □発疹の悪化　□副作用の出現 □副作用に対する認知の不足 □薬剤の適正使用が困難	〈長期目標〉副作用の出現がない 〈短期目標〉1) 副作用症状を早期に発見し，報告できる．2) 身体損傷を予防する行動をとることができる

看護計画	介入のポイントと根拠
OP 経過観察項目 ● 皮膚の状態 ● 眠気，全身倦怠感，精神症状 ● 血液検査データ ● 併用している薬剤 **TP 看護治療項目** ● 投薬を確実に行う ● 身体損傷予防のための安全対策を行う **EP 患者教育項目** ● 服薬管理を指導する ● 副作用症状を説明し，症状が出現したら報告し，対処するように指導する	➡ 副作用症状の有無を確認する 根拠 原因疾患に応じて多様な薬物が使用される．副作用症状も様々であり，常に副作用のリスクを意識した観察が重要となる ➡ 他の薬剤との併用について安全性を確認する 根拠 薬剤によっては併用により薬効が増強する 高齢者 他疾患の治療薬併用に注意する ➡ 小児 小児の場合は，保護者に確実な投薬と副作用の観察を指導する ➡ 高齢者 自己管理能力に問題がないかを把握し，必要に応じて家族など介助者にも指導を行う

6 看護問題	看護診断	看護目標（看護成果）
#6 自己概念の混乱が起こる可能性がある	**自尊感情状況的低下リスク状態** **危険因子**：ボディイメージ混乱，社会的役割の変化を受け入れることが困難，無力感，拒絶への恐れ	〈長期目標〉社会活動を継続できる 〈短期目標〉1) 自己否定の表現が聞かれない．2) 周囲の人と交流ができる

看護計画	介入のポイントと根拠
OP 経過観察項目 ● 患者が発疹部位を見る様子 ● 発疹・皮膚の状態	➡ 非言語的表現も捉える 根拠 患者の自尊心に配慮して，言語のみでなく表情や言動も観察する

第1章　全身

- ●日常生活に関する影響の有無や程度
- ●現在の状態，症状，原因疾患，治療，予後に対する言動

TP 看護治療項目
- ●コミュニケーションの機会を多くもち，積極的に患者に関わる姿勢で援助を行う

EP 患者教育項目
- ●化粧や服装の工夫によってボディイメージを改善できることを説明する

- ●希望があれば患者会を紹介する

小児 友人や周囲の人々が症状や原因疾患を正しく理解することが困難なこともあり，交友関係への注意が必要である

- ⮕患者と積極的にコミュニケーションをとる **根拠** 孤立感を抱くことなく，社会性が維持できるようにする

- ⮕ボディイメージは改善できることを伝える **根拠** 社会生活上の苦痛が軽減し，自信につながる
- ⮕同病者との交流や情報交換を促す **根拠** 長期療養を支える情報を得ることができる

7 看護問題	看護診断	看護目標（看護成果）
#7　患者・家族が症状や今後の見通しに対する不安を抱えている	**不安** **関連因子**：発疹の原因・誘因，発疹に対するストレス，今後への影響，満たされないニーズ，不慣れな状況 **診断指標** □不眠　　□イライラした気分 □緊張感　□不安定な気持ち	〈長期目標〉精神的に安定した状態で治療を継続できる 〈短期目標〉1) 不安が表出できる．2) 不安の原因に気づき，対処ができる

看護計画

OP 経過観察項目
- ●表情や言動
- ●睡眠状況
- ●食事摂取状況
- ●原因疾患，治療，症状に対する質問の有無，内容

TP 看護治療項目
- ●訴えを傾聴し，共感的な態度で接する
- ●静かに落ち着いた療養環境の整備

- ●患者の健康状態の変化など，不安を促進している要因を取り除く
- ●治療や処置を行う場合は，説明を十分に行い，心配や質問がないか聞き，丁寧に答える

EP 患者教育項目
- ●発疹に対するケア，症状マネジメント，薬物療法について指導する
- ●わからないこと，心配なことがあれば，遠慮せず質問するよう伝える

介入のポイントと根拠

- ⮕非言語的表現や反応も観察する **根拠** **小児** **高齢者** 言語による明瞭な心情表現ができない小児や，我慢強く遠慮がちな傾向がある高齢者では表現や言動から気持ちを理解する

- ⮕傾聴と共感により不安の表出を図る **根拠** 信頼関係の構築により，精神的なサポートを可能とする
- ⮕不安の原因に対して介入する **根拠** 原因の改善が不安の軽減につながる
- ⮕不安や疑問が残らないように，わかりやすい言葉で説明する **根拠** 事前に内容を知らせることで，安心して治療や処置を受けることができる

- ⮕不安や疑問は積極的に尋ねるように促す **根拠** 表出することで具体的な解決策を考えることができる

| STEP ❶ アセスメント | STEP ❷ 看護課題の明確化 | STEP ❸ 計画 | STEP ❹ 実施 | STEP ❺ 評価 |

病期・病態・重症度に応じたケアのポイント

【急性期】 発疹の原因は様々である．早期にその原因が特定され，適切な治療が行われることが重要となる．急性期の対処としては全身状態を把握し，看護ケアにつなげていく．薬剤投与後もしくは食物摂取後あるいは昆虫による刺傷や動物による咬傷後まもなく現れた発疹（蕁麻疹）の場合は，アナフィラキシーショックの可能性がある．ただちに原因薬剤投与の中止もしくは原因物質を除去し，胸内苦悶，血圧低下，嗄声，呼吸困難，意識障害，けいれんなどの症状の有無を観察する．一見軽度なものでも前駆症状の場合もあるため，症状が認められたならばただちに気道確保と静脈ラインの確保を行い，酸素投与，輸血が開始できるよう準備する．救急搬送された患者では意識障害を起こしていることもあるので，付き添い者や家族から既往歴やアレルギーの有無について聴取する．

【回復期】 全身状態の改善に伴い，増悪因子を避ける生活指導など再発防止に向けた援助を行う．外用薬の塗布方法やスキンケアの方法などを指導するとともに患者自身による観察，ケアが行えるよう援助する必要がある．

看護活動（看護介入）のポイント

診察・治療の介助
- 発疹の症状や経過から，原因・誘因を把握する．
- 指示された薬物を正確に投与する．

発疹に対する援助
- 発疹の経過を観察するとともに，瘙痒や疼痛などの苦痛，随伴症状を軽減できるように対処する．

皮膚保護の援助
- 皮膚の清潔を保つスキンケアや皮膚保護を行い，患者にも自己管理方法を指導する．
- 滲出液や皮膚の落屑で汚れた衣類・寝具は交換し，清潔に努める．

治療や療養生活に対する精神的な援助
- コミュニケーションを図り自己否定の感情や不安の表出を促し，相談や情報提供，助言を行う．

退院指導・療養指導

- 全身性の疾患が原因の場合は，原疾患の治療を確実に行うように指導する．
- 薬物療法の必要性，方法，作用・副作用について説明する．
- 発疹の再発・増悪させる因子を避けるように指導する．
- 発疹が増悪するようであれば，再度受診するよう説明する．
- アナフィラキシーショックを起こすリスクがある場合には，エピペン（アドレナリン）の使用・管理方法について指導する．
- 皮膚の清潔を保つとともに，皮膚を外的刺激から保護するように指導する．

| STEP ❶ アセスメント | STEP ❷ 看護課題の明確化 | STEP ❸ 計画 | STEP ❹ 実施 | STEP ❺ 評価 |

評価のポイント

看護目標に対する達成度
- 発疹が消退しているか．
- 瘙痒や疼痛など苦痛が軽減しているか．
- 発疹の原因について理解し，増悪・再発予防行動をとることができているか．
- 搔破による発疹の増悪や皮膚損傷がないか．
- スキンケアを適切に行い，感染を起こしていないか．
- 他者への感染拡大を防ぐことができているか．
- 患者・家族が心理的・身体的安楽が増大したことを表現できているか．

10
発疹

第1章 全身

発疹のある患者の病態関連図と看護問題

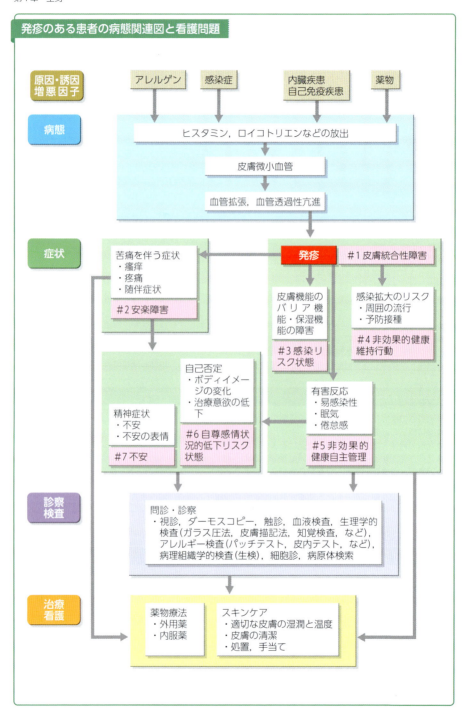

11 瘙痒（かゆみ）

片山 一朗

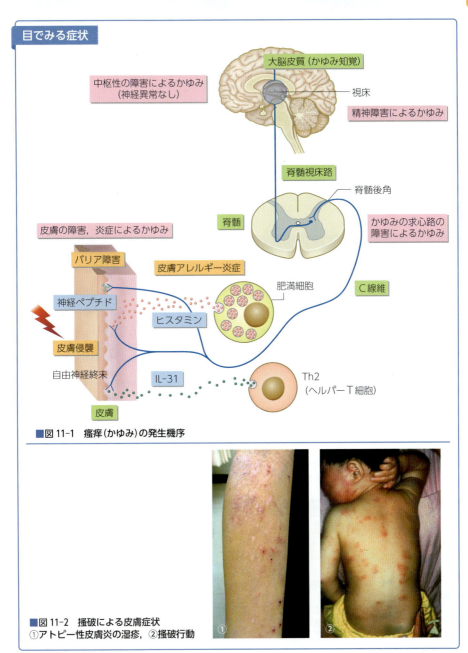

■図 11-1　瘙痒（かゆみ）の発生機序

■図 11-2　搔破による皮膚症状
①アトピー性皮膚炎の湿疹，②搔破行動

目でみる症状

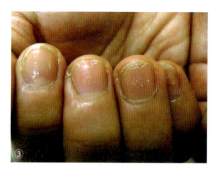 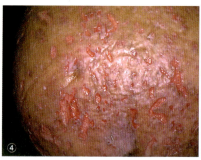

■図 11-2 搔破による皮膚症状(つづき)
③真珠様爪(搔破により爪が摩耗し,光沢をもつ),④激しい搔破痕〜びらん

病態生理

> かゆみの定義:掻きたいという欲求を伴う不快な感覚として Samuel Hafenreffer による 1660 年の記載がみられる.皮膚,粘膜固有の感覚であり,その後 Stephen Rothman の 1941 年の報告によりその病態解析が開始された.痛みが同側の筋の収縮による逃避行動を伴う感覚であるのに対し,かゆみは対側の筋の収縮を伴う.これは虫,植物,皮膚刺激物質などが皮膚に侵入したシグナルに反応して,それら異物を皮膚から除去する行動として理解されている.

- 瘙痒(そうよう)を主訴とする疾患としては,アトピー性皮膚炎や蕁(じん)麻疹などのアレルギー性皮膚疾患が代表的である.老化に伴う皮膚のバリア機能異常でもみられる(末梢性のかゆみ).肝炎,腎不全,血液疾患,内臓悪性腫瘍などの全身疾患や,多発性硬化症,寄生虫妄想などの精神・神経疾患によるかゆみもある(中枢性のかゆみ).
- かゆみは,主として C 線維と呼ばれる直径 0.5 μm の無髄神経に存在する受容体にヒスタミンなどの起痒(きよう)物質が結合し,その刺激が脊髄後角を経て上行性に中枢に伝えられ,かゆみ受容体を活性化することにより認知されると考えられている(末梢性のかゆみ).
- 肝炎,腎不全,血液疾患,内臓悪性腫瘍などの全身疾患や,多発性硬化症,寄生虫妄想などの精神・神経疾患などでは μ オピオイドやカンナビノイドなどの生体オピオイドの関与が考えられている(中枢性のかゆみ).
- かゆみは痛みと異なり基礎研究やエビデンスに基づいた研究は少ないが,日常生活での QOL を考える時,きわめて重要な問題である.

患者の訴え方

▎かゆみを主訴とする疾患は多いが,その認知機序は不明の点が多く,また訴えも多様である.
- 主症状の訴え
- 末梢性:掻きだすと止まらないかゆみ,「ムズムズ」「イジイジ」「焼けるような」「虫がはうような」「チクチク」.
- 中枢性:皮膚全体にわき上がるようなかゆみ.
- 随伴症状
- 搔破により線状の搔破痕,湿疹局面,びらん,痂皮などの皮膚症状がみられる(図 11-2).
- 蕁麻疹患者では,機械的な刺激で膨疹が生じる(デルモグラフィー).
- かゆみのために不眠,不定愁訴,食欲低下などの多彩な精神・神経症状が現れる.

診断

> 瘙痒を主訴とする患者を診療する場合，視診にて皮膚症状がみられるかを観察する．蕁麻疹，皮脂欠乏性湿疹などは掻破痕，乾燥肌の有無など皮膚の観察が重要である．

- まず皮膚症状の有無，次いで全身症状の有無をみる（図 11-3）．
- **原因・考えられる疾患**
  - アトピー性皮膚炎やかぶれ（接触皮膚炎）などでは診断は比較的容易である（表 11-1）．
  - 肝障害，腎不全，血液疾患，糖尿病，精神疾患などは既往歴や内服薬剤などの問診が重要である．
  - 瘙痒の原因として，時に内臓悪性腫瘍などが存在することも念頭においておく．
- **鑑別診断のポイント**
  - かゆみの質，出現時間，経過，薬物反応性，随伴症状を考え（表 11-2），鑑別する．
  - 皮膚症状の有無，皮膚の性状，掻破痕などをよく観察する．
  - 皮膚症状を認めない瘙痒では全身的な検索が必要である．

治療法・対症療法

> かゆみの原因，基礎疾患は多様であり，安易な対症療法は原因の特定や診断を遅らせる．

- **治療方針**
  - 皮膚炎に起因するかゆみは原疾患をまず正確に診断し，その治療を行う．
  - 入浴法などの生活習慣やストレスがかゆみの原因となることもあり，問診が重要である．
  - 高齢者では全身疾患，薬剤，健康食品などが瘙痒感の原因となっていることがある．
  - かゆみは患者の QOL や生産性を著しく低下させることより，その適切な治療が望まれる．
- **薬物療法**
  - 非鎮静性の抗ヒスタミン薬が第一選択薬である．皮膚炎治療にはステロイド外用薬，スキンケアには保湿外用薬を用いる．
  - アトピー性皮膚炎などに伴う場合，光線療法を行う．

Px 処方例 湿疹病変がない場合

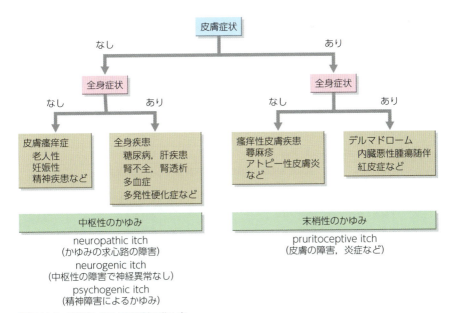

■図 11-3 瘙痒（かゆみ）の診断の進め方

第1章　全身

■表11-1　瘙痒（かゆみ）の原因または考えられる疾患（赤字は緊急対応を要する疾患）

末梢性のかゆみ	中枢性のかゆみ	
pruritoceptive itch （皮膚の障害，炎症など）	neuropathic itch （かゆみの求心路の障害）	neurogenic itch （中枢性の障害で神経異常なし）
皮脂欠乏性湿疹 脂漏性湿疹 蕁麻疹 接触皮膚炎 アトピー性皮膚炎 痒疹 虫刺症 白癬 疥癬 薬剤アレルギー 水疱性類天疱瘡 皮膚筋炎 妊娠	帯状疱疹後神経痛 多発性硬化症 脳腫瘍に関連したかゆみ ◄──────── 糖尿病 ────────►	胆汁うっ滞（黄疸） オピオイドによるかゆみ 血液透析 psychogenic itch （精神障害によるかゆみ） 寄生虫妄想など

■表11-2　瘙痒（かゆみ）の随伴症状と考えられる原因疾患（赤字は緊急対応を要する疾患とその随伴症状）

	随伴症状	考えられる原因疾患
末梢性のかゆみ	皮膚の乾燥，湿疹，落屑，亀裂，搔破痕（高齢者の四肢・背部にみられ，冬季増悪）	皮脂欠乏性湿疹
	脂漏部位の紅斑（顔面，頭部）	脂漏性湿疹
	膨疹，デルモグラフィー	蕁麻疹
	植物，医薬品，毛染めなどのかぶれによる湿疹	接触皮膚炎
	四肢屈側の湿疹，喘息，花粉症	アトピー性皮膚炎
	四肢・体幹に孤立性，散在性の病変	痒疹
	ダニ，蚊，ブヨなどの虫刺され	虫刺症
	趾間・足底の角化性病変	白癬
	指間・間擦部の丘疹	疥癬
	全身性の紅斑など多彩	薬剤アレルギー
	全身の水疱	水疱性類天疱瘡
	眼瞼・手背の紅斑，筋力低下，間質性肺炎，内臓悪性腫瘍	皮膚筋炎
	つわりなど	妊娠
	四肢の循環障害，多飲，多尿	糖尿病
	環状紅斑，紅皮症，後天性魚鱗癬，発疹性老人性疣贅（レゼール-トレラ徴候）	内臓悪性腫瘍
中枢性のかゆみ	皮膚の乾燥，発汗低下	腎不全，腎透析
	貧血，多血，紫斑，紅斑，結節	真性多血症，白血病，リンパ腫など血液疾患
	神経支配領域の水疱	帯状疱疹後神経痛
	四肢の知覚障害	多発性硬化症
	めまい，頭痛など	脳腫瘍に関連したかゆみ
薬剤性のかゆみ	がん患者など	オピオイドによるかゆみ
精神疾患	体から虫が出てくるなどの訴え	寄生虫妄想など

■表11-3　瘙痒（かゆみ）の主な治療薬

分類			一般名	主な商品名	薬の効くメカニズム	副作用
内服薬	抗ヒスタミン薬	第一世代	クロルフェニラミンマレイン酸塩（d体）	ポララミン	ヒスタミンH₁受容体拮抗作用	抗コリン作用，眠気
		第二世代	エピナスチン塩酸塩	アレジオン	ヒスタミンH₁受容体拮抗作用	肝障害
			フェキソフェナジン塩酸塩	アレグラ		
			セチリジン塩酸塩	ジルテック		
			オロパタジン塩酸塩	アレロック		
			ベポタスチンベシル酸塩	タリオン		―
			ロラタジン	クラリチン		てんかん
	ヤヌスキナーゼ阻害薬		アブロシチニブ	サイバインコ	ヤヌスキナーゼの阻害，アトピー性皮膚炎に適応	悪心，腹痛，動悸など
			ウパダシチニブ水和物	リンヴォック		帯状疱疹，肺炎など
			バリシチニブ	オルミエント		赤い発疹（帯状に発生することが多い），しびれなどの症状など
	副腎皮質ホルモン製剤		プレドニゾロン	プレドニン	サイトカイン産生の抑制，抗炎症作用（炎症の強いかゆみに短期間使用）	感染症の誘発，消化性潰瘍，骨粗鬆症，大腿骨壊死，緑内障
			ベタメタゾン	リンデロン		
	抗不安薬		ヒドロキシジン塩酸塩	アタラックス	不安による搔破行動の抑制	けいれん，口渇
			タンドスピロンクエン酸塩	セディール		ふらつき，肝障害
外用薬	副腎皮質ホルモン外用薬		ベタメタゾン酪酸エステルプロピオン酸エステル	アンテベート	サイトカイン産生の抑制，抗炎症作用（搔破による湿疹病変に使用）	痤瘡，多毛，色素脱失，感染症の誘発
			ジフルプレドナート	マイザー		
			ベタメタゾン吉草酸エステル	リンデロンV		
	カルシニューリン阻害薬		タクロリムス水和物	プロトピック	サイトカン産生の抑制（2歳以上のアトピー性皮膚炎に適応）	皮膚刺激感リンパ腫発生の可能性（海外の報告）
	ヤヌスキナーゼ阻害薬		デルゴシチニブ	コレクチム	サイトカイン産生の抑制，アトピー性皮膚炎に適応	毛包炎，痤瘡など
	PDE4阻害薬		ジファミラスト	モイゼルト	PDE4の活性を阻害，抗炎症作用	色素沈着，毛包炎・瘙痒症など
	スキンケア用品		ヘパリン類似物質	ヒルドイド	皮膚のバリア障害改善	
			尿素	パスタロン，ウレパール，ケラチナミン		―
	鎮痒外用薬		クロタミトン	オイラックス	ヒスタミン拮抗作用，鎮痒作用	
			ジフェンヒドラミン	レスタミン		―
			ジフェンヒドラミンラウリル硫酸塩	ベナパスタ		
注射薬	慢性蕁麻疹治療薬		オマリズマブ（遺伝子組換え）	ゾレア	IgEを介する炎症反応やかゆみの抑制，慢性蕁麻疹に適応	アナフィラキシーなど
	アレルギー治療薬		デュピルマブ（遺伝子組換え）	デュピクセント	IL-4とIL-13のシグナル伝達を阻害し炎症反応を抑制，アトピー性皮膚炎に適応	皮膚のかゆみや赤み，眼瞼炎

■表 11-3　瘙痒(かゆみ)の主な治療薬(つづき)

分類	一般名	主な商品名	薬の効くメカニズム	副作用
注射薬 アレルギー治療薬	ネモリズマブ(遺伝子組換え)	ミチーガ	IL-13のシグナル伝達を阻害し炎症反応を抑制，アトピー性皮膚炎に適応	皮膚感染症など

- アレグラ錠(60 mg)　1回1錠　1日2回　朝夕食後　←抗ヒスタミン薬
- オイラックスクリーム　←鎮痒外用薬

Px 処方例 湿疹病変がない場合(慢性蕁麻疹)
- ゾレア注　1回 300 mg　4週に1回　←慢性蕁麻疹治療薬

Px 処方例 湿疹病変がある場合(接触皮膚炎など)
- アレロック錠(5 mg)　1回1錠　1日2回　朝夕食後(場合により朝・就寝前)　←抗ヒスタミン薬
- マイザー軟膏　←ステロイド外用薬

Px 処方例 湿疹病変がある場合(アトピー性皮膚炎)
- ジルテック錠(10 mg)　1回1錠　1日1回　夕食後　←抗ヒスタミン薬

※症状に応じて 1)～3)，4)～8)，9)～10)の薬剤を適宜選択して併用する．
1) サイバインコ錠(100 mg)　1回1錠　1日1回　夕食後　←ヤヌスキナーゼ阻害薬
2) リンヴォック錠(30 mg)　1回1錠　1日1回　夕食後　←ヤヌスキナーゼ阻害薬
3) オルミエント錠(4 mg)　1回1錠　1日1回　夕食後　←ヤヌスキナーゼ阻害薬
4) プロトピック軟膏　塗布(顔面)　←免疫抑制外用薬
5) リンデロンV軟膏　塗布(体)　←ステロイド外用薬
6) コレクチム軟膏　塗布(体)　1日2回　←ヤヌスキナーゼ阻害薬
7) モイゼルト軟膏　塗布(体)　1日2回　←PDF4阻害薬
8) ヒルドイドソフト軟膏　←保湿外用薬
9) デュピクセント注(300 mg)　初回 600 mg，以降1回 300 mg を2週に1回　皮下注　←アレルギー治療薬
10) ミチーガ注(60 mg)　1回 60 mg　4週に1回　皮下注　←アレルギー治療薬

Px 処方例 全身疾患に伴う瘙痒感
- エバステル錠(10 mg)　1回1錠　1日1回　夕食後　←抗ヒスタミン薬
- オイラックスクリーム　←鎮痒外用薬

Px 処方例 不安による瘙痒感
- セディール錠(10 mg)　1回1錠　1日1回　就寝前　←抗不安薬

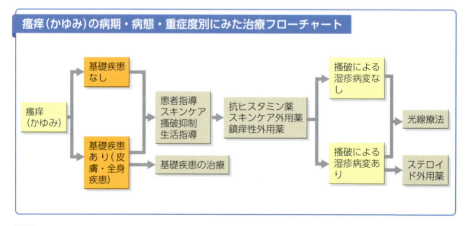

瘙痒(かゆみ)の病期・病態・重症度別にみた治療フローチャート

瘙痒（かゆみ）のある患者の看護

滝島　紀子

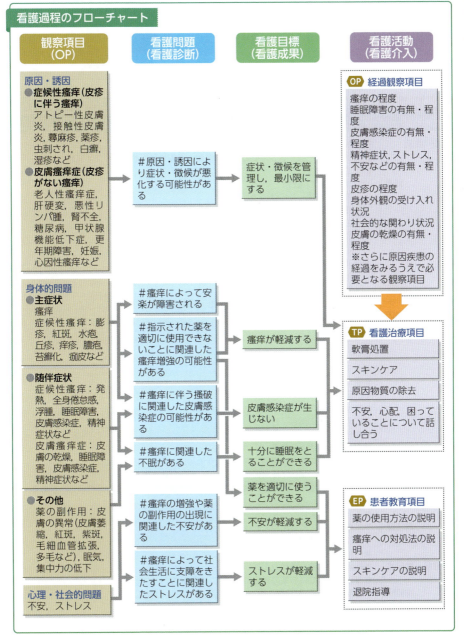

第1章　全身

基本的な考え方

- 瘙痒には，皮疹に伴って生じる瘙痒（症候性瘙痒＝末梢性のかゆみ）と皮疹を伴わない瘙痒（皮膚瘙痒症＝中枢性のかゆみ）がある．皮疹に伴う瘙痒に対しては，症状の軽減を図るとともに，皮疹の治癒促進に関わり皮疹によって生じているストレスや不安に対する援助を行っていくことが重要になる．一方，皮疹を伴わない瘙痒に対しても症状の軽減を図り，瘙痒の原因である疾患と瘙痒によって生じているストレスや不安に対して関わっていくことが重要になる．
- 瘙痒には主に次のような治療が行われる．局所療法では外用薬（軟膏）としてステロイド薬，止痒薬などが，全身療法では抗ヒスタミン薬，抗アレルギー薬などの薬物療法が行われる．したがって，治療方針を十分に理解したうえで，治療効果が最大となるように関わっていく必要がある．

STEP **1** アセスメント	STEP **2** 看護課題の明確化	STEP **3** 計画	STEP **4** 実施	STEP **5** 評価

情報収集	アセスメントの視点と根拠・起こりうる看護問題
病歴の把握	患者・家族から瘙痒の出現状況や瘙痒に関連する事柄を聞くことによって，原因や全身状態を把握するうえでの重要な情報，治療や看護を行ううえで有用な情報を得ることができる．
経過	●症候性瘙痒の場合 　・瘙痒が出現したのはいつか． 　・瘙痒の経時的変化 　・発疹が出現したのはいつか． 　・発疹の経時的変化 　・随伴症状の有無（症状や徴候，程度，経時的変化） ●皮膚瘙痒症の場合 　・瘙痒が出現したのはいつか． 　・瘙痒の経時的変化 　・随伴症状の有無（症状や徴候，程度，経時的変化）
誘因	●薬剤との関係 ●食物との関係 ●ストレスとの関係 ●アレルギー体質との関係 ●季節との関係 ●遺伝性疾患との関係 ●肝臓・胆道疾患との関係 ●腎臓疾患との関係 ●血液疾患との関係 ●内分泌・代謝性疾患との関係 ●精神神経疾患との関係
随伴症状	●症候性瘙痒の場合：発疹，発熱，全身倦怠感，浮腫，精神症状 ●皮膚瘙痒症の場合：皮膚の乾燥，黄疸，精神症状 ※その他：糖尿病や腎不全，痛風などに伴う症状や徴候としてみられることがある．
生活歴	●睡眠状態 ●ストレスの有無
既往歴	●同様の症状・徴候出現の既往 ●アレルギー疾患の既往 ●内科的疾患の既往
嗜好品，常用薬	●嗜好品の有無，種類 ●普段内服している薬の有無，薬剤名，内服頻度
職業歴	●職種と就業期間（有機溶剤，化学薬品などの使用の有無）
その他	●年齢 ●妊娠の有無

	●装飾品(金属系)の着用状況：時計，ピアス．ネックレスなど ●現在受けている治療 🔍 **起こりうる看護問題**：瘙痒によって安楽が障害される

随伴症状の出現 状況の把握 **皮疹，皮膚症状**	瘙痒以外の症状・徴候の出現状況を把握することで，原因疾患の特定につながる有益な情報を得ることが可能になる．
	●突然に出現する境界明瞭な膨疹，短時間で消失 `原因・誘因` 蕁麻疹 **緊急** 喉頭浮腫を伴う蕁麻疹
	●体幹や腋窩の間擦部などに生じる小丘疹 `原因・誘因` 汗疹
	●薬剤投与後に出現する紅斑，丘疹，水疱，膿疱，びらん，膨疹など `原因・誘因` 薬疹
	※薬疹によって出現する皮膚症状は様々であるが，紅斑を伴った丘疹が最も多いといわれている．
発達段階	●乳児：頬部の紅斑，丘疹，鱗屑など
	●幼児：肘窩部や膝窩部の苔癬化，鱗屑，落屑(掻破による小水疱，膿疱，痂皮)など
	●思春期：広範囲な苔癬化
	●成人：広範囲な苔癬化 `原因・誘因` アトピー性皮膚炎
	●高齢者：皮膚の乾燥，掻破による掻破痕や色素沈着がみられることがある `原因・誘因` 老人性瘙痒症
部位	●頭部：円形の鱗屑，脱毛など
	●体部：丘疹，小水疱，鱗屑など
	●陰部：境界鮮明な湿疹，苔癬化，色素沈着など
	●足部：足底の小水疱，落屑，角化など．趾間のびらん・亀裂など `原因・誘因` 真菌感染
物質	●植物，医薬品などに接触した部位に限局する発赤，腫脹，漿液性丘疹，水疱，びらんなど `原因・誘因` 接触性皮膚炎
その他	●黄疸を伴った肝機能障害を示す症状・徴候 `原因・誘因` 肝疾患
	●肝疾患のほか糖尿病や腎不全などの疾患によって全身の皮膚に瘙痒が生じることがある(汎発性皮膚瘙痒症)．
	●外陰部(帯下により生じる)や肛門部(痔核，下痢，便秘などにより生じる)など局所に生じることがある(局所性皮膚瘙痒症)．
	🔍 **起こりうる看護問題**：瘙痒によって安楽が障害される／指示された薬を適切に使用できないことに関連した瘙痒増強の可能性がある／瘙痒に伴う掻破に関連した皮膚感染症の可能性がある／瘙痒に関連した不眠がある／瘙痒の増強や副作用の出現に関連した不安がある／瘙痒によって社会生活に支障をきたすことに関連したストレスがある

全身状態の把握	瘙痒や他の症状・徴候の有無，程度，持続期間を把握することによって身体状態の把握が可能になり，状態に応じた有効な治療や看護援助が可能になる．
バイタルサイン	●体温の異常の有無，程度，熱型，持続期間
	●脈拍の異常の有無，異常の状態・程度
	●呼吸の異常の有無，異常の状態・程度
	●血圧の異常の有無，程度
全身状態	●皮膚病変の状態，部位・範囲，発疹が出現した時期，現在の発疹の状態
	●皮膚の乾燥の有無，部位・範囲・程度，皮膚の乾燥が出現した時期
	●掻破痕の有無，部位・範囲・程度
	●皮膚感染症の有無，部位・範囲・程度
	●内科的疾患の有無．疾患の有無が明らかでない時は原因疾患の探求を行う．
頭頸部	●皮膚病変の状態，部位・範囲，発疹が出現した時期，現在の発疹の状態
	●皮膚の乾燥の有無，部位・範囲・程度，皮膚の乾燥が出現した時期
	●掻破痕の有無，部位・範囲・程度

11 瘙痒（かゆみ）

第1章　全身

胸部，腹部	●皮膚感染症の有無，部位・範囲・程度 ●毛髪の脱毛の有無，部位・範囲・程度，毛髪の脱毛が出現した時期 ●皮膚病変の有無，部位・範囲，発疹が出現した時期，現在の発疹の状態 ●皮膚の乾燥の有無，部位・範囲・程度，皮膚の乾燥が出現した時期 ●搔破痕の有無，部位・範囲・程度
四肢	●皮膚感染症の有無，部位・範囲・程度 ●皮膚病変の有無，部位・範囲，発疹が出現した時期，現在の発疹の状態 ●皮膚の乾燥の有無，部位・範囲・程度，皮膚の乾燥が出現した時期 ●搔破痕の有無，部位・範囲・程度
神経系	●皮膚感染症の有無，部位・範囲・程度 ●爪の異常の有無，部位・程度，爪の異常が出現した時期 ●精神状態　●精神状態の把握(状態・程度) 🔍 **起こりうる看護問題**：瘙痒によって安楽が障害される／指示された薬を適切に使用できないことに関連した瘙痒増強の可能性がある／瘙痒に伴う搔破に関連した皮膚感染症の可能性がある／瘙痒に関連した不眠がある／瘙痒の増強や副作用の出現に関連した不安がある／瘙痒によって社会生活に支障をきたすことに関連したストレスがある
患者・家族の心理・社会的側面の把握	●瘙痒に伴う不安の有無・程度 ●瘙痒を有して社会生活を送るうえでのストレスの有無・程度 🔍 **起こりうる看護問題**：瘙痒の増強や副作用の出現に関連した不安がある／瘙痒によって社会生活に支障をきたすことに関連したストレスがある

STEP① アセスメント ▸ **STEP② 看護課題の明確化** ▸ **STEP③ 計画** ▸ **STEP④ 実施** ▸ **STEP⑤ 評価**

看護問題リスト

- #1 瘙痒によって安楽が障害される(認知-知覚パターン)
- #2 指示された薬を適切に使用できないことに関連した瘙痒増強の可能性がある(健康知覚-健康管理パターン)
- #3 瘙痒に伴う搔破に関連した皮膚感染症の可能性がある(栄養-代謝パターン)
- #4 瘙痒に関連した不眠がある(睡眠-休息パターン)
- #5 瘙痒の増強や薬の副作用の出現に関連した不安がある(自己知覚パターン)
- #6 瘙痒によって社会生活に支障をきたすことに関連したストレスがある(コーピング-ストレス耐性パターン)

看護問題の優先度の指針

- ●瘙痒は，身体状態や精神状態に影響を及ぼすため，瘙痒に対する問題の優先度が高くなる.
- ●次に，瘙痒に伴って生じる身体的問題や精神的問題，社会的問題の優先度が高くなるが，身体的問題と精神的問題のどちらが優先されるかは，そのときの患者の状態(身体的状態，精神的状態を総合してみた場合)によって決定される.

STEP① アセスメント ▸ **STEP② 看護課題の明確化** ▸ **STEP③ 計画** ▸ **STEP④ 実施** ▸ **STEP⑤ 評価**

1 看護問題	看護診断	看護目標(看護成果)
#1 瘙痒によって安楽が障害される	**安楽障害** **関連因子**：不快な環境刺激，状況管理が不十分，環境のコントロールが不十分	〈**長期目標**〉瘙痒が軽減する 〈**短期目標**〉1)瘙痒への対処法がわかる. 2)瘙痒への対処ができる

206

11 瘙痒（かゆみ）

関連する状態：病気に関連した症状
診断指標
☐睡眠覚醒サイクルの変化
☐不安
☐状況への不満
☐不快感を示す
☐リラックスすることが困難
☐瘙痒感
☐イライラした気分
☐心理的苦痛を示す

看護計画	介入のポイントと根拠
OP 経過観察項目 ●瘙痒の程度 ●搔破痕の有無・程度 ●皮膚の刺激物の有無 ●皮膚の乾燥の有無・程度 ●精神状態	➡瘙痒の程度を把握する　**根拠** 瘙痒の程度に応じた関わりをする ➡瘙痒を引き起こす誘因を把握する　**根拠** 誘因（刺激物）を除去し，瘙痒の軽減を図る ➡瘙痒による精神的な影響を把握する　**根拠** 影響の程度に応じた関わりをする
TP 看護治療項目 ●皮膚の刺激物を除去する ●スキンケアを行う ●室内の温度や湿度の調整を行う ●軟膏処置を行う ●必要時，冷罨法を行う ●適宜，患者の思いを聞く ●気分転換を図る	➡瘙痒を軽減する　**根拠** 誘因を取り除くことによって瘙痒の軽減を図る **根拠** 薬の作用によって症状の軽減を図る **根拠** 冷刺激によって症状の軽減を図る **根拠** 可能な限り，患者の思いに沿った方法で症状の軽減を図る **根拠** 精神的なことが症状を増強させる
EP 患者教育項目 ●皮膚の刺激物を避けるための方法を指導する ●スキンケアの方法を指導する ●軟膏処置の方法を指導する	➡瘙痒を軽減するための方法がわかるようにする **根拠** 自分で瘙痒への対処ができるようにする

2 看護問題	看護診断	看護目標（看護成果）
#2 指示された薬を適切に使用できないことに関連した瘙痒増強の可能性がある	**非効果的健康自主管理** **関連因子**：複雑な治療計画の管理困難，治療計画の実行力に限界がある，治療計画に障壁を感じている，治療計画についての知識不足 **診断指標** ☐治療計画を日常生活に組み込めない ☐危険因子を減らす行動がとれない ☐健康目標の達成に向け，日常生活における選択が無効	〈長期目標〉薬を適切に使うことができる 〈短期目標〉1)薬の使用方法がわかる．2)薬を適切に使用できる

207

第1章　全身

看護計画

OP 経過観察項目
● 薬使用による瘙痒の程度の変化

TP 看護治療項目
● 薬の使用法を説明しながら処置を行う

● 指示された薬の使用に対する患者の思いを聞く

● 薬の使用にあたって困難なことがあれば話し合う

EP 患者教育項目
● 薬効について説明する
● 薬の使用方法を説明する

介入のポイントと根拠

⮕ 程度を把握する　**根拠** 薬を適切に使用できているか否かを判断する際の手がかりとする

⮕ 薬の使い方が理解できるようにする　**根拠** 薬を適切に使用できるようにする
⮕ **根拠** 患者の思いを受けて薬を適切に使用できるようにする
⮕ **根拠** 薬を使用する際の患者の困難なことを理解し，患者の状態に合わせて薬を適切に使用する

⮕ 薬の使用目的と使い方がわかるようにする
根拠 薬を適切に使用できるようにする
高齢者 **小児** 自分で薬が使用できない場合は，家族に薬の適切な使用方法を説明する

---

3 看護問題	看護診断	看護目標（看護成果）
#3　瘙痒に伴う掻破に関連した皮膚感染症の可能性がある	**感染リスク状態** **危険因子**：皮膚統合性障害，病原体との接触回避についての知識不足	〈**長期目標**〉皮膚感染が生じない 〈**短期目標**〉1) 感染経路がわかる．2) 感染リスクを低減する方法がわかる

看護計画

OP 経過観察項目
● 掻破痕の有無・程度

● 皮膚感染徴候の有無・程度
● 発熱などバイタルサイン

TP 看護治療項目
● スキンケアを行う
● 軟膏を塗布する
● 病変部位を包帯で保護する
EP 患者教育項目
● スキンケアの方法を指導する
● 感染経路を説明する
● 瘙痒への対処法を指導する
● 皮膚の感染徴候がわかるように説明する

介入のポイントと根拠

⮕ 皮膚感染症の発症の可能性を把握する　**根拠**
瘙痒の程度を予測し，皮膚感染を起こす可能性があるかどうか明らかにする
⮕ **根拠** 皮膚感染を早期に発見する
⮕ 感染徴候に注意する　**高齢者** **小児** 乳児や高齢者，免疫能が低下している患者は容易に感染する

⮕ **根拠** 瘙痒を軽減し，掻破によって引き起こされる皮膚感染症を予防する
⮕ **根拠** 掻破による皮膚の損傷を防ぐ

⮕ **根拠** 感染を生じないよう，患者自身が皮膚の清潔管理ができるようにする

⮕ **根拠** 皮膚の感染徴候を早期に発見できるようにする　**高齢者** **小児** 指導内容に対する理解が困難な場合や瘙痒に対する対処が困難な場合は，家族に指導する

4 看護問題	看護診断	看護目標(看護成果)
#4 瘙痒に関連した不眠	**不眠** **関連因子**：環境外乱，不快感，ストレッサー(ストレス要因) **診断指標** □感情の変化 □注意力の変化 □気分の変化 □早期覚醒 □睡眠に対する不満	〈**長期目標**〉十分に睡眠をとることができる 〈**短期目標**〉1)瘙痒の軽減方法がわかる．2)瘙痒に対処できる．3)入眠を促す方法を見つける

看護計画	介入のポイントと根拠
OP 経過観察項目 ●入眠のスムーズさの程度 ●夜間の睡眠持続の程度 ●瘙痒の程度 ●掻破痕の有無・程度 ●感情の変化の有無・程度	⮕睡眠状態と睡眠に影響を及ぼしている瘙痒の程度を把握する **根拠** 睡眠の良否を判断し，否の場合は，睡眠を阻害する瘙痒の対策を立てる ⮕瘙痒による精神状態への影響を明らかにする
TP 看護治療項目 ●就眠前にスキンケアを行う ●就眠前に軟膏処置を行う ●適時，冷罨法を行う ●室内の温度や湿度の調節を行う ●気分転換が図れるようにする ●適時，患者の思いを聞く	⮕瘙痒を軽減する **根拠** 瘙痒を軽減し，睡眠が十分にとれるようにする ⮕ **根拠** 気分転換によって瘙痒が軽減される ⮕ **根拠** 可能な限り，患者の思いに沿った方法で瘙痒の軽減を図る
EP 患者教育項目 ●スキンケアの方法を指導する ●軟膏処置の方法を指導する ●瘙痒の増強因子がわかるように指導する ●瘙痒への対処法を指導する	⮕瘙痒を軽減するための方法が理解できる ⮕ **根拠** 自分で瘙痒に対処することによって，症状がコントロールでき睡眠を十分にとることができるようになる

5 看護問題	看護診断	看護目標(看護成果)
#5 瘙痒の増強や薬の副作用の出現に関連した不安がある	**不安** **関連因子**：ストレッサー(ストレス要因)，満たされないニーズ **診断指標** □不眠 □イライラした気分 □苦悩(苦痛) □不安定な気持ち □どうすることもできない無力感 □心を奪われている様子	〈**長期目標**〉1)症状が軽減し，不安が払拭される．2)副作用が軽減する 〈**短期目標**〉1)瘙痒の増悪因子がわかる．2)適切な薬の使い方がわかる．3)副作用症状に対処できる

看護計画	介入のポイントと根拠
OP 経過観察項目 ●不安の内容や程度	⮕不安の程度を把握する **根拠** 不安の程度や内

第1章　全身

- ●症状に対する患者の思い
- ●薬物治療に対する考え

TP 看護治療項目
- ●不安に思っていることについて話し合う

- ●必要時，病態を説明する
- ●疾患の経過について情報を提供する
- ●薬の副作用について情報を提供する

EP 患者教育項目
- ●瘙痒を軽減する方法を一緒に考える

- ●薬の適切な使用方法について指導する

- ●薬の副作用の徴候について説明する

容に応じた関わりができるようにする

➡ **根拠** 不安に思っていることを話し合うことで，不安を軽減する
➡ 疾患，治療，薬の効果・副作用に関する知識を提供する **根拠** 知識をもつことによって不安が軽減する

➡ **根拠** 瘙痒を軽減する方法を一緒に考え工夫することで不安も軽減される
➡ 薬の副作用と関連させながら指導する **根拠** 薬の副作用を最小限にする
➡ 副作用の出現がわかるようにする **根拠** 薬の副作用出現の徴候を理解することで副作用出現に対する不安が軽減する **高齢者** **小児** 指導内容に対する理解が困難な場合は，家族に指導する

6 看護問題	看護診断	看護目標（看護成果）
#6　瘙痒によって社会生活に支障をきたすことに関連したストレスがある	**ストレス過剰負荷** **関連因子**：ストレッサー（ストレス要因），繰り返されるストレッサー（ストレス要因） **診断指標** □プレッシャーを感じる □イライラの増大 □ストレスによる悪影響	〈長期目標〉ストレスが軽減する 〈短期目標〉1) 社会生活上の支障がわかる． 2) ストレスに対処できる

看護計画	介入のポイントと根拠
OP 経過観察項目 ●ストレスの程度・内容（プレッシャー感やいらだち感） **TP 看護治療項目** ●社会生活上の支障について話し合う **EP 患者教育項目** ●社会生活上の支障を最小限にするための方法を指導する ●瘙痒をコントロールしながら生活するための方法について指導する	➡ストレスの程度と内容を把握する **根拠** 不安の程度や内容に応じた関わりができるようにする ➡ストレスによってもたらされている社会生活上の支障を理解する **根拠** 解決策を見出すことができるようにする ➡社会生活に支障をきたさないよう対処できる **根拠** 瘙痒をコントロールしながら社会生活ができるようにする

STEP **1** アセスメント ▶ STEP **2** 看護課題の明確化 ▶ STEP **3** 計画 ▶ STEP **4** 実施 ▶ STEP **5** 評価

病期・病態・重症度に応じたケアのポイント

【急性期】瘙痒が著しく強いときは，症状の軽減を図るための援助を重点的に行う．同時に，随伴症状や治療によって生じている生活行動上の問題や精神的な問題（不安やストレス）に対する援助も行う．

【回復期】瘙痒が軽減してきたら，退院後，日常生活上の留意事項，注意事項を説明し，患者が管理できるように指導する.

看護活動（看護介入）のポイント

診察・治療の介助
- 瘙痒の軽減の程度を把握するとともに症状や徴候の経過を観察する.
- 瘙痒が増強するときは，医師に報告して，指示を得る.
- 治療方針を受けて，治療が効果的に行われるようにする.
- 検査や治療を受ける際は，身体的・精神的な準備を整える. また，生体侵襲が大きな検査後の症状・徴候の管理を十分に行う.

瘙痒に対する援助
- スキンケアを行う.
- 軟膏処置を行う.
- 皮膚の刺激物を除去する.
- 適宜，冷罨法を行う.
- 気分転換を図る.

搔破による皮膚の感染予防に対する援助
- 瘙痒への対処法を指導する.
- 瘙痒の増強要因がわかるようにする.
- 軟膏処置の方法，スキンケアの方法を指導する.

心理面に対する援助
- 瘙痒による不安の軽減を図る.

退院指導・療養指導

- 薬（外用薬や内服薬）の適切な使用方法を説明し，理解を得る.
- 皮膚の感染徴候や薬の副作用の徴候を説明し，瘙痒への対処法を指導する.

STEP ❶ アセスメント　STEP ❷ 看護課題の明確化　STEP ❸ 計画　STEP ❹ 実施　STEP ❺ 評価

評価のポイント

看護目標に対する達成度
- 瘙痒が軽減しているか.
- 薬を適切に使うことができているか.
- 皮膚感染症が生じていないか.
- 十分に睡眠をとることができているか.
- 瘙痒に伴う不安は軽減しているか.
- 社会生活に支障をきたすような瘙痒によるストレスが軽減しているか.

● 参考文献
1) 川島みどりほか編著：内科系実践的看護マニュアル，看護の科学社，1995
2) 福井次矢，奈良信雄編：内科診断学　第3版，医学書院，2016
3) 高木永子監：看護過程に沿った対症看護　第5版，学研メディカル秀潤社，2018
4) 日野原重明監：整形外科／皮膚，図説・臨床看護医学9，同朋舎，2001
5) 関口恵子編：根拠がわかる症状別看護過程　改訂第3版，南江堂，2016
6) 日野原重明，井村裕夫監：皮膚科疾患，看護のための最新医学講座19　第2版，中山書店，2007

第1章 全身

瘙痒(かゆみ)のある患者の病態関連図と看護問題

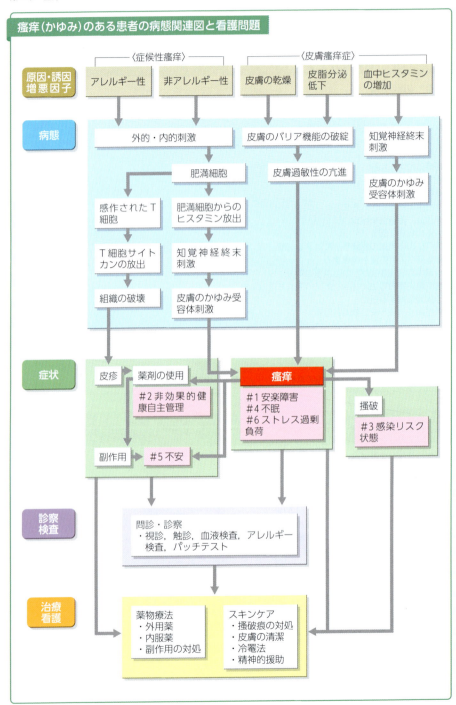

12 褥瘡

樋口 哲也

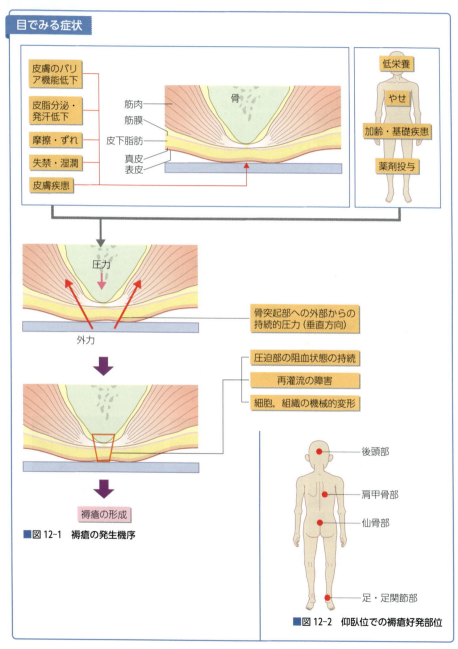

■図 12-1 褥瘡の発生機序

■図 12-2 仰臥位での褥瘡好発部位

目でみる症状

■表12-1　NPUAP-EPUAP-PPPIA による褥瘡の重症度（深達度）分類

カテゴリー/ステージⅠ：持続する発赤		通常は，骨突出部に限局した領域に消退しない発赤を伴い，表皮欠損はない．皮膚の変色・熱感・浮腫・硬結，または疼痛が認められる場合もある．色素の濃い皮膚には明白な消退が起こらないが，周囲の皮膚と色が異なることがある 周囲の組織と比較して，疼痛を伴い，硬い，軟らかい，熱感や冷感などがみられることがある．カテゴリー/ステージⅠは皮膚の色素が濃い患者では判定が困難な場合がある．「リスクのある患者」とみなされる可能性がある
カテゴリー/ステージⅡ：真皮までの損傷		スラフ（黄色壊死組織）を伴わず，創面が薄い赤色の浅い潰瘍として現れた部分層欠損の創傷である．皮蓋が破れていない，もしくは開放または破裂した，血清または漿液で満たされた水疱が存在することもある
カテゴリー/ステージⅢ：皮下組織までの損傷		全層にわたる組織欠損である．皮下脂肪は確認できるが，骨・腱・筋肉は露出していない．組織欠損の深度がわからなくなるほどではないが，スラフが付着している場合がある．ポケットや瘻孔が存在する場合もある
カテゴリー/ステージⅣ：皮下組織を越える損傷		骨・腱・筋肉の露出を伴う全層にわたる組織欠損である．スラフまたはエスカー（黒色壊死組織）が付着していることがある．ポケットや瘻孔を伴うことが多い

（EPUAP–NPUAP–PPPIA International Pressure Ulcer Guidelines〈http://www.epuap.org/wp-content/uploads/2010/10/Quick-Reference-Guide-DIGITAL-NPUAP-EPUAP-PPPIA-16Oct2014.pdf〉〈参照 2015-10-23〉をもとに作成）

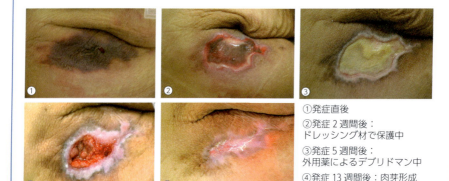

①発症直後
②発症2週間後：ドレッシング材で保護中
③発症5週間後：外用薬によるデブリドマン中
④発症13週間後：肉芽形成
⑤発症30週間後：瘢痕治癒

■図 12-3　褥瘡発症後の経過

病態生理

褥瘡とは，骨突起部などに外力が加わり，持続的に皮膚や皮下組織の血流が障害されることによって生じる皮膚障害である．いわゆる「床ずれ」．体位変換が困難な寝たきり老人や，脊髄疾患・脳血管疾患患者など，入院後に発症することもあるため，発症リスクを評価し予防することが重要である．

- 仰臥位では仙骨部に体重が集中し褥瘡の好発部位となるが，側臥位などの体位によっては腸骨稜部，大転子部，踵骨部などにも生じる．
- 褥瘡発症は外力だけでなく，発症部位の局所的要因や，患者の全身状態などにより影響を受ける（表12-2）．
- リスクの少ない患者でも，長時間の手術や術後の臥床により褥瘡を発症することがある．
- 医療関連機器圧迫創傷（medical device related pressure ulcer：MDRPU）は医療関連機器による圧迫で，皮膚ないし下床の組織損傷が生じる．自重による圧迫損傷である褥瘡と区別されるが，広い意味では褥瘡に含まれる．

患者の訴え方

発症しやすい患者背景により，訴えがある時には病期が進行していることもあるため，訴えをよく聞くとともに好発部位をよく観察することが重要である．

- **主症状の訴え**
- 「痛い」「ひりひりする」「かゆい」「熱い感じがする」など．
- **随伴症状**
- 褥瘡の創部の二次感染が進行すると，発熱，発汗，頭痛，頻脈などの全身症状を生じる場合がある．

診断

褥瘡発症部位をよく観察し，現在の状況について病期・重症度について診断することが重要である．また，二次感染の有無についても鑑別をしていく．

- 褥瘡発症直後から1〜3週間の時期が「急性期」，それ以降は「慢性期」と大別される．急性期では病態が変化する可能性があるため，創面を毎日注意深く観察することが重要である．症状の固定した慢性期では褥瘡の深さ（＝重症度）を診断する．
- 重症度はⅠ〜Ⅳ度の4つのステージに分類されることが多い（表12-1）．Ⅲ，Ⅳ度の深い褥瘡は，創面の色調により，治癒過程に対応して黒色期→黄色期→赤色期→白色期と表現される．
- 日本褥瘡学会により褥瘡状態評価ツールとして誕生したDESIGNはDESIGN-Rを経てDESIGN-R® 2020に改訂された（表12-3），深さ（Depth），滲出液（Exudate），大きさ（Size），炎症/感染（Inflammation/Infection），肉芽組織（Granulation tissue），壊死組織（Necrotic tissue），ポケット（Pocket）につき，評価し点数化するが，改訂では深さに「深部損傷褥瘡疑い」と，炎症/感染に「臨界的定着疑い」が加わった．

■表12-2　**褥瘡発症の要因**（赤字は緊急対応を要するもの）

局所的要因	全身的要因
●加齢による皮膚の変化	●低栄養
●皮脂分泌低下，発汗低下	●微量金属，ビタミンの低下
●皮膚バリア機能の低下	●低アルブミン，低ヘモグロビン
●摩擦・ずれ	●やせ
●ベッドのギャッチアップ	●皮下脂肪低下による病的骨突出
●体位変換，清拭・入浴時	●加齢・基礎疾患
●失禁や湿潤	●日常活動性・精神活動性低下
●失禁や発汗による湿潤	●抑うつ状態，認知症，精神疾患
●下痢などによる汚染	●糖尿病，骨粗鬆症，心不全
●局所の皮膚疾患	●薬剤投与
●皮膚感染症（細菌，真菌）	●抗腫瘍薬，ステロイド
●湿疹などの炎症性皮膚疾患	●術後麻酔薬，睡眠薬

第1章　全身

■表12-3　DESIGN-R®2020　褥瘡経過評価用

					カルテ番号（　　　　　　　　　）	月日	/	/	/	/	/	/
					患者氏名（　　　　　　　　　　）							

Depth*1　深さ　創内の一番深い部分で評価し，改善に伴い創底が浅くなった場合，これと相応の深さとして評価する												
d	0	皮膚損傷・発赤なし	D	3	皮下組織までの損傷							
				4	皮下組織を超える損傷							
	1	持続する発赤		5	関節腔，体腔に至る損傷							
				DTI	深部損傷褥瘡(DTI)疑い *2							
	2	真皮までの損傷		U	壊死組織で覆われ深さの判定が不能							

Exudate　滲出液												
e	0	なし	E	6	多量：1日2回以上のドレッシング交換を要する							
	1	少量：毎日のドレッシング交換を要しない										
	3	中等量：1日1回のドレッシング交換を要する										

Size　大きさ　皮膚損傷範囲を測定：[長径(cm)×短径 *3(cm)]　*4												
s	0	皮膚損傷なし	S	15	100以上							
	3	4未満										
	6	4以上　　16未満										
	8	16以上　　36未満										
	9	36以上　　64未満										
	12	64以上　　100未満										

Inflammation/Infection　炎症/感染												
i	0	局所の炎症徴候なし	I	3C*5	臨界的定着疑い(創面にぬめりがあり，滲出液が多い．肉芽があれば，浮腫性で脆弱など)							
	1	局所の炎症徴候あり(創周囲の発赤・腫脹・熱感・疼痛)		3*5	局所の明らかな感染徴候あり(炎症徴候，膿，悪臭など)							
				9	全身的影響あり(発熱など)							

Granulation　肉芽組織												
g	0	創が治癒した場合，創の浅い場合，深部損傷褥瘡(DTI)疑いの場合	G	4	良性肉芽が創面の10%以上50%未満を占める							
	1	良性肉芽が創面の90%以上を占める		5	良性肉芽が創面の10%未満を占める							
	3	良性肉芽が創面の50%以上90%未満を占める		6	良性肉芽が全く形成されていない							

Necrotic Tissue　壊死組織　混在している場合は全体的に多い病態をもって評価する												
n	0	壊死組織なし	N	3	柔らかい壊死組織あり							
				6	硬く厚い密着した壊死組織あり							

Pocket　ポケット　毎回同じ体位で，ポケット全周(潰瘍面も含め) [長径(cm)×短径 *3(cm)]から潰瘍の大きさを差し引いたもの												
p	0	ポケットなし	P	6	4未満							
				9	4以上　　16未満							
				12	16以上　　36未満							
				24	36以上							

部位［仙骨部，坐骨部，大転子部，踵骨部，その他（　　　　　　　　　）］　　合計 *1

*1　深さ(Depth：d/D)の点数は合計には加えない
*2　深部損傷褥瘡(DTI)疑いは，視診・触診，補助データ(発生経緯，血液検査，画像診断等)から判断する
*3　"短径"とは"長径と直交する最大径"である
*4　持続する発赤の場合も皮膚損傷に準じて評価する
*5　「3C」あるいは「3」のいずれかを記載する．いずれの場合も点数は3点とする

日本褥瘡学会：DESIGN-R®2020　褥瘡経過評価用，2020
http://www.jspu.org/jpn/member/pdf/design-r2020.pdf(2023/6/20 閲覧)

治療法・対症療法

病期・重症度に応じた治療法を選択すると同時に，褥瘡の発生原因を検討し，褥瘡部位の増悪や新たな発症を予防することが重要である．

● 治療方針
● 急性期では不適切な体位や「ずれ」などの褥瘡の発症要因の除去を行う．発赤だけの場合にはドレッシング材の使用のみで治療することもある．
● 急性期や障害が真皮までにとどまる浅い褥瘡では新しい皮膚が再生して治癒することが可能であるため，創面の保護と適切な湿潤環境を保つことが治療の基本となる．
● 深い褥瘡では真皮を越えた壊死組織があるため，①壊死組織が除去される→②肉芽組織で充填される→③創周囲からの上皮再生による瘢痕治癒，という長い経過をとる．
● 外科的治療としては，壊死組織をメスなどを用いて除去する外科的デブリドマンや，再建を目的とした縫縮術，植皮術，皮弁形成などの手術療法を行う場合がある．

● 薬物療法
Px 処方例 褥瘡発症初期や滲出液の多い場合　下記のいずれかを用いる．
● デュオアクティブ　数日で交換　←ドレッシング材
　※コロイド粒子による湿潤環境保持．
● ハイドロサイト　数日で交換　←ドレッシング材
　※ポリウレタンによる強い吸水力．
Px 処方例 外用薬によるデブリドマンを行う場合
● ブロメライン軟膏　1日1回　塗布　←壊死組織分解外用薬
Px 処方例 二次感染がある場合　下記のいずれかを用いる．
● ゲーベンクリーム　1日1回　塗布　←感染抑制外用薬
● ユーパスタコーワ軟膏　1日1回　塗布　←感染抑制外用薬
Px 処方例 肉芽形成・上皮化を目的として　下記のいずれかを用いる．
● オルセノン軟膏　1日1回　塗布　←肉芽形成促進外用薬
● アクトシン軟膏　1日1回　塗布　←肉芽形成促進外用薬
● フィブラストスプレー　1日1回　噴霧　←肉芽形成促進外用薬

■表 12-4　褥瘡の主な治療薬

分類	一般名	主な商品名	薬の効くメカニズム	主な副作用
壊死組織分解外用薬	ブロメライン	ブロメライン	蛋白分解酵素による壊死組織除去作用	刺激性，疼痛
感染抑制外用薬	スルファジアジン銀	ゲーベン	抗菌作用，壊死組織の軟化	滲出液の増加
	(合剤)精製白糖・ポビドンヨード	ユーパスタ	抗菌作用，滲出液制御	ヨウ素過敏
肉芽形成促進外用薬	トレチノイントコフェリル	オルセノン	強力な肉芽形成	発赤，紅斑，瘙痒
	ブクラデシンナトリウム	アクトシン	肉芽形成，創収縮作用	異臭
	トラフェルミン(遺伝子組換え)	フィブラスト	良性肉芽形成	刺激感，疼痛

第1章　全身

褥瘡の病期・病態・重症度別にみた治療フローチャート

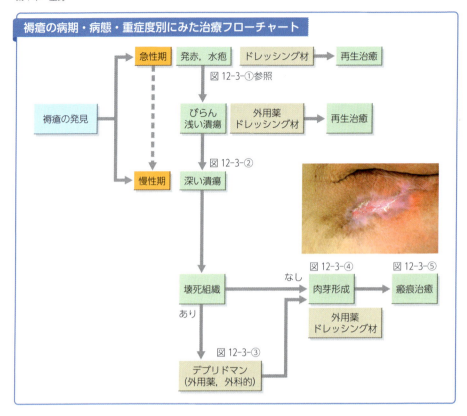

褥瘡のある患者の看護

永野　みどり

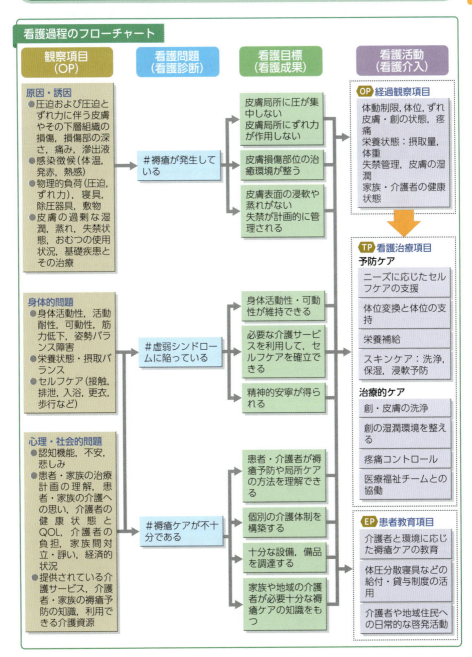

第1章　全身

基本的な考え方

- 褥瘡は予防が非常に大切である．入院時や床上で生活するすべての患者に対して，褥瘡のリスクアセスメントと褥瘡予防の介入が必要とされている．
- 褥瘡は皮膚に加わる圧迫や摩擦によって組織が壊死を起こした状態である．皮膚への物理的な負荷状況と原因を特定し排除することが優先され，排除を障害するものがあれば，その要因を明確にする．
- 褥瘡局所に対しては，創の状況すなわち壊死や感染などの進行状況ならびに治癒過程に応じた創の清浄化，湿潤環境保持，保護などの治療的ケアを行う．

緊急 著明な感染徴候がみられる際は迅速な対応が必要である．炎症徴候である発赤，腫脹，疼痛，発熱や滲出液により感染の状況を判断する．対応が遅れることで敗血症やそれに伴うショックによる致命的な感染症につながることがある．

STEP❶ アセスメント ▶ STEP❷ 看護課題の明確化 ▶ STEP❸ 計画 ▶ STEP❹ 実施 ▶ STEP❺ 評価

情報収集	アセスメントの視点と根拠・起こりうる看護問題
病歴の把握	▍普段の生活の姿勢や動作，栄養摂取状況，褥瘡の既往，基礎疾患を知ることで褥瘡発生のリスクや原因把握につながり，看護ケアに重要な情報を得ることができる．
誘因	● 活動性，可動性が低下していないか　**高齢者** 活動性，可動性が低下すると発生しやすい．
	● 意識状態の低下はないか．自力で体位変換ができるか．
随伴症状	● 発赤，腫脹，疼痛，発熱　**緊急** 感染症，敗血症
既往歴	● 基礎疾患(糖尿病，動脈硬化，COPD，脳卒中，麻痺，関節拘縮など)，手術
	● 患者が長期床上生活を強いられる要因：手術後の長期安静，治療上の長期安静，移動能力の低下など，患者の活動が制約され安静を継続する状況にないか．
	● 固定や圧迫が必要な器具の使用の有無：弾性ストッキング，酸素マスク，NPPV(非侵襲的陽圧換気療法)に使用するマスクなどの利用状況
	● スキンテアの既往・保有.皮膚の脆弱性の指標としてスキンテア〔摩擦やずれによって皮膚が裂けて生じる真皮深層までの損傷(部分層創傷)〕の発生，あるいは再発しやすい状態が挙げられる．
生活歴	● 床上生活を余儀なくされていないか．床上での生活時間はどれくらいか．寝たきりになっていないか．
	● 尿失禁，便失禁の状況，圧迫やずれの起こる体位，動作との関連：体位による褥瘡位置の変化はないか．
	● おむつの使用状況：吸収量，交換頻度
	● 体位変換の頻度，同一体位の持続時間はどれくらいか．
	● 車椅子を利用している場合の乗車時間はどれくらいか．また，プッシュアップ(腕の力で身体を持ち上げる)は可能か．
	● 排泄後の清潔のケア，発汗状況，寝衣の素材と交換状況
	● 栄養状態：食事摂取量，水分摂取量，栄養剤投与量，食欲，嗜好，BMI，最近の体重減少の有無，程度
	● 意識状態と認知症の有無
常用薬	● 鎮静薬，鎮痛薬，麻酔薬，下剤，止痢薬，ステロイドの使用状況
褥瘡の分類，重症度	▍褥瘡の発生部位，深さ，大きさ，滲出液の程度，炎症/感染の徴候，肉芽組織，壊死組織の有無から褥瘡の重症度が判定される．創の状態に応じた看護ケアを提供する．
	● 褥瘡は深達度による分類や創部の色による分類などがある．深達度については，NPUAP(National Pressure Ulcer Advisory Panel：全米褥瘡諮問委員会)の分類が知られる．褥瘡の状態を評価する方法としては，日本褥瘡学会で発表された重症度分類 "DESIGN-R®2020" が用いられる．
	● DESIGN-R®2020
	・深さ Depth：創内のもっとも深いところを，皮膚損傷・発赤なし，持続する発赤，

220

真皮までの損傷，皮下組織までの損傷，皮下組織を越える損傷，関節腔・体腔に至る損傷，深部損傷褥瘡疑い，深さ判定が不能の場合に分けて評価する．
- 滲出液 Exudate：ドレッシング材に付着する滲出液の量で判定する．
- 大きさ Size：創部の長径(cm)×短径と直交する最大径(cm)で測定して評価
- 炎症/感染 Inflammation/Infection：創部の炎症徴候や創自体の感染を判定する．創部の感染では，創面のぬめり，炎症症状のほか膿性分泌物，多量の滲出液，白血球増加など全身症状を呈する．
- 肉芽組織 Granulation tissue：創面の肉芽組織の量によって判断する．一般的に，赤色で易出血性の肉芽は良性と考えられ，浮腫を伴う白っぽい肉芽は不良と考えられるが，肉芽の良否の判断は難しく，熟練を要する．
- 壊死組織 Necrotic tissue：壊死組織が混在している場合は，全体的に多い像で表現する．
- ポケット Pocket：ポケットが存在する場合は，潰瘍面を含めたポケットの全周[創部の長径(cm)×短径(cm)]を測り，潰瘍面の大きさを減じて評価．DESIGN の最後に「-P」を付記して表記する．
- DESIGN-R®の場合，合計点により次のように治癒日数を大まかに予測できる
  - 9点以下であれば，8割が1か月未満で治癒
  - 10～18点であれば，6割が3か月未満で治癒
  - 19点以上であれば，8割が3か月未満では治癒しない
- ●創部の状態：痛み，瘙痒，表面の乾燥・湿潤状態，表面の循環状態はどうか．
- ●新生上皮：上皮化は進んでいるか，損傷していないか，乾燥しているか．
- 🔍 起こりうる看護問題：褥瘡が発生している，褥瘡が発生するおそれがある

全身状態，随伴症状の把握	炎症徴候である発赤，腫脹，疼痛，発熱や滲出液により感染状況を判断する．対応が遅れると敗血症やそれに伴うショックによる致命的な感染症につながることがある．
全身状態	●年齢，食欲の有無，やせ，骨突出部(仙骨部，尾骨部，腸骨稜部，足関節部)の状態 ●痛みなどの感覚はあるか． ●認知症の有無 ●体温 ➡発赤，腫脹，発熱などの感染徴候を見逃さないようにする 【緊急】 腫脹，熱感，硬結が著しければ，重篤な感染と判断し，敗血症に注意する．
皮膚	●失禁状態の有無，おむつの使用(素材と交換時間) ➡排泄物による皮膚の汚染は褥瘡の増悪要因である 【原因・誘因】皮膚浸軟，汚染 ●同一部位へのテープの使用 【原因・誘因】テープの緊張・剥離刺激 ●乾燥 【原因・誘因】落屑，湿度，入浴・清拭の頻度，保湿剤と使用頻度 ●浮腫 【原因・誘因】圧迫感，リンパ漏，陰嚢(のう)水腫，in/out バランスの不良 ●外陰部の水疱，瘙痒 【原因・誘因】真菌などの感染 ●皮膚の発疹，瘙痒 【原因・誘因】毛包炎 ●循環障害 ➡圧迫しても白くならない紅斑，腫脹，硬結の存在はないか 【原因・誘因】循環障害の状態 🔍 起こりうる看護問題：組織統合性障害がある／組織統合性が障害されるおそれがある／皮膚統合性の障害がある／皮膚統合性が障害されるおそれがある／栄養摂取量が不足している／機能障害性尿失禁がある／排便抑制障害がある／身体可動性障害がある／虚弱シンドロームに陥っている／虚弱シンドロームに陥るおそれがある
褥瘡のリスクアセスメント	褥瘡予防では，褥瘡発生の危険性をアセスメントし，適切な除圧や減圧，スキンケアを行い，栄養状態を整える必要がある．褥瘡リスクアセスメントツールを活用して，患者の褥瘡を予防する． ●主なリスクアセスメントツールとして，ブレーデンスケールや OH スケールが知られている(詳細は成書参照のこと)．

221

第1章　全身

	●OHスケール：自力体位変換，病的骨突出，浮腫，関節拘縮の4項目からなる．危険要因を採点し，その合計点により患者を4段階に分類し，褥瘡リスクを判定する. ●ブレーデンスケール：看護師が観察・評価できる6項目(知覚の認知，湿潤，活動性，可動性，栄養状態，摩擦とずれ)を採点する．点数が低いほど褥瘡発生の危険が高いとする. ●スキンテアの保有と既往(皮膚の脆弱性の指標として，リスクアセスメント項目として挙がっている．厚生労働省 2018)
患者・家族の心理・社会的側面の把握	患者・家族に，褥瘡ケアに必要な理解力や判断力，ならびに活動耐性や介護力があるかどうか，日頃から観察し，機会あるごとにケアへの理解を促す必要がある. ●近年，病院の平均在院日数の短縮化が進められている状況において，褥瘡の治療継続中に退院し，在宅での家族による褥瘡ケアが必要とされていることが少なくない. ●在宅における褥瘡の発生や悪化が繰り返される場合には，在宅で適切なケアがなされていないことが考えられる．ネグレクトの場合もある. ●老々介護やヤングケアラーによる介護に見られるような家族の理解や体力に限界がある場合には，早期のケアマネジメントの再検討が不可欠である. ●褥瘡は予防がより重要である．新たな褥瘡をつくらないよう，褥瘡危険因子やスキンケアの知識を患者・家族に説明し，協力を得る. 🔍 **起こりうる看護問題**：家族による褥瘡ケアが不十分である／家事家政が効果的に行えない／介護者が役割を果たすことが困難である／家族機能の障害がある

STEP❶ アセスメント　STEP❷ 看護課題の明確化　STEP❸ 計画　STEP❹ 実施　STEP❺ 評価

看護問題リスト

#1　褥瘡が発生している(栄養-代謝パターン)
#2　虚弱シンドロームに陥っている(活動-運動パターン)
#3　褥瘡ケアが不十分である(健康知覚-健康管理パターン)

看護問題の優先度の指針

●褥瘡が発生している場合は，原因である圧迫とずれの排除が最優先される．適切な体圧分散マットレスの選択，ベッドアップ・ダウンした後の残留している圧とずれの力の排除(背抜き)，定期的な体位変換などが重要である.
●感染徴候が明らかな場合には，早期に対処する.
●治療のため長期の床上生活が強いられる高齢者や，褥瘡の危険因子が多い患者には，褥瘡予防の観点から，圧迫とずれを排除するとともに，栄養状態を整え，スキンケアを行う.
●褥瘡予防は，観察，動作介助とポジショニング，清潔保持，排泄介助，栄養摂取介助，皮膚の保湿など，基本的な看護実践そのものである．しかし褥瘡予防ケアに苦痛が伴ったり，治療上の制限がある場合では個別のケア方針(長期目標)にのっとり，安楽や治療が優先され，褥瘡予防の優先順位を下げる場合がある.

STEP❶ アセスメント　STEP❷ 看護課題の明確化　STEP❸ 計画　STEP❹ 実施　STEP❺ 評価

1 看護問題	看護診断	看護目標(看護成果)
#1　褥瘡が発生している	**成人褥瘡** 関連因子： 外的因子；骨突出部上の圧迫，剪断力，表面摩擦，吸水性の足りないリネンの使用，介護者の褥瘡予	〈**長期目標**〉褥瘡が治癒し，再発しない 〈**短期目標**〉1)患者のQOLが向上する．2)創部が清浄化される．3)褥瘡部の湿潤環境が保たれる．4)褥瘡部の循環が維持される．5)局所が保護される

222

防方法についての知識不足など
内的因子；身体可動性の低下，乾
燥皮膚（ドライスキン），蛋白エネ
ルギー栄養障害，高体温
関連する状態：意識障害
診断指標
□圧迫部位の痛み
□限局された領域の紫色に変色し
　た傷のない皮膚
□周囲組織と比較して限局的な熱
　感
□真皮の部分層の欠損
□紅斑
□血液の充満した水疱
□潰瘍が痂皮で覆われている

看護計画

OP 経過観察項目
- 創部の深さのアセスメント：触診によって近接する組織と比較，皮膚温の変化を観察
- 大きさの計測：長径×長径と直交する最大径
- 壊死組織：周囲の組織との分離状態，創底との固着状態，硬さ，膿などを伴うか
- 感染徴候：発赤，熱感，腫脹，発熱，多量の滲出液
- 肉芽組織：良い肉芽〔牛肉色（循環良好）で締まっている（浮腫なし）〕か悪い肉芽〔豚肉色（貧血性）でぶよぶよ（浮腫）〕か

- 浸軟：尿・便失禁，失禁時の対応，外陰部の皮膚の状態
- おむつの素材と交換頻度
- 発汗，発汗時の対応

- 乾燥：落屑（らくせつ），瘙痒，保湿剤の使用
- 浮腫：圧痕，皮膚の接触面の拡大，皮膚からのリンパ漏出

- 感染徴候：外陰部，指間部，ガーゼやテープに覆われた部分

TP 看護治療項目
- 創の清浄化：創周囲の皮膚の石けんや水道水などによる洗浄，壊死組織に応じたデブリドマンを行う

介入のポイントと根拠

↪リスクアセスメントツールで確認されたリスク要因を排除する．基本的に皮膚の保湿と体圧分散マットレス使用は必要である
↪壊死組織が硬く創底に強く固着している場合はデブリドマン（創傷清浄化）が困難であるばかりか，無理をすると出血を招くことがあるため，周囲の組織と分離しはじめてから医師による外科的デブリドマンが効果的である
↪多量の膿を伴う場合は，敗血症予防のため，出血などのリスクに配慮しながら，医師による迅速なデブリドマンが必要である
↪尿失禁に対し，対応・訓練，スキンケアを行う

↪必要以上におむつを使用し，通気性の悪い状態になっていないか．また，おむつの吸水量と交換頻度は適切か
↪シーツ交換時の落屑量は多くないか
↪下腿前面を指で軽く押さえ，圧痕が残るか
↪鼠（そ）径部などの皮膚接触面の炎症やびらんが起こっていないか
↪外陰部や指間部に真菌感染などの症状（水疱，瘙痒など）はないか
↪通気性が損なわれた皮膚では毛包炎の症状（発疹，瘙痒など）がみられないか

↪創とその周りの皮膚を洗浄することは，臨界的定着[※1]を含む感染対策として重要である
※1臨界的定着（クリティカルコロナイゼーション）：定着した細菌が増殖し，創感染に移行しそうな状態．明らかな感染徴候はないが，局所の滲出液の増加，悪臭，疼痛，浮腫状の肉芽を認め，創の治癒が遅延する

第1章　全身

●創の湿潤環境の保持：滲出液に応じたドレッシング材を活用する

⮕ **根拠** 湿潤環境が保たれることで，細胞遊走や増殖などが可能となり，創治癒を促進する．創が乾燥すると表面の細胞が壊死して痂皮化する
⮕滲出液が多い場合には，穴開きフィルムドレッシング＋（高分子吸収体入り）吸収パッドを併用することで感染や周囲の皮膚の浸軟が予防できる

●周囲の皮膚の保護：テープ剝離時は剝離剤の使用，保湿剤や撥水性クリームを塗布する

⮕ **根拠** 保湿剤や撥水性クリームの塗布により，滲出液や排泄物による浸軟などの影響が軽減できる

●創部環境を維持する体位と生活援助：創部環境を妨げる体位を避けるために，病室での患者の過ごし方に配慮し，テレビの位置や食事の体位なども考慮する
●医療チーム，介護チームとの連携：処置や生活の問題に早期対処できるよう，医師，栄養士，理学療法士などとの連絡を密にする

⮕早期に理学療法士や栄養士との関わりができていると，褥瘡の治癒が促進されるといわれる

●栄養管理を行う
●皮膚の清潔を保つ（入浴，失禁後の陰部洗浄）

⮕ **根拠** 入浴は清拭に比べ，皮膚の汚れや細菌数を格段に減らすことができる．全身の循環をよくすることもできるので，特に褥瘡の予防に効果的である

●皮膚表面の乾いた状態の維持，吸収力のあるおむつを選択する
●皮膚の潤いを保つ（入浴後の保湿剤の使用）

⮕失禁後の陰部の浸軟を防ぐため，吸収量が十分なパッドを勧める
⮕乾燥の著しい場合は，塗布回数を増やす

EP 患者教育項目
●栄養摂取の工夫，入浴介助や入浴支援の方法を指導する
●失禁後の清潔方法，おむつの選択と使用方法，皮膚の保湿剤とその使用方法を指導する

⮕在宅だけでなく，ショートステイなどでも栄養管理や入浴の支援が受けられることを家族に説明し，利用を勧める

●在宅ケアの場合は，個別の創の改善傾向と増悪傾向の徴候，局所のケア方法を指導する

⮕創が深く，滲出液が多い場合や壊死組織の厚みがある場合は，1週間に1回以上の医療者による創のアセスメントとケア方法の妥当性の検討が必要である

2　看護問題	看護診断	看護目標（看護成果）
#2　虚弱シンドロームに陥っている	**高齢者虚弱シンドローム** **関連因子**：不安，認知機能障害，筋力の低下，ソーシャルサポートの不足，栄養不良 **診断指標** □入浴，摂食，排泄セルフケア不足 □活動耐性低下 □身体可動性障害 □栄養摂取バランス異常：必要量以下	〈**長期目標**〉衰えがあるものの安定した均衡状態を保ち，健康障害の予防ができる 〈**短期目標**〉1）必要な栄養が摂取できる．2）身体の清潔を保つことができる．3）適切な体位交換と体位支持により，褥瘡好発部位など，局所に体圧が集中しない

看護計画	介入のポイントと根拠
OP 経過観察項目 ●日常生活の自立度	

224

- ●日常生活の支援状況
- ●栄養状態
- ●食事の摂取状況

⊃褥瘡が発生した部位や状況から，原因となる圧迫やずれ，浸軟などがなぜ起こったのか（どのような体位であったか，失禁や装着した医療器具・寝衣などの影響によるものかなど），アセスメントする　根拠 原因と考えられる事柄を丁寧に確認し，その悪影響を減らしていくことがケアにつながる

- ●下痢の有無と状況
- ●意識状態
- ●失禁
- ●年齢
- ●疼痛
- ●寝たきり，座りきりの要因となった疾患

⊃下痢が続く場合，摂取した栄養が吸収されていないことを意味するので，特に注意する

TP 看護治療項目

- ●管理栄養士による栄養アセスメントと，栄養管理計画に則った栄養管理を行う

⊃患者の好みを取り入れて，上手に蛋白質を摂取できるようにする．また，高蛋白栄養補助食品の利用も検討する
⊃蛋白質，熱量の摂取を促し，必要な栄養を摂取し，便通を整える

- ●体位維持：隙間を枕などで埋め，ベッドに接する面を広げる．圧抜きを行う

⊃身体のねじれは最小限になるよう枕などで修正する　根拠 基底面を広くとり安定させる，圧抜きを実施することで体圧を分散させる（図12-5,6)

- ●体位変換をする

⊃一般マットレスで2時間，厚みのある体圧分散寝具を使用した場合には4時間を超えない範囲で体位変換する　根拠 寝具との接触面積を拡大することで局所の圧力を減少させる．また，周期的に接触部分と非接触部分を変化させることで圧力の継続を防ぐことが可能となる

- ●体圧分散寝具を活用する

⊃ハイリスク患者は高機能体圧分散寝具，低リスク患者は汎用の体圧分散寝具を使用する（図12-7)

EP 患者教育項目

- ●体位変換の方法，予防具の種類や使用方法を指導する
- ●ポジショニング：適切な臥位，車椅子，座位姿勢を指導する
- ●予防具の使用方法：体圧分散寝具，枕などの活用法を具体的に説明する

⊃ 根拠 ポジショニングの指導は，体圧測定を併用することで理解しやすくなることがある
⊃ 根拠 体圧分散寝具の圧設定の誤り，電源の挿し忘れによる褥瘡発生例がよくあることを伝え，注意を促す

3 看護問題	看護診断	看護目標（看護成果）
#3 褥瘡ケアが不十分である	**非効果的家族健康自主管理** **関連因子**：介護者のヘルスリテラシーが不十分，治療計画の実行力に限界がある，認知機能障害，自己効力感が低い，意思決定が困難 **診断指標** □家族内のマンパワー不足	〈長期目標〉計画されたケアが滞りなく実施でき，褥瘡が治癒し再発が防止される 〈短期目標〉1) 患者・介護者が褥瘡予防や局所ケアの方法を理解できる．2) 個別の介護体制を構築する．3) 十分な設備・備品を調達する

第1章　全身

□家族の健康目標の達成に向け，
　日常生活における選択が無効
□家族メンバーの病気への注意減
　少
□家族メンバーの危険因子を減ら
　す行動が取れない

看護計画	介入のポイントと根拠
OP 経過観察項目 ●患者・家族は治療計画をどのようにとらえているか ●患者・家族は治療計画，スキンケアを正しく理解できているか ●スキンケアや体位変換を行う際のマンパワーは十分か ●在宅ケアの状況：これまでのケア方法，体圧分散寝具，枕，クッションなど ●食事，入浴，レクリエーション，趣味などの状況 **TP 看護治療項目** ●介護のサポートネットワークを構築する ●体圧分散寝具や枕，クッションの給付・貸与制度を活用する **EP 患者教育項目** ●個別性を考慮し，計画的に褥瘡ケアの正しい知識や技術について指導する	⮞患者・家族の希望や環境を理解し尊重する．また，利用できる資源とその情報が十分か把握する ⮞褥瘡に関する知識や技術が正しいか．不適切な場合はそのつど指導する ⮞介護に必要なマンパワーが不足している場合は，使える支援サービスの種類や経済的負担の相談にのる ⮞必要な体圧分散寝具や備品の入手方法，選び方など必要な情報を提供する ⮞患者・家族が孤立しないよう，いつでも相談できるサポートシステムを構築する

STEP**①** アセスメント　STEP**②** 看護課題の明確化　STEP**③** 計画　STEP**④** 実施　STEP**⑤** 評価

病期・病態・重症度に応じたケアのポイント

【深い褥瘡】局所に関して次の3期に分けてケアを計画する．
・炎症期：壊死組織の除去と感染対策を優先する．
・増殖期：肉芽や新生上皮の増殖を促進させる．
・成熟期：上皮化した創を保護して再発を防止し，新しい組織の成熟を促す．

看護活動（看護介入）のポイント

●褥瘡の病期，重症度を評価する．
●支持面積が大きく安楽なポジショニングを計画的に行う．
●摩擦やずれを解除する（図12-4, 5）．
●適切な体圧分散寝具を選択する（図12-6）．
●褥瘡ケアに苦痛が伴ったり，治療上の制限がある場合では，個別性を尊重した個別のケア方針（長期目標）にのっとり，優先順位を検討する．

> **圧抜き**
> ●身体とベッドや枕などとの接触をいったん解除することで，皮膚やその下の組織にかかった圧やずれをなくすことを圧抜きという．寝衣やシーツのしわがとれて，皮膚と皮下組織の過伸展やよれを解除し，血管や組織への物理的負荷も低減できる．

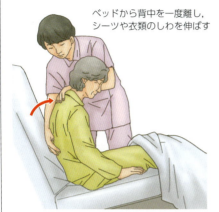

■図 12-4　圧抜き（背抜き）　　　　　　■図 12-5　圧抜き（足抜き）

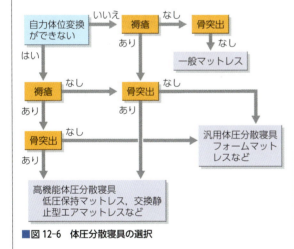

■図 12-6　体圧分散寝具の選択

■表 12-5　在宅で利用できる褥瘡予防の主な福祉用具

特殊寝台	ギャッチベッド 電動ベッド
褥瘡予防用具	エアマット ウレタンマットレス
体位変換器	空気パッド ローリングマットレス

退院指導・療養指導

- 介護者（患者・家族など）が可能なケアを計画する．
- 老老介護やマンパワーが不足している施設では，訪問サービスと計画的に連携してケア実践体制を築く．
- 自宅・居宅・介護施設でもケアが継続できるように知識・技術を伝達・啓発する．
- 褥瘡とそのリスク要因，改善の徴候，受診や連絡の基準を明確にする．
- ケア継続の動機づけができるよう支援的態度で接する．

第 1 章　全身

STEP **1** アセスメント　STEP **2** 看護課題の明確化　STEP **3** 計画　STEP **4** 実施　STEP **5** 評価

評価のポイント

看護目標に対する達成度

- ●体圧やずれなどの物理的な負荷を軽減できているか.
- ●栄養状態と皮膚の乾燥・浸軟を健常な状態に回復させることができているか.
- ●褥瘡は治癒しているか.
- ●褥瘡ケアならびにその予防ケアが継続的にできる体制を整えることができているか.

●参考文献

1) 日本褥瘡学会編：褥瘡予防・管理ガイドライン，p.50，照林社，2009
2) 佐藤征英ほか：坐骨部褥瘡が治癒した脊髄損傷者の一症例―再発予防に向けての退院調整，日本看護学会論文集，成人看護 II 36：390-391，2005
3) 塚原茂樹，近藤龍雄ほか：褥瘡治療への PT の積極的介入―訪問リハビリを通しての症例報告，理学療法研究 34：58-60，2006
4) Black J, et al：National Pressure Ulcer Advisory Panel's updated pressure ulcer staging system. Adv Skin Wound Care 20：269-274，2007
5) 日本褥瘡学会編：褥瘡ガイドブック第 2 版．褥瘡予防・管理ガイドライン(第 4 版)準拠，照林社，2015
6) 日本褥瘡学会編：在宅褥瘡予防・治療ガイドブック第 3 版．褥瘡予防・管理ガイドライン(第 4 版)準拠，照林社，2015
7) 日本創傷・オストミー・失禁管理学会　学術委員会(オストミー・スキンケア担当)：皮膚の脆弱性(スキン - テアの保有，既往)とは．日本創傷・オストミー・失禁管理学会 HP スキンテアについて，http://www.jwocm.org/pdf/hifu_kijakusei.pdf，2018.3.
8) 日本褥瘡学会編：平成 30 年度診療報酬・介護報酬改定褥瘡関連項目に関する指針．照林社，2018
9) 日本褥瘡学会編：改定 DESIGN-R®2020 コンセンサス・ドキュメント．照林社，2020
10) 上鶴重美訳：NANDA-I 看護診断 定義と分類 2021-2023 原書第 12 版．医学書院，2021

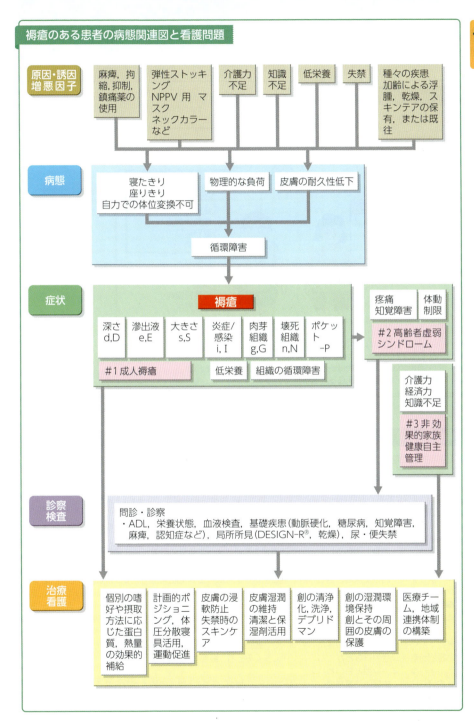

13 肥満

山田 哲也

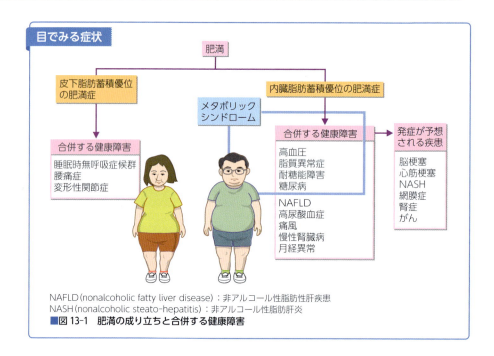

目でみる症状

NAFLD (nonalcoholic fatty liver disease)：非アルコール性脂肪性肝疾患
NASH (nonalcoholic steato-hepatitis)：非アルコール性脂肪肝炎
■図 13-1　肥満の成り立ちと合併する健康障害

病態生理

脂肪組織に脂肪が過剰に蓄積した状態で，body mass index (BMI) が 25 以上のものを肥満と定義する．
肥満に起因ないし関連する健康障害を合併するか，健康障害を伴いやすい高リスク肥満（内臓脂肪蓄積型の肥満）である場合を肥満症と定義し，医学的に減量治療を必要とする（図 13-1）．

●肥満の原因
- 肥満には原因の明らかな二次性肥満と，明らかな単一の原因が同定されない原発性肥満があり，まず両者の鑑別が重要である．
- 原発性肥満：過食，運動不足などの生活習慣の乱れによって生じる肥満．生活習慣の改善が治療となる．
- 二次性肥満：内分泌疾患，遺伝性疾患などにより二次的に生じた肥満．治療には原疾患の治療が必要である．

●肥満のタイプ（図 13-1）
- 皮下脂肪（皮下の脂肪）が蓄積するか，内臓脂肪〔腹腔内の腸の周囲（大網や腸間膜）の脂肪〕が蓄積するかによって，関連する健康障害が異なる．
- 皮下脂肪型：皮下脂肪蓄積優位の肥満．皮下脂肪が大量に蓄積すると，その重量により骨・関節疾患，睡眠時無呼吸症候群などが生じる．女性に多くみられ，殿部，大腿部などに顕著に皮下脂肪を認める．下半身型，洋ナシ型ともいわれる．
- 内臓脂肪型：内臓脂肪蓄積優位の肥満．中高年の男性に多く，上腹部の膨大がみられる．表13-1の①〜⑨の健康障害が起こりやすく，なかでも心筋梗塞，脳梗塞を起こしやすいといわれる．メタボリッ

クシンドロームともほぼ重なり合っているので，メタボリックシンドローム型肥満とも呼ばれるが，メタボリックシンドロームは肥満の基準(BMI≧25)を満たすかどうかは問わない(図13-2).

- ●肥満が原因で起こる疾患(表13-1)
- ●2型糖尿病，耐糖能障害：インスリン抵抗性が生じ，血糖が上昇する．
- ●脂質代謝異常：中性脂肪の上昇，HDL-コレステロールの低下が起こる．
- ●高血圧：循環血液量の増加，血管抵抗(特に糸球体)の上昇による血圧上昇が起こる．
- ●高尿酸血症，痛風：尿酸のもとになるプリン体の産生が増加し，尿酸の排出が低下する．
- ●心筋梗塞，狭心症：冠血管の動脈硬化が起こる．
- ●脳梗塞，一過性脳虚血発作：脳血管の動脈硬化が起こる．
- ●非アルコール性脂肪性肝疾患(NAFLD)，非アルコール性脂肪肝炎(NASH)：肝臓に脂肪が沈着する．
- ●肥満関連腎臓病：尿蛋白が増加する．
- ●月経異常：女性ホルモン分泌の変化が起こる．
- ●睡眠時無呼吸症候群：気道への脂肪沈着および睡眠時の舌根沈下による気道狭窄のため，呼吸停止．
- ●変形性関節症，腰痛症：荷重の負荷の増大による骨・関節障害が生じる．

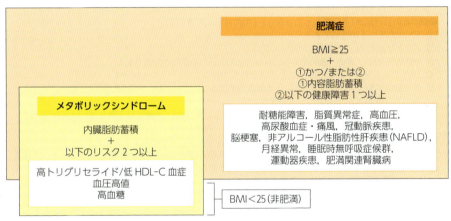

■図13-2 肥満症とメタボリックシンドロームの関係
日本肥満学会編：肥満症診療ガイドライン2022．p.19，図3-1，ライフサイエンス出版，2022より一部改変

■表13-1 肥満に起因ないし関連し減量を要する健康障害

①2型糖尿病，耐糖能異常
②脂質異常症
③高血圧
④高尿酸血症，痛風
⑤冠動脈疾患：心筋梗塞，狭心症
⑥脳梗塞，一過性脳虚血発作
⑦非アルコール性脂肪性肝疾患(NAFLD)
⑧肥満関連腎臓病
⑨月経異常，女性不妊
⑩閉塞性睡眠時無呼吸症候群，肥満低換気症候群
⑪運動器疾患：変形性関節症(膝関節，股関節，手指関節)，変形性脊椎症

※⑩⑪は皮下脂肪蓄積優位の肥満症に多くみられる．
日本肥満学会編：肥満症診療ガイドライン2022．p.1，表1-2，ライフサイエンス出版，2022より一部引用

第1章　全身

- ●**高度肥満症**
- ●BMI が 35 以上の肥満症を高度肥満症という．BMI<35 の肥満と比べて特有の病態を有し，予後も異なるため区別して管理する必要がある．代謝関連の健康障害のほかに呼吸障害，運動器疾患，肥満関連腎臓病，心不全，静脈血栓，皮膚疾患さらに精神的問題の存在が特徴的である．
- ●**高齢者の肥満と肥満症**
- ●高齢者の肥満は，高度でなければ心血管疾患，認知症，死亡リスクとの関係は明らかではないが，ADL の低下，フレイル，転倒などと関連することが知られている．

診断

- ●**肥満の判定**（表 13-2）
- ●脂肪組織量を正確かつ簡便に測定する方法が現状存在しないため，脂肪組織量との相関が高い BMI を用いて肥満の判定が行われる．
  - ・BMI＝体重（kg）÷身長（m）^{2}
- ●日本においては BMI 25 以上を肥満と判定する．BMI が 5 増加するごとに肥満（1 度）～肥満（4 度）に区分され，BMI 35（肥満 3 度）以上は高度肥満とされている．なお，欧米では BMI 30 以上が肥満であり，BMI 25～30 は過体重（pre-obese）という．
- ●BMI を用いた判定における肥満とは，身長に比し体重が重いことを示すものであり，肥満すなわち病気とはいえない．
- ●**肥満症の診断基準**（下記の 1)～7)）は図 13-3 中の数字に該当する）
  1) BMI が 25 以上の肥満である．
  2) 病因が明らかな二次性肥満を除外する．
  3) 病因が不明で，過食，運動不足などが原因と考えられる原発性肥満である．
  4) BMI による区分：25≦BMI<35 と BMI≧35 に分ける．
  5) 25≦BMI<35 であり，表 13-1 に示す健康障害が 1 つ以上あるか，内臓脂肪蓄積があれば肥満症，なければ肥満とする．
  6) BMI≧35 であり，表 13-1 に示す健康障害が 1 つ以上あるか，内臓脂肪蓄積があれば高度肥満症，なければ高度肥満とする．
  7) 肥満，高度肥満であっても減量指導は必要である．
- ●内臓脂肪蓄積の判定：ウエスト周囲長を測定し，基準値（男性 85 cm，女性 90 cm）以上であれば腹部 CT 検査を行い，臍レベルで 1 枚スキャンし，内臓脂肪面積を測定する．内臓脂肪面積が 100 cm^2 以上であれば内臓脂肪蓄積優位の肥満症である．
  - ・ウエスト周囲長の測定（図 13-4）：臍レベルでの腹囲を測定する（洋服のサイズを測る際のウエストではないことに注意）．内臓脂肪蓄積の有無のスクリーニングを目的とした測定方法であるため，基準値以上ならば内臓脂肪蓄積であるとは必ずしもいえない．

■**表 13-2　肥満度分類**

BMI（kg/m²）	判定（日本肥満学会）		WHO 基準
BMI<18.5	低体重		Underweight
18.5≦BMI<25	普通体重		Normal range
25≦BMI<30	肥満（1 度）		Pre-obese
30≦BMI<35	肥満（2 度）		Obese class Ⅰ
35≦BMI<40	高度肥満	肥満（3 度）	Obese class Ⅱ
40≦BMI		肥満（4 度）	Obese class Ⅲ

日本肥満学会編：肥満症診療ガイドライン 2022．p.2，表 1-3，ライフサイエンス出版，2022

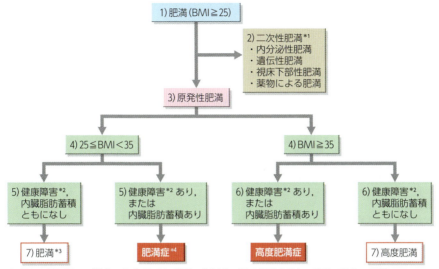

*1 常に念頭に置いて診療　*2 表13-1に相当　*3 BMI≧25の肥満のうち, 高度ではない肥満
*4 BMI≧25の肥満のうち, 高度ではない肥満症

■図13-3　肥満症診断のフローチャート
日本肥満学会編：肥満症診療ガイドライン2022. p.2, 図1-1, ライフサイエンス出版, 2022より一部改変

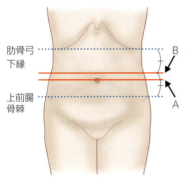

【測定部位】
①臍位：A
②過剰な脂肪蓄積で腹部が膨隆下垂し, 臍が正常位にない症例では, 肋骨弓下縁と上前腸骨棘の中点：B*

【姿勢, 呼吸】
①両足をそろえた立位で, 緊張せずに腕を両側に下げる
②腹壁の緊張を取る
③軽い呼気の終期に計測

【計測時の注意点】
①非伸縮性のメジャーを使用
② 0.1 cm単位で計測
③ウエスト周囲長の前後が水平位になるように計測
④メジャーが腹部にくい込まないように注意
⑤食事による測定誤差を避けるため, 空腹時に計測

*通常, 海外でのウエスト周囲長測定部位はBであり, わが国での測定部位A(内臓脂肪評価の臍部CT部位に一致)との比較は慎重にすべきである. 下表に, わが国の大規模コホート研究において, 測定部位の違いによるウエスト周囲長の対応関係を検討した結果を示す. 現在, 国際糖尿病連合は日本を含むアジア地域におけるメタボリックシンドローム診断のためのウエスト周囲長(測定部位B：中点)の基準値として, 男性90 cm, 女性80 cmを提唱しているが, これらはわが国での測定部位A：臍位に置き換えると, 男性の場合は約90 cmのままであるが, 女性の場合は約84 cmと大きくなる.

測定部位B：中点(cm)		70	75	80	85	90	95	100
測定部位A：臍位(cm)	男性	71.8	76.5	81.1	85.7	90.3	95.0	99.6
	女性	75.2	79.6	83.9	88.3	92.6	97.0	101.3

■図13-4　標準的ウエスト周囲長測定法と測定時の注意点
日本肥満学会編：肥満症診療ガイドライン2022. p.10, 図2-1, ライフサイエンス出版, 2022

第1章　全身

治療法・対症療法

減量期間の目安は 3～6 か月で，減量目標は肥満症では現体重の 3% 減，高度肥満症では 5～10% 減である.

●肥満症の治療
- 治療の目的は肥満に起因・関連する健康障害の予防・改善であり，減量は肥満症の治療の目的ではなく手段である.
- 減量目標の達成やリバウンドの防止には，生活習慣の改善に向けた行動変容を促すことが重要である.

●食事療法
- 体格や活動度に合わせて摂取エネルギー量を決定する．肥満症 (25≦BMI＜35) では，一日の摂取エネルギー量は，「25 kcal×目標体重 (kg)」以下とする．目標体重は年齢により異なる (表 13-3).
- 栄養バランスに注意し，指示エネルギーの内訳は，炭水化物 50～65%，蛋白質 13～20%，脂肪 20～30% とするのが一般的である．また，十分な食物繊維の摂取は減量に有効である.
- 高齢者肥満症において，サルコペニアやフレイルを予防するためには，蛋白質を 1.0 g/kg 目標体重以上摂取することが望ましい.

●運動療法
- 運動療法は減量にはあまり効果的ではないが，肥満症に関連する死亡や心血管疾患の発症・重症化リスクを低下させる.
- 実施前には必ずメディカルチェックを行い，心肺機能，骨・関節に支障をきたさない範囲で運動を行うようにする.
- 歩行，ジョギングなどの有酸素運動が適切である．筋力トレーニングを組み合わせることも勧められる．1 回あたり 30 分～1 時間程度を目安とし，少なくとも週 3 回以上，可能であれば週 5 回以上行う.
- 活動性を高めることが重要であり，日常生活においても車に乗らずに歩く，階段を上るなど，こまめに身体を動かすように心がける.

●行動療法
- 肥満症治療においては，食事療法や運動療法の実施に加えて，生活リズムの修正も非常に重要である．食行動質問票，グラフ化体重日誌，グラフ化生活日誌などの活用が有用であり，咀嚼法の指導 (「荒噛み早食い」から「しっかりとした咀嚼と早食いの是正」への変更) も勧められる.

●薬物療法
- 食事・運動・行動療法を行い，3～6 か月の経過中に 0.5～1.0 kg/月の減量が得られない場合，あるいは合併症の重篤性から急速な減量が必要な場合に併用を検討する．肥満症治療薬は食事，運動などを守ることで減量効果がさらに高まる.
- 中枢性食欲抑制薬であるマジンドールは，糖尿病の有無に関わらず高度肥満症に対して保険適用されているが，耐性・依存性の懸念から連続して 3 か月までの使用に限られている (表 13-4).
- 糖尿病治療薬のうち，SGLT2 阻害薬や体重減少作用を有する GLP-1 受容体作動薬は，糖尿病を合併する肥満症に対して有効性が確認されているが，日本において糖尿病を合併しない高度肥満症に対して糖尿病治療薬の保険適用はない (表 13-5).
- SGLT2 阻害薬や GLP-1 受容体作動薬以外の糖尿病治療薬では，ビグアナイドやαグルコシダーゼ阻害薬に軽度の体重減少作用があり，肥満 2 型糖尿病で活用しやすい.

Px 処方例
- サノレックス錠 (0.5 mg)　1 回 1 錠　1 日 1 回　昼食前　←中枢性食欲抑制薬
  ※ 1 日最大 3 錠　1 日 3 回　毎食前まで増量可．処方期間は 3 か月が限度.

■表 13-3　目標体重の目安

年齢 (歳)	目標とする BMI の目安
<65	22
65～74	22≦BMI<25
≧75	22≦BMI<25

日本肥満学会編：肥満症診療ガイドライン 2022.　p.54，表 5-1，ライフサイエンス出版，2022

234

- セマグルチド　週1回投与の皮下注射製剤と毎日1回投与の経口内服製剤がある　←2型糖尿病治療薬
  - ※注射製剤（0.25 mg, 0.5 mg, 1 mg），経口内服製剤（3 mg, 7 mg, 14 mg）：いずれも初期量から導入し副作用に注意しながら増量が可能.
- リラグルチド　毎日1回投与の皮下注射製剤　←2型糖尿病治療薬
  - ※0.3 mg～1.8 mg/日の投与. 初期量から導入し副作用に注意しながら増量が可能.
- チルゼパチド　週1回投与の皮下注射製剤　←2型糖尿病治療薬
  - ※2.5 mg～15 mg/週1回の投与. 初期量から導入し副作用に注意しながら増量が可能.
- **●外科療法**
- 胃のサイズを縮小して食事摂取量を減らす方法や，胃-小腸間でバイパスを作り消化吸収を減らす方法がある.
- 手術適応基準：年齢が18～65歳の原発性肥満で，6か月以上の内科治療で有意な体重減少および肥満関連健康障害の改善が得られない肥満症で以下の場合.
  - ・体重減少が主目的の場合：35≦BMI
  - ・肥満関連健康障害の治療が主目的の場合：糖尿病または糖尿病以外の2つ以上の肥満関連健康障害を合併し，BMI≧32).
- 医師，看護師，管理栄養士，公認心理師，理学療法士などの医療スタッフによるチーム医療が，術前から術後のフォローまで必須であり，非常に重要である.

■表 13-4　肥満症の治療薬

分類	一般名	主な商品名	薬の効くメカニズム	主な副作用
中枢性食欲抑制薬	マジンドール	サノレックス	神経シナプス末端でカテコールアミンなどの再取り込み阻害	依存性，肺高血圧症，睡眠障害，口内乾燥

■表 13-5　2型糖尿病治療薬

分類	一般名	主な商品名	薬の効くメカニズム	主な副作用
GLP-1 受容体作動薬	セマグルチド（遺伝子組換え）	オゼンピック（注射製剤）リベルサス（経口内服製剤）	GLP-1 受容体刺激	消化器症状（便秘，下痢，悪心など），低血糖，膵炎，胆のう炎
	リラグルチド（遺伝子組換え）	ビクトーザ		
GLP-1/GIP 受容体作動薬	チルゼパチド（遺伝子組換え）	マンジャロ	GLP-1 および GIP 受容体刺激	
SGLT2 阻害薬	エンパグリフロジン	ジャディアンス	腎尿細管で SGLT2 を阻害し，尿糖排泄量を増やす	尿路感染症，脱水，低血糖
	カナグリフロジン水和物	カナグル		

第1章 全身

肥満症の病期・病態・重症度別にみた治療フローチャート

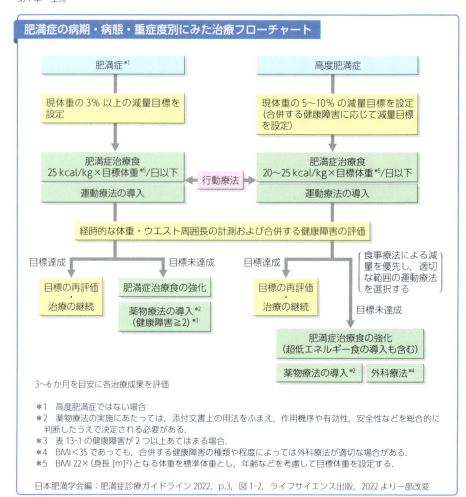

* 1 高度肥満症ではない場合
* 2 薬物療法の実施にあたっては，添付文書上の用法をふまえ，作用機序や有効性，安全性などを総合的に判断したうえで決定される必要がある．
* 3 表13-1の健康障害が2つ以上あてはまる場合．
* 4 BMI<35であっても，合併する健康障害の種類や程度によっては外科療法が適切な場合がある．
* 5 BMI 22×(身長[m])² となる体重を標準体重とし，年齢などを考慮して目標体重を設定する．

日本肥満学会編：肥満症診療ガイドライン2022．p.3，図1-2，ライフサイエンス出版，2022より一部改変

● 参考文献
日本肥満学会編：肥満症診療ガイドライン2022．ライフサイエンス出版，2022

肥満のある患者の看護

中村　美幸

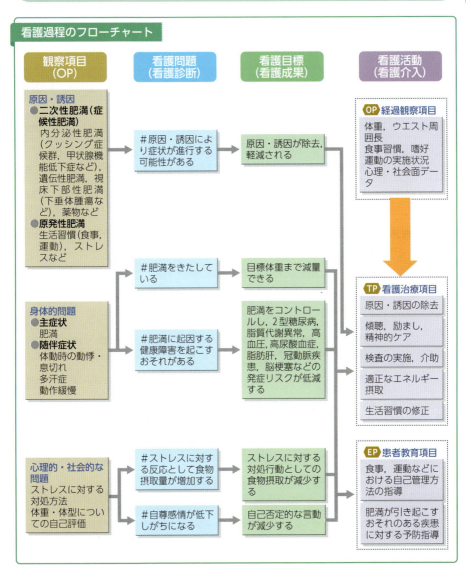

基本的な考え方

- 肥満は，様々な疾患が発症する土台となる．なかでも肥満に起因・関連した健康障害を合併している，あるいはその合併が予測される肥満症に対しては，減量による疾患予防や治療が必要となる．

第1章　全身

- 肥満症の治療は，食事や運動などの生活習慣に密着した治療が中心となるが，その実施や継続は困難であることが多い．またいったん減量に成功しても，再び体重増加をきたすことも多い．肥満症治療の目的は，現在の体重を減らすことよりも，再び体重が増加しないように体重をコントロールし，肥満に伴う疾患の治療・予防をすることが重要である．したがって患者が継続可能な方法で減量に取り組めるように援助することが必要となる．
- 身体面のみならず肥満による心理・社会面への影響にも注意する．

| STEP ❶ アセスメント | STEP ❷ 看護課題の明確化 | STEP ❸ 計画 | STEP ❹ 実施 | STEP ❺ 評価 |

情報収集	アセスメントの視点と根拠・起こりうる看護問題
病歴，肥満の経過の把握	肥満になった時期と経過，肥満に関連する生活習慣，肥満を引き起こす疾患や薬物の使用に関する情報を収集することで，原因・誘因を知ることができ，治療や看護ケアにも重要な情報を得ることができる．
経過	● 体重の変化歴(肥満症になった時期～現在までの体重の長期的な流れを把握する) **原因・誘因** ライフスタイルが変化する時期やストレスが強い時期(入試，就職，結婚，妊娠・出産など)の体重増加では，これらイベントが誘因となることが多い **原因・誘因** 成人期からの短期間での体重増加では二次性肥満(症候性肥満)を疑う． ● 減量の経験(減量方法と体調を崩した経験)とその効果，リバウンドの繰り返しの有無
食生活	● 食事回数，食事摂取量，食事時間，食事時間の規則性，食事の所要時間 ● 外食や間食の頻度と内容 ● 偏食の有無など ● 菓子，嗜好品(アルコールなど)の摂取の頻度と内容 ● 食事環境 ● 家族構成，調理の担当者，家族の食習慣 ● 食事や栄養に関する知識 ● 空腹感と満腹感に関する認知 ● 食行動特性：無茶食い，代理摂食(やけ食い，つられ食い，残飯食い，気がね食い)，夜間(特に深夜)の過食の有無
運動	● 日常生活での活動量，運動の種類・量と頻度 ● 運動実施に影響を及ぼしている身体状況(循環器疾患，呼吸器疾患，骨・関節疾患など)の有無
肥満の原因となる疾患と治療状況	● クッシング症候群，甲状腺機能低下症，脳腫瘍の既往と治療状況　**原因・誘因** 二次性肥満(症候性肥満) ● プラダー–ウィリ Prader-Willi 症候群，ローレンス–ムーン–ビードル Laurence-Moon-Biedl 症候群の既往と治療状況　**原因・誘因** 遺伝性疾患による肥満
薬物	● 副腎皮質ホルモン，経口避妊薬，向精神薬などの服用　**原因・誘因** 薬物による肥満
随伴症状	● 体動時の動悸・息切れ，多汗症，動作緩慢など
肥満に関連する疾患と治療状況	● 2 型糖尿病，脂質代謝異常，高血圧，高尿酸血症，脂肪肝，冠動脈疾患，脳梗塞，骨関節疾患(変形性膝関節症，変形性股関節症，変形性腰椎症，腰痛)，睡眠時無呼吸症候群，ピックウィック Pickwick 症候群，月経異常の既往と治療状況
職業	● 職場の環境 ● 仕事の内容(接待や宴会などの頻度)
心理	● 抑うつやストレスの有無や程度，ストレスの対処方法　**原因・誘因** 抑うつやストレスへの対処としての過食(思春期から青年期の女性に多い) 🔍 **起こりうる看護問題**：ストレスに対する反応として食物摂取量が増加する／肥満に起因する健康障害を起こすおそれがある

238

肥満の程度とタイプの把握	肥満の程度やタイプを把握することで，肥満に起因・関連する疾患の発症リスクや治療の方向性に有用な情報を得ることができる．
	●身長，体重，BMI
	●体脂肪率：ウエスト周囲長，腹部 CT 検査による内臓脂肪面積．ウエスト周囲長男性 85 cm 以上，女性 90 cm 以上，内臓脂肪面積 100 cm^2 以上→内臓脂肪型肥満
	●体型（上半身肥満，下半身肥満など）
	🔍 **起こりうる看護問題**：肥満に起因する健康障害を起こすおそれがある

肥満に起因・関連する疾患の観察	肥満に起因・関連する疾患の症状を観察することで，疾患の程度を把握することができる．
バイタルサイン	●血圧 ●高血圧 (140/90 mmHg 以上) を鑑別する．
	●呼吸 ●睡眠時の無呼吸，大きないびきは，睡眠時無呼吸の可能性がある．
	● 緊急 意識障害の有無を確認する 原因・誘因 脳梗塞
胸部	● 緊急 胸痛の有無を観察する 原因・誘因 狭心症，心筋梗塞
四肢	● 緊急 麻痺や感覚障害の有無を確認する 原因・誘因 脳梗塞
	●関節痛 ●股関節・膝関節の不快感や重圧感，疼痛は変形性関節症の可能性がある．足趾（母趾），足関節などの疼痛は高尿酸血症，痛風の可能性がある．
その他自覚症状	●口渇，多尿 ●糖尿病の可能性がある．
	●月経異常の有無 妊婦 妊娠可能な女性の月経停止では，妊娠の可能性も考慮する．疑わしい場合は妊娠反応の検査を行う．
	🔍 **起こりうる看護問題**：肥満に起因する健康障害を起こすおそれがある

患者・家族の心理・社会的側面の把握	肥満は身体的な疾患の誘因ばかりでなく，自尊感情の低下や活動力の低下など心理・社会面にも影響を及ぼす．これらの情報を収集することで患者への精神的ケアの方向性を見出すことができる．
	●自分の体重や体型に対する自己評価
	●家族や友人など周囲の人々の体重，体型に対する評価
	●自己否定的な表現，抑うつ
	●精神的・社会的な活動力の低下
	●人間関係の狭小化
	🔍 **起こりうる看護問題**：肥満のため自尊感情が低下しがちになる

STEP❶ アセスメント　STEP❷ 看護課題の明確化　STEP❸ 計画　STEP❹ 実施　STEP❺ 評価

看護問題リスト

#1　摂取エネルギーが消費エネルギーより多いため肥満をきたしている（健康知覚-健康管理パターン）

#2　ストレスに対する反応として食物摂取量が増加する（コーピング-ストレス耐性パターン）

#3　肥満のため自尊感情が低下しがちになる（自己知覚パターン）

#4　肥満に起因する健康障害を起こすおそれがある（健康知覚-健康管理パターン）

看護問題の優先度の指針

●原発性肥満は，消費エネルギーを上回るエネルギーの摂取があるため，肥満による合併症予防の観点から，まず摂取エネルギーを減らし，体重減少を図る．またストレスへの対処の結果として食物摂取量が増加をきたしている場合は，並行してストレスの対処に関しても介入していく．

●次に，肥満の心理面への影響は，肥満症の治療にも影響を及ぼすため介入する．

●肥満に起因・関連する健康障害は，肥満のタイプや既往歴によっても異なるため，患者の身体状況に応じて看護問題の優先度を判断していく．

第1章　全身

STEP ❶ アセスメント	STEP ❷ 看護課題の明確化	STEP ❸ 計画	STEP ❹ 実施	STEP ❺ 評価

1　看護問題	**看護診断**	**看護目標（看護成果）**
#1　摂取エネルギーが消費エネルギーより多いため肥満をきたしている	**肥満** **関連因子**：平均的な1日の身体活動量が年齢・性別の推奨量以下．標準的ツールの評価で，エネルギー消費量が摂取量よりも少ない．異常な摂食行動パターン **診断指標** 成人：体格指数（BMI）30 kg/m² 超	〈**長期目標**〉目標体重まで減量することができる 〈**短期目標**〉1) 体重増加の原因を明らかにできる．2) 適切な1日の摂取エネルギーを維持できる．3) 達成可能な体重の目標が設定できる（例：体重が500 g/週減少する）．4) 実施可能な運動目標が設定できる（例：通勤時，駅まで20分間歩行する）

看護計画

介入のポイントと根拠

OP 経過観察項目
- 体重の変化・推移

- 摂取した食物の種類・量
- 食行動異常（無茶食い，代理摂食など）の有無
- 活動量や運動の実施状況
- 運動時の自覚症状
- 食事療法や運動療法に対する患者の反応と期待

TP 看護治療項目
- 適切な摂取エネルギー（消費エネルギーよりも少ないエネルギー量）の設定をする
- 減量に対する感情や心配を述べることができるように援助する
- 減量に対する努力を評価する

EP 患者教育項目
- 患者とともに現実的な体重減少の目標を段階的に設定する（1〜2 kg/月の減量が安全．目安として，内臓脂肪型肥満では，3〜6か月で体重の5％減少）

- 患者が自らの生活を振り返り，何を修正すべきか認識できるように関わる
- 食事記録を1週間つけるように指導し，食事摂取に影響を与えるパターン（例：時間，場所，情動，行動，食物など）を患者自身が注目できるようにする
- 食行動変容の方法を具体的に指導する（自宅の特定の場所で食べるようにする，食べ物をそばに置かない，定刻通りの食事摂取，ながら食いの禁止，小さな皿を使用する，ゆっくりと完全に咀しゃくするなど）
- 患者とともに実施可能な運動プログラムを計画する（目安として，散歩，ジョギングなどの有酸素運動を10〜30分/日，3日以上/週）

➡ 毎日同じ条件で測定する　**根拠** 食事療法，運動療法などの効果を判定する
➡ **根拠** 摂取エネルギーを把握する
➡ **根拠** 患者が過食につながる因子を明らかにし，それらを除去することが必要である
➡ 胸痛，めまい，強度の息切れ，立ちくらみなどの症状が出現した場合，すぐに運動を中止する

➡ 年齢，性別，身長，体重，運動量から設定する．7,000 kcal のエネルギーは体重1 kg に相当する

➡ **根拠** 努力を評価することで，減量に対する意欲を高めることができる

➡ **根拠** 現実的な目標は成功の可能性を高める．成功は減量のためのプログラム継続の動機づけとなる
➡ **根拠** 内臓脂肪型肥満では数kgの体重減少でも，糖・脂質代謝や高血圧が著明に改善する
➡ **根拠** 体重が増加する原因を患者が気づくことで，それを克服する意識を高めることができる
➡ **根拠** 食事を記録することで，患者に摂取食物の量や種類，状況などについての自覚を促すことができる

➡ **根拠** 食事摂取量の増加を招く状況を避ける

➡ **根拠** 運動によるインスリン感受性の改善効果は3日以内に低下し，1週間で消失する
高齢者 膝関節痛がある場合は，プール内での歩行など膝の負担が少ない運動を勧める

240

2 看護問題	看護診断	看護目標（看護成果）
#2 ストレスに対する反応として食物摂取量が増加する	**非効果的コーピング** **関連因子**：ストレッサーへの準備不足，コントロール感が十分にない，ソーシャルサポートの不足 **診断指標** □状況に対処できない □助けを求めることができない	〈**長期目標**〉ストレスへの対処行動としての食物摂取量が減少する 〈**短期目標**〉1) ストレスが食物摂取に影響を与えていることを表現できる． 2) 食物摂取以外のコーピング方法を見出せる

看護計画	介入のポイントと根拠
OP 経過観察項目 ●個人的なストレス因子 ●食物摂取行動を誘発するストレス因子 ●ストレスへの対処行動としての食物摂取に関しての知識 ●ストレスによる食物摂取行動を変えようとする意志 ●摂取した食物の種類・量	➡ 根拠 肥満は外的なストレスへの不適切な反応によって悪化することが多い．どのようなストレスが食物摂取行動につながっているのかを明らかにする ➡ 根拠 食行動の問題点に対する患者の理解は，減量の成功を左右する重要な情報となる
TP 看護治療項目 ●ストレスの調節方法を習得したり，使用したりする機会を提供する ●ストレス状況を客観的に評価できるよう患者を援助する ●患者の日常生活での問題を共有したり理解してくれる人との交流がもてるようにする ●患者を支援し，感情の表出を促す	➡軽い運動などを勧める 根拠 患者が適切なストレスへの対処方法を学ぶことができるようにする ➡ 根拠 他者からの情緒的なサポートを受けることで，患者の問題解決につながる可能性がある ➡ 根拠 感情を表出することで，ストレスに対する怒りや不安などの感情を軽減することができる
EP 患者教育項目 ●どのような状況が食物摂取を誘発するのか，振り返るように促す ●食物摂取に代わるストレス対処法を具体的に考えてみるように促す	➡ 根拠 ストレスのある状況で食物摂取が増加している事実を，患者が気づくことができるようにする ➡患者が実施できそうな方法をともに考える

3 看護問題	看護診断	看護目標（看護成果）
#3 肥満のため自尊感情が低下しがちになる	**自尊感情慢性的低下** **関連因子**：ボディイメージ混乱，自己効力感が低い **診断指標** □自己否定的発言	〈**長期目標**〉自己否定的な言動が減少する 〈**短期目標**〉1) 自尊感情を脅かす要因について説明できる． 2) 自分の肯定的な面を見つけることができる

看護計画	介入のポイントと根拠
OP 経過観察項目 ●患者の自分自身に対する言動	➡ 根拠 自己否定的な表現が減少しているか判断する

13

肥満

第1章　全身

TP 看護治療項目
- 患者が感情や自分自身に対する考え方，見方を表出できるようにする

- 患者の減量のための努力の肯定的な面を見出し評価する
- 患者の得意な分野を明らかにし，個人的な強みを発揮できる活動への参加を勧める

EP 患者教育項目
- 達成可能で現実的な減量目標を設定するように指導する
- 患者の肯定的な側面に目を向けられるように励ます

➡ 判断を交えずに共感的な態度で接する **根拠**
患者が自分の感情と考えを明確にすることで自己受容を高めることができる

➡ **根拠** 患者が自分自身の肯定的な側面に気づくことができるようにする

➡ **根拠** 成功を実感できる機会を提供することで自尊感情を高めることができる

➡ **根拠** 目標を達成することで自尊感情を高めることができる

➡ **根拠** 自己尊重が低下していると，否定的な側面に目を向けがちになる

4 看護問題	**看護診断**	**看護目標（看護成果）**
#4　肥満に起因する健康障害を起こすおそれがある	**非効果的健康維持行動** **関連因子**：意思決定が困難，無効なコーピング方法 **診断指標** □健康問題を予防する行動がとれない □基本的な健康習慣についての知識不足 □健康改善への関心不足	〈長期目標〉肥満をコントロールして，起こりうる合併症のリスクを低減させる 〈短期目標〉1）肥満が引き起こす可能性のある疾患に関する知識がもてる．2）肥満に効果的な食事内容を理解し，実行できる．3）適切な運動を生活に取り入れ，生活習慣を改善できる

看護計画	**介入のポイントと根拠**

OP 経過観察項目
- 体重の変化・推移
- 摂取した食物の種類・量
- 活動量や運動の実施状況
- 血液検査データ
  - 血糖，HbA1c（ヘモグロビンA1c）
  - 中性脂肪，HDLコレステロール，LDLコレステロール，総コレステロール
  - 尿酸値
  - AST，ALT，γ-GTP
- 心電図
- CT検査，MRI検査
- バランスのとれた栄養摂取と運動の必要性に関しての知識
- 肥満が健康に及ぼす影響に関しての知識

➡ **根拠** 合併症のアセスメントでは，初期には自覚症状が出現しないものも多いため，検査結果の把握に努める

TP 看護治療項目
- 食事や運動のプログラムに関して，関心と動機づけが高まるように援助する（現実的な目標を設定する，食事と運動の記録を続ける，家族や身近な人の協力を得るなど）
- 減量に対する努力を評価する

➡ **根拠** 減量においては一時的に目標体重に達することが重要なのではなく，動機づけを維持させ，健康的な生活を継続することが必要である

➡ **根拠** 努力を評価することで，減量に対する意欲を高めることができる

EP 患者教育項目

● 毎日，同じ条件で体重を測定するように指導する

● 患者が自らの生活を振り返り，何を修正すべきか認識できるように関わる

● 食行動変容の方法を具体的に指導する

● 患者とともに実施可能な運動プログラムを計画する

● 肥満の健康への影響に関する情報を提供する
  ・肥満が引き起こす可能性のある疾患(2型糖尿病，脂質代謝異常，高血圧，高尿酸血症，冠動脈疾患，脳梗塞など)
  ・体重の減少がもたらす効果(5～10%の減量は血圧を下げ，血糖値と血中脂質値を改善する)

➡ **根拠** 食事療法，運動療法などの効果を判定する

➡ 患者の理解度を把握し，患者が理解しやすい方法で指導を行う **高齢者** 加齢に伴う難聴や視力，記銘力の低下があるため，患者が理解しやすい方法を工夫して説明する

STEP ❶ アセスメント ▶ **STEP ❷ 看護課題の明確化** ▶ **STEP ❸ 計画** ▶ **STEP ❹ 実施** ▶ **STEP ❺ 評価**

病期・病態・重症度に応じたケアのポイント

【高度肥満】難治性の高度肥満で肥満による合併症が高度な場合に対しては，超低エネルギー食事療法 very low calorie diet(VLCD)が実施される場合がある．VLCD実施時には，水分摂取を積極的に勧め，尿酸値の上昇やケトアシドーシスの検査所見の把握に努める．また半飢餓に近い状態のVLCD実施によるストレスに対しても，精神的なサポートが必要となる．

高度肥満では，運動療法の実施に際して，体重による膝や腰への負担が少ない運動(水中運動など)を考慮する．

また，6か月以上の内科治療で体重減少や健康障害の改善が見られない高度肥満症の患者では，減量・代謝改善手術が検討される場合がある．術後は食事摂取量の低下のため，栄養状態の悪化をきたす可能性があり，フォローが必要である．

難治性の高度肥満では，心理面での問題を抱えている場合も多い．肥満をもたらした心理的な特性に応じた看護ケアを提供することが，減量に伴う問題の解決につながる．

看護活動(看護介入)のポイント

診察・治療の介助

● 肥満の経過や生活習慣(特に食事，運動)から，肥満の原因・誘因を把握する．

● 肥満に起因・関連して発症する健康障害の有無や程度を知るための諸検査の実施・介助を行う．

肥満が原因・誘因となって発症する疾患に対する援助

● 肥満の合併症の進行は緩徐であり，初期には自覚症状にも乏しいことが多いため，検査データや全身の観察，自覚症状の把握に努める．

退院指導・療養指導

● 患者が自分自身の生活を振り返り，どのような行動が肥満に結びついているのかを気づくことができ，肥満の原因となる生活習慣を修正できるように援助する．

第1章　全身

STEP ❶ アセスメント　　STEP ❷ 看護課題の明確化　　STEP ❸ 計画　　STEP ❹ 実施　　STEP ❺ 評価

評価のポイント

看護目標に対する達成度
- 目標体重まで減量ができているか.
- ストレスへの対処行動としての食物摂取が減少しているか.
- 自己否定的な言動が減少しているか.
- 肥満が起因・関連して発症する健康障害のリスクが低減しているか.

● 参考文献
1) 齋藤康ほか監：肥満症の総合的治療ガイド，日本肥満症治療学会，2013
2) 高久史麿ほか監：新臨床内科学　第9版，医学書院，2009
3) 井上智子編：症状からみた看護過程の展開，医学書院，2007
4) 高木永子監：看護過程に沿った対症看護　第5版，学研メディカル秀潤社，2018
5) 池松裕子，山内豊明編：症状・徴候別アセスメントと看護ケア，医学芸術社，2008
6) 日本肥満学会編：肥満症診療ガイドライン2022．ライフサイエンス出版，2022

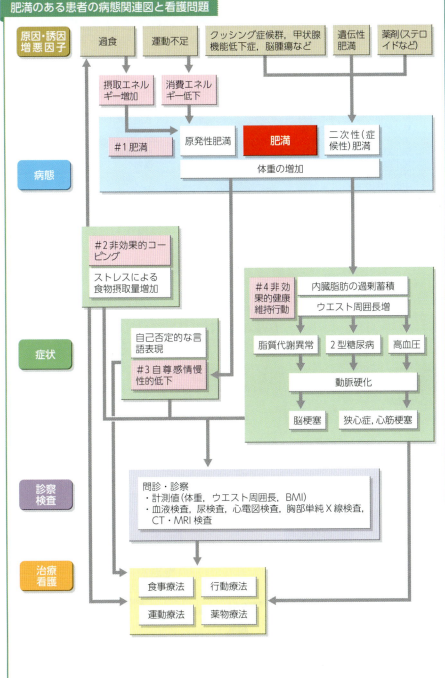

14 やせ

辻野　元祥

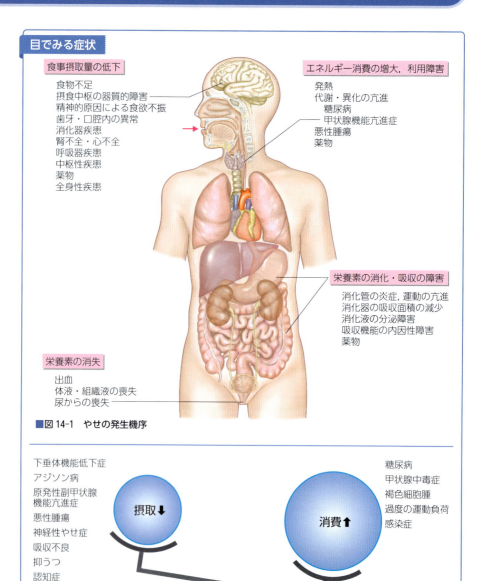

■図 14-1　やせの発生機序

■図 14-2　エネルギーバランスと体重減少

病態生理

やせとは，週や月の単位で体重が減少し，体脂肪および体蛋白の減少を伴う状態を指し，BMI（体格指数：body mass index）が 18.5 未満をやせと判定する.

- やせは，抑うつや神経性やせ症などの精神疾患，悪性疾患，感染症，さらに種々の内分泌疾患に伴い生じうる.

患者の訴え方

患者自身が体重減少を自覚し，異常であることを自覚していることが大半であるが，神経性やせ症ではボディイメージの障害によりやせを自覚しないことが特徴的である.

- 主症状の訴え
- 体重減少.
- 随伴症状
- 原因疾患により様々である．食欲不振，嘔吐，下痢などの消化器症状，浮腫，無月経，徐脈，頻脈，（甲状腺機能亢進症の場合）動悸.

診断

- 食欲不振，嘔吐，下痢などの消化器症状を伴う場合は，それぞれの項目を参照されたい．抑うつ，悪性疾患，感染症については，特徴的な症候，検査所見があり，これらが除外診断されたあとの鑑別診断について述べる.

- 代謝・異化の亢進によるやせ
- 食欲の低下を伴わないにもかかわらず，体重が減少する.

〈糖尿病〉
- 糖尿病では，1 型糖尿病でも 2 型糖尿病でも高血糖（300 mg/dL 以上が多い）で内因性インスリン分泌が低下し，ブドウ糖の利用が障害されると骨格筋や脂肪組織での異化が亢進し，蛋白質や脂肪の分解が生じるために体重減少が生じる．このような状況では，尿糖および尿ケトン体のいずれも陽性となることから容易に診断が可能である.

〈甲状腺中毒症〉
- 甲状腺機能が亢進する結果，食欲が亢進するにもかかわらず約 60% で体重が減少する．ときに食欲の亢進が著しく体重の増加をみることもある．頻脈，発汗過多，手指振戦，微熱などの症状を伴う場合，本症を疑う.
- 検査所見では，甲状腺ホルモン（遊離 T_3，遊離 T_4）の高値，および甲状腺刺激ホルモン（TSH）の低値を認める.
- 原因疾患としては，バセドウ病，無痛性甲状腺炎，亜急性甲状腺炎，橋本病の急性増悪，プランマー病などがある.
- バセドウ病では甲状腺腫，眼球突出を伴うことが多く，甲状腺 TSH 受容体抗体陽性で診断が確定する.
- 亜急性甲状腺炎では，著しい圧痛を伴う甲状腺腫と炎症所見の高値（CRP 高値）から診断される.
- 抗サイログロブリン抗体や抗甲状腺ペルオキシダーゼ抗体などの甲状腺自己抗体が陽性であれば，橋本病の急性増悪に伴うものと診断される.
- 甲状腺 TSH 受容体抗体，甲状腺自己抗体がいずれも陰性で，^{123}I（ヨウ素 123）または ^{99m}Tc（テクネチウム 99m）などの甲状腺シンチグラムで RI 集積が強いホットノジュール（高集積結節）とそれに一致して甲状腺超音波検査で結節が確認できればプランマー病と診断される.
- 以上のいずれにもあてはまらない場合は無痛性甲状腺炎と診断される．経過中自然に軽快し，甲状腺機能が一過性に低下する際には体重減少が止まり，体重増加に転じる.

〈褐色細胞腫〉
- 褐色細胞腫では，過剰のカテコールアミンにより肝臓や骨格筋でのグリコーゲンの分解促進と末梢での糖利用が抑制され，また膵でのインスリン分泌も抑制されるため，脂肪分解が促進される．したがって，体重減少が生じうるが，その頻度は約 10% であるとされている．本症の臨床症状は頭痛，動悸，発汗，顔面蒼白など多彩であるが，発作性または持続性高血圧症で体重減少をきたす場合，本症を念頭におく.

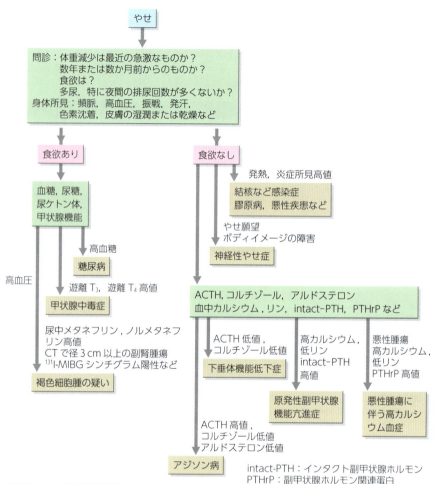

■図14-3 やせの診断の進め方

- 検査所見では，カテコールアミンの代謝産物であるメタネフリンおよびノルメタネフリンの蓄尿中増加（基準値の2倍以上）で疑い，腹部CTで副腎腫瘍（径3cm以上が多い）および^{131}I-MIBGシンチグラムで陽性であれば，診断確定となる．最近は血中メタネフリン濃度の検査も保険適用となっている．
- **摂食量の減少を伴うやせ**

〈下垂体機能低下症〉
- 視床下部や下垂体周辺に原因となる病変があり，汎下垂体機能低下症に至ると副腎皮質刺激ホルモン（ACTH）-コルチゾール系の低下に伴って体重減少が生じ，約20%にやせを認める．汎下垂体機能低下症の場合は，甲状腺機能低下症や性腺機能低下症が本症と診断される契機となる．女性では月経不順や無月経となり，男性では性欲減退や勃起障害がみられる．原因疾患としては，下垂体腫瘍や頭蓋咽頭腫，リンパ球性下垂体炎，女性の場合は出産時の大量出血に伴うシーハン症候群などがある．下垂体ホルモン刺激検査で基礎値および反応の低下を確認することによって診断が確定する．
- ACTH系のみが障害されるACTH単独欠損症でも，全身倦怠感，食欲不振および低ナトリウム血症を伴った体重減少を認め，その原因は自己免疫異常と考えられている．

■表14-1　やせの原因または考えられる疾患（赤字は緊急対応を要する疾患）

代謝・異化の亢進によるやせ	摂食量の減少を伴うやせ
●糖尿病 ●甲状腺中毒症 　●バセドウ病 　●無痛性甲状腺炎 　●亜急性甲状腺炎 　●橋本病 　●プランマー病 ●褐色細胞腫	●下垂体機能低下症 　●下垂体腫瘍 　●頭蓋咽頭腫 　●シーハン症候群 　●リンパ球性下垂体炎 ●アジソン病 ●高カルシウム血症 　●原発性副甲状腺機能亢進症 　●悪性腫瘍 ●神経性やせ症

■表14-2　やせの随伴症状と考えられる疾患

随伴症状	考えられる疾患
頻脈，発汗過多，手指振戦，微熱 　眼球突出 　圧痛を伴う甲状腺腫	甲状腺中毒症 バセドウ病 亜急性甲状腺炎
頭痛，動悸，発汗，顔面蒼白	褐色細胞腫
月経不順，無月経(女性)，性欲減退，勃起障害(男性)，腋毛・恥毛脱落(男女とも)	下垂体機能低下症
全身倦怠感，食欲不振，色素沈着	アジソン病
多尿，口渇，脱水	高カルシウム血症
低体温，低血圧，徐脈，皮膚の乾燥	神経性やせ症

〈アジソン病〉
●原発性の副腎機能低下症であり，コルチゾールおよびアルドステロンの分泌低下に伴って低ナトリウム血症を伴う脱水を認め，全身倦怠感，食欲不振により約50%でやせを認める．血中ACTHの増加に伴い，全身の色素沈着が生じる．自己免疫，結核などの感染症，がんの転移などが原因となる．迅速ACTH試験で反応が低下していることから診断確定となる．

〈高カルシウム血症〉
●血中カルシウム値が12 mg/dL以上になると易疲労感，食欲不振に伴って，体重が減少する．一方，腎での尿濃縮力低下により，多尿，口渇，脱水などが生じる．原因としては，原発性副甲状腺機能亢進症や悪性腫瘍によるものが大半を占める．血中カルシウム，血中リン，副甲状腺ホルモン(PTH)，悪性腫瘍が存在する場合は，PTH関連蛋白(PTHrP)を測定することで診断に至る．

〈神経性やせ症〉
●思春期以降の女性例が多いが，男性例もまれにみられる．米国精神医学会のDSM-5における神経性やせ症の診断基準では，1)摂取エネルギーの制限による有意な低体重，2)体重増加または肥満に対する強い恐怖，3)低体重の深刻さに対する認識の欠如の3つが挙げられている．低体温，低血圧，徐脈，皮膚の乾燥などがあり，乳房は保たれることが多い．下垂体機能低下症の場合と異なり，腋毛，恥毛の脱落はない．下剤や利尿薬を乱用している場合には，低カリウム血症を伴うことがあり，それによる致死性不整脈を生じうる．

治療法・対症療法

❚ 原因疾患に対する治療を行う．やせがどのような疾患に伴って生じているかによって治療法は異なる．
●治療方針
●原因疾患の治療に準じる．
●悪心や腹痛など，食欲不振をまねく因子があれば，改善を図る．

第1章 全身

やせのある患者の看護

中村 美幸

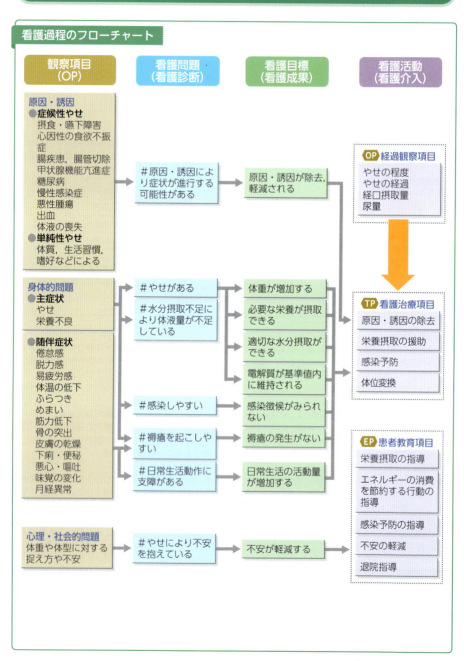

250

14 やせ

基本的な考え方

- やせは，様々な疾患が原因となって出現する症候性やせと病的ではない単純性やせに分類される．症候性やせの改善には，やせの原因となっている疾患の治療が必須となる．そのため各疾患に応じた看護ケアが必要となる．また原疾患に対するケアと同時に，栄養状態改善のための看護ケアが行われる．
- やせは栄養不良の状態を示しており，栄養不良は身体に様々な影響をもたらす．栄養不良による身体への影響を最小限とするためのケアも併せて実施する必要がある．

	STEP❶ アセスメント	STEP❷ 看護課題の明確化	STEP❸ 計画	STEP❹ 実施	STEP❺ 評価
情報収集	アセスメントの視点と根拠・起こりうる看護問題				
病歴，やせの経過の把握	体重減少の経過，食事の摂取状況，やせに関連する疾患や薬物，治療に関する情報を収集することで，やせの原因・誘因の特定や全身状態の把握につながり，治療や看護ケアにも重要な情報を得ることができる．				
経過	●身長，体重，BMI，体脂肪率：BMI 18.5 以下を低体重と判断する．BMI 18 未満では積極的な栄養療法をただちに行う必要がある　小児　乳幼児ではカウプ指数（15〜13 やせ，13〜10 栄養失調），学童ではローレル指数（100 以下やせ）を使用し判断する． ●体重の変化（いつごろから体重が減少したか，体重減少が始まった時期から現在までの体重の変化） ●体重変化率 (% 体重変化) = (UBW－実測体重)/UBW×100 UBW（通常時体重 usual body weight）：6〜12 か月間安定している体重 ■表 14-3　有意の体重変化と判定される場合 体重変化率≧1〜2%/1 週間，体重変化率≧5%/1 か月 体重変化率≧7.5%/3 か月，体重変化率≧10%/6 か月 ＊10% 以上の体重変化は，期間にかかわらず有意と判断				
食生活	●食事回数，食事摂取量 ●偏食の有無・内容 ●水分摂取量 ●食欲の変化（食欲不振など） ●摂食，咀しゃく，嚥下機能障害の有無・程度　高齢者　義歯や歯の状態が咀しゃくに支障をきたす場合がある．加齢や脳神経疾患の既往により嚥下障害をきたしやすい．また麻痺などにより上肢の運動障害を伴っていることもある． ●食行動の異常（拒食，過食，自己誘発性嘔吐，盗み食い，他人への食物摂取の強要など）の有無　原因・誘因　神経性食欲不振症 ●食事環境 ●家族内の調理担当者 ●減量法の経験の有無 ●食事や栄養に関する知識				
随伴症状と日常生活への影響	●下記の随伴症状の有無と日常生活への影響 ・易疲労感，脱力感，倦怠感 ・浮腫 ・体温の低下，気温の変化に対する適応力の低下 ・ふらつき，めまい ・筋萎縮による筋力の低下 ・骨の突出 ・皮膚の乾燥などの脱水症状 ・下痢・便秘，悪心・嘔吐，味覚の変化などの消化器症状 ・月経異常　妊婦　無月経の場合，妊娠が可能な女性では妊娠の可能性も考慮する．				
生活歴	●ストレスの有無				

第1章　全身

既往歴とその経過	●日常生活(家庭，学校，職場など)における問題の有無 ●活動量 ●下記の既往歴の有無とその経過 　・消化器疾患(胃炎，消化性潰瘍，がん，肝炎，肝硬変，消化管切除後，有痛性の口腔病変など) 　・糖尿病(特に1型糖尿病) 　・内分泌・代謝疾患(甲状腺機能亢進症，褐色細胞腫など) 　・悪性腫瘍 　・発熱を伴う疾患(慢性感染症など) 　・うつ病　 高齢者 うつ病の高齢者では食欲不振を含め身体症状が前面に出ることが多い. 　・神経性食欲不振症 　・統合失調症 ●その他の疾患の既往の有無とその経過 ●外傷や手術による出血の有無 ●熱傷，腹水穿刺などによる体液の喪失の有無
家族 **疾患に対する治療**	●両親，兄弟姉妹のやせの有無. 器質的な疾患がなく体重が安定している場合は，体質的なやせの場合もある. ●薬物療法：化学療法や薬物の副作用として，吸収障害によるやせが起こることがある. ●放射線療法歴 ●手術歴 🔍**起こりうる看護問題**：栄養不良に続発する倦怠感，易疲労感，脱力感により日常生活動作に支障がある／水分摂取不足により体液量が不足している／褥瘡を起こしやすい
全身状態の把握 **バイタルサイン** **全身状態** **皮膚，粘膜，爪** **頭頸部** **腹部** **四肢**	▌全身状態や随伴症状を観察し，治療，看護計画の立案に活用する. ●発熱の有無　 原因・誘因 感染症 ●体温　➡体温の低下を確認する. ●体格　➡やせの程度を確認する. ●口渇，多飲，多尿の有無を観察する　 緊急 原因・誘因 糖尿病(特に1型) ●皮膚の乾燥・弾力性や粘膜の炎症の有無と程度を確認する. ●褥瘡の有無　➡特に仙骨部などの骨突出部の皮膚を観察する. ●爪甲色，眼瞼結膜，口腔粘膜の色調を観察する. 蒼白色の場合は貧血をきたしている可能性がある. ●顔貌，表情　➡うつ病などの精神疾患では特有の表情を認めることがある. ●打診，聴診，触診　➡消化器疾患を鑑別する. ●上肢の運動障害の有無　➡食事摂取の障害となる麻痺などを確認する. ●下腿浮腫の有無 🔍**起こりうる看護問題**：水分摂取不足により体液量が不足している／感染しやすい／褥瘡を起こしやすい
患者・家族の心理・社会的側面の把握	▌やせは体重の減少や外観の変化として患者自身も自覚しやすいため，不安を感じることが多い. またやせは，身体的な疾患で生じるだけではなく，心因性の要因によっても生じるため，患者自身のやせに対する認識に関してもアセスメントが必要となる. ●自己の体重や体型に関して，どのように感じているか，どのようなことに不安を感じているかを確認する. ●体重や体型に対するゆがんだ認識(体重増加に対する極端な恐怖など)がないか，アセスメントする　 原因・誘因 神経性食欲不振症 ●家族や友人などの周囲の人々の体重，体型に対する評価について確認する. 🔍**起こりうる看護問題**：やせにより不安を抱えている

| STEP ① アセスメント | STEP ❷ 看護課題の明確化 | STEP ③ 計画 | STEP ④ 実施 | STEP ⑤ 評価 |

看護問題リスト

#1 摂取エネルギーと消費エネルギーのアンバランスによるやせがある（栄養-代謝パターン）
#2 栄養不良に続発する倦怠感，易疲労感，脱力感により日常生活動作に支障がある（活動-運動パターン）
#3 水分摂取不足により体液量が不足している（栄養-代謝パターン）
#4 栄養不良により感染しやすい（栄養-代謝パターン）
#5 栄養不良，やせによる骨突出のため褥瘡を起こしやすい（栄養-代謝パターン）

看護問題の優先度の指針

● やせの原因となる疾患への対応とともに，第一に栄養状態を改善するための対処を行う．
● やせによる随伴症状が日常生活に与える影響をアセスメントし援助を行う．
● 脱水を合併している場合は併せて脱水に対処する．
● 患者のやせの程度や自力での体動の程度などを把握し，感染予防，褥瘡予防の援助を行う．

14
やせ

| STEP ① アセスメント | STEP ② 看護課題の明確化 | STEP ❸ 計画 | STEP ④ 実施 | STEP ⑤ 評価 |

1 看護問題	看護診断	看護目標（看護成果）
#1 摂取エネルギーと消費エネルギーのアンバランスによるやせがある	**栄養摂取バランス異常：必要量以下** **関連因子**：抑うつ症状，食物への関心不足 **関連する状態**：消化器疾患，吸収不良症候群 **診断指標** □体重が年齢・性別理想体重の範囲を下回る □食物摂取量が1日あたりの推奨量以下	〈**長期目標**〉適正な体重を維持できる 〈**短期目標**〉1）栄養必要量を摂取できる． 2）体重が増加する

看護計画	介入のポイントと根拠
OP 経過観察項目 ● 体重の変化・推移 ● 食事摂取量 ● 食欲 ● 血清総蛋白，アルブミン	➡ 毎日同じ条件で測定する ➡ 根拠 栄養必要量を摂取できているか確認する ➡ 根拠 栄養状態の改善がみられるか確認する
TP 看護治療項目 ● 輸液で栄養補充する場合は，指示された量を投与する ● 輸液が確実に投与されているかを確認する ● 食事環境を調節する ● 食事前に不快な処置や痛みを伴う処置を実施しないようにケアの実施時間を調節する ● 食事の前に口腔ケアを行う	➡ 根拠 栄養状態が不良な場合や必要な栄養を経口的に摂取できない場合は，経静脈栄養が開始される ➡ 根拠 神経性食欲不振症では，輸液内容を破棄するなどの行動をとる場合があるため注意する ➡ 食欲を低下させる臭気などがあるときは換気し，環境調整を行い，テーブルの上を清潔にする ➡ 根拠 苦痛や痛みのある処置などは，食欲を減退させる ➡ 根拠 口腔を清潔にすることで爽快感が得られる．また唾液分泌を促すため，胃液の分泌が誘発

253

第1章　全身

- 患者の嗜好を考慮して，食事内容や摂取方法を工夫する
  - ・食事の時間や回数を調節する

  - ・調理方法や食事形態，盛りつけを工夫する

  - ・患者が一番食べたいと感じる時に，高カロリー，高蛋白，高ビタミンの食品を摂取できるようにする
- 食後 30 分は安静にする

EP 患者教育項目
- 炭水化物，脂肪，蛋白質，ビタミン，ミネラルおよび水分摂取を満たす必要性を説明する
- 一度にたくさん食べる代わり小分けにして，頻度を増すように指導する
- 食事の前に休憩をとるように指導する

され食欲が増す効果もある

- ⮕ 食べ物を何回かに分けて提供する　**根拠** 胃の膨満感を軽減する
- ⮕ **高齢者** 嚥下障害のある高齢者の汁物には増粘剤を用いてとろみをつけ食べやすくする
- ⮕ 患者が一番食べられそうな時間に，栄養価の高い食物を摂取できるようにする

- ⮕ 臥床するなどゆっくり休むように促す　**根拠** 消化吸収を促進する

- ⮕ **根拠** 小分けにすることで，胃の膨満感を軽減して消化不良を予防し，食欲増進につながる
- ⮕ **根拠** 疲労は食欲低下を招く

---

2 看護問題	看護診断	看護目標（看護成果）
#2　栄養不良に続発する倦怠感，易疲労感，脱力感により日常生活動作に支障がある	**活動耐性低下** **関連因子**：栄養不良，体調不良〔代謝需要の増大に関連するもの（内分泌・代謝性疾患，感染症，がん），貧血〕 **診断指標** □倦怠感を示す □全身の脱力 □活動時の異常な血圧反応 □活動時の異常な心拍反応 □労作性（時）不快感 □労作性（時）呼吸困難	〈**長期目標**〉日常生活の活動量が増加する 〈**短期目標**〉1）活動のためのエネルギー消費を節約する行動をとることができる．2）日常生活動作後も心拍数，血圧に大きな変動がない

看護計画	介入のポイントと根拠
OP 経過観察項目 ● バイタルサイン（安静時，活動後） ● 活動後の疲労感	⮕ 活動前後の血圧，脈拍，呼吸数を測定する．安静時の値に戻るまで時間がかかる場合は，活動が負荷となっていると考えられる
TP 看護治療項目 ● 患者の1日のスケジュールを考慮して，安静時間を組み入れる．活動と休息の時間を交互にとれるようにする	⮕ **根拠** 安静にして休息をとることによって倦怠感などが緩和される
EP 患者教育項目 ● 活動はゆっくりと行う．あるいは休憩時間を増やして，活動時間を短くする ● 活動のためのエネルギー消費を節約する方法を指導する 　・活動の合間や食後などに時々安静時間をとる 　・動作や活動を行う場合，可能であれば座位で	⮕ **根拠** 活動による疲労を軽減する ⮕ **根拠** 過剰なエネルギー消費を防ぐことができる

行う
・呼吸困難,脈拍の増加などが出現した場合は,活動を中止する

⭕ **根拠** 活動による低酸素血症の徴候.これらは耐性の範囲を超えた過度の活動で出現する

14

やせ

3 看護問題	看護診断	看護目標(看護成果)
#3 水分摂取不足により体液量が不足している	**体液量不足** **関連因子**:水分摂取不足 **診断指標** □尿量減少 □のど・口内の渇き □乾燥皮膚(ドライスキン) □乾燥した粘膜 □血圧低下 □心拍数増加 □体温上昇	〈長期目標〉適切な水分摂取ができる 〈短期目標〉1)尿量が維持される.2)電解質が基準値内にある

看護計画 / 介入のポイントと根拠

OP 経過観察項目

● バイタルサイン(血圧,脈拍,体温)

⭕ 血圧の低下,頻脈,発熱を観察する **根拠** 脱水時の随伴症状である頻脈や血圧低下を把握する

● 口渇,舌の乾燥,皮膚の乾燥・弾力性

⭕ **根拠** 脱水による症状を観察する **高齢者** 口渇感が低下しているため注意 **小児** 言語表現が未熟なため口渇の訴えは水分やミルクの飲みを見て判断する.口腔や口唇の乾燥,唾液の粘稠度や流涎(りゅうぜん)の減少をみる

● 尿量,尿の色,比重

⭕ **根拠** 腎機能に異常がなければ,脱水の程度を把握できる

● 体重の変化・推移
● 水分摂取量
● 水分出納
● 血液データ:ヘマトクリット,ナトリウム,カリウム
● 意識障害

⭕ 毎日同じ条件で体重を測定する **根拠** 体液のバランスを把握する
⭕ 発熱による不感蒸泄の増加,下痢や嘔吐による水分喪失,輸液量なども考慮する
⭕ 無欲状態,傾眠傾向などに注意する

TP 看護治療項目

● 指示の輸液,薬物を投与する

⭕ 安全,確実に投与を行う **高齢者** 急激な輸液は心臓や腎臓への負荷となるため,注入速度に注意する

● 皮膚や粘膜のケアを行う

⭕ 清拭や陰部洗浄,皮膚の保湿を行う **根拠** 脱水がある場合,皮膚は乾燥し弾力を失い,損傷を受けやすく感染もしやすい

● 環境調整を行う

⭕ 湿度や温度,寝衣や寝具類の調整を行う
根拠 体温や室温上昇による発汗,不感蒸泄の増加による水・電解質の喪失を防ぐ

● 経口的な水分の摂取を勧める

⭕ **高齢者** 嚥下障害があり水分でむせやすい場合は増粘剤を使用して飲みやすくする **小児** 好みの水分形態(アイスキャンディなど)にして勧める

EP 患者教育項目

● 水分摂取の必要性を説明し,効果的に水分を摂取するよう指導する

255

第1章　全身

4 看護問題	看護診断	看護目標（看護成果）
#4　栄養不良により感染しやすい	感染リスク状態 危険因子：栄養不良	〈長期目標〉感染の徴候がみられない 〈短期目標〉1) 感染を予防する行動がとれる．2)栄養不良があると感染を起こしやすいことを表現できる

看護計画	介入のポイントと根拠
OP 経過観察項目 ●バイタルサイン（体温） ●感染症状の観察 ●検査データ：CRP，白血球	➡感染徴候の発熱がみられないか観察する
TP 看護治療項目 ●患者の嗜好を考慮して，食事内容や摂取方法の工夫を行う（「看護問題#1 TP」参照） ●保温に努め，介助が必要な場合は清潔ケアを実施する	➡ 根拠 栄養状態を改善し，抵抗力を増す
EP 患者教育項目 ●栄養不良は感染を招きやすいことを説明する ●高カロリー，高蛋白の食事を摂取するように説明する ●感染を防ぐ行動を具体的に指導する	➡患者のみならず家族にも栄養指導を行い，正しい知識を共有する ➡手洗いや身体の清潔保持について指導する

5 看護問題	看護診断	看護目標（看護成果）
#5　栄養不良，やせによる骨突出のため褥瘡を起こしやすい	皮膚統合性障害リスク状態 危険因子：栄養不良，骨突出上の圧迫，身体可動性の低下	〈長期目標〉褥瘡を起こさない 〈短期目標〉1) 皮膚の同一部位への圧迫を避ける．2)栄養不良が褥瘡をまねきやすいことを説明できる

看護計画	介入のポイントと根拠
OP 経過観察項目 ●皮膚の観察	➡褥瘡好発部位や骨が突出している部位は特に注意深く観察する　根拠 表皮に問題がなくとも，骨突出部の痛みや不快感は，深部組織の損傷による場合がある
●自力での体動の程度（体位変換が可能か否か）	➡ 根拠 最低 30 分〜2 時間ごとの体位変換を自力で行えない場合は，褥瘡発生の危険が高い
●検査データ：ヘモグロビン，総蛋白，アルブミン	➡ 根拠 貧血，低アルブミン値は褥瘡の危険因子となる
TP 看護治療項目 ●自力での体位変換が困難な場合は，看護師が体位を変える ●発赤のある部位や骨突出部のマッサージは避ける ●失禁などがある場合は，陰部洗浄を定期的に行う ●患者の嗜好を考慮して，食事内容や摂取方法の工夫を行う（「看護問題#1 TP」参照）	➡体位変換は，患者の栄養状態や皮膚の圧からの回復程度などに応じて，30分〜2時間ごとに行う．出現した発赤が1時間以内に消失しない場合は，体位変換の頻度を増やす　高齢者 皮膚の創傷治癒が遅延しやすいため，特に注意する

EP 患者教育項目

● 栄養不良は褥瘡をまねきやすいことを説明する
● 褥瘡を予防するために，可能であれば自分で体位変換や体重移動をするように指導する

14 やせ

STEP **1** アセスメント ▶ STEP **2** 看護課題の明確化 ▶ STEP **3** 計画 ▶ STEP **4** 実施 ▶ STEP **5** 評価

病期・病態・重症度に応じたケアのポイント

【重度のやせ】重度の体重減少，全身の衰弱，重篤な合併症(感染症，不整脈，心不全，電解質異常，脱水など)などがある場合は，緊急の対応が必要となる．その他の症状やバイタルサインの観察や検査データのアセスメントを行い，アセスメントをもとに早急にケアを行う必要がある．

看護活動(看護介入)のポイント

診察・治療の介助
● やせの経過，病歴の聴取から，やせをまねいた病因を把握する．
● 経口的な摂取が困難な場合は，輸液療法が行われるため，指示された輸液を確実に正確に投与する．
栄養摂取の援助
● 患者が可能な方法で栄養摂取ができるよう援助する．
やせによる身体への影響の対応
● やせの程度により，栄養障害によって引き起こしやすい疾患や，やせの随伴症状による日常生活への支障の程度を確認し援助を行う．

退院指導・療養指導

● 食事・水分摂取の必要性や具体的な摂取方法を指導する．
● 活動のためのエネルギー消費を節約する行動について説明する．
● やせによる感染や褥瘡を予防するための方法について説明する．

STEP **1** アセスメント ▶ STEP **2** 看護課題の明確化 ▶ STEP **3** 計画 ▶ STEP **4** 実施 ▶ STEP **5** 評価

評価のポイント

看護目標に対する達成度
● 食事療法が適切にできているか．
● 体重が増加し，目標体重に近づいているか．
● 適切な水分摂取ができているか．
● 栄養不良による感染や褥瘡がみられていないか．

● 参考文献
1) 井上智子編：症状からみた看護過程の展開，医学書院，2007
2) 高木永子監：看護過程に沿った対症看護　第5版，学研メディカル秀潤社，2018
3) 池松裕子，山内豊明編：症状・徴候別アセスメントと看護ケア，医学芸術社，2008
4) 東口髙志編：NST活動のための栄養療法データブック，中山書店，2008

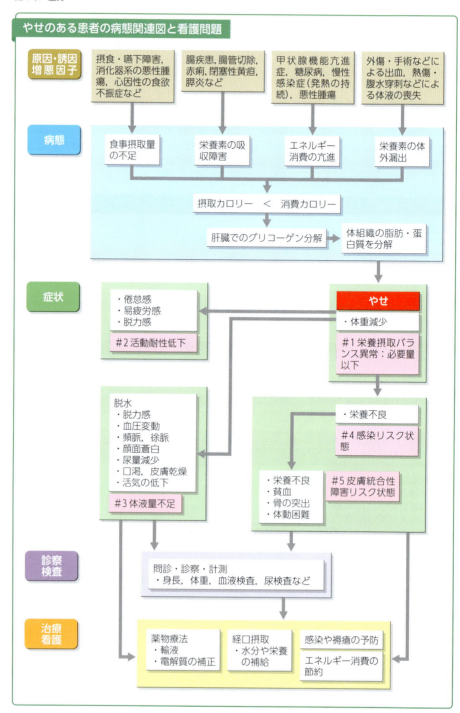

15 貧血

坂下 千瑞子

目でみる症状

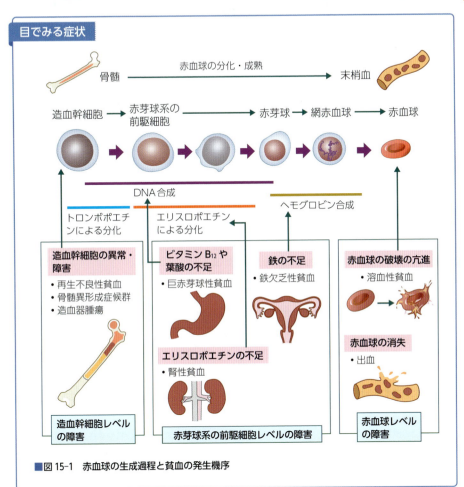

■図 15-1 赤血球の生成過程と貧血の発生機序

病態生理

貧血とは循環している赤血球量が正常よりも低下した状態と定義される．赤血球は全身に酸素を供給する役割があるため，貧血により各臓器の酸素不足が生じ，貧血の症状が現れる．

- 貧血の主な成因として「赤血球産生の減少」「赤血球の消失量の増大」，またはその両方がある（表15-1）．
- 赤血球の産生の減少には，①造血幹細胞の異常（再生不良性貧血，骨髄異形成症候群など），②DNA合成障害による成熟障害（巨赤芽球性貧血：ビタミン B_{12} 欠乏，葉酸欠乏），③腎臓から分泌されるエリスロポエチンの産生低下による分化障害（腎性貧血），④ヘモグロビン合成障害（鉄欠乏性貧血）などがある（図 15-1）．
- 赤血球の消失量の増大には，⑤赤血球寿命の短縮や赤血球破壊の亢進（溶血，脾腫）・障害（造血器腫

目でみる症状

②臓器の酸素不足
- 脳
  頭痛
  めまい
  耳鳴り
- 心筋
  狭心痛
- 骨格筋
  だるさ
  疲れやすさ
- その他
  食欲不振
  下痢・便秘
  無月経
  浮腫

①赤血球量の低下
- 顔面蒼白
- 眼瞼結膜蒼白

③酸素不足の代償
- 呼吸器症状
  息切れ
  頻呼吸
- 循環器症状
  動悸
  頻脈
  収縮期心雑音
  心拡大

■図 15-2　貧血の症状

瘍)，⑥出血(月経，消化管出血，外傷性出血)などがある．
- 通常，赤血球の供給と全身の酸素需要のバランスは保たれているが，成長期や妊娠等により酸素需要が供給を上回る場合にもバランスが崩れて貧血となる．

患者の訴え方

- 軽度の貧血の際には，症状がほとんど現れないことも多く，健康診断等で見つかることも多い．
- 通常はヘモグロビンが 7 g/dL 以下になると症状が現れやすくなるが，急性の経過の場合にはより症状を自覚しやすく，慢性の経過では症状を自覚しにくい．

●**主症状**
- 貧血に共通する症状としては，①赤血球量の低下に伴う症状，②臓器の酸素不足による症状，③酸素不足を補うための代償作用による症状がある(図 15-2)．
  ①赤血球量の低下に伴う症状：顔面蒼白，眼瞼結膜の蒼白
  ②臓器の酸素不足による症状：頭痛，めまい，耳鳴り，狭心痛，だるさ，疲れやすさ，食欲不振，下痢，便秘，無月経，浮腫
  ③酸素不足を補うための代償作用による症状：息切れ，頻呼吸，動悸，頻脈，収縮期心雑音，心拡大

●**随伴症状**
- 貧血の原因により特有な症状を伴うことがあり，診断の際にも役立つ(表 15-2)．
  ・再生不良性貧血：紫斑，点状出血(血小板減少に伴う出血症状)，発熱(白血球減少に伴う易感染性)
  ・巨赤芽球性貧血：舌炎，嚥下困難，知覚低下，筋力低下
  ・鉄欠乏性貧血：さじ状爪，舌炎，口角炎，嚥下困難
  ・溶血性貧血：黄疸，ヘモグロビン尿
  ・出血：月経過多，タール便

診断

- WHO による基準値では，Hb 値が成人男性 13 g/dL 未満，成人女性 12 g/dL 未満，妊婦や高齢者では 11 g/dL 未満が貧血と定義される．
- 通常の血液検査では赤血球(RBC)数，血色素であるヘモグロビン(Hb)値，血液に占める赤血球の割

■表15-1 貧血の原因と考えられる疾患

赤血球産生の減少	赤血球の消失量の増大
①造血幹細胞の異常・障害	⑤血管内での消失
・再生不良性貧血	〈赤血球自体の異常〉
・骨髄異形成症候群	・遺伝性球状赤血球症
・造血器腫瘍	・赤血球酵素異常症
② DNA 合成障害	・ヘモグロビン異常症
・ビタミン B₁₂ 欠乏	・発作性夜間血色素尿症 (PNH)
・葉酸欠乏	〈赤血球以外の因子による〉
	・自己免疫性溶血性貧血 (AIHA)
③エリスロポエチン産生障害	・行軍ヘモグロビン尿症
・腎性貧血	・慢性炎症，感染，腫瘍
	・サラセミア
④ヘモグロビンの合成障害	⑥血管外での消失
・鉄欠乏性貧血	・外傷などによる急性の大量出血
・鉄芽球性貧血	・月経や消化管出血等の慢性の出血
・慢性炎症，感染，腫瘍	・脾機能亢進
・サラセミア	

合を示すヘマトクリット(Ht)値が測定されるが，貧血の診断の際にはヘモグロビン値が用いられる.
- ●貧血の診断のためには原因を同定することが重要であり，「成因から分類する方法」と赤血球の性状を用いる「赤血球指数から分類する方法」がある．臨床の現場ではこれらを組み合わせて診断を行う.
- ●成因から分類する方法：
  - ・赤血球産生の減少か，赤血球の消失量の増大か，またはその両方かによって分類される.
  - ・赤血球の前段階である網赤血球(Ret)の末梢血中の割合を測定することで，赤血球の産生能を調べることができる.
  - ・赤血球の産生能が低下している場合には網赤血球数は低下し，赤血球の消失量の増大にともない赤血球の産生能が亢進している場合には網赤血球数は上昇する.
  - ・赤血球の生成過程のどの段階に障害があるかを考えることは，貧血の原因を診断する際に役立つ. それぞれ造血幹細胞レベルの障害，赤芽球系の前駆細胞レベルの障害，赤血球レベルの障害により貧血が生じる(図 15-1).
  - ・診断の際には，血液検査や末梢血液像，生化学検査に加え必要に応じて骨髄検査を行う.
- ●赤血球指数から分類する方法：
  - ・赤血球数，ヘモグロビン値，ヘマトクリット値を用いて平均赤血球容積(MCV)，平均赤血球血色素濃度(MCHC)を計算する(表 15-3).
  - ・MCV と MCHC がともに低値のときは小球性低色素性貧血，MCV と MCHC がともに正常のときは正球性正色素性貧血，MCV が高値のときは大球性貧血と分類される.
  - ・赤血球指数や網赤血球数を用いた貧血の診断の進め方を示す(図 15-3).
- ●**各貧血の原因と検査値**(表 15-2)

〈再生不良性貧血〉
- ●原因：特発性の再生不良性貧血は先天的な遺伝子異常の他に，後天的には免疫学的機序の関与が大きいと考えられている．他にも薬剤・放射線・ウイルス感染が原因となり二次性に生じることもある.
- ●検査値：正球性正色素性貧血，網赤血球数の低下，汎血球減少，骨髄の低形成，脊椎 MRI 検査による脂肪髄

〈巨赤芽球性貧血〉
- ●原因：ビタミン B₁₂ や葉酸の欠乏により赤血球生成の際に DNA 合成が障害されて貧血となる．ビタミン B₁₂ の摂取不足，胃切除によるビタミン B₁₂ の吸収に必要な内因子の欠乏や萎縮性胃炎によるビタミン B₁₂ の吸収不全などにより生じる．胃がんが原因となることもあるので，注意が必要である．ビタミン B₁₂ 欠乏で自己免疫(抗内因子抗体や抗胃壁抗体陽性)が関与しているものを特に悪性貧血と呼び，深部知覚低下や反射低下，筋力低下などの神経症状を伴うことがある．葉酸欠乏は摂取不足や吸収不

第1章　全身

■表15-2　各貧血に見られる特有の症状と検査値

分類	症状	赤血球指数と網赤血球数	検査値
再生不良性貧血	紫斑 点状出血 発熱	正球性正色素性貧血 網赤血球数の低下	汎血球減少 骨髄の低形成 脊椎MRI検査による脂肪髄
巨赤芽球性貧血	舌炎 嚥下困難 知覚低下 筋力低下	大球性貧血 網赤血球数の上昇なし	汎血球減少 血清ビタミンB12や葉酸値の低下 悪性貧血では抗内因子抗体や抗胃壁抗体が陽性
鉄欠乏性貧血	さじ状爪 舌炎 口角炎 嚥下困難	小球性低色素性貧血 網赤血球数の上昇なし	血清鉄の低下 総鉄結合能(TIBC)の増加 血清フェリチン値の低下
溶血性貧血	黄疸 ヘモグロビン尿	正球性正色素性貧血 溶血発作後は大球性貧血 網赤血球数の上昇	LDHの上昇 間接ビリルビン値の上昇 ハプトグロビン値の低下 ヘモグロビン尿 温式抗体による自己免疫性溶血性貧血では直接クームス試験陽性

■表15-3　MCV，MCHCの求め方

赤血球指数	基準値	計算式	表しているもの
平均赤血球容積 (MCV)	81〜100 fL	$\dfrac{Ht(\%)}{RBC(10^6/\mu L)} \times 10$	赤血球1個の 平均的な大きさ
平均赤血球ヘモグロビン濃度 (MCHC)	31〜35%	$\dfrac{Hb(g/dL)}{Ht(\%)} \times 100$	赤血球1個あたりの ヘモグロビン濃度

fL：フェムリットル(10^{-5}L)

全，需要の増加，薬剤により生じる．

●検査値：大球性貧血，網赤血球数の上昇なし，汎血球減少，血清ビタミンB12や葉酸値の低下，悪性貧血では抗内因子抗体や抗胃壁抗体が陽性

〈腎性貧血〉

●原因：腎臓から分泌されるエリスロポエチン(EPO)は赤血球産生に必要なサイトカインであり，低酸素状態を感知するとその分泌が増えて赤血球産生が亢進する．腎機能障害があると，エリスロポエチンの分泌は低下し赤血球産生が低下する．

●検査値：正球性正色素性貧血，網赤血球数の上昇なし，腎機能の低下，エリスロポエチンの低下(貧血があるにも関わらず正常範囲の場合も含む)

〈鉄欠乏性貧血〉

●原因：摂食障害や吸収障害による鉄摂取量の低下，月経や消化管出血，外傷性出血による鉄喪失の増大，成長期や出産に伴う鉄需要の増大により生じる．

●検査値：小球性低色素性貧血，網赤血球数の上昇なし，血清鉄の低下，総鉄結合能(TIBC)の増加，血清フェリチン(貯蔵鉄マーカー)値の低下

〈溶血性貧血〉

●原因：赤血球膜の異常を伴う遺伝性球状赤血球症や，赤血球膜に対する自己抗体(主に温式抗体)が産生されることによる自己免疫性溶血性貧血(AIHA)などがある．発作性夜間血色素尿症(PNH)では，赤血球膜のCD55やCD59が欠損することで補体の活性化による溶血が生じる．

●検査値：正球性正色素性貧血，急性の溶血発作の場合には大球性貧血，網赤血球数の上昇，LDHの上昇，間接ビリルビン値の上昇，ハプトグロビン値の低下，ヘモグロビン尿，温式抗体による自己免疫性溶血性貧血では直接クームス試験陽性

〈造血器腫瘍に伴う貧血〉

●原因：白血病や多発性骨髄腫などの造血器腫瘍により，骨髄での赤血球産生が障害されて貧血が生じ

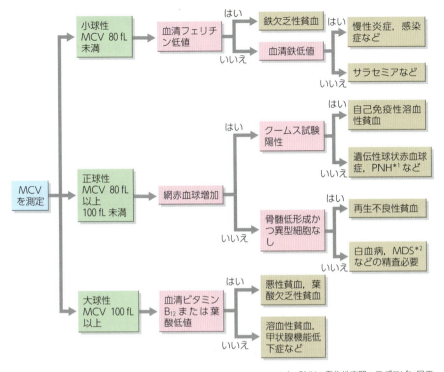

*1 PNH：発作性夜間ヘモグロビン尿症
*2 MDS：骨髄異形成症候群

■図15-3　貧血の診断の進め方

る．また，抗がん剤投与中には副作用の骨髄抑制によって貧血が生じる．骨髄異形成症候群では造血幹細胞の異常による鉄利用障害のため，鉄芽球性貧血を生じる．
- 検査値：正球性正色素性貧血，網赤血球数の上昇なし，末梢血にて汎血球減少や血液像の異常を認める．骨髄検査にて腫瘍細胞や造血細胞の異形成を認める．

〈慢性炎症に伴う貧血〉
- 原因：慢性炎症に伴い，炎症性サイトカインによる赤血球生成の低下や鉄利用障害が生じる．他にも感染症や悪性疾患にともない貧血を生じる．
- 検査値：小球性低色素性貧血や正球性正色素性貧血，網赤血球数の上昇なし，血清鉄の低下，総鉄結合能の低下，血清フェリチン値は正常から高値，炎症反応の上昇

治療法・対症療法

● 治療方針

〈再生不良性貧血〉
- 治療法は重症度分類（網赤血球，好中球数，血小板数を用いる）により決定される（表15-4）．
- 赤血球輸血を必要としない軽症（stage 1）あるいは中等症（stage 2a）では，経過観察や免疫抑制薬，蛋白同化ホルモンの投与を行う．
- 定期的に赤血球輸血を必要とする中等症（stage 2b）以上では，年齢やドナーの有無により治療法が異なる．
  ・40歳未満で同胞ドナーがいれば，骨髄移植や免疫抑制薬を検討する．

第1章　全身

・40歳未満で同胞ドナーがいない，あるいは40歳以上では，免疫抑制薬や抗胸腺細胞グロブリン（ATG），トロンボポエチン（TPO）受容体作動薬の投与を行う．
- 高度の貧血が認められる場合や出血症状が強い場合には輸血が行われるが，最小限にする．

〈巨赤芽球性貧血〉
- ビタミン B_{12} 欠乏にはビタミン B_{12} 製剤の筋注を行う．通常，経口投与は無効とされているが，経口投与でも吸収率は下がるものの効果が認められる場合もある．
- 葉酸欠乏の場合は葉酸を経口投与する．
- 悪性貧血に葉酸欠乏が伴っている場合には葉酸を単独で投与すると神経症状が増悪することがあるので，ビタミン B_{12} の投与を併せて行う．

〈腎性貧血〉
- エリスロポエチン注射薬の皮下投与を1か月に1回行う．最近ではエリスロポエチンの産生を誘導する内服薬（HIF-PH阻害薬）も用いられる．

〈鉄欠乏性貧血〉
- 鉄剤の投与を行うとともに原因検索を行う．過多月経の他に消化管の悪性腫瘍にも注意が必要である．
- 通常は経口薬で治療を行い，鉄剤投与後2週間ほどで貧血の改善が認められるが，貯蔵鉄の補充には3〜4か月の継続投与が必要である．
- 内服が困難な場合には注射薬を用いることもある．ただし，鉄過剰にならないように十分注意する必要がある．
- 鉄剤投与後1か月経過しても貧血が改善しない場合には，再度原因検索を行う．

〈溶血性貧血〉
- 温式抗体による自己免疫性溶血性貧血では，副腎皮質ホルモン製剤の投与が行われる．通常，初期投与量を4週間継続後にゆっくりと減量していく．
- 副腎皮質ホルモン製剤に反応しない場合には，免疫抑制薬の投与を行う．
- 発作性夜間血色素尿症（PNH）では，補体活性化を阻害するための補体 C5 に対する抗体療法が有効である．
- 2次治療として，赤血球が壊される場所である脾臓の摘出術が考慮される．

〈造血器腫瘍に伴う貧血〉
- 原疾患の治療を行い，貧血についてはヘモグロビン7g/dLを目安に赤血球輸血を考慮する．
- 低リスクの骨髄異形成症候群では，エリスロポエチン製剤により貧血の改善が期待できる．

〈慢性炎症に伴う貧血〉
- 原疾患の治療を行う．

● 薬物療法（表 15-5）

Px 処方例 再生不良性貧血　重症度に応じて下記を組み合わせて用いる．
- ネオーラルカプセル（50 mg）　6 mg/kg/日　1日2回　朝夕食後　連日　←免疫抑制薬
- プリモボラン錠（5 mg）　0.5 mg/kg/日　1日2回　朝夕食後　連日　←蛋白同化ホルモン
- サイモグロブリン点滴静注用　2.5 mg/kg/日　6時間以上かけて緩徐に静注　5日間連日投与
　←ATG製剤
　＊投与中にアナフィラキシーショックなどの重大な副作用がみられることがあり，アレルギーや血清病予防のために副腎皮質ホルモン製剤を併用する．
- レボレード錠（25 mg）　25 mg〜75 mg/日　1日1回　食事の前後2時間を避けて内服　←TPO受容体作動薬

Px 処方例 巨赤芽球性貧血　不足しているビタミンを下記のいずれかの方法を用いて補充する．
- フレスミン S 注射薬（1000 μg）　1000 μg 筋注　週に3回を4週間　貧血改善後は3か月毎に投与
　←ビタミン B_{12} 注射薬
- ハイコバールカプセル（500 μg）　1500 μg/日　1日3回　毎食後　連日　←ビタミン B_{12} 内服薬
- フォリアミン錠（5 mg）　5〜15 mg/日　1日1〜3回　食後　連日　←葉酸
　＊悪性貧血の場合に葉酸を投与する場合には，必ずビタミン B_{12} を併用する．

Px 処方例 腎性貧血　下記のいずれかを用いる．
- ネスプ注射液（60 μg）　60 μg/日を皮下注　4週毎　貧血の程度によって適宜調整　←EPO製剤
- ダーブロック錠（2 mg）　2〜4 mg/日　1日1回　食後　連日　←HIF-PH阻害薬
　＊HIF-PH阻害剤：低酸素誘導因子によるエリスロポエチンの産生を誘導し赤血球産生を促進

■表 15-4　再生不良性貧血の重症度基準（平成 29 年度修正）

重症度		網赤血球	好中球	血小板	条件数	赤血球輸血
stage 1	軽症	下記以外で輸血を必要としない				
stage 2a	中等症	<6 万/μL	<1000/μL	<5 万/μL	2 項目以上を満たす	輸血不要
stage 2b						2 単位未満/月
stage 3	やや重症					2 単位以上/月
stage 4	重症	<4 万/μL	<500/μL	<2 万/μL		
stage 5	最重症	<2 万/μL	<200/μL（必須）			

■表 15-5　貧血の主な治療薬

分類	一般名	主な商品	薬の効くメカニズム	主な副作用
鉄剤	クエン酸第一鉄ナトリウム	フェロミア	ヘモグロビン合成	悪心，便秘
	含糖酸化鉄	フェジン		ショック
副腎皮質ホルモン製剤	プレドニゾロン	プレドニン，プレドニゾロン	免疫抑制	高血圧，糖尿病，胃潰瘍，感染症，神経症状，骨粗鬆症
免疫抑制薬	シクロスポリン	ネオーラル，サンディミュン		腎障害，高血圧，多毛，感染症
	アザチオプリン	イムラン，アザチオプリン		白血球減少，肝障害，感染症
抗がん剤	シクロホスファミド水和物	エンドキサン		骨髄抑制，感染症，発がん性
ATG 製剤	抗ヒト胸腺細胞ウサギ免疫グロビン	サイモグロブリン		腎障害，感染症，血清病
蛋白同化ホルモン	メテノロン酢酸エステル	プリモボラン	造血刺激	肝障害，嗄声，多毛
TPO 受容体作動薬	エルトロンボパグ オラミン	レボレード		血栓塞栓症
EPO 製剤	ダルベポエチン アルファ（遺伝子組換え）	ネスプ		血圧上昇，肝障害
HIF-PH 阻害薬	ダプロデュスタット	ダーブロック		血栓塞栓症
ビタミン B₁₂ 製剤	ヒドロキソコバラミン酢酸塩	フレスミン S	DNA 合成促進	過敏症
	コバマミド	ハイコバール		
葉酸	葉酸	フォリアミン		
抗補体(C5) モノクローナル抗体製剤	ラブリズマブ（遺伝子組換え）	ユルトミリス HI	補体 C5 による溶血予防	髄膜炎菌感染症，ショック

Px 処方例　鉄欠乏性貧血
- フェロミア錠（50 mg）　100 mg/日　1 日 1〜2 回　食後もしくは就寝前　←鉄剤

Px 処方例　鉄欠乏性貧血：鉄剤の内服が副作用などで困難な場合
- フェジン注（40 mg）　80 mg/日　5% ブドウ糖液 20 mL に溶解し緩徐に静注（5 分）　←鉄剤
  ＊鉄の不足分を補い，必要以上に投与しない．

Px 処方例　溶血性貧血
- プレドニン錠（5 mg）　0.5 mg〜1.0 mg/kg/日　1 日 2〜3 回　食後　4 週間　後に漸減　←副腎皮質

ホルモン製剤

Px 処方例 溶血性貧血：プレドニン無効例 下記のいずれかを用いる.
- エンドキサン錠(50 mg)　50〜100 mg/日　1日1〜2回(適応外使用)　食後　←抗がん剤
- イムラン錠(50 mg)　50〜100 mg/日　1日1〜2回(適応外使用)　食後　←免疫抑制薬

Px 処方例 発作性夜間血色素尿症
- ユルトミリスHI点滴注射薬(300 mg/3 mL)　初回投与量 2400〜3000 mg　2週後より 3000〜3600 mg/8週で維持する．同量の生理食塩水に溶解後，決められた点滴速度で投与　←補体C5に対する抗体薬

* ユルトミリス投与前には必ず髄膜炎菌ワクチンの接種が必要．
* 溶血発作時は，ハプトグロビン 4000 単位/日を緩徐に点滴静注(ヘモグロビン尿消失まで)

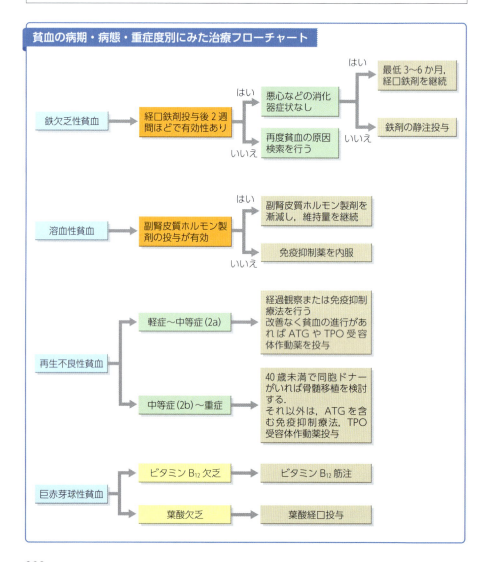

貧血の病期・病態・重症度別にみた治療フローチャート

貧血のある患者の看護

中神 克之

15 貧血

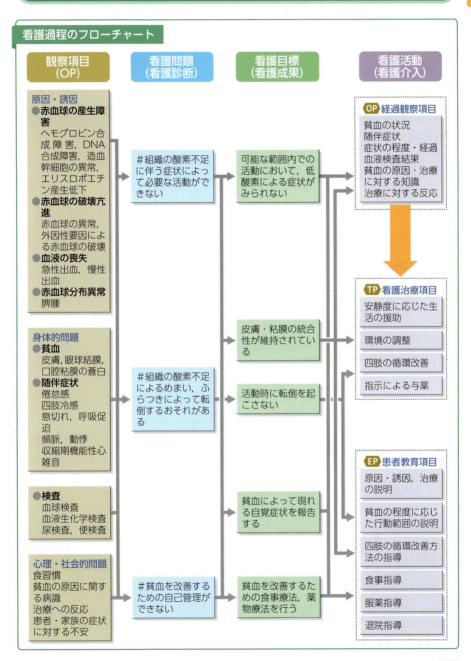

第1章　全身

基本的な考え方

- 貧血の有無と程度は血液検査で簡単に診断できる．貧血のタイプを把握する．
- 貧血の原因や基礎疾患によって治療方針や予後が異なるため，それらを把握する．
- 貧血に伴う酸素運搬能の低下によって倦怠感や息切れ，めまい，ふらつきが起こるので，安静を保てるようにする．

緊急 急性出血がみられる場合は，赤血球と血漿が同時に失われるため，血液検査所見から貧血を判断することはできない．ショック症状にも注意する．

STEP① アセスメント	STEP② 看護課題の明確化	STEP③ 計画	STEP④ 実施	STEP⑤ 評価

情報収集	アセスメントの視点と根拠・起こりうる看護問題
病歴の把握	**患者・家族から症状出現の経過，症状の変化を聞くことで，原因・誘因の特定や全身状態の把握につながり，治療や看護ケアにも重要な情報を得ることができる．**
経過	●いつから，どの程度の貧血があるか，症状の増悪や軽快があったか． ●貧血を指摘されたことはあるか．
随伴症状	●疲れやすさ，倦怠感の有無　**高齢者** 元気がない様子があれば，消化管出血や悪性腫瘍による貧血を疑う． ●活動に伴うふらつき，息切れ，動悸の有無 ●四肢冷感の有無 ●便の色調の変化の有無　**原因・誘因** 黒色便やタール便の場合は消化管出血 ●発熱や出血傾向の有無　**原因・誘因** 造血幹細胞の異常による貧血
生活歴	●食生活，偏食の有無　**原因・誘因** 鉄分の摂取不足による鉄欠乏性貧血 ●女性では月経の量と期間　**原因・誘因** 出血に伴う鉄の喪失による鉄欠乏性貧血
嗜好品	●アルコール
既往歴	●血液疾患 ●慢性炎症：関節リウマチ，全身性エリテマトーデスなど ●慢性感染症：結核など ●腎疾患：慢性腎不全，尿毒症，血液透析 ●肝疾患：肝硬変 ●内分泌疾患：甲状腺機能低下症，副甲状腺機能亢進症，下垂体機能低下症など ●悪性腫瘍
治療歴	●薬物の服用　**原因・誘因** 抗菌薬，鎮痛薬，抗炎症薬，抗がん剤，免疫抑制薬などは造血幹細胞の異常を起こすことがある． ●放射線照射　**原因・誘因** 造血幹細胞の異常を起こすことがある． ●胃切除術　**原因・誘因** 胃全摘術を行うとビタミン B_{12} が吸収できなくなり，数年後に巨赤芽球性貧血(悪性貧血)を起こす． ●人工弁置換術　**原因・誘因** 赤血球の傷害による溶血性貧血が起こることもある．
家族歴	●血縁者に貧血を指摘された者がいるか．
職業歴	●有機溶剤を扱う職業に携わっていないか　**原因・誘因** 慢性中毒によって再生不良性貧血を起こすことがある．
主要症状の出現状況，程度，性状の把握	**症状のほか，血球検査，血液生化学検査，尿検査，便検査の結果から，貧血の程度とタイプを把握する．**
赤血球数	●貧血の診断基準：男性 $400 \times 10^4/\mu L$ 以下，女性 $380 \times 10^4/\mu L$ 以下
ヘモグロビン	●貧血の診断基準：男性 14 g/dL 未満，女性 13 g/dL 未満
ヘマトクリット	●貧血の診断基準：男性 39% 以下，女性 36% 以下
平均赤血球容積と平均赤血球へモグロビン濃度	●平均赤血球容積(MCV) 80 fL 未満，平均赤血球ヘモグロビン濃度(MCHC) 31% 以下 ➡小球性低色素性貧血　**原因・誘因** 鉄欠乏性貧血，鉄芽球性貧血，サラセミア，感染症や炎症に伴う貧血

268

尿検査	●MCV 80 以上 100 fL 未満，MCHC 32〜36% ➡正球性正色素性貧血　原因・誘因　溶血性貧血，再生不良性貧血，急性出血 ●MCV 100 fL 以上，MCHC 32〜36% ➡大球性（正色素性）貧血　原因・誘因　巨赤芽球性貧血，肝障害や甲状腺疾患に伴う貧血 ●腎障害の有無を確認　原因・誘因　腎障害があるとエリスロポエチン産生が低下し，赤血球の産生低下が起こる．
便検査 画像検査	●便潜血反応　原因・誘因　消化管出血による貧血の有無を確認する． ●消化管内視鏡検査 ●胸部・腹部単純 X 線検査 ●腹部エコー検査，CT 検査

貧血への緊急対応

●急性出血による貧血には，**ショック症状**に注意して対応する．
●慢性貧血には，酸素欠乏に生体が順応するため，血液検査では高度の貧血が認められても，自覚症状が現れにくいことがある．そのような場合は，歩行中に**失神発作**を起こす危険があるため，単独での歩行を避けるようにする．
●貧血が長期間続くと**慢性心不全**を引き起こすため，注意が必要である．
●**息切れ**や**動悸**などがある場合は，安静を保てるようにする．

全身状態，随伴症状の把握 バイタルサイン	▎貧血の程度と経過，原因疾患を把握し，治療，看護計画の立案に反映させる． ●呼吸回数・深さ ➡貧血の場合，酸素運搬能低下のため臓器の酸素不足が起こる．これを代償するために呼吸量を増やそうとして頻呼吸となる． ●脈拍 ➡心臓の 1 回拍出量増加と心拍数増加によって血液循環を高め，組織への酸素運搬を維持しようとするため頻脈になる． ●血圧 ➡急激に生じた貧血は，血圧低下に注意する．
全身状態	●体格 ➡慢性疾患，悪性腫瘍による体重減少の有無 ●皮膚 ➡蒼白の有無 ●黄疸　原因・誘因　溶血性貧血
頭頸部	●顔色，口唇色 ➡蒼白の有無 ●眼瞼結膜，口腔粘膜 ➡蒼白の有無 ●舌 ➡舌炎，舌乳頭萎縮の有無　原因・誘因　舌炎がある場合は悪性貧血，舌乳頭萎縮がある場合は，鉄欠乏性貧血，巨赤芽球性貧血を疑う． ●頸部 ➡頸静脈のこま音，甲状腺腫の有無
胸部 腹部	●聴診 ➡機能性心雑音の有無 ●触診 ➡脾腫の有無，腹部腫瘤の有無 ●直腸診 ➡直腸がん，痔核の有無
四肢 神経系	●視診 ➡爪の変形の有無　原因・誘因　さじ状爪がある場合は鉄欠乏性貧血を疑う． ●深部知覚，深部腱反射の障害の有無　原因・誘因　手足のしびれや知覚鈍麻がある場合は悪性貧血を疑う． ●頭痛，耳鳴，めまい，思考力の低下，筋肉の脱力，失神などの有無 ➡脳細胞への酸素供給の不足によって，これらの症状が起こる． 🔍 **起こりうる看護問題**：組織の酸素不足に伴う症状によって必要な活動ができない／組織の酸素不足によるめまい，ふらつきによって転倒するおそれがある
患者・家族の心理・社会的側面の把握	▎貧血の程度に応じた安静が必要であり，二次障害を防止するために循環を改善する必要がある．また食事療法や薬物療法によって貧血を予防したり，改善したりすることができる．それらを患者・家族が理解し，実行できるよう指導する必要がある． ●症状出現の経過などを聞きながら，同時に患者・家族が症状や疾患をどのように感じているか，どのようなことに不安を感じているかを確認する． ●貧血や随伴症状による苦痛を軽減したり，それらを予防するための方法について，

第1章　全身

どのように考えているのか，どのように対処しようとしているのかを確認する．
● 安静の必要性，食事療法や薬物療法に対する知識を確認する．
🔍 **起こりうる看護問題：貧血を改善するための自己管理ができない**

STEP ❶ アセスメント　STEP ❷ 看護課題の明確化　STEP ❸ 計画　STEP ❹ 実施　STEP ❺ 評価

看護問題リスト

#1　組織の酸素不足に伴う症状によって必要な活動ができない（活動-運動パターン）
#2　貧血を改善するための自己管理ができない（健康知覚-健康管理パターン）
#3　組織の酸素不足によるめまい，ふらつきによって転倒するおそれがある（健康知覚-健康管理パターン）

看護問題の優先度の指針

● 組織の酸素不足に伴って息切れや動悸などがみられたら，活動の軽減を図る．
● 末梢組織循環不良による皮膚・粘膜の二次障害予防のための対応を行う．
● 貧血による症状の回復に応じて，貧血に対する自己管理を促す．
● 大量出血による急性の貧血では，緊急度・重症度ともに高く，ショック症状への対応が優先される．
● 組織の酸素不足に伴うめまいやふらつきなどがみられたら，転倒のおそれが高まるため，活動をやめ休息するよう促す．

STEP ❶ アセスメント　STEP ❷ 看護課題の明確化　STEP ❸ 計画　STEP ❹ 実施　STEP ❺ 評価

1 看護問題	看護診断	看護目標（看護成果）
#1　組織の酸素不足に伴う症状によって必要な活動ができない	**活動耐性低下** **関連因子**：酸素の供給/需要不均衡 **診断指標** □倦怠感を示す □活動時の異常な心拍反応 □労作性（時）不快感	〈長期目標〉酸素不足による症状を起こさない範囲で，適度な活動を行う 〈短期目標〉1) 酸素不足によって起こる症状を述べる．2) 症状の予防方法を述べ，実施する．3) 指示された行動範囲を守る．4) 動悸や息切れがみられた時は，活動を中止する

看護計画

OP 経過観察項目
● 貧血の程度：血液検査結果，皮膚・粘膜の色調，随伴症状（ふらつき，息切れ，動悸など）の有無と程度
● 貧血の原因，治療方法とその効果
● 活動量と活動時の症状，安静にした時の症状の回復状況
● 貧血以外に活動耐性を阻害する因子の有無：発熱，不眠，不安，薬物療法の副作用など
● 貧血の程度や治療に対する患者の反応，理解
● 活動によって起こる症状とその対処方法に関する患者の知識

TP 看護治療項目
● 貧血の程度と自覚症状に応じて適切な行動範囲を示し，それが守れるように援助する

介入のポイントと根拠

➡ 貧血の状況，原因との関連，治療経過などを把握する　**根拠** 可能な行動範囲がわかる

➡ 貧血と活動との関連を把握する　**根拠** 症状発現時の対処法がわかる

➡ **根拠** 貧血に対する患者の反応や知識に応じて，必要な指導とその方法がわかる

➡ 病室やベッドの位置，ベッド周囲の物の配置など環境を整える　**根拠** 活動によって酸素消費量

- 活動の前後に安静が保てるよう配慮する

- セルフケアを制限する場合，その制限に応じてセルフケアを支援する
- 必要であれば，酸素療法を行う
- 指示された薬剤を正確に投与する

- 指示された輸血を正確に行う
- 貧血以外に活動耐性を阻害する因子があればその因子を取り除く援助を行う

EP 患者教育項目
- 貧血の程度と可能な活動の範囲，安静の必要性を説明する

- 可能な範囲で安全に活動できるよう指導する

- 活動によって起こる症状（ふらつき，息切れ，動悸など）と予防方法を指導する

- 薬の作用・副作用を説明し，正確に服薬するよう指導する

が増加すると，組織の酸素不足により症状が悪化する
➡ 日常生活行動の援助や検査の時間などを工夫する **根拠** 酸素消費量の増加を抑える
➡ 自覚症状に応じて，移動，食事，排泄，清潔などの日常生活動作を援助する
➡ **根拠** 酸素不足を補う
➡ 貧血の原因に応じて，鉄剤，ビタミン B_{12}，葉酸，エリスロポエチン，副腎皮質ステロイドなどが指示される
➡ 急性出血や大量出血により生命の危険がある場合に指示される

➡ **根拠** 貧血に伴う酸素不足によって起こる症状のメカニズムを理解することで，症状の悪化を防止できる
➡ 起き上がる時は，まず上半身を起こして，ふらつきなどのないことを確かめてから次の行動に移ること，症状がある時は無理をしないことを説明する
➡ 活動によって症状が出現する時は，活動を中止するよう説明する **根拠** これらの症状は，酸素消費量の増加による低酸素状態によるものである．立位や歩行時に症状がある場合は，失神発作を起こす危険もある．排便時の努責によっても症状がみられる可能性がある
➡ 貧血の治療に必要な薬物療法についての認識を高め，自己管理を促す

2 看護問題	看護診断	看護目標（看護成果）
#2 貧血を改善するための自己管理ができない	**非効果的健康自主管理** **関連因子**：治療計画についての知識不足，ソーシャルサポートの不足 **診断指標** □治療計画を日常生活に組み込めない □危険因子を減らす行動がとれない □疾患症状に注意を払わない	〈**長期目標**〉貧血改善の自己管理ができる 〈**短期目標**〉1) 貧血によって現れる自覚症状を報告する．2) 貧血の改善に必要な食品を理解し，それらを摂取する．3) 指示された薬剤を確実に服用する．4) 皮膚・粘膜を保護する方法を理解し，実施する

看護計画	介入のポイントと根拠
OP 経過観察項目 ● 貧血の誘因や原因疾患，皮膚・粘膜の変化，随伴症状についての患者・家族の知識，認識 ● 入院前の生活習慣，特に食事内容，活動量	➡ 患者・家族の病識を把握する **根拠** 貧血の自己管理には家族を含めた生活指導が必要である ➡ 症状を悪化させる要因を把握する **根拠** 入院前の生活習慣をもとに改善点を検討し，自己管理の目標を設定する

第1章　全身

- ●退院後の患者・家族の認識，考え
- ●退院後の生活調整に対する意欲

- ●キーパーソン，協力者

⮕患者・家族の知識と意欲を把握する　**根拠**　患者・家族が継続して実施できるよう，知識や意欲に応じた教育計画を立案する必要がある

⮕患者に対するサポート体制を把握する　**根拠**　退院後の生活調整には，家族をはじめ人的なサポート体制が必要である

TP 看護治療項目

- ●食事内容を振り返ってもらい，貧血を改善するための食事を一緒に考える
- ●貧血による症状が現れた場面を振り返ってもらい，症状の予防方法と症状が出現した場合の対処方法を一緒に考える
- ●四肢に冷感やしびれがある場合は，保温する

⮕食事への意識を高める

⮕活動に伴う症状の出現を意識づける

⮕靴下や手袋，温罨法，手浴，足浴などで四肢を保温する　**根拠**　循環不全のために四肢に冷感やしびれが生じるため，保温によって四肢の循環を改善する

- ●皮膚・粘膜のケアを行う
- ●口角炎や舌炎がある場合は，口腔内の清潔を保ち，指示された軟膏を塗布する

⮕皮膚・粘膜の清潔と適度な湿潤を保つ　**根拠**　末梢循環不全のため，皮膚・粘膜が傷つきやすく，炎症や褥瘡を起こしやすい

EP 患者教育項目

- ●組織の酸素不足による症状，代償作用に伴う症状，原因疾患による特異的症状などを説明する
- ●貧血の程度や原因に応じて，必要な食事療法（高蛋白，高カロリー，高鉄分，高ビタミン食）を支援する．家族にも協力を求める
- ●薬の作用と副作用を説明し，患者自身で服薬管理ができるよう支援する

⮕貧血によって現れる症状を理解し，発現時に報告できるようにする

⮕食事によって貧血を改善できることの理解を促す　**根拠**　鉄，ビタミン B_{12}，葉酸，ビタミン B_6，ビタミン C などは造血を促進する

⮕貧血の薬物療法についての認識を高め，自己管理を促す　**根拠**　薬について理解することは服薬アドヒアランスを高める．症状が軽減すると服薬を怠ることがあり，再発の原因となる

- ●鉄剤は，ビタミン C を同時に摂取すると吸収しやすくなること，服用により便が黒色になることを説明する
- ●貧血による症状の持続や行動範囲の制限，原因疾患の経過などに伴う不安を理解し，心理的ケアを行う
- ●定期受診の必要性を説明する

⮕黒色便によって消化管出血の発見が遅れることがあるので，適時便潜血を確認する必要がある

⮕**根拠**　貧血による症状や貧血の原因に対する不安が強いと，疾患の自己管理に影響を及ぼす

3 看護問題	看護診断	看護目標（看護成果）
#3　組織の酸素不足によるめまい，ふらつきによって転倒するおそれがある	**成人転倒転落リスク状態** **関連する状態**：貧血 **危険因子**：首を伸ばした時の立ちくらみ	〈長期目標〉めまいやふらつきがなく，転倒を起こさない 〈短期目標〉1)めまいやふらつきなどがみられたら，活動を中止する．2)酸素不足によりめまいやふらつき，意識消失などが起こる危険性を理解する．3)酸素不足からめまいやふらつき，意識消失などにより転倒する危険性があることを述べる

看護計画	介入のポイントと根拠

15
貧血

OP 経過観察項目
- 貧血の程度：血液検査結果（RBC，Hb）

➡ 貧血の状況，原因との関連，治療経過などを把握する　**根拠** 筋肉の疲労度や筋力の低下の程度，めまいやふらつきなどの予測をする

- 立位と活動時のふらつき・めまいの有無，活動前後の疲労度
- 意識レベル
- 下肢筋力
- 体重
- 貧血以外に転倒を促進する因子の有無：年齢，環境，薬剤使用，歩行状態，活動量，活動時の症状，安静時の症状回復状況
- 活動によって起こる症状とその対処方法に関する患者の知識

➡ 貧血と活動との関連を把握する　**根拠** 酸素不足による筋肉の疲労度や下肢筋力の低下の状況を把握する．めまいやふらつきのパターンを把握することで転倒の予測を行う

➡ **根拠** 転倒要因が多くなると，転倒の危険性が高まる

➡ **根拠** 貧血に対する患者の反応や知識に応じた指導・方法を実施できる

TP 看護治療項目
- 活動時にめまいやふらつき，強い疲労感などが出現した場合，活動を中止する
- 臥位から立位をとる場合，まずベットサイドで座位になり，めまいやふらつきの有無を確認する
- 病室内の環境整備を行う

➡ **根拠** 仰臥位から急に立位になると起立性低血圧を起こす可能性があるため，一度座位になって循環動態を安定させる
➡ **根拠** 病室内のつまずきやすい場所や滑る可能性のあるものを把握し，取り除くことで転倒を予防する

- ベッド上で自動・他動運動や，ベッドサイドへの脚上げなどの運動を行う
- かかとのある靴を履く

➡ **根拠** 貧血によるめまいやふらつきのために活動を制限されることで生じる筋力低下を予防する
➡ **根拠** スリッパやサンダルなどは脱げたり，滑ったりするため転倒しやすい

EP 患者教育項目
- 貧血の程度と転倒の危険性を説明する

- 転倒予防を意識した動作や活動ができるように指導する

➡ 貧血による症状と転倒のメカニズムを理解することで，自ら転倒を予防する
➡ 起き上がるときはまず座位になり，めまいやふらつきなどがないことを確かめてから立位をとる．立位時もすぐに歩行せず，症状の有無を確認してから歩行するように説明する　**根拠** 立位時は血圧の低下が起きるため，それに伴うめまいやふらつきが生じないかを確認して転倒を予防する

- 転倒しやすい病室内の環境要因を説明する
- 活動時に症状（めまいやふらつき，強い疲労感など）が出現した場合の対処法を説明する

➡ 転倒の環境因子を説明し，予防する
➡ 活動によって症状が出現するときは，活動を中止するよう説明する　**根拠** 症状出現の原因は，酸素消費量増加による低酸素状態である．活動中に症状が出現した場合，意識消失を起こす危険がある．排便時の努責も同様に注意が必要である

STEP ① アセスメント ▶ **STEP ② 看護課題の明確化** ▶ **STEP ③ 計画** ▶ **STEP ④ 実施** ▶ **STEP ⑤ 評価**

病期・病態・重症度に応じたケアのポイント

【急性期】貧血の原因は様々である．早期にその原因が特定され，適切な治療が行われることが重要である．貧血による症状が強い場合は，活動による呼吸困難や転倒の危険性などがあり，安静が必要となる．全身状態の把握とともにセルフケアの援助が必要である．

273

第1章　全身

【回復期】徐々に活動範囲を広げ，貧血による症状の出現の有無を確認する．患者が症状を自覚し，その予防方法，出現時の対処方法，貧血を改善するための食事療法を理解し，実施できるよう指導する．

看護活動（看護介入）のポイント

診察・治療の介助
- ●貧血による症状や血液検査結果から，貧血の程度と原因・誘因を把握する．
- ●薬物療法，輸血療法が正しく行われるよう管理する．
- ●貧血の原因に対する治療を介助する．

貧血に対する援助
- ●貧血の程度と自覚症状に応じて適切な行動範囲を示し，それが守れるように援助する．
- ●セルフケアを制限する場合は，制限に応じてセルフケアを支援する．
- ●循環不全による症状を改善するため，四肢の保温に努める．
- ●皮膚・粘膜は傷つきやすいので，清潔と適度な湿潤に留意する．
- ●活動によって起こる症状（めまいやふらつき，強い疲労感など）がある場合，転倒や意識消失に注意する．

退院指導・療養指導

- ●組織の酸素不足による症状，代償作用に伴う症状，原因疾患による特異的症状などを説明する．
- ●活動によって起こる症状（ふらつき，息切れ，動悸など）と予防方法を指導する．
- ●貧血に伴う皮膚・粘膜の変化，皮膚・粘膜の保護の必要性と方法を説明する．
- ●貧血の程度や原因に応じて，必要な食事療法を説明する．
- ●薬の作用と副作用を説明し，患者自身で服薬管理ができるよう支援する．
- ●定期受診の必要性を説明する．
- ●貧血の症状に伴う転倒の危険性とその予防方法を指導する．

STEP❶ アセスメント　STEP❷ 看護課題の明確化　STEP❸ 計画　STEP❹ 実施　STEP❺ 評価

評価のポイント

看護目標に対する達成度
- ●貧血が軽快しているか．
- ●貧血の随伴症状が改善しているか．
- ●食事療法の必要性を理解し，実施できているか．
- ●薬物療法を理解し，正しく服薬しているか．
- ●貧血とその治療による日常生活への影響はあるか．
- ●転倒を予防する行動がとれているか．

274

貧血のある患者の病態関連図と看護問題

15 貧血

原因・誘因 増悪因子

薬剤 / 放射線照射 / 偏食 / 腎障害 / 赤血球の異常 外因性要因 / 感染, 炎症, 悪性腫瘍, 肝疾患, 内分泌疾患

胃切除 → 鉄欠乏

造血幹細胞の異常 / ビタミンB₁₂, 葉酸の欠乏 / エリスロポエチン産生低下 / 脾腫 / 出血

病態

赤血球産生障害 / 赤血球破壊亢進 / 血液喪失

小球性低色素性貧血 / 正球性正色素性貧血 / 大球性正色素性貧血

症状

貧血

・疲れやすさ, 倦怠感
・活動に伴うふらつき, 息切れ, 動悸
・貧血による症状と活動との関連に関する認識不足
・貧血以外に活動を阻害する因子：発熱, 不眠, 不安, 薬物療法の副作用

#1 活動耐性低下

#3 成人転倒転落リスク状態

・貧血の原因・誘因に関する認識不足
・偏った食事
・治療に関する認識不足

・皮膚・粘膜の蒼白
・四肢冷感, しびれ感
・口角炎, 舌炎
・皮膚・粘膜の保護に関する知識不足

#2 非効果的健康自主管理

診察 検査

問診, 視診・触診・打診・聴診, 検査
・血液検査, 尿検査, 便検査, 胸部・腹部単純X線検査
・消化管内視鏡検査, CT検査

治療 看護

貧血の改善
・薬物療法
・輸血

活動に伴う酸素不足の予防
・可能な活動範囲の説明
・安静が守れるような配慮
・活動制限に伴うセルフケアの援助
・酸素療法

療養指導
・服薬指導
・食事指導
・症状の予防
・症状発現時の対処

皮膚・粘膜の清潔
四肢の保温
環境調整

275

16 出血傾向

小山　高敏

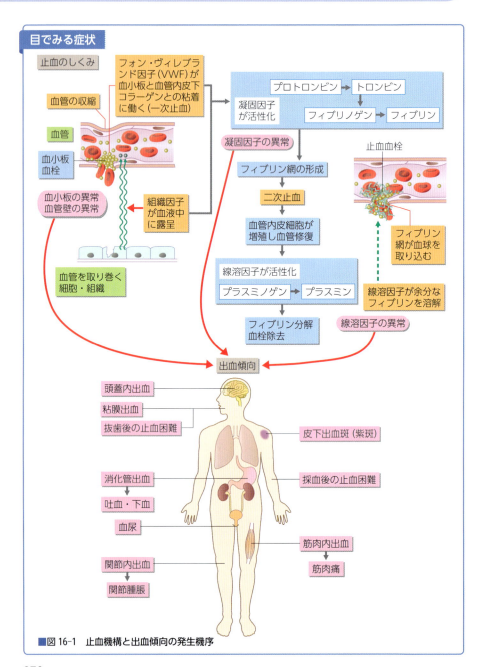

■図16-1　止血機構と出血傾向の発生機序

病態生理

局所的な原因なしに，あるいは普通なら出血しない程度の外傷で全身的に出血しやすい状態，ないしは出血が止まりにくい状態を出血傾向という．

- 止血機構は，血管損傷時に血小板，凝固因子，血管壁が中心となって，滑らかに血管内を流れる循環血を失わないように血管壁に止血血栓を作る生体防御機構である．血管壁の損傷部位だけに"ふた"をして適度なところで血栓形成の進行を止め，血管修復を促す，というきわめて精巧な機序からなっている．病的な血栓形成は血管閉塞を招き，血栓症として血流が巡るべき組織の死をもたらし，一方で止血機構を担う因子の欠損は出血をもたらす．
- 出血傾向は，血管壁，血小板，凝固・線溶因子のいずれか，ないし複合的な異常によって引き起こされる．

患者の訴え方

訴えは，出血そのものをみることや，出血部位の痛みや腫脹である．

- **主症状の訴え**
- 出血は，患者自ら血液を直接目にすることも多いが，関節内出血や筋肉内出血では出血部位の痛みや腫脹を主訴とすることもある．
- 出血傾向があると，皮下や粘膜下，関節腔，組織内に出血が起こりやすく，また消化管など粘膜などから外へ出血しやすい．皮下または皮内の出血斑を紫斑，紫斑のなかで帽針頭大（直径約2 mm）までのものを点状出血と称し，多発することが多い．大きい紫斑には斑状出血の名がある．粘膜出血，歯肉出血の形でみられることも多い．
- 粘膜出血は脳出血など重篤な出血の前兆ともなる．脳出血では片麻痺，意識障害，言語障害など脳卒中の症状を呈するが，診断にはCTなどの画像診断が必要となる．
- **随伴症状**
- 原因疾患（表16-1）により様々な症状を訴える（表16-2）．

■**表16-1 出血傾向の原因または考えられる疾患**（赤字は緊急対応を要する疾患）

1. 血管壁の異常
先天性：血管内皮下障害；エーラース-ダンロス症候群，マルファン症候群 　　　　血管内皮障害；遺伝性出血性末梢血管拡張症（オスラー病） 後天性：血管内皮下障害；単純性紫斑，老人性紫斑，壊血病（ビタミンC欠乏），ステロイド紫斑，アミロイドーシス 　　　　血管内皮障害；アレルギー性紫斑病（シェーンライン-ヘノッホ紫斑病），自己赤血球感作症

2. 血小板の異常
減少：特発性（ないし免疫性）血小板減少性紫斑病（ITP）を含めた自己免疫性，薬物による血小板減少症，血栓性血小板減少性紫斑病（TTP），溶血性尿毒症症候群（HUS），再生不良性貧血，急性白血病，骨髄異形成症候群，先天性血小板減少症 機能異常：内因性（先天性）；血小板無力症，ベルナール-スーリエ症候群 　　　　　外因性；フォン・ヴィレブランド病（VWD），尿毒症，M蛋白血症，薬剤性（非ステロイド性抗炎症薬など）

3. 血液凝固の異常
血友病，その他の先天性凝固因子欠乏症，循環抗凝血素（凝固因子インヒビター）による後天性血友病など，抗凝固薬投与，ビタミンK欠乏症

4. 線溶の異常
血栓溶解薬投与も含めたプラスミノゲンアクチベーターの増加，プラスミノゲンアクチベーターインヒビター欠損，プラスミンインヒビター欠損

5. 複合異常
播種性血管内凝固症候群（DIC），肝疾患

■表 16-2 出血傾向の随伴症状と考えられる疾患（赤字は緊急を要する疾患とその随伴症状）

随伴症状	考えられる疾患
発熱	急性白血病，再生不良性貧血，骨髄異形成症候群，血栓性血小板減少性紫斑病（TTP）
貧血	急性白血病，再生不良性貧血，骨髄異形成症候群，TTP，溶血性尿毒症症候群（HUS），出血を伴う自己免疫性・薬物性血小板減少症
腫瘤	DIC ないし骨髄浸潤を伴う悪性腫瘍，血管腫
リンパ節腫脹	DIC ないし骨髄浸潤を伴う悪性リンパ腫，膠原病，急性白血病
肝脾腫	肝・造血器腫瘍，肝硬変
関節腫脹	血友病などの凝固因子欠損症，膠原病，アレルギー性紫斑病
腹痛	アレルギー性紫斑病
筋肉痛	血友病などの凝固因子欠損症
関節の過伸展，可動域拡大	エーラース-ダンロス症候群
長い四肢，クモ状指，水晶体脱臼	マルファン症候群

■表 16-3 出血傾向の原因と症候

症候	血液凝固の異常	血小板の異常・血管壁の異常
点状出血（径 2 mm 以下）	まれ	特徴的
斑状出血	多い（大きいが少数）	特徴的（小さく多発）
小切創からの持続的出血	少ない	多い
深部血腫（筋肉など）	特徴的	まれ
関節内出血	特徴的	まれ
後出血*	多い	まれ
男女比	遺伝性の 80〜90% は男性	女性にやや多い

*後（こう）出血とは，外傷や手術時，一度止血したと思われる部位で，ある程度時間が経ってから再び出血することで，線溶亢進に特徴的である．血友病などの凝固異常でも線溶亢進を併発して起こることがある．

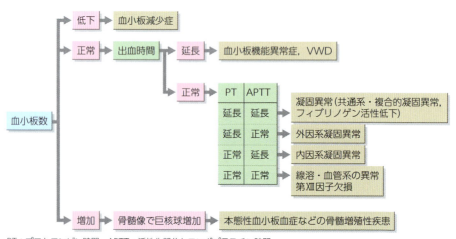

PT：プロトロンビン時間，APTT：活性化部分トロンボプラスチン時間

■図 16-2 出血傾向のスクリーニング検査

診断

●原因・考えられる疾患
●出血傾向は血管壁，血小板，凝固・線溶因子の異常によって引き起こされるため，主な疾患あるいは病態を成因別に挙げると表 16-1 のようになる.

●鑑別診断のポイント
●過去に出血傾向の既往があれば，出血の誘因や状況，過去の抜歯・手術時の止血の具合，家族歴，随伴症状(発熱，関節痛，腹痛など)，服薬歴などについて問診する．家族歴があれば先天性の疑いが強くなる.

●体表から見えない出血症状の広がりをみる時の CT などの画像診断，消化管出血が疑われる際の内視鏡検査も速やかに行う．造血器疾患が疑われる場合は骨髄穿刺も行う.

●凝固・線溶系の異常と血小板・血管壁の異常では，臨床症状に表 16-3 のようなおおまかな特徴があって参考になるが，診断は図 16-2 に示したような臨床検査に基づくフローチャートによる．特徴のある随伴症状と考えられる疾患を表 16-2 に示す.

●播種性血管内凝固症候群 (DIC) の診断には基礎疾患の存在と，フィブリン分解産物(FDP, Dダイマー)の上昇，血小板の減少が最も重要であり，診断基準がある (表 16-4, 図 16-3)．DIC，特発性血小板減少性紫斑病(ITP)，血友病の検査所見の特徴を比較して表 16-5 にまとめた.

■表 16-4　DIC 診断基準

<table>
<tr><th colspan="2">項目</th><th>基本型</th><th>造血障害型</th><th>感染症型</th></tr>
<tr><td rowspan="4">一般止血検査</td><td>血小板数
(×10⁴/μL)</td><td>12<　　　　　 0 点
8< ≦ 12　　 1 点
5< ≦ 8　　 2 点
　 ≦ 5　　　 3 点
24 時間以内に 30% 以上の
減少　　　　　+1 点</td><td></td><td>12<　　　　　 0 点
8< ≦ 12　　 1 点
5< ≦ 8　　 2 点
　 ≦ 5　　　 3 点
24 時間以内に 30% 以上の
減少　　　　　+1 点</td></tr>
<tr><td>FDP
(μg/mL)</td><td>　　　 <10　　 0 点
10 ≦ <20　　 1 点
20 ≦ <40　　 2 点
　　 40 ≦　　 3 点</td><td>　　　 <10　　 0 点
10 ≦ <20　　 1 点
20 ≦ <40　　 2 点
　　 40 ≦　　 3 点</td><td>　　　 <10　　 0 点
10 ≦ <20　　 1 点
20 ≦ <40　　 2 点
　　 40 ≦　　 3 点</td></tr>
<tr><td>フィブリノゲン
(mg/dL)</td><td>　　　 150<　　 0 点
100< ≦ 150　 1 点
　　 ≦ 100　　 2 点</td><td>　　　 150<　　 0 点
100< ≦ 150　 1 点
　　 ≦ 100　　 2 点</td><td></td></tr>
<tr><td>プロトロンビン時間比</td><td>　　　 <1.25　 0 点
1.25 ≦ <1.67　 1 点
　 1.67 ≦　　 2 点</td><td>　　　 <1.25　 0 点
1.25 ≦ <1.67　 1 点
　 1.67 ≦　　 2 点</td><td>　　　 <1.25　 0 点
1.25 ≦ <1.67　 1 点
　 1.67 ≦　　 2 点</td></tr>
<tr><td rowspan="2">分子マーカー</td><td>アンチトロンビン
(%)</td><td>70<　　　 0 点
≦ 70　　 1 点</td><td>70<　　　 0 点
≦ 70　　 1 点</td><td>70<　　　 0 点
≦ 70　　 1 点</td></tr>
<tr><td>TAT, SF または F1+2</td><td>基準範囲上限の
　2 倍未満　　 0 点
　2 倍以上　　 1 点</td><td>基準範囲上限の
　2 倍未満　　 0 点
　2 倍以上　　 1 点</td><td>基準範囲上限の
　2 倍未満　　 0 点
　2 倍以上　　 1 点</td></tr>
<tr><td colspan="2">肝不全</td><td>なし　　　 0 点
あり　　　 3 点</td><td>なし　　　 0 点
あり　　 −3 点</td><td>なし　　　 0 点
あり　　 −3 点</td></tr>
<tr><td colspan="2">DIC 診断</td><td>6 点以上</td><td>4 点以上</td><td>5 点以上</td></tr>
</table>

日本血栓止血学会：DIC 診断基準 2017 年版．血栓止血誌 28(3)：384, 2017 より一部改変

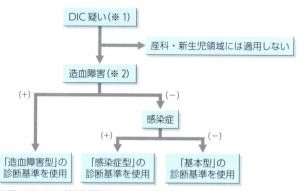

■図 16-3 DIC 診断基準適用のアルゴリズム
※1 DIC 疑い：DIC の基礎疾患を有する場合，説明のつかない血小板数減少・フィブリノゲン低下・FDP 上昇などの検査値異常がある場合，静脈血栓塞栓症などの血栓性疾患がある場合など．
※2 造血障害：骨髄抑制・骨髄不全・末梢循環における血小板破壊や凝集など，DIC 以外にも血小板数低下の原因が存在すると判断される場合に(+)と判断．寛解状態の造血器腫瘍は(−)と判断．

DIC 診断基準作成委員会：日本血栓止血学会 DIC 診断基準 2017 年版．血栓止血誌 28(3)：382, 2017 より一部改変

■表 16-5 主な出血性疾患の検査所見の比較

検査項目	血友病	ITP	DIC
血小板数	不変	減少	減少
破砕赤血球	−	−	+（TTP，HUS ほどでない）
PT 延長	−	−	しばしば+
APTT 延長	+	−	しばしば+
フィブリノゲン	不変	不変	大部分減少
FDP，D ダイマー上昇	−	−	+

治療法

出血傾向の原因を確定し，それぞれに応じた治療を行う．

● 治療方針
- 特発性（ないし免疫性）血小板減少性紫斑病(ITP)の慢性型では，出血症状が認められる患者ないし血小板数 2 万/μL 以下の患者が治療の対象となる．副腎皮質ステロイドによる免疫抑制療法が第一選択となる．ヘリコバクター・ピロリ菌が陽性の場合は除菌療法も第一選択となりえる．難治性 ITP に対して血小板産生を刺激するトロンボポエチン受容体作用薬の経口薬，皮下注射薬もある．
- 急性白血病，骨髄異形成症候群，再生不良性貧血，肝硬変症，脾機能亢進症などの原病があって起こる続発性血小板減少では，出血症状がみられる時のみ必要最小限，1 日 1 回 10 単位程度の血小板輸血を行う．化学療法時などに予防的投与を行う場合も血小板数 1 万/μL 以上を保つよう必要最小限とする．血小板機能異常による出血傾向で血小板輸血が必要となることは後天性ではまれであるが，先天性の場合は消化管出血，観血的処置前後などで時に行われる．
- 血栓性血小板減少性紫斑病(TTP)や溶血性尿毒症症候群(HUS)の際は出血よりも血栓症状が主体となるが，血小板輸血は血栓を誘発するため原則的に禁忌である．TTP は自己免疫疾患の一種であることがわかり，血漿交換と副腎皮質ステロイド免疫抑制療法が第一選択となる．ITP では血小板輸血を行ってもすぐ血小板が破壊されるため，止血効果はあるものの血小板数を増やすための血小板輸血を考えてはならない．命に関わるような脳出血や消化管出血などの際に救命的に止血を試みる際にの

み，血小板と抗血小板抗体の複合体がマクロファージにより貪食されるのをブロックする大量γグロブリン療法との併用も考える.

- DIC 合併時の出血症状には，抗凝固療法との併用のもとに適宜血小板輸血や凍結血漿輸注を行う.
- 凝固因子欠損症の出血傾向では，凝固因子製剤や凍結血漿による補充療法が基本である.
- 凝固因子(第Ⅷ因子が大部分)インヒビター例では，バイパス製剤補充療法や免疫抑制療法が行われる.
- DIC は原疾患の治療が第一であるが，低分子ヘパリンや合成プロテアーゼ阻害薬，トロンボモデュリンアルファ(遺伝子組換え)などによる抗凝固療法も行われる.血小板や凍結血漿の補給も適宜行う.
- 抗線溶薬トラネキサム酸の投与は，線溶制御因子の先天性欠損症例の出血傾向に有効であるが，ITPや血友病などの出血にも補助的に用いられる.

●薬物療法

Px 処方例 ITP 慢性型の副腎皮質ステロイド免疫抑制療法

- プレドニン錠(5 mg)　1 日 1 mg/kg を朝，昼 2 回に分け(初期量)，4 週間投与(以後血小板数をみながら漸減)　←副腎皮質ホルモン製剤

　※投与が長期に及ぶことが多いので，胃十二指腸潰瘍，糖尿病，高血圧，骨粗鬆(そしょう)症などの副作用に注意し，適宜予防・治療薬の投与も行う.

Px 処方例 ITP 慢性型のヘリコバクター・ピロリ菌除菌療法

- ボノサップパック 400　1 日 1 シート　7 日間　←抗ピロリ菌製剤セット
- ビオフェルミン R 錠(6 mg)　1 回 1 錠　1 日 3 回(下痢予防)　←抗菌薬に耐性の乳酸菌製剤

Px 処方例 血友病 A，体重 60 kg，慢性変化(関節症)のない軽度の肘関節痛

- イロクテイト注(1,000 IU/バイアル)　1 回 1 バイアル　1 日 1 回　静注　1〜2 日間　←遺伝子組換え第Ⅷ因子製剤

Px 処方例 重症血友病 A，体重 60 kg の出血予防のための定期補充療法

- ヘムライブラ注(30，60，90，105，150 mg，皮下注)　1 回 3 mg/kg　1 回/週　4 回続けて導入.1 回 6 mg/kg　1 回/4 週で維持.

Px 処方例 上記と同様例で第Ⅷ因子インヒビター合併がある時

- ノボセブン HI 注(5 mg/バイアル)　1 回 1 バイアル　2〜3 時間毎静注　止血まで(通常 2 回程度)　←バイパス製剤の遺伝子組換え活性型第Ⅶ因子製剤

Px 処方例 救急外傷：敗血症に合併した DIC 症例，出血のない悪性腫瘍に合併した DIC

- リコモジュリン注　380 単位/kg　1 日 1 回　30 分かけて点滴静注　←抗凝固薬の遺伝子組換え可溶性トロンボモデュリン製剤

　※頭蓋内や消化管出血時は避ける.

Px 処方例 出血傾向の強い急性白血病に合併した DIC 症例

- 注射用フサン注　1 日 0.06〜0.2 mg/kg/時　24 時間かけて持続点滴静注　←抗凝固・抗線溶薬

Px 処方例 血友病 A 患者の抜歯時，消化管出血時などに凝固因子製剤と併用

- トランサミン錠(250 ないし 500 mg)　750〜2000 mg　1 日 3〜4 回　経口投与　←抗線溶薬

第1章　全身

■表 16-6　出血傾向の主な治療薬

分類	一般名	主な商品名	薬の効くメカニズム	主な副作用
副腎皮質ホルモン製剤	プレドニゾロン	プレドニン	免疫抑制による自己抗体産生抑制	胃潰瘍，高血糖，高血圧
凝固因子製剤	エフラロクトコグアルファ（遺伝子組換え）など	イロクテイトなど	第Ⅷ因子補充	発疹
	ノナコグ ベータ ペゴル（遺伝子組換え）など	レフィキシアなど	第Ⅸ因子補充	
	ヒト血漿由来乾燥血液凝固第ⅩⅢ因子	フィブロガミンP	第ⅩⅢ因子補充	
	乾燥人フィブリノゲン	フィブリノゲンHT	フィブリノゲン補充	悪寒
	エプタコグアルファ（活性型）（遺伝子組換え）	ノボセブン HI	活性化第Ⅶ因子補充によるバイパス凝固反応	発熱
	乾燥人血液凝固因子抗体迂回活性複合体	ファイバ	非活性化および活性化第Ⅶ，Ⅹ，Ⅸ，Ⅱ因子補充によるバイパス凝固反応	
第Ⅹ因子，活性化第Ⅸ因子に対する二重特異性抗体製剤	エミシズマブ	ヘムライブラ	活性化第Ⅷ因子の働きを代行	注射部位の発赤や腫脹，疼痛など
VWF 製剤	乾燥濃縮人血液凝固第Ⅷ因子（VWF を含む）	コンファクト F	VWF の補充	発疹
ビタミン K₂ 製剤	メナテトレノン	ケイツー	ビタミン K 補充	発疹，悪心
抗線溶薬	トラネキサム酸	トランサミン	線溶（プラスミン）抑制	悪心
抗凝固薬*1	ダルテパリンナトリウム	フラグミン	活性化第Ⅹ因子抑制	悪心，出血
	トロンボモデュリンアルファ（遺伝子組換え）	リコモジュリン	プロテイン C 活性化，DIC 治療	出血
合成プロテアーゼ阻害薬	ナファモスタットメシル酸塩	フサン	活性化凝固因子・線溶因子抑制，DIC 治療	血管炎，高カリウム血症
トロンボポエチン受容体作用薬	エルトロンボパグオラミン	レボレード	血小板産生促進	疲労

*1　抗凝固薬は播種性血管内凝固症候群（DIC）で用いる.

※上部消化管出血の際に内服して用いられるトロンビン剤，手術時の止血に被覆して用いられるゼラチン，酸化セルロース，フィブリノゲン加第ⅩⅢ因子製剤などは局所止血薬と呼ばれ，厳密には出血傾向の治療薬ではないが，出血傾向の際，補助的に用いられることがある.

※毛細血管抵抗の減弱に対して有効とされる血管増強薬のカルバゾクロムスルホン酸ナトリウム水和物（アドナ）は，各種出血に補助的に用いられることがある.

※血友病 A，B の補充療法では，半減期延長型製剤への移行が進んでいる.

※第ⅩⅢ因子や VWF には遺伝子組換え製剤もある.

出血傾向の病期・病態・重症度別にみた治療フローチャート

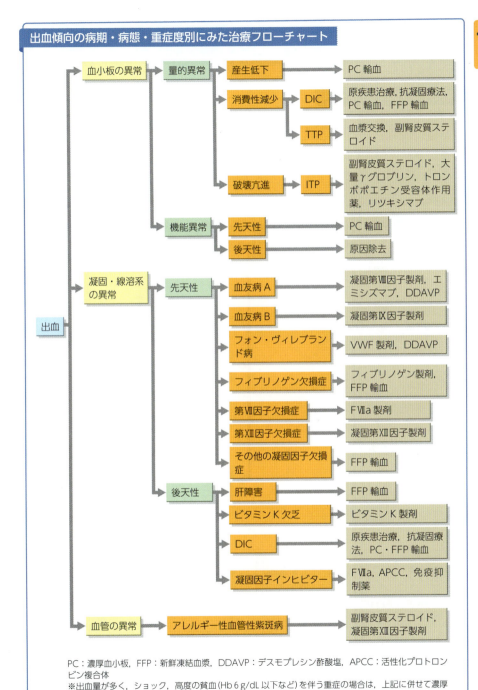

PC：濃厚血小板，FFP：新鮮凍結血漿，DDAVP：デスモプレシン酢酸塩，APCC：活性化プロトロンビン複合体
※出血量が多く，ショック，高度の貧血（Hb 6 g/dL以下など）を伴う重症の場合は，上記に併せて濃厚赤血球輸血も必要となる．

第1章　全身

出血傾向のある患者の看護

中神　克之

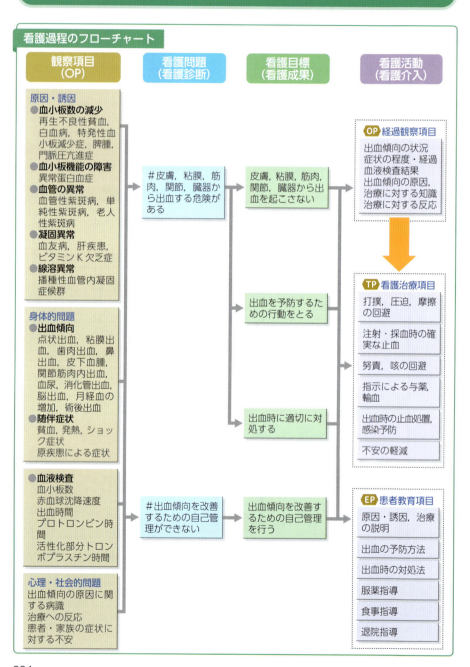

基本的な考え方

- 出血傾向は，止血機構に関わる血小板，血管，凝固系，線溶系のいずれかに起こる異常であることを念頭において考える.
- 出血傾向の原因や基礎疾患によって治療方針や予後が異なるため，それらを把握する.
- 出血傾向に伴う症状の把握と出血予防，出血時の対処が重要である.

緊急 感染症や悪性疾患に続発する播種性血管内凝固症候群（DIC）は，高度の出血傾向，多臓器障害をきたし，重症例では死亡率も高い．DIC の徴候に注意する.

STEP ① アセスメント STEP ② 看護課題の明確化 STEP ③ 計画 STEP ④ 実施 STEP ⑤ 評価

情報収集	アセスメントの視点と根拠・起こりうる看護問題
病歴の把握	患者・家族から症状出現の経過，症状の変化を聞くことで，原因・誘因の特定や全身状態の把握につながり，治療や看護ケアにも重要な情報を得ることができる.
経過	●いつから，どの程度の出血傾向による症状があるか，症状の増悪や軽快があったか. ●出血傾向を指摘されたことはあるか. ●女性の場合，月経の量と期間
随伴症状 生活歴	●発熱や貧血の有無　**原因・誘因** 造血幹細胞の異常による血小板数減少 ●食生活，偏食の有無　**原因・誘因** ビタミン B₁₂，葉酸の摂取不足による血小板産生障害．ビタミン K，カルシウムの摂取不足による凝固障害 ●外力の有無：打撲や摩擦，圧迫，咳嗽，努責，採血や注射など ●温熱刺激　◐血管の拡張によって出血を促進する.
既往歴	●血液疾患：再生不良性貧血，悪性貧血，白血病，特発性血小板減少症，血栓性血小板減少性紫斑病，血小板無力症など　**原因・誘因** 血小板数減少，血小板機能の障害 ●血管性紫斑病，血管炎　**原因・誘因** 血管壁の異常 ●全身性エリテマトーデス　**原因・誘因** 自己抗体による血小板数減少 ●異常蛋白血症：多発性骨髄腫，マクログロブリン血症　**原因・誘因** 血小板機能の障害 ●ウイルス感染症　**原因・誘因** 血小板数減少 ●脾腫，門脈圧亢進症　**原因・誘因** 血小板数減少 ●肝硬変　**原因・誘因** 血小板数減少，凝固異常 ●先天性疾患：血友病　**原因・誘因** 凝固異常
治療歴	●抗生物質，鎮痛薬，抗炎症薬，抗悪性腫瘍薬　**原因・誘因** 血小板数減少，血小板機能障害 ●抗凝固薬　**原因・誘因** 凝固抑制 ●放射線照射　**原因・誘因** 血小板数減少，血小板機能障害を起こすことがある. ●抜歯，手術などで止血困難はないか.
家族歴 職業歴	●血縁者に出血傾向を指摘された者がいるか. ●有機溶剤を扱う職業ではないか　**原因・誘因** 慢性中毒によって再生不良性貧血を起こすことがある.
主要症状の出現状況，程度，性状の把握	出血傾向の症状，血液検査の結果から出血傾向の程度を把握する.
出血傾向の症状	●出血斑：小斑点，紫斑　◐「赤（青）アザができた」などと表現される. ●鼻出血，歯肉出血，通常よりも多い月経血，血尿，消化管出血など ●手術後の止血困難
出血部位と症状	●頭蓋内　◐頭痛，意識障害，嘔吐，けいれん，麻痺 ●眼球結膜，眼底　◐視力低下 ●鼻　◐鼻出血

16

出血傾向

285

第1章　全身

血液検査	●歯肉・頬粘膜　⊃歯肉出血，歯肉・頬粘膜の出血斑，血腫 ●肺　⊃血痰，喀血，胸痛，呼吸困難 ●消化管　⊃食欲不振，腹痛，吐血・下血 ●腎，膀胱　⊃血尿，腹痛，腰背部痛，排尿時痛 ●性器　⊃不正性器出血 ●関節内　⊃関節の腫脹・圧痛，関節可動域制限 ●筋肉内　⊃しびれ，筋肉痛，血腫形成による神経圧迫症状 ●皮下　⊃点状出血斑，斑状出血斑 ●血小板数　⊃5万/μL以下で出血傾向が出現し，2万/μL以下で致命的な出血を起こす危険がある． ●出血時間 ●骨髄検査　⊃骨髄中の巨核球の減少の有無で，血小板減少の原因が血小板産生の低下か，破壊の亢進かを区別する． ●凝固系検査　⊃血液凝固までの時間が延長すると，プロトロンビン時間(PT)，活性化部分トロンボプラスチン時間(APTT)が延長する． ●線溶系検査　⊃血液凝固が阻害されると，フィブリン分解産物(FDP)が増加する． ●血小板機能検査　⊃血小板粘着能，凝集能，放出能，血餅収縮能，血小板第3因子定量など

出血傾向が強い場合の緊急対応

●**大量出血**による**循環血液量減少性ショック**に注意する．できるかぎり太い静脈留置針を用いて血管を確保し，乳酸加リンゲル液または生理食塩液を急速に輸液する．準備ができ次第，輸血を行う．

●**頭蓋内出血**の場合は**意識障害**を起こすことがある．血腫による脳の脱落症状としての運動障害，感覚障害，言語障害，頭蓋内圧亢進症状の変化を経時的に観察し，異常の早期発見と二次障害の予防に努める．

●**喀血**の場合は**気道閉塞**に注意する．咳を誘発しないように，室内の温度・湿度を調整し，必要であれば鎮咳薬を投与する．気管挿管の準備をしておく．

●**播種性血管内凝固症候群(DIC)**を起こすと致命的である．全身の出血傾向とバイタルサインの観察，**出血予防**が重要である．また，DICは，進行がん，白血病，敗血症，胎盤早期剥離などの大量出血に伴って発生するため，それら基礎疾患の治療とともに，ヘパリンなどによる**抗凝固療法**，**血小板輸血**，**新鮮凍結血漿輸血**が行われるため，それらの準備を行う．

全身状態，随伴症状の把握 **バイタルサイン** **全身状態** **頭頸部** **胸部** **腹部** **四肢**	出血傾向の程度と症状の経過，原疾患を把握し，治療，看護計画の立案に反映させる． ●脈拍・血圧　⊃大量出血が発生した場合は，ショック症状に注意する． ●呼吸　⊃肺からの出血の場合，呼吸困難を起こすことがある． ●体温　⊃感染症の有無を確認する． ●皮膚・粘膜　⊃出血の部位と程度 ●鼻出血，口腔内出血の有無と程度 ●心疾患，肺疾患の有無 ●肝腫大，脾腫，腹部腫瘤の有無 ●関節内出血，筋肉内出血の有無 🔍**起こりうる看護問題：皮膚，粘膜，筋肉，関節，臓器から出血する危険がある**
患者・家族の心理・社会的側面の把握	出血傾向の程度に応じて，出血予防の対策，出血時の対処方法を理解する必要がある．また，食事療法や薬物療法が行われるので，それらを患者・家族が理解し，実行できるよう指導する必要がある． ●症状の経過などを聞きながら，同時に患者・家族が症状をどのように感じているか，どのようなことに不安を感じているかを確認する．

| | ●出血傾向の程度や現れ方，出血予防の対策，出血時の対処方法について，どのように考えているのか，どのように対処できるのかを確認する.
●食事療法や薬物療法に対する知識を確認する.
🔍 **起こりうる看護問題：出血傾向を改善するための自己管理ができない** |

STEP ① アセスメント ▶ **STEP ② 看護課題の明確化** ▶ STEP ③ 計画 ▶ STEP ④ 実施 ▶ STEP ⑤ 評価

看護問題リスト

#1　皮膚，粘膜，筋肉，関節，臓器から出血する危険がある（健康知覚-健康管理パターン）
#2　出血傾向を改善するための自己管理ができない（健康知覚-健康管理パターン）

看護問題の優先度の指針

●出血傾向が認められる患者に対しては，出血予防とともに出血時の適切な対処が重要である．また，出血傾向の原因によっては服薬や食事療法が重要となるため，それらを自己管理できるよう指導する.
●出血傾向が高度で大量出血を起こすと，緊急度・重症度ともに高くなり，ショック症状への対応が優先される.

STEP ① アセスメント ▶ STEP ② 看護課題の明確化 ▶ **STEP ③ 計画** ▶ STEP ④ 実施 ▶ STEP ⑤ 評価

1 看護問題	看護診断	看護目標（看護成果）
#1　皮膚，粘膜，筋肉，関節，臓器から出血する危険がある	**出血リスク状態** **危険因子**：出血予防についての知識不足	〈**長期目標**〉出血の誘因を回避し，出血を起こさない 〈**短期目標**〉1) 出血しやすい状態であることを述べる．2) 出血の誘因を述べる．3) 出血傾向による症状を述べる．4) 出血を予防する行動をとる．5) 出血時に適切に対処する

看護計画	介入のポイントと根拠
OP 経過観察項目 ●出血傾向の症状の有無と程度 　・皮膚の出血斑，輸液ライン刺入部からの出血 　・鼻出血，歯肉出血 　・便の性状，吐血・下血 　・尿の性状，血尿 　・通常よりも多い月経血，不正性器出血 　・血痰，喀血 　・眼球結膜出血，眼底出血 ●出血に伴う症状の有無と程度：頭痛，意識障害，嘔吐，けいれん，麻痺，視力低下，胸痛，呼吸困難，食欲不振，排尿時痛，腹痛，腰背部痛，関節の腫脹・圧痛，関節可動域制限，しびれ，筋肉痛など ●抜歯や手術後の止血困難 ●血液検査結果 ●出血傾向があることへの認識 ●出血の予防方法の理解とその実施状況	⟳出血傾向によって現れやすい症状を理解し，早期に発見する ⟳出血に伴う症状を把握し，早期に対応する ⟳出血のしやすさを判断する ⟳出血傾向があること，出血の予防方法，出血時の対処方法の認識やその実施状況に応じて，必要

第1章　全身

●出血時の対処方法の理解とその実施状況

TP 看護治療項目
●打撲や圧迫を回避する
・長時間の同一体位を避ける
・寝衣・寝具のしわや衣服の緊縛を避ける
・ベッド周囲やベッド上を整理整頓する
・スポンジなどを用いてベッド柵を保護する
・滑りにくい履き物で転倒を予防する
・駆血帯やマンシェットによる圧迫を最小限にする
●摩擦を回避する
・柔らかいタオルを使用する
・排便後の処置は温水洗浄便座を使用し，トイレットペーパーによる摩擦を避ける
●口腔内への刺激を最小限にする
・軟らかい歯ブラシを使用する
・出血傾向が強い場合は，液体歯磨き剤で含嗽する
●注射・採血時の出血を予防する
・可能な範囲で細い注射針を使用する
・筋肉注射，皮下注射を最小限にする
●注射・採血後の止血を確実に行う
・静脈穿刺後は5分以上，動脈穿刺後は10分以上圧迫する
・圧迫による内出血に注意する
●排便時の努責を避けるために便通を調整する．必要であれば，下剤を投与する
●激しい咳を避ける
・必要であれば，鎮咳薬を投与する
・室内の温度・湿度を調整する
●出血傾向の程度に応じて行動範囲を制限する

●指示された薬剤を正確に投与する

●指示された輸血を正確に行う

●脾臓摘出術が行われる場合は，周手術期管理を行う
●ベッドサイドにボスミン（アドレナリン）綿球を準備しておく
●出血時は迅速に対症ケアを行う
・圧迫が可能な部位であれば，清潔なガーゼやタンポンで圧迫する
・出血部位を心臓より高くして，出血部位の血流を少なくする
●出血時は感染予防に努める
・口腔，上気道の清潔を保つ
・血尿，下血，不正性器出血がみられる場合は，陰部を清潔にする

な指導を行う

➥皮膚・粘膜への刺激を最小限にして，出血を防止する

➥注射・採血は血管を損傷する行為であるため，特に注意を要する

➥ 根拠 努責によって頭蓋内出血，眼底出血，腹腔内出血，肛門出血を起こすことがある
➥ 根拠 咳によって肺出血，頭蓋内出血，腹腔内出血を起こすことがある

➥許可された行動範囲が守れるように，セルフケアを援助する
➥出血傾向の原因に応じて，凝固因子製剤，ビタミンK，副腎皮質ステロイド，ヘパリンなどが指示される　　根拠 DIC では，凝固亢進を抑制し，血栓形成を予防するためにヘパリンを投与する
➥血小板産生の低下に対して，血小板輸血が指示される
➥ 根拠 脾腫により脾臓の機能が亢進し，血小板を破壊するため，脾臓摘出術の適応となる
➥鼻出血や口腔内出血時に使用して止血する

➥ 根拠 血腫や止血血栓が病原微生物の温床となりうる

288

- ●出血に対する不安を軽減する
　　●不安を助長しないように，出血時は冷静かつ迅速に対応する　**根拠** 出血傾向による症状や出血した血液を見ることで，不安や興奮が高まる

EP 患者教育項目
- ●出血が起こりやすい状態であることを説明する
- ●出血傾向に伴う症状を説明し，それらがみられた場合は，すぐに報告するよう指導する
- ●出血の原因となる刺激を説明し，それを最小限にする方法を説明する
- ●出血時の対処方法を説明する
- ●出血時の感染予防の必要性と方法を説明する

　　●患者の認識やセルフケアのレベルを考慮して，指導する

　　●出血の予防方法についての認識を高め，自己管理を促す

16
出血傾向

---

2 看護問題	看護診断	看護目標（看護成果）
#2　出血傾向を改善するための自己管理ができない	**非効果的健康自主管理** **関連因子**：治療計画についての知識不足，ソーシャルサポートの不足 **診断指標** □治療計画を日常生活に組み込めない □危険因子を減らす行動がとれない □疾患徴候に注意を払わない	〈長期目標〉出血傾向の原因，病態を理解し，出血傾向を改善するための自己管理を行う 〈短期目標〉1）出血傾向の原因と病態を述べる．2）指示された薬剤を確実に服用する．3）出血傾向の改善に必要な食品を理解し，それらを摂取する

看護計画	介入のポイントと根拠
OP 経過観察項目 ●出血傾向の原疾患についての患者・家族の知識，認識 ●治療や服薬に関する患者・家族の認識，考え ●入院前の食事内容 ●キーパーソン，協力者	●患者・家族の病識を把握する　**根拠** 原疾患によっては治療が長期にわたることが多く，家族を含めた療養指導が必要である ●出血傾向をきたすような栄養障害の有無を確認する　**根拠** 入院前の食事内容から改善点を検討する ●患者に対するサポート体制を把握する
TP 看護治療項目 ●食事内容を振り返ってもらい，出血傾向を改善するための食事を一緒に考える ●患者の自己管理能力を判断し，必要であれば，家族の協力を求める	●食事への意識を高める
EP 患者教育項目 ●原疾患と出血傾向の関係を説明する ●薬の作用と副作用を説明し，患者自身で服薬管理ができるよう支援する ●出血傾向の原因によっては，食事療法が必要であることを説明し，摂取することが望ましい食品を紹介する ●定期受診の必要性を説明する	●治療についての認識を高め，治療に協力できるようにする ●出血傾向の治療に必要な薬物療法についての認識を高め，自己管理を促す　**根拠** 薬を理解することは服薬アドヒアランスを高める．症状が軽減すると服薬を怠ることがあり，再発の原因となる ●ビタミン B₁₂，葉酸，ビタミン K，カルシウムを多く含む食品を具体的に示し，患者の食事に取り入れられるように工夫する

289

第 1 章　全身

STEP ❶ アセスメント　STEP ❷ 看護課題の明確化　STEP ❸ 計画　STEP ❹ 実施　STEP ❺ 評価

病期・病態・重症度に応じたケアのポイント

【急性期】出血傾向による症状が強い場合は，大量出血によるショックや頭蓋内出血，喀血による気道閉塞などを起こすことがある．また，DIC を起こすと致命的である．全身状態の把握と緊急対応が重要である．

【回復期】患者自身が出血傾向による症状を自覚し，その予防方法，出現時の対処方法を理解し，実施できるよう指導する．また，出血傾向の原因に応じて，出血傾向を改善するための薬物療法，食事療法を指導する．

看護活動（看護介入）のポイント

診察・治療の介助
- 出血傾向の症状や血液検査結果から，出血傾向の程度と原因・誘因を把握する．
- 出血時の緊急処置を介助する．
- 薬物療法，輸血療法が正しく行われるよう管理する．

出血予防に対する援助
- 皮膚・粘膜への刺激を最小限にできるよう，処置やケア時の使用物品や環境を考慮する．
- 努責や咳を最小限にできるよう薬剤や環境を調整する．

出血時の援助
- 迅速かつ冷静に止血処置を行う．
- 出血部位からの感染予防に留意する．
- 出血に伴う不安を軽減する．

退院指導・療養指導

- 出血傾向に伴う症状，出血傾向と原疾患との関係を説明する．
- どのような時に出血しやすいかを説明し，皮膚・粘膜への刺激，努責や咳などを最小限にするための留意事項を説明する．
- 薬の作用と副作用を説明し，患者自身で服薬管理ができるよう支援する．
- 出血傾向の程度や原因に応じて，必要な食事療法を説明する．
- 定期受診の必要性を説明する．

STEP ❶ アセスメント　STEP ❷ 看護課題の明確化　STEP ❸ 計画　STEP ❹ 実施　STEP ❺ 評価

評価のポイント

看護目標に対する達成度
- 出血傾向による症状が軽減しているか．
- 出血を予防するための行動がとれているか．
- 出血時に適切に対処しているか．
- 薬物療法を理解し，正しく服薬しているか．
- 食事療法の必要性を理解し，実施できているか．

出血傾向のある患者の病態関連図と看護問題

16 出血傾向

**原因・誘因
増悪因子**

薬剤　放射線照射　偏食　　　　ビタミンK, カルシウム不足　　　外力

ビタミンB₁₂,
葉酸の欠乏　　　血液疾患　血管疾患　感染　肝疾患

造血幹細
胞の異常　　　　　　　　　　　　　　　　炎症　悪性腫瘍

脾腫

病態

血小板産生の障害
血小板破壊の亢進
血小板消費の亢進
血小板分布の異常

血小板粘着の障害
血小板凝集の障害
血小板放出の障害

DIC

血小板数の減少　血小板機能の障害　血管壁の異常　凝固系障害　線溶系障害

症状

出血傾向

・出血傾向の原因, 病態に
　関する認識不足
・治療に関する認識不足
・偏った食事

#2 非効果的健康自主管理

・出血斑, 鼻出血, 歯肉出血, 通常よ
　りも多い月経血, 血尿, 吐血・下血,
　血痰・喀血, 眼球結膜・眼底出血
・抜歯や手術後の止血困難

#1 出血リスク状態

**診察
検査**

問診, 視診, 触診, 打診, 聴診, 検査
・血液検査, 尿検査, 便検査, 胸部・腹部単純X線検査
・消化管内視鏡検査, CT検査

**治療
看護**

出血予防
・打撲, 圧迫, 摩擦の回避
・注射・採血時の確実な止血
・努責, 強い咳の回避
・行動範囲の制限とセルフケアの援助
・薬物療法
・輸血

出血時の対処
・止血処置
・輸液・輸血
・感染予防
・不安の緩和

療養指導
・出血の予防方法
・出血時の対処方法
・服薬指導
・食事指導

17 易感染性

長澤 正之

目でみる症状

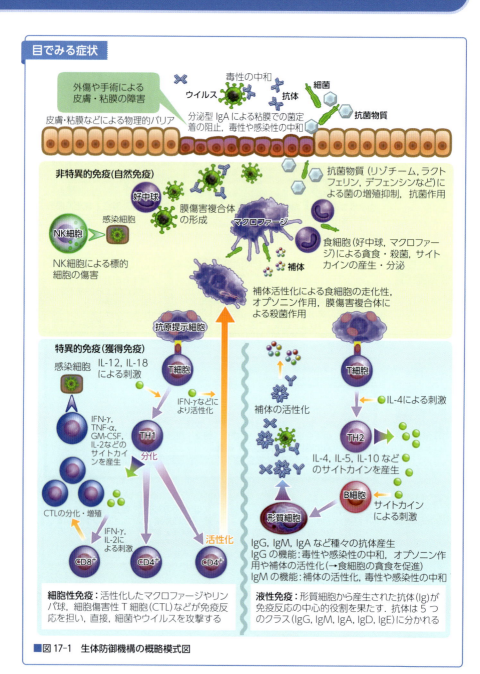

■図 17-1　生体防御機構の概略模式図

総論

▎生体防御機構が低下して感染症にかかりやすくなった状態を易(い)感染性という.

● 易感染性患者のことを "compromised host"(感染防御低下宿主)と呼ぶ.
● 「易感染性」については 3 つの側面がある. 1 つは「感染を繰り返しやすい」ということ, もう 1 つは「感染が重症化, 遷延化(慢性化)しやすい」ということ, 最後に健常者ではみられない感染症(日和見感染症)に罹患することである.
● 感染症の成立には「病原体」「感染経路」「宿主(患者)」の 3 つが関わってくる. したがって易感染性を考える際にも, この 3 つの要素がどのように関与しているかを区別して考える必要がある.

生体防御の仕組み

● 生体防御機構には, ①正常な皮膚・粘膜, ②貪食細胞, ③液性免疫, ④細胞性免疫が必要である(図17-1). ②〜④については先天的に機能を欠失した免疫不全症(原発性免疫不全症)の患者の解析から詳細が明らかになってきている. 一般的に臨床では易感染性の指標として, ②は好中球数<500/μL, ③は IgG<500 mg/dL, ④は CD4 陽性 T 細胞数<200/μL が用いられる.

●皮膚・粘膜バリア機構

● 感染症が成立するためには, まず病原体が宿主(患者)に入り込む必要がある. 鼻粘膜, 口腔粘膜, 気道粘膜, 消化管粘膜, 皮膚が入口になる. 皮膚は硬い角質層で守られ細菌などの侵入を防いでいる.
● 幼児は角質層の発達が未熟で, 皮膚の感染症を起こしやすく, また第三者に広げてしまう(伝染性膿痂疹:とびひ).
● 粘膜は粘液や抗菌物質で覆われ, また気道上皮は線毛で覆われ, 侵入してきたほこりや病原体を体の外へ絶えず運び出している. これらが大きな塊となると痰となって排出される.
● 線毛の運動機能に障害がある, 粘液が過度に粘稠(ねんちゅう)になり線毛運動で排泄されにくい, 痰がうまく排出できない, などの場合は結果的に感染のリスクが上昇する. 下痢もまた, 病原体を排出しようとする生体防御反応の 1 つである. 下痢を薬で抑えることは必ずしもよいことではない.
● 気管挿管, 各種カテーテル挿入は皮膚・粘膜のバリア機構を破綻させ, 病原体の侵入を容易にさせ, 結果的に感染症のリスクを増加させる(表 17-1).
● 嚥下障害のある患者では, 誤嚥により肺炎を繰り返すことがある. 広義のバリア機能の破綻といえる.

●免疫反応

● 病原体が体内に入り込むと生体内の免疫反応が繰り出され, 前述の②〜④の仕組みが協力し合い病原体(表 17-2)の増殖を防ぐ. 非特異的免疫反応(自然免疫)と特異的免疫反応(獲得免疫)に区別され, ウイルスと, 細菌・真菌に対する反応様式で大きく 2 つに大別される(図 17-1, 2).
● ウイルスに対する免疫防御:ウイルスは増殖のために細胞に感染する必要がある(偏性細胞内寄生体). ウイルスが感染する前にウイルスと反応し感染を防ぐ生体物質として免疫グロブリン(中和抗体)がある. 免疫グロブリンは, ウイルスにいったん感染した後に T 細胞と B 細胞がウイルスを認識し, 協

■表 17-1 皮膚・粘膜バリア障害時にみられる感染症の主な原因菌

	黄色ブドウ球菌	カンジダ	コアグラーゼ陰性ブドウ球菌	緑膿菌	グラム陰性桿菌	嫌気性菌	腸球菌	A 群溶連菌
血管留置カテーテル	○*1	○	○*2					
外傷, 熱傷	○			○	○			
褥瘡	○			○	○	○		
腹部手術	○				○	○	○	
糖尿病(壊疽)	○				○	○		○

*1:院内ではメチシリン耐性黄色ブドウ球菌(MRSA)のことが多い
*2:主に表皮ブドウ球菌

293

第1章 全身

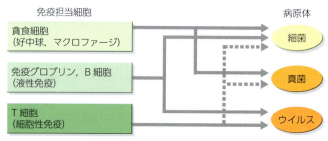

■図 17-2 病原体と免疫担当細胞の関係

■表 17-2 液性免疫障害, 細胞性免疫障害で感染を引き起こす主な病原体

- ●液性免疫障害時にみられる感染症の主な病原体
- ●莢膜保有菌:肺炎球菌, 肺炎桿菌, インフルエンザ菌 b 型など
- ●毒素産生菌:黄色ブドウ球菌, A 群連鎖球菌, 大腸菌, ウェルシュ菌など
- ●細胞性免疫障害時にみられる感染症の主な病原体
- ●真菌感染:カンジダ, クリプトコッカス, アスペルギルス, ニューモシスチス・イロヴェチ[*1]
- ●細胞内寄生菌:結核菌, 非定型抗酸菌, サルモネラ属菌, レジオネラ菌, リステリア菌
- ●ウイルス[*2]:水痘・帯状疱疹ウイルス, 単純ヘルペスウイルス, サイトメガロウイルス, EB ウイルス
- ●原虫:トキソプラズマ, クリプトスポリジウム

[*1]:ニューモシスチス・カリニはイヌに感染する病原体である. ヒトの場合, 慣例でカリニ肺炎といわれることがあるが, 正確にはニューモシスチス・イロヴェチ肺炎である
[*2]:遷延性, 慢性化, 重症化を呈する

調して B 細胞から産生される. ウイルスが細胞に感染すると, NK 細胞や T 細胞が感染細胞を殺してウイルスの増殖を止めるように働く. つまりウイルス感染に対する免疫の中心はリンパ球 (特に T 細胞) であり, リンパ球機能に異常があるとウイルス感染を起こしやすく, しかも重症化する.
- ●免疫は感染を繰り返すことで発達・成熟する (獲得免疫). したがって乳幼児期まで, 頻回にウイルス感染 (俗に"かぜ") に罹患し, 時に 1〜2 週ごとにウイルス感染を繰り返す.
- ●ウイルス感染後, 免疫反応により非特異的に他のウイルスに感染しにくくなる状態になる. この現象を"ウイルス干渉"と呼ぶが, 持続期間は 1〜2 週と比較的短い. 同じウイルスに対しては, 抗体が作られることで比較的長い期間感染しにくくなるが, その効果期間はウイルスの種類によって異なる.
- ●ウイルスに感染する前にあらかじめ免疫グロブリン (抗体) をつくらせるために予防接種が行われる.
- ●BCG や水痘ワクチンなどの弱毒生ワクチンでは液性免疫 (抗体産生) だけでなく細胞性免疫も誘導する. COVID-19 に用いられた mRNA (メッセンジャー RNA) ワクチンは弱毒生ワクチンではないが, 細胞内で抗原を発現させるため, 従来の不活化ワクチンと異なり細胞性免疫も誘導する特徴がある.
- ●細菌, 真菌に対する免疫防御:細菌, 真菌の大半は自分で増殖して感染症を引き起こす. 結核菌, サルモネラ菌, リステリア菌などの一部の菌は食細胞 (主にマクロファージ) 内でも増殖が可能で, 通性細胞内寄生体といわれる (感染時には主に細胞内で増殖する). 細菌や真菌は主に好中球, マクロファージによって貪食され処理される. 細菌に抗体や補体が反応すると貪食されやすくなり (オプソニン作用), また補体の一部は走化因子となり好中球を集積させる. マクロファージに貪食された細菌が殺されるためには T 細胞によりマクロファージが活性化される必要がある. マクロファージは貪食した病原体の抗原を T 細胞に提示して獲得免疫への橋渡しをする. 以上より, 好中球の質的・量的異常および抗体, 補体の異常では細菌感染を引き起こしやすくなり, 結核菌などの通性細胞内寄生体では T 細胞の異常も易感染性に関連してくる.
- ●莢膜 (きょうまく) 多糖体で覆われる細菌は一般に貪食されにくい. 乳幼児の肺炎や髄膜炎の原因として重要なインフルエンザ桿菌 b 型, 肺炎球菌は, 抗体によるオプソニン化がないとほとんど貪食されない. このため 2 つの細菌に対して抗体を誘導するワクチンが開発され, 予防効果が認められている

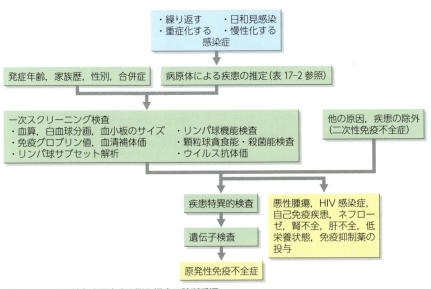

■図 17-3　原発性免疫不全症を疑う場合の診断手順

(遅ればせながら日本でも前者に対するワクチンが 2008 年, 後者に対するワクチンが 2010 年に始まり, 2013 年 4 月には両者とも定期接種となった).

免疫不全症
- 病原体に対する生体防御機構が働かず易感染性を特徴とする病態が免疫不全症で, 原発性と二次性がある.
- **原発性免疫不全症**
- 原発性免疫不全症は先天的に易感染性を呈する疾患であり, 多くの疾患で遺伝子異常が確定されている. 易感染性に加え, 家族歴などが診断を進めるうえで参考になる. また特定の病原体に易感染性を示すことが多いため, 病原体の同定は診断の手掛かりとなる. 乳児期にニューモシスチス肺炎, サイトメガロウイルス肺炎, 真菌感染症に罹患した場合は重症なタイプが疑われ, 診断手順 (図 17-3) に従って早期に診断を進める必要がある. 重症な免疫不全症では乳幼児期に造血幹細胞移植を行わないと救命できない.
- **二次性免疫不全症**
- 糖尿病, 肝不全, 腎不全, 担がん患者*などは病期が進行すると, 貪食能, 殺菌能, オプソニン活性の低下など免疫機能全般の低下をきたす.
- 疾患の治療として使用される免疫抑制薬 (ステロイド, シクロスポリン, タクロリムス水和物, メトトレキサートなど) は主に T 細胞機能を低下させ, 医原性の易感染性をもたらす. 分子標的薬は特定の免疫反応経路を強力に抑えることで易感染性をきたす (NOTE 参照).
   *担がん患者: 体内にがんを有し, がんによる重要臓器の破壊や物理的圧迫など, 様々な悪影響を受け, 全身状態が極めて不良な状態にある.

治療法・対症療法
- **原因に対する治療と対症療法 (感染予防) とからなる** (図 17-4).
- **治療**
- 原発性免疫不全症の場合は, 造血幹細胞移植や遺伝子治療が根本治療である.

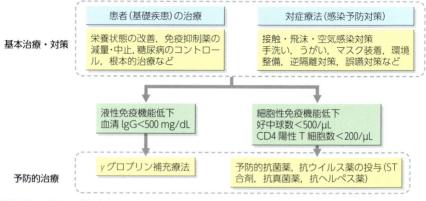

■図17-4 治療の考え方

NOTE

マススクリーニングによる原発性重症免疫不全症の早期診断

　原発性免疫不全症（生まれつき免疫機能に異常がある疾患）の中には，早期に診断し，感染予防対策を講じないと乳児期に感染症で高率に死亡してしまう重症型がある．早期治療開始が重要な代謝疾患（フェニルケトン尿症，クレチン症，先天性副腎過形成など）を新生児期に早期発見するために従来から用いられている新生児マススクリーニングシステムを利用して重症型免疫不全症を見つけようとする試みが欧米で始まり，効果をあげている．少量の血液を染み込ませた濾紙血を用いて，T・B細胞受容体遺伝子が再構成する過程でできる遺伝子産物（Trec：T cell receptor excision circles, Krec：Kapp-deleting recombination excision circles）をPCR（polymerase chain reaction）法で測定し，新生T細胞・B細胞の有無を調べるもので，技術の進歩に伴い，検査コストの大幅な削減がもたらされたため，日本でも導入が検討されている．診断された患者には適切な感染予防対策を行い，適切な時期に造血幹細胞移植や遺伝子治療により根治を目指すことになる．原発性免疫不全の遺伝子異常の多くが解明され，その中のいくつかはすでに遺伝子治療の対象となっている．

新規分子標的治療薬による新たな易感染性

　遺伝子技術等の発展に伴い，ある特定の免疫作用を強力に抑制する分子標的治療薬（抗サイトカイン抗体，抗サイトカイン受容体抗体，キナーゼ阻害剤等）が続々と開発され，がんや難治性免疫疾患の治療に臨床応用され，患者に恩恵をもたらしている．一方，これらの薬剤は結果として新たな2次性免疫不全症をきたすことから，結核，非定型抗酸菌症，ニューモシスチス肺炎，帯状疱疹，B型肝炎再活性化等に対する感染予防対策や予防的治療がますます重要になってきている．免疫機能全般を広く抑制する従来の免疫抑制薬に比べ，特定の免疫経路（immune pathway）をピンポイントで制御・抑制するため，易感染性を示す感染症には特徴がみられる．これにより，ヒトでどのような免疫機能が，どのような病原体の防御に関与するかを理解するうえで新たな知見をもたらし，逆に使用している分子標的治療薬ごとに，どのような病原体に対して特に注意しなければならないかが新たに理解されてくる（マウスなどの動物モデルで，ヒトの感染症を完全に再現することはできない．動物実験からは予測できない，ヒトへの臨床応用・経験から新たに得られる情報が少なからずある）．表17-3に免疫抑制作用のある主な分子標的薬を示す．

- ●二次性免疫不全症では，原因となる基礎疾患（糖尿病，肝不全，腎不全，がんなど）の治療，および原因薬剤の減量・中止を目指す．
- ●**対症療法**
- ●すべての場合に感染予防対策（誤嚥予防を含む）を行う．
- ●液性・細胞性免疫機能が強く障害されている場合には，予防的γグロブリン補充療法，スルファメトキサゾール・トリメトプリム（ST）合剤（ニューモシスチス肺炎予防），抗真菌薬，抗ヘルペスウイルス薬を投与する．

■表17-3　免疫抑制作用のある主な分子標的薬

標的分子	作用	製剤	一般名	商品名
サイトカインサイトカイン受容体	TNF阻害薬	キメラ抗TNF抗体	インフリキシマブ（遺伝子組換え）infliximab	レミケード
		ヒト抗TNF抗体	アダリムマブ（遺伝子組換え）adalimumab	ヒュミラ
			ゴリムマブ（遺伝子組換え）golimumab	シンポニー
		PEGヒト化抗TNF抗体	セルトリズマブ　ペゴル（遺伝子組換え）certolizumab pegol	シムジア
		TNF受容体-Fc融合抗体	エタネルセプト（遺伝子組換え）etanercept	エンブレル，エタネルセプト
	IL-1阻害薬	ヒト抗IL-1β抗体	カナキヌマブ（遺伝子組換え）canakinumab	イラリス
	IL-6受容体阻害薬	ヒト化抗IL-6受容体抗体	トシリズマブ（遺伝子組換え）tocilizumab	アクテムラ
	IL-12/23阻害薬	ヒト抗IL-12/23p40抗体	ウステキヌマブ（遺伝子組換え）ustekinumab	ステラーラ
	IL-17阻害薬	ヒト抗IL-17A抗体	セクキヌマブ（遺伝子組換え）secukinumab	コセンティクス
		ヒト化抗IL-17A抗体	イキセキズマブ（遺伝子組換え）ixekizumab	トルツ
		ヒト抗IL-17受容体抗体	ブロダルマブ（遺伝子組換え）brodalumab	ルミセフ
細胞表面抗原	T細胞共刺激分子阻害薬	CTLA4-Fc融合蛋白	アバタセプト（遺伝子組換え）abatacept	オレンシア
	B細胞阻害薬	キメラ抗CD20抗体	リツキシマブ（遺伝子組換え）rituximab	リツキサン，リツキシマブ
細胞内キナーゼ	JAK阻害薬	小分子化合物	トファシチニブクエン酸塩tofacitinib citrate	ゼルヤンツ
			バリシチニブbaricitinib	オルミエント
			ペフィシチニブ臭化水素酸塩peficitinib hydrobromide	スマイラフ

※分子標的薬の代表である抗体製剤の一般名の語尾は，その抗体の性質を表す．
※ヒト化抗体（humanized Ig）は，"-ズマブ（-zumab）"，マウス蛋白とのキメラ型（chimeric Ig）は，"-キシマブ（-ximab）"，完全なヒト抗体（human Ig）は，"-ウマブ（-umab）"となる．マブ（-mab）はモノクローナル抗体（mono-clonal antibody）を意味する．
※一方，小分子化合物の一般名では語尾に"イブ（ib）"＝インヒビター（阻害薬 inhibitor）がつく．
※抗体製剤は分子量が大きいため経静脈投与になるが，小分子化合物は吸収可能なため，経口薬として用いられる．

297

第1章 全身

易感染性にある患者の看護

小原　泉

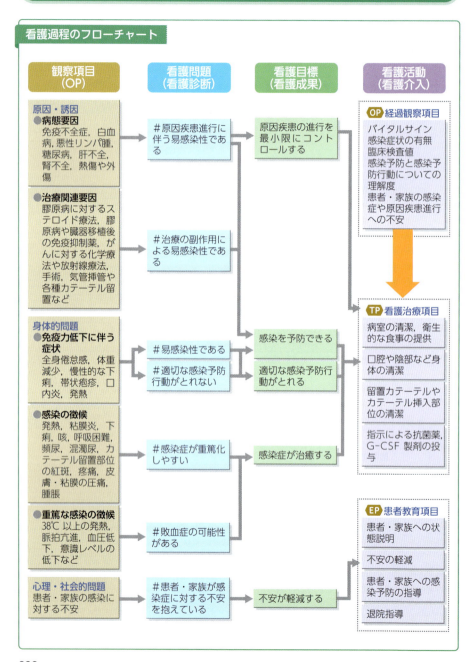

基本的な考え方

● 易感染性にあることは患者の自覚症状のみでは判断できず，病歴や臨床検査値から判断する．
● 易感染性にある患者が感染症を発症すると致命的となるため，感染を予防することが重要である．易感染性の原因や程度によって感染予防のための対応は異なるので，易感染性の原因や程度を把握する．
● 感染症が疑われる場合は，迅速な対応が生命の危機を回避する鍵となるので，感染の徴候を綿密に観察する．

緊急 易感染性の患者が感染症から敗血症をきたした場合は，敗血症性ショックとなり致命的である．敗血症の徴候を早期発見できるように十分な観察を行う．特にバイタルサインの変化や意識レベルの低下に注意する．

STEP❶ アセスメント	STEP❷ 看護課題の明確化	STEP❸ 計画	STEP❹ 実施	STEP❺ 評価

情報収集	アセスメントの視点と根拠・起こりうる看護問題
病歴の把握	患者・家族から易感染性に至る経過，関連する症状の変化や生活背景を聞くことで，原因の特定や全身状態の把握につながり，治療や看護ケアにも重要な情報を得ることができる．
要因と経過	● 先天性の易感染性　**原因・誘因** 原発性免疫不全症 ・乳児期のニューモシスチス肺炎，サイトメガロウイルス肺炎，真菌感染症 ・遺伝子異常による易感染症であり，家族に同様の病歴をもつ人がいないか． ● 疾患による易感染性　**原因・誘因** 白血病，腫瘍の骨髄浸潤，糖尿病，肝不全，腎不全，二次性免疫不全症，熱傷や外傷 ・診断・受傷は，いつ頃か． ・皮膚や粘膜の受傷範囲，深さ ● 治療との関係　**原因・誘因** 免疫抑制薬，副腎皮質ステロイド薬，抗がん剤，放射線治療，手術，気管挿管，各種カテーテル留置など ・どんな薬剤をいつから使用しているか，骨髄抑制の強い薬剤を使っているか． ・放射線をどの部位にどのくらい照射しているか，骨髄抑制を起こしやすい方法か． ・術創の大きさ ・カテーテル挿入部と排液の量・性状 ● 肝・腎機能障害　**原因・誘因** 抗がん剤の代謝や排泄の減少により骨髄抑制作用が増強することがある． ● 低栄養状態　**原因・誘因** 抗がん剤で傷害された正常細胞の産生力や修復力の低下 ● 加齢　**原因・誘因** 生理的な免疫能低下
易感染性に関連する身体症状	● 免疫能低下の症状として，全身倦怠感，体重減少，慢性的な下痢，帯状疱疹，口内炎，発熱など
既往歴	● 過去に抗がん剤や放射線治療を受けたことがあるか　**原因・誘因** 骨髄機能が低いために易感染性となりやすい．
生活環境	● 仕事の環境と活動量 ・室内の仕事か，屋外の仕事か． ・ホワイトカラーかブルーカラーか． ・動植物と接触するか．
生活習慣	● 清潔習慣：手洗いやうがい，歯磨き，入浴 ● 食習慣：生ものを好むか，調理は誰がしているか．
家族背景	● パートナーの有無，関係性　**原因・誘因** HIV(ヒト免疫不全ウイルス)の感染は性交渉による場合，特に男性同性愛者で感染のリスクが高い． ● 近親者でのがん罹患者の有無　**原因・誘因** 遺伝性のがんである可能性がある．
易感染性の程度の把握	▌易感染性の程度を把握し，感染を予防するために治療や看護ケアに活用する．

17

易感染性

299

第1章　全身

易感染性の程度の把握	●臨床検査値 ・好中球数＜500/μL ・IgG＜500 mg/dL ・CD4 陽性 T 細胞数＜200/μL ●皮膚・粘膜バリア機構の状態 ・皮膚の角質層は十分か. ・皮膚・粘膜の断絶の有無 ・痰は喀出できているか(気道上皮, 線毛は機能しているか). ・下痢の有無(消化管粘膜による生体防御反応は働いているか) ・気管挿管や各種カテーテルが挿入されていないか. ●副腎皮質ステロイド薬による易感染性：中等量以上(プレドニゾロン換算 20～40 mg)を数か月継続すると日和見感染のリスクが高い. 🔍 起こりうる看護問題：易感染性である／適切な感染予防行動がとれない
感染症の発現状況の把握 　感染の徴候 　感染部位と症状 　原因菌や病原体	易感染性にあって感染症が発現した場合, 敗血症, ひいては敗血症性ショックとなることもあるので,状況を的確に把握することで感染症の悪化を最小限にとどめる. ●38℃ 以上の発熱, 悪寒戦慄, 筋肉痛, 疲労感　原因・誘因 感染症をきたしている. ●消化管：消化管のあらゆる部位での粘膜炎や下痢　原因・誘因 抗がん剤の副作用による下痢か, 消化管への直接的な感染による下痢(感染性胃腸炎)かを鑑別する. ●気道：発熱, 咳, 労作時呼吸困難, 呼吸雑音　原因・誘因 易感染性にあると上気道感染による肺炎が好発. 後天性免疫不全症候群ではニューモシスチス肺炎(発熱, 息切れ, 乾性咳嗽が典型的な症状) ●尿路：発熱, 排尿困難, 頻尿, 血尿, 混濁尿　原因・誘因 膀胱炎, 腎盂炎 ●体内に留置されているカテーテルなど：発熱, 挿入部位の紅斑, 疼痛, 腫脹など. カテーテルを体内に留置していた期間も把握する. ●皮膚と粘膜：紅斑, 圧痛, 熱感, 腫脹(特に腋窩, 殿部, 口腔, 会陰, 直腸)　原因・誘因 感染源の感染により発疹の種類, 出現部位, 出現の仕方が異なる. 水痘・帯状疱疹ウイルスなどの感染により生じる皮疹, 膠原病そのものにより生じる皮膚症状, 免疫不全により生じるカポジ肉腫, 臓器移植後の GVHD(移植片対宿主病)など ●皮膚・粘膜レベルで感染を引き起こす原因菌(表 17-1 参照)や体内に入り込んで感染を引き起こす病原体(表 17-2 参照)がある. 細菌培養やウイルス同定検査の結果を確認して, 感染源に関する情報を収集する. 🔍 起こりうる看護問題：感染症が重篤化しやすい
全身状態, 随伴症状の把握 　バイタルサイン 　頭頸部 　胸部 　腹部 　全身症状	症状出現の経過の把握とともに, 感染に伴う症状の有無, 随伴症状を観察し, 治療, 看護計画の立案に有効に反映させる. ●38℃ 以上の発熱　原因・誘因 敗血症, 髄膜炎 ●脈拍亢進, 血圧低下　原因・誘因 敗血症性ショック ●呼吸状態の悪化　原因・誘因 敗血症による呼吸性アルカローシス ●意識レベルの低下　原因・誘因 敗血症, 髄膜炎 ●頭痛, 項部硬直　原因・誘因 髄膜炎 ●呼吸雑音　原因・誘因 肺炎 ●悪心・嘔吐　原因・誘因 髄膜炎 ●悪寒戦慄　原因・誘因 敗血症 ●倦怠感　原因・誘因 敗血症 ●チアノーゼ　原因・誘因 呼吸性アルカローシスによる低酸素血症 🔍 起こりうる看護問題：易感染性である／感染症が重篤化しやすい／感染症に対する不安を抱えている
患者・家族の心理・社会的側面	易感染性の原因や感染症をきたした原因によっては, 患者・家族に強い心理的衝撃を与え, 将来への不安をきたすなど, 日常生活への影響が大きい.

の把握	●心理的衝撃の有無や程度　**原因・誘因**　先天的な疾患やがん，糖尿病など，易感染性の原因は難治性の疾患である場合が少なくない．そのため原因となる病名が診断されたことで心理的衝撃を強く受けることがある． ●感染症の重症化への不安　**原因・誘因**　細菌やウイルスは目に見えないこと，重症化すると致死的なこともあるため，不安が強くなりやすい． ●学業や仕事など，社会的役割への影響　**原因・誘因**　感染症の予防や治療のために入院が長期化すると，学業や仕事に支障をきたす． 🔍 **起こりうる看護問題**：感染症に対する不安を抱えている

17

易感染性

| STEP❶ アセスメント ▶ STEP❷ 看護課題の明確化 ▶ STEP❸ 計画 ▶ STEP❹ 実施 ▶ STEP❺ 評価 |

看護問題リスト

#1　易感染性である（栄養–代謝パターン）
#2　適切な感染予防行動がとれない（健康知覚–健康管理パターン）
#3　患者・家族が感染症に対する不安を抱えている（自己知覚パターン）

看護問題の優先度の指針

●感染を予防することが重要であるため，患者のセルフケアを高める支援を第一に行う．同時に，感染の徴候を早期発見するための観察を綿密に行う．
●感染の徴候がみられた場合，感染に対する治療を開始する．感染が全身に拡大し敗血症をきたすと致命的であるため，全身状態の観察を行う．
●感染症に対する患者・家族の不安の解消に努める．

| STEP❶ アセスメント ▶ STEP❷ 看護課題の明確化 ▶ STEP❸ 計画 ▶ STEP❹ 実施 ▶ STEP❺ 評価 |

1 看護問題	看護診断	看護目標（看護成果）
#1　易感染性である	**感染リスク状態** **危険因子**：皮膚統合性障害，病原体との接触回避についての知識不足，栄養不良（失調），不十分な衛生状態 **関連する状態**：分泌物のpHの変化，慢性疾患，線毛運動の減少，貧血，免疫抑制，観血的処置（侵襲的処置），白血球減少症	〈**長期目標**〉感染を予防できる 〈**短期目標**〉感染予防のための適切な行動がとれる

看護計画	介入のポイントと根拠
OP 経過観察項目 ●臨床検査値：白血球数，好中球数，ヘモグロビン値，IgE，CD4陽性T細胞数 ●体温の変化 ●粘膜炎や下痢 ●皮膚の角質層 ●皮膚・粘膜の断絶の有無 ●便の硬さ，便秘の有無，腸蠕動音	➡白血球数，好中球数，IgEなどから易感染性の程度を継続して把握する　**根拠**　易感染性を患者の自覚症状だけでは十分に把握できない ➡ **根拠**　38℃以上の発熱は感染の徴候である ➡ **根拠**　口腔から肛門周囲まで，消化管のあらゆる粘膜は感染を起こしやすい ➡ **根拠**　皮膚や粘膜に断絶があると，バリア機能が低下し感染を起こしやすい ➡ **根拠**　硬い便は，排便時に肛門周囲粘膜を損傷

301

第1章　全身

● 咳，痰の有無，息切れ，呼吸困難の有無
● 頻尿，排尿困難，血尿，混濁尿
● 留置されているカテーテル挿入部位の紅斑，疼痛，腫脹，カテーテル排液の量や性状など

し感染源となる
⮕ 根拠 上気道感染を起こしやすい
⮕ 根拠 尿路感染を起こしやすい
⮕ 根拠 カテーテル感染を起こしやすい

TP 看護治療項目

● 発熱がなくても1日3回程度は体温を測定する
● 病室を清潔にする（換気，ドアノブや蛇口の清潔を保つ）
● 医療者の手洗いを確実に行う
● 衛生的な食事を提供する

⮕ 根拠 感染の徴候を早期発見する
⮕ 根拠 日和見感染を予防する

⮕ 根拠 日和見感染を予防する
⮕ 生の果物や野菜は水道水でよく洗う．新鮮でない，不衛生な肉，魚，卵を提供しない　根拠 食物からの感染を予防する

● スキンケアにより皮膚のバリア機能を保つ
● 皮膚や粘膜に断絶や損傷がある場合には，適切な方法で処置を行う
● 患者が自分で清潔の保持ができない場合には口腔ケアや全身清拭，陰部洗浄などを介助する
● 体に気管チューブやカテーテルなどが留置されている場合は，挿入部位の清潔に努め，適切な間隔で交換する
● 投与指示されたG-CSF（顆粒球コロニー刺激因子）製剤は確実に投与する
● 予防的に抗菌薬を投与する場合は，確実に行う

⮕ 根拠 皮膚の感染を予防する
⮕ 根拠 適切な処置により皮膚のバリア機能の維持・回復を行う
⮕ 根拠 身体の清潔を保ち感染を予防する

⮕ 根拠 留置されているカテーテルなどを介して体内に細菌が感染する

⮕ 根拠 骨髄抑制が長期化する場合や感染のリスクが高い場合に，G-CSF製剤が投与される
⮕ 根拠 後天性免疫不全症候群やリンパ系腫瘍において免疫抑制薬やステロイド薬が長期投与される場合に，ニューモシスチス肺炎の予防目的で，抗菌薬が投与される
⮕ 根拠 上気道感染を最もきたしやすいので，細菌や真菌の侵入を予防する

● 易感染性が重度かつ長期化する場合には，個室か高性能微粒子フィルター装備の病室（クリーンルーム）とし，面会を制限して，清潔な環境を提供する

EP 患者教育項目

● 自分でできる感染予防法を教育する
　・手洗いや口腔ケアの方法
　・体調が悪くない限り毎日入浴すること
　・切り傷ややけどをしないようにすること
　・陰部の清潔を保つ方法
　・スキンケアの方法
　・口腔ケアの必要性
　・人混みを避けること
● 易感染性が重度で自宅療養をしている場合は，1日に2回程度は体温を測定し，38℃以上の発熱があれば医療機関に連絡するよう説明する
● 予防的に処方された抗菌薬を確実に服用する
● 易感染性であることを家族に理解してもらい，入院中は，面会時の家族のマスク着用や生もの，生花の持ち込み制限について協力を得る
● 自宅療養中の場合は，易感染性の程度によっては外出や生ものの摂取制限について家族の協力を得る

⮕ 易感染性であっても発熱がなく全身状態がよければ，入浴やシャワー浴により身体を清潔にしたほうがよいことを患者に理解してもらう．排便後は温水洗浄便座を利用するなど，陰部を清潔にする

⮕ 感染の重要な徴候を説明・指導する　根拠 感染すると重篤化しやすい

302

17 易感染性

2 看護問題	看護診断	看護目標（看護成果）
#2 適切な感染予防行動がとれない	**非効果的健康自主管理** **関連因子**：複雑な治療計画の管理困難，治療計画についての知識不足，ソーシャルサポートの不足，治療計画の実行力に限界がある，病気の深刻さの非現実的な認識 **ハイリスク群**：薬の副作用が出ている人 **診断指標** □疾患徴候に注意を払わない □治療計画を日常生活に組み込めない □危険因子を減らす行動がとれない	〈長期目標〉適切な感染予防行動をとれる 〈短期目標〉1) 感染予防の必要性を理解できる．2) 適切な感染予防の方法を理解できる

看護計画	介入のポイントと根拠
OP 経過観察項目 ●手洗いや咳嗽の実施状況 ●歯磨きなど口腔ケアの実施状況 ●シャワー浴や入浴の実施状況 ●摂取している食事や間食の内容 ●易感染性が重度な場合には，マスクの着用状況 ●易感染性が重度な場合に外出を回避しているか ●抗菌薬が処方されている場合の服薬状況 ●感染予防の必要性についての患者や家族の理解度 ●感染予防行動の負担感や困難感	●実施回数だけではなく，適切な方法で実施できているかも観察する　根拠 正しく実施しているつもりでも，洗い残しや磨き残しがある場合が多い ● 根拠 易感染性が重度な場合は生ものを避ける必要がある ● 根拠 感染症状がない場合，自己判断で服薬を中止してしまうことがある ●外来患者については，生活をともにしている家族の理解度や協力状況を把握する　根拠 生活をともにしている人の協力なしには，感染を予防するための環境を整えにくい
TP 看護治療項目 ●体調が悪いなど，何らかの理由で身体の清潔を患者自身が保てない場合，全身清拭や口腔ケア，陰部洗浄などを介助する ●何らかの理由で服薬を自己管理できない場合は，抗菌薬の服用を介助する	●患者ができる清潔行動は自分で行ってもらい，できないことを介助する　根拠 その時々の状況に合わせて患者のセルフケア行動を維持する ●服薬を自己管理できる注意力があるかどうかを観察する　根拠 抗菌薬は処方通り服用されなければ効果がなく，過剰服用すると腎障害や肝障害を引き起こすことがある
EP 患者教育項目 ●感染予防のために行う事柄をパンフレットなどを用いて説明する ●易感染性となった原因や感染予防行動の根拠を説明する ●感染予防行動を生活の中に組み込めるよう，患者の生活習慣を情報収集し，実施できる方法をともに考える ●好中球数や免疫力の指標となる臨床検査値を患者に伝え，易感染性であることの理解を深める	● 根拠 視覚的に確認できるものが手もとに残ると，患者があとで振り返って学習できる ●患者や家族の理解度に応じて説明する　根拠 原因や根拠をわかっていると，納得して感染予防行動をとれることが多い ●負担感が少なく感染予防行動がとれる方法を患者とともに検討する　根拠 患者の主体性を引き出す ●患者や家族の理解度に合わせて指標となる臨床検査値の意味を説明する　根拠 データとその意

第1章　全身

| ●易感染性の回復の見通しを説明する | 味を知ることで理解が深まる
⮕ 根拠 見通しを知ることによって努力できる |

3 看護問題	看護診断	看護目標（看護成果）
#3　患者・家族が感染症に対する不安を抱えている	**不安** **関連因子**：人から人への伝播，不慣れな状況 **ハイリスク群**：状況的な危機状態にある人 **診断指標** □生産性低下 □不安定な気持ち □緊張を示す □警戒心が増す □注意力の変化	〈長期目標〉適切な感染予防行動により，不安が軽減する 〈短期目標〉1) 感染症に対する不安を言葉に出して表現できる．2) 適切な感染予防方法の理解によって，心理的な落ち着きを得ることができる

看護計画	介入のポイントと根拠
OP 経過観察項目 ●不安や緊張の表情や言動 ●感染予防行動についての言動や行動 ●体調についての言動 ●病状や治療に対する質問の有無，内容 ●個室で過ごしている場合は，他者との関わりの状況や隔離によるストレスの程度 **TP 看護治療項目** ●不安が表出できるような落ち着いた態度で接する ●治療や処置を行う場合は説明を十分に行い，心配や質問がないか聞き，丁寧に答える ●バイタルサイン測定後や検査実施後は，その結果を速やかに説明する ●感染予防行動をとりながらも，生活の中でできる楽しみや遊び，リラックスできることを探し，継続する ●強度の不安の場合は医師に報告し，精神科医や公認心理師，臨床心理士からの支援を得る **EP 患者教育項目** ●感染症が心配になるのは当然であることを伝える ●わからないことや心配なことは，看護師に表出してよいことを伝える ●感染予防行動をとりながらも，これまで通りできることをともに探す ●感染した場合に行う治療法を説明する	⮕感染に対して極端に敏感になっていないか，非言語的反応も含めて観察する 小児 高齢者 言語表現が十分ではない小児や活動性の低下している高齢者では，言葉以外の訴えの表出を見逃さないよう注意する ⮕ 根拠 クリーンルームでの生活に適応できない場合は不安の強度が高まることがある ⮕ 根拠 不安が表出されることによって，不安を緩和する方法を検討できる ⮕相手の不安の表情を見ながら，わかりやすく説明する 根拠 治療や処置の前に説明することで，不要な心配を抱くことのないようにする ⮕異常値や要注意という結果の場合は伝えるべき事柄や伝え方を検討する 根拠 検査結果に対して患者は敏感になっているので，不安をあおらない ⮕気分転換を図る 根拠 小児 患児・家族の不安を軽減できる ⮕ 根拠 強い不安がある場合は，専門家の介入が必要である ⮕ 根拠 不安が表出しやすくなる ⮕生活上の制限よりも，できることに目を向ける 根拠 できることに気づくことで不安が軽減する ⮕感染した場合の対応策を具体的に説明する 根拠 対応策を知ることにより不安が軽減する

| STEP **1** アセスメント | STEP **2** 看護課題の明確化 | STEP **3** 計画 | STEP **4** 実施 | STEP **5** 評価 |

病期・病態・重症度に応じたケアのポイント

【高度な易感染性の時期】 好中球数 500/μL 未満や CD4 陽性 T 細胞数 200/μL 未満などの場合, 中等量以上の副腎皮質ステロイド薬を数か月投与している場合は, 高度に易感染性の状態にある. 感染予防を徹底すると同時に, 感染が疑われる症状の早期発見に努め, 感染が疑われる場合には治療をすみやかに開始することが重要である.

【軽度な易感染性の時期】 好中球数 1,000～2,000/μL 程度や CD4 陽性 T 細胞数 200/μL 以上の場合, 副腎皮質ステロイド薬の投与開始初期の易感染性は軽度である. しかし, 原因によっては今後さらに易感染性が進行することもあるため, 原因について情報を収集し, 感染予防行動を患者自身が確実にとれるように教育する.

看護活動（看護介入）のポイント

診察・治療の介助
- 原因疾患に対する治療を確実に行う.
- 指示された抗菌薬, G-CSF 製剤など, 易感染性に関連した薬物療法を確実に行う.
- 血液培養により感染の原因菌を検査する場合は, 抗菌薬の投与前に実施する.

感染予防に対する援助
- 清潔な病室に環境を整え, 手洗いや咳嗽を正しい方法で行う.
- 皮膚や粘膜の清潔に努める.
- 衛生的な食事を提供する.
- 体内にカテーテルが留置されている場合は, カテーテルやその挿入部の清潔に努める.

患者・家族の不安への援助
- 易感染性の原因や予測される期間, 感染した場合の治療方法について情報提供し, 正しい理解を得る.
- 不安が表出しやすいよう落ち着いた態度で関わる.
- 感染予防行動をとりながら, 気分転換やリラックスできることを探す.

退院指導・療養指導

- 感染予防の必要性とその方法を説明する.
- 同居する家族にも感染予防の必要性とその方法について理解を得る.
- 感染の徴候と適切な対処方法を説明する.

| STEP **1** アセスメント | STEP **2** 看護課題の明確化 | STEP **3** 計画 | STEP **4** 実施 | STEP **5** 評価 |

評価のポイント

看護目標に対する達成度
- 皮膚や粘膜の清潔が保たれているか.
- 衛生的な食事を摂取しているか.
- カテーテルやその挿入部の清潔が保たれているか.
- 個室で過ごす場合は, 環境に適応できているか.
- 患者や家族は, 制限されることだけではなく, できることも理解し, 落ち着いて過ごしているか.
- 38℃ 以上の発熱がないか.
- 粘膜炎や下痢, 咳や呼吸困難, 排尿困難や混濁尿など感染の徴候がないか.

17
易感染性

第1章 全身

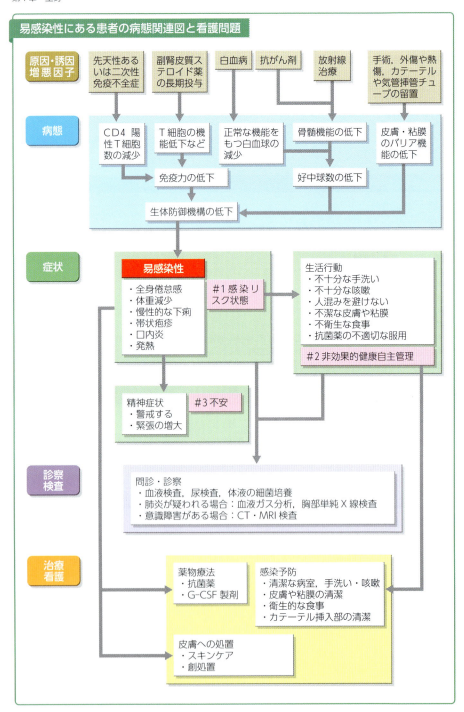

第2章

脳・神経系

18 頭痛

青柳 傑

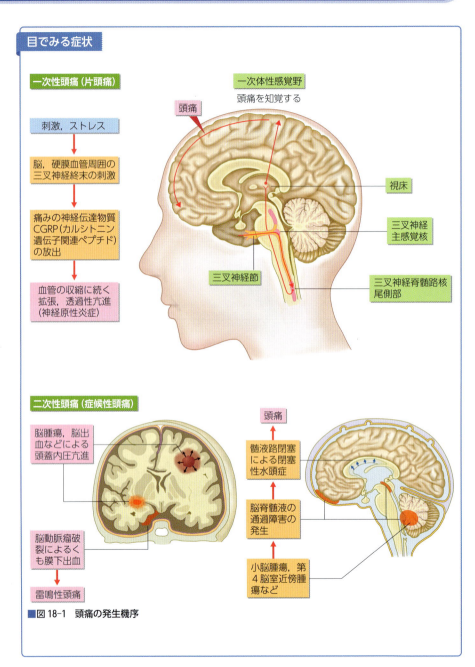

図 18-1　頭痛の発生機序

病態生理

頭痛の患者の診察では，一次性頭痛（従来の機能性頭痛）と二次性頭痛（従来の症候性頭痛）の鑑別が重要である．一次性頭痛には，片頭痛，緊張型頭痛，群発頭痛などがある．二次性頭痛には，くも膜下出血などの頭蓋内出血，脳腫瘍，髄膜炎などの見逃してはならない器質的疾患が含まれている．

● **一次性頭痛**
● 片頭痛は素因のある人が誘因によって髄膜血管の拡張，神経原性炎症を起こす異常反応とされている．頭痛の発生にはセロトニンが重要な役割を果たしている．
● 群発頭痛は内頸動脈の海綿静脈洞部の無菌性炎症による血管拡張と浮腫に起因するといわれている．
● 緊張型頭痛では身体的・精神的ストレスが慢性の非拍動性頭痛をもたらす．
● **二次性頭痛**
● 突発性の頭痛は，くも膜下出血，脳動脈解離，下垂体卒中など重篤な疾患に起因する．
● 脳腫瘍や水頭症による頭痛は，頭蓋内圧が亢進し頭蓋内疼痛感受性組織の圧迫・伸展により生ずる．
● 髄膜炎による頭痛は髄膜刺激により生じ，また低髄液圧による頭痛は起立により増悪する．

患者の訴え方

頭痛を訴える疾患は多く，訴え方は多彩である．

● **主症状の訴え**
● 突然の激しい頭痛（雷鳴性頭痛），慢性反復性の拍動性頭痛，慢性持続性あるいは反復性の非拍動性の頭痛，片側眼窩部の突き刺さるような，えぐられるような痛み，進行性に増悪する頭痛，起立時に増悪する頭痛などである．
● **随伴症状**
● 一次性頭痛（表 18-2）：①片頭痛では前兆としての視覚異常を訴えることがあり，また頭痛に悪心・嘔吐を伴う．まれに片麻痺を伴う型がある．②緊張型頭痛では肩こり，頸部緊張，めまい感を訴える．③群発頭痛では流涙，鼻漏など自律神経系の症状を伴う．
● 二次性頭痛：原因疾患により様々な症状を訴える（表 18-1, 3）．嘔吐，発熱，項部硬直，意識障害，片麻痺，言語障害，複視など．

■表 18-1　頭痛の原因または考えられる疾患（赤字は緊急対応を要する疾患）

一次性頭痛	二次性頭痛	
● 片頭痛（片麻痺性，ミトコンドリア脳症を含む） ● 緊張型頭痛 ● 群発頭痛	● 脳血管障害 　● くも膜下出血 　● 脳出血 　● 脳動脈解離 　● 可逆性脳血管れん縮症候群 　● 脳梗塞 　● もやもや病 　● 静脈洞血栓症 ● 高血圧緊急症 ● 脳腫瘍 ● 下垂体卒中，下垂体腺腫 ● 髄膜炎，脳炎，髄膜がん播種 ● 慢性硬膜下血腫 ● 低髄液圧症候群 　● 硬膜穿刺後 　● 髄液瘻性 　● 特発性	● 急性緑内障 ● トロサ-ハント症候群 ● 特発性三叉神経痛，舌咽神経痛 ● 帯状疱疹 ● 側頭動脈炎 ● 急性副鼻腔炎 ● 顎関節症 ● 低酸素血症，貧血，高炭酸ガス血症 ● 頸性頭痛 ● 薬物乱用性頭痛

18
頭痛

309

第2章　脳・神経系

■表18-2　一次性頭痛（片頭痛，群発頭痛，緊張型頭痛）の鑑別

	片頭痛	群発頭痛	緊張型頭痛
好発年齢・性	20〜30歳代，女性に多い	青壮年の男性に多い	中年以降に多く性差なし
痛みの性状	拍動性	えぐられるような痛み	圧迫，締め付けられるような痛み
痛みの部位	片側が多い	眼窩周辺	両側性
痛みの持続期間	3〜72時間	3時間以内	毎日持続
随伴症状	嘔吐，閃輝暗点などの前兆	結膜充血，流涙，鼻汁，発汗など	肩こり，首筋の張り，精神的ストレス
痛みの誘発・増悪	月経・睡眠過多・ストレスからの解放などで誘発，運動で増悪	ニトログリセリン，飲酒で誘発	ストレス，過労
家族歴	濃厚	濃厚	希薄

■表18-3　主な二次性頭痛の性状と随伴症状（赤字は緊急対応を要する疾患）

疾患		頭痛の性状と随伴症状
脳血管障害	くも膜下出血	いままでに経験したことのない突然の頭痛，嘔吐
	脳出血	意識障害，片麻痺，視野障害，言語障害など（巣症状）
	脳梗塞	意識障害，片麻痺，視野障害，言語障害など（巣症状）
	脳動脈解離	患側に一致した頭痛（頸部痛など）
高血圧緊急症		めまい，胸苦など
脳腫瘍		進行性の頭痛，早朝頭痛，けいれん，嘔吐（巣症状）
下垂体卒中		突然の頭痛，視野障害，複視
髄膜炎，脳炎		発熱，項部硬直，けいれん，意識障害
慢性硬膜下血腫		外傷既往歴，見当識障害，片麻痺
頸性頭痛		めまい，頸部痛，しびれ感
低髄液圧症候群		起立性頭痛
急性緑内障		眼痛，頭痛，悪心，視力・視野障害
トロサ-ハント症候群		眼痛，複視
特発性三叉神経痛，舌咽神経痛		顔面あるいは咽頭の瞬間的（1〜2分）かつ反復性の耐えがたい痛み，痛みの誘発
帯状疱疹		三叉神経に一致した耐えがたい痛み
側頭動脈炎		拍動性頭痛，側頭動脈に一致した結節隆起

診断

頭痛の診断では，突発性（雷鳴性）あるいは進行性の二次性頭痛と慢性反復性の一次性頭痛の鑑別を念頭において，頭痛の性状，随伴症状の有無を確認する．

- 一次性頭痛の特徴を十分に理解する必要がある．
- 問診，診察の後に器質的疾患を疑い，診断確定のためのCT検査，MRI検査，髄液検査などの補助検査を実施する（図18-2）．
- **原因・考えられる疾患**
- 緊急対応を要するくも膜下出血などの脳血管疾患，脳腫瘍，慢性硬膜下血腫，髄膜炎などの脳疾患を見逃さないようにする．
- **鑑別診断のポイント**
- 頭痛の性状，経過（突発性，進行性，あるいは慢性反復性）．
- 前兆，随伴症状の有無．

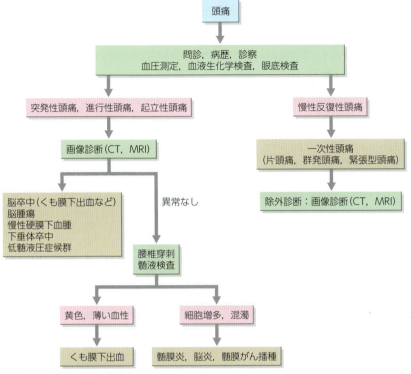

■図 18-2 頭痛の診断の進め方

- 薬剤服用の有無と効果.
- 家族歴, 生活歴の聴取.
- 頭部外傷, 眼・耳鼻・歯科疾患, 高血圧, 糖尿病などの内分泌疾患の既往.
- 血圧, 発熱や結膜充血, 圧痛, 発疹の有無.
- 髄膜刺激症状, 麻痺や失語・視野障害などの局所神経症状, うっ血乳頭などの頭蓋内圧亢進症状の有無.
- 一次性頭痛, および二次性頭痛の特徴を表 18-2, 3 に示した.

治療法・対症療法

診断・治療の原則は頭痛の原因となる器質的疾患を見逃さないことである. 一次性頭痛では問診などによる的確な病型診断により, 適切な治療を行う.

- 治療方針
- くも膜下出血による頭痛は典型的には突然の激しい頭痛といわれているが, 神経学的局所症状がないこともあり, また出血の程度によっては軽い頭痛のことがある. くも膜下出血の 90% 強が脳動脈瘤の破裂であり, 見逃すと再破裂を起こし, 生命の危険や重篤な後遺症状を残す.
- 内頸動脈後交通動脈分岐部動脈瘤では眼窩部痛があり, その後に眼瞼下垂や複視などの動眼神経麻痺を起こすことがある. これは破裂切迫徴候であり, 見逃してはならない.
- 患側の後頸部に強い痛みを訴える場合は椎骨動脈の解離を考える.
- 慢性硬膜下血腫は頻度が高く, 外傷後 3 週間〜3 か月後に症状が出現する.

第2章　脳・神経系

●一次性頭痛では頭痛日記を記載してもらい，病型，誘因の有無を調べる．鎮痛薬の連用は薬物乱用性頭痛を起こすことがあるため注意を必要とする．緊張型頭痛で心因性のストレスがある場合は心療内科などの受診を勧める．

■表18-4　頭痛の主な治療薬

分類	一般名	主な商品名	薬の効くメカニズム	主な副作用
解熱鎮痛薬	アセトアミノフェン	カロナール	シクロオキシゲナーゼ阻害によるプロスタグランジン E_2 合成阻害による抗炎症	胃腸障害，出血傾向，肝障害
非ステロイド性抗炎症薬 (NSAIDs)	イブプロフェン	ブルフェン		
	アスピリン（アセチルサリチル酸）	アスピリン		
	メフェナム酸	ポンタール		
	ジクロフェナクナトリウム	ボルタレン		
	ロキソプロフェンナトリウム水和物	ロキソニン		
胃腸機能調整薬	メトクロプラミド	プリンペラン	消化管運動促進，嘔吐中枢の抑制	振戦などの不随意運動，眠気
	ドンペリドン	ナウゼリン		
トリプタン系薬剤	スマトリプタン	イミグラン	5-HT$_{1B/1D}$ 受容体に作用し強い血管収縮作用を有する	頸部・咽頭・肩の重圧感，倦怠感，眠気，悪心・嘔吐
	ゾルミトリプタン	ゾーミッグ		
	エレトリプタン臭化水素酸塩	レルパックス		
	リザトリプタン安息香酸塩	マクサルト		
抗うつ薬	アミトリプチリン塩酸塩	トリプタノール	セロトニンの再取り込みを阻害	眠気，疲労感，口渇
カルシウム拮抗薬	ロメリジン塩酸塩	ミグシス	脳血管収縮抑制作用	眠気，めまい，吐き気，発疹
	ベラパミル塩酸塩	ワソラン		徐脈，心不全
抗けいれん薬	バルプロ酸ナトリウム	デパケン	γ-アミノ酪酸神経伝達促進	肝臓障害，高アンモニア血症
抗不安薬	エチゾラム	デパス	不安・緊張の改善	眠気，注意力・集中力の低下
筋弛緩薬	エペリゾン塩酸塩	ミオナール	筋血流を改善	
漢方薬	五苓散，釣藤散など		不明	少ない
β遮断薬	プロプラノロール塩酸塩	インデラル	末梢血管や自律神経へのβ受容体遮断作用	徐脈，めまい，発疹
抗CGRP** 抗体	ガルカネズマブ（遺伝子組換え）	エムガルティ	抗CGRP抗体．CGRP活性を阻害する	アナフィラキシー，注射部位反応
	エレヌマブ（遺伝子組換え）	アイモビーグ	抗CGRP受容体抗体．CGRP受容体シグナルの伝達を阻害する	
	フレマネズマブ（遺伝子組換え）	アジョビ	抗CGRP抗体．CGRP活性を阻害する	
5-HT$_{1F}$ 受容体作動薬	ラスミジタンコハク酸塩	レイボー	セロトニン1F受容体作動薬．CGRP分泌抑制．血管収縮作用がない	めまい，動悸

＊アスピリンと制酸緩衝剤ダイアルミネートの合剤
＊＊CGRP (calcitonin-gene related peptide)：カルシトニン遺伝子関連ペプチド

●薬物療法
●小児，妊娠中ではアセトアミノフェンを使用する．
Px 処方例 片頭痛：軽症例　下記のいずれかを用いる．
●カロナール錠(200 mg)　2錠　頓用　←解熱鎮痛薬
●ロキソニン錠(60 mg)　1錠　頓用　←非ステロイド性抗炎症薬
Px 処方例 片頭痛：中等症以上の発作　下記のいずれかを用いる．
●イミグラン錠(50 mg)　1錠　頓用　←トリプタン系薬剤
●ゾーミッグ錠(2.5 mg)　1錠　頓用　←トリプタン系薬剤
　※効果不十分例では2時間以上空けて追加．
Px 処方例 片頭痛：悪心・嘔吐のある場合
●ナウゼリン錠(5・10 mg)　1回10 mg　頓用　←胃腸機能調整薬
Px 処方例 片頭痛：重症で悪心・嘔吐の強い場合　下記のいずれかを用いる．
●イミグラン注(3 mg)　1回3 mg　皮下注　←トリプタン系薬剤
●イミグラン点鼻液(20 mg/0.1 mL)　1回20 mg　鼻腔内噴霧　←トリプタン系薬剤
Px 処方例 片頭痛：発作の予防薬
●ミグシス錠(5 mg)　1回1錠　1日2回　朝夕食後　←カルシウム拮抗薬
Px 処方例 緊張型頭痛　下記のいずれかを用いる．
●デパス錠(0.5 mg)　1回1錠　1日3回　朝昼夕食後　←抗不安薬
●ミオナール錠(50 mg)　1回1錠　1日3回　朝昼夕食後　←筋弛緩薬
Px 処方例 群発頭痛　下記を症状に応じて使い分ける．
●100% 酸素　7～8 L/分　10～15分吸入
●イミグラン注(3 mg)　1回3 mg　皮下注　←トリプタン系薬剤

18　頭痛

頭痛の病期・病態・重症度別にみた治療フローチャート

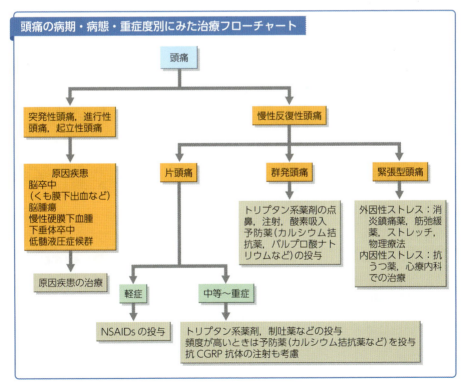

313

第2章 脳・神経系

頭痛のある患者の看護

益田　美津美

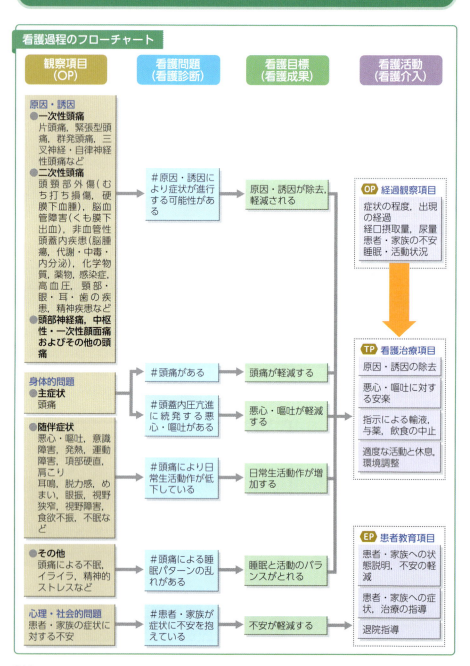

基本的な考え方

●多様な痛みの性質，原因を把握するとともに，症状緩和や安楽の援助を行わなければならない．原則は原因疾患の治療であり，安易な対症療法はすべきではない．

●前駆症状，随伴症状，程度を観察し，その影響にも注意する．

緊急 緊急処置の必要な頭蓋内圧亢進症状に対しては迅速な対応が必要である．これらの疾患を疑わせるサインや情報を見逃さないよう十分な観察を行う．特に急性の激しい頭痛，噴水状嘔吐，視力・視野障害，意識障害，項部硬直には注意する．

18
頭痛

STEP **1** アセスメント ▶ STEP **2** 看護課題の明確化 ▶ STEP **3** 計画 ▶ STEP **4** 実施 ▶ STEP **5** 評価

情報収集	アセスメントの視点と根拠・起こりうる看護問題
病歴の把握	患者・家族から症状出現の経過，症状の変化を聞くことで，原因・誘因の特定や全身状態の把握につながり，治療や看護ケアにも重要な情報を得ることができる．
経過	●頭痛の出現状況や持続時間はどうか． ●前駆症状があったか，随伴症状があるか． ●痛みの性質はどうか，程度はどうか． ●部位はどこか．
誘因	●食べ物との関係 ●服薬との関係 ●月経，妊娠，咳，努責など ●アルコール摂取，運動，入浴との関係 ●周囲の環境との関係：ストレス，照明，騒音，気候，低酸素（人混み）など
随伴症状	●意識障害，発熱，悪寒，悪心・嘔吐，食欲不振，めまい，視野障害，眼振，項部硬直，肩こり，運動障害，耳鳴，脱力感などの随伴症状があるか． ●随伴症状と頭痛との時間的関係
生活歴	●睡眠状況 ●ストレスの有無 ●仕事上の問題，対人関係の問題の有無
既往歴	●頭痛の経験の有無 ●高血圧，動脈硬化，むち打ち損傷，糖尿病，内分泌疾患，うつなどの既往 ●脳梗塞，くも膜下出血，脳腫瘍など **原因・誘因** **緊急** 再発による頭痛に注意 ●手術などの治療歴
嗜好品，常用薬 職業歴 その他	●アルコールの摂取，薬物の服用 ●有機溶剤などを扱う特殊環境下での仕事，低酸素，過労 ●月経，妊娠との関係 **妊婦** 疑わしい場合は妊娠反応のチェックを行う． ●ダイエット，食物に対する過度の嫌悪感 ●長期間の絶食，飢餓
主要症状の出現状況，程度，性状の把握	症状の出現状況や頭痛の性質を把握することで，原因疾患の特定につながる情報が得られる．
前駆症状	●前駆症状のない突然の頭痛か，嘔吐を伴うか **原因・誘因** 二次性頭痛 ●食欲不振，悪心・嘔吐，閃輝（せんき）暗点など **原因・誘因** 片頭痛，緊張型頭痛
頭痛の性質	●拍動性頭痛（脈を打つような痛み）**原因・誘因** 片頭痛，群発頭痛，血管腫，動静脈奇形，高血圧性頭痛など ●圧迫性，絞扼（こうやく）性頭痛（ベルトで締めつけられるような痛み）**原因・誘因** 緊張型頭痛，眼精疲労，副鼻腔炎，頸椎異常など ●電撃性，灼熱性頭痛（電気が走るような，焼けつくような痛み）**原因・誘因** 三叉神経痛，舌咽神経痛など ●激烈な痛み（バットで殴られたような，頭が割れるような痛み）**原因・誘因** **緊急**

315

第2章 脳・神経系

頭痛の発現様式 と持続時間	くも膜下出血，急性髄膜炎，緑内障，脳腫瘍など ●急性の激しい頭痛(突発ピーク型) 【原因・誘因】【緊急】くも膜下出血，急性髄膜炎，小脳出血，緑内障，高血圧性脳症など ●一過性の頭痛 【原因・誘因】【緊急】急性一酸化中毒，発熱，急性アルコール中毒，低髄液圧症候群など ●亜急性の進行性頭痛，頭蓋内圧亢進性頭痛(目覚め型) 【原因・誘因】【緊急】脳腫瘍，慢性硬膜下血腫，亜急性髄膜炎(結核性，真菌性)，副鼻腔炎や中耳炎の急性増悪期など ●慢性の頭痛 【原因・誘因】反復性(片頭痛，群発頭痛，高血圧性頭痛，慢性呼吸器疾患に伴う頭痛など)，持続性(緊張型頭痛，混合性頭痛，心因性頭痛，眼精疲労，慢性副鼻腔炎，頸椎症など)

頭痛への緊急対応

- 頭蓋内の器質的病変による頭痛には，脳腫瘍やくも膜下出血など生命に危険を及ぼす疾患があるため，頭蓋内病変が疑われる時には速やかに報告し，頭部CT・MRI検査を行い，原因疾患の特定を急ぐ必要がある．
- 急性期では，生命の危険に直結する頭蓋内圧亢進症状の出現と脳ヘルニアへの進行を予測したアセスメントが最も重要である．
- 症状が変化しやすいため，30分～1時間ごとに継続的に観察し，アセスメントする．観察内容は速やかに記録し，異常徴候の早期発見に努める．
- 頸部の過伸展・過屈曲を避け，脳への循環を保つ．禁忌でなければ，ベッドの頭部を10～30度上げ，頭蓋内の静脈還流を促す．
- 嘔吐が予測される場合は，側臥位で頭部と体幹を屈曲させないようにし，気道閉塞を予防する．
- 症状に対して指示された薬剤(鎮静薬，鎮痛薬，頭蓋内圧降下薬など)を滴下速度に留意して投与する．投与中・後は呼吸抑制や血圧の急激な変動，電解質の異常が生じることがあるため経過を継続的に観察する．

全身状態，随伴 症状の把握 バイタルサイン	症状の経過の把握とともに，頭痛の特性や他の症状の有無，随伴症状を観察し，治療，看護計画の立案に有効に反映させる． ●体温 ➡髄膜炎や内分泌疾患を鑑別する． ●血圧，脈拍・リズム ➡高血圧やクッシング現象を把握する 【緊急】頭蓋内圧亢進 ●呼吸状態を確認する 【緊急】チェーン-ストークス呼吸など 【原因・誘因】頭蓋内圧亢進 ●【緊急】意識障害の有無を確認する 【原因・誘因】頭蓋内圧亢進
全身状態	●体格 ➡慢性疾患，悪性腫瘍による体重減少がないかを確認する． ●嘔吐による脱水状態を把握する． ●姿勢 ➡異常姿勢を観察する 【緊急】除皮質硬直，除脳硬直
頭頸部	●頭部 ➡外傷，打撲の有無を確認する． ●顔貌，表情 ➡運動障害，言語障害，眼瞼・口角下垂などの有無の観察．神経痛，うつなどの精神疾患では特徴的表情を認めることがある． ●【緊急】瞳孔 ➡瞳孔の大きさ，左右差(瞳孔不同)，対光反射の有無を観察する． ●眼球 ➡眼球運動異常(眼振)や眼球位置異常(共同偏視など)を観察し，脳神経，耳鼻科疾患の鑑別や病巣部位の判断の助けとする． ●項部硬直の有無を確認する 【原因・誘因】髄膜炎，くも膜下出血 ●触覚 ➡顔面の感覚支配に対する痛みの有無を確認する 【原因・誘因】三叉神経痛 ●気道内分泌物貯留の有無 ➡舌根沈下による気道閉塞や反射機能低下，嚥下障害の有無を観察する． ●嘔吐の有無 ➡頭蓋内圧亢進による嘔吐か他の原因による随伴症状(めまいや中毒など)かを鑑別する．
四肢	●運動障害の有無 ➡障害の部位，程度，麻痺の型を観察する．

	●反射の亢進・低下の有無 ●患者の協力を得るのが困難な時には重要な検査の1つとなる.反射の亢進・低下,特に左右差をみるのが重要である. 🔍 **起こりうる看護問題：頭蓋内圧亢進に続発する悪心・嘔吐がある**
患者・家族の心理・社会的側面の把握	▎頭痛がある時,患者は苦痛とともに不安を感じる.また,家族役割を遂行できないことにより家族機能に影響を及ぼす. ●症状の経過などを聞くと同時に,患者や家族が症状をどのように感じているのかを聞き出す. ●退院後の注意事項や,自宅での症状出現時の対処方法を指導する. ●症状により遂行できない家族役割 🔍 **起こりうる看護問題：頭痛による睡眠パターンの乱れがある／患者・家族が症状に不安を抱えている**

18
頭痛

STEP**❶** アセスメント STEP**❷** 看護課題の明確化 STEP**❸** 計画 STEP**❹** 実施 STEP**❺** 評価

看護問題リスト

#1 頭痛がある（認知-知覚パターン）
#2 頭痛により日常生活活動が低下している（活動-運動パターン）
#3 頭痛による睡眠パターンの乱れがある（睡眠-休息パターン）
#4 頭蓋内圧亢進に続発する悪心・嘔吐がある（認知-知覚パターン）

看護問題の優先度の指針

- 第一に緊急を要するかどうかを鑑別するために,頭痛に関する情報を正確かつ詳細に得る必要がある.緊急時は速やかに医師に報告し早期に対処する.
- 頭痛の原因を踏まえたうえで,苦痛の緩和に努める.嘔吐を伴う場合は頭痛への対処と並行して誤嚥予防を行う.
- 疼痛耐性と対処能力をアセスメントし,鎮痛薬とその他のケアを総合的に活用し,頭痛による日常生活への影響を軽微にとどめるよう生活を整えるための支援を行う.

STEP**❶** アセスメント STEP**❷** 看護課題の明確化 STEP**❸** 計画 STEP**❹** 実施 STEP**❺** 評価

1 看護問題	看護診断	看護目標（看護成果）
#1 頭痛がある	**急性疼痛** **関連因子**：生物学的損傷要因,物理的損傷要因 **診断指標** □標準疼痛スケールで痛みの程度を訴える □標準疼痛スケールで痛みの性質を訴える □瞳孔散大	〈**長期目標**〉頭痛と随伴症状が軽減,消失する 〈**短期目標**〉頭痛を誘発,増悪させる因子を除去できる

看護計画	介入のポイントと根拠
急性期の緊急対応 **OP** 経過観察項目 ●緊急性の高いくも膜下出血や頭蓋内圧亢進症状に対しては迅速な対応が求められる.高熱,嘔	●疑われる症状がみられたら速やかにドクターコールを行う

317

第2章　脳・神経系

吐，早朝頭痛，視力障害（頭蓋内圧亢進），意識障害や項部硬直（髄膜炎，脳炎，くも膜下出血）といった症状は要注意である
- チャートなどを用い，継続的な観察を怠らない

　➡ 根拠 時間の経過とともに症状が悪化する場合がある

TP 看護治療項目
- 頭蓋内圧亢進による場合は頭位を高くして頭蓋内圧の低下を促す
- 意識レベルの低下，異常呼吸がみられる場合は気道を確保することが先決である

　➡ 根拠 吐物による気道閉塞を防止する
　高齢者 特に高齢者や意識レベルの低下，全身衰弱のある患者が嘔吐すると誤嚥を起こす可能性が高い

- 誤嚥防止のために体位変換を行う．側臥位で誤嚥しないように顔は横を向かせる．ただし，頸部の屈曲は避けるよう注意する
- 頭痛の持続・増強は原疾患を助長させるリスクがあるため，医師の指示により鎮痛薬，必要時，鎮静薬を投与する

　➡ 根拠 頸部の屈曲は頭蓋内の静脈還流を阻害する

EP 患者教育項目
- 頭痛に伴う苦痛のなかで患者が抱えている不安を解消する

OP 経過観察項目
- 頭痛の発生時期，持続時間
- 痛みの性質，部位
- 頭痛の前兆や随伴症状の有無
- 頭痛時の様子
- 実施されている治療内容と効果，副作用の有無
- 疼痛耐性と対処能力

　➡ 頭痛の特性を把握することで，頭痛の原因を鑑別する 根拠 原因を推測しつつ適切な看護計画につなげることができる

TP 看護治療項目
- 安静と適度な休息を図り，医師の指示により鎮痛薬を投与する

　➡ 根拠 脳血流量の促進により血管拡張をきたし頭痛を引き起こす．また読書，デスクワークなどを長時間続けると，頭頸部の筋肉への負担を増やし，緊張型頭痛を引き起こしやすい

- 緊張型頭痛の場合は，適度な運動，マッサージを促す

　➡ 根拠 マッサージや運動によって，頭頸部の筋肉の収縮や異常緊張が和らぎ，血液の循環をよくする

- 体位の工夫，枕の高さを調整する

　➡ 根拠 喫煙などに起因する虚血による脳血管の収縮・拡張を緩和するため頭位を低くする．ただし頭蓋内圧亢進の場合は頭位を高くする

- 環境調整を行う

　➡ 根拠 精神的なイライラや緊張は片頭痛を誘発・増悪しやすい

- 冷罨法または温罨法を行う

　➡ 片頭痛の場合は冷罨法 根拠 冷却することによって血管を収縮させ，痛覚閾値を上昇させる
　➡ 緊張型頭痛の場合は温罨法 根拠 温めることにより筋肉の収縮を緩和させる

- 排便のコントロールを行う

　➡ 根拠 便の停滞により発生した有害物質が痛覚を刺激する．また努責は血圧を上昇させ，血管壁の受容器が刺激され頭痛を引き起こす

- 食品，嗜好品を調整する

　➡ 根拠 チョコレートなど食品中にチラミン，亜硝酸塩，グルタミン酸ソーダを含む食品は頭痛を

318

- 薬物療法の管理とモニタリングを行う

EP 患者教育項目
- 頭痛の原因や誘因を判断するために主観的情報は重要であり,報告するよう指導する
- 頭痛のケア方法の必要性を説明し,自ら積極的に行えるよう指導する
- 頭痛を誘発する食品や行動を避けるよう説明する

誘発する

➡ 緊張型頭痛の場合,首,肩,背中などの筋群の緊張を緩和するための頭痛体操,肩こり体操などの方法を説明する(図18-3)

頭痛体操の一例

首を左右に倒す

首を回す

後頭部,側頭部などのマッサージ

肩こり体操の一例

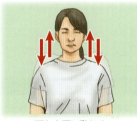
肩を上下に動かす

肩甲骨を動かす

■図18-3 緊張型頭痛の予防法

2 看護問題	看護診断	看護目標(看護成果)
#2 頭痛により日常生活動作が低下する	**活動耐性低下** **関連因子**:酸素の供給/需要の不均衡,身体可動性障害 **関連する状態**:外傷性脳損傷 **診断指標** ☐全身の脱力 ☐労作性(時)呼吸困難 ☐心電図の変化	〈長期目標〉日常生活動作が増す 〈短期目標〉1)活動耐性を高める因子を特定する.2)活動耐性の低下を抑える方法をみつける

第2章　脳・神経系

看護計画	介入のポイントと根拠
OP 経過観察項目 ● 活動状況 ● めまい，脱力感，疲労感 ● 活気，機嫌，表情 ● 人間関係，社会活動の状況，ストレスの有無	⇒ **根拠** 頭痛そのものや頭痛に対する不安，恐怖心などから日常生活活動が低下することがある ⇒ 頭痛との関連を観察する ⇒ **根拠** 頭痛，頭痛に対する不安などから，外出や社会活動を控えることがある
TP 看護治療項目 ● 環境を調整する ● 低酸素状態を緩和する ● 気分転換を行う(適度な趣味，適度なスポーツ，散歩や外出) ● マッサージ，スキンシップを図る ● 人間関係の調整を行う	⇒ 騒音，臭気，温度，湿度を調整する **根拠** 精神的不安定は片頭痛を誘発・増悪しやすい ⇒ 冷暖房中には定期的な換気を行う **根拠** 不十分な換気は一過性の二酸化炭素中毒などを起こすことがあるため，時々外気にふれて酸素を補う必要がある ⇒ **根拠** 緊張型頭痛などを訴える人には潔癖，完全主義の性格傾向があり，ストレスが頭痛を誘発・増悪させ悪循環を起こしやすい．悪循環を断ち切るためには気分転換を図ることも大事である ⇒ **根拠** マッサージなどによって，温かい手に触れられることにより精神的緊張が和らぐ ⇒ 人間関係の調整は至難であることが多いため根気よく行うと同時に，周囲の人々の協力が得られるよう働きかけることも大切である
EP 患者教育項目 ● 気分転換，散歩や外出，運動の必要性，方法，効果について説明する	⇒ **根拠** 活動が頭痛を誘発，増悪させるという恐怖心を抱いていることもある

3 看護問題	看護診断	看護目標(看護成果)
#3　頭痛による睡眠パターンの乱れがある	**睡眠パターン混乱** **関連因子**：プライバシー不足，環境外乱 **診断指標** □睡眠状態の維持が困難 □意図しない覚醒 □体力が回復しない睡眠覚醒サイクル	〈**長期目標**〉睡眠と活動のバランスがとれる 〈**短期目標**〉1) 十分な睡眠を確保する．2) 睡眠を妨害する因子をみつける．3) 入眠を促す方法をみつける

看護計画	介入のポイントと根拠
OP 経過観察項目 ● 睡眠状況とパターン ● 不安，ストレス ● 活気，表情，集中力 ● 活動状況 ● 食事摂取量 **TP 看護治療項目** ● 頭痛とその随伴症状の要因をできる範囲で除去する	⇒ **根拠** 睡眠不足は日中の活動状況に影響を与えることがある ⇒ **根拠** 頭痛と睡眠不足は悪循環しやすいため，睡眠を視野に入れた鎮痛薬の使用も医師に相談し

- ●寝具（枕や布団）と環境を心地よいものに調整する
- ●睡眠薬の管理とその効果をモニタリングする
- ●アルコールや午後3時以降のカフェインを含む飲み物を避ける
- ●就寝・起床時刻を規則正しくする
- ●精神的安寧への援助を行う

検討する

➲ 根拠 長期の睡眠薬投与に対しては，薬物依存を配慮して連用を避ける援助も同時に行う
➲ 根拠 アルコールやカフェインは悪夢や中途覚醒など睡眠に悪影響を与える．また排泄のために覚醒することがある
➲頭痛の訴えに対する理解と支持的態度，ゆとりある対応をする 根拠 精神的ストレス，不安，恐怖などは頭痛の発生・増悪につながる

18
頭
痛

EP 患者教育項目
- ●気分転換，散歩や外出，運動の必要性，方法，効果について説明する

➲日中の適度な活動はストレスの軽減だけでなく，良質な睡眠につながる

4 看護問題	看護診断	看護目標（看護成果）
#4 頭蓋内圧亢進に続発する悪心・嘔吐がある	**悪心** **関連因子**：不快な感覚刺激 **関連する状態**：頭蓋内圧亢進，髄膜炎 **診断指標** □食物嫌悪 □唾液分泌量増加	〈**長期目標**〉悪心・嘔吐が消失する 〈**短期目標**〉頭蓋内圧が低下し，悪心・嘔吐が軽減する

看護計画

OP 経過観察項目
- ●食欲不振，食事摂取量
- ●悪心・嘔吐の有無，性質
- ●悪心・嘔吐の発生時間
- ●悪心・嘔吐後の症状の変化
- ●鎮痛薬使用の有無

- ●活動状況

TP 看護治療項目
- ●輸液から栄養補充する場合は，指示された量を投与する
- ●体位を工夫する．頸部の屈曲は避け，側臥位で誤嚥しないように顔は横を向かせる
- ●悪心が起こらず食べられたら，徐々に量や種類を増やしていく
- ●チョコレートなど，頭痛を増強させるような食べ物は避ける

EP 患者教育項目
- ●無理して食べないよう指導する
- ●食事内容について患者・家族に指導する

介入のポイントと根拠

➲ 根拠 頭蓋内圧亢進に関連した嘔吐は，食事とは関係なく発生し，起床時に起こりやすい
➲頭痛との関連を観察する 根拠 嘔吐により一時的に頭蓋内圧が低下する
➲ 根拠 副作用として食欲不振，悪心・嘔吐などの消化器症状を伴いやすい
➲活動状況，頭痛との関連を観察する

➲ 根拠 長期に経口摂取できない場合は，経静脈栄養が開始される
➲ 根拠 誤嚥を防止する

➲食事は徐々に進めていく 根拠 急な食事量の増加は，悪心・嘔吐を誘発する
➲ 根拠 チラミンを含むチョコレートなどの食品や，食品添加物である亜硝酸塩は，頭痛を誘発すると考えられている

第2章　脳・神経系

STEP ① アセスメント　　STEP ② 看護課題の明確化　　STEP ③ 計画　　**STEP ④ 実施**　　STEP ⑤ 評価

病期・病態・重症度に応じたケアのポイント

【急性期】頭痛の原因は様々である．早期に原因を特定し，適切な治療を行うことが重要となる．迅速な対応が必要だが，あわてず冷静に頭痛の特性と全身状態をアセスメントし，看護ケアにつなげていく．

【回復期】慢性的な頭痛は，ストレスや不安が頭痛を増悪させ，頭痛が日常生活活動の低下，睡眠障害などを引き起こすという悪循環を招きやすい．そのため，患者自身が頭痛の性質を理解し，対処方法を積極的に取り入れることができるよう指導していく必要がある．

看護活動（看護介入）のポイント

診察・治療の介助
- 頭痛や随伴症状，経過から原因を把握する．
- 頭痛軽減のために安静を保持し，必要時，鎮痛薬や鎮静薬を投与する．
- 指示された輸液，薬物を正確に投与する．

頭痛に対する援助
- 安静にできるよう環境を整える．
- 寝具や環境を心地よいものに調整する．
- 頭蓋内の静脈還流を促す体位をとる．
- 指示された輸液を正確に行い，水分出納を評価する．

退院指導・療養指導

- 緊急を要する頭痛の性質，随伴症状について説明し，そのような症状が出現するようであれば，すぐに受診するよう説明する．
- 頭痛を誘発する食品を避けるよう説明する．
- 気分転換，リラクセーションなどストレスを緩和する方法を説明し，無理をせずに進めていくことを指導する．
- 頭痛が再燃・増悪してくるようであれば，再度受診するよう説明する．

STEP ① アセスメント　　STEP ② 看護課題の明確化　　STEP ③ 計画　　STEP ④ 実施　　**STEP ⑤ 評価**

評価のポイント

看護目標に対する達成度
- 頭痛と随伴症状が軽減しているか．
- 運動やマッサージ，服薬により，頸部の硬直，肩こりをコントロールできているか．
- 悪心・嘔吐が消失しているか．
- 不安や精神的ストレスは緩和しているか．
- 不眠や集中力の低下は改善しているか，日常生活活動に自発性がみられるか．
- 社会活動の低下はないか．

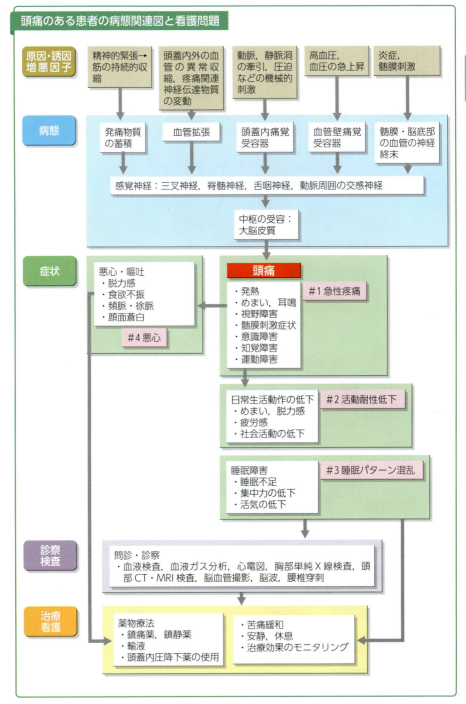

19 失神

古川 裕・山田 正仁

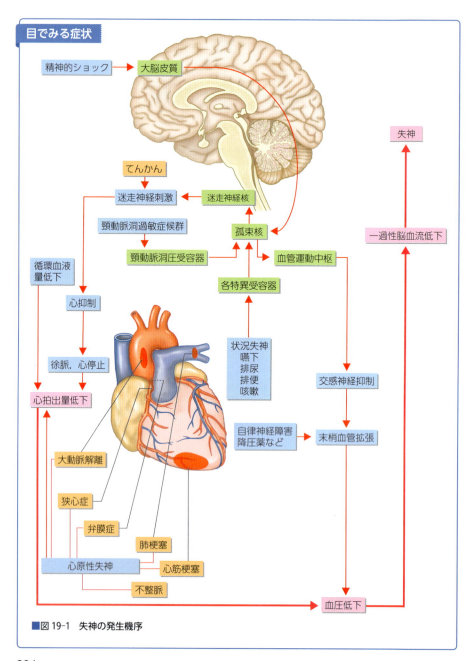

■図 19-1 失神の発生機序

病態生理

失神とは「一過性の意識消失発作の結果，姿勢が保持できなくなり，かつ自然に，また完全に意識の回復がみられること」と定義される．基本的な病態生理は一過性の脳血流低下であり，意識を賦活する脳幹網様体や脳全体に一時的な血流低下が生じ，その結果，一過性の意識消失発作をきたす．

- 失神の原因は多岐にわたるが，その病態は，①心原性失神，②起立性低血圧による失神，③反射性失神に大別される（表19-1）．
- 心原性失神：不整脈や構造的心肺疾患（心臓弁膜症，虚血性心疾患などの心疾患や急性大動脈解離などの大血管疾患）が原因で心拍出量が低下し，脳灌流が不十分となるために起こる失神である．この中には緊急治療が必要な病態が含まれており，十分な注意を要する．
- 起立性低血圧による失神：ヒトが仰臥位から立位になると心拍出量が減少し，体血圧が低下する．これに対し，自律神経の反応によって心拍出量が増大し，末梢血管抵抗が増大することで血圧が維持される．また血圧の維持には適切な体液量が必要である．したがって，自律神経障害や，末梢血管抵抗を低下させる薬剤，体液の喪失などで起立性低血圧が生じ，その結果，失神に至る．
- 反射性失神：血管迷走神経性失神，状況失神，頸動脈洞症候群，てんかん性失神の4種類に分類される．多くは何らかの誘因で延髄孤束核が刺激され，副交感神経緊張による心抑制や交感神経抑制による末梢血管拡張をきたし，その結果，失神に至る．てんかん性失神についてだが，側頭葉てんかんによる意識減損発作ではてんかん刺激により迷走神経過緊張，あるいはカテコラミン放出による交感神経過緊張による迷走神経反射が誘発される．これにより二次的に失神を合併することから反射性失神に分類される．

患者の訴え方

- **主症状の訴え**
- 「突然気を失って倒れた」「目の前が暗くなって意識が遠のいた」など．
- **随伴症状**
- 原因疾患により様々な随伴症状，前駆症状を訴える（表19-2）．眼前暗黒感，冷汗，生あくび，悪心・嘔吐，動悸，胸痛，呼吸困難などを伴うことがある．

診断

失神の原因は多岐にわたる．失神はその持続時間が短く，多くの患者は来院時には無症状である．したがって，失神の診断には詳細な病歴聴取，一般身体所見および神経学的所見がきわめて重要である．心原性失神の原因疾患には生命に直結するものも多く，常にその可能性を念頭に置きながら鑑別を進める．

- 病歴聴取：前駆症状の有無，発作の誘因の有無，発作持続時間，発作後の状況，随伴症状，基礎疾患の有無などを明らかにする．降圧薬や利尿薬などが失神の誘因となるため，服薬歴は必ず聴取する．意識消失が1分を超える場合や，意識消失後にもうろう状態が続く場合には失神以外の可能性も考慮する．患者自身は発作時の状況がわからないことも多いため，家族や発作の目撃者からの情報収集も重要である．
- 一般身体所見および神経学的所見：器質的心血管疾患を示唆する所見の有無に注意する．具体的には不整脈，心雑音，血管雑音，血圧の左右差や起立時の血圧低下の有無などに留意する．また自律神経障害を伴う神経疾患に特徴的な所見の有無に注意する．例えばパーキンソン症状（多系統萎縮症やパーキンソン病を示唆）や腱反射低下（糖尿病性ニューロパチーやアミロイドニューロパチーを示唆）の有無などが参考になる．
- まずは失神発作が，心原性失神，起立性低血圧による失神，反射性失神のいずれの可能性が高いかを病歴などから検討する．疑われた病型に対し，さらなる精査を加え診断を確定していく．
- **原因・考えられる疾患**
- 失神をきたす疾患は表19-1に示すように多岐にわたる．
- 失神の多くは反射性失神であり，過半数を占めるとされる．何らかの誘因がある場合には強く疑われる．

第2章　脳・神経系

■表19-1　失神の原因疾患

分類			原因
心原性失神	不整脈		頻脈性不整脈(上室性, 心室性), 徐脈性不整脈(洞不全症候群, 房室ブロック, ペースメーカー機能不全)
	構造的心肺疾患	心疾患	急性心筋梗塞, 肥大型心筋症, 心タンポナーデ, 弁膜症, 心臓腫瘍(心房粘液腫, 腫瘍)
		大血管疾患	肺塞栓症, 急性大動脈解離, 肺高血圧症
起立性低血圧による失神	薬剤性		降圧薬, 血管拡張薬, 利尿薬, 抗うつ薬, フェノチアジン, アルコール
	血管内容量減少		出血, 下痢, 嘔吐, 脱水
	自律神経障害		パーキンソン病, レビー小体型認知症, 多系統萎縮症, 糖尿病, アミロイドーシス, 脊髄損傷, 腫瘍随伴症候群
反射性失神	血管迷走神経性失神		情動ストレス(不安, 恐怖, 心的外傷, 疼痛またはその予測, 観血など), 長時間の立位あるいは座位保持
	状況失神		咳, くしゃみ, 排尿・排便後, 食後(固形物の嚥下後), 運動後, その他(金管楽器吹奏, 重量挙げなど)
	頸動脈洞症候群		頸部回旋(着替え, 車の運転), 頸部圧迫(ネクタイ, 髭剃りなど)
	てんかん		てんかん発作(意識減損発作)

■表19-2　失神の病態と随伴症状から考えられる疾患(赤字は緊急対応を要する疾患とその随伴症状)

病態	随伴症状	考えられる疾患
心原性失神	動悸, 胸部不快感	不整脈
	胸痛	狭心症, 心筋梗塞
	胸痛, 呼吸困難	心筋梗塞, 肺塞栓症
	心雑音	閉塞性肥大型心筋症, 狭窄性弁膜症, 心房粘液腫
	移動する痛み	大動脈解離
	発熱	心膜炎
起立性低血圧による失神	振戦, 筋強剛	多系統萎縮症, パーキンソン病
	四肢感覚障害	糖尿病性ニューロパチー, アミロイドニューロパチー
	降圧薬服用	薬剤が誘因となった起立性低血圧
	出血, 下痢	循環血液量低下
反射性失神	強い疼痛	血管迷走神経性失神
	精神的ショック	
	咳, くしゃみ 嚥下, 排便, 内臓痛 排尿 運動後 食後 笑う, 金管楽器吹奏, 重量挙げなど	これらを誘因とする状況失神
	ネクタイなどの頸部圧迫, 頸部腫瘍	頸動脈洞症候群
	上腹部不快感, 吐き気, 自動症*, 意識減損	てんかん性失神

＊□をもぐもぐと動かす, その場の状況にそぐわないしぐさをするなどの症状

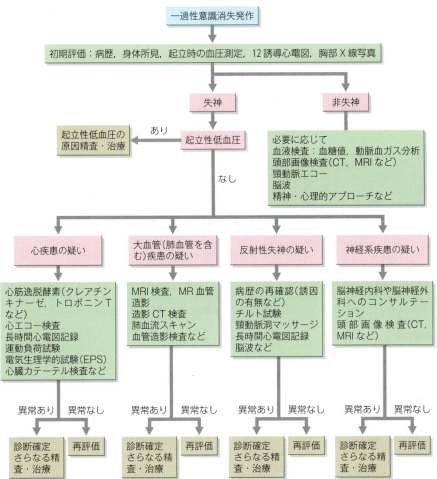

■図 19-2　失神の診断の進め方

■表 19-3　失神と鑑別を要する意識障害の原因

意識消失をきたすが脳全体の低灌流を伴わない病態	てんかん発作（ただし一部は二次的に反射性失神をきたす） 椎骨脳底動脈系の一過性脳虚血発作 低血糖 低酸素血症 低二酸化炭素血症を伴う過換気 薬物中毒
意識消失を伴わない失神に類似した病態	情動脱力発作（カタプレキシー） 転倒発作 機能性（心因性） 内頸動脈系の一過性脳虚血発作

第2章　脳・神経系

- 失神の原因の中には重篤な疾患が隠れていることもあり，見逃さないように注意する必要がある．特に心疾患による失神患者では発作後1年の累積死亡率が他の原因によるものより有意に高いとされ，注意が必要である．
- ●鑑別診断のポイント
- 失神と鑑別を要する病態として，①意識消失をきたすが脳全体の低灌流を伴わない病態，②意識消失を伴わない失神によく似た病態が挙げられる（表19-3）．

治療法・対症療法

失神の原因は多岐にわたるため，原因に応じた治療が必要となる．

- ●治療方針
- 心疾患あるいは大血管疾患については高度の専門性に基づく診断・治療が必要である．心原性失神が疑われた場合には，必要に応じて専門科に相談し，遅滞なく専門的診療を開始する．
- 起立性低血圧による失神については，まずは非薬物療法として急激な起立の回避，誘因（脱水，過食，飲酒など）の回避，誘因となる薬剤の中止を検討する．弾性ストッキングの着用を考慮する．薬物療法としては昇圧薬や副腎皮質ホルモン製剤の投与を検討する．
- 反射性失神については，病態の説明を行い，脱水，長時間の立位，飲酒，塩分制限などを回避するよう指導する．誘因となる薬剤の中止を検討し，前駆症状出現時の回避法を指導する．弾性ストッキングの着用を考慮する．薬物療法としては昇圧薬や副腎皮質ホルモン製剤の投与を検討する．てんかん性失神が疑われる場合には，てんかんの病型診断および抗てんかん薬治療を行う．
- 失神の原因が不明である場合も少なくないが，重度の器質的心疾患や冠動脈疾患，あるいは症状経過や心電図の特徴などから心原性失神の高リスクと考えられる場合には慎重に精査を行う．また心原性失神の高リスク所見がなくても頻回に発作をきたす場合には，繰り返し原因疾患の検索を行い，方針を立てる必要がある．
- ●薬物療法
- 起立性低血圧による失神や反射性失神と判断される場合には，昇圧を目的としたα受容体刺激薬や，循環血液量増加を目的とした副腎皮質ホルモン製剤（鉱質コルチコイド）を使用する．反射性失神のうち，てんかん性失神と判断される場合には抗てんかん薬を使用する．

Px 処方例 昇圧を目的とした処方　下記のいずれかを単独もしくは適宜組み合わせて用いる．
- メトリジン錠（2 mg）　1回1錠　1日2回　朝夕食後　←昇圧薬
- エホチール錠（5 mg）　1回1錠もしくは2錠　1日3回　朝昼夕食後　←昇圧薬

Px 処方例 循環血液量増加を目的とした処方
- フロリネフ錠（0.1 mg）　1回0.25錠　1日2回　朝夕食後　←副腎皮質ホルモン製剤

Px 処方例 てんかん発作の抑制を目的とした処方
- イーケプラ（500 mg）　1回1錠　1日2回　朝夕食後　←抗てんかん薬

■表19-4　失神の主な治療薬

分類	一般名	主な商品名	薬の効くメカニズム	主な副作用
昇圧薬	ミドドリン塩酸塩	メトリジン	交感神経 α_1 受容体刺激による昇圧	眠気，イライラ感
	エチレフリン塩酸塩	エホチール	交感神経 $\alpha \cdot \beta$ 受容体刺激による昇圧	心悸亢進
副腎皮質ホルモン製剤	フルドロコルチゾン酢酸エステル	フロリネフ	鉱質コルチコイド作用	誘発感染症
抗てんかん薬	レベチラセタム	イーケプラ	興奮性神経伝達物質の放出抑制	皮膚粘膜眼症候群，中毒性表皮壊死症，イライラ感，錯乱

失神の病期・病態・重症度別にみた治療フローチャート

```
                    一過性意識消失発作
                    ┌──────────┴──────────┐
                  失神                    非失神
        ┌──────┬──────┬──────┐              │
    心原性失神  起立性低血圧  反射性失神    それぞれの病態
              による失神                  に応じた治療
```

心原性失神	起立性低血圧による失神	反射性失神
原疾患により対応が異なる ※この失神の中には重症不整脈，虚血性心疾患，肺塞栓症など迅速な対応を要する疾患が多数ある	原因疾患の治療 急激な起立の回避 誘因の回避 誘因となる薬剤の中止 弾性ストッキングの着用 昇圧薬などの薬物療法	病態の説明 誘因の回避 誘因となる薬剤の中止 前駆症状出現時の回避法 弾性ストッキングの着用 昇圧薬や抗てんかん薬などの薬物療法

●参考文献
1) 日本循環器学会ほか：循環器病の診断と治療に関するガイドライン，失神の診断・治療ガイドライン（2012年改訂版）
2) 日本循環器学会，日本不整脈心電学会，日本心臓病学会：日本循環器学会/日本不整脈心電学会合同ガイドライン 不整脈の診断とリスク評価に関するガイドライン（2022年改訂版）
https://www.j-circ.or.jp/cms/wp-content/uploads/2022/03/JCS2022_Takase.pdf（2023年8月1日閲覧）

19
失神

第2章　脳・神経系

失神のある患者の看護

藤島　麻美

看護過程のフローチャート

観察項目（OP）	看護問題（看護診断）	看護目標（看護成果）	看護活動（看護介入）

原因・誘因
- **反射性（神経調節性）失神**
  血管迷走神経性失神，状況失神，頸動脈洞症候群など
- **起立性低血圧による失神**
  自律神経障害，薬物・アルコール性，循環血液量減少
- **心原性（心血管性）**
  器質的疾患，不整脈など

#原因・誘因の特定の遅延により治療・看護に遅れが生じる可能性がある

原因・誘因が早期に特定され，適切な治療，処置が受けられる

#失神を予防するための適切な行動がとれない

失神がコントロールできる

OP 経過観察項目
バイタルサイン，病歴，症状，失神時の体位，失神が持続した時間
前駆症状の有無
誘因の有無
心電図検査，胸部X線検査，血液検査，内服薬

身体的問題
- **主症状**
  一過性の意識消失
- **前駆症状**
  悪心，めまい，冷汗，頭痛，胃部不快感，息苦しさ，視野異常，動悸，胸痛
- **随伴症状**
  悪心，振戦，頭痛，尿意，四肢の硬直など

#失神による脳血流低下の危険がある

#失神発作による身体損傷のリスクがある

失神発作の誘因を除去できる

失神発作に伴う身体損傷のリスクに対処できる

失神発作時の身体症状が軽減される

TP 看護治療項目
原因・誘因の除去および早期発見

身体損傷の原因除去および緊急対応

発作時の身体症状に対する安楽

日常生活援助と状態に合わせたリハビリテーションの遂行

#失神発作および随伴症状によって日常生活が制限される

適切な介助が行われ，日常生活が維持できる

ADLの二次的な低下が起こらない

心理・社会的問題
失神に対する不安や恐怖
失神発作による社会的役割の変調
患者・家族の失神発作に対する理解不足や不安

#失神発作に対する不安と恐怖がある

知識，対処法が身につくことにより不安や恐怖が軽減する

#社会的役割の喪失に対する不安がある

社会的役割の調整が行える

#患者・家族が失神発作に対する不安を抱えている

知識，対処法が身につくことにより不安が軽減する

EP 患者教育項目
失神を予防するための日常生活上の注意点

自覚症状出現時の緊急対応

家族に対する説明や周囲の人との関係調整

基本的な考え方

- 失神の原因・誘因は多岐にわたり，重症度や治療も異なるため，原因を早期に特定し，誘因の除去に努めることが必要である．発作時の状況を患者自身が把握することは困難なことが多いため，家族や目撃者からの情報収集，および看護師による注意深い観察が重要である．
- 失神発作による日常生活の制限や，突然起こる発作に対する患者および家族の不安に対して，心理社会的な援助が必要である．

緊急 致死性不整脈や心筋梗塞，肺塞栓症，大動脈解離など生命の危険を伴う失神に対しては，迅速な対応が必要である．これらの疾患を疑わせるサインや情報を見逃さないよう十分な観察を行う．

19 失神

STEP❶ アセスメント	STEP❷ 看護課題の明確化	STEP❸ 計画	STEP❹ 実施	STEP❺ 評価

情報収集	アセスメントの視点と根拠・起こりうる看護問題
病歴の把握	**患者・家族から失神に至る経過，症状の変化を聞くことで，原因・誘因の特定や全身状態の把握につながり，治療や看護ケアにも重要な情報を得ることができる．**
経過	●これまでの失神発作の有無，発作持続時間，頻度，発作時の状況 ●体重および栄養状態の変化 ➡体重減少や貧血を引き起こす消耗性疾患がないかを確認する．
誘因	●利尿薬や降圧薬，中枢神経作動薬などの使用 **原因・誘因** 薬剤起因性の起立性低血圧による失神 ●アルコール摂取量 **原因・誘因** 起立性低血圧による失神または神経調節性失神 ●睡眠不足，過労，痛み刺激，恐怖などの精神的・身体的ストレス **原因・誘因** 血管迷走神経性失神 ●人混み，閉鎖空間などの環境要因 **原因・誘因** 自律神経障害による失神 ●排尿，排便，嚥下，咳嗽，息こらえ，嘔吐，食後など **原因・誘因** 状況失神
前駆症状	●頭重感，頭痛，複視，悪心，眼前暗黒感，めまい，発汗など ➡血管迷走神経性失神ではなんらかの前駆症状を自覚する場合が多い．
既往歴	●不整脈，心疾患，大血管疾患 **原因・誘因** 心原性(心血管性)失神 ●多系統萎縮症，パーキンソン病，脳腫瘍，多発性硬化症 **原因・誘因** 中枢性神経障害による失神 ●ニューロパチー **原因・誘因** 末梢神経障害による失神 ●ヒステリー，てんかんなど **原因・誘因** 精神・神経疾患との鑑別
家族歴	●突然死の有無 ➡遺伝性不整脈や心血管疾患の可能性を考慮する．
発作時の全身状態，随伴症状，検査項目の把握	**反射性(神経調節性)失神や起立性低血圧による失神の場合，通常数分で意識は回復するため，全身状態を観察しながら，慌てず下肢挙上体位をとる．生命の危険を伴う心原性(心血管性)失神との鑑別が重要であるため，既往歴や随伴症状，バイタルサインから心疾患が疑われた場合は速やかに心電図検査を行う．**
意識レベル	●意識消失時の状況，発作持続時間，回復状況 ➡失神発作の場合，意識は自然にかつ完全に回復する．意識障害の持続や認知障害を認める場合には他の疾患を疑う．
バイタルサイン	●体温 ➡低体温や高体温による意識障害と鑑別する． ●血圧 ➡収縮期血圧が 60 mmHg まで低下すると失神に至る．また体位変換時に収縮期血圧が 20 mmHg 以上低下する場合は起立性低血圧を疑う． ●脈拍・リズム ➡徐脈(洞不全症候群，房室ブロック)，頻脈〔心室頻拍(VT)，心室細動(VF)〕などの可能性 **原因・誘因** **緊急** ショック状態，致死性不整脈 ●四肢動脈，頸動脈の拍動触知の有無，左右差，上下肢での圧差 **原因・誘因** **緊急** 急性大動脈解離など器質性心血管疾患の可能性 ●呼吸状態(回数，リズム)，チアノーゼの有無，経皮的酸素飽和度(SpO_2)，呼吸困難 **原因・誘因** **緊急** 肺塞栓症
全身状態	●皮膚 ➡外傷の有無を確認する． ●顔面蒼白，発汗の有無 **原因・誘因** 反射性(神経調節性)失神の前駆症状に多い．

331

第2章 脳・神経系

頭頸部	●四肢の硬直，筋収縮の有無 ➡てんかん発作と区別する. ●脱水，出血の有無 **原因・誘因** 血管内容量減少による起立性低血圧失神 ●外傷の有無 ➡失神発作による二次的障害の可能性がある. ●眼球の偏位，瞳孔異常の有無 ➡脳神経疾患の可能性を鑑別する **原因・誘因** **緊急** 脳出血，脳梗塞 ●頭痛・頭重感の有無 ➡激しい頭痛の場合には，重篤な脳神経疾患の可能性がある **原因・誘因** **緊急** くも膜下出血
胸部	●胸部症状(動悸，胸痛，胸部不快感)の有無と持続時間，程度 **原因・誘因** 心原性(心血管性)失神 **緊急** 心筋梗塞 ●不整脈の有無，持続時間，頻度，程度 **原因・誘因** 心原性(心血管性)失神 **緊急** 致死性不整脈 ●血管雑音の有無 ➡器質性心血管疾患の可能性 **緊急** 急性大動脈解離
腹部	●腹部症状(腹痛，腹部不快感) ➡血管迷走神経性失神では腹部不快感を訴えることが多い. ●血管雑音の有無，拍動性の腫瘤の触知 ➡器質性心血管疾患の可能性 **緊急** 急性大動脈解離，腹部大動脈瘤
発作時の状況	●体位変化の有無 ➡臥位から立位などの体位変化に伴う失神であれば起立性低血圧による失神を疑う.
随伴症状	●動悸，胸部不快感，胸痛など ➡心原性(心血管性)失神を疑う. ●振戦，筋硬直，筋収縮 ➡多系統萎縮症など神経系疾患を疑う.
検査項目	●心電図 ➡異常Q波，ST-Tの異常，QRS幅の延長など **緊急** 心筋梗塞，致死性不整脈 ●胸部・腹部X線写真 ➡失神をきたす心疾患や大動脈疾患の有無を鑑別する. ●採血データ(血糖値，電解質バランス，脱水，低栄養の有無など) ➡血糖や電解質異常による意識障害を区別する. また，脱水や貧血がある場合には血管内容量減少による起立性低血圧失神を疑う. 🔍 **起こりうる看護問題**：失神による脳血流低下の危険がある／失神を予防するための適切な行動がとれない／身体損傷のリスクがある／失神発作および随伴症状によって日常生活が制限される

失神への緊急対応

●心原性(心血管性)失神では，致死性不整脈や心筋梗塞，肺塞栓症，大動脈解離など，重篤な疾患が原因となることが多いため，迅速なバイタルサインの測定，注意深い観察，および心電図などの各種検査の速やかな施行が重要である.
●反射性〈神経調節性〉失神では前駆症状を伴うことが多い. 患者が何らかの前駆症状を自覚した場合には，しゃがみ込んだり横になることで失神発作そのものが予防できることがある. また，転倒による二次的障害の予防に効果的である.

患者・家族の心理・社会的側面の把握	失神の再発に対する不安や恐怖，今後の日常生活への影響に対する不安などの心理的状態，および対処方法に関する知識や社会的資源についてアセスメントする. ●失神発作に対する不安の表情，言動，行動 ●身体的な反応の有無と内容 ●病態，治療法，予防法，対処方法に関する知識と理解度 ●患者および家族の社会的役割 ●利用可能な社会的資源の有無 🔍 **起こりうる看護問題**：失神発作に対する不安と恐怖がある

| STEP❶ アセスメント | STEP❷ 看護課題の明確化 | STEP❸ 計画 | STEP❹ 実施 | STEP❺ 評価 |

看護問題リスト

- #1 失神による脳血流低下の危険がある(活動-運動パターン)
- #2 失神を予防するための適切な行動がとれない(健康知覚-健康管理パターン)
- #3 失神発作による身体損傷のリスクがある(健康知覚-健康管理パターン)
- #4 失神発作や随伴症状によって日常生活が制限される(活動-運動パターン)
- #5 患者・家族が失神発作に対する不安を抱えている(自己知覚パターン)

看護問題の優先度の指針

- 失神は通常予測が困難で，時に致死的な疾患の可能性が潜んでいることがあるため，まず患者の状態を把握し，生命の危険に関することから優先的に対処する．同時に，身体症状の軽減や二次的障害の予防的看護を行う必要がある．
- 失神は「疾患」ではなく，多様な病態を含む「症状」である．原因・誘因の特定のため，患者の身近にいる看護師の発生時の注意深い観察，詳細な病歴聴取および初期のアセスメントが重要である．
- 反射性(神経調節性)失神，起立性低血圧による失神では，失神発作を繰り返すことで日常生活に影響を及ぼすため，適切な日常生活援助を行う必要がある．
- 患者は再発の不安を感じるため，誘因の除去，前駆症状自覚時の対処などの教育的関わりに加えて，心理的ケアも行っていく必要がある．

19 失神

| STEP❶ アセスメント | STEP❷ 看護課題の明確化 | STEP❸ 計画 | STEP❹ 実施 | STEP❺ 評価 |

1 看護問題	看護診断	看護目標(看護成果)
#1 失神による脳血流低下の危険がある	非効果的脳組織灌流リスク状態 **関連する状態**：心房細動，洞不全症候群，動脈解離，塞栓症	〈長期目標〉脳血流が回復し，それを維持できる 〈短期目標〉1)失神に伴う身体症状が改善する．2)原因疾患に対する治療を速やかに受けることができる

| 看護計画 | 介入のポイントと根拠 |

急性期の緊急対応

下肢挙上(心臓より高い位置)，水平臥位をとる
15〜30 cm
補液のための末梢血管確保
意識レベルを確認する

失神発作時の血圧測定，状況確認，心電図はその後の診断に重要な情報となる
心原性失神が疑われる場合：12誘導心電図検査の施行，ドクターコール，救急カート(投薬や蘇生の必要性に備える)を準備する

OP 経過観察項目	
●患者に声をかけ，痛み刺激などで意識レベルを確認する	⮕失神は，神経学的後遺症を残さず自然に意識の回復が得られるものとされ，脳血管障害などによる意識障害と区別して理解する必要がある

第 2 章　脳・神経系

●心疾患のある患者の心電図モニタリング中に失神が起こった場合は即座に心電図を確認する. 緊急性の高い致死性不整脈には迅速な対応が求められる ●継続的な観察を怠らない	⮕疑わしい場合は, 迅速な 12 誘導心電図検査とドクターコールを行う ⮕致死性不整脈による失神では, 意識が回復せずそのまま心肺停止に至ることもあるため, 心肺蘇生に取りかかれるよう準備する

TP 看護治療項目

●血圧の低下がみられる場合は下肢の挙上を行う	⮕ **根拠** 静脈還流を増大させ前負荷の増大から心拍出量, 脳血流量が増加する
●悪心・嘔吐を伴う場合は, 側臥位または腹臥位で, 顔を横を向かせる	⮕ **根拠** 嘔吐による誤嚥, 舌根沈下による窒息を防止する
●衣類を調整する (きつい襟, ネクタイ, ベルトなどをしている場合)	⮕ **根拠** 血流を阻害する物理的因子を取り除く
●補液が必要な場合は末梢血管を確保する	⮕ **根拠** 循環血液量増加のため, 生理食塩液や鉱質コルチコイドなどの輸液が行われる場合がある

OP 経過観察項目

●意識状態	⮕ **根拠** 数分以内に意識の回復があるかどうかにより, 脳血管障害などによる意識障害と区別することが必要である
●血圧	⮕ **根拠** 収縮期血圧が 60 mmHg まで低下すると失神に至る. 反射性 (神経調節性) 失神や起立性低血圧による失神の場合, 下肢挙上, 水平臥位による脳血流促進により数分以内に自然に意識が戻り, 血圧も回復する
●脈拍・リズム, 四肢動脈, 頸動脈の拍動触知の有無, 左右差, 上下肢での圧差	⮕ **根拠** 典型的な失神発作では徐脈 (30〜50 拍/分以下) が認められるが, 頻脈 (150〜180 拍/分超) による失神では危険な不整脈の可能性もある. 心疾患の可能性を知るためには脈拍・リズムのアセスメントが必須項目である ⮕失神の原因となる徐脈性不整脈には房室ブロック, 洞不全症候群, 徐脈性心房細動がある ⮕左右差, 上下肢での圧差を認めた場合には大動脈解離など循環器疾患の可能性を考える
●心電図モニター (異常 Q 波, ST-T の異常, QRS 幅の延長などの有無) ●呼吸状態 ●外傷, 打撲の有無 ●頸部, 胸部, 腹部の聴診	⮕ **根拠** WPW 症候群, ブルガダ症候群, QT 延長症候群などの心疾患では失神をきたすことがある ⮕ **根拠** 血管雑音の有無, 拍動性腫瘤の有無を判断することで, 循環器疾患の関連を推測する

TP 看護治療項目

●患者の状況を観察し, 安楽な体位をとる	⮕ **根拠** 失神時は身体症状を伴うため, 速やかに安楽な体位をとるようにする
●観察した状況を正確に記録する	⮕ **根拠** 失神時の状況はその後の原因の特定に必要不可欠な情報である
●失神による不安に対して, 声かけを行う	⮕ **根拠** 反射性 (神経調節性) 失神の場合, ストレスなど心理的要因が関与するため, 患者の心理的ケアが重要である

EP 患者教育項目

●気分不快, 血の気が引くような感じなどがあった場合は, しゃがみこんだり横になるなどして, 転倒に備えるよう指導する	⮕ **根拠** 失神を繰り返す患者には, 患者自身による失神回避行動が有効である

2 看護問題	看護診断	看護目標（看護成果）
#2 失神を予防するための適切な予防行動がとれない	**非効果的健康自主管理** **関連因子**：治療計画についての知識不足 **診断指標** □治療計画を日常生活に組み込めない □危険因子を減らす行動がとれない	〈長期目標〉可能な限り失神発作がコントロールできる 〈短期目標〉1) 失神の誘因や前駆症状を理解する．2) 失神を予防するための方法を言葉で説明する．3) 失神を予防するための行動を実践する

19 失神

看護計画 / 介入のポイントと根拠

OP 経過観察項目

- 失神発作時の状況
  - ➡ 根拠 状況失神として排便，排尿，嚥下，咳嗽，運動後などが考えられる
- 失神発作時の前駆症状の有無
  - ➡ 根拠 血管迷走神経性失神では頭重感，頭痛，複視，悪心，眼前暗黒感，めまい，発汗など，なんらかの前駆症状を自覚する場合が多い
- 体重減少の有無
  - ➡ 根拠 体重減少や貧血を引き起こす疾患がある場合，原因疾患の治療が必要である
- 利尿薬や降圧薬，中枢神経作動薬など薬物の作用
  - ➡ 根拠 高齢者 特に高齢者では圧受容器反射の機能低下などのため，薬剤による血圧低下作用が生じやすい
- アルコール摂取量
- 睡眠不足や過労の有無を含む日常生活パターン
- 痛み刺激，恐怖など，精神的・身体的ストレスの有無
- 人混み，閉鎖空間などの環境要因など
  - ➡ 根拠 日常生活の注意点を守ることが失神予防に有効である．誘因を詳しくアセスメントし，退院時の生活指導へつなげていく
- 失神の誘因に対する理解の程度
  - ➡ 失神の誘因を除去するには，患者が失神の誘因について正しく理解していることが必須である
- 失神の予防方法についての理解の程度
  - ➡ 根拠 誘因を除去し，前駆症状の自覚時に適切に対処することによって失神発作を可能限りコントロールすることができる

TP 看護治療項目

- 継続的な観察を行い，原因の特定が早期に行われるよう情報の整理と医師への情報提供を行う
  - ➡ 根拠 失神時の状況，バイタルサイン，検査所見などはその後の原因の特定に重要な情報である
- 状況失神が疑われる患者では，排尿，排便など失神が起こりやすい状況下において，患者を1人にしないように見守る
  - ➡ 根拠 失神は夜間から明け方に起こりやすいため，特に注意を要する
- 転倒に備えて周囲の危険物を除去する
  - ➡ 根拠 骨折や頭部外傷など，二次的障害の危険がある
- 臥位患者は血圧に注意しながらゆっくりベッドアップを行い，起立時はゆっくり動作を行うよう声をかける
  - ➡ 根拠 急激な体位変換は失神を誘発することがある 高齢者 特に高齢者では食後の腸管への血流移行が原因で失神をきたすことが多い
- 失神は不快症状を伴うため，発作時はできる限り早い脳血流回復のための処置を行う．#1「急性期の緊急対応」参照
  - ➡ 根拠 発作時は十分な脳血流が保持できないため，回復が遅れることで脳組織へのダメージを残すこともある．一過性健忘症などが認められることもある

EP 患者教育項目

- 原因・誘因の除去によって失神をコントロールできる可能性を伝える
  - ➡ 根拠 患者教育には，理由と根拠を示してモチベーションを高める働きかけが必要である

- 気分不快，血の気が引くような感じなどがあった場合には，横になるなどして，失神の回避と転倒に備えるよう指導する

⇒ 根拠 圧受容器反射系の異常や循環血液量の低下状態が失神を起こすため，横になることで心臓への循環血液量，脳への血流量を保つ

⇒ しゃがみ込む，横になる以外にも，立ったまま足を動かす，足を交差させて組む，腹部を曲げてしゃがみこむ，両腕を組み引っ張り合うなどの体位，あるいは等尺性運動をすることは，血圧の上昇に有効である

- 急に起立しないように指導する

⇒ 根拠 臥位から立位になると，約500～800 mLの血液が胸腔内から下肢や腹部内臓系へ移動し，心臓への循環血液量が約30％減少する．通常は圧受容器反射系の賦活によって血流量が保たれるが，失神患者では何らかの異常によって急激な血圧低下をきたす

- 弾性ストッキング着用，チルト訓練（図 19-3）などのほか，上半身を高くした睡眠などを勧める

⇒ これらの効果は個人差があるため，有効かどうか評価を行いながら進めていく

見やすい位置に時計を置く

15～20 cm

■図 19-3 チルト訓練

病院や自宅などの壁を利用して行う起立訓練により，失神発作の再発を予防する．
方法：
①両足を壁の前方 15～20 cm に出し，殿部，背中，頭部で後ろの壁に寄りかかる．
②①の姿勢を 30 分継続する．起立訓練中は下半身（下肢）を動かさないよう患者に注意する．
③1 日に 1～2 回，毎日繰り返す．毎日繰り返す中で起立時間を徐々に延長し，2～3 週間で 30 分間の起立が可能となる．

- アルコール摂取量を減らし，過労，精神的・身体的ストレス，環境要因などをできるだけ取り除くように指導する
- 状況失神には，それぞれの状況に合わせた指導を行う
  ・排尿：過度の飲酒を控える．男性でも座位で排尿するよう指導する
  ・排便：腹痛や下痢・便秘は失神の誘因となるため，便通コントロールを行う．夜間の排便を避ける
  ・嚥下：誘因となる食物（固形物，湯，冷水，炭酸飲料）を避け，固形物は十分に咀嚼し小さくしてから飲み込む
  ・咳嗽：咳の予防として禁煙，減量を指導し，基礎に肺疾患がある場合はその治療を行うことも有効である

⇒ 根拠 心原性（心血管性）失神以外の失神では，薬物治療を行わず，生活指導だけで改善する場合がある

⇒ 根拠 失神発作の過半数は飲酒後に起こるといわれることから，飲酒を控えることが重要である
⇒ 根拠 排便時のいきみによる静脈還流の減少，腸管の機械受容器を介した迷走神経反射が加わって血圧低下や徐脈をきたす
⇒ 根拠 食道圧受容期の感受性亢進による迷走神経反射が原因である

⇒ 根拠 肥満，または頑強で胸郭が大きい患者に多く，喫煙者，慢性閉塞性肺疾患の合併も多い

3	看護問題	看護診断	看護目標（看護成果）
	#3　失神発作による身体損傷のリスクがある	**損傷リスク状態** **危険因子**：修正可能な因子についての知識不足，物理的障壁	〈長期目標〉身体の損傷を起こさない 〈短期目標〉1) 身体損傷の危険性を理解する．2) 身体損傷を予防する方法を言葉で説明する．3) 身体損傷を予防する行動を実践する

19
失神

看護計画	介入のポイントと根拠

OP 経過観察項目
- 失神発作の頻度，状況
- 誘因のコントロール状況
- 生活環境の危険因子

- 患者の危険に対する認識

⮕ 根拠 危険の予測に有用である
⮕ 誘因のコントロールによって失神を予防する
⮕ 角のとがったもの，滑りやすい廊下，段差，不十分な照明などが危険因子となる
⮕ 根拠 患者自身がどれくらい危険に注意を払っているかを把握することで，看護ケアや患者教育に結びつけることができる

TP 看護治療項目
- 注意深く観察し，患者の身の回りの危険因子をアセスメントする
- 机や棚の角など，失神時に身体損傷を引き起こす可能性のある物理的因子を取り除く
- 排尿，排便，運動後，採血時など，特に失神が誘発されやすい状況においては，患者の付き添いを徹底する
- 前駆症状があった時に患者が回避行動をとれるようナースコールを手もとに置き，手すり，滑り止め，車椅子の準備など，安全対策を講じる
- 失神の誘因となる薬物内服の有無をアセスメントし，用量や副作用の出現に注意する

⮕ 入院環境はもちろんのこと，自宅の環境も患者や家族から聴取し，退院指導へつなげる
⮕ 危険物を置かないことが基本であるが，保護材やクッションなどの使用も有効である
⮕ 特に夜間の排泄時に失神が起こりやすく，滑りやすい床や狭い個室などの危険因子，さらに夜間のトイレは利用者も少なく発見が遅れる可能性が高いため，必ず付き添う

⮕ 近年では，サプリメント，栄養機能食品，またそれらと処方薬剤の相互作用により薬剤性失神をきたす例も報告されているため，注意深い問診と副作用出現の観察が必要である

EP 患者教育項目
- 気分不快，血の気が引くような感じなどがあった場合には，横になるなどして，失神の回避と転倒に備えるよう指導する
- 前駆症状があった場合は看護師にすぐに知らせるよう伝える
- チルト訓練（図 19-3）を指導する
  - 1日2回，1回30分間，壁面を利用して起立訓練を行う

  - 訓練中は下半身を動かしてはいけない

⮕ 根拠 前駆症状を自覚したときの患者自身による回避行動は，身体損傷のリスク軽減に重要である．場面を想定してデモンストレーションを行うなどして指導する

⮕ 根拠 立位負荷時の交感神経機能亢進をトレーニングによって抑制し，心臓の過収縮を予防して機械受容器からの求心性迷走神経活性化を抑制する
⮕ 根拠 下半身を動かすことによって，筋肉が収縮し静脈還流が増加する

第 2 章　脳・神経系

4 看護問題	看護診断	看護目標（看護成果）
#4　失神発作および随伴症状によって日常生活が制限される	**活動耐性低下** **診断指標** □活動時の異常な血圧反応 □活動時の異常な心拍反応 □心電図の変化 □労作時不快感	〈長期目標〉活動量が維持される，または増える 〈短期目標〉1) 活動可能な範囲について理解する．2) 活動耐性を高めるための方法を言葉で述べる．3) 活動耐性を高めるための方法を実践する

看護計画	介入のポイントと根拠
OP 経過観察項目 ● 活動時のバイタルサインの変化 ● 活動時のめまい，気分不快などの失神の前駆症状の有無 ● 失神が生じる状況，環境などの誘因 ● 食事，清潔，入浴，排泄など日常生活動作 (ADL) の自立状況 **TP 看護治療項目** ● 安静時と活動時のバイタルサイン，自覚症状，身体所見を比較し，患者の活動可能範囲を的確にアセスメントする ● 食事，清潔，入浴，排泄など，援助が必要なADL に対して必要なケアを行う ● 適度な運動は失神予防や ADL 拡大に有用であるため，可能な範囲で運動を促す ● 適度な休息期間を設けるなど，患者の 1 日の生活スケジュールを調整する **EP 患者教育項目** ● 失神発作を繰り返す場合，自ら危険サインに気づいて予防行動を行うことが必要であるため，決して無理をせず，気分不快時は休息をとるように伝える ● 前駆症状があった場合には横になるなどして，失神の回避と転倒に備えるよう指導する ● 前駆症状があった場合は看護師にすぐに知らせるよう伝える ● チルト訓練や適度な運動を指導する	⇨ 特に多系統萎縮症などの神経難病で起立性低血圧のある患者は，体位変換による血圧低下，徐脈，ふらつきなどの症状が日常的にみられ，日常生活への影響やリハビリテーションの遅延，廃用症候群の悪化が生じることがある **高齢者** 特に高齢者では筋力や体力の低下から，日常活動が制限されやすい ⇨ 安静時より収縮期血圧の 20 mmHg 以上の低下，脈拍の減少，ふらつき，気分不快などの症状が出現したら，失神の前駆症状であるため安静保持を勧める ⇨ **根拠** 食事，入浴，排泄などの ADL は迷走神経活動の亢進，交感神経活動の低下をきたしやすい ⇨ 臥床したままできる等尺性運動も有効である ⇨ **根拠** 心理的ストレスや疲労は失神の誘因となる ⇨ 頻繁に休息を必要とする患者は，周囲からしばしば怠けているなどとみられる．看護師は活動と休息のバランスを考え，患者の心理・社会的側面に配慮する必要がある

5 看護問題	看護診断	看護目標（看護成果）
#5　患者・家族が失神発作に対する不安を抱えている	**不安** **関連因子**：ストレッサー（ストレス要因），満たされないニーズ **診断指標** □緊張感 □不安定な気持ち □どうすることもできない無力感	〈長期目標〉患者・家族が安心を表現する 〈短期目標〉1) 不安の内容を言葉に出して表現する．2) 不安の軽減を表情や言葉で示す

□心拍数増加
□緊張を示す
□震える声
□混乱

19 失神

看護計画	介入のポイントと根拠
OP 経過観察項目 ● 不安や緊張の表情，言動，行動など ● 不安の内容 ● 身体的な反応 ● 発作時の状況や病態，治療法，予防法などに関する質問の有無，理解度	➡ 不安の内容は，疾患，治療法，症状，社会的役割，疾患が及ぼす家族への影響など，多岐にわたるため，患者の思いを傾聴することで不安の内容を把握することが重要である ➡ **根拠** 意識消失をきたす失神では，発作時に状況を把握できないことが患者をさらに不安にさせる．行われた処置，今後発作が起きた場合の対処，日常生活への影響の可能性などについて十分に説明を行う必要がある
TP 看護治療項目 ● 失神発作時には，患者の不安を軽減するよう声かけをし，身体症状をできるだけ早く取り除くよう対処する ● 病態や治療，今後起こりうる可能性について医師から十分な説明を受けているか，どのように疾患を受け止めているかを確認し，不足していれば補う ● 失神発作に伴う日常生活行動や社会的役割への影響を予測し，患者・家族と今後について話し合う	➡ **根拠** 発作時は身体不快感や不安を伴うため，看護師が声かけを忘れずに，落ち着いて適切に対処することが患者の不安の軽減につながる ➡ **根拠** 失神は複雑な病態を示すため，原因や治療の特定に時間を要することがある．また，数種類の検査を行うことがあるため，検査期間の患者への丁寧な説明や身体・心理的負担への配慮，検査結果の説明などを，患者・家族に継続的に行っていくことが不安の軽減につながる ➡ **根拠** 失神発作を繰り返す場合，日常生活や社会的役割に支障をきたすため，援助資源の確保や役割変更が必要となる．したがって家族を含めた話し合いと適切な情報提供が必要である
EP 患者教育項目 ● 予防法や失神発作時の対処法を確認し，患者がコントロールできるという自信をつけさせる ● 不安や質問がある時は，いつでも相談してよいことを伝える ● 失神時の対処については，患者だけでなく，家族にも指導を行う	➡ **根拠** ほとんどの場合，失神は制御が不可能と思われがちであるが，近年，チルト訓練など予防法の効果も明らかとなっており，患者が自らコントロールするための知識や資源の提供を行っていく必要がある

STEP ❶ アセスメント ▶ STEP ❷ 看護課題の明確化 ▶ STEP ❸ 計画 ▶ STEP ❹ 実施 ▶ STEP ❺ 評価

病期・病態・重症度に応じたケアのポイント

【急性期】致死性不整脈や心筋梗塞，大動脈解離，肺塞栓症など生命の危険を伴う失神に対しては迅速な対応が必要である．これらの疾患を疑わせるサインや情報を見逃さない注意深い観察を行い，症状の進行に備えた緊急対応の準備を行う．

【回復期】日常生活が自立している反射性（神経調節性）失神は予後良好であるが，自動車事故，転落事故，入浴中の発作による死亡などの危険と隣り合わせであることや，繰り返す失神発作のために，就労などの問題が発生する可能性があるため，生活指導や心理的ケアを通して，患者の QOL 向上のための看護ケアを行っていく必要がある．

339

第 2 章　脳・神経系

看護活動（看護介入）のポイント

診察・治療の介助
- 発作時のバイタルサイン，状況，意識状態などを観察する．
- これまでの経過や既往歴，内服薬など，原因特定のために注意深い問診を行う．
- 致死性不整脈や重大な心疾患との鑑別のため，これらが疑われる場合は速やかに12誘導心電図検査の施行や各種検査の準備を行う．

失神時の援助
- 脳血流保持のため，速やかに下肢挙上の水平臥位をとる．
- 周囲の危険物を除去する．
- 意識の回復がみられるまで患者のそばを離れず，バイタルサインや身体所見，意識レベルの継続的な観察を行う．

退院指導・療養指導

- 前駆症状を自覚した場合には，横になったりしゃがみ込むなど，失神・転倒予防に努めるよう指導する．
- 適度な休息をとり，過労や心理的ストレスの軽減に努めるよう生活の調整を行う．
- チルト訓練や適度な運動を勧め，失神予防法を指導する．

STEP❶ アセスメント　STEP❷ 看護課題の明確化　STEP❸ 計画　STEP❹ 実施　STEP❺ 評価

評価のポイント

看護目標に対する達成度
- 失神に伴う身体症状が速やかに軽減される処置が受けられているか．
- 失神発作を可能な限りコントロールするための知識や資源を得ているか．
- 失神の誘因や予防法を言葉に出せるか．
- 身体損傷を予防するための環境整備や予防法がとられているか．
- 活動耐性を高めるための運動を行えているか．
- 適切な援助が得られることで日常生活を不便なく送ることができているか．
- 患者・家族は不安が軽減したことを表現できているか．

●参考文献
1) 今泉勉監：失神の診断と治療，メディカルレビュー社，2006
2) 日本循環器学会ほか：循環器病の診断と治療に関するガイドライン，失神の診断・治療ガイドライン（2012年改訂版）

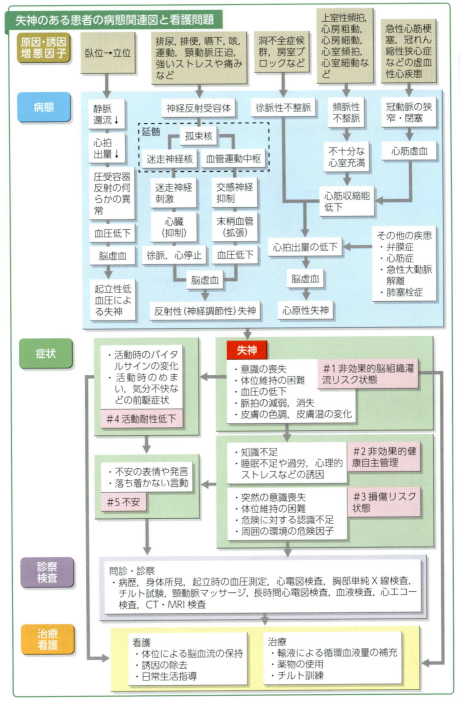

20 意識障害

古川 裕・山田 正仁

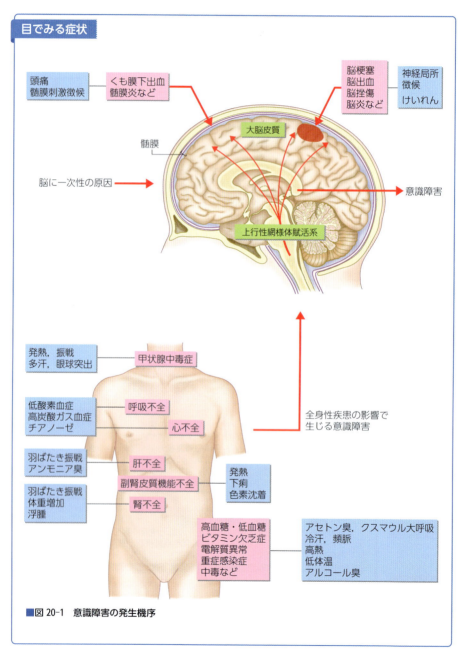

■図 20-1 意識障害の発生機序

病態生理

意識には，①覚醒，②認識の2つの要素があり，これらが障害された状態を意識障害という．一般的には覚醒度の障害を指すことが多いが，せん妄，錯乱，無動性無言，失外套症候群といった，覚醒度のみでは表現しがたい特殊な意識障害もある．

- 意識は上行性網様体賦活系（橋および中脳の被蓋傍正中部から視床下部に存在）から大脳皮質全体への広範な投射経路を介して大脳皮質が賦活されることにより維持される．
- したがって意識障害がある場合には，上行性網様体賦活系もしくは両側大脳皮質の広範な障害の存在が考えられる．
- 意識障害の原因は多岐にわたるが，その病態は中枢神経系自体に一次性に病変がある場合と，全身疾患の影響で二次性に中枢神経系が障害されている場合に大別される（表20-1）．

■表20-1 意識障害の原因または考えられる疾患（基本的にすべて緊急対応を要する）

一次性に中枢神経が障害される疾患			全身疾患に伴い二次性に中枢神経が障害される疾患		
1. 脳血管障害	脳梗塞 脳出血 くも膜下出血 脳静脈・静脈洞閉塞症など		1. 代謝・内分泌	糖代謝障害	低血糖，糖尿病性ケトアシドーシス，非ケトン性高浸透圧性昏睡など
				電解質異常	ナトリウム，カルシウム，マグネシウム異常など
2. 外傷	脳震盪（とう），脳挫傷 頭蓋内血腫（硬膜外，硬膜下，脳内）など			肝障害 腎障害 内分泌異常	高アンモニア血症など 尿毒症など 甲状腺中毒症 副腎皮質機能不全など
3. 炎症	感染症	脳炎 髄膜炎 脳膿瘍，硬膜下膿瘍など		ビタミン欠乏症	ビタミンB_1欠乏症（ウェルニッケ脳症） ビタミンB_6欠乏症 ビタミンB_{12}欠乏症 ナイアシン欠乏症（ペラグラ脳症）
	自己免疫	急性散在性脳脊髄炎 全身性エリテマトーデス その他の血管炎など		ミトコンドリア異常症	MELAS*，リー脳症
			2. 循環・呼吸	低酸素血症	心不全，肺炎，貧血，窒息など
				高炭酸ガス血症 高血圧症	慢性閉塞性肺疾患など 高血圧性脳症
4. 腫瘍	原発性脳腫瘍 転移性脳腫瘍 悪性リンパ腫 髄膜がん腫症など		3. 中毒	薬物中毒	睡眠薬，抗精神病薬，抗てんかん薬，麻薬，農薬など
				アルコール中毒（急性・慢性） 一酸化炭素中毒 水中毒	
5. てんかん	発作重積状態 全般起始発作 意識減損発作 発作後もうろう状態など		4. 体温異常	高体温 低体温	
			5. その他	敗血症に伴う脳症 精神疾患など	
6. その他	中心性橋髄鞘崩壊症 水頭症など				

＊MELAS：ミトコンドリア脳筋症・乳酸アシドーシス・脳卒中様発作症候群

第2章　脳・神経系

■表20-2　意識障害の随伴症状と考えられる疾患(基本的にすべて緊急対応を要する)

	随伴症状	考えられる疾患
一次性に中枢神経が障害される疾患	突発する頭痛 頭痛，発熱，髄膜刺激徴候 嘔吐 けいれん 神経局所徴候 外傷	くも膜下出血 脳炎，髄膜炎，膿瘍，急性散在性脳脊髄炎 脳炎，髄膜炎，脳腫瘍，頭蓋内血腫，脳梗塞，脳出血 てんかん，脳炎，脳腫瘍 脳梗塞，脳出血，脳挫傷，脳炎，脳腫瘍 脳挫傷，頭蓋内血腫
二次性に中枢神経が障害される疾患	冷汗，頻脈 クスマウル呼吸，アセトン臭 アンモニア臭 羽ばたき振戦 発熱，頻脈，多汗，眼球突出 発熱，下痢，皮膚色素沈着 チアノーゼ 高体温 低体温	低血糖 糖尿病性ケトアシドーシス 高アンモニア血症 高アンモニア血症，尿毒症，高炭酸ガス血症 甲状腺中毒症 副腎皮質機能不全 低酸素血症 重症感染症，熱中症 アルコール中毒，循環不全

患者の訴え方

●主症状の訴え
- 患者自身が意識障害を訴えて来院することは考えにくい．家族などの他者が普段と様子の違うことを訴えて病院を受診させることが通常である．
- 他者からの訴えとしては「全く無反応になった」「興奮するようになり意思疎通がとれなくなった」「幻覚があるようだ」，軽度の場合では「眠りがちになった」「つじつまの合わないことを言うようになった」「ぼーっとしている」など．

●随伴症状
- 原因疾患により様々な症状を伴いうる(表20-2)．呼吸異常，発熱，項部硬直，けいれん，冷汗，頭痛，麻痺，不随意運動などを伴うことがある．

診断

重症の意識障害の場合には一見してそれとわかるので，ただちに対応する．軽症の場合には例えば高齢や難聴，認知症などのため普段からこんなものだろう，と意識障害の存在自体が見過ごされる場合もあるため注意を要する．診断にあたっては，病歴聴取，一般身体所見，神経学的所見の確認を救急処置と並行して遅滞なく行うことが必要である．軽症の意識障害の場合には，十分な病歴聴取や過去の診療録との比較から意識レベルに変化が生じていることを認識することが重要である．

- 病歴聴取：患者自身から詳細な病歴を聴取することは困難であり，患者と会話ができたとしても正確な情報を得ることは難しい．したがって，家族など他者からの情報が重要である．下記の点に留意しながら病歴を聴取する．認知症との区別では，経過で症状の変動があるかを確認する．
  - ・発症様式：突然発症か，徐々に増悪したか，どの程度の速さで増悪したかなど．
  - ・随伴症状：発熱，けいれん発作，不随意運動の有無など．
  - ・基礎疾患の有無：膠原病，感染症，内分泌・代謝性疾患など．
  - ・常用薬の有無とその内容．
  - ・既往歴：意識障害の既往の有無，胃切除歴の有無など．
  - ・飲酒歴：アルコール多飲の有無のほか，偏食の有無についても確認する．
  - ・最近の精神状態：精神症状がある場合，薬物大量摂取や水中毒などの可能性を示唆．
- 一般身体所見
  - ・バイタルサイン：血圧，脈拍，体温，呼吸状態．
  - ・一般内科学的所見：頭頸部，胸腹部，四肢の異常について確認．
  - ・外傷の有無：衣服を脱がせて全身を確認する．眼窩周囲，耳介後部の血腫の有無，耳・鼻からの髄液漏出の有無(頭蓋底骨折の可能性を示唆)．

344

■表20-3　ジャパン・コーマ・スケール
（JCS，3-3-9度またはⅢ-3方式）

	0	意識清明
Ⅰ．覚醒している	1	ほぼ意識清明だが今一つはっきりしない
	2	見当識障害がある
	3	自分の名前，生年月日が言えない
Ⅱ．刺激すると覚醒する	10	普通の呼びかけで容易に開眼する
	20	大声または揺さぶりで開眼する
	30	痛みを加えつつ呼びかけるとかろうじて開眼する
Ⅲ．刺激しても覚醒しない	100	痛みを与えると払いのける動作をする
	200	痛みを与えると，少し手足を動かしたり顔をしかめたりする
	300	痛みに全く反応しない

不穏（R），尿失禁（I），無動性無言（A）がある場合にはスケールの後にそれぞれ R, I, A をつける．100-R など．

■表20-4　グラスゴー・コーマ・スケール
（GCS）

		評点
開眼（E）	自発的に開眼	4
	呼びかけにより開眼	3
	痛み刺激により開眼	2
	全く開眼しない	1
発語（V）	見当識あり	5
	混乱した会話	4
	不適当な言葉	3
	理解不明な音声	2
	全く発語なし	1
運動（M）	命令に従って四肢を動かせる	6
	痛み刺激部を認識して指で示せる	5
	痛みに対して四肢を逃避させる	4
	痛みに対して四肢を屈曲する	3
	痛みに対して四肢を伸展する	2
	全く動かさない	1

開眼・発語・運動の3項目に分けて評価する．
それぞれの評点に応じて E4V4M5 などと記載する．

20
意識障害

- ・咬舌の有無．
- ・尿・便失禁の有無．
- ・皮膚色調：低酸素血症時のチアノーゼ，一酸化炭素中毒時の鮮紅色など．
- ・呼気臭：アセトン臭，アンモニア臭などは代謝性疾患を示唆．
- ●神経学的所見
  - ・重症度の把握：ジャパン・コーマ・スケール（JCS）（表20-3），グラスゴー・コーマ・スケール（GCS）（表20-4）を用いて評価する．また具体的な状況（強い痛み刺激で3cm程度上肢を屈曲した，呼びかけに対して容易に開眼したが5秒で目を閉じたなど）も記載しておくほうがよい．
  - ・呼吸パターンの判定，脳ヘルニア徴候の有無．
  - ・髄膜刺激徴候の有無：項部硬直，ケルニッヒ徴候など．
  - ・神経局所徴候の有無：眼症候（瞳孔不同，対光反射異常，共同偏視），片麻痺，反射異常の有無（左右差の有無に注目する）など．
- ●原因・考えられる疾患
- ●意識障害の原因は表20-1に示したように多岐にわたる．意識障害は中枢神経系に一次性の障害が起きている場合と，全身疾患の影響で二次性に中枢神経系に障害をきたした場合に大別される．前者の場合では髄膜刺激徴候や神経局所徴候を伴っていることが多い．これに対し，後者の場合には神経局所徴候は認めないことが多い．

治療法・対症療法

治療は原則として原因診断に基づくべきである．しかし，意識障害においては短時間に刻々と患者の状態が変化し生命に危険が及んでいる場合も少なくない．その場合にはただちに治療を開始する必要がある．原因診断が重要であることはいうまでもないが，それにこだわるために急を要する治療が遅れるようなことがあってはならない．

- ●治療方針
- ●まずはバイタルサインを確認し，モニター装着，静脈路確保，尿道カテーテル留置などの基本的な救急処置を行う．
- ●呼吸不全，循環不全があれば，ただちにそれらの治療を開始する．

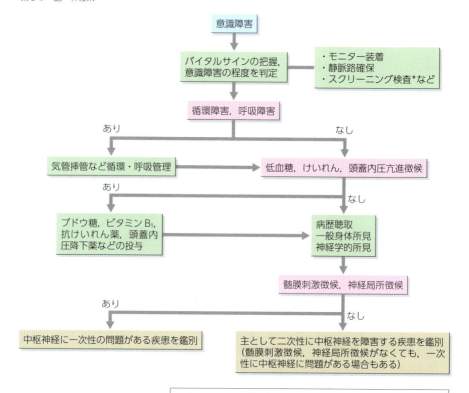

■図 20-2　意識障害の診断の進め方

- けいれん発作を伴っている場合には抗けいれん薬を投与する．
- 脳ヘルニア徴候があれば，頭蓋内圧降下薬を投与する．
- 低血糖発作の可能性がある場合にはブドウ糖の静脈投与を行う．
- ウェルニッケ脳症が疑われる場合にはビタミンB_1の投与を行う．
- 意識障害は，一次性であれ二次性であれ，中枢神経系に異常をきたしている状態であり，入院加療が原則である．循環・呼吸状態が不安定な場合やけいれん重積状態の場合には集中治療室で加療を行う．
- 意識障害患者においては刻々と状態が変化する可能性がある．一般病棟へ入院する場合であっても，常に状態を監視できるようにしておく必要がある．

●薬物療法

Px 処方例　けいれんを起こしている場合　下記の順に投与する．

1) セルシン注(10 mg)　1回 10 mg　静注　←抗てんかん薬
   ※けいれん発作が停止しない場合には 1)を再度追加し，あわせて下記 2) 3)を単独もしくは適宜組み合わせて用いる．
2) ホストイン注(750 mg)　1回 1,125 mg　7分 30秒以上かけて静注　←抗てんかん薬

3) ノーベルバール注 (250 mg)　1回 750 mg　10 分以上かけて静注　←抗てんかん薬
（上記 2), 3) の用量は体重 50 kg の場合．投与法の詳細は添付文書を参照のこと）

Px 処方例 脳ヘルニア徴候が疑われる場合
- グリセオール注 (300 mL)　1回 300 mL　1時間かけて点滴静注　←頭蓋内圧降下薬

Px 処方例 低血糖発作が疑われる場合
- 50% ブドウ糖注　40 mL　静注　←ブドウ糖製剤

Px 処方例 ウェルニッケ脳症が疑われる場合
- アリナミン F 注 (100 mg)　1回 500 mg　静注　←ビタミン B_1 製剤

■表 20-5　意識障害の主な治療薬

分類	一般名	主な商品名	薬の効くメカニズム	主な副作用
抗てんかん薬	ジアゼパム	セルシン，ホリゾン	GABA 受容体に作用し，神経細胞の興奮を抑制する	依存性，呼吸抑制
	ホスフェニトインナトリウム水和物	ホストイン	発作焦点からのてんかん発作の広がりを阻止	皮膚粘膜眼症候群，中毒性表皮壊死症，SLE 様症状，心毒性
	フェノバルビタールナトリウム	ノーベルバール		皮膚粘膜眼症候群，中毒性表皮壊死症，呼吸抑制
頭蓋内圧降下薬	(合剤) 濃グリセリン・果糖	グリセオール	頭蓋内圧下降，脳浮腫軽減，脳血流改善作用	乳酸アシドーシス
ビタミン B_1 製剤	フルスルチアミン塩酸塩	アリナミン F	神経機能障害，心筋代謝障害の改善	ショック

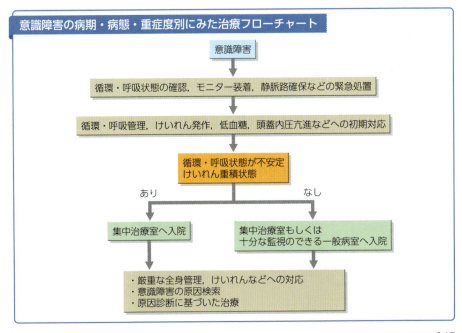

第2章 脳・神経系

意識障害のある患者の看護

茂野 香おる

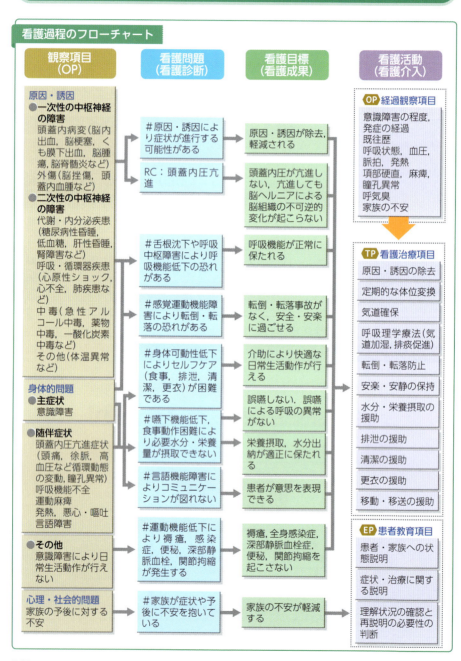

348

基本的な考え方

- 生命の危機に直結する事態であり，原因疾患の治療をいち早く行うことが肝要である．しかし原因は多様であるため，原因疾患を特定するまで，あるいは治療開始後も経時的かつ綿密な観察が必要である．頭蓋内圧亢進による脳の不可逆的変化を食い止めるには看護師の正確な観察が求められる．
- 意識障害の程度，随伴症状を観察し，その影響にも注意する．意識障害と一言でいっても「いつもと様子が違う（何となくボーッとしている，傾眠がち，見当識に問題がある）」から「昏睡（強い刺激を加えても全く反応しない）」まで障害の程度は幅広く，現時点でどの段階にあるのか，それは数十分・数時間前に比し悪化しているかなどを判断し，脳が不可逆的変化をきたす前段階で緊急処置がとれるように医師に報告するなど，看護師は患者の生死の鍵を握っているといっても過言ではない．そのためには客観的・経時的な観察が重要である．

> **緊急** 緊急処置の必要な頭蓋内圧亢進には迅速な対応が必要である．意識レベルのさらなる低下，麻痺の進行，頭蓋内圧亢進を意味する徐脈や血圧上昇（特に脈圧拡大），呼吸パターンの変化に注意する．特に注意すべきは瞳孔異常（瞳孔不同と対光反射の消失）で，この段階（テント切痕ヘルニア発生による動眼神経麻痺）で緊急減圧開頭術が施されなければ脳ヘルニアが進行し致死的変化を遂げる．重要サインを見逃さないよう綿密な観察を行う．

STEP ❶ アセスメント	STEP ❷ 看護課題の明確化	STEP ❸ 計画	STEP ❹ 実施	STEP ❺ 評価

情報収集	アセスメントの視点と根拠・起こりうる看護問題
病歴の把握	家族や目撃者から発症の様子，症状の変化を聞くことで，原因・誘因の特定や全身状態の把握につながり，治療や看護ケアにも重要な情報を得ることができる．
経過	● いつから，どのくらい続いているか． ● 誘因（頭部を打撲したなど）や前駆症状（頭痛，悪心・嘔吐，眠気など）があったか． ● 症状進行の様子（激しい頭痛を訴えた直後に意識消失した，頭部打撲直後に意識消失し，一時的に意識清明期があったが再び反応しなくなったなど）
誘因	● 頭部外傷　**原因・誘因**　**緊急** 頭蓋内出血，脳挫傷 ● 全身の外傷　**原因・誘因**　**緊急** 外傷による出血性ショック ● 薬物の使用　**原因・誘因**　**緊急** 薬物中毒（農薬や睡眠薬） ● 周囲の環境との関係
随伴症状	● 発熱，悪寒戦慄，頭痛，めまい，視力障害などの随伴症状はないか． ● 随伴症状と意識障害発生との時間的関係
既往歴	● 高血圧や心疾患の有無 ● 失神発作の有無 ● 悪心・嘔吐の経験の有無 ● 感染症の有無（脳脊髄炎） ● 高血圧，肝疾患，心疾患，腎疾患，糖尿病，内分泌疾患などの既往　**原因・誘因** 　**緊急** 糖尿病性昏睡，低血糖発作，肝性昏睡，アダムス-ストークス症候群，心筋梗塞による心原性ショック症状など
嗜好品，常用薬 職業環境 その他	● アルコール，薬物の服用 ● 有機溶剤，化学薬品などを扱う特殊環境下，一酸化炭素や有毒ガス発生，酸素欠乏のリスク下での仕事　**原因・誘因**　**緊急** 一酸化炭素中毒，有毒ガス中毒など ● 自殺企図の有無　**原因・誘因**　**緊急** 有機リン（農薬）中毒，睡眠薬中毒など
主要症状の出現状況，程度の把握	症状の程度の把握（意識レベル評価ツールを用いての客観的評価）とその変化，また，症状の出現状況（前駆症状や随伴症状，既往歴など）を把握することで，原因疾患の特定につながる情報が得られる．
意識レベル	● コーマスケール（GCS：グラスゴー・コーマ・スケールもしくは JCS：ジャパン・コーマ・スケール）を用い，統一した評価方法でその変化をみる（表20-3, 4）．（いずれのコーマスケールも「開眼機能：自発開眼，呼びかけで開眼するか否か」「指示に応じるか」「痛み刺激に対して反応するか」という視点で観察する）

349

第2章　脳・神経系

前駆症状	●ハンマーで殴られたような激烈な頭痛　[原因・誘因]　[緊急]　くも膜下出血
	●頭痛(上記ほどではないが)の出現　[原因・誘因]　[緊急]　脳内出血
	●麻痺が出現しその後徐々に進行，意識障害に進展　[原因・誘因]　[緊急]　脳梗塞，出血性梗塞の進行
意識障害の発生状況随伴症状	●発熱・頭痛など風邪様症状　[原因・誘因]　脳炎，髄膜炎
	●突然　[原因・誘因]　脳血管疾患
	●徐々に　[原因・誘因]　脳腫瘍など
	●けいれん　[原因・誘因]　細菌性脳炎・髄膜炎，頭部外傷(脳挫傷)，脳血管疾患
	●四肢の運動機能麻痺　[原因・誘因]　細菌性脳炎・髄膜炎，脳血管疾患
	●顔面神経麻痺　[原因・誘因]　細菌性脳炎・髄膜炎，脳血管疾患
	●ろれつが回らない(話し方がいつもと違う)　[原因・誘因]　細菌性脳炎・髄膜炎
	●失語　[原因・誘因]　細菌性脳炎・髄膜炎，脳血管疾患
	●複視(物が二重に見える)　[原因・誘因]　脳血管疾患(滑車神経麻痺)
	●早朝頭痛や視力障害(頭蓋内圧亢進)　[原因・誘因]　脳腫瘍
	●発熱　[原因・誘因]　細菌性脳炎・髄膜炎

意識障害で頭蓋内圧亢進症状がみられた場合の緊急対応

●意識障害時に仰臥位とすると，舌根沈下や嘔吐物などにより気道閉塞をきたすことがある．気管挿管やエアウェイの挿入を行うことも多いが，器具が手配できない場合には昏睡体位(シムス位)をとり，気道を確保する．気道確保が不十分な場合は，換気障害による低酸素状態に陥り，低酸素状態は脳浮腫を引き起こす．

●脳浮腫をきたすと，さらに頭蓋内圧亢進が進行するという悪循環に陥る．頭蓋骨内の脳実質に浮腫が発生し，その容積が増えれば，逃げ場を失った脳が頭蓋腔の隙間から嵌入(かんにゅう)してくるが，このことを脳ヘルニアという．脳ヘルニアは発生部位により生命維持機能に直結する．大脳が小脳テント切痕から嵌入してくる場合，間脳・中脳が圧排・障害され，進行すると脳幹部(橋・延髄)へと障害が広がる．呼吸中枢である延髄が障害されると呼吸が停止し，致死的である．

●麻痺の進行や意識レベルのさらなる低下，瞳孔異常(瞳孔不同や対光反射消失)は脳ヘルニアのサインであり，この段階を見逃すと不可逆的変化をきたした．

●意識障害時は，嘔吐により吐物が気道に入り込み，誤嚥を起こすことがある．誤嚥により気道閉塞や呼吸器感染症を起こさないよう，あらかじめ昏睡体位をとったほうがよい．嘔吐した場合は口腔内の吐物を除去する必要がある(誤嚥予防)．

全身状態，随伴症状の把握バイタルサイン	▎発症の経過の把握とともに，意識障害の程度や意識レベルの変化の様子，他の症状の有無，随伴症状を観察し，治療，看護計画の立案に有効に反映させる．
	●体温　➡感染症，脳炎・髄膜炎の有無を鑑別する．
	●[緊急]徐脈，収縮期血圧上昇，脈圧拡大　[原因・誘因]　頭蓋内圧亢進症状(クッシング現象：内圧が高まった頭蓋内に血液を送り込もうとする生体反応)
	●呼吸状態を確認する　[緊急]いびき様呼吸，吐物による気道閉塞，チェーン-ストークス呼吸，呼吸失調，クスマウル呼吸　[原因・誘因]　舌根沈下による気道閉塞，頭蓋内圧亢進症状，脳幹(呼吸中枢)障害，糖尿病性ケトアシドーシス
	●徐脈，不整脈　[緊急]極端な徐脈，不整脈　[原因・誘因]　アダムス-ストークス症候群，重症心筋梗塞(心原性ショック)
全身状態	●黄疸，呼気アンモニア臭の有無　➡肝疾患を鑑別する．
	●[緊急]呼気アセトン臭の有無　[原因・誘因]　糖尿病性ケトアシドーシスを鑑別する．
頭頸部	●頭部　➡外傷，打撲の有無を確認する．
	●[緊急]瞳孔異常(瞳孔不同や対光反射の消失)の有無をみる　[原因・誘因]　脳ヘルニアの発生により第3脳神経(動眼神経)が圧迫を受けた証であり，この段階で適切な治療(減圧開頭術)が施されなければ死の転帰をとる．
	●瞳孔の大きさ，形　➡障害部位により，大きさ，形の特徴的変化をみる．瞳孔異常があれば，脳神経疾患の可能性がある．

350

		●眼振 ➡脳神経，耳鼻科疾患を鑑別する．
胸部 腹部		●口臭（甘い臭い，アセトン臭など） 原因・誘因 糖尿病性昏睡，肝性昏睡など代謝疾患や肝疾患による昏睡を鑑別する．
		●項部硬直の有無を確認する 原因・誘因 髄膜炎，くも膜下出血
		●打診，聴診 ➡心肺疾患の有無を鑑別する．
		●腹水や腹壁静脈の怒張の有無 ➡肝不全による肝性昏睡を鑑別する．
		●腹部や腰殿部皮下出血の有無 ➡骨盤骨折や腹腔内臓器損傷による腹腔内大量出血によりショック状態に陥っていないか鑑別する．
四肢		●視診による骨折・打撲などの有無 ➡多発外傷によるショック状態の可能性をみる．
		●チアノーゼの有無 ➡低酸素血症の有無を鑑別する．
		● 緊急 刺激に対する姿勢異常（除皮質硬直・除脳硬直）の有無をみる 原因・誘因 除皮質硬直の段階では間脳への障害にとどまっている可能性がある．除脳硬直が生じれば中脳から橋におよぶ障害が推測され，これ以上進行すると延髄が障害され呼吸が停止する．
		● 緊急 髄膜刺激症状，反射の亢進・低下，知覚の鈍麻，乳頭浮腫の有無を確認する 原因・誘因 髄膜炎，くも膜下出血の可能性を考慮
		● 緊急 羽ばたき振戦の有無 原因・誘因 肝性脳症の可能性を考慮．
		🔍 起こりうる看護問題：気道閉塞，無気肺，沈下性肺炎が起こりやすく，低酸素血症がみられる／体動不能により褥瘡，静脈血栓，便秘，転落の危険がある／栄養・水分摂取が困難である／セルフケアが困難である
		🔍 共同問題：頭蓋内圧亢進
患者・家族の心理・社会的側面の把握		●意識障害が軽度であれば，患者自身が現状をどのように受け止めているのか，不安を示す言動がないか観察する 根拠 心身の状態が予測不可能な状況にあることにより患者自身も不安に陥る．
		●家族が不安や恐怖に陥っていないかその言動を観察することにより把握する 根拠 意識障害の進行，重大な意識障害により患者の反応がみられない場合など，予後への不安を強く感じる．
		●医師による家族への説明の際には付き添い，家族の反応を観察して説明内容に関する理解度を確認する 根拠 意識障害は突然発症することが多く，家族は現実を正しく評価できないことが多い．説明して「わかった」と反応が得られたとしても，動揺しているため十分に理解できないことも多い．
		🔍 起こりうる看護問題：話す能力，相手からのメッセージを受け止める能力に障害がある／家族が予後や意思疎通できないことに対する不安を抱えている

STEP ❶ アセスメント STEP ❷ 看護課題の明確化 STEP ❸ 計画 STEP ❹ 実施 STEP ❺ 評価

看護問題リスト

RC：頭蓋内圧亢進
#1 舌根沈下による気道閉塞，換気量低下による無気肺，気道分泌物貯留による沈下性肺炎を起こしやすく，また呼吸障害による低酸素血症がみられる（活動-運動パターン）
#2 体動不能のため，褥瘡，静脈血栓，便秘が起こりやすく，またベッド転落の危険がある（活動-運動パターン）
#3 意識障害および嚥下困難に伴う誤嚥のリスクがある（認知-知覚パターン）
#4 セルフケアが困難である（活動-運動パターン）
#5 話す能力，相手からのメッセージを受け止める能力に障害がある（役割-関係パターン）
#6 患者・家族が意思疎通できないことや予後に対する不安を抱えている（自己知覚パターン）

第2章　脳・神経系

看護問題の優先度の指針

- 意識障害に陥った直後は，頭蓋内圧亢進に伴う脳ヘルニアの進行により致死的変化が起きる可能性があるため，予測性をもって経時的観察を行うことが最も肝要である．意識レベルの低下，麻痺の進行や異常姿勢の出現，瞳孔異常の出現がないか頻回に観察する．
- 脳血管障害や頭部外傷などで急激な意識障害に陥った場合，急性期では呼吸機能障害を伴うことが多いため，酸素欠乏による脳浮腫を予防するために呼吸を整える援助が必要である．
- 自力で体動できないため，褥瘡や呼吸器・尿路感染，静脈血栓，便秘など，廃用症候群が生じやすい．定期的に体位変換を行い，適切にポジショニングし，必要に応じ呼吸理学療法を行い，深部静脈血栓を予防する．
- 意識障害状態になると活動できなくなり，筋力が低下する．また，知覚・感覚の感受性が鈍くなり，転倒・転落や熱傷を生じる危険性が高まるため予防する．
- 日常生活全般に支障をきたしているため，排泄，清潔，栄養摂取といった生命維持に必要な基本的生活を整える．特に失禁など排尿障害に対して失禁・皮膚ケアは必須である．
- セルフケア（摂食）不足や嚥下障害により生命維持に必要な水分量，栄養量が確保できないため，状態に適した栄養摂取ルート（経口的，経腸的，経静脈的）を判断し，適切に水分・栄養を補給する．
- 随伴症状（頭蓋内圧亢進症状の1つとして）に嘔吐があるが，嘔吐による誤嚥の危険性が高い．また，意識障害の原因が脳（脳血管疾患，脳腫瘍，脳挫傷など）にある場合，嚥下機能障害を伴うことが多く，食事の誤嚥の危険，絶食時にも唾液の気管への流入（不顕性誤嚥 silent aspiration）が起きて誤嚥性肺炎を併発する危険性があるため，これを防止する処置が必要となる．
- 家族は（比較的意識障害の程度が軽い場合は患者も），疾患に対する不安，意識が回復するかという不安が入り混じって強い不安にさいなまれているので軽減に努める．

| STEP❶ アセスメント | STEP❷ 看護課題の明確化 | STEP❸ 計画 | STEP❹ 実施 | STEP❺ 評価 |

共同問題

RC：頭蓋内圧亢進

看護目標（看護成果）

〈長期目標〉1) 脳循環が適切に機能（改善）するよう対処する．2) 意識レベルを改善し，精神・運動機能を安定させる．3) 他者と相互に明確に意思伝達ができるようにする

〈短期目標〉1) 血圧・脈拍・呼吸状態を正常化させる．2) 動脈血酸素分圧（または飽和度）を正常化させる．3) 麻痺や瞳孔異常を起こさせない

看護計画

介入のポイントと根拠

急性期の緊急対応

気道確保（気管挿管かエアウェイの挿入）と呼吸の補助（必要時人工呼吸），もしくは昏睡体位（シムス位）
バイタルサインのモニタリング（心電図，呼吸，酸素飽和度）
意識レベルの推移観察（コーマスケールによる客観的評価：GCS または JCS）
麻痺の程度と推移観察
瞳孔の観察（瞳孔の左右差，対光反射）

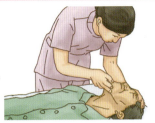
頭部後屈あご先挙上法による気道確保

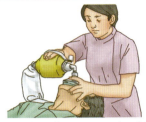
バッグバルブマスクを用いた人工呼吸

昏睡体位のとり方
①患者の膝を高く立て，肩（背部）と腰を支え手前側に倒す

②上側の腰を手前に倒すとともに，下側の肩を軽く押し出すようにして患者の全身を回転させる

③下側の手が身体の下にならないようにゆっくりと引き出す
④上側の足が下側の足よりも前面に来るようにして身体を安定させる

OP 経過観察項目
- バイタルサイン（脈拍，血圧，呼吸）観察およびコーマスケール（GCS や JCS）を用いた意識レベルの評価を継続的に行う

- 継続的に瞳孔の観察，麻痺の程度と推移観察を怠らない
- 緊急性の高い頭蓋内圧亢進に対しては迅速な対応が求められる．瞳孔異常（瞳孔不同と対光反射の消失）の把握

TP 看護治療項目
- 気道確保が先決である．昏睡体位（シムス位）にする

➡ **根拠** 特徴的な頭蓋内圧亢進症状は，クッシング現象（徐脈，収縮期血圧上昇，脈圧拡大），呼吸失調（リズム，深さ，回数の変化）である．頭蓋内圧亢進とともに意識障害が重症化する

➡ **根拠** 瞳孔不同，対光反射の消失は，頭蓋内圧亢進により脳ヘルニアが起こり，動眼神経を圧迫している証しである．脳ヘルニアの進行を食い止めるために緊急手術（減圧開頭術）が行われる．このタイミングを逃すと，脳ヘルニアにより脳実質が不可逆的変化をきたし死の転帰をとる．この段階に至る前にドクターコールを行う

➡ **根拠** 舌根沈下によるいびき様呼吸の改善，嘔吐物による窒息の防止を図るため

第2章 脳・神経系

- ●気道分泌物がある場合は気道吸引を行う
- ●体位変換を行う

- ●頭低位は避け，ギャッチアップ30度程度のセミファウラー位とする

EP 患者教育項目
- ●家族（軽度意識障害の場合は患者も）が抱えている**不安**を解消する

⇒ **根拠** 気道浄化を図ることで酸素化を促す．低酸素状態では脳浮腫が増強し，さらに頭蓋内圧が亢進する

⇒ **根拠** 脳脊髄液の灌流を促し，頭蓋内圧亢進を極力避ける

⇒ **根拠** 意識が戻るのか，原因疾患の予後はどうなるのかなど，家族の不安は大きい．特に急な発症では不安が増強する

---

1 **看護問題**	**看護診断**	**看護目標（看護成果）**
#1 舌根沈下による気道閉塞，換気量低下による無気肺，気道分泌物貯留による沈下性肺炎を起こしやすく，また呼吸障害による低酸素血症がみられる	非効果的気道浄化 **診断指標** □呼吸副雑音 □減弱した呼吸音 □低酸素血症 □効果のない咳 □効果のない痰の喀出	〈長期目標〉呼吸機能が最大に維持できる 〈短期目標〉1) 常に気道が確保される．2) 正常の換気量が保てる．3) 低酸素血症に陥らない．4) 気道の清浄が保てる．5) 肺炎，無気肺など呼吸器合併症が起こらない

看護計画	**介入のポイントと根拠**
OP 経過観察項目 ●呼吸の数，リズム，深さ ●舌根沈下によるいびき様呼吸の有無 ●SpO₂（経皮的動脈血酸素飽和度）の持続モニタリング ●8時間ごとの呼吸音聴取（副雑音の有無，呼吸音の左右差） ●血圧変動（収縮期血圧の上昇と脈圧拡大），徐脈 ●意識状態 ●血液データ：CRP，赤血球沈降速度，白血球 **TP** 看護治療項目 ●気道確保ができる体位（昏睡体位）をとる ●1～2時間ごとに体位変換を行う ●指示に応じられれば深呼吸を促す	⇒ **根拠** 頭蓋内圧が亢進するとチェーン-ストークス呼吸に代表される呼吸リズムの異常が現れる．呼吸器感染では浅表性となり呼吸数は増す ⇒ **根拠** 意識障害時は舌根部の弛緩により舌根が沈下し気道を塞ぐ可能性がある ⇒ **根拠** 舌根沈下や分泌物貯留により気道が塞がり換気不良となると，SpO₂低下がみられる ⇒肺野全体，特に下葉の音を聞くため背部の呼吸音を聴取する **根拠** 体動できないため，下葉に分泌物が貯留しやすい ⇒血圧，脈拍の少しの変化も見逃さない **根拠** 呼吸機能障害により低酸素血症に陥ると，頭蓋内圧亢進症状としてバイタルサインに現れる ⇒ **根拠** 特に脳は低酸素に弱いため，換気不良などで酸素化が阻害されると，さらに意識障害が悪化する ⇒ **根拠** 沈下性（分泌物の貯留による），誤嚥性（唾液や食物の気道への流入）に関わらず，呼吸器感染が発生すると血液検査データに反映される ⇒ **根拠** 意識障害時に舌根沈下により気道が閉塞すると換気不良，ひいては低酸素脳症に陥り脳浮腫を引き起こす ⇒ **根拠** 低酸素血症を防止する（特に脳への酸素供給を十分に行うため）

354

- ●口腔ケアを行う

➡ 根拠 口腔ケアにより口腔内の細菌繁殖を抑え，不顕性誤嚥による肺炎を防止する

EP 患者教育項目
- ●排痰や口腔ケアなどの必要性について説明する
- ●喀痰が粘稠（ねんちゅう）な場合，吸入の必要性を説明する
- ●自力で排痰できない場合は，吸引の必要性を説明する

➡ 説明が理解できない意識レベルであっても，必ずケアの前には必要性の説明を行い，ケア中も具体的な行為について説明する 根拠 明確な反応がなくても患者は状況を理解していることが少なくない

20 意識障害

2 看護問題	看護診断	看護目標（看護成果）
#2 体動不能のため，褥瘡，静脈血栓，便秘が起こりやすく，またベッド転落の危険がある	身体可動性障害 **関連因子**：活動耐性低下，不使用，関節の硬直，神経行動学的症状 **診断指標** □寝返りが困難 □姿勢が不安定 □鈍くなった動き □関節可動域（ROM）低下	〈長期目標〉合併症が起こらない 〈短期目標〉1）良好な皮膚を維持できる．2）末梢静脈還流が維持でき静脈血栓が起きない．3）最良の呼吸状態が維持できる．4）1日1回（その人の排便習慣に近い回数）自然排便がある．5）呼吸器・尿路感染が起きない．6）ベッドからの転落が起きない

看護計画	介入のポイントと根拠
OP 経過観察項目 ●皮膚発赤の早期発見，表皮剝離など皮膚組織の破綻（褥瘡）の有無	➡ 8時間に1回は圧迫部位を必ず観察する．発赤が認められたら30分後に再び観察する．褥瘡とは発赤部位の圧迫を解いたのちに30分以上発赤が継続する場合をいう

OP 経過観察項目

- ●皮膚発赤の早期発見，表皮剝離など皮膚組織の破綻（褥瘡）の有無

➡ 8時間に1回は圧迫部位を必ず観察する．発赤が認められたら30分後に再び観察する．褥瘡とは発赤部位の圧迫を解いたのちに30分以上発赤が継続する場合をいう

- ●同一体位をとっていないか，同一部位が圧迫を受けていないか，ベッド上ファウラー位，車椅子乗車時などには身体がずれ落ちていないか（ずれ落ちていたらすぐに正す）

根拠 意識障害患者に発生しやすい褥瘡は，身体の最重量部である殿部（特に仙骨部，大転子部，腸骨部）に集中している．体位のずれなどによって皮膚（仙骨部など）にずれ力が働き，褥瘡が形成される

- ●便の性状，回数，排便時の苦痛

➡ 根拠 運動量減少に伴う腸蠕動不良，筋力（特に腹筋）の低下に伴い便秘が起こる

- ●尿量，尿の性状（浮遊物や出血，凝血の有無），排尿終末時疼痛の有無
- ●水分出納管理のうえ，必要水分量の把握

➡ 根拠 尿路感染が生じる危険性が高いため，感染徴候に注意する

➡ 根拠 脱水により尿量が減少し，長時間膀胱内に貯留することで尿路感染発生につながる

- ●喘鳴の有無，肺音聴診（副雑音，呼吸音の減弱など）

➡ 気道内分泌物の貯留がないか観察する 根拠 分泌物量の増加，貯留は細菌繁殖の温床となり呼吸器感染が起きやすい

- ●不穏や著しい体動，ベッドフレームへの四肢の打ちつけなど

➡ 根拠 頭部外傷急性期などでは著しい不穏を呈することがある

TP 看護治療項目

- ●1〜2時間ごとに体位変換を行う

➡ おむつの使用や栄養状態不良，脆弱な皮膚など褥瘡発生要因が複数ある時は，1時間に1回以上体位変換を行う 根拠 褥瘡は数十分でも発生する危険がある

- ●定期的な排尿・排便を誘導する（トイレ，病状により床上）

➡ 根拠 意図的に排便・排尿を誘導することで便秘や尿貯留（尿路感染のリスク）を防止する

355

第2章 脳・神経系

- 必要に応じ肺理学療法，加湿・吸入ネブライザーを実施する
- 水分出納管理を行い，適宜水分を補う
- ベッド転落防止のため，必要に応じベッド柵や離床センサーマットなどを装備する

EP 患者教育項目
- 自力で動ける場合には，許可された範囲（ベッド上など）で関節運動や自力での体位変換を行い，同一姿勢をとらないように指導する

⇨ **根拠** 気道内分泌物の自己喀出が阻害されると分泌物が気道壁に付着し気道を閉塞するため，粘稠度を緩くし喀出しやすくする

⇨ **根拠** 関節拘縮の防止，同一部位圧迫防止のため，指示に応じ自動運動が可能である場合は指導する．自力でできない場合には他動運動とするが，その場合でも説明して実施する

3 看護問題	看護診断	看護目標（看護成果）
#3　意識障害および嚥下困難に伴う誤嚥のリスクがある	**誤嚥リスク状態** **危険因子**：嚥下困難，非効果的気道浄化，経腸栄養チューブの置換 **関連する状態**：意識レベル低下，脳卒中，頭頸部腫瘍，経腸栄養	〈**長期目標**〉誤嚥せずに患者の代謝需要および活動レベルに応じた栄養必要量が毎日摂取できる 〈**短期目標**〉誤嚥を起こさない

看護計画	介入のポイントと根拠
OP 経過観察項目 ● 嚥下障害の有無 ● 喘鳴の有無，呼吸音の聴取（副雑音の有無），確認 ● 血液検査データ：白血球数，赤血球沈降速度（感染徴候） **TP 看護治療項目** ● 意識障害時，特に分泌物が多い時は，気道吸引の準備をしておく ● 口腔ケアを行い口腔内の細菌を減少させ，呼吸器感染を予防する ● 嚥下できない時は経管栄養などの非経口的栄養法の指示を受け実施する ● 経管栄養注入後は上半身を30度以上挙上しておく（30分程度） ● 経口摂取開始時は，嚥下時に甲状軟骨が挙がる（喉頭挙上）かを確認する **EP 患者教育項目** ● 誤嚥の徴候と予防法を説明し，徴候がみられた場合には報告するように伝える ● 安全な栄養摂取の方法を説明する	⇨誤嚥リスクを把握する　**根拠** 意識レベルの低い患者は，嚥下機能が低下するため，咽頭分泌物が貯留し，また咳嗽反射も減弱するため誤嚥しやすい ⇨誤嚥性肺炎が起きると，感染徴候を示すデータの異常がみられる ⇨誤嚥の危険性がある場合は，吸引しながら口腔内洗浄を行う　**根拠** 清潔にしておくことで，誤嚥しても気管に流入する細菌数を減少させる ⇨意識障害時は誤嚥の危険が高いため，経口的栄養・水分摂取は意識レベルが回復してから開始する ⇨ **根拠** 食道への胃内容の逆流，嘔吐を予防する ⇨嚥下反射を外観から確認するのに有効である ⇨家族の理解を得る　**根拠** 誤嚥の予防法を家族が学んでおくことが大切である

356

4 看護問題	看護診断	看護目標（看護成果）
#4 セルフケアが困難である	入浴，更衣，摂食，排泄セルフケア不足 **関連因子**：認知機能障害，神経行動学的症状，身体可動性障害 **診断指標** □体を洗うことが困難 □体を拭くことが困難 □衣類の着脱が困難 □食物を口まで運ぶのが困難 □トイレまで行くのが困難	〈長期目標〉患者自身が食事，排泄，清潔，更衣の日常生活動作に参加する 〈短期目標〉1）食べる意欲が増す．自助具を用いて摂食行為ができる．2）排泄補助具を使用する能力を示す．3）身体の清潔が保持でき，清潔の心地よさについて表現する．補助具を使用できる能力を示す．4）自分で行為する能力が向上したことを示す

20 意識障害

看護計画	介入のポイントと根拠
OP 経過観察項目 ●運動麻痺・感覚麻痺の程度，関節可動域，日常生活動作（ADL）能力の程度 ●意識レベルの程度（咀しゃく，嚥下の可否とその能力） ●食物を口に運ぶ，食器を持つなどの動作の可否と必要援助内容 ●排泄のニーズを表現する手段の有無とその具体的方法 ●排泄習慣と既往（便秘や排尿障害） ●尿意・便意の有無，排泄パターン（排泄時間・タイミング） ●トイレまでの移動動作，便器上での姿勢保持の可否 ●全身の皮膚，粘膜の状態（特に口腔内，陰部・殿部の状態）	➡ADLの能力を把握する　**根拠** 意識障害および麻痺，筋力低下などの随伴症状により全面介助が必要なレベルから，見守りや自助具の使用で行動できるレベルまで，介入の必要性と内容は様々である ➡経管栄養の場合，唾液分泌が低下し，口腔内が乾燥したり，分泌物がこびりつき，細菌が繁殖するなど不衛生になる ➡尿意・便意の表現を非言語的（体動，表情など）に示す場合もあるため，注意深く観察する ➡失禁状態により陰部・殿部が蒸れ不衛生になるため，移動可能ならトイレで排泄できるように誘導する ➡排泄パターンや排泄習慣を把握し，タイミングよく誘導することで失禁を予防する ➡発赤，亀裂，乾燥などの皮膚・粘膜の異常，また，分泌物の付着などを観察する　**根拠** 特に口腔内の状態は清潔行為が良好に行われているかを反映する
TP 看護治療項目 ●意識障害の急性期は原則として点滴静注などにより体液量を保つ ●意識障害が一定程度軽快し，経口摂取可能と判断できた場合，食事環境と患者の姿勢を整える ●咀しゃく・嚥下能力に応じた食形態を選択する．嚥下食の開始時は特に誤嚥に留意する ●尿意，便意を訴えられない場合はおむつを使用する．膀胱留置カテーテルの挿入は最小限にする ●トイレ排泄の場合，移動・排泄時の転倒・転落を防止する ●意識障害が一定程度軽快したら尿意，便意が不	➡意識障害の急性期あるいは重症長期化するときは留意する　**根拠** 特に誤嚥のリスクが高い ➡疾患による嚥下機能障害は回避したとしても，経口摂取しないことによる嚥下機能の低下（廃用症候の1つ）がみられることがある ➡利尿薬投与などやむをえず留置する場合もあるが，カテーテル留置を標準化しない　**根拠** 膀胱カテーテル留置による尿路感染を予防する ➡毎日の生活リズムをつくるイベントとして排泄

第2章　脳・神経系

明瞭でも排泄を誘導し，失禁を防止する
- 急性期は全身清拭，陰部洗浄，口腔ケアを看護師が実施する
- 意識障害が一定程度軽快したら，患者自身ができることから清潔行為ができよう支援する
- 衣類の着脱が容易になるよう，袖・裾が広く，前開きの着衣を選択する

EP 患者教育項目
- 患者・家族の意識障害に対する気持ちと援助の必要性に関する認識を確認する
- 患者が行おうとする意思を尊重する．必要以上に代行することは患者の依存心を高めるので留意する
- 麻痺などにより，できにくい行為については補助具の使用を提案するなど極力自力でできるように支援する

誘導を位置づけることもある
- ➡口腔ケア時，誤嚥の可能性がある場合は吸引しながら実施する　**根拠** 口腔ケアにより細菌数を減らすとともに唾液分泌を促進し，口腔内自浄作用を高める
- ➡麻痺や輸液ルートがある場合，脱健着患（脱ぐ時は健側→患側の順に，着る時は患側→健側の順に）の原則を守り介助する．意識障害が軽快し，患者が参加できるようになった時も同様に指導する

5 看護問題	看護診断	看護目標（看護成果）
#5　話す能力，相手からのメッセージを受け止める能力に障害がある	**言語的コミュニケーション障害** **関連する状態**：意識障害，頭蓋内圧亢進 **診断指標** □構語障害 □失語症 □コミュニケーションの理解が困難 □他者との交流の確立が困難 □話すことができない □表情を使うことができない	〈**長期目標**〉意思疎通が図れる 〈**短期目標**〉1）相手からのメッセージを適切に理解し受け止める能力が増す．2）自分の意思を簡単な方法（非言語的手段含む）で伝達できる

看護計画	介入のポイントと根拠
OP 経過観察項目 - 患者に送ったメッセージを理解できているか - 何らかの意味をもつサインを発しているか - 閉じ込め症候群（認知機能は正常であるが，動くこと，話すことが障害され，意思伝達ができない覚醒状態）ではないか **TP 看護治療項目** - 正面を向いてはっきりと明瞭に話す．複雑でない，わかりやすい説明・指示をする（患者からの反応がなくとも同じ） - タッチングしながら話す	➡簡単な指示（離握手や開閉眼）などに応じるか観察する　**根拠** 意識レベルの判定の際と同様な手段を用いることで客観的な評価ができる ➡閉じ込め症候群と意識障害を区別する ➡患者の理解を深めるよう働きかける　**根拠** 意識がないと思われても，認知機能が働いている可能性もあり，様々なケアの時にも行為の説明や協力依頼（指示）は必須である ➡言語的な働きかけだけではなく，タッチングも併用する　**根拠** コミュニケーションを深めるために有効である

358

- 静穏な環境で話しかける．話しかける際は1人だけが話しかける
- 患者が誤ったことを言っても指摘しない
- 看護師が患者のメッセージを理解できない時は，理解できないと伝える

- ➡騒音をなくし，患者が看護師（周囲の人）からのメッセージを理解しやすくする
- ➡あいまいさを残すと，相手は理解したと思い込み過剰な期待をさせてしまうことがある

EP 患者教育項目
- 意思疎通ができないこと，病状の見通しが不明瞭なことなどの家族の不安に寄り添う
- 家族が状況を理解し，現実的な見通しをもつように指導する

- ➡現実的な見通しをもつためには，正確な情報提供が必須である

20
意識障害

6	看護問題	看護診断	看護目標（看護成果）
	#6 患者・家族が意思疎通できないことや予後に対する不安を抱えている	**不安** **関連因子**：健康状態の変化 **診断指標** □緊張感 □イライラした気分 □不安定な気持ち	〈長期目標〉家族が心理的・身体的安楽が増大したことを表現できる 〈短期目標〉1）家族が不安を言葉に出して表現できる．2）患者の表情や身振りにより，苦痛が軽減していることを理解し，家族の不安が軽減される

看護計画	介入のポイントと根拠
OP 経過観察項目 - 家族の不安や緊張の表情，落ち着きのなさ - 家族の不安や心配の訴え，怒り - 家族の身体的反応：ふるえ，または手指の振戦，頻脈，頻呼吸 - 家族が述べる患者の状態や治療に関する質問の有無，内容	➡非言語的表現をとらえ，言葉以外の訴えの表出を見逃さないよう注意する **根拠** 気持ちの整理がつかず言葉にできない場合も多い
TP 看護治療項目 - 不安が表出できるような態度で接する - 患者の健康状態の変化など，不安を増大させている要因を取り除く - 治療や処置を行う場合は，患者の反応がなくても説明を十分に行う．家族に心配や質問がないか聞き，丁寧に答える	➡支援的態度で接する **根拠** 支援的態度が不安の表出を促す ➡相手に不安の表情がみられないか確認しながら，わかりやすく説明する **根拠** 治療や処置の前に説明することで，不要な心配を抱くことのないようにする
EP 患者教育項目 - 家族にわからないこと，心配なことがあれば質問するように伝える	➡質問を積極的に受け入れる **根拠** 不安を軽減するための対処を促す

STEP❶ アセスメント ▶ STEP❷ 看護課題の明確化 ▶ STEP❸ 計画 ▶ STEP❹ 実施 ▶ STEP❺ 評価

病期・病態・重症度に応じたケアのポイント

【急性期】早期に意識障害の原因が特定され，適切な治療が行われることが重要である．特に急性期の対処として，呼吸の確保（まずは昏睡体位とし，改善しなければ気管挿管などの処置が必要）や頭蓋内圧亢進症状の早期発見（改善しなければ減圧開頭術にもっていけるよう）など，医師と連携をとりながら経過観察していく．頭蓋内圧亢進症状を理解してその進行に留意するとともに，随伴症状（麻痺など）も把握し，看護ケアにつなげていく．
【回復期】意識状態の改善に伴い，患者自身がセルフケアに参加できるように状況を整え，自立に向け

359

第2章 脳・神経系

た支援を行う.

看護活動（看護介入）のポイント

診察・治療の介助
- 意識障害を生じさせている原因を特定（鑑別診断）するための検査（血液検査，心電図検査，X線検査，CT検査，MRI検査など）が円滑に行われるように準備・介助を行う.
- 頭蓋内圧亢進時は浮腫軽減を目的とした利尿薬投与，脳梗塞急性期では脳保護薬投与など，原因に応じた薬物投与（内科的療法）が指示されるので，適切に行う.
- 脳内出血では血腫除去術，くも膜下出血では開頭クリッピング術やカテーテルによる脳血管内治療，脳ヘルニア発生時には減圧開頭術など，原因に応じて外科的治療が行われるので，適切に準備する.

全身管理の援助
- 発症直後や症状悪化時は特に呼吸障害を生じやすいので，気道確保，換気の保持がなされるように体位を整え，場合によっては気道吸引を行う.気道確保が困難な場合は気管挿管を介助し，呼吸管理に努める.
- 急性期は水分・栄養の経口摂取が不可能なため，指示された輸液を適切に行い，水分出納管理を行う.
- 意識障害をもたらす原因疾患により，嘔吐やけいれん，麻痺などの随伴症状の出現・進行が認められる場合が多いので，継続して観察しながら適切な処置を行う.
- 1～2時間ごとに体位変換を行い，安楽な体位をとる.ベッドから転落しないように安全に留意する.

セルフケアの援助
- 脳血管疾患など意識障害の原因疾患が特定されれば，早期にリハビリテーションが開始される.関節可動域訓練などベッドサイドでも取り入れる.
- 万一，関節拘縮が生じた場合でも，日常生活行動への支障を最小限にするため良肢位をとる.
- 生活行動援助に関し，全面介助なのか一部介助なのか，その時どきの個々の状況変化にあわせて判断し，適切な援助内容を決定していく.

退院指導・療養指導

- 意識障害が改善しないまま自宅療養に至る場合は，家族に全身管理と日常生活行動援助の方法を指導する.
- 全身管理では呼吸管理（体位変換や口腔ケア，必要時吸入や気道吸引），栄養・水分管理（経管栄養法）など医療的ケアができるよう指導する.
- 定期的な体位変換による褥瘡，その他，廃用症候群予防についての知識を提供するとともに患者・家族双方が安全で安楽な介助技術を指導する.
- キーパーソンを中心に家族内役割を調整できるように支援する.
- 医療ソーシャルワーカー（MSW）と連携し，活用可能な社会資源の情報提供を行い，家族がサービスを活用できるように支援する.

STEP① アセスメント　STEP② 看護課題の明確化　STEP③ 計画　STEP④ 実施　STEP⑤ 評価

評価のポイント

看護目標に対する達成度
- 頭蓋内圧亢進症状の出現・変化を十分に観察し，適切な対応ができているか.
- 最大限に呼吸機能が維持できているか.
- 褥瘡，深部静脈血栓，呼吸器・尿路感染，便秘などの合併症を予防できているか.
- 水分出納が正常化しているか.必要栄養量が適切に摂取できるように管理しているか.
- 適切に日常生活動作を介助しているか.患者のもてる能力を最大限引き出す方法で介助しているか.
- 意思疎通が図れているか.患者からは明確な反応がなくとも反応を読み取ろうとしているか.
- 丁寧にわかりやすく説明しながらケアを実践しているか.
- 患者・家族が心理的・身体的安楽が増大したことを表現できているか.

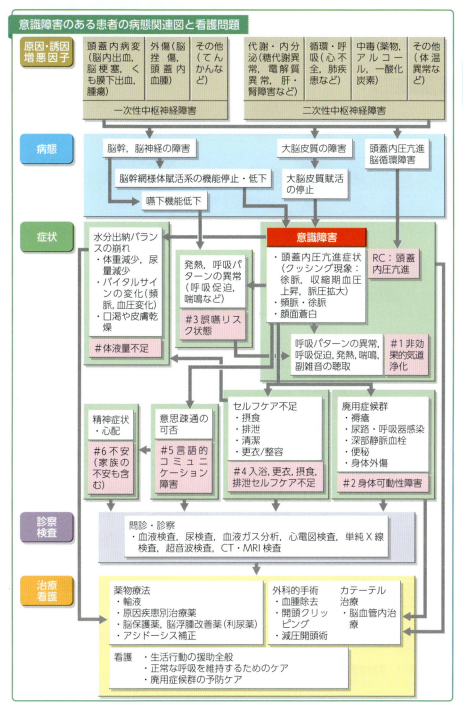

21 言語障害

稲次 基希・成相 直・大野 喜久郎

目でみる症状

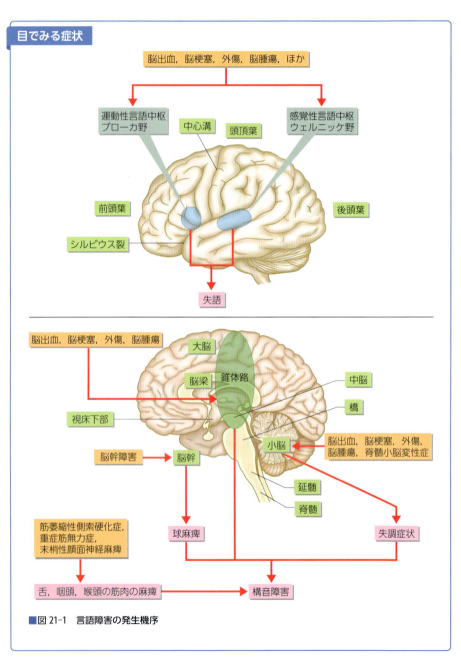

■図 21-1　言語障害の発生機序

病態生理

> 言語障害は大きく構音障害と失語症に分けられる。構音障害は発声・発語に関係する神経・筋肉の障害によって起こる「音声機能の障害」であり、失語症は言語による表現や、言葉の理解ができない「言語機能の障害」である。

- 構音障害は発語に関係する器官（口唇、舌、咽頭、喉頭など）の異常によりうまくしゃべれないことで、言語の理解や言語での表現内容、書字、読書などには異常がない。
- 延髄や下位脳神経の障害による機能障害を球麻痺といい、強い構音障害を認める。
- 失語症は大きく運動性失語と感覚性失語に分けられる。運動性失語とは言語は理解できるが言葉が出ない状態、感覚性失語は他人の言葉は理解できないが何らかの言葉は話す状態で、言葉の理解も発語もないものを全失語という。
- 失語症は優位半球の障害で起こる。優位半球は右利きの人の 95% 以上が左半球、左利きの人の 50〜60% が左半球である。
- 運動性失語は主に左前頭葉のブローカ野周辺、感覚性失語は左側頭葉のウェルニッケ野周辺の損傷と関連が深い。
- 小脳の障害では失調性構音障害といい、呂律がまわらず、酔っぱらったように聞こえる。
- 声帯の障害で声が出ないことを失声症という。
- 意識は清明で、構音障害も失語症もないのに全くしゃべらない状態を無言症という。

患者の訴え方

> 言語障害は脳神経疾患の一症状であることが多く、原疾患によって様々な症状を伴う。

- **主症状の訴え**
- 「言葉が話しにくい」「うまくしゃべれない」といった訴えが多い。ときには顔面神経の麻痺に伴い、「口から水がこぼれる」といった訴えも聞かれる。
- 家族など周囲の人が気づいて、病院に連れてくる場合も多い。これには失語症や意識障害によって、自分で症状を訴えられない場合や、病気を自覚していない場合もある。
- 脳卒中では、発症時間が正確にわかる場合があり、その後の治療のためにも必ず確認が必要である。
- **随伴症状**
- 原因疾患、障害部位により、様々な症状を合併する。言語障害には急性の障害と緩徐に進行する障害があり、原因疾患の鑑別にも重要である（表 21-1,2）。
- 脳卒中では突然発症する構音障害とともに、左右差のある上下肢麻痺が合併することがある。歩きにくさや手の使いづらさがないかの確認をし、脳卒中が疑われる場合には速やかな診断が必要である。
- 脳幹の障害では、構音障害に嚥下障害を合併することがあり、安易に飲食を継続させないことが重要である。

■表 21-1　言語障害の原因または考えられる疾患（赤字は緊急対応を要する疾患）

失語症	構音障害
● 急性発症	● 急性発症
● 脳出血、脳梗塞、くも膜下出血	● 脳梗塞、脳出血
● 脳外傷	● 脳外傷
● 慢性発症	● 末梢性顔面神経麻痺
● 脳腫瘍	● 慢性発症
● アルツハイマー病	● 脳腫瘍
	● パーキンソン病
	● 脊髄小脳変性症
	● 重症筋無力症

363

第 2 章　脳・神経系

診断

言語障害が構音障害か失語症かをまず明らかにする必要がある．また，発症様式（急性か慢性進行性か）を明らかにし，急性発症の場合には脳梗塞や脳出血といった脳卒中を疑い，見逃さないように注意する．

- ●原因・考えられる疾患（図 21-2）
- ●言語障害をきたす疾患は代表的なものでも表 21-1 のように多岐にわたる．実際の臨床現場では，随伴症状や発症様式を念頭に，治療の緊急性に対する判断が重要である．
- ●特に急性発症のものでは脳卒中（脳梗塞，脳出血，くも膜下出血）の可能性が高く，速やかに CT 検査や MRI 検査を施行して診断し，治療を開始することが望ましい．
- ●鑑別診断のポイント
- ●症状の経過（特に発症様式），随伴症状（表 21-2）を考えて鑑別をする．
- ●意識障害や全身状態の悪化があれば，速やかに全身状態の安定化を図る．
- ●脳卒中が疑われる場合には，迅速に頭部 CT 検査，MRI 検査を施行する．

治療法・対症療法

診断・治療の原則は原因疾患を突き止めることである．言語障害は病態のなかの一症状にすぎず，速やかに原因を特定して治療を開始する必要がある．また，急性期よりリハビリテーションの介入が必要である．

- ●治療方針
- ●言語障害が急に発症したものであれば，脳卒中を疑い検査と治療を進める．
- ●病態が急激に悪化する可能性を考え，注意深く診察，治療を進める必要がある．
- ●構音障害，失語症ともにリハビリテーションの対象となるが，急性期からの介入が効果的である．
- ●構音障害がある場合には，嚥下障害を合併することが多いため，嚥下評価を行ってから飲食を開始する．

■表 21-2　言語障害の随伴症状と考えられる疾患（赤字は緊急対応を要する疾患とその随伴症状）

		随伴症状	考えられる疾患
失語症	急性発症	視野障害，麻痺（主に右），意識障害	脳出血，脳梗塞，外傷
		急激な激しい頭痛，嘔吐，意識障害，麻痺（主に右）	くも膜下出血
	慢性発症	視野障害，麻痺（主に右），意識障害	脳腫瘍
		記銘力障害	アルツハイマー病
構音障害	急性発症	麻痺，意識障害，複視	脳出血，脳梗塞，外傷
		嚥下障害，嗄声，閉眼不可	脳神経麻痺
		失調症状	小脳疾患（脳出血，脳梗塞，外傷）
	慢性発症	麻痺，意識障害，複視	脳腫瘍
		失調症状	脳腫瘍（小脳），脊髄小脳変性症
		振戦，固縮，歩行障害	パーキンソン病
		筋力低下，舌萎縮	筋萎縮性側索硬化症
		複視，嚥下障害，四肢筋力低下	重症筋無力症

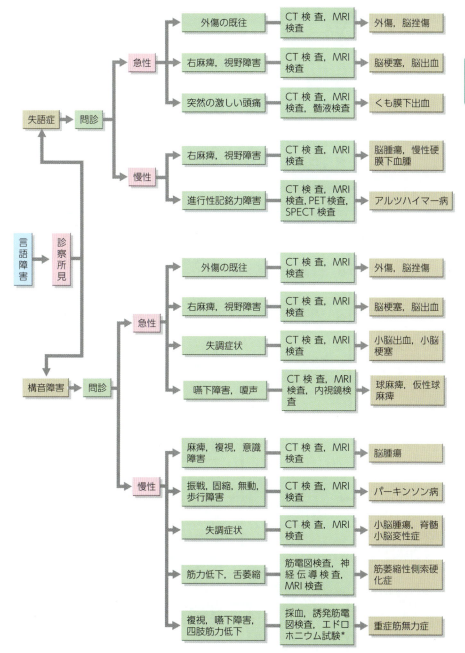

*エドロホニウム試験：いわゆるテンシロンテスト．抗コリンエステラーゼ薬を投与し，治療薬の効果を確認して診断する．

■図21-2　言語障害の診断の進め方

言語障害のある患者の看護

秋山　智

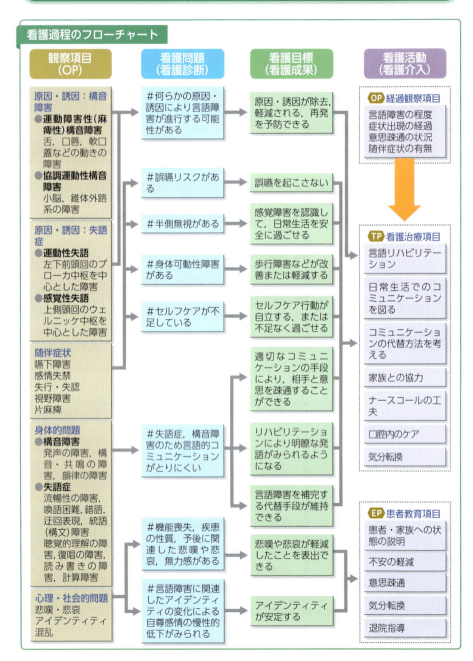

基本的な考え方

● どのタイプの失語症あるいは構音障害なのかを把握し，医師やリハビリテーションスタッフと情報を共有して，患者に適したゴールを設定して，リハビリテーションを行う.
● 患者は，今までのように自由にコミュニケーションができないことに大変なショックと苦痛を感じている．そのため，悲嘆や自己概念の障害など心理面での諸症状（感情失禁やイライラ，うつ状態など）がみられる場合がある．医療従事者は身体状況とともに常に心理状況も把握し，そのうえで言語訓練などのリハビリテーションが受け入れられるよう援助を行う.

STEP ❶ アセスメント	STEP ❷ 看護課題の明確化	STEP ❸ 計画	STEP ❹ 実施	STEP ❺ 評価

情報収集	アセスメントの視点と根拠・起こりうる看護問題
病歴の把握	**患者・家族から生活歴などを聞くことで，原因・誘因の特定や全身状態の把握につながり，治療や看護ケアにも重要な情報を得ることができる.**
経過	● いつから，どのくらい続いているか. ● 急激に始まったか，前駆症状があったか. ● 症状の変動の有無
随伴症状 生活歴	● 四肢麻痺，嚥下障害，感情失禁，失行・失認，視野障害などの有無 ● 睡眠状況 ● ストレスの有無 ● 仕事上の問題の有無
既往歴	● 遺伝性疾患の有無 ● 出生時の状況 ● 言語障害の経験の有無 ● 高血圧，肝疾患，心疾患，腎疾患，糖尿病，内分泌疾患などの既往
嗜好品，常用薬	● アルコールの摂取状況，薬物の服用状況
タイプ別症状の把握	**症状のタイプ，どのような特徴があるのかを把握する.**
構音障害	● 舌，口唇，軟口蓋などの発語筋の運動障害によって，うまく発語できない状態．多種のタイプがあるが，代表的（古典的）なものには以下がある. ● 運動障害性（麻痺性）構音障害：舌，口唇，軟口蓋などの動きの障害 【原因・誘因】 下位運動ニューロン障害（球麻痺：延髄に病変），上位運動ニューロン障害（仮性球麻痺：両側大脳の病変），これらの部位を支配する脳神経の障害（炎症や腫瘍），筋自体の疾患（筋ジストロフィー），神経と筋との接合部に障害（重症筋無力症）など ・舌の障害：「ラ行」→「ダ行」，口唇の障害：「パ行」→「バ行」，軟口蓋の障害：「ガ行」→「ンガ行」（鼻声） ・障害が強くなるとさらに不明瞭になり，子音が脱落したり，速度が遅くなったりして，極めて聞きとりにくくなる. ● 協調運動性構音障害：小脳，錐体外路系の障害 【原因・誘因】 一音一音は不明瞭ではないが，発音のリズムが乱れ，抑揚が不適切で聞きとりにくい（脊髄小脳変性症，パーキンソン病など）.
失語症	● 発語に関する筋や神経，聴力の障害はないが，文字を読んだり物の名前が言えなくなったりする状態．多種のタイプがあるが，代表的（古典的）なものには以下がある. ● 運動性失語：発語筋の筋力が健全であるにもかかわらず，概念を言葉に置き換える能力に障害がある 【原因・誘因】 左下前頭回のブローカ中枢を中心とした障害（右上下肢の運動中枢にも近いので，右片麻痺を伴うことも多い） ・他人の話す言葉は理解できるが，自ら適切に言葉を発することができない. ・喚語障害，錯語，錯書，失文法など ● 感覚性失語：聴力が正常であるにもかかわらず，言葉を理解する能力に障害がある 【原因・誘因】 上側頭回のウェルニッケ中枢を中心とした障害（四肢の麻痺は伴わない

第2章　脳・神経系

	ことが多い) ・他人の言葉を聞いてもその意味が理解できない. ・一見理解できているようにみえたり，流暢にしゃべっているようにみえたりするが，話の内容に誤りが多く，支離滅裂なこともある. ・読み書きの障害は運動性失語よりも重い. 🔍**起こりうる看護問題：失語症，構音障害のため言語的コミュニケーションがとりにくい**
主要症状，随伴症状の把握　　　**構音障害の主要症状**　　　　　**構音障害の随伴症状**　**失語症の主要症状**　**失語症の随伴症状**	**症状のタイプ別に，患者にどのような主要症状，随伴症状がみられるのかを把握する.** ●発声の障害：発声持続時間の短縮，声量の低下，粗糙(そぞう)性嗄声(がらがら声)，気息性嗄声(息漏れのある声) ●構音・共鳴の障害：子音・母音のゆがみや省略，開鼻声 ●韻律の障害：会話速度の低下，単調な抑揚 ●嚥下障害：嚥下の状態，むせ，咳嗽の有無 ●感情失禁：感情の状態 ●流暢性の障害，喚語困難，錯語，迂(う)回表現，統語(構文)障害 ●聴覚的理解の障害，復唱の障害，読み書きの障害，計算障害 ●失行・失認 ●視野障害：見えている範囲の把握 ●片麻痺：四肢の麻痺の状態 🔍**起こりうる看護問題：失語症，構音障害のため言語的コミュニケーションがとりにくい／機能喪失，疾患の性質，予後に関連した悲嘆や悲哀，無力感がある／アイデンティティの変化により自尊感情の慢性的低下がみられる／半側無視がある／誤嚥リスクがある／身体可動性障害がある／セルフケアが不足している**
患者・家族の心理・社会的側面の把握	**負担に感じていること，将来に対する不安や悲嘆などを表現してもらうことで，トータルなケアを提供する.** ●ストレスに感じていることは何か：患者は言いたいことが伝わらず，ストレスを感じる場合が多い．また，思ったこと感じたことを言語として表現できない，言語を話しているつもりでも，発音がうまくいかず伝わらないこともストレスとなる. ●本人のコミュニケーション能力に合った方法を探り，言いたいことを理解するように努める必要がある. 🔍**起こりうる看護問題：機能喪失，疾患の性質，予後に関連した悲嘆，悲哀や無力感がある／アイデンティティの変化により自尊感情の慢性的低下がみられる**

STEP❶ アセスメント　STEP❷ 看護課題の明確化　STEP❸ 計画　STEP❹ 実施　STEP❺ 評価

看護問題リスト

#1　失語症，構音障害のため言語的コミュニケーションがとりにくい(役割-関係パターン)
#2　機能喪失，疾患の性質，予後に関連した悲嘆や悲哀，無力感がある(コーピング-ストレス耐性パターン)
#3　言語障害に関連したアイデンティティの変化により自尊感情の慢性的低下がみられる(自己知覚パターン)

看護問題の優先度の指針

●言葉が通じないことによるコミュニケーション障害に対して，何らかの方法で意思を疎通させることが大切であり，さらに，障害を軽減する治療・支援が必要である.
●言葉をうまく発声できないために，悲嘆が生じたりアイデンティティに混乱が生じたりしていること

368

- が多いので，精神的なケアも必要である．
- 原疾患の特性によっては，半側無視，誤嚥のリスクや歩行障害，セルフケア活動に困難をきたしている場合もあるので，それらに対処する．

| STEP ❶ アセスメント | STEP ❷ 看護課題の明確化 | STEP ❸ 計画 | STEP ❹ 実施 | STEP ❺ 評価 |

21 言語障害

1 看護問題	看護診断	看護目標（看護成果）
#1 失語症，構音障害のため言語的コミュニケーションがとりにくい	**言語的コミュニケーション障害** **関連因子**：発語筋の運動障害，大脳言語中枢の障害 **関連する状態**：気管切開 **診断指標** □音声障害（発声困難） □構音障害 □発話速度の低下	〈**長期目標**〉相手とコミュニケーション（意思疎通）を図ることができる 〈**短期目標**〉1）適切なコミュニケーションの手段により，相手と意思を疎通することができる．2）リハビリテーションにより明瞭な発語がみられるようになる．3）言語障害を補完する代替手段が維持できる

看護計画

OP 経過観察項目
- 話す能力と伝える能力の程度
- 説明内容や相手の言動を理解する力
- 基本的ニーズが伝えられているか
- 精神状態：フラストレーションなどの有無
- 発語の状態：声の大きさ，明瞭度，顔の表情
- 発声，構音障害の程度
- 呼吸状態
- 表情や態度
- 残存機能の程度
- コミュニケーション障害の潜在的状態（聴力，視力，認識障害，注意力や短期記憶力の不足）
- 薬効や症状の日内変動

TP 看護治療項目
- プログラムに合わせたリハビリテーションを行う（言語療法，呼吸・発語訓練）
- 病棟生活にリハビリテーション室での訓練を応用して取り入れる（鏡の前での練習，発声練習，舌の運動，唇と顎の運動，表情などの訓練，同時に家族，同室者，医療者との会話などを積極的に行う）
- 家族の協力も得る
- 家族とコミュニケーションがとれるように間に立ち，家族関係を保てるようにする
- 短い言葉や簡単な言葉を使ってコミュニケーションをとる
- 会話の時間に余裕をもち，焦らないような環境をつくる
- できるだけ患者が話しやすいように声をかける
- 患者の伝えようとしている言葉を理解するように根気よく努める
- 頻回に訪室し，コミュニケーションを図る

介入のポイントと根拠

- ➡言語を理解できるかどうかを確認する 根拠 理解している場合はフラストレーションを強く感じていると考えられる．まず，基本的ニーズを伝えられるような方法を患者とともに考える
- ➡現在の身体能力と症状．薬を服用している場合は薬の効果を評価する 根拠 その日その時の患者の状況に合わせた訓練とケアが必要である

- ➡適宜，できるだけ大きな声を出してもらったり，口の動きを訓練したりする．また意識的に人との会話の機会をもつ 根拠 リハビリテーション室でのプログラムだけがリハビリテーションではなく，生活全般をリハビリテーションと考える
- ➡ 根拠 看護師や言語聴覚士（ST）が援助するだけでなく，家族がいる時に患者が自分の時間を使ってリハビリテーションが行える環境をつくる
- ➡長い言葉を話したいと思っている場合もあるので，表情を見ながらコミュニケーションを進める 根拠 構音障害の場合，話がうまく伝わらず相手がいい加減に返事をしていると患者は敏感に察知する

369

第2章　脳・神経系

- 障害の程度に合わせコミュニケーション方法を相談，選択，工夫する：文字盤（単語，対面式，五十音）やカードの使用，ジェスチャー，筆談，まばたき，眼球運動，パソコンの利用など
- 気管切開患者の場合は，患者が基本的ニーズを伝達できる機器・方法を検討する

⊃ **根拠** 言語のみではコミュニケーションが難しい場合には，適切な方法を患者と一緒に考える

⊃ 気管切開や人工呼吸器装着中の患者では，文字盤やカードの使用，筆談などのほかに，スピーチカニューレやスピーキングバルブなどを利用することで発語が可能になることもある

- 患者の具体的な欲求を筆記しておき，スタッフ間で統一する
- 口腔内のケアを行う

⊃ 残存機能を生かした形での代替方法を維持し続ける
⊃ 口腔内の清潔が保持できるよう，患者ができない部位は介助する　**根拠** 口腔内が乾燥していたり汚れたりしていると発語がしにくくなる
⊃ 言語障害のみならず，上下肢麻痺や筋力低下のある患者には必須である

- ナースコールを工夫する（センサー式スイッチや足用コールなど）
- 散歩などの気分転換を行う

EP 患者教育項目
- 言語訓練の必要性，方法などを説明する
- 会話する時はゆっくり，大きく口を開けて発声するように説明する
- 代替手段に関する情報提供をする
- 疾患について感じていることを患者・家族から聞き出す．認識が低い場合は丁寧に説明する
- 家族にコミュニケーションのとり方を説明する
- 家族に，患者と看護師がコミュニケーションをとっている場面を見てもらい，要領をつかむようにしてもらう

⊃ 患者に訓練の必要性を理解してもらい，協力を促す　**根拠** 言語訓練の意義を患者がよく理解していないと，効果は得られない

⊃ 患者・家族がどのように障害を認識しているかを確認する　**根拠** リハビリテーションの受け入れに関係し，治療効果や治療継続の可能性にも影響を与え，療養生活の質にも関係している．また患者・家族が不安を感じている場合は，精神的な援助を継続し，家族の経済的・身体的負担に対してもサポートが必要となる

- 外出先や旅先などでの緊急時に備え，患者手帳を携帯するよう指導する（退院指導）

⊃ **根拠** 初めての医師に診察を受ける際に，疾患を告げる必要があるが，緊急時（特に言語障害が強い場合）には，それが難しい場合もある

2 看護問題	看護診断	看護目標（看護成果）
#2　機能喪失，疾患の性質，予後に関連した悲嘆や悲哀，無力感がある	**慢性悲哀** **関連因子**：障害管理上の危機，疾患管理上の危機 **関連する状態**：慢性的な障害 **診断指標** □ウェルビーイングを妨げる気持ちを示す □どうしようもなく否定的な気持ち □悲しみ	〈**長期目標**〉悲嘆や悲哀が軽減したと表出する 〈**短期目標**〉1）感情を患者なりの方法で表現できる．2）悲嘆や悲哀が軽減してきたことを患者なりの方法で表現できる

看護計画	介入のポイントと根拠
OP 経過観察項目 - 悲嘆や悲哀の訴え - 表情，口調，焦燥感，緊張感 - 態度（ふさぎ込む，悲しむなど）	⊃ **根拠** 悲嘆や悲哀を示す徴候および症状に注意する．ほかに言葉で示さなくとも，ふさぎ込む，

- ●睡眠状況
- ●疾患の理解や受け止め方
- ●予後に対する患者の受け止め方

TP 看護治療項目
- ●処置や治療を行う際は，説明しながら行う
- ●コミュニケーションを頻回に行い，支援的態度で接する
- ●落ち着いた態度で接する
- ●疾患，病状，予後に対する言語の統一を図り，患者が混乱しないように配慮する
- ●散歩などで気分転換を図る
- ●不眠が続く時は環境調整を行うとともに，医師へ報告し指示を仰ぐ

EP 患者教育項目
- ●医師から病状について説明をしてもらう
- ●精神的動揺があるときは，1人で悩まないで伝えるように説明する
- ●家族・患者の信頼している人の面会を多くしてもらう

悲しむなどの態度を表すこともある．日常時・健康時の個別の徴候や反応の情報を得ておくこともよい

⇨ 根拠 支援的態度が気持ちの表出を促す

⇨相手の表情を見ながら，わかりやすく説明してもらう 根拠 経過や治療などを説明してもらうことで，不要な心配を抱くことのないようにする

---

3 看護問題	看護診断	看護目標（看護成果）
#3 言語障害に関連したアイデンティティの変化により自尊感情の慢性的低下がみられる	**自尊感情慢性的低下** **関連因子**：無効なコミュニケーション能力（スキル），否定的な諦め，自己効力感が低い，ボディイメージ混乱 **診断指標** □不眠 □何度もの失敗 □自己否定的発言 □恥ずかしさ □アイコンタクトの減少 □抑うつ症状	〈長期目標〉言語障害を受容し，自分に対する肯定的感情がもてる 〈短期目標〉1)自己の感情を患者なりの方法で表現できる．2)アイデンティティの混乱がおさまってきたことを患者なりの方法で表現できる

看護計画	介入のポイントと根拠
OP 経過観察項目 ●言語障害に対する自己否定的な表現 ●言語障害に対する悲嘆的な表現 ●ボディイメージに対する羞恥心の表明 ●不安や緊張の表情，落ち着きがない様子 ●不眠，食欲低下などの身体症状 ●物思いに沈むような様子 **TP 看護治療項目** ●患者の気持ちが表出できるような態度で接する ●意思疎通の方法を患者とともに考える ●手を握る，背中をさするなど適宜タッチングを行う	⇨言語的または非言語的な表現を捉える．自己知覚の混乱にはボディイメージ，自己尊重，不安，悲嘆などの要素が絡むので，それらに関連する患者の表現を見逃さない ⇨言語には表さない，または表せない患者も多い．言葉以外の訴えの表出，すなわち表情や態度，身体表現などを見逃さないよう注意する ⇨支援的態度で接する 根拠 支援的態度が気持ちの表出を促す ⇨患者に適した方法を一緒に考える 根拠 少しでも患者と信頼関係を保てるように努力する必要がある

第2章　脳・神経系

- その他，気分転換になるようなものを患者とともに考える

EP 患者教育項目
- 病状や経過，治療などについて主治医に十分に説明してもらう
- わからないこと，心配なことがあれば質問するよう伝える

➲言語障害のことばかり考えず，気分転換を図ることで，気のもち方も変わってくる

➲相手の表情を見ながら，わかりやすく説明してもらう 根拠 経過や治療などを説明してもらうことで，不要な心配を抱くことのないようにする

STEP❶ アセスメント　STEP❷ 看護課題の明確化　STEP❸ 計画　STEP❹ 実施　STEP❺ 評価

病期・病態・重症度に応じたケアのポイント

【急性期】言語障害の原因は様々であるが，失語症にしても構音障害にしてもコミュニケーションが障害されていることは共通している．特に脳血管障害など命に関わるような場合も少なくないので，まずは原疾患への対処が第一である．また，喪失体験による悲嘆や悲哀，アイデンティティのアンバランスに対する心理的なケアも忘れてはならない．

【慢性期】言語障害を呈する疾患は脳血管疾患や神経系の難病が多いため，生涯その症状とつきあわなければならない場合が多い．疾患そのものの長期にわたる管理と，特にセルフケア能力の維持を図ること，それと同時にコミュニケーション障害に対する心理面のケアも急性期と同様に大切である．

看護活動（看護介入）のポイント

看護介入の方向性
- リハビリテーションスタッフとの連携を図る．
- プログラムに合わせたリハビリテーションを行う（言語療法，呼吸・発語訓練）．
- 患者の「伝えたい」という気持ちを大事にし，落ち着いてゆっくりと話したり書いたりする環境をつくる．
- 必要に応じて，言語以外のコミュニケーション方法も検討して，意思疎通を図る．
- 患者の自尊心を保ちながら意思疎通を図る．
- 患者には落ち着いてゆっくりと話してよいことを伝え，急がせない．家族の理解と協力も要請する．

退院指導・療養指導

- 症状が再度出現してくる場合，疾患の再発や進行が考えられるので，すぐ受診するよう説明する．
- 患者・家族とも安定した家庭生活を送ることができるよう，残された障害の程度に応じて，地域への連携や社会資源の調整などを行う．
- 社会との接点を様々な形で持ち続けるように促し，できるだけ身体も動かすように指導する．
- 精神面での健康にも留意するよう，患者・家族の両者に再指導する．

STEP❶ アセスメント　STEP❷ 看護課題の明確化　STEP❸ 計画　STEP❹ 実施　STEP❺ 評価

評価のポイント

看護目標に対する達成度
- 適切なコミュニケーションの手段により，相手と意思の疎通を図ることができているか．
- 明瞭な発語がみられるようになっているか．
- 言語障害を補完する代替手段が維持できているか．
- 悲嘆や悲哀が軽減したと表出できているか．
- 自己の感情を患者なりの方法で表現できているか．
- アイデンティティの混乱がおさまってきたことを患者なりの方法で表現できているか．

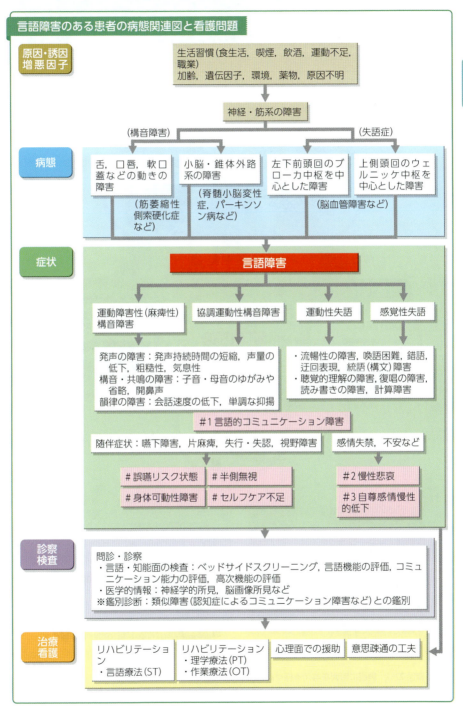

22 不眠

車地　暁生

目でみる症状

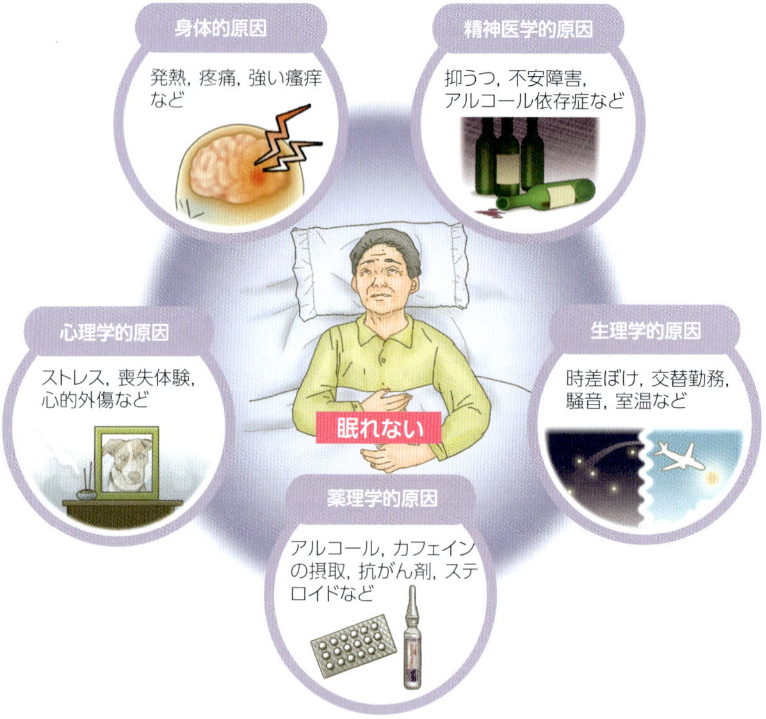

身体的原因
発熱, 疼痛, 強い瘙痒など

精神医学的原因
抑うつ, 不安障害, アルコール依存症など

心理学的原因
ストレス, 喪失体験, 心的外傷など

生理学的原因
時差ぼけ, 交替勤務, 騒音, 室温など

薬理学的原因
アルコール, カフェインの摂取, 抗がん剤, ステロイドなど

眠れない

入院中の患者の場合
・音, におい, 照明, 色彩
・寝具 (ベッド, 枕, 掛け布団など)
・室温, 湿度, 換気
・部屋の間取り, 広さ, ベッドの位置
・同室者
・処置
などが睡眠に影響を与える

■図 22-1　睡眠に影響を与える様々な要因

病態生理

不眠は単に睡眠時間が短いことではなく，睡眠時間の長短にかかわらず翌朝の覚醒時に睡眠に対する不足感が強く，患者自身が身体的・精神的・社会生活上の支障があると判断している状態である．この不眠は睡眠および覚醒を制御する生理的機構の障害によって生じ，この睡眠覚醒機構は生体時計によって駆動される日内リズムの表現の一部である．

● 不眠は，特異的な睡眠障害だけでなく，5つのPがその原因として関与し発症する．
　① 身体的原因 (physical)：疼痛，発熱，かゆみ，頻尿などをもたらす疾患．
　② 生理学的原因 (physiological)：時差ぼけ，交替勤務など．
　③ 心理学的原因 (psychological)：生活上の出来事やストレス．
　④ 精神医学的原因 (psychiatric)：抑うつ，不安障害，アルコール依存症．
　⑤ 薬理学的原因 (pharmacological)：アルコールやカフェインなどの嗜好品，抗がん剤やステロイドなどの治療薬．

患者の訴え方

不眠に対する患者の訴えは入眠困難，中途覚醒，早朝覚醒，熟眠障害の4種類あり，それによって睡眠障害を分類することもできる．

● 入眠困難：寝床に入ってなかなか寝つけない状態であり，入眠潜時（寝床に入ってから入眠するまでの時間）の延長（1時間以上）を認める．精神生理性不眠症，むずむず脚症候群，睡眠覚醒リズム障害，精神疾患など．
● 中途覚醒：夜中に目が覚めて，その後眠れない状態．不眠の訴えとしては最も頻度が高い．睡眠時無呼吸症候群，睡眠時随伴症（悪夢，レム睡眠時行動障害など），精神疾患など．
● 早朝覚醒：朝，意図した時間よりも早く目が覚め，そのまま眠れない状態．うつ病など．
● 熟眠障害：熟眠したという満足感がない症状で，目覚めた時に睡眠不足を感じる状態．睡眠が中断されたり，睡眠が浅い場合に起こりやすい．睡眠状態誤認，睡眠不足症候群，睡眠時無呼吸症候群など．

診断

不眠（睡眠障害）の病態の正確な把握と鑑別診断では，睡眠ポリグラフィー検査を行い，睡眠経過図を作成し，睡眠の持続性や構造の異常の有無，評価を行う．この検査では，脳波，眼球運動およびオトガイ筋筋電図などを記録する．

● 睡眠ポリグラフィー検査
● 脳波は意識水準とよく呼応して変化する．覚醒状態では13〜30 Hzのβ波が出現し，目を閉じた安静状態になると8〜12 Hzのα波が，少しまどろんだ状態では4〜7 Hzのθ波が出現する（第1段階）．さらに軽い睡眠に入ると紡錘波が出現し（第2段階），さらに深い睡眠になると脳波の振幅は大きくなり，周波数も3 Hz以下のδ波が出現し，徐波睡眠とも呼ばれる（第3と第4段階）．これら第1〜第4段階の睡眠をノンレム睡眠と呼ぶ（図22-2）．
● 睡眠にはレム睡眠と呼ばれるものがあり，急速眼球運動が出現し筋肉の緊張は低下するが，脳波はむしろ覚醒時に似ている．この段階では夢をよくみる．
● 一夜の睡眠は，まず第1段階から順に第4段階まで進み，一度第2段階に戻ってからレム睡眠が出現する．レム睡眠にはおおよそ90分ごとに出現する周期があり，ノンレム睡眠とそれに続くレム睡眠までが1つの睡眠周期である．一夜の睡眠ではこの睡眠周期が4〜5回繰り返されるが，徐波睡眠は入眠後に多く，レム睡眠は朝方に増加し，各周期を構成する睡眠段階の割合は変動する（図22-3）．
● 睡眠経過においては，睡眠時間，睡眠潜時，レム睡眠潜時，中途覚醒時間，睡眠周期やその回数，離床潜時などを評価する．
● 不眠によって生じる日中の眠気は，入眠潜時反復検査（2時間間隔で計4回以上）によって客観的に評価することができる．健康成人の入眠潜時はおおよそ10〜20分である．

● 鑑別診断のポイント
● 不眠に対しては，その原因を調べながら特異的な睡眠障害を鑑別し，かつ適切な治療を行う（図22-4）．
● 精神生理性不眠症（不眠恐怖）：うまく寝つけなかった体験がきっかけで，眠ろうと努力するほど緊張

22
不眠

375

第 2 章　脳・神経系

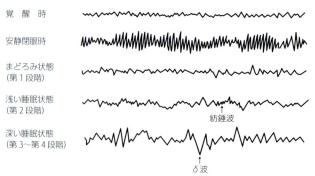

■図 22-2　睡眠ポリグラフィーによる脳波パターンと意識レベル

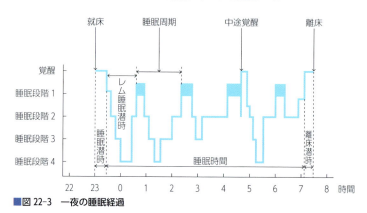

■図 22-3　一夜の睡眠経過

のために眠れなくなる不眠．寝室にいるだけで，あるいは眠る準備をするだけで緊張することが原因となる．この不眠を訴える患者は，居間にいる時やテレビを見ている時，電車の中などではかえって眠れることが多い．
● 睡眠時無呼吸候群：睡眠時に呼吸が頻回に停止する疾患．厳密には，睡眠時に 10 秒以上の無呼吸が睡眠 1 時間あたり 5 回以上みられる場合を指す．原因によって次の 3 パターンがある．①上気道（鼻から気管支に至る空気の通り道）が詰まってしまう閉塞型，②呼吸中枢の機能が低下している中枢型，③それらの混合型である．①および③は肥満あるいは高齢の男性に多くみられる．
● 睡眠時随伴症：睡眠中，あるいは入眠時，覚醒時に起きる様々な障害の総称．むずむず脚症候群，睡眠時遊行症（夢遊病），悪夢，レム睡眠時行動障害などがある．
● 睡眠覚醒リズム障害：睡眠覚醒サイクルなどの 1 日ごとに繰り返される生物学的リズム（概日リズム）の障害によって生じる睡眠障害．睡眠時間が生活時間とずれるため望ましい時間に眠れず，逆に不適切な時間帯に眠ってしまう．睡眠相後退症候群，睡眠相前進症候群がある．
● 入院患者の睡眠障害：入院患者はしばしば不眠を訴える．これには，患者の身体疾患性のものだけでなく，入院治療に基づく環境因性および心因性の原因が関与する．心因では，自分自身の病気に対する不安，医師や看護師に対する不満などが挙げられる．

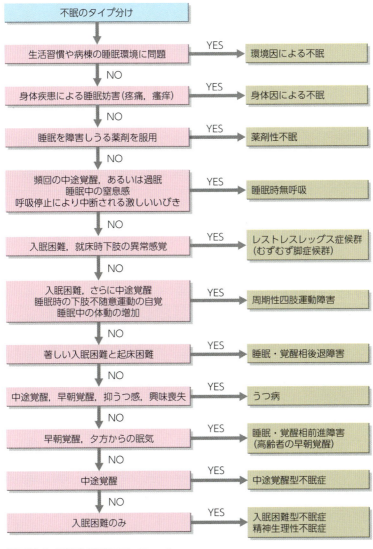

■図 22-4　不眠症の診断フローチャート
内山真：睡眠障害の対応と治療ガイドライン　第3版．p67，じほう，2019

第 2 章　脳・神経系

治療法・対症療法

●治療方針
- 不眠の治療は，以下の薬物療法と非薬物療法(精神療法および睡眠衛生指導)を各疾患や病態に対して適切に組み合わせて行う．

●薬物療法
- 不眠の原因によって作用時間の異なる睡眠薬を用いる(表 22-1, 2)．
- 睡眠時無呼吸症候群には筋が弛緩して気道の閉塞を促進しないように，筋弛緩作用の弱い睡眠薬が好ましい．

●非薬物療法
- 精神療法：①患者の不眠に対する苦痛を受け止め，共感する．②睡眠に関する正しい知識を十分に説明し，自分自身の睡眠について誤解があれば訂正する．
- 睡眠衛生指導：①規則的な睡眠スケジュールを保つ，②嗜好(しこう)品，薬物に注意する，③食事，運動などの生活習慣を見直す，④寝室の環境を整備する，⑤リラックスする，などの生活指導を行う．

■表 22-1　不眠症のタイプと主な睡眠薬

不眠のタイプ		一般名	主な商品名	薬の効くメカニズム	主な副作用
神経症的傾向が弱い場合 脱力・ふらつきが出やすい場合 (抗不安薬作用・筋弛緩作用が弱い薬剤)	入眠困難〜中途覚醒 (超短時間型，短時間型など)	ゾルピデム酒石酸塩	マイスリー	睡眠増強作用(ベンゾジアゼピン受容体に作用)	眠気, だるさ, 転倒
		ゾピクロン	アモバン		
		エスゾピクロン	ルネスタ		
		ラメルテオン	ロゼレム	睡眠増強作用(メラトニン受容体に作用)	眠気, 頭痛
		スボレキサント	ベルソムラ	睡眠増強作用(オレキシン受容体拮抗作用)	眠気, 悪夢
		レンボレキサント	デエビゴ		
	中途覚醒〜早期覚醒 (中間型，長時間型など)	クアゼパム	ドラール	睡眠増強作用(ベンゾジアゼピン受容体に作用)	眠気, だるさ, 転倒
神経症的傾向が強い場合 肩こりなどを伴う場合 (抗不安作用・筋弛緩作用を持つ薬剤)	入眠困難〜中途覚醒	トリアゾラム	ハルシオン		
		ブロチゾラム	レンドルミン		
		エチゾラム	デパス		
	中途覚醒〜早期覚醒	フルニトラゼパム	サイレース		
		ニトラゼパム	ベンザリン, ネルボン		
		エスタゾラム	ユーロジン		
腎機能障害, 肝機能障害がある場合 (代謝産物が活性を持たない薬剤)	入眠困難〜中途覚醒	ロルメタゼパム	エバミール, ロラメット		
	中途覚醒〜早期覚醒	ロラゼパム	ワイパックス		

梶村尚史(内山真編)：睡眠障害の対応と治療ガイドライン　第3版．p.111，じほう，2019 を参考に作成

■表 22-2 不眠症の治療

不眠の原因	睡眠薬 超短時間作用型	睡眠薬 短時間作用型	睡眠薬 中時間作用型, 長時間作用型	他の薬物療法	環境, 習慣の改善 その他の治療
行動や精神生理性障害 　精神生理性不眠症 　不適切な睡眠衛生	◎ ○	○ ○		抗不安薬	精神療法 睡眠習慣の改善
精神障害 　統合失調症 　双極性障害 　神経症など	○ ○ ◎	○ ○ ○	(×) ○ ○	抗精神病薬 (抗うつ薬) 抗不安薬	精神療法 精神療法 精神療法
環境要因	○	○			睡眠環境の改善
薬物依存	(○)	(○)	(○)	抗精神病薬	原因薬物の中止, 精神療法
睡眠起因性呼吸障害 　睡眠時無呼吸症候群など	×	×	×	アセタゾラミド 抗うつ薬	肥満治療, マウスピース, 持続的気道陽圧法 (CPAP), 手術
運動障害, むずむず脚症候群, 夜間ミオクローヌスなど	−	−	−	クロナゼパム プラミペキソール 塩酸塩水和物 ガバペンチンエナカルビル ロチゴチン	
概日リズム睡眠障害 　時差ぼけ, 交替勤務, 　睡眠相後退症候群など	◎ ◎	○ ○		メラトニン受容体作動薬	日光浴, 軽度の運動 時差療法, 高照度光照射
睡眠時随伴症 　夜驚症, 悪夢など	−	−	−	(抗うつ薬)	精神療法
その他の原因 　身体疾患による疼痛など	(◎)	(○)			原因疾患の治療

◎：使用頻度が最も高い薬物，○：使用頻度の高い薬物，併用薬，(○)：条件つき使用，−：無効，(×)：増悪の可能性あり，×：増悪，(◎)：最も使用頻度が高い薬物. 例外を含む.
中込和幸ほか (太田龍朗ほか編)：臨床精神医学講座　第 13 巻　睡眠障害. p.139, 中山書店, 1999 より一部改変

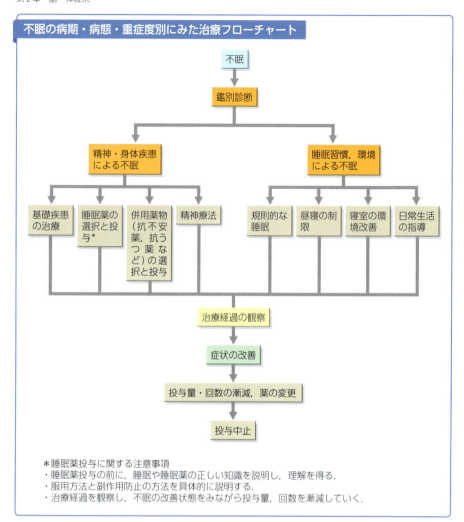

不眠の病期・病態・重症度別にみた治療フローチャート

*睡眠薬投与に関する注意事項
・睡眠薬投与の前に，睡眠や睡眠薬の正しい知識を説明し，理解を得る．
・服用方法と副作用防止の方法を具体的に説明する．
・治療経過を観察し，不眠の改善状態をみながら投与量，回数を漸減していく．

不眠のある患者の看護

佐々木 吉子

22 不眠

看護過程のフローチャート

観察項目（OP）

原因・誘因

● 疾患・病態
精神疾患，認知症，脳神経疾患，内分泌疾患，慢性腎不全，肺疾患，高血圧，心不全，副腎疾患，睡眠時無呼吸症候群，夜間ミオクローヌスなど

● 原疾患からくる症状
不安，恐怖感，葛藤，緊張，過労，局所の疼痛・腫脹・熱感，発熱，悪寒，呼吸困難，動悸，消化器症状，瘙痒，排尿異常など

● 治療や療養に伴う苦痛・不快
侵襲的治療，拘束，夜間の処置・持続監視，予後告知など

● 罹患や療養に伴う懸案事
回復・予後の不確かさ，近親者の病気・死，経済的困窮，家庭内不和，仕事・学業の停止，不快な病床環境など

身体的問題

● 主症状
不眠（入眠困難，熟眠感の欠如，中途覚醒，早朝覚醒）

● 随伴症状
顔色不良，眠気，頭重感，頭痛，めまい，あくび，疲労・倦怠感，食欲不振，集中力低下など

心理・社会的問題
患者・家族の不安

看護問題（看護診断）

#疾患に伴う症状により入眠困難，睡眠の中断，不眠がある

#治療，不快刺激により入眠困難，睡眠の中断，不眠がある

#懸案事のために入眠困難，睡眠の中断，不眠がある

#熟眠感の欠如により安楽が障害されている

#急性混乱，せん妄を起こすリスクがある

#転倒・転落，身体損傷のリスクがある

#食欲低下による栄養摂取量が不足している

#眠気，疲労により必要な日常活動ができない

#眠れないことに関連した患者・家族の不安がある

看護目標（看護成果）

疾患がコントロールされる

苦痛・不快症状が緩和・除去される

懸案事が解決する

熟眠感がもてる

転倒・転落，身体損傷が起こらない

食事摂取ができる

日中に眠気，疲労感がなく円滑に日常活動ができる

不安が軽減する

看護活動（看護介入）

OP 経過観察項目
睡眠状況：睡眠時間，夜間覚醒・早朝覚醒の状況，熟眠感，昼寝の有無
身体症状：血圧，体温，血糖値，不安・苦痛，頭痛・気分不快，疲労感，眠気
活動状況：注意力・集中力，作業効率，記憶力

TP 看護治療項目
原因・誘因の緩和・除去
就寝環境の整備
指示による鎮静薬・睡眠薬の与薬，注射
適度な運動の促し
清拭，足浴などの鎮静・催眠効果のあるケアの実施
転倒・転落の予防

EP 患者教育項目
患者・家族への状態説明
不安の軽減
患者・家族への睡眠衛生指導
服薬指導

第2章　脳・神経系

基本的な考え方

- よい眠りとは，精神作業能力や体調を日常生活に支障なく送れるレベルに整えられる夜の睡眠を指す．不眠を放置することにより，病状の悪化や回復遅延，さらには高血圧などの新たな健康問題を引き起こす危険性がある．
- 不眠は多くの原因・誘因が複合的に関与して生じることが多く，不眠をもたらす疾患がある場合には，そのコントロールを行いながら，そのほかの様々な原因・誘因の緩和・除去を行うことが重要である．
- 睡眠の質，量を評価し，随伴症状や，それに伴う生活上の影響にも注目しなければならない．

緊急 重症患者においては，持続する不眠状態はせん妄を招きやすく，必要な安静が困難となったり，気管挿管チューブや輸液ルートなどの事故抜去が起こり，治療の継続が困難となったり，時に生命危機に陥る場合もある．入眠のための適切な策を講じるとともに，これらの徴候を見逃さないよう十分な観察を行う．

STEP ❶ アセスメント	STEP ❷ 看護課題の明確化	STEP ❸ 計画	STEP ❹ 実施	STEP ❺ 評価

情報収集	アセスメントの視点と根拠・起こりうる看護問題
生活状況の把握	患者・家族から，睡眠を含めた普段（健康時）の生活状況，現在の変化を聞くことで，生活全般および睡眠の量や質について評価を行い，患者の不眠の状況，身体や生活への影響の実態が把握できる．
一般状態	● 日中の眠気，疲労感，活動状況，身体症状，生活パターン（規則的か，不規則か），生活習慣，嗜好品の内容と量（タバコ，アルコール，カフェイン含有物など），スマートフォンの使用状況，ストレス発散方法と実施状況など
睡眠状況	● 普段の就寝・起床時刻，夜間中途覚醒・早朝覚醒の状況（いつから，どのくらい続いているか），昼寝の状況，1日の総睡眠時間，熟眠感の有無・程度，眠れないことへの不満など
就寝環境	● 室温，湿度，照度，騒音の程度，臭気，風通し，プライバシーの確保，寝具，同室者との関係性
不眠の原因・誘因の把握	患者・家族から，現病歴，既往歴，症状の内容を聞くことで不眠の原因・誘因の特定や全身状態の把握につながり，治療や看護ケアにも重要な情報を得ることできる．
不眠をもたらす疾患の罹患状況と経過	● 疾患および共存症 **原因・誘因** 双極性障害，統合失調症，認知症，脳神経疾患，糖尿病，慢性腎不全，慢性閉塞性肺疾患，高血圧，心不全，副腎疾患，甲状腺疾患，睡眠時無呼吸症候群，むずむず脚症候群（レストレスレッグ症候群），夜間ミオクローヌス，瘙痒性皮膚疾患など（肥満 ➡ 中途覚醒を増加させる．心疾患 ➡ 入眠障害，中途覚醒，早朝覚醒を増加させる　脳卒中，糖尿病 ➡ 昼間の眠気を増加させる） ● 不眠の出現時期，診断までの経緯 ● 治療状況と病状経過，現在のコントロール状況 ● 顕在している，および起こりうる症状と対処状況
疾患の治療内容	● 侵襲的治療の実施状況・予定 **原因・誘因** 手術，血管カテーテル治療，内視鏡検査・処置，気管挿管，人工呼吸管理，補助循環装置装着，熱傷治療，疼痛を伴う創処置，骨髄穿刺，化学療法，持続血液透析，安静療法，局所の固定・牽引療法，身体拘束，羞恥心を伴う検査・処置 **妊婦** 出産直前，産褥期 ● 皮膚に瘙痒をもたらす薬剤投与 **原因・誘因** インドメタシン，ジアゼパム，ジゴキシン，アンジオテンシン変換酵素（ACE）阻害薬，コデインリン酸塩，インスリン，プロベネシド，モルヒネ，リファンピシン，カルバマゼピンなど ● 治療に関連した苦痛・不快感 **原因・誘因** 夜間の処置・バイタルサイン測定，持続監視装置の装着，アラーム音，疾患・余命の告知（悪い知らせ），入院，生活パターンの変化，ボディイメージの著明な変化，強い副作用，同病者・同室者の急変や死
療養に関連した懸案事	● 解決困難な問題 **原因・誘因** 回復・予後についての不確かさ，近親者の病気・死，経済的困窮，家庭内不和，仕事・学業の停止，役割遂行の停止 ● 不快な病床環境（人的環境を含む）

382

症状	●疾患や治療，懸案事に伴う症状　原因・誘因　不安，恐怖感，不満，葛藤，緊張，過労，局所の疼痛・腫脹・熱感，発熱，悪寒，呼吸困難，動悸，悪心・嘔吐，瘙痒，空腹，便秘，下痢，排尿異常(尿閉，尿失禁，頻尿)
不眠促進因子	●不眠促進因子の有無について検討することで，不眠への陥りやすさを考慮できる． ・内的要因：年齢，体格，性格，運動　高齢者　加齢に伴い，睡眠・覚醒中枢機能が低下し，不眠に陥りやすくなる． ・外的要因：温度，湿度，照度，寝具，臭気，騒音など

不眠の実態の把握

不眠の実態を把握し(医師が行う検査所見の把握を含む)，不眠のタイプを明らかにすることで，原因・誘因の特定および対処につながる情報が得られる．

不眠の実態

- ●睡眠日誌：生活の制限をすることなく，毎日の睡眠習慣や生活リズムについて自己記録を行う方法．睡眠の内省が視覚的にでき，概日リズム睡眠障害の診断などにも有用である．
- ●visual analog scale(VAS)：100 mm の直線の左右両端に，それぞれ「まったくない」「非常に眠い」などの言葉を記しておき，現在の状態にあてはまる眠気の状態の位置に垂直線を引いてもらう方法
- ●ピッツバーグ睡眠質問票(PSQI-J)：睡眠とその質を評価する自記式質問票．過去1か月間という時間枠の中で，睡眠障害を定量化できる．
- ●アクチグラフィー：腕時計型の圧センサーを用いて加速度圧を計測し活動量を連続して測定する．日中の活動量，睡眠覚醒の概日リズムなどの把握が可能である．
- ●睡眠ポリグラフィー検査：脳波，眼球運動，筋電図，呼吸，心電図など複数の生体現象を睡眠中に経時的に記録するポリグラフィーによる検査．睡眠の質および量，病的現象がわかる．

不眠のタイプ

- ●睡眠パターン混乱：外的要因によって入眠が困難，あるいは睡眠の質や量が低下した状況(熟眠感がない，眠れないという感覚，睡眠に対する不満がある)
原因・誘因　就寝環境の不備(温度，湿度，照度，騒音，臭気，すきま風などの調整不良，プライバシーの欠如，同室者との関係性，身体拘束，寝具の不良，夜間の介護など)
- ●睡眠剥奪：長時間の睡眠(自然で周期的な無意識状態)が維持されない状態の持続
原因・誘因　睡眠麻痺(金縛り状態)，特発性中枢神経性過眠症，不十分な日中の活動，ナルコレプシー，悪夢，周期性四肢運動障害(むずむず脚症候群，夜間ミオクローヌス)，長期の不快感，抗睡眠作用のある薬物または食物の長期連用(カフェイン含有物，ニコチン含有物，アルコール)，睡眠時遊行症(夢遊病)，睡眠関連疼痛性陰茎勃起，日没症候群(夕方から就床の時間帯に徘徊，興奮などが起こる)，概日リズムとの非同期，断続的な環境刺激　小児　睡眠時驚愕(がく)症(夜驚症)，睡眠関連遺尿症(おねしょ)　高齢者　加齢，認知症
- ●不眠：機能障害のある睡眠の質と量が破綻した状況　原因・誘因　不安，抑うつ，就寝環境の不備，恐怖，性ホルモンの変化，昼寝，悲嘆，興奮薬の摂取(カフェイン含有物，ニコチン含有物など)，アルコールの摂取，不規則な睡眠パターン(交替制勤務など)，薬物治療，身体的不快，ストレス

急性混乱，せん妄への緊急対応

- ●不眠のある状況下で急性混乱，せん妄の徴候がみられる場合には，早急な対応が必要である．特に患者が，術後急性期や持続監視を必要とするような病態である場合，気管挿管チューブやドレーン類，輸液ルートなどの事故抜去，誤飲・誤食，転倒による自身体損傷などをきたし，治療継続の困難や合併症を起こす危険性が高まり，場合によっては生命危機に陥ることもある．
- ●患者は眠れないことに加えて，疼痛や食べられないこと，先の見通しが不確かであることの不安など，同時に多くのストレスを抱えているため，これらについて十分に情報収集し，積極的に苦痛・不快の緩和を図る必要がある(苦痛緩和)．
- ●疼痛がある場合，積極的にコントロールを図る．急性期(72時間頃まで)は，積極

22　不眠

383

第2章　脳・神経系

的に指示された鎮痛薬を投与する．鎮痛薬の有効血中濃度や実際の効果を考慮し，睡眠導入時および夜間に疼痛を感じないように，投与時間を検討する．
- 急性混乱，せん妄の徴候がみられたら，環境整備の強化（昼夜の区別がつく，時間外にも家族面会が可能，排泄が容易にできるようにする，転倒した場合に備え備品などを調整する）を行う（環境調整）．また，日中は外気や外の景色に触れる，適度な運動をするなど，生活リズムを整え，夜間に入眠できるようにすることが重要である．
- 輸液ルートやドレーンは事故抜去が起こらないよう固定方法を工夫する（事故防止）．
- 症状が改善しない場合には，早めに精神科にコンサルトし，専門的治療につなげる．

全身状態，随伴症状の把握	不眠の状況とともに，全身状態，随伴症状を観察し，治療，看護計画の立案に有効に反映する．
バイタルサイン	- 体温 ➡低体温，発熱の有無を確認する．
	- 血圧，脈拍・リズム ➡循環器疾患の有無を調べる（心疾患，高血圧など）．
	- 呼吸状態 ➡呼吸器疾患の有無を調べる　**緊急** 呼吸困難，喘鳴，無呼吸発作
	原因・誘因 睡眠時無呼吸症候群，慢性閉塞性肺疾患，喘息，脳神経疾患
	- チアノーゼの有無 ➡呼吸器・循環器疾患の有無を調べる．
全身状態	- 起床時および日中の眠気，熟眠感，疲労，倦怠感の有無と程度．
	- 気分 ➡気分不快，不満感，不安，恐怖心，食欲の有無と内容を尋ねる．
	- 活動状況 ➡セルフケア実施状況，活動性・作業能力の低下の有無，集中力，記憶力，思考力，食事摂取状況を観察する．
	- 体格 ➡肥満がないかを確認する．
	- 皮膚 ➡瘙痒性病変（アトピー性皮膚炎，乾皮症など）の有無を観察する　**緊急** アナフィラキシーショック
頭頸部	- あくび，頭重感，めまい，顔色不良，視線のずれの有無と程度，声かけに対する反応．
	- 眼瞼浮腫 ➡循環器疾患，腎疾患の有無を調べる．
胸部	- 動悸，胸部症状，頸静脈の怒張の有無 ➡循環器疾患の有無を調べる（心疾患，高血圧など）．
腹部	- 腹部症状の有無 ➡悪心・嘔吐，便秘，下痢，腹痛の部位と程度を観察する．
四肢	- 下腿浮腫の有無 ➡循環器疾患，腎疾患，肝疾患の有無を調べる．
	🔍 **起こりうる看護問題**：入眠困難，睡眠の中断，不眠がある／熟眠感の欠如による安楽が障害されている／急性混乱，せん妄を起こすリスクがある／眠気，疲労により必要な日常活動ができない／転倒・転落のリスクがある
患者・家族の心理・社会的側面の把握	患者は不眠になることによって，眠れないことのつらさや原因疾患の存在，眠れないことにより回復が遅延し疾患が悪化するのではないかという不安を感じている．また患者が不眠であることや，不眠が誘因となって急性混乱やせん妄を生じることは，家族に苦悩をもたらす．一方，家族内の問題が患者の不安・不眠の原因となっていることもある．
	- 患者が不眠になった経緯や対処状況を聞き，患者や家族が抱えている懸案事や不安に思っていることを把握する．
	🔍 **起こりうる看護問題**：眠れないことに関連した患者・家族の不安がある

STEP ❶ アセスメント　STEP ❷ 看護課題の明確化　STEP ❸ 計画　STEP ❹ 実施　STEP ❺ 評価

看護問題リスト

\#1　入眠困難，睡眠の中断，不眠がある（睡眠-休息パターン）
\#2　熟眠感の欠如により安楽が障害されている（認知-知覚パターン）
\#3　急性混乱，せん妄を起こすリスクがある（認知-知覚パターン）

384

#4 眠気，疲労により必要な日常活動ができない（活動-運動パターン）
#5 転倒・転落リスクがある（健康知覚-健康管理パターン）
#6 眠気，疲労に伴う食欲低下により栄養摂取量が不足している（栄養-代謝パターン）
#7 眠れないことに関連した患者・家族の不安がある（自己知覚パターン）

看護問題の優先度の指針

- 第一に不眠の原因・誘因の除去に努め，夜間に適度な睡眠がとれるよう環境を調整し，指示された睡眠薬の投与を行う．不安や恐怖心が強い場合には，そばにいて気持ちに寄り添い，不安の軽減を図る．
- 術後急性期や重症患者では，不眠から急性混乱，せん妄を起こしやすいので，これらを予防するとともに，発生時にはルート類の事故抜去，身体外傷などの二次的障害を未然に防ぐための対策を行う．
- 緊張状態が続くと交感神経優位となり，さらに不眠を助長するので，足浴や清拭などの安楽ケアの実施や，軽い運動を行うことでリラックスさせ，入眠を促進する．
- 眠気，疲労，睡眠薬投与により，活動耐性低下，転倒リスク，食欲低下がみられた時には対処する．
- 眠れないことに関連した患者・家族の不安の解消に努める．

STEP ❶ アセスメント　　STEP ❷ 看護課題の明確化　　STEP ❸ 計画　　STEP ❹ 実施　　STEP ❺ 評価

1 看護問題	看護診断	看護目標（看護成果）
#1　入眠困難，睡眠の中断，不眠がある	**睡眠パターン混乱，睡眠剥奪，不眠** **関連因子**：平均的な1日の身体活動量が，年齢・性別推奨量以下，加齢に伴う睡眠段階の変化，環境外乱，環境からの過剰刺激，不安，恐怖，不快感，物質（薬物）乱用，抑うつ症状 **関連する状態**：拘束（固定） **診断指標** □体力が回復しない睡眠覚醒サイクル □早期覚醒 □意図しない覚醒 □睡眠状態の継続が困難 □入眠困難 □疲労感 □睡眠に対する不満 □日常的な機能が困難	〈**長期目標**〉日中，眠気によって身体および精神活動が阻害されない 〈**短期目標**〉夜間に適切な睡眠をとることができ，熟眠できたことを表現する

看護計画

OP 経過観察項目
- 睡眠状況：入眠時刻，起床時刻，中途覚醒の有無・回数，早朝覚醒の有無，熟眠感の有無・程度
- 睡眠を阻害する症状の有無と程度
- 日中の眠気，倦怠感，集中力，活動状況

- 顔色，表情，言動，声かけに対する反応

介入のポイントと根拠

- **根拠** 継続アセスメントおよび介入の効果を評価する

- **根拠** 原因疾患の解明につながる
- ➡介入後も症状が改善しない場合，医師に相談する
- ➡十分眠っているのに，日中の眠気が強い時は専門医の診察へつなげる

第2章　脳・神経系

- 就寝環境，睡眠を妨害する環境刺激の有無
- 同室者，医療者，家族との関係性
- 睡眠薬の管理・服薬の状況・効果

TP 看護治療項目
- 病床および周辺環境を調整する（温度，湿度，照明，騒音，振動，プライバシー確保，清潔な寝衣・リネンの交換，同室者への説明など）
- 意思や感情が表出しやすい場や雰囲気をつくり，不安を傾聴し，受け止める
- 普段の生活習慣，生活パターンを尊重し，可能な範囲でそれに近づけるよう調整する
- リラックスできるケアを行う（足浴，部分清拭，マッサージなど）

EP 患者教育項目
- 就寝前4時間のカフェイン摂取，就寝前1時間の喫煙は避けるよう説明する
- 睡眠薬代わりの飲酒はしないよう指導する

- 覚醒時に行う作業（食事，仕事）は，できるだけ寝床に持ち込まないよう説明する
- 生活リズムを整え，必要以上に昼寝をしないよう指導する

- 適度な運動をするよう促す
- 普段から自分なりの入眠導入法を実践するよう説明する（軽い読書，香り，ぬるめの入浴など）
- 睡眠薬の管理，服薬について指導する

⇨大部屋に入院の場合，他患者・家族への配慮も重要である．
⇨効果がない，副作用がみられる時は医師に報告する

⇨終日臥床が必要な患者でも，日中と夜間では，枕元の片づけ，物品の配置や照明などを工夫して区別する
⇨ **根拠** 不安や葛藤，緊張を緩和する

⇨ **根拠** 個人の概日リズムにより，入眠困難な時間帯がある
⇨ **根拠** 副交感神経優位となり，睡眠導入しやすくなる

⇨ **根拠** カフェイン，アルコール，ニコチンは，大脳皮質を刺激して興奮をもたらす
⇨ **根拠** 寝酒は深い睡眠を減じ，中途覚醒を招くので勧めない
⇨ **根拠** 就寝時には，活動モードをオフにする

⇨昼寝は午後3時前までに30分間とする
根拠 夕方以降のうたた寝は，夜の睡眠に影響する
⇨ **根拠** 緊張をほぐし，適度な疲労感をもたらす

⇨自己判断による薬剤の量の加減は危険であることを説明する

2 看護問題	看護診断	看護目標（看護成果）
#2　熟眠感の欠如により安楽が障害されている	**安楽障害** **関連因子**：不快な環境刺激など **関連する状態**：病気に関連した症状（疾患，治療，疲労，倦怠感，瘙痒感） **診断指標** □睡眠覚醒サイクルの変化 □リラックスすることが困難 □不快感を示す □恐怖感	〈**長期目標**〉夜間は熟眠でき，日中穏やかに過ごすことができる 〈**短期目標**〉1）入眠がスムーズになる．2）不快症状や不快刺激により中途覚醒しない

看護計画	介入のポイントと根拠
OP 経過観察項目 - 睡眠状況，熟眠感 - 睡眠を阻害する症状の有無と程度 - 顔色，表情，言動，声かけに対する反応 - 不満，イライラ感，疲労感の有無	⇨ **根拠** 表情，言動，しぐさから，安楽障害の有無・程度を読み取る

386

TP	看護治療項目

● 入眠できる環境を調整する
● 安楽ケアを提供する（手浴，足浴，アロマテラピー，マッサージなど）

➡ **根拠** 安楽ケアにより，副交感神経優位が促進されると睡眠導入が容易になる

● 気分転換を促進する（日中の散歩，日中はデイルームで過ごす，軽い体操や読書ができるような場の調整）

➡ **根拠** 気晴らしをすることで，滅入った気持ちを緩和し，また刺激を与えることで昼寝を予防する効果もある

EP	患者教育項目

● 適度な運動を促す
● リラクセーション方法を指導する

➡ **根拠** 軽い運動負荷を与えることで，体の緊張をほぐす

22

不眠

3	看護問題	看護診断	看護目標（看護成果）

| #3　急性混乱，せん妄を起こすリスクがある | **急性混乱リスク状態**
危険因子：睡眠覚醒サイクルの変化，感覚遮断，脱水症，疼痛，身体可動性障害，栄養失調，尿閉，身体拘束の不適切使用
ハイリスク群：60歳以上の人 | 〈**長期目標**〉意識，注意，認知および知覚の混乱がなくなる
〈**短期目標**〉夜間は睡眠でき，規則正しい生活リズムとなる |

看護計画	介入のポイントと根拠

急性混乱，せん妄発生時の緊急対応

OP	経過観察項目

● 夜間の睡眠状況，日中の昼寝・傾眠の有無

➡ **根拠** 急性混乱やせん妄は，日中よりも夜間の発生が多い **高齢者** 環境の変化が引き金となりやすい

● 表情，言動，行動，活動状況，誤った知覚の有無
● 声をかけた時，視線が合うかどうか
● イライラ感，ソワソワした感じはないか

➡ 表情の変化（目つきが鋭くなる，視線が合わない，興奮気味），見当識が乏しくなっていないか観察する

TP	看護治療項目

● 苦痛や不快な症状は，速やかに除去・緩和する

➡ **根拠** 持続する苦痛や不快感は，混乱を助長する

● そばにいて不安の緩和を図る
● 医師と相談し，睡眠導入薬により確実に夜間の睡眠がとれるようにする

➡ **根拠** ひとたび症状が出現すると，説明しても状況が改善しないことが多い

● 家族・友人などの重要他者に面会や付き添いを依頼する
● 転倒による身体損傷が起こらないよう，危険なものは寝床から遠ざける

➡ **根拠** 見慣れた人，使い慣れたものに触れることが，自己を取り戻すきっかけとなることが多い
➡ **根拠** 可動式のもの（ストッパーのかかっていない車椅子，オーバーテーブル）に1人でつかまり，バランスを崩して転倒することが多い

● 常に患者の動きを把握できるよう，頻回の訪室，モニターの装着，監視装置の設置などを行う
● ドレーン，輸液ルートなどの事故抜去が起こらないよう，固定方法を工夫する（患者の手に届かないよう，寝衣の中でまとめるなど）
● 不必要・不適切な身体拘束は中止・見直しをする
● 治療上必要のないドレーン，ルート類がないか

➡ モニターの装着が新たなストレスとなりうるので，患者の状況に応じて選択・装着する
➡ **根拠** 治療上必要なものに対する理解が乏しくなるので，患者の視界に入らないようルート類を寝衣内にまとめたり，直接触れないようにサポーターで固定する
➡ **根拠** 不眠の原因になっていることもあるので，

387

第2章 脳・神経系

医師に抜去の検討を依頼する	リスクマネジメントとして，事故抜去が起こる前に，除去できるものは抜去してもらう
EP 患者教育項目 ● 治療の必要性，現在の状況などをあらためて説明する	➡ **根拠** 見当識が乏しくなり，状況認知や理解が低下している

OP 経過観察項目 ● 夜間の睡眠状況，日中の昼寝の状況 ● 表情，言動，行動，活動状況 ● 声かけに対する反応 ● 熟眠感，疲労，倦怠感の有無・程度 ● 家族たちとの面会時の様子(患者・家族双方)	➡ 何かに執着した言動，何かを探すような行動，点滴ルートなどに必要以上に触れるなどの行為がないか注目する ➡ **根拠** 家族との関係性が，急性混乱の原因となったり，逆に解決の鍵になることがある
TP 看護治療項目 ● 積極的に関わりをもち，不安の表出を助け，緩和を図る ● 医師と相談し，睡眠導入薬により確実に夜間の睡眠がとれるようにする ● 家族・友人などの重要他者に面会や付き添いを依頼する	➡ **根拠** 医療者との良好な関係が，治療のストレスや環境刺激を和らげる ➡ 生活リズムが乱れ始めたら，昼夜逆転しないうちに，確実に夜間入眠できるよう調整する ➡ **根拠** 重要他者との交流により見当識を保ち，また刺激されることで昼寝を防ぐことができる
EP 患者教育項目 ● 不安や心配，苦痛に感じていることがあれば，遠慮なく伝えてよいことを説明する	

4 看護問題	看護診断	看護目標(看護成果)
#4 眠気，疲労により必要な日常活動ができない	**活動耐性低下** **関連因子**：身体可動性障害，酸素の供給／需要の不均衡，活動に不慣れ **診断指標** □活動時の異常な血圧反応・心拍反応 □全身の脱力 □労作時不快感 □労作時呼吸困難 □心電図の変化	〈長期目標〉必要な日常活動ができる 〈短期目標〉活動に伴う疲労，倦怠感が増大しない

看護計画	介入のポイントと根拠
OP 経過観察項目 ● 安静時および活動中・後のバイタルサイン，呼吸状態の変化 ● 活動に伴うめまい，ふらつき，気分不快の有無	➡ **根拠** 安全に活動の拡大を図る
TP 看護治療項目 ● 車椅子での散歩や座位でできる手作業など，援助しながら始め，徐々に活動が拡大できるようにする ● 疲労，倦怠感が強い時は夜間に睡眠できるよう配慮しながら，効果的に短時間の仮眠を促す	➡ **根拠** 日中は起き，夜は眠るという生活リズムを再構築することが基本となる ➡ 仮眠する場合は午後3時までに30分以内とする **根拠** 夕方以降の仮眠は夜の睡眠に影響する

EP 患者教育項目
- 患者・家族に生活リズムをつけることの必要性を説明する

➡ **根拠** 患者の自覚がないと生活リズムを整えることは困難である．家族の協力も重要である

22
不眠

5 看護問題	看護診断	看護目標（看護成果）
#5 転倒・転落リスクがある	**成人転倒転落リスク状態** **危険因子**：認知機能障害，下肢筋力低下，散らかった環境，手すりがない，首を伸ばした時の立ちくらみ，首を回した時の立ちくらみ，十分な照明がない，低血糖，下痢，失禁，脱水症 **関連する状態**：うつ病，精神障害，医薬品 **ハイリスク群**：60歳以上の人，転倒転落歴のある人，拘束（抑制）されている人	〈長期目標〉転倒・転落しない 〈短期目標〉転倒・転落につながるような行動をしない

看護計画	介入のポイントと根拠
OP 経過観察項目 ● 安静時および活動中・後のバイタルサイン，呼吸状態の変化 ● 四肢の筋力低下の有無・程度 ● 活動に伴うめまい，ふらつき，気分不快の有無 ● 転倒・転落に対する認識，行動	➡ **根拠** 身体負荷に対する身体の許容レベルを評価する ➡ **根拠** 身体の支持能力を評価する ➡ **根拠** 患者がどのくらい危険性を認識し，注意を払えているかを観察する
TP 看護治療項目 ● 安全な環境を整備する ● セルフケア不足がある場合は援助する（入浴，移動，歩行など）	➡ **根拠** 説明しても十分な理解が得られない時や，急性混乱をきたした場合に備える必要がある
EP 患者教育項目 ● 転倒・転落しやすい場面とその対策について，患者・家族に説明する ● 移動時・離床時には，遠慮なく看護師を呼ぶよう説明する	➡ **根拠** 患者・家族の自己判断が転倒を招くような行動につながることもあるので，丁寧に繰り返し説明する ➡ 看護師の忙しそうな姿を見て，呼ぶことをためらう患者・家族もいるので，丁寧に対応する

6 看護問題	看護診断	看護目標（看護成果）
#6 眠気，疲労に伴う食欲低下により栄養摂取量が不足している	**栄養摂取バランス異常：必要量以下** **関連因子**：不眠に伴う疲労・倦怠感，活動耐性低下，食物嫌悪，抑うつ症状，口腔内の損傷，嚥下困難 **診断指標** □食物摂取量が1日あたりの推奨量以下	〈長期目標〉栄養状態が改善する 〈短期目標〉1) 食事に関心を示す．2) 適量の食物を摂取することができる

389

第2章　脳・神経系

□体重が年齢・性別理想体重の範囲を下回る

看護計画	介入のポイントと根拠
OP 経過観察項目 ●食事摂取量 ●体重，尿量 ●誤嚥，悪心・嘔吐，腹痛 ●味覚，口腔内の痛み・粘膜異常，食欲，活気，機嫌，表情 ●血清総蛋白，アルブミン，皮膚状態	➡1日の必要量が摂取できているか把握する ➡ 根拠 栄養状態，体液量の評価をする ➡眠気や倦怠感との関連を観察する　根拠 食事を勧めてよいか評価する ➡ 根拠 栄養状態の指標となる
TP 看護治療項目 ●無理なく食べられるものを提供する ●食べ物の選択は，患者の好みも加味して決める ●症状なく食べられたら，徐々に量や種類を増やしていく ●摂取困難な状況が続く時は，医師に相談し，輸液などの手段を検討する	➡就寝前には，刺激物，カフェイン含有の飲み物，消化の悪いものは避け，ホットミルクなどを勧める　高齢者 嚥下機能が低下している高齢者では，特に誤嚥に留意する ➡ 根拠 尿量減少，循環の変調がみられる場合は，経静脈栄養が開始される
EP 患者教育項目 ●無理をして食べないよう指導する ●食事内容について家族に指導する	➡食事は様子をみながら徐々に勧めていく 根拠 眠気が強い状況で勧めると，誤嚥する危険がある

7	看護問題	看護診断	看護目標（看護成果）
	#7　眠れないことに関連した患者・家族の不安がある	**不安** **関連因子**：不慣れな状況，ストレス要因，価値観の対立 **診断指標** □不安定な気持ち □激しく怯える気持ち □警戒心が増す □深く考えすぎる □過覚醒 □緊張を示す □どうすることもできない無力感	〈長期目標〉患者・家族の不安が解消する 〈短期目標〉患者・家族が不安を表出できる

看護計画	介入のポイントと根拠
OP 経過観察項目 ●表情，言動，行動 ●患者・家族の睡眠状況	➡ 根拠 不安のレベル，原因を把握する ➡不安によって不眠が増悪していないか評価する
TP 看護治療項目 ●患者・家族の不安の表出を促し，不安に思っていることを傾聴する ●適切な情報提供を行い，不確かさを緩和する ●気晴らしとなるような関わり，ケアを実施する	➡患者以上に家族の不安が強いこともあるので，丁寧に対応する．家族の健康状態にも注目する ➡必要時には，医師に説明を依頼する ➡ 根拠 良好な関係性が構築できる
EP 患者教育項目 ●不安に思っていることの表出を促す	➡ 根拠 悪循環を絶ち，早期に解決を図る

| STEP ❶ アセスメント | STEP ❷ 看護課題の明確化 | STEP ❸ 計画 | **STEP ❹ 実施** | STEP ❺ 評価 |

病期・病態・重症度に応じたケアのポイント

【急性期】 不眠の徴候を早期にとらえ，原因となっている苦痛や不快症状の除去・緩和を図り，入眠しやすい就寝環境を整える．それでも十分でない場合は，睡眠導入薬などの投与について医師と相談し，副作用に留意しながら効果的に使用していく．不眠が原因となって起こる安楽障害，急性混乱，転倒，栄養不足，感染リスクなどにも早期から注目して介入する．不眠→不安→不眠の悪循環を絶つため，心理面へのサポートも重要である．

【回復期】 全身状態の改善に伴い，睡眠衛生（質のよい睡眠をとる条件や睡眠に関連する事柄）や服薬について指導を行い，入院中および自宅に戻ったのちも，継続して望ましい生活リズムがとれるよう，患者自身が整えていけるよう支援する．

22
不眠

看護活動（看護介入）のポイント

診察・治療の介助
- あらかじめ普段の生活習慣，睡眠状況について尋ね，必要な情報が確実に医師に伝わるようサポートする．
- 睡眠評価，原因疾患の検索のための検査が行われる場合には介助する．
- 指示された輸液，薬物を正確に投与する．

不眠に対する援助
- 苦痛や不快症状，不安の原因や要因を除去・軽減する．
- 入眠できる環境を整える．
- 睡眠衛生指導，生活指導を行う．

リスクマネジメント
- 急性混乱やせん妄を生じた場合は，転倒・転落や身体損傷を起こさないよう環境調整，ケアの提供を行う．

退院指導・療養指導

- 規則正しい生活をするよう指導する（就寝・起床時刻，嗜好品の摂取，昼寝のとり方など）．
- 継続して睡眠薬を使用する場合は，薬剤管理を含めた服薬指導を行う．

| STEP ❶ アセスメント | STEP ❷ 看護課題の明確化 | STEP ❸ 計画 | STEP ❹ 実施 | **STEP ❺ 評価** |

評価のポイント

看護目標に対する達成度
- 就寝後，おおむね30分以内に入眠できているか．
- 中途覚醒，早朝覚醒は改善しているか．
- 熟眠感がもてるようになっているか．
- 日中の眠気がなく，必要な日常活動ができているか．
- 適切な水分摂取，食事摂取ができ，栄養状態が維持されているか．
- 睡眠薬は効果的に作用しているか．
- 患者・家族が，眠れないことに対しての不安がなくなったと表現しているか．

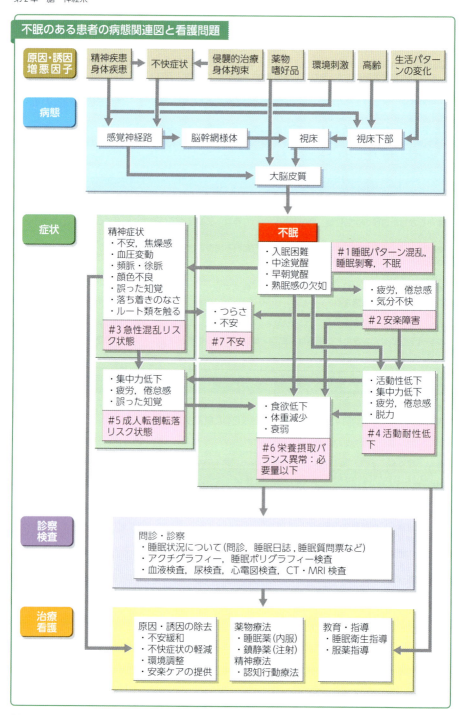

23 不安

塩飽 裕紀

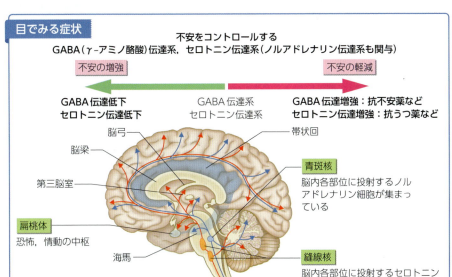

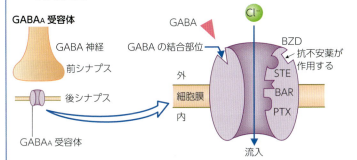

GABA 受容体には 3 種類あり，そのうちの 1 つである GABA_A 受容体は塩化物イオン（Cl^-）の透過性を調節する．
GABA_A 受容体には，GABA の結合部位以外に，ベンゾジアゼピン結合部位（BZD），ステロイド結合部位（STE），バルビツール酸結合部位（BAR），ピクロトキシン結合部位（PTX）などがあり，これらは薬物の標的となる．

■ 図 23-1　不安の発生およびコントロールに関する機序

目でみる症状

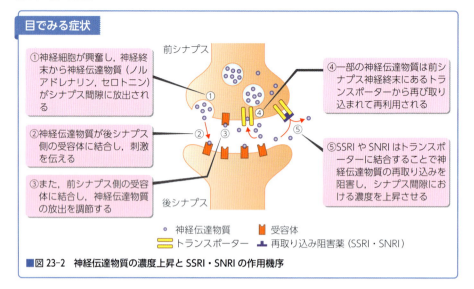

■図 23-2 神経伝達物質の濃度上昇と SSRI・SNRI の作用機序

病態生理

健常者でも不安は存在するが，生活に支障が及ぶほどの不安は精神疾患として精神医学の治療対象となる．言い換えると，不安症状は健常者の正常な心理反応でもありながら，事実上すべての精神疾患に関連するため，その原因や不安症状の程度をアセスメントすることが重要である．明らかな精神疾患が存在しない，健常と精神疾患の境界に位置するような不安は，概して微弱な神経症性障害と理解することができる．

- せん妄をはじめとした意識障害における不安症状は，一見不安症状のようにも見えても本質的には意識障害である．
- 意識障害ではない不安の背景として，不安症状が主たる症状である神経症性障害の鑑別として上がる精神疾患の中で重要なのは，うつ病，双極性障害，統合失調症である．
- 上記がなければ，神経症性障害による不安と考える．
- 神経症性障害には適応障害のように明確なストレスが存在する心理・社会的な病態と，代表的な不安障害のパニック障害や強迫性障害のように，より生物学的な背景をもつものに大別して理解できる．
- 不安の背景にはセロトニンや GABA（γ-アミノ酪酸）系の病態が重要である．

患者の訴え方

疾患や障害によって特徴的な訴え方をする．
- 主症状の訴え
- うつ病，双極性障害：「身の置き所がない」「落ち着かない」「漠然と不安」「病気でないかと不安になる（心気妄想）」「金がない（貧困妄想）」「罪を犯している（罪業妄想）」「つらくて死にたい」など．
- 統合失調症：「狙われている」「周りから見られている」「情報が洩れている」など．
- 適応障害：「原因に近づくと不安になる」「原因から離れていれば問題はない」など．
- パニック障害：「不安の発作が起こる」「発作がないときは普通」「発作の時は動悸や手の震え，汗が出て，気が狂いそうになる」など．
- 強迫性障害：「不安になるのはばかばかしいと思うが，不安になることをやめられない（鍵閉め，手洗いなど）」など．
- 病気不安症：「（実際には病気でないのに）病気ではないかと不安になる」など．

診断

意識障害,気分障害圏,統合失調症圏,不安障害圏等を順番に除外しながら診断をすすめる.
- ●原因・考えられる疾患
- ●事実上すべての精神疾患に不安症状は関連し得る.
- ●鑑別診断のポイント
- ●生活に支障があるかどうかで,健常者の不安か精神疾患かを鑑別する
- ●うつ病や統合失調症などを単純な不安障害と誤診しないことが重要である.
- ●パニック障害,パニック発作までは至らない不安症状のみの発作形式もあり得る.発作時以外は正常であることがポイントである.
- ●強迫性障害では,不安に基づく強迫行動や強迫観念が不合理であることを認識していることが重要である.例えば「ばかばかしいとわかってはいるが,やめられない」といったことである.ただし,重症では不合理さを感じなくなっているケースもあり得る.
- ●適応障害では明確なストレス因子が存在し,それから離れると症状が改善する特徴がある.

治療法・対症療法

診断に応じて治療方法はその疾患の標準治療が適切なアプローチである.安易な抗不安薬の投与や,傾聴だけでほとんどの不安を解決できるとは認識せず,適切な診断とその疾患への標準的な治療アプローチが重要である.
- ●治療方針
- ●適応障害による不安は,適応障害の治療に準じて,原因の除去ないしは原因から離れることで治療し,安易な投薬は避ける.
- ●健常者の正常な不安は,しいて疾患名をつけるならきわめて軽度の適応障害であり,同様に原因から離れることや,傾聴等で対応できる.
- ●パニック障害や強迫性障害は,SSRI が薬物療法の標準であり,同時に認知行動療法等を取り入れることも重要である.

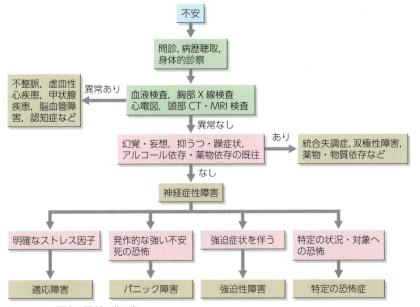

■図 23-3　不安の診断の進め方

第2章 脳・神経系

■表 23-1　不安の診断に応じて使用される主な薬剤

分類	種類	一般名	主な商品名	薬の効くメカニズム	主な副作用
抗不安薬	ベンゾジアゼピン系薬物	ロラゼパム	ワイパックス，ロラゼパム	GABAA 受容体のベンゾジアゼピン結合部位に作用する	眠気，ふらつき，めまい，筋弛緩作用，健忘，興奮性の亢進
		ブロマゼパム	レキソタン		
		アルプラゾラム	ソラナックス，コンスタン		
		エチゾラム	デパス		
		ジアゼパム	セルシン，ホリゾン		
		ロフラゼプ酸エチル	メイラックス		
		クロチアゼパム	リーゼ		
	セロトニン作動薬	タンドスピロンクエン酸塩	セディール	シナプス前後のセロトニン 5-HT$_{1A}$ 受容体にアゴニストとして作用する	眠気，ふらつき，悪心
抗うつ薬	選択的セロトニン再取り込み阻害薬 (SSRI)	フルボキサミンマレイン酸塩	デプロメール，ルボックス	シナプス間のセロトニン，ノルアドレナリンの再取り込みを阻害し，細胞外濃度を増加させる	悪心・嘔吐など消化器症状，セロトニン症候群（発汗，動悸，振戦など），性機能障害
		セルトラリン塩酸塩	ジェイゾロフト		
		パロキセチン塩酸塩水和物	パキシル，パキシル CR		
		エスシタロプラムシュウ酸塩	レクサプロ		
	セロトニン・ノルアドレナリン再取り込み阻害薬 (SNRI)	ミルナシプラン塩酸塩	トレドミン		
		デュロキセチン塩酸塩	サインバルタ		
		ベンラファキシン塩酸塩	イフェクサー		
	ノルアドレナリン作動性・特異的セロトニン作動性抗うつ薬 (NaSSA)	ミルタザピン	レメロン，リフレックス	ノルアドレナリンα$_2$受容体阻害作用により，ノルアドレナリンの放出を促進する	眠気，倦怠感，めまい
抗精神病薬	セロトニン・ドパミン拮抗薬	リスペリドン	リスパダール	ドパミン受容体，セロトニン受容体などを遮断する＊統合失調症を背景とした不安症状には抗精神病薬で治療する	パーキンソニズム，肥満，悪性症候群，便秘，起立性低血圧
		ペロスピロン塩酸塩水和物	ルーラン		
		ブロナンセリン	ロナセン		
		ルラシドン塩酸塩	ラツーダ		
	クロザピン類似化合物	クエチアピンフマル酸塩	セロクエル，クエチアピン		
		オランザピン	ジプレキサ		
		アセナピンマレイン酸塩	シクレスト		
	ドパミン D$_2$ 部分作動薬	アリピプラゾール	エビリファイ	ドパミン受容体，セロトニン受容体に作用する	不眠，アカシジア，振戦，傾眠
		ブレクスピプラゾール	レキサルティ		

396

- うつ病，双極性障害，統合失調症の不安では，それぞれの疾患に対する標準的な薬物療法がもっとも重要である．傾聴で治まるほどの微弱な不安であれば，それも可能である．なお，基本的には現疾患を治療すれば不安自体も改善するので，逆に傾聴をメインの治療と位置付けないことが重要である．
- せん妄等の意識障害での一見不安に見える症状は，傾聴をしても改善への寄与が最も低い病態であり，意識障害の治療を優先することが重要である．
- 意識障害以外の不安に対しては，不安時の屯用薬で一時的な対処療法を行う．なお，依存性が高いため，常用には注意する．

●薬物療法

Px 処方例 全般性不安障害の場合 下記のいずれかを用いる．
- レクサプロ錠 (10 mg) 1回1錠 1日1回 夕食後 増量は1週間以上の間隔をあけ，1日最高用量は20 mgを超えない ←抗うつ薬
- ロラゼパム錠 (0.5 mg) 頓用 ←抗不安薬

Px 処方例 パニック症/障害の場合 下記のいずれかを用いる．
- パキシルCR錠 (12.5 mg) 1回1錠 1日1回 夕食後 その後1週間以上かけて25 mgに増量する．1日50 mgを超えない範囲で適宜増減する ←抗うつ薬
- レクサプロ錠 (10 mg) 1回1錠 夕食後 増量は1週間以上の間隔をあけ，1日最高用量は20 mgを超えない ←抗うつ薬

Px 処方例 パニック発作を起こしている場合 下記のいずれかを用いる．
- ロラゼパム錠 (0.5 mg) 1錠 頓用 ←抗不安薬

Px 処方例 統合失調症に伴う不安
- リスパダール内用液 (1.0 mg/mL) 1回1 mg 頓用 ←抗精神病薬
- クエチアピン (25 mg) 1回1錠 屯用 ←抗精神病薬
- セレネース注 (5 mg/アンプル) 1回0.5〜1アンプル 静注または筋注 ←抗精神病薬

23
不安

不安のある患者の看護

塚本　尚子

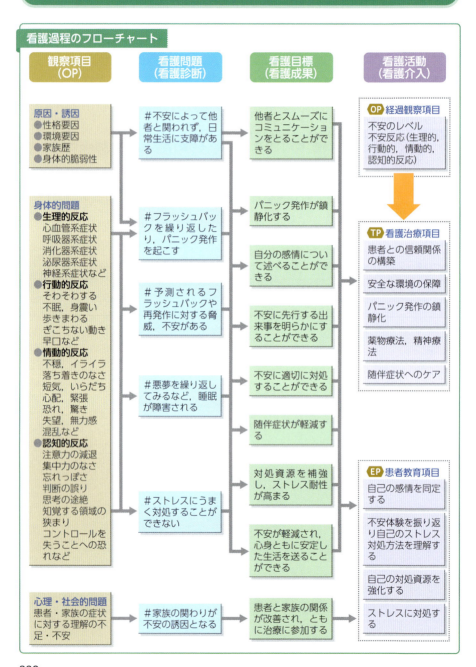

基本的な考え方

- 不安反応は，誰もが体験する適応的なものから，人格を崩壊させ生命をも脅かす不適応的なものまで，連続線上にある．不適応的な不安では，その影響は生活全般に及び，看護介入が必要となる．
- 不適応的な不安反応がある患者の看護目標は，ストレス耐性を高め，患者自身がストレスに対して適応的な方法で対処できるようにすることである．
- 患者が不安に対処する力を獲得できるよう支援するために，看護師は患者のもつ不安の質と量を把握し，さらに患者がどのように不安に対処しているのか，患者のもっている対処資源はどのくらいあるのか，不安が及ぼしている生活への影響は何かを明らかにしていくことが大切である．

緊急 重度の不安およびパニック発作時には，患者の安全を確保し，パニック発作を鎮静化することを優先する．看護師は患者の不安に巻き込まれることなく落ち着いた態度で接し，呼吸法やタッチングを用いて患者の不安レベルを下げることに努める．

23
不安

| STEP❶ アセスメント | STEP❷ 看護課題の明確化 | STEP❸ 計画 | STEP❹ 実施 | STEP❺ 評価 |

情報収集	アセスメントの視点と根拠・起こりうる看護問題
病歴の把握	パニック障害や全般性不安障害を含む神経症性障害の原因・誘因については様々な考え方があるが，基本的には患者が困っている症状が何か，日常生活においてどのような支障が生じているのかについての情報を十分に得ることが，診断や問題の対処，解決に向けて大切である．
経過	● いつから，どれくらい続いているか． ● 特定の出来事に引き続いて起きたか． ● 不安症状の程度と変動の有無 ● 日常生活への支障の有無
誘因	● 家族生活上の出来事 ● 仕事上の出来事や対人関係 ● 学校での出来事や友人関係 ● 近所づきあい ● 自然災害（地震，洪水など），人的災害（交通事故，戦争など）
随伴症状	● パニック発作：①動悸，心悸亢進，心拍数の増加，②発汗，③身震い・震え，④息切れ感，息苦しさ，⑤窒息感，⑥胸痛，胸部不快感，⑦悪心，腹部の不快感，⑧めまい，ふらつき，頭が軽くなる感じ，⑨現実感喪失，離人症状，⑩コントロールを失うことへの恐怖，⑪死ぬことへの恐怖，⑫異常感覚，⑬冷感，熱感 ● 全般性不安障害：全身倦怠感，ふらつき感，頭痛，頭重感，悪心，しびれ感，そわそわ，便秘や頻尿など
生活歴	● 乳幼児期の生育歴や母子関係，家族関係 ● 学校や職場での生活状況 ● 対人関係のもち方 ● パーソナリティ ● ストレスへの対処行動 ● 自然災害や事故，近親者との死別などの体験
既往歴	● 他の精神疾患 ● パニック発作
その他	● 不安障害の家族歴
主要症状の出現状況，程度の把握	患者の不安反応は，軽度からパニック発作に至るまで連続線上にあり，その程度によって看護介入の方法には特徴がある．そこで不安のレベルを同定し，適切な介入へと結びつけることが重要である．不安は，情緒的反応としてのみではなく，生理的反応，行動的反応，認知的反応として現れる．
不安のレベル	● 不安のレベル ・軽度の不安 ➡ 日々の日常生活での緊張がある．

399

第2章　脳・神経系

不安反応	・中等度の不安 ⇨その場の関心に集中，感覚領域に狭まりがある． ・重度の不安 ⇨感覚領域の著しい狭まりがある． ●パニック発作　**緊急** 激しい動悸や胸が締めつけられるような息苦しさの自覚．他者とのコミュニケーションの途絶，認知のゆがみ，論理的思考力の喪失がある．前記の随伴症状のパニック発作に挙げた①～⑬の症状のうち，4つ（またはそれ以上）が突然発生し，10分以内にその頂点に達する強い恐怖 ●どのような反応が出現しているか． 　・生理的反応：心血管系症状，呼吸器系症状，消化器系症状，泌尿器系症状，神経系症状など 　・行動的反応：そわそわする，不眠，身震い，歩きまわる，ぎこちない動き，早口など 　・情動的反応：不穏，イライラ，落ち着きのなさ，短気，いらだち，心配，緊張，恐れ，驚き，失望，無力感，混乱など 　・認知的反応：注意力の減退，集中力のなさ，忘れっぽさ，判断の誤り，思考の途絶，知覚する領域の狭まり，創造性の減少，客観性の喪失，コントロールを失うことへの恐れなど
セルフケア行動への影響	●セルフケア行動はどの程度できているか． 　・食事：食欲減退，食への嫌悪感 　・排泄 　・清潔 　・活動と休息 　・他者との交流 　・役割遂行

パニック発作への緊急対応

●患者の安全を確保する．看護師は患者の不安に巻き込まれることなく，落ち着いた態度で接する．
●環境の刺激を軽減し，呼吸法，タッチング，温浴などの身体的ケアを行い，患者を受容し支援するとともに，薬物（指示された抗うつ薬，抗不安薬）を適切に投与する．

全身状態，随伴症状の把握	症状出現の経過の把握とともに，不安の強度，パニック発作に先行する出来事，身体的，行動的な随伴症状を観察し，治療，看護計画の立案に有効に反映する．
心・血管系	●脈拍・リズム　**緊急** 頻脈，動悸，胸痛　**原因・誘因** パニック発作．循環器疾患を鑑別する． ●血圧 ●体温
呼吸器系	●呼吸状態　**緊急** 息切れ，息苦しさ，息がつまる　**原因・誘因** パニック発作，喘息，慢性閉塞性肺疾患などの呼吸器疾患を鑑別する．
消化器系	●口の渇き ●腹部症状：悪心・嘔吐，腹痛，腹部膨満感 ●嚥下困難 ●排便状況：下痢
泌尿・生殖器系 神経系	●排尿状況：排尿困難，頻尿．インポテンス ●頭痛，頭重感 ●めまい，振戦，ふらつき　**原因・誘因** 低血糖との鑑別 ●性欲低下
その他	●身体各所の痛み ●筋肉のけいれん ●肩こり 🔍**起こりうる看護問題**：パニック発作を起こす／予測されるフラッシュバックや再発作への脅威，不安がある／睡眠が障害される／ストレスにうまく対処すること

	ができない／他者とうまく関われず，日常生活に支障がある
患者・家族の心理・社会的側面の把握	家族は，コーピング資源にも不安の誘因にもなりうる．また，患者の不安によって家族も不安を誘発される可能性がある． ●患者と家族との関係性 ➡家族が患者にとってコーピング資源となる一方で，不安の誘因となることもある．患者と家族の関係を理解し，治療への参加を求めることが必要である． ●家族の反応，不安への対処能力 ➡患者の症状から家族も不安を誘発される可能性がある．また，不安の治療過程で患者に退行現象が生じると，家族への反発や反抗を示すことがあり，こうした状況下での家族へのサポートも重要である． 🔍 起こりうる看護問題：家族の関わりが不安の誘因となる／患者の不安反応によって家族が不安になる／家族へ強い反発や反抗的態度を示す

23
不安

STEP① アセスメント ▶ STEP② 看護課題の明確化 ▶ STEP③ 計画 ▶ STEP④ 実施 ▶ STEP⑤ 評価

看護問題リスト

#1 不可抗力の出来事に適応できず，フラッシュバックを繰り返したり，パニック発作を起こす（コーピング-ストレス耐性パターン）

#2 予測されるフラッシュバックや再発作に対する脅威，不安がある（自己知覚パターン）

#3 悪夢を繰り返してみるなど，睡眠が障害される（睡眠-休息パターン）

#4 ストレスにうまく対処することができない（コーピング-ストレス耐性パターン）

#5 不安によって他者と関われず，日常生活に支障がある（役割-関係パターン）

看護問題の優先度の指針

●不安のある患者に対する看護の最終目標は，「患者がストレスへの対処を適切な方法で実行できること」にある．

●不安レベルが深刻な場合には，患者の安全を確保することと不安のレベルを下げることが最も優先されるべき問題である．

●不安がある程度減少し，これらの目標が達成された後には，問題の優先度は患者の不安に耐える能力を養うことへと移行していく．

STEP① アセスメント ▶ STEP② 看護課題の明確化 ▶ STEP③ 計画 ▶ STEP④ 実施 ▶ STEP⑤ 評価

1 看護問題	看護診断	看護目標（看護成果）
#1 不可抗力の出来事に適応できず，フラッシュバックを繰り返したり，パニック発作を起こす	**心的外傷後シンドローム** **関連因子**：衝動的な出来事だという認識 **診断指標** □動悸 □恐怖 □パニック発作 □不安 □フラッシュバック	〈長期目標〉不安が中等度や軽度のレベルに軽減する 〈短期目標〉1) フラッシュバック，パニック発作が鎮静化する．2) 再発作が起こらない

401

第2章　脳・神経系

看護計画	介入のポイントと根拠
パニック発作への緊急対応	
OP 経過観察項目 ●フラッシュバック，パニック発作の症状，出現状況，程度	
TP 看護治療項目 ●患者の安全を守り，保障する．患者が対処できる**不安の量を限定**する．患者の防衛の性質を知り，**守るように働きかける** ●環境を修正する．環境の刺激を取り除き，マッサージや清拭，足浴などを行う	⇨ **根拠** 患者は，現在の対処機制のほかに選択肢をもたないため，対処可能な範囲に不安を限定する必要がある ⇨ **根拠** 環境刺激を除去することは，患者の不安への対応範囲を限定することにつながる
EP 患者教育項目 ●上記 TP を中心に介入する	⇨この段階では，患者の防衛を解除するような働きかけは適切ではない
OP 経過観察項目 ●不安のレベル ●不安によって生じる生理的，行動的，情緒的，認知的反応の把握とその変化の把握	
TP 看護治療項目 ●患者に実施可能な活動を計画し，活動を促す ●不足しているセルフケアを補う ●リラクセーションを促す	⇨ **根拠** 軽い活動をすることは，感情を不安に占有されて防衛機制を繰り返すことを防ぎ，外界への興味を引き出すきっかけとなる
EP 患者教育項目 ●リラクセーション法を指導する	⇨不安のレベルが中等度に軽減されるまでは，TP を中心に介入する

2 看護問題	看護診断	看護目標（看護成果）
#2　予測されるフラッシュバックや再発作に対する脅威，不安がある	**不安** **関連因子**：人生の目標への葛藤 **診断指標** □不安定な気持ち □震える声 □食欲不振 □心を奪われている様子 □緊張を示す □心拍数増加	〈長期目標〉適切な方法で不安に対処できる 〈短期目標〉1) 不安の感情を同定し，記述できる．2) 不安に先行する出来事を明らかにできる．3) 適応的反応と不適応的反応の違いがわかる．4) 不安への適切な対処方法を選択し，述べることができる

看護計画	介入のポイントと根拠
OP 経過観察項目 ●不安のレベル ●不安によって生じる生理的，行動的，情緒的，認知的反応の把握とその変化の把握 ●不安が生じる前に起きた出来事の把握 ●患者が用いやすい防衛機制，対処方法 ●セルフケア行動のレベル ●患者の認識内容	⇨ **根拠** 不安の程度をアセスメントし，その時の患者の行動や出来事との関連を把握して，問題解決の糸口を探り，看護計画につなげることができる

TP 看護治療項目
- 患者とともに不安が起こる状況を同定し，修正の可能性を考える

EP 患者教育項目
- 不安が生じた場面を振り返り，対処行動を検討する
- 不安の感情を同定し，述べる．不安を誘発したり，増悪させるストレッサーを明らかにする
- 対処資源としてどのようなものがあるかを明らかにする
- 適応的反応と不適応的反応についての知識を獲得できるようにする

➡不安のレベルが中等度になったら，教育的介入を中心に看護を展開する

➡患者の行動修正を図るために，環境と患者との相互作用を変化させる

➡ 根拠 環境と患者との新しい相互作用に気づくには，患者が自身の感情を自覚し，防衛を乗り越えることが必要である．このため，患者が自分の不安体験を振り返り，分析することが不可欠である

23
不安

---

3 看護問題	看護診断	看護目標（看護成果）
#3 悪夢を繰り返してみるなど，睡眠が障害される	**不眠** **関連因子**：不安 **診断指標** □睡眠に対する不満 □体力が回復しない睡眠覚醒サイクル	〈長期目標〉必要な睡眠をとることができる 〈短期目標〉1）一定の生活リズムで生活ができる．2）不眠時，適切に対処することができる

看護計画	介入のポイントと根拠
OP 経過観察項目 ● 不安の出現と程度 ● 睡眠状況（時間，熟睡感，入眠困難，中途覚醒） ● 不安を引き起こす出来事と睡眠状況の関連 ● 日中の活動状況 ● 身体的疲労の程度	➡ 根拠 強い不安や焦燥感によって睡眠が妨げられる場合がある．不眠は疲労を招き悪循環になるおそれがあるので注意する
TP 看護治療項目 ● 軽い運動やリラクセーションを促す ● 環境を整備する ● 服薬について医師の指示を受ける	➡不安が持続し，不眠が続く場合には，薬剤の処方について医師に相談する必要がある
EP 患者教育項目 ● 生活パターンを見直す ● リラクセーション法を指導する	

---

4 看護問題	看護診断	看護目標（看護成果）
#4 ストレスにうまく対処することができない	**非効果的コーピング** **関連因子**：高度な脅威 **診断指標** □問題解決不足 □コミュニケーションパターンの変化	〈長期目標〉ストレスにうまく対処することができる 〈短期目標〉1）情動に関連した感情を言葉で表現できる．2）他者とスムーズにコミュニケーションをとることができる．3）他者の支援を受け入れる

403

第 2 章　脳・神経系

看護計画	介入のポイントと根拠
OP 経過観察項目 ● 日常のストレスコーピング ● ストレッサーとなる出来事の有無 ● 出来事の受け止め方の特徴 ● 患者のストレス対処資源となるもの ● コミュニケーション能力 ● 問題解決方法 ● 患者のキーパーソン，サポートとなる人的資源	⇨ **根拠** 日常生活で生じるストレスを適切に対処することができれば，不安のレベルを一定範囲に抑制することができる．適応的に対処するためには，ストレスの十分な対処資源と，適切な対処方法が必要となり，それらについての情報収集が重要となる
TP 看護治療項目 ● 患者の不足している資源を明らかにし，補強していく方法を提案する ● 患者のもっている資源を生かして，上手に対処していく方法を提案する ● コミュニケーション能力向上への働きかけを行う	⇨患者に不足している資源を補強する方法を提案し，逆にもっている資源は十分に活用していくことが必要である
EP 患者教育項目 ● 患者のもっている資源を明らかにする ● 患者のもっていない資源を明らかにする ● もっていない資源について補強の方法を考える ● 自分のストレスの認知のパターンを自覚する ● 自分の用いているストレスコーピングを自覚し，その適切さについて考える	⇨資源を明らかにすることで，患者自身で対処方法を考える契機となる

5 看護問題	看護診断	看護目標（看護成果）
#5　不安によって他者と関われず，日常生活に支障がある	**社会的相互作用障害** **関連因子**：自己概念の変化 **診断指標** □他者との交流が機能不全 □社会的に機能するのが難しい	〈**長期目標**〉円滑に他者との相互関係を構築できる 〈**短期目標**〉1) 他者との交流に負担を感じない．2) 自分から他者にアプローチすることができる．3) 他者との関わりにおいて，相互に思いを交流できていると感じることができる

看護計画	介入のポイントと根拠
OP 経過観察項目 ● 他者との関わり場面の様子 ● 他者との関わり時の不安のレベル ● 他者との関わり時に生じる負担の程度	⇨ **根拠** 不安の多くは，対人関係の葛藤から生じるため，非常に重要な介入ポイントである ⇨過去の行動パターンを修正することは難しく，この問題への対処には時間を要する．看護師は，根気強く一貫性をもって継続的に関わり，また看護師自身の不安についても評価する必要がある
TP 看護治療項目 ● 他者との関わり場面を意図的につくり，相互作用の機会を増やす ● 家族や親しい友人をケア計画に組み込む	⇨家族は外での活動を刺激する場合，重要な支援となりうるので，計画を立てる段階からの参画を促す

404

EP 患者教育項目

- 対人関係から生じる葛藤を言葉で表現する
- グループセラピーを通じて，自分の特徴や修正すべき点を理解する
- 問題となった状況，問題となる状況を設定し，実際に行動してみる

→ 患者が段階的にコーピング能力を獲得できるように働きかける

STEP **1** アセスメント　STEP **2** 看護課題の明確化　STEP **3** 計画　STEP **4** 実施　STEP **5** 評価

病期・病態・重症度に応じたケアのポイント

【急性期】パニック発作では，動悸や息苦しさ，めまいなどの身体症状が出現し，現実感の喪失や死への恐怖を体験する．このため発作時には，患者の安全を確保し，発作を鎮静化させることを優先する．

【回復期】不安が中等度になったら，患者のストレス耐性を高め，患者自身が不安を適応可能レベルにコントロールする力を獲得することを目指し，支援していく．

看護活動(看護介入)のポイント

パニック発作に対する援助

- 患者の安全を確保する．
- 身体的ケアを用いて，発作の鎮静化を目指す．
- 受容的・支持的に関わり，患者との信頼関係を築く．理由を問い詰めることで，患者の防衛機制を解放するような働きかけをしてはいけない．
- 患者が不安によって，できなくなっているセルフケアを支援する．

自己コントロールに向けての援助

- 患者自身が自分の気持ちを正しく同定できるように支援する．
- 患者のもっているストレス対処資源を把握し，資源の強化を図る．
- 自己のストレス対処方法の問題点に気づき，修正行動をみつけるよう支援する．

退院指導・療養指導

- 異なるストレス事態においても，不安を自己コントロールできるように指導する．
- 患者が退院後のストレスに上手に対処していくために，家族や親しい友人などのコーピング資源を活用できるように指導する．
- 家族や親しい友人をケアプランに参加してもらいながら，家族教育を行う．

STEP **1** アセスメント　STEP **2** 看護課題の明確化　STEP **3** 計画　STEP **4** 実施　STEP **5** 評価

評価のポイント

看護目標に対する達成度

- どのような場面で自分が不安になるか理解できているか．
- 不安になった時の自分の感情を同定し，理解できているか．
- これまでの自己のストレス対処の問題点について気づいているか．
- 今度不安が起きた時，どのように対処すればよいか理解できているか．
- ストレスに対処する自信を獲得できているか．

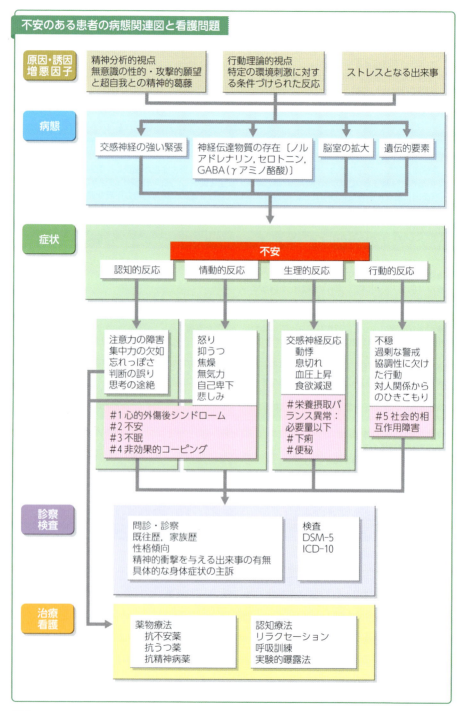

第3章
感覚器系

24 感覚障害

入岡　隆・水澤　英洋

目でみる症状

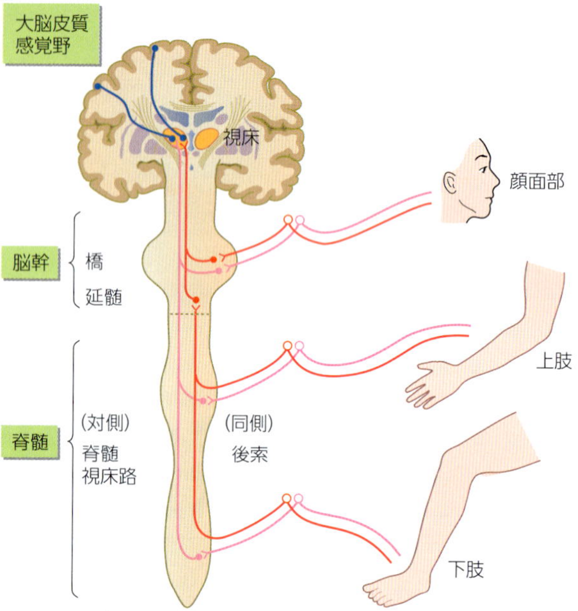

大脳皮質
感覚野

視床

顔面部

脳幹 { 橋
延髄 }

上肢

脊髄 { (対側)
脊髄
視床路

(同側)
後索 }

下肢

■図 24-1　感覚系伝導路

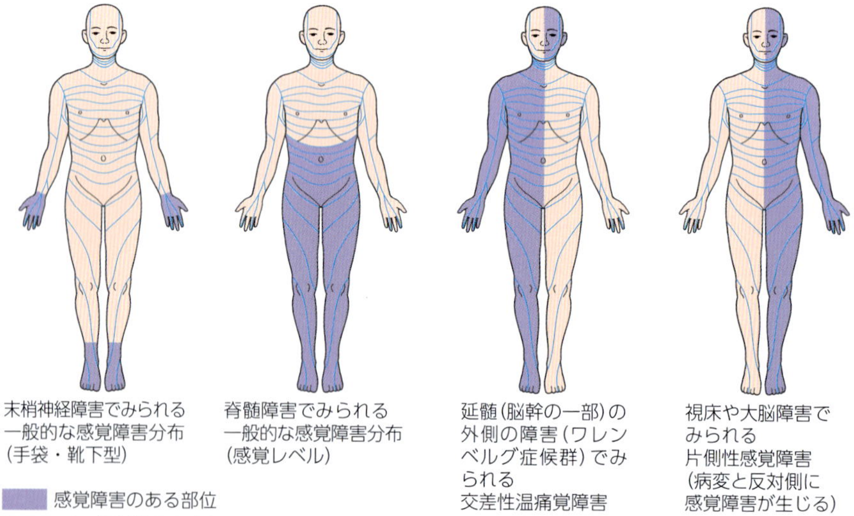

末梢神経障害でみられる
一般的な感覚障害分布
(手袋・靴下型)

脊髄障害でみられる
一般的な感覚障害分布
(感覚レベル)

延髄(脳幹の一部)の
外側の障害(ワレン
ベルグ症候群)でみ
られる
交差性温痛覚障害

視床や大脳障害で
みられる
片側性感覚障害
(病変と反対側に
感覚障害が生じる)

　　　感覚障害のある部位
■図 24-2　解剖学的病巣部位と感覚障害の分布

病態生理

皮膚の感覚受容器で感知した感覚刺激信号は，末梢神経（感覚神経）→脊髄→脳幹（延髄など）→視床を経て最終的に大脳皮質感覚野に到達し（感覚系伝導路，図 24-1），「冷たい」「痛い」など感覚として認知される．温度覚，痛覚の伝導路は脊髄レベルで交叉し，脊髄側索を上行する（脊髄視床路）．触覚，位置覚を伝える伝導路は同側の脊髄後索を上行し，延髄下端で交叉する．この感覚系伝導路が様々な病態によって障害される結果，感覚障害が生じる．感覚障害の分布パターンは感覚系伝導路がどこで障害されるかによって異なる．

- 感覚障害は，①末梢神経障害，②脊髄障害，③脳〔脳幹（延髄など），視床，大脳など〕の障害によって生じ，それぞれ感覚障害の分布パターンが異なる（図 24-2）．

患者の訴え方

▌ 患者は「しびれ」と訴えることが多いが，その具体的な内容は様々である．

●主症状の訴え

- そもそも感覚は主観的なものであるため，患者が医学的，客観的に正確な表現で感覚障害を訴えることは難しい．また患者によっては「力が入らない」（＝筋力低下；感覚障害ではなく運動障害）といった症状も「しびれ」と表現することがあるので注意を要する．
- 異常感覚：ビリビリする，ジンジンする，正座の後のようなしびれ．
- 感覚低下，感覚鈍麻：触った感触が鈍い，温度の感覚が鈍い．
- 感覚過敏：感覚が鈍くなるのではなく，逆に，過敏になって患者を苦しめることもある〔例：風が肌に当たるだけでも痛くて耐えられない（アロディニア）〕．
- 神経痛
  - ・三叉神経痛（顔面神経痛は間違い）：顔面領域の痛み．
  - ・脊椎ヘルニアによる末梢神経（神経根；末梢神経が脊髄から出る部分）の障害：坐骨神経痛など四肢の痛み．
  - ・視床痛：視床に起こった脳卒中は，発症後しばらく経って耐えがたい痛みを起こすことがある．

●随伴症状

- 筋力低下・麻痺（運動障害）．
- 膀胱直腸障害：脊髄障害で随伴することが多い．
- めまい，嗄（さ）声などの脳神経障害：感覚系伝導路が延髄で障害された場合に随伴することが多い（ワレンベルグ症候群）．ワレンベルグ症候群に伴う感覚障害では，病変と反対側の上下肢および体幹と病変側の顔面に温度覚・痛覚の障害が生じる（交差性温痛覚障害）（図 24-2）．

診断

▌ まず問診，神経学的診察によって感覚障害の原因である病巣がどこに存在するか（解剖学的病巣診断）を考察する（ステップ①）．次いで各種検査により原因の鑑別を試みる（ステップ②）．

●ステップ①

- 感覚障害の責任病巣が末梢神経なのか中枢神経（脊髄や脳）なのかを区別するために，腱反射（ハンマーで四肢の腱を叩き反射性筋収縮を評価する）の診察所見は重要である．
  - ・腱反射の低下→末梢神経障害
  - ・腱反射の亢進→中枢神経障害

●ステップ②

- 画像検査（MRI など），血液検査，髄液検査，電気生理学的検査（末梢神経伝導検査など）を進め，原因の鑑別を試みる（図 24-3）．様々な疾患が感覚系伝導路の各構成要素を障害して感覚障害を起こす（表 24-1, 2）．

第3章 感覚器系

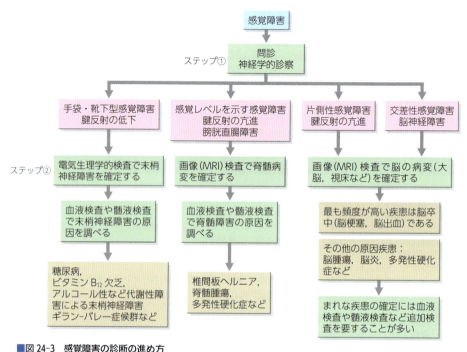

■図 24-3 感覚障害の診断の進め方

■表 24-1 感覚障害の原因または考えられる疾患（赤字は頻度が高く重要な疾患）

- ●末梢神経障害
- ●代謝性〔糖尿病，ビタミン B_{12} 欠乏症，アルコール性，脚気（ビタミン B_1 欠乏症），尿毒症，アミロイドーシスなど〕
- ●薬剤性〔イソニアジド（抗結核薬），シスプラチンなどの抗がん剤など〕
- ●自己免疫疾患〔ギラン-バレー症候群，CIDP（慢性炎症性脱髄性多発ニューロパチー），サルコイドーシス，血管炎に伴う末梢神経障害など〕
- ●遺伝性（シャルコー-マリー-トゥース病），家族性アミロイドニューロパチー，末梢神経障害型のプリオン病など
- ●腫瘍（リンパ腫，白血病，乳がんの末梢神経浸潤など）
- ●感染症〔帯状疱疹，帯状疱疹後神経痛〕
- ●機械的，絞扼性〔脊椎ヘルニアによる神経根症，絞扼性末梢神経障害（橈骨神経麻痺など）〕
- ●脊髄障害
- ●血管障害（脊髄梗塞，脊髄動静脈奇形）
- ●腫瘍（原発性・転移性脊髄腫瘍）
- ●感染症（ウイルス性脊髄炎など）
- ●自己免疫疾患〔多発性硬化症や視神経脊髄炎（NMO）による脊髄障害，全身性エリテマトーデス（SLE）やシェーグレン症候群による自己免疫性脊髄炎など〕
- ●機械的〔椎間板ヘルニアによる脊髄圧迫（脊髄症）〕
- ●脳の障害
- ●血管障害〔脳卒中（脳梗塞，脳出血）〕
- ●その他（脊髄障害と同様に脳腫瘍，脳炎，多発性硬化症など，血管障害以外の様々な疾患）

■表 24-2　感覚障害の随伴症状と考えられる疾患

※感覚障害に随伴する症状は，何が原因か（血管障害か腫瘍か，代謝性疾患か）を知るヒントにはなりにくいが，感覚障害がどこの障害で起こったのか（末梢神経か脊髄か脳か）を知るヒントとして重要である．

随伴症状	考えられる疾患
運動障害 （筋力低下，麻痺）	脊髄障害，末梢神経障害で随伴することが多い． 脊髄障害が胸髄レベルで生じると，対麻痺（両下肢麻痺）を呈する． 上位頸髄レベルで生じると，四肢麻痺を呈する． ギラン・バレー症候群や CIDP といった末梢神経障害は感覚障害よりも運動障害が目立つ． 糖尿病など代謝性の原因による末梢神経障害は運動障害よりも感覚障害が目立つことが多い． 大脳の障害でも運動障害と感覚障害を別々に呈することがある．
膀胱直腸障害	脊髄障害に随伴することが多い．特に脊髄炎，多発性硬化症，脊髄腫瘍など． 糖尿病性末梢神経障害は自律神経障害を合併し，排尿障害を随伴することもある．
脳神経障害	脳の中でも脳幹が障害された時に随伴する． 特徴的な交差性温痛覚障害と下位脳神経障害（めまい，嗄声，顔面麻痺など）の合併は延髄の障害を示唆し，脳卒中でしばしばみられる（ワレンベルグ症候群）．
自律神経障害 （皮膚，骨の障害）	四肢に激しい疼痛（アロディニア）を呈する際，皮膚の色調変化，運動障害や関節拘縮などの変化を伴うことがある．交感神経系の過剰興奮が病態に関与しており，カウザルギー，反射性交感神経性ジストロフィー（RSD），複合局所性疼痛症候群（CRPS）などと呼ばれる．

■表 24-3　感覚障害の主な治療薬

分類	一般名	主な商品名	薬の効くメカニズム	主な副作用
ビタミン B₁₂ 製剤	メコバラミン（ビタミン B₁₂）	メチコバール	末梢神経の代謝に重要な物質の補充	まれに消化器症状
アルドース還元酵素阻害薬	エパルレスタット	キネダック	高血糖から生じる神経内ソルビトール蓄積を阻害	肝障害，血小板減少
抗不整脈薬（Na チャネル遮断薬）	メキシレチン塩酸塩	メキシチール	神経にも発現する Na チャネル機能を阻害することで痛みの軽減を図る	皮疹
セロトニン・ノルアドレナリン再取り込み阻害薬	デュロキセチン塩酸塩	サインバルタ	鎮痛作用*	胃腸症状，肝障害
	ミルナシプラン塩酸塩	トレドミン		尿閉，頭痛
三環系抗うつ薬	アミトリプチリン塩酸塩	トリプタノール	鎮痛作用**	口渇，尿閉
抗てんかん薬	カルバマゼピン	テグレトール		血球減少，肝障害
	ガバペンチン	ガバペン		傾眠，めまい
	クロナゼパム	リボトリール	鎮痛作用（適応外使用）	傾眠，ふらつき
神経障害性疼痛緩和薬	プレガバリン	リリカ	神経系に分布する Ca チャネルの一部に結合して鎮痛作用を発揮する	傾眠，めまい
	ミロガバリンベシル酸塩	タリージェ		

＊サインバルタは糖尿病性神経障害に保険適応あり．トレドミンも適応はないが，保険審査上使用が認められている．

＊＊トリプタノールは末梢性神経障害性疼痛に，カルバマゼピンは三叉神経痛に保険適応あり．ガバペンチンは神経障害性疼痛に保険審査上使用が認められている．

411

第3章　感覚器系

治療法・対症療法

●治療方針

〈末梢神経障害〉

- ●糖尿病など原因のコントロールを行い，症状の増悪を防ぐ．アルコールの過剰摂取は末梢神経障害を増悪させるため，節酒，禁酒を勧める．
- ●糖尿病性末梢神経障害の薬物治療：キネダック錠，メキシチールカプセルに保険適用があり，痛みやしびれ感の軽減に用いられる．セロトニン・ノルアドレナリン再取り込み阻害薬(SNRI)の1つであるサインバルタカプセルや三環系抗うつ薬であるトリプタノールも，糖尿病性神経障害に伴う疼痛に対して保険適用が認められている．
- ●ビタミン製剤補充：代謝性末梢神経障害の進行を防ぐ．しびれを軽減する対症療法的な効果は少ない．
- ●神経痛，感覚過敏が強い場合：リリカやタリージェは保険適用があり，投与されることが多い(後述)．

〈脊髄障害，脳の障害〉

- ●脊髄障害や視床の障害では痛み，しびれが強くみられることが多く，三環系抗うつ薬や抗てんかん薬などを用いて対症療法を試みることが多い．

〈神経障害性疼痛の治療〉

- ●神経障害性疼痛には，帯状疱疹後神経痛，糖尿病性末梢神経障害など末梢神経障害による痛み，脊髄損傷後疼痛など中枢神経障害による痛みの双方が含まれる．リリカカプセルやタリージェ錠が神経障害性疼痛に保険適用があり頻用される．

●薬物療法

Px 処方例 糖尿病性末梢神経障害　下記のいずれかを用いる．

- ●サインバルタカプセル(20 mg)　1回1～2カプセル　1日1回　朝食後　← SNRI
- ●メキシチールカプセル(100 mg)　1回1カプセル　1日3回　朝昼夕食後　←抗不整脈薬(Naチャネル遮断薬)
- ●キネダック錠(50 mg)　1回1錠　1日3回　朝昼夕食前　←アルドース還元酵素阻害薬

Px 処方例 代謝性末梢神経障害

- ●メチコバール錠(500 µg)　1回1錠　1日3回　朝昼夕食後　←ビタミンB_{12}製剤

Px 処方例 神経障害性疼痛

- ●リリカカプセル(75 mg)　初期量：1回1カプセル　1日2回　朝夕食後　初期量のあと1週間以上かけて1日300 mgまで漸増　←神経障害性疼痛緩和薬
- ●タリージェ錠(5 mg)　初期量：1回5 mg　1日2回　朝夕食後　初期量の後1回量として5 mgずつ1週間以上あけて漸増し1回15 mg　1日2回　←神経障害性疼痛緩和薬

412

感覚障害のある患者の看護

小原　泉

看護過程のフローチャート

観察項目 (OP)	看護問題 (看護診断)	看護目標 (看護成果)	看護活動 (看護介入)

原因・誘因
- **脳内病変**
  脳内出血，脳梗塞など
- **脊髄病変**
  多発性硬化症などの自己免疫疾患，脊髄腫瘍，脊髄ヘルニアなど
- **末梢神経の病変**
  糖尿病，アルコール症，尿毒症，ビタミン B_1・B_{12} 欠乏症など
- **薬物療法の副作用**
  一部の抗がん剤や抗結核薬

身体的問題
- **主症状**
  異常感覚，錯感覚，感覚過敏，疼痛
- **随伴症状**
  意識障害，運動障害，膀胱直腸障害

心理・社会的問題
患者・家族の症状，検査および治療に対する不安

#原因・誘因により感覚障害が進行する可能性がある

#薬物療法の継続により感覚障害が悪化する可能性がある

#感覚障害によって身体の危険を察知する機能が低下している

#微細動作への支障から日常生活が自立できない

#感覚障害によって褥瘡ができやすい

#感覚障害による身体の変化を受け入れられない

#患者・家族が症状や検査および治療に対する不安を抱えている

原因・誘因が除去，軽減される

外傷や熱傷を起こさない

残された機能を活用して生活できる

褥瘡がない

感覚障害を受け入れて生活できる

検査に伴う負担感が軽減する

感覚障害をもちながら生活を送る見通しがもてたことを表現できる

OP 経過観察項目
感覚障害の部位・分布，種類と程度
出現の経過
意識レベル，運動障害，膀胱直腸障害の有無と程度
患者・家族の不安

TP 看護治療項目
原因・誘因の除去

感覚障害による外傷や熱傷の予防

患者の機能障害に応じた日常生活活動作の介助

体位変換，皮膚の清潔，栄養状態の改善

患者のつらさに共感的理解を示す

EP 患者教育項目
患者・家族の状態説明

不安の軽減

患者・家族への症状，治療の指導

退院指導

第 3 章　感覚器系

基本的な考え方

- 感覚障害の原因は多様である．原因を把握する必要性から，患者は様々な診断・検査を受けなければならない場合がある．感覚障害の程度は他覚的に把握しにくいことから，患者の言葉に耳を傾け，感覚障害に伴う日常生活上の支障に関する援助に加え，診断・検査に伴うストレスに対する支援も行う．
- 感覚障害の種類や性状，神経の走行と関連させて感覚障害の分布（広がり方）を観察し，症状に伴う患者の苦痛や患者の日常生活への影響を把握する．

STEP ❶ アセスメント	STEP ❷ 看護課題の明確化	STEP ❸ 計画	STEP ❹ 実施	STEP ❺ 評価

情報収集	アセスメントの視点と根拠・起こりうる看護問題
病歴の把握	患者・家族から症状出現の経過，症状の変化を聞くことで，原因・誘因の特定や全身状態の把握につながり，治療や看護ケアにも重要な情報を得ることができる．
経過	● いつから，どのくらい続いているか． ● 急激に始まったか，前駆症状があったか． ● 症状の変化の有無　**原因・誘因**　**緊急**　感覚障害の進行が急性・進行性である場合は，脳卒中など緊急性を要する疾患の可能性がある．
原因の推測	● 治療薬との関係　**原因・誘因**　抗菌薬，抗結核薬，抗がん剤など ● 併存疾患との関係　**原因・誘因**　①多発ニューロパチー（糖尿病，尿毒症，アルコール症，アミロイドーシスなど），②単神経炎（手根管症候群，三叉神経痛など），③多発単神経炎〔外傷や炎症の波及，感染症（らい菌，ヘルペスウイルス），末梢神経栄養血管の閉塞（動脈硬化症，糖尿病，血管炎，膠原病），腫瘍による神経の圧迫など〕，④神経根障害〔椎間板ヘルニア，変形性脊椎症，脊髄腫瘍，炎症性疾患（帯状疱疹，ウイルス性神経炎，多発神経根炎など），多発性硬化症，脊髄外傷など〕，⑤脊髄障害（多発性硬化症，脊髄腫瘍，脊髄外傷，硬膜外腫瘍，変形性頸椎症，椎間板ヘルニアなど），⑥脳幹や大脳頭頂葉皮質の病変（視床病変，脳血管障害，脳腫瘍など）
随伴症状	● 意識障害の有無 ● 運動障害（筋力低下や四肢の麻痺），膀胱直腸障害（排尿障害や排便障害）の有無 ● 振動覚，位置覚，運動覚など深部知覚の障害の有無
生活歴 既往歴 嗜好品	● 糖尿病，尿毒症：飲食物の摂取量と内容，摂取スタイルに関する習慣 ● 高血圧，脂質異常，肝疾患，心疾患，腎疾患，糖尿病，自己免疫疾患（膠原病）など ● 喫煙歴 ● アルコール摂取量
主要症状の出現状況，程度，性状の把握	症状の出現状況，種類や性状，分布（広がり）を把握することで，原因疾患の特定につながる情報が得られる．
感覚障害の種類・性状	● 「ジンジン」や「ビリビリ」と表現されるしびれ感か（異常感覚）　**原因・誘因**　末梢神経障害，脊髄・脳障害，視床病変など ● 触れただけなのにびりっと痛く感じるか（錯感覚）　**原因・誘因**　特に視床病変に認められるが，末梢神経障害や脊髄・脳幹障害の場合にも発現する． ● 軽い刺激に強い痛みを感じるか（感覚過敏）． ● 全感覚または特定の感覚を感じなくなっているか（感覚低下，感覚脱失）． ● 支配神経領域に限局した，針で刺されるような痛みはあるか（疼痛），放散するか　**原因・誘因**　感覚障害の発現部位により，末梢神経障害，脊髄病変，脳幹や大脳半球の病変
感覚障害の分布	● 左右対称性，遠位部優位で，正常部との境界不明瞭（手袋・靴下型の感覚障害）　**原因・誘因**　多発ニューロパチーに分類される末梢神経障害 ● まだら状，左右非対称性の感覚障害　**原因・誘因**　神経炎に分類される末梢神経障害

414

	● 脊髄神経の分布に従った感覚障害 [原因・誘因] 脊髄神経根障害に分類される末梢神経障害
	● 病変部以下の全知覚脱失や病変部側の感覚障害 [原因・誘因] 脊髄障害
	● 病変と同側の顔面および病変と反対側の頸部以下の感覚障害 [原因・誘因] 延髄部の障害
	● 病変と反対側(顔面を含む)の半身の感覚障害 [原因・誘因] 橋以上の障害
	● 病変と反対側半身の知覚鈍麻,痛覚過敏 [原因・誘因] 視床病変 [緊急] 脳血管障害の初期症状
	● 半身性または頭部,上肢,下肢のいずれかに限局した感覚障害 [原因・誘因] 頭頂葉皮質の障害 [緊急] 脳血管障害の初期症状
腱反射	● 腱反射の低下 [原因・誘因] 末梢神経障害
	● 腱反射の亢進 [原因・誘因] 中枢神経障害
各種の検査	● 画像検査(MRIなど),血液検査,髄液検査,電気生理学的検査などにより,感覚障害の原因を確認する.
日常生活への影響	● 感覚障害によって日常生活のどのような場面に支障をきたしているか.
全身状態,随伴症状の把握	**症状出現の経過の把握とともに,他の症状の有無,随伴症状を観察し,治療,看護計画の立案に有効に反映する.**
バイタルサイン	● 血圧,脈拍・リズム ⟳脳内病変による頭蓋内圧亢進時は変動する.
	● 呼吸状態 [緊急] 呼吸数の低下 [原因・誘因] 脳幹出血,頭蓋内圧亢進
	● 意識レベル [緊急] 意識障害 [原因・誘因] 頭蓋内圧亢進
全身状態	● 感覚障害の分布,性質を観察する.
頭頸部	● 頭部 ⟳外傷,打撲の有無を確認する.
	● 瞳孔 ⟳瞳孔不同や散瞳があれば,脳神経疾患の可能性がある.
	● 対光反射 ⟳脳内病変による頭蓋内圧亢進時は減弱する.
腹部	● 尿意を感じるか,排尿障害はないか観察する.
	● 便意を感じるか,排便障害はないか観察する.
四肢	● 上肢の運動機能に障害はないか,観察する.
	● 下肢の運動機能に障害はないか,観察する.
	● 腱反射の低下あるいは亢進がないか,観察する.
	🔍 **起こりうる看護問題:感覚障害により身体損傷のリスクがある/日常生活動作のセルフケアが不足している/診断・検査に伴うストレスがある/褥瘡ができやすい/ボディイメージの変化がある**
患者・家族の心理・社会的側面の把握	**感覚障害は患者本人の主観的な苦痛であることから,日常生活への影響と併せて心理・社会的側面を把握することが効果的である.**
	● 感覚障害によって日常生活動作の自立が奪われることは,人間としての自尊感情の低下につながることがある.これはひいては,ボディイメージの変化でもある.
	● 感覚障害の原因を診断するためには,画像診断,腱反射,電気生理学的検査,血液検査など数多くの検査が必要となることがある.患者・家族にとってなじみのない検査を初めて受けることも少なくなく,検査に対する不安や負担に配慮する.
	🔍 **起こりうる看護問題:日常生活動作のセルフケアが困難である/診断・検査に伴うストレスがある/ボディイメージの変化がある**

STEP❶ アセスメント STEP❷ 看護課題の明確化 STEP❸ 計画 STEP❹ 実施 STEP❺ 評価

看護問題リスト

#1　感覚障害によって身体の危険を察知する機能が低下している(健康知覚-健康管理パターン)

#2　感覚障害による微細動作への支障から日常生活が自立できない(活動-運動パターン)

第3章 感覚器系

#3 感覚障害によって褥瘡ができやすい（栄養-代謝パターン）
#4 感覚障害による身体の変化を受け入れられない（自己知覚パターン）
#5 患者・家族が症状や検査および治療に対する不安を抱えている（自己知覚パターン）

看護問題の優先度の指針

● 強い感覚障害は，皮膚に接触する物の形状や熱を感知できなくなるため，鋭利な物や熱い物に触れていることを感じなかったり，歩行時に障害物に気づかなかったりして，外傷や転倒の原因となる．また，運動麻痺を合併している場合は自ら体位を変えることもできず，褥瘡ができやすい．このような患者の安全の確保と，褥瘡のような二次的な問題を予防する看護を優先して行う．
● 感覚障害の性質によっては日常生活に支障をきたすので，障害をもちながらも自立した生活を送れるように支援を行う．
● 患者が感覚障害を受容していくための支援を行い，患者・家族の不安の解消に努める．

STEP ① アセスメント	STEP ② 看護課題の明確化	STEP ③ 計画	STEP ④ 実施	STEP ⑤ 評価

1 看護問題	**看護診断**	**看護目標（看護成果）**
#1 感覚障害によって身体の危険を察知する機能が低下している	**損傷リスク状態** **危険因子**：物理的障壁 **関連する状態**：感覚障害	〈長期目標〉外傷や熱傷を起こさない 〈短期目標〉1）外傷や熱傷を回避するための注意点を述べることができる．2）必要に応じて他者に助けを求めることができる

看護計画	**介入のポイントと根拠**
OP 経過観察項目 ● 感覚障害の状態（感覚過敏，感覚低下，疼痛など） ● 感覚障害の発現部位 ● 身の回りの環境 ● 運動障害の有無 ● 膀胱直腸障害の有無	⮕ 感覚鈍麻なのか，感覚過敏なのか，その症状は身体のどこに発現しているのかを観察する **根拠** 発現部位によって日常生活上の注意点が異なる ⮕ 転倒や熱傷を起こさないように環境を確認する ⮕ **根拠** 筋力低下や麻痺があると，転倒や熱傷のリスクが高くなる ⮕ **根拠** 膀胱直腸障害によって排泄動作を慌ててしまい，転倒のリスクが高くなる
TP 看護治療項目 ● 入浴や清拭時は，湯の温度が熱すぎないよう，あらかじめ看護師が手で確認する ● 温罨法時による熱傷を避けるために，看護師があらかじめ温度を確認する ● 温罨法時は低温やけどを避けるために，看護師が温度を確認してから用いる ● 下肢のしびれにより歩行に支障がある場合は，歩行時に付き添う ● 手指のしびれがあって，箸を使う，ボタンをかけるというような巧緻動作が困難な場合は，状況に応じて生活動作を介助する	⮕ **根拠** 感覚障害のため温熱に気づかず熱傷を起こすことがある ⮕ **根拠** 温度覚も鈍麻することがあり，低温やけどを起こすことがある ⮕ **根拠** 運動神経に異常はなくても，感覚障害によってバランスを崩しやすく，歩行に支障をきたすことがある
EP 患者教育項目 ● 感覚障害が生じている原因を説明する ● 安全かつ自立して生活していくための方法を話し合う ● 感覚障害のある部位は頻繁に自分の目で確認す	⮕ 障害を受容するために，正しい情報を提供する ⮕ できないことにではなく，できることに目を向けていくようにする ⮕ 感覚の消失により外傷に気づきにくいため，視

416

ることを提案する
- ●夜間は視覚による情報が得られにくいので，転倒や外傷に注意し，照明の工夫を勧める
- ●安全かつ自立した生活を送るために，滑りにくい靴，ボタンの少ないあるいは大きな衣服，箸ではなくスプーンなど，身の回りの生活用品を工夫する
- ●温度覚の鈍麻がある場合は，火や湯を使用する時の注意点を説明する
- ●外傷予防の必要性や方法を家族や周囲の人々にも説明し協力が得られるようにする

覚を活用する

⇨どうすればできるかをともに考えていく
根拠 患者自らが工夫し，できることを拡大していくことによって，障害受容が促進する

24

感覚障害

2 看護問題	看護診断	看護目標（看護成果）
#2　感覚障害による微細動作への支障から日常生活が自立できない	**更衣，摂食，入浴，排泄セルフケア不足** **関連因子**：環境上の制約 **関連する状態**：筋骨格系の障害，神経筋疾患 **ハイリスク群**：高齢者 **診断指標** □衣類の留め閉めが困難 □ファスナーの上げ下げが困難 □食具に食物を載せるのが困難 □食具の使用が困難 □容器の開閉が困難 □食物の用意が困難 □補助具の使用が困難 □浴槽の湯の温度や量の調節が困難 □排泄時，衣服の上げ下げが困難	〈**長期目標**〉残された機能を活用して生活できる 〈**短期目標**〉1)1人で更衣するための工夫ができる．2)1人で摂食するための工夫ができる．3)1人で入浴できるための工夫ができる．4)1人で排泄するための工夫ができる

看護計画	介入のポイントと根拠
OP 経過観察項目 ●ボタンをかけたり，ジッパーの開け閉めなど，更衣に伴う動作がスムーズに行えるか観察する ●箸やスプーン，フォークなどで食べ物を運ぶ，茶碗や湯飲みをつかむといった動作が円滑に行えるか観察する．併せて食欲や摂取量を観察する ●包丁使いや容器の開閉など，調理に必要な行為が円滑にできるか観察する ●衣類の着脱，体を洗う動作，浴室内での姿勢の保持など，入浴に伴う一連の動作を観察する ●衣類の着脱，排泄後の陰部の清拭など，排泄に伴う一連の動作を観察する	⇨ 根拠 手指に感覚障害がある場合，ボタンをかける動作は最も支障をきたしやすい ⇨ 根拠 手指の感覚障害によって食器を落とし，外傷や熱傷を負うことがある．また，スムーズに摂取できないと食欲が低下し，食事摂取量に影響しやすい ⇨ 根拠 手指の感覚障害によって，安全に調理が行えない可能性がある ⇨ 根拠 下腿に感覚障害があると，姿勢を変えた時にバランスを崩しやすく，入浴に支障をきたす ⇨ 根拠 手指の感覚障害によって衣類の着脱に時間がかかったり，下腿の感覚障害によってバランスを崩しやすくなったりするなど，排泄に伴う動作に支障をきたす
TP 看護治療項目 ●ボタンをかけるなど，患者が自身でできない更	

417

第3章　感覚器系

衣動作を介助する
- 食器の保持が難しい場合には，食事を介助する
- 手指の感覚障害がある入院患者に対しては，一口サイズの大きさに調理された食事を提供する
- 調味料の小分けパックやペットボトルの蓋などの開封が困難な場合は介助する
- 下肢の感覚障害がある場合は，入浴や排泄に伴い姿勢を変える際，バランスを崩しやすいので，転倒しないように見守る

⮕ 飲食に要する手指の巧緻動作は感覚障害によって困難となることが多い

⮕ 高齢者 高齢者では，筋力も低下しているので特に気をつける

EP 患者教育項目
- ボタンの大きな，あるいは少ない衣類を着用すれば，患者1人で更衣できることを説明する
- 箸ではなく柄の太いフォークを使う，滑り止めのある食器を用いる，一口サイズの大きさに調理して提供するなど，感覚障害の状態に合わせて患者1人で食事摂取できる方法を工夫する
- 感覚障害の程度によっては，炊事は家族などの協力を得て，外傷や熱傷の危険を回避する
- 下肢の感覚障害が固定化する場合には，浴室やトイレに手すりを設置したり，滑り止めのマットを敷くなど，バランスをとりやすいように環境を整える方法を提案する

⮕ できる限り患者1人でできる方法を工夫する
根拠 セルフケアを促進することは，患者の自尊感情を高める

⮕ 感覚障害は他者からは理解されにくいので，患者の感覚障害の程度を家族にも十分説明し，家族の理解・協力を得ていく

3 看護問題	看護診断	看護目標（看護成果）
#3　感覚障害によって褥瘡ができやすい	**皮膚統合性障害リスク状態** **危険因子**：排泄物，湿度，湿気，骨突出部上の圧迫 **関連する状態**：感覚障害 **ハイリスク群**：両極端の年齢の人（乳幼児と高齢者）	〈長期目標〉褥瘡がない 〈短期目標〉1) 褥瘡予防の必要性を患者が理解できる．2) 皮膚が清潔である．皮膚の統合性が保たれている

看護計画	介入のポイントと根拠
OP 経過観察項目 ● 皮膚：発赤，皮膚温，骨の突出，湿潤，乾燥，圧迫や摩擦の有無 ● 栄養状態：BMI，筋蛋白，体脂肪，血液検査データ（アルブミン，総蛋白，ヘモグロビン，総コレステロールなど） ● 排泄の状況：失禁の有無など，膀胱直腸障害の程度 ● 衣類：おむつの使用の有無 ● 清拭や入浴の頻度 ● 体動の状態など，運動障害の程度 ● 食事摂取量 ● 運動麻痺の有無	⮕ 褥瘡の好発部位である仙骨周囲の皮膚を特に観察する ⮕ 根拠 低栄養状態やるいそう，肥満の場合は，褥瘡ができやすい ⮕ 根拠 尿や便の失禁は，仙骨や坐骨周囲の皮膚を汚染し皮膚の炎症をきたし，褥瘡を形成しやすい ⮕ 根拠 おむつを使用している場合は，仙骨や坐骨周囲の皮膚が湿潤し褥瘡を形成しやすい ⮕ 根拠 皮膚の清潔が保たれないと皮膚の炎症をきたして褥瘡を形成しやすい ⮕ 根拠 経口摂取量が少ないと低栄養状態から褥瘡を形成しやすく，一度生じた褥瘡は治りにくい ⮕ 根拠 運動麻痺と感覚障害が同時に生じている部位は，褥瘡ができやすい

TP 看護治療項目	
●リスクアセスメントツールを用い，危険因子を観察する ●定期的な体位変換を確実に行う ●除圧を行う ●背抜きを行う ●皮膚の清潔を保つ ●栄養状態を良好にする	⮕患者の状態に合わせてエアマットや除圧マット，クッションなどを活用する ⮕必要に応じて NST（栄養サポートチーム）に相談する
EP 患者教育項目	
●自力で殿部のプッシュアップが可能な場合は，方法やその間隔を指導する ●皮膚の状態を観察する必要性，褥瘡の好発部位，褥瘡の予防方法を患者・家族に指導する	⮕車椅子などのアームに両手をかけ，体重を支えて殿部を挙上させることによって，坐骨周囲への褥瘡形成を予防する **根拠** 座位の体位を長時間とり続けると，坐骨周囲に褥瘡が好発する ⮕患者の感覚障害の受容状況に合わせて指導を行う **根拠** 感覚障害の原因によっては永続的に患者が取り組まなければならない

24 感覚障害

4 看護問題	看護診断	看護目標（看護成果）
#4　感覚障害による身体の変化を受け入れられない	**ボディイメージ混乱** **関連する状態**：傷やけが **ハイリスク群**：体の機能が変化した人 **診断指標** ☐変化に心を奪われている ☐以前の機能ばかりを意識する ☐感じている体の変化に対する非言語的反応 ☐変化の承認を拒む	〈**長期目標**〉感覚障害を受け入れて生活できる 〈**短期目標**〉1）感覚障害に対する気持ちを表現できる．2）感覚障害をもちながら生活していくための方法を生活に取り入れることができる

看護計画	介入のポイントと根拠
OP 経過観察項目	
●感覚障害に対する言葉，反応，態度 ●日常生活の工夫の仕方，意欲 ●感覚障害に対する家族や重要他者の反応，態度	⮕否定的なボディイメージを抱いていないか把握する **根拠** 障害受容の状況をアセスメントできる ⮕患者だけではなく家族や重要他者の反応も把握する **根拠** 家族や重要他者の反応は，患者の障害受容に影響を与える
TP 看護治療項目	
●感覚障害に対するつらさや否定的感情に理解を示し，共感的態度をとる ●患者が努力していることや生活上の工夫に対し，認める言葉をかける ●感覚障害があっても人間としての価値が変わるわけではなく，大切な存在であることを伝える	⮕感覚障害は他人から理解されにくく，苦痛が大きいため，気持ちを表出しやすい態度で関わる **根拠** 感覚障害を受容していくことにつながる ⮕患者自身が肯定的な変化に気づけるように関わる **根拠** 障害を受容することで，新たなボディイメージの形成につながる ⮕自己価値や自尊感情が低下しないよう支援する **根拠** 新たなボディイメージの形成につながる
EP 患者教育項目	
●感覚障害について，つらい気持ちを表出してよ	⮕気持ちを表出しやすい態度で関わる **根拠** 感

第3章　感覚器系

- いことを伝える
- 感覚障害があっても生きていく力をもっている ことを伝える

- 家族や重要他者に対し，患者が努力しているこ とを説明し，言葉をかけたほうがよいことと， 見守ったほうがよいことなどを話し合う

- 覚障害を受容していくことにつながる
- ➡患者のもてる力を信じる　根拠 自己の価値に 気づき，障害を受容することで，新たなボディ イメージの形成につながる
- ➡患者への関わり方がわからない家族も少なくな い．家族の気持ちに配慮しながら話し合う 根拠 家族や重要他者の反応は患者の障害受容に 影響を与える

5 看護問題	看護診断	看護目標（看護成果）
#5　患者・家族が症状や検査および治療に対する不安を抱えている	**不安** **関連因子**：ストレッサー（ストレス要因），満たされないニーズ **ハイリスク群**：状況的な危機状態にある人 **診断指標** □不安定な気持ち □不眠 □苦悩（苦痛） □混乱 □生産性低下 □食欲不振 □心拍数増加 □呼吸パターンの変化 □注意力の変化	〈長期目標〉患者・家族が感覚障害をもちながら生活を送る見通しがもてたことを表現できる 〈短期目標〉1) 不安を言葉に出して表現できる．2) 感覚障害への対処方法に関心を向けられる

看護計画	介入のポイントと根拠
OP 経過観察項目 - 不安や緊張の表情，落ち着きがない様子 - 不安や心配の訴え，焦燥感（イライラ），怒り - 身体的反応：血圧の変動，頻脈，頻呼吸 - 食事摂取量や睡眠状態など日常生活の様子 - 病状や検査，治療に対する質問の有無，内容 **TP 看護治療項目** - 不安が表出できるような支援的態度で接する - 治療や検査，処置を行う場合は，説明を十分に行い心配や質問がないか聞き，丁寧に答える - 入浴や清拭，手浴や足浴，マッサージなどを通してリラックスを図る - 入眠時間前には，緊張がほぐれるような会話や好きなことを楽しみ，よく眠れるようにする - 睡眠障害が続く場合には，睡眠薬の使用を検討する **EP 患者教育項目** - わからないこと，心配なことがあれば質問するよう伝える - 一つひとつの検査や治療の必要性や意義につい	➡患者の状態を見守りながら，言動や行動を観察する　根拠 不安を抱えている患者は，行動や態度に変化が表れやすい ➡ 根拠 支援的態度は不安の表出を促す ➡不安が増大しないようにわかりやすく説明する 根拠 治療や処置の前に説明することで，不要な心配を抱くことのないようにする ➡気分転換を図る ➡安易に睡眠薬を使用するべきではないが，患者の不安の程度に応じて検討する　根拠 不安が強いと不眠となり，さらに不安が増大する ➡質問しやすい雰囲気で患者と関わる　根拠 質問できることは，不安に対して具合的に対処していることを示しており，よい変化である

て説明し，理解を得る
- 自宅療養の場合は外傷や熱傷，褥瘡をきたした場合の対応方法についても情報提供する

➡万が一の時にもあわてずに対応できるよう備えておく

STEP ❶ アセスメント ▷ STEP ❷ 看護課題の明確化 ▷ STEP ❸ 計画 ▷ **STEP ❹ 実施** ▷ STEP ❺ 評価

病期・病態・重症度に応じたケアのポイント

【急性期】感覚障害の原因は様々である．脳血管障害の発症の初期症状として感覚障害を認めた場合は，疾患に対する適切な治療が重要であるため，感覚障害以外の発現症状も併せて観察する．同時に，患者や家族に対する情報提供に努め，不安を軽減していく．また，この時期は感覚障害をもちながらの生活の変化に患者が慣れていないため，転倒による外傷など身体を損傷する危険が高いので，患者の行動を十分に観察し事故を予防する．

【慢性期】感覚障害による患者の日常生活への影響をアセスメントし，介助を要すること，患者の努力や工夫により患者自身でできることを患者とともに検討し，生活を再構築する．家族に対しては，患者の感覚障害や必要な介助について情報を提供し，協力が得られるように調整する．

看護活動（看護介入）のポイント

診察・検査・治療に伴う援助
- 感覚障害の部位，程度，経過，その他の症状，基礎疾患に対する治療内容から，原因を把握する．
- 脳血管障害が疑われる場合は，CT や MRI などの画像診断を急ぐ必要があるため，検査をスムーズに受けることができるよう準備する．
- 診断・検査・治療に対する患者のストレスや負担感に配慮し，今後の見通しについて情報を提供する．

上肢の感覚障害に対する援助
- 外傷，熱傷に注意する．
- 更衣や食事摂取時など，手指の巧緻動作が必要な生活動作に対して，患者のできない動作を介助する．

下肢の感覚障害に対する援助
- 安静を要する場合や運動障害を併発している場合は褥瘡が形成されやすい．定期的に体位変換をする．
- 立位になる時や歩き始めにバランスを崩し転倒する危険があるので，患者に注意を促し，必要に応じて介助する．

退院指導・療養指導

- 患者自身でできることは自分で行い，できないことは介助を求めることの必要性を説明する．
- 生活上の工夫については，家族の理解・協力を得る．
- 感覚障害が悪化する場合は，受診するよう説明する．

STEP ❶ アセスメント ▷ STEP ❷ 看護課題の明確化 ▷ STEP ❸ 計画 ▷ STEP ❹ 実施 ▷ **STEP ❺ 評価**

評価のポイント

看護目標に対する達成度
- 外傷や熱傷を負っていないか．
- 褥瘡がないか．
- 残された機能を活用して生活できているか．
- 感覚障害を受け入れて生活できているか．
- 患者・家族が治療や検査に安心して臨むことができ，感覚障害をもちながらの生活に対する見通しをもてているか．

24
感覚障害

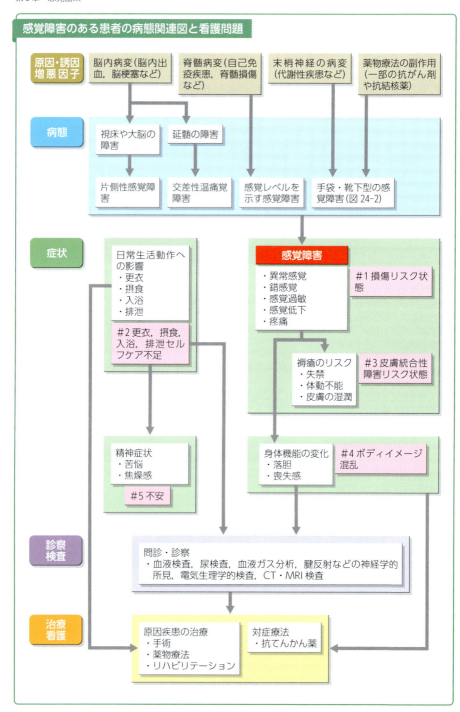

25 視覚障害

林 憲吾・大野 京子

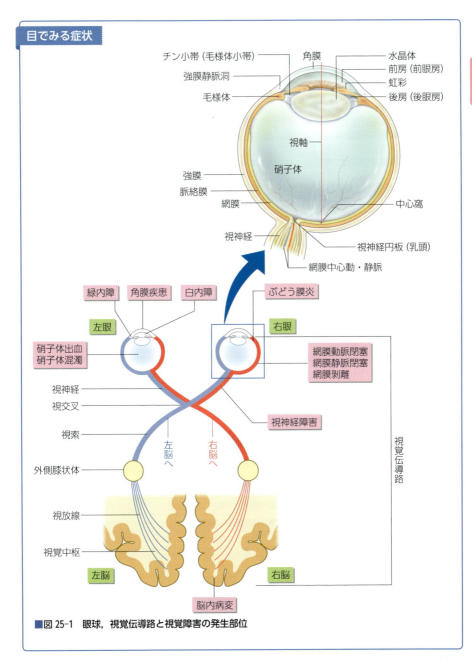

■図 25-1　眼球，視覚伝導路と視覚障害の発生部位

第3章 感覚器系

病態生理

視覚障害とは視覚に関連した機能(視力, 視野, 色覚, 光覚, 屈折調節, 両眼視, 眼球運動など)の障害をいう.

- 視覚情報は眼球(角膜, 前房, 水晶体, 硝子体, 網膜), 視神経, 視索, 後頭葉へ伝わり認知される. この経路のいずれかの部位で支障が生じた場合, 視力低下, 視野障害などの視覚障害が生じる.

患者の訴え方

視覚障害を訴える疾患は多く, その訴え方は多彩である.

- **主症状の訴え**
- いつから:急性か, 緩徐か.
- 視力障害:かすんで見える(霧視), まぶしくなる(羞明), だぶって見える(複視).
- 視野障害:視野の一部が見えない(中心・周辺), 視野の全体が見えない.
- **随伴症状**
- 痛み, 悪心, 頭痛, 結膜充血, 飛蚊(ひぶん)症, 光視症など, 原因疾患により様々な症状を訴える(表25-1).

診断

①急性発症, ②高度の視力障害・視野障害, ③眼痛・頭痛・嘔吐を伴う, ④重度の眼外傷後の場合は, 特に緊急性疾患が疑われる.

- 検査・診断のフローチャートを図25-2,3に示す. まず, ①問診(現病歴, 既往歴など)を行い, 次いで, ②対光反応検査(急激な視力低下の場合), ③屈折検査, 視力検査, 眼圧検査, ④細隙灯顕微鏡での診察(前眼部・中間透光体), 無散瞳下で眼底検査を行う. 以下, 必要があれば, ⑤視野検査, ⑥散瞳薬点眼後, 眼底検査, ⑦フルオレセイン蛍光眼底造影検査(FA)や光干渉断層計(OCT)を施行する.
- **原因・考えられる疾患**
- 視力障害をきたす疾患は多岐にわたる.
- 緊急対応を要する急性緑内障発作や網膜中心動脈閉塞症, 網膜剥離などを見逃さないように注意する.
- **鑑別診断のポイント**
- 外傷の有無.
- 年齢, 症状の経過(急性発症か緩徐なものか), 随伴症状(表25-1)を考えて鑑別をする.

■**表25-1　視覚障害の随伴症状と考えられる疾患**(赤字は緊急対応を要する疾患とその随伴症状)

随伴症状	考えられる疾患
悪心・嘔吐, 頭痛	急性緑内障発作, 脳循環障害など
飛蚊症, 光視症	網膜剥離, 閃輝暗点など
変視	加齢黄斑変性, 黄斑上膜など
虹視	びまん性表層角膜炎, 急性緑内障発作, ぶどう膜炎など
羞明	角膜炎, ぶどう膜炎, 白内障, 急性緑内障発作など
眼痛	角膜上皮障害, 帯状ヘルペス, ウイルス性結膜炎, 強膜炎, ぶどう膜炎, 眼内炎など
充血	角膜ヘルペス, 点状表層角膜炎, 急性緑内障発作, 血管新生緑内障, ぶどう膜炎, 眼内炎など
結膜・眼瞼腫脹	角膜炎, ウイルス性結膜炎, ぶどう膜炎, 急性緑内障発作, 内分泌(甲状腺)視神経症など
夜盲	網膜色素変性症など
眼振	脳橋病変, 小脳病変など
眼球突出	外傷, バセドウ病, 眼窩腫瘍, 内頸動脈海綿静脈洞瘻など
眼球運動障害, 複視	動眼神経麻痺, 外転神経麻痺など

424

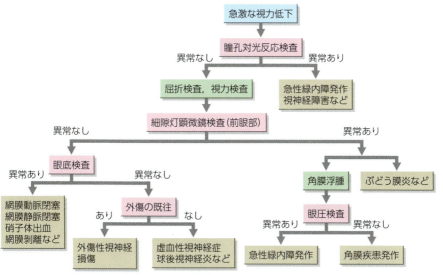

■図 25-2　視覚障害の診断の進め方　①急激な視力低下をきたした場合

- 視力障害，視野障害の程度が重度かどうか．
- 眼内の所見から緊急性があるかどうか．

治療法・対症療法

まず原因疾患を突き止める．
- **治療方針**
- 問診で失明の可能性のある緊急性のものと判断されれば，すぐに眼科医へ連絡し迅速に診察する．
- 全身症状や視野検査などから視神経病変や脳内病変を疑う場合，神経内科・脳神経外科へコンサルトする．
- **救急疾患の治療例（薬物療法を含む）**

Px 処方例　急性緑内障発作の場合
- 20% マンニトール注　1 回 300 mL　30〜45 分で点滴静注　←眼圧降下薬
- ダイアモックス錠 (250 mg)　1 錠　発作時頓用　←眼圧降下薬
- サンピロ点眼液 2%　頻回点眼　←緑内障治療薬
  ※上記のあとにレーザー虹彩切開術を行う．

Px 処方例　網膜中心動脈閉塞症の場合
- まず眼球マッサージを開始
- ダイアモックス注　1 回 500 mg　点滴静注（眼圧下降の目的）　←眼圧降下薬
- ウロキナーゼ静注用　1 回 12 万〜24 万単位　点滴静注　←血栓溶解薬
- 星状神経節ブロック（麻酔科コンサルト）
  ※ウロキナーゼは 75 歳以上の高齢者の場合には脳出血を起こす危険性も高いとされるので注意する．

Px 処方例　眼外傷：結膜異物・角膜異物・角膜びらんの場合
- まず異物除去
- クラビット点眼液　1 日 4 回　←抗菌薬
- タリビッド眼軟膏　1 日 2〜3 回　←抗菌薬

Px 処方例　眼外傷：眼球内異物・眼球破裂の場合
- CT などの検査後，速やかに手術

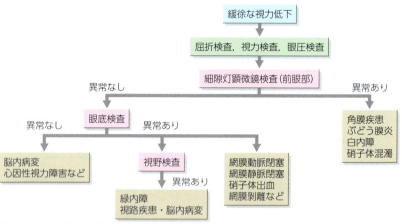

■図 25-3　視覚障害の診断の進め方　②緩徐な視力低下の場合

■表 25-2　視覚障害の主な治療薬

分類	一般名	主な商品名	薬の効くメカニズム	主な副作用
眼圧降下薬	D-マンニトール	20％マンニトール	浸透圧利尿作用による硝子体の容積減少	大量投与により急性腎不全，電解質異常
	アセタゾラミド	ダイアモックス	炭酸脱水酵素を阻害し，毛様体上皮での房水産生を抑制	ショック，血液障害，スティーヴンス-ジョンソン症候群，ライエル症候群，電解質異常
緑内障治療薬	ピロカルピン塩酸塩	サンピロ	縮瞳による緑内障発作解除	眼類天疱瘡
血栓溶解薬	ウロキナーゼ	ウロキナーゼ	網膜動脈内の塞栓を溶解し，血流を再開させる	出血性脳梗塞，脳出血，消化管出血
抗菌薬	レボフロキサシン水和物	クラビット	細菌の DNA 複製を阻害	ショック，アナフィラキシー様症状
	オフロキサシン	タリビッド		
角結膜上皮障害治療薬	精製ヒアルロン酸ナトリウム	ヒアレイン	上皮細胞の接着・伸展を促進，保水作用	過敏症，瘙痒感など
副腎皮質ホルモン製剤	メチルプレドニゾロンコハク酸エステルナトリウム	ソル・メドロール	ステロイド作用による浮腫抑制・免疫抑制	ショック，心停止，循環性虚脱，不整脈，感染症，高血糖など

Px 処方例 角結膜化学傷（酸性・アルカリ性薬物）
- 速やかに多量の生理食塩液（1〜2 L）で洗眼
- ヒアレイン点眼液　←角膜上皮障害治療薬
- タリビッド眼軟膏　←抗菌薬

Px 処方例 外傷：視神経管骨折の場合（脳神経外科コンサルトの結果，手術適応であれば手術）
- 20％ マンニトール注　1 回 500 mL　点滴静注（視神経周囲の浮腫を軽減させる目的）　←眼圧降下薬
- ソル・メドロール注 1 回 500〜1,000 mg　点滴静注（視神経周囲の浮腫を軽減させる目的）　←副腎皮質ホルモン製剤

視力障害のある患者の看護

伊藤 伸子・嶋井 ひろみ

25 視覚障害

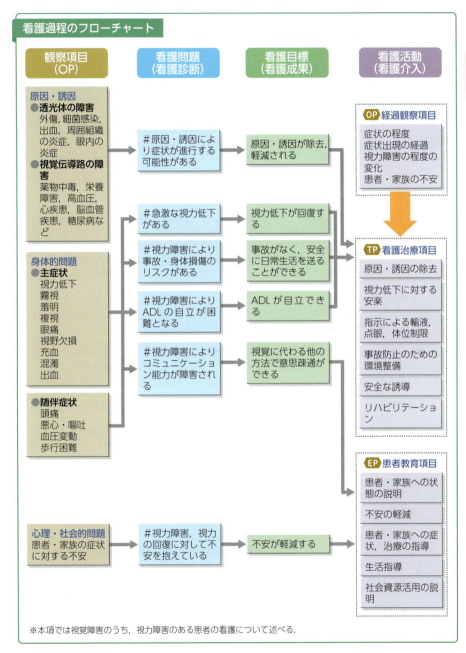

※本項では視覚障害のうち，視力障害のある患者の看護について述べる．

第3章 感覚器系

基本的な考え方

● 視力障害の原因・誘因を明らかにし，視力障害に起因する日常生活への影響や，心理面への影響を把握する．

緊急 一般に，急激な視力低下ほど予後も重篤な場合が多く，迅速な対応が求められる．緊急処置の必要がある化学薬品による角膜腐蝕，網膜動脈閉塞症に対しては，迅速に対応する．特に薬液や石灰などが飛入したという訴えや「暗い」と訴える視力障害には要注意である．

STEP ❶ アセスメント	STEP ❷ 看護課題の明確化	STEP ❸ 計画	STEP ❹ 実施	STEP ❺ 評価

情報収集	アセスメントの視点と根拠・起こりうる看護問題
病歴の把握	**患者・家族から症状出現の経過，症状を注意深く聞きとることで，障害部位を把握し，必要な治療・看護ケアにつなげることができる．**
出現時期，経過	● いつ頃から視力障害が起きたのか，急激に，または徐々に起きたのか． ● 眼外傷の場合，受傷したときの情報：いつ，どこで，何をしていたときか． ● 片眼性か両眼性か． ● どのような時に見えないことに気づいたのか，これまで同じような症状があったのか． ● 症状が出現してから進行しているか，以前の視力はどれくらいか． ● **原因・誘因** 徐々に視力障害が起きる例：学童の屈折異常，成人の角膜や網膜変性などの異常，白内障，慢性緑内障，糖尿病や高血圧による合併症などが考えられる 　**緊急** 急激な視力低下は，眼外傷，網膜血管の閉塞性疾患，急性緑内障発作など，治療の遅れが失明につながる可能性があり，早急に適切な対応が必要 ● 視力の程度：全体が見えないのか中心だけが見えないのか．視野の一部が見えないのか．二重に見えるのか．
誘因	● 酸（塩酸，硫酸，硝酸，酢酸）やアルカリ性の化学薬品（水酸化ナトリウム，アンモニア，生石灰，セメントなど），その他の化学物質 ● ガラス片，はさみ，ナイフ，金属片など鋭利なもの ● 熱湯やタバコ，花火などによる熱傷
随伴症状	● 眼痛，頭痛，悪心・嘔吐，羞明，視野欠損，複視，光視症，飛蚊(ひぶん)症，流涙，角膜の混濁，充血，眼脂，瞳孔異常，血圧の変化 **原因・誘因** 水晶体，硝子体，網膜の障害では充血や疼痛はみられないが，外傷，角膜や虹彩の病変，急性緑内障発作ではしばしば充血，疼痛を伴う．
生活歴	● ストレスの有無，普段のストレス対処方法 **原因・誘因** 器質的障害がなくても，心因性視力障害を訴え受診する人がいる．
既往歴	● 外傷，糖尿病，高血圧の既往はないか **原因・誘因** 網膜動脈閉塞症は，高血圧や糖尿病などによる動脈硬化が原因である． ● ステロイド薬の長期内服歴 **原因・誘因** 副作用による白内障高眼圧症，緑内障 ● 手術歴：術後合併症としての術後感染症 **緊急** 術後眼内炎に注意
家族歴	● 家族に視力障害のある人はいないか． ● 視力障害に対する家族の反応，受け入れ
職業歴	● パソコンを長時間使用する職業か **原因・誘因** VDT (visual display terminal) 作業に関連して視力障害を訴える人が増えている． ● 鉄粉，植物などを扱う職業か（ゴーグルを着用しているか）．
その他	● コンタクトレンズ使用の有無 **原因・誘因** 点状表層角膜症，アカントアメーバ角膜炎，細菌性あるいは真菌性角膜炎 ● 日常生活動作（ADL）の障害の程度，外出状況，歩行状態 ● セルフケア能力の程度
主要症状の出現状況	症状の出現状況を把握することで原因疾患の特定につながる情報が得られる．

428

症状	●全体に「暗い」と自覚する　[原因・誘因]　[緊急]　網膜中心動脈閉塞症の可能性が高い. ●飛蚊症，急な視野欠損　[原因・誘因]　[緊急]　網膜剝離を疑う. ●眼痛，充血以外に頭痛，悪心・嘔吐を伴う　[原因・誘因]　[緊急]　急性緑内障発作を疑う. 急性閉塞隅角緑内障の可能性が高い. 急性閉塞隅角緑内障発作では，著明な眼圧上昇(40～80 mmHg)を生じる. ●薬液や石灰の飛入　[原因・誘因]　[緊急]　化学薬品による角膜腐蝕 ●急な視力低下に「温かい涙」を伴う　[原因・誘因]　[緊急]　穿孔性眼外傷 ●異物混入　[原因・誘因]　眼内異物 ●術後早期の眼脂，充血の増悪や眼痛，頭痛を伴う　[原因・誘因]　[緊急]　術後早期に発生する眼内炎. 外因性では治療の遅れが失明につながる可能性が大きい.	

25 視覚障害

全身状態，随伴状態の把握 バイタルサイン 全身状態	▌症状出現の経過の把握とともに，他の症状の有無，随伴症状を観察し，治療，看護計画の立案に有効に反映する. ●体温　⬭感染症を鑑別する. ●血圧，脈拍・リズム　⬭循環器疾患を鑑別する. ●呼吸状態　[緊急]　クスマウル呼吸　[原因・誘因]　糖尿病性ケトアシドーシス ●意識状態　[緊急]　意識障害の有無を確認する　[原因・誘因]　脳血管疾患 ●体格　⬭栄養障害，慢性疾患による体重減少がないか確認する. ●顔面・表情　⬭外傷，麻痺の有無を確認する. ●皮膚，関節などの症状　[原因・誘因]　膠原病や類縁疾患 ●頭痛　⬭脳血管疾患を鑑別する. ●悪心・嘔吐　⬭脳血管疾患を鑑別する. ●四肢のしびれ，四肢の麻痺　[原因・誘因]　脳血管疾患，多発性硬化症を鑑別する. ●言語障害　[原因・誘因]　脳血管疾患 🔍 起こりうる看護問題：急激な視力低下がある／視力障害により事故・身体損傷の危険性がある／視力障害によりADLの自立が困難となる／視力障害によりコミュニケーション能力が障害される

急激な視力障害に対する緊急対応

●化学薬品(特にアルカリ)が飛入した場合は，ただちに生理食塩水で角膜と結膜囊を十分に洗浄する(生理食塩液が間に合わない場合は水道水でも可). 患者から来院の連絡があれば，その場で水道水で十分に洗浄してから来院するように指示する.
●急激な視力低下，視野欠損による網膜中心動脈閉塞症に対しては，ただちに眼球マッサージ，眼圧降下薬，血管拡張薬の投与を行う.
●眼圧上昇に伴う症状：眼痛，頭痛，悪心・嘔吐には，高張浸透圧薬の投与，縮瞳薬の点眼を行う.
●網膜剝離では，剝離範囲を拡大させないように安静を促し，剝離していない側を上にして臥床してもらう.
●眼内異物ではガラス片の混入，金属片や土砂粒の飛入などがあり，早期に除去する. 手で眼に触れたり，こすったり，強く閉眼しないよう指導する.

患者・家族の心理・社会的側面の把握	▌急激な視力低下による失明の恐れや，検査・治療に対して様々な不安を抱えている. ●症状出現の経過，生活状況などを聞きながら，患者・家族の症状に対する受け止めや抱えている不安を聞き出す. ●患者・家族の訴えを十分に聞き，少しでも不安が軽減するよう対応する. ●患者・家族に対して検査や治療に対してわかりやすい十分な説明を行う. ●回復が見込めない場合や失明の場合には，患者・家族の精神面への援助が重要となる. ●退院に向けて，できるだけ自立した生活が送れるよう，自宅での注意事項を指導する必要がある. 🔍 起こりうる看護問題：視力障害，視力の回復に対して不安を抱えている

看護問題リスト

- #1 急激な視力低下がある(認知−知覚パターン)
- #2 視力障害により事故・身体損傷の危険性がある(健康知覚−健康管理パターン)
- #3 視力障害によりADLの自立が困難となる(活動−運動パターン)
- #4 視力障害,視力の回復に対して不安を抱えている(自己知覚パターン)
- #5 視力障害によりコミュニケーション能力が障害される(役割−関係パターン)

看護問題の優先度の指針

- 急性の視力障害は緊急性を要し,予後も重篤な場合が多い.眼外傷(眼化学熱傷)は初期治療が特に重要で,眼表面の洗浄を十分に行っておくことが予後を左右する.
- 急性の視力障害では,患者・家族は突然の症状出現にとまどい,不安を抱くため,不安の解消に努める.

看護問題	看護診断	看護目標(看護成果)
#1 急激な視力低下がある	**安楽障害** **関連因子**:組織の損傷・外傷 **関連する状態**:病気に関連した症状(疼痛,悪心・嘔吐) **診断指標** □不快感を示す	〈長期目標〉症状がコントロールされ良好である 〈短期目標〉症状が軽減する

看護計画

急激な視力障害に対する緊急対応

化学薬品(特にアルカリ)が飛入した場合は,ただちに生理食塩液(少なくとも2,000 mL)で角膜と結膜嚢を20分以上かけて十分に洗浄する(生理食塩液が間に合わない場合は水道水でも可).

介入のポイントと根拠

急激な片眼性の視力低下,視野欠損による網膜中心動脈閉塞症に対しては,ただちに眼球マッサージを行い,眼圧降下薬,血管拡張薬を投与する.

眼球を圧迫しないよう開瞼し,受水器を頬部に密着させて,生理食塩液を静かに流す

図 25-4 洗眼

仰臥位にして眼瞼を閉じた状態で,両手の示指で眼球を上眼瞼の上から10〜15秒間圧迫したのち,急に圧迫を緩める操作を15分間繰り返す

図 25-5 眼球マッサージ

OP 経過観察項目
- 現病歴，既往歴

➡ **根拠** 急激な視力低下は，眼外傷，異物混入のほか，網膜中心動脈閉塞症，急性閉塞隅角緑内障，網膜剥離など，様々な原因が考えられる
➡ **根拠** 網膜中心動脈閉塞症は，高血圧や糖尿病などによる動脈硬化が原因であるため，現病歴や既往歴を把握することが重要となる
➡ **根拠** 視力低下は，脳・頭蓋内病変とも関連するため，全身的変化にも注意する必要がある

- 主症状：眼外傷，異物混入，視力低下，視野欠損，眼痛，充血，混濁，出血
- 随伴症状：頭痛，悪心・嘔吐，血圧の変化

TP 看護治療項目
- 眼外傷(化学外傷)では，十分に眼表面の洗浄を行う

➡ **根拠** 特にアルカリは細胞融解作用，組織浸透性が強いため，十分に眼表面の洗浄を行うことが予後を左右する
➡ **根拠** 眼圧を下げて血流を促進する

- 急激な視力低下，視野欠損による網膜中心動脈閉塞症には緊急治療が必要である．仰臥位にして眼瞼を閉じた状態で，両手の示指で眼球を上眼瞼の上からマッサージする(15分間行う)
- 眼圧上昇に伴う症状として眼痛，頭痛，悪心・嘔吐がみられる場合は，発作から48時間以内に処置する

➡ **根拠** 48時間以内に処置しないと眼圧が上がり続け失明する危険性があるため，縮瞳薬の点眼を行う．点眼薬は房水を流れやすくするか，房水の産生を少なくすることにより眼圧を下降させる
➡ **根拠** 剥離の範囲を拡大させないようにする

- 網膜剥離は，安静を促し，剥離していない側を上にして臥床してもらう

EP 患者教育項目
- 視力低下に伴う苦痛のなかで患者が抱えている不安を解消する

➡ 患者の訴えを十分に聞く
➡ 声かけや説明を十分に行う
➡ タッチングを活用し，安心感をもってもらう

OP 経過観察項目
- 視力低下の程度，出現時期と経過
- 眼痛の有無，程度
- 頭痛の有無，程度
- 悪心・嘔吐の有無
- 眼外傷の有無，程度
- 異物混入の有無，程度

➡ 視力低下との関連を把握し，原因を除去する
➡ **根拠** 関連を把握することで原因疾患を推測し，適切な看護計画につなげることができる

TP 看護治療項目
- 安静を図る
- 診察・検査が短時間に行えるよう介助する

- 状況に応じた環境整備を行う

- 訴えを傾聴する

- 安楽な体位をとる
- 排便のコントロールをする

➡ **根拠** 体動による出血や網膜剥離を予防する
➡ **根拠** 治療の遅れが失明につながる可能性があるため早急に適切な処置を実施する
➡ **根拠** 視力の不安定さによる慣れない環境での事故を防止する
➡ **根拠** 視覚から情報が得られないことによる検査結果や予後についての不安を軽減する
➡ **根拠** 眼痛や同一体位による苦痛を緩和する
➡ **根拠** 安静による活動制限や，努責ができないことによる便秘を防ぐ

EP 患者教育項目
- 検査について説明する
- 安静や早急な治療の必要性を説明する
- 身体損傷防止のため安全対策の指導を行う

➡ **根拠** 理解不足による不安を軽減する

➡ **根拠** 事故を防止する

25

視覚障害

第3章 感覚器系

2 看護問題	看護診断	看護目標（看護成果）
#2　視力障害により事故・身体損傷の危険性がある	**損傷リスク状態** **関連する状態**：感覚障害（視力障害）	〈**長期目標**〉障害の程度に応じ，自立した日常生活を送ることができる 〈**短期目標**〉転倒・転落がなく，安全に日常生活を送ることができる

看護計画 / 介入のポイントと根拠

OP 経過観察項目
- 視力障害の程度
- 視力障害の原因，ADL への影響

⮕ 視力障害が日常生活に支障をきたしている程度により援助内容が決定される

- 歩行状態，転倒リスクが高いことに関する患者の認識状況
- 周囲の環境
- 転倒歴
- 筋力低下の程度

⮕ 高齢者 体力や筋力の低下により容易に転倒しやすい

TP 看護治療項目
- 環境整備（ベッドサイド，廊下に歩行の妨げとなる物品はないか）を行う
- 廊下の整備（手すりの設置，照明，水こぼれ，段差の有無）を行う
- トイレや浴室の整備（段差，照明，滑りやすいものの除去）を行う

⮕ 根拠 視力障害により危険回避が困難になるため，物にぶつかったり，つまずいたり，滑って事故や損傷を起こすことを防止する

- 障害に応じた日常生活の援助を行う．自立を妨げないように障害の程度を把握し援助する

⮕ 更衣・清潔行動，排泄行動などについては，プライバシー保護の方法についても説明し，安心して日常生活が送れるようにする

- 生活環境のオリエンテーションを行う

⮕ 排泄のタイミングなど，時間に余裕をもって声かけをする

- 安全な誘導を行う

⮕ 視力障害があるために部屋から出ることにおそれを感じていることが多いので，安全に配慮し，少しずつ誘導していく．背後から急に声をかけて驚かせない

⮕ 介助者は斜め半歩前に立ち，患者に肘の少し上か肩に手をかけてもらう．歩幅，歩く速度は患者に合わせる．歩く方向を示す際には，「前」「後ろ」「右」「左」や，時計の針の向き（○時方向など）などと具体的に表現する

- コミュニケーションの配慮をする

⮕ 患者を名前で呼びかけた後に自己紹介をし，話し始める．その場を去るときは，そのことを伝えてから去る

- ナースコールは手元に設置する
- 残された触覚，聴覚，嗅覚などの感覚を活用して，外界の情報をとらえることができるよう工夫する

⮕ 移動時には，目印となるものや段差などに触れてもらい，位置，方向，距離などの目安にする．また音の近さ，遠さや特徴的に聞こえる音なども，位置，方向，距離などの目安にする

EP 患者教育項目
- 事故防止のため，安全でわかりやすい ADL の方法を説明する

⮕ 障害をもちながらもその人らしく安全に生活できるための知識や，具体的方法の理解度を確認しながら指導する．視力障害による事故を起こさず，自立した日常生活を送れるようにわかりやすい説明をする

3 看護問題	看護診断	看護目標（看護成果）
#3　視力障害により ADL の自立が困難となる	**更衣，摂食，入浴，排泄セルフケア不足** **関連する状態**：空間的関係を知覚できない **診断指標** □ ADL が困難	〈**長期目標**〉食事行動，更衣行動，清潔行動，排泄行動，入浴行動が自立できる 〈**短期目標**〉1) 不足しているセルフケアが満たされる．2) 食事行動，更衣行動，清潔行動，排泄行動，入浴行動に身体的・言語的に参加する

看護計画	介入のポイントと根拠
OP 経過観察項目 ●視力障害の程度，視力障害の原因 ●ADL への影響 ●食事摂取量 ●排泄状態 ●歩行・移動の状態 ●清潔の状態	➡不足しているセルフケアを観察・把握し，援助につなげる
TP 看護治療項目 ●食器や，おしぼり，ティッシュペーパーの位置関係を説明する ●献立について説明する ●食べにくいものはどうしたら食べやすいか，あらかじめ患者に確認し，食べやすく用意する．食事の際にはどのように用意したのか伝える ●こぼしやすい汁物や飲み物などの位置について説明し，確認してもらう ●トイレまでの道順，トイレットペーパーの位置や，排泄物の流し方，ナースコールの位置などを説明し確認してもらう ●入浴や手浴・足浴，洗面，整容の介助を行う ●更衣は必要に応じて介助する ●危険のないように，可能な運動を生活に取り入れる ●視能訓練士など，視覚リハビリテーションの専門家の介入を検討する	➡温かい食べ物は，食器に触れて確認してもらう　**根拠** 熱傷の防止 ➡食事のにおいや温度など，視覚以外の感覚で確認してもらう　**根拠** 食事内容をイメージしやすい ➡ **根拠** 視力障害により，これまでできていた ADL の一部が困難となる ➡視力障害の程度に合わせて，自立を妨げない介助を行う ➡ **根拠** ADL の低下を防ぐ
EP 患者教育項目 ●献立内容を説明する ●食器は時計回りに配置されていることを説明する ●便器の位置やトイレットペーパーの位置，手すりの位置，ナースコールの位置を説明する ●排泄終了後は知らせるよう説明する ●入浴の際は，浴槽，シャワー，蛇口の位置を説明する ●服薬や点眼方法について説明する ●身だしなみをきちんと保てるよう声をかけ，配慮する ●自助具を使用した日常生活を指導する	➡ **根拠** 何時の方向にどの食器があるかを示すことで混乱を招かない ➡患者の自立を見守る　**根拠** 危険因子を避け，その人らしい生活を送れるよう知識・技術を獲得できるようにする ➡ **根拠** 見えにくい状況でも使いやすい日用雑貨や自助具などの紹介，およびその指導につなげる

25

視覚障害

第3章　感覚器系

4 看護問題	看護診断	看護目標（看護成果）
#4　視力障害，視力の回復に対して不安を抱えている	**不安** **関連因子**：視力障害，急激な視力低下，視力の回復の不確かさ **診断指標** □緊張感 □警戒心が増す □不安定な気持ち	〈**長期目標**〉不安が軽減する 〈**短期目標**〉不安を言葉に出して表現することができる

看護計画	介入のポイントと根拠
OP 経過観察項目 ●表情，言動：恐怖感，孤独感，無力感など ●睡眠状態 ●食事摂取量 ●視力障害や治療に対する患者・家族の反応・理解状況 ●視力障害の程度 ●視力回復の程度 **TP** 看護治療項目 ●必要な場合，心理支援や社会支援などの専門職の介入を検討する ●不安を表出できるように傾聴に努め，支持的態度で接する ●検査や治療を行う際には，静かな環境で十分に説明し，理解の程度を確認する ●患者に合わせて，家族，友人との時間をもてるように調整する **EP** 患者教育項目 ●わからないことや心配なことがあれば，いつでも質問してよいことを伝える	➡視力障害に伴う悲嘆反応，自己尊重の低下，日常生活動作の変化に注意する　**根拠** 視力障害という喪失体験により悲嘆反応が生じやすい ➡ **根拠** 急性の視力障害では，失明や今後の生活に対する不安を抱き，イライラしたり無気力になることがあるので，精神的なフォローが大切である．家族も同様に不安を感じていることが多いため，家族に対する配慮も忘れてはならない ➡質問に積極的に受け入れる　**根拠** 不安を軽減するための対処を促す

5 看護問題	看護診断	看護目標（看護成果）
#5　視力障害によりコミュニケーション能力が障害される	**言語的コミュニケーション障害** **関連する状態**：知覚の変化（視力障害） **診断指標** □アイコンタクトの欠如 □コミュニケーションの理解が困難 □コミュニケーションの維持が困難 □身振りを使った表現が困難 □表情を使った表現が困難	〈**長期目標**〉コミュニケーション能力が高まる 〈**短期目標**〉視覚に代わる他の方法で意思疎通ができる

434

看護計画	介入のポイントと根拠
OP 経過観察項目 ●視力障害の程度，理解力 ●行動，顔貌などへの外観の様子	 ⊃患者がどうしたいのか，何を求めているのかを知る手がかりとなり，声かけができる
TP 看護治療項目 ●視覚に代わる音声や点字，パソコン，IT機器などを利用したコミュニケーションや学習ができるよう支援する ●残存機能に合わせたコミュニケーションや学習ができるよう支援する ●視能訓練士など，視覚リハビリテーションの専門家の介入を検討する	⊃必ず患者の名前を呼び，自己紹介してから話を始める．患者の前から立ち去るときは，黙って立ち去らず，きちんと伝えるなど配慮する ⊃点字やパソコンなどに手で触れることによってイメージしやすくする ⊃少しでも視覚機能が残されている場合は，明るい場所で話す，大きな文字で書くなど，残存機能を生かす **根拠** 視力障害により通常のコミュニケーションが困難である
EP 患者教育項目 ●視覚に代わるコミュニケーション手段を説明する ●自立を補うための機器の紹介を必要に応じて行う ●退院後の社会資源の活用方法について説明する ●社会への復帰を援助する	⊃ **根拠** 患者がその人らしい生活を送れるよう知識・技術が獲得できる ⊃社会サービスやサポートグループ，余暇的活動の紹介やその環境整備のために，社会福祉士などの専門職の介入を検討する

25 視覚障害

STEP❶ アセスメント ▶ STEP❷ 看護課題の明確化 ▶ STEP❸ 計画 ▶ **STEP❹ 実施** ▶ STEP❺ 評価

病期・病態・重症度に応じたケアのポイント

【急性期】急性の視力障害がみられる場合は原因を明らかにし，症状の観察と早急な対処が求められる．
　　　　　この時期は危険回避が困難なため，安全面の確保と精神面のフォローが大切である．
【回復期】視力回復が得られない場合には，残存視力や他の感覚・知覚などの能力を最大限に活用し，
　　　　　安全にセルフケアが可能となるよう援助することが大切である．

看護活動(看護介入)のポイント

診察・治療の介助
●視力障害の原因を症状・経過から把握する．
●患者の不安軽減に努めながら早急に対処する．
●急激な視力低下に対して緊急処置を行う．
　・洗眼
　・眼球マッサージ，眼圧降下薬，血管拡張薬の投与
　・縮瞳薬点眼，高張浸透圧薬の投与
　・安静保持(体位制限)
視力障害に起因した身体損傷のリスクに対する援助
●危険回避が困難なため環境整備を行う．
●日常生活自立への援助を行う．
●患者と家族の視力障害に対する受け入れ状態について把握する．

第3章　感覚器系

退院指導・療養指導

● 退院後の生活環境についてアセスメントを行い，残存能力を生かし，安全にセルフケアできるような方法を指導する．
● 自立を補うための用具や機器を必要に応じて紹介する．
● 点眼薬など治療の継続が必要な場合は，感染予防について家族を含めて指導を行う．

STEP ❶ アセスメント　STEP ❷ 看護課題の明確化　STEP ❸ 計画　STEP ❹ 実施　STEP ❺ 評価

評価のポイント

看護目標に対する達成度
● 視力回復がみられているか．
● 視力障害による事故が起きていないか．
● 障害の程度に応じ自立した日常生活を送ることができているか．
● 患者がその人らしく生活を送るための知識・技術を獲得できているか．
● 患者・家族の不安が軽減しているか．

● 参考文献
1) 青山和子：視力障害，プチナース増刊 16(6)，2007
2) 高木永子監：看護過程に沿った対症看護　第4版，学研メディカル秀潤社，2010
3) 池松礼子，山内豊明編：症状・徴候別アセスメントと看護ケア，医学芸術社，2008
4) 戸田淳子：視覚機能および視覚機能障害の理解，クリニカルスタディ 24(14)：1140-1145，2003
5) 野口美和子編：脳・神経機能障害をもつ成人の看護／感覚機能障害をもつ成人の看護，成人看護学5，新体系看護学第24巻，メヂカルフレンド社，2003
6) 日本救急医学会監：救急診療指針　改訂第3版，へるす出版，2008
7) 関口恵子編：根拠がわかる症状別看護過程，南江堂，2002
8) 日野原重明，井村裕夫監：眼科疾患，看護のための最新医学講座 20　第2版，中山書店，2008
9) 中木高夫監：看護診断対応−症状別看護計画，日総研出版，1996
10) 芦川和高監：New 図解救急ケア　第2版，学習研究社，2007
11) 種池礼子，岡山寧子，中川雅子編：パーフェクト看護技術マニュアル−実践力向上をめざして，照林社，2004
12) 髙橋寛二編著：眼科看護の知識と実際　第4版，メディカ出版，2009
13) 大橋裕一，山田昌和編：新ナースのための眼科学　ナーシングポイント 105，メジカルビュー社，2011
14) 高橋広，斎藤良子：視覚障害者の転倒・転落予防，Nursing Today 22(12)：91-98，2007
15) 所敬監，吉田晃敏，谷原秀信編：現代の眼科学 改訂第13版，金原出版，2018
16) 丸尾敏夫：NEW エッセンシャル眼科学　第8版，医歯薬出版，2014
17) 小出良平監：眼科エキスパートナーシング　改訂第2版，南江堂，2015
18) 大路正人，後藤浩，山田昌和，野口徹：今日の眼疾患治療指針，医学書院，2016
19) 関口恵子，北川さなえ：根拠がわかる症状別看護過程　改訂第3版．こころとからだの69症状・事例展開と関連図，南江堂，2016

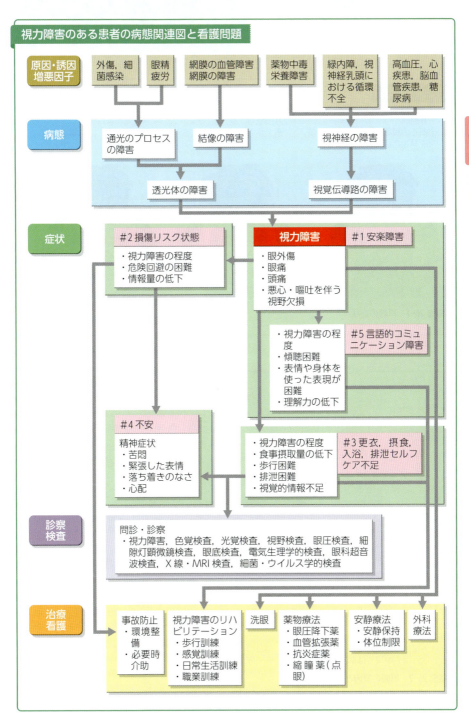

26 耳鳴

枝松　秀雄

目でみる症状

1) 耳鳴
多くの耳鳴は自覚のみ
片耳または両耳で

2) 頭鳴り
頭全体で鳴る（少ない）

3) 他覚的な耳鳴
耳の外で他人にも聞こえる
（まれ）

■図 26-1　耳鳴の症状

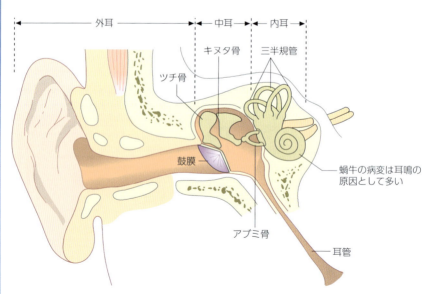

音は外耳から中に入り鼓膜を振動させて，中耳の3個の耳小骨を通り，内耳の蝸牛で神経処理される．
耳鳴は外耳や中耳ではなく，内耳の病変で多くみられる．

■図 26-2　耳鳴の原因と耳の解剖

病態生理

耳鳴のほとんどが自覚症状であり，実際に耳の中に虫や異物があってその音を聞いているのではない.

- 耳鳴の特徴：①耳鼻科の日常臨床で耳鳴はきわめて多い徴候である（音楽家のベートーベンやドボルザーク，画家のゴッホ，作家の倉田百三など耳鳴に悩まされていた芸術家は多い）．②中年から高齢者に多く，小児には少ない．③明らかな性差はない．④耳鳴が重篤な疾患の前駆症状になることはまれである.
- 耳鳴の成因・病態：①耳鳴の成因や詳しい病態は不明．②内耳に病変が生じる感音難聴で起きやすい．③難聴の代表的例である老人性難聴，騒音性難聴，薬物性難聴などでは原因がはっきりしていて難聴のパターンも一定している．④無難聴性耳鳴では原因と考えられるものが何もなく，聴力も正常である．⑤聴力正常例のなかには，耳鳴なのか精神的不安なのかはっきりしないケースも多い.

患者の訴え方

- **主症状の訴え**
- 夜間就寝前など静かな場所で，片耳または両耳に「ピー」「ジー」「ブーン」などと聞こえる.
- 病院外来などでは周囲の騒音に打ち消されて耳鳴を感じない.
- 「頭全体で鳴っている」と訴える"頭鳴り"は少ない.
- **随伴症状**
- 医師が患者の耳元で耳鳴を聞きとれる他覚的耳鳴は非常にまれにある.
- 難聴やめまいなどの症状が合併する場合は，内耳の病変が強く疑われる.
- 突発性難聴の発症時は耳鳴が多く，難聴をその後にはっきりと自覚する.

診断

耳鳴では第一に詳細な問診を行う．次に視診（耳内の観察）を行い，さらに聴力検査，めまい検査，画像検査を行う.

- **原因・考えられる疾患**
- 耳鳴の原因または考えられる疾患を表 26-1, 2，図 26-3 に示す.
- 耳鳴に難聴やめまいなどを合併するメニエール病や突発性難聴では，耳鼻科疾患として積極的に検査と治療を行わなければならない.
- **鑑別診断のポイント**
- 問診：①耳鳴はどちらの耳に，いつ頃からあるか．②増強しているか，夜間だけ感じるか．③難聴やめまいの合併はあるか．④年齢，騒音環境，薬物使用，頭部外傷の既往や精神的なストレスの有無
- 視診：鼓膜の観察から中耳炎，手術，外傷の痕跡などが見つかれば原因の確認が可能になり，耳鳴の治療を行える場合がある.
- 聴力検査
- めまい検査
- CT などの画像診断
- 精神的な要因のチェック，全身疾患のチェック，既往歴の確認

■表 26-1　耳鳴の原因と強く考えられる疾患（赤字は緊急対応を要する疾患）

①**音響外傷**：ロックコンサートなどで短時間に巨大音量の刺激で一過性の難聴になる.
②**頭部外傷**（側頭骨骨折）：中耳や内耳の交通事故による損傷などで難聴，めまい，耳鳴が生じる.
③**薬物性難聴**：抗結核薬（ストレプトマイシン）や抗がん剤などは内耳障害を起こす.
④老人性難聴：50 歳以降で両耳の高音型難聴が進行しほとんどの例で耳鳴が生じる.
⑤騒音性難聴：長期間工場など騒音環境下で就労すると 4,000 Hz の谷型難聴になる.
⑥聴神経腫瘍：第 8 脳神経にできる神経鞘腫瘍で難聴やめまいが生じる.
⑦内耳梅毒

①，②は緊急処置で一定の効果が期待できる
③は薬剤を中止できれば，耳鳴・難聴の進行が抑えられる
④～⑦は慢性化し治らない耳鳴

第3章 感覚器系

■表 26-2 随伴症状として耳鳴がみられる疾患

主症状	疾患
耳痛	急性中耳炎，航空中耳炎，外傷
耳閉感	耳管狭窄症，滲出性中耳炎，航空中耳炎
難聴，めまい	外リンパ瘻，突発性難聴，メニエール病，聴神経腫瘍

1) 両側性の耳鳴：難聴の原因がはっきりしている疾患

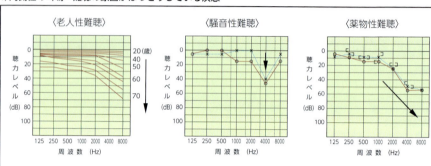

〈老人性難聴〉
- 老人性難聴
- 全周波数で 50 dB 以上になると補聴器が必要になる
- 年齢とともに 4,000 Hz 以上の高音域聴力が低下する

〈騒音性難聴〉
- 工場などで長年騒音に曝露
- 4,000 Hz が谷型に低下する

〈薬物性難聴〉
- 結核治療薬（ストレプトマイシン，カナマイシン）
- 抗がん剤（シスプラチン）
- 高音域から始まり全体の聴力が低下する

2) 一側性の耳鳴：難聴が変化し，めまいを伴う疾患

〈突発性難聴〉
- 原因不明
- 突然発症する高度難聴
- めまいを伴うことが多い
- 難聴発作は繰り返さない
- 治療は薬剤（ステロイド）

↓

難聴は，中程度から高度まで一定のパターンがない
早期治療なら回復しやすい

〈メニエール病〉
- 内リンパ水腫が病因
- 低音型難聴が多い
- めまいと難聴の発作を繰り返す
- 治療は薬物と安静，重症例は手術

↓

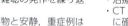
前庭階（外リンパ）

中央階
内リンパ水腫
鼓室階（外リンパ）

内リンパ水腫は，蝸牛内部の中央階の内リンパ腔が腫脹する

〈聴神経腫瘍〉
- 内耳道内に生じる神経鞘腫
- 難聴，めまい，顔面神経麻痺
- 治療は手術かガンマナイフ
- CT 検査で腫瘍拡大を定期的に確認できれば早期手術は行わない

↓

内耳道内の第8脳神経に発生
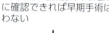

■図 26-3 耳鳴を起こす代表的な疾患

治療法・対症療法

耳鳴の成因は不明なことが多く，画一的な治療法は現在のところない．治療は難しいが，患者の感じている耳鳴による困窮度は強く，根気よく対応しなければならない．

●**治療方針**
- ●成因が不明な耳鳴が多く，一般的な治療法はない．
- ●患者は耳鳴に強く悩まされているため，対症療法であっても強く希望する．
- ●貧血などの全身疾患やストレスなどの影響が強い場合には，耳鼻科，内科，精神科が共同で対応する．

●**薬物療法**
- ●キシロカイン(リドカイン塩酸塩)の静脈内注射：キシロカインは耳鳴に対する効果がはっきりしている現在唯一の薬剤で，静注後数分くらいで耳鳴が消失する場合がある．効果の持続は数時間以内であり，耳鳴は再び生じる．
- ●内服の薬物治療：耳鳴への直接効果のある薬剤は少ないが，経験的に使用される．

Px 処方例 耳鳴 　下記のいずれかを用いる．
- ●静注用キシロカイン(2%)　5 mL(100 mg)＋生理食塩液 100 mL　緩徐静注　←局所麻酔薬
　※キシロカインショックの既往がない場合に適応となる．
- ●ストミンA錠　1回2錠　1日3回　朝昼夕食後　←耳鳴治療薬
- ●テグレトール錠(100・200 mg)　1回200 mg　1日2回　朝夕食後　←抗てんかん薬
- ●ミオナール錠(50 mg)　1回1錠　1日3回　朝昼夕食後　←中枢性筋弛緩薬
- ●当帰芍薬散(とうきしゃくやくさん)　1回2.5 g　1日3回　朝昼夕食前　←漢方薬

Px 処方例 突発性難聴 　ステロイドが第一選択である．下記のいずれかを用いる．
- ●プレドニン錠(5 mg)　1回2錠　1日3回　朝昼夕食後　←副腎皮質ホルモン製剤
- ●ソル・コーテフ注　1回500 mgより漸減　緩徐静注　←副腎皮質ホルモン製剤
　※突発性難聴が改善されれば随伴症状の耳鳴も軽減される．

Px 処方例 不眠と耳鳴が相互に増悪し合う場合 　下記のいずれかを用いる．
- ●セルシン錠(2 mg)　1回1錠　1日1回　就寝前　←抗不安薬
- ●マイスリー錠(5 mg)　1回1錠　1日1回　就寝前　←睡眠薬

●**非薬物療法**
- ●マスカー治療(音響遮蔽効果)：音響機器などを使用した外部騒音で耳鳴をマスク(遮蔽)する．遮蔽効果は一時的である．音響遮蔽自体が耳鳴よりも不快感を増すことがある．
- ●TRT (tinnitus retraining treatment)：最近よく試みられている音響刺激治療法．マスカーよりも弱い音響刺激を与え耳鳴を心理的に気にならないように導く．治療期間も長期化し，容易な治療法ではない．
- ●民間療法：鍼(はり)，灸(きゅう)などの民間療法の効果は不明である．耳鳴は心理的な要素の強い自覚症状であるため，患者自身が有効であると感じる場合がある．

■表 26-3　耳鳴の主な治療薬

分類	一般名	主な商品名	薬の効くメカニズム	主な副作用
局所麻酔薬(静注)	リドカイン塩酸塩	キシロカイン	聴覚系中枢抑制	ショック(まれ)
耳鳴治療薬	(合剤)ニコチン酸アミド・パパベリン塩酸塩	ストミンA	内耳循環血量増加作用	アレルギー性の肝障害(まれ)
抗てんかん薬	カルバマゼピン	テグレトール	精神運動発作の抑制	過敏症状(まれ)
抗不安薬	ジアゼパム	セルシン	鎮静作用	依存性
筋弛緩薬	エペリゾン塩酸塩	ミオナール	筋緊張低下作用	ショック(まれ)
睡眠薬	ゾルピデム酒石酸塩	マイスリー	GABA系抑制作用の増強	依存性(少ない)
副腎皮質ホルモン製剤	プレドニゾロン	プレドニン	抗炎症作用 神経に対する作用	血圧上昇,血糖値上昇,胃腸障害
	ヒドロコルチゾンコハク酸エステルナトリウム	ソル・コーテフ,ヒドロコルチゾンコハク酸エステルNa		
漢方薬	当帰芍薬散		体力虚弱の改善	過敏症状(まれ)

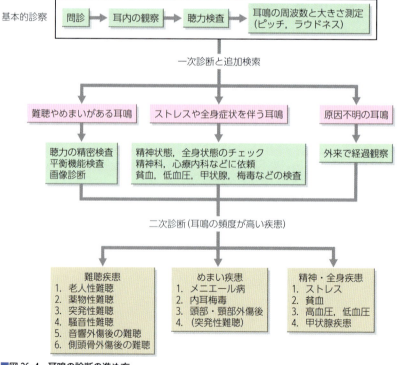

■図 26-4　耳鳴の診断の進め方

耳鳴のある患者の看護

茂野 香おる

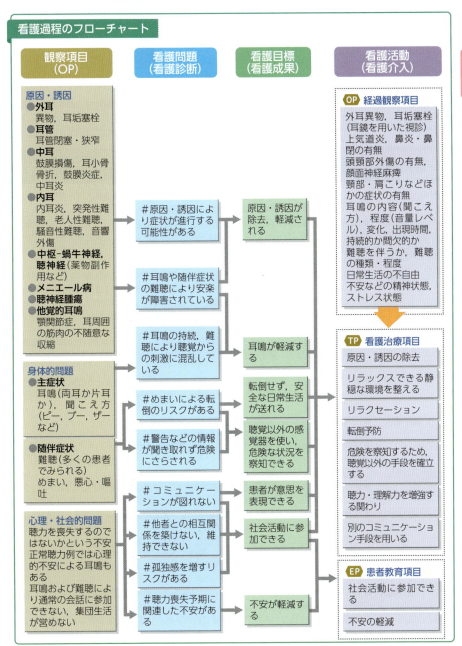

26 耳鳴

第3章　感覚器系

基本的な考え方

● 耳鳴の病態については不明な点があり，すべてのメカニズムは説明できないが，外耳道，中耳，内耳の障害によることが多い．原因が不明である場合も少なくない．
● 耳鳴と難聴との関連は深い．音（空気の振動）は骨に伝達され，さらに内耳リンパの流れ（液体の動き）から化学的反応（神経伝達物質の放出）を経て変換され，音（聴覚）として捉えられる．このプロセスのいずれかが障害されても難聴が起きるが，これと同じメカニズムで耳鳴が発生する．耳鳴は難聴を伴うことが多いが，聴力検査では正常なこともある．
● 心理的要素の強い自覚症状であり，本人にとっては重大な問題であるため，心理的支援も重要である．
● 緊急性の高い耳鳴の原因は少ないが，まれに聴神経腫瘍や脳腫瘍など頭蓋内病変の一症状として出現する場合もあるので，他の症状についても十分観察し，鑑別に役立てる．
緊急 聴神経腫瘍，脳腫瘍に対しては迅速な対応が求められる．これらの疾患を疑わせる徴候に十分注意する．

| STEP **1** アセスメント | STEP **2** 看護課題の明確化 | STEP **3** 計画 | STEP **4** 実施 | STEP **5** 評価 |

情報収集	アセスメントの視点と根拠・起こりうる看護問題
病歴の把握	発症の経過，症状の変化を聞くことで，原因・誘因の特定や全身状態の把握につながり，治療や看護ケアにも重要な情報を得ることができる．
経過	● いつからか（何日前，何か月前，何年前），どのくらい続いているか，間欠的か持続的か ● 慢性的に経過している耳鳴は完治困難な場合が多い．早期に治療開始できれば回復の可能性も高い．発症の前に強いストレス状況にあったかなど心理面にも着目し，問診する．
誘因	● 服薬との関係 **原因・誘因** 抗がん剤（シスプラチンなど），利尿薬（フロセミドなど），抗菌薬（ストレプトマイシン，カナマイシンなどアミノグリコシド系抗生物質），アスピリンなどは難聴とともに耳鳴を引き起こしやすい．このほか，キニーネ塩酸塩，サリチル酸，アトロピン硫酸塩，バルビタール，クロロホルム，ヨード，鉛，水銀なども同様である． ● 騒音環境（大音量でのヘッドホンやスピーカー使用，工事現場など）から静穏な環境に移った時に出現 **原因・誘因** 音響外傷（過度の音響ストレスによる聴神経の疲労） ● 強く鼻をかんだ，無理にくしゃみをこらえた，飛行機や潜水などでの気圧変化などのあとに出現 **原因・誘因** 外リンパ瘻（ろう）〔内耳窓破裂症（気圧外傷）：内耳のリンパ液が漏出〕
随伴症状	● 日常生活のサイクルとの関係：睡眠時に増強する． ● 難聴，めまい，悪心などの随伴症状はないか． ● 耳閉感，耳に水が入った感じが強い **原因・誘因** 突発性難聴 ● 聞きとりにくい音が特定しているか（カ行，サ行，ハ行を含む言葉の聞き違い）**原因・誘因** 老人性難聴 ● 髄液耳漏はないか **原因・誘因** 頭蓋底骨折により頭蓋底の髄液腔と中耳の中に交通ができていることを意味する． ● 自声強聴，耳閉感，耳痛，聴覚過敏はないか **原因・誘因** 内耳性難聴，耳管狭窄，中耳炎，滲出性中耳炎，鼓膜外傷が考えられる． ● 自律神経失調症の症状はないか：呼吸器・循環器系（動悸，不整脈，息切れ，呼吸困難），消化器系（食欲不振，胸やけ，胃痛，下痢，便秘），精神症状（不眠，感情の不安定さ，集中力欠如）など **原因・誘因** これら自律神経失調症の1つの症状として耳鳴，めまいがあげられる．
生活歴	● ストレスの有無（例えば仕事上あるいは学業上の問題）**原因・誘因** ストレスに起因した自律神経失調症の1つの症状として耳鳴，めまいがみられる． ● 長時間騒音にさらされる状況（大音量でのヘッドホン使用，騒音公害など）はないか． ● 日常生活に不自由を感じていないか，生活範囲が狭くなっていないか（職業や学校

既往歴		生活に支障をきたしている．日常生活上，電話で会話ができない，通常の音量でテレビが聞こえないなど）．
		●集中力・思考力の低下，学習能力の低下などはないか．
		●睡眠状況
		●中耳炎など耳鼻科疾患の既往
		●症状出現前の風邪様症状，麻疹や流行性耳下腺炎などの感染の既往 原因・誘因 ウイルス性の内耳疾患
		●頭頸部外傷（交通事故や落下事故，スポーツ事故など）の既往 原因・誘因 鼓膜損傷
嗜好品，常用薬		●アルコール，タバコ，カフェインの過剰摂取がないか 原因・誘因 前述の薬剤と同様にこれらも難聴，耳鳴の誘因となる．
		●アスピリンの常用 原因・誘因 アスピリン過剰内服による難聴

主要症状の出現状況，程度の把握

> 症状の出現状況や性状，その他自覚する耳の症状を把握することで，原因疾患の特定につながる情報や患者のストレスの程度が推察できる情報が得られる．

耳鳴の出現状況

- ●突然耳の閉塞感や水が入った感じとともに始まった 原因・誘因 突発性難聴，メニエール病
- ●加齢に伴い徐々に聴力低下をきたし，耳鳴症状が出現した 原因・誘因 老人性難聴

耳鳴や周囲の音の聞こえ方

- ●耳鳴の音量レベルとその変化，片側か両側か．
- ●耳鳴の聞こえ方についての患者の表現（キーン，ピーン，ブーン，ゴー，ザーザーなど） 原因・誘因 キーン，ピーなどの電子音や金属音は内耳・聴神経障害．ブーン，ゴーなど低音の場合は中耳の障害が多いとされているが，必ずしもこれだけでは特定できない．
- ●脈拍との関係：脈拍とともにザーザーなどと聞こえる 原因・誘因 耳周囲血管の異常
- ●難聴を伴うか：「聞こえが悪くなった」と感じるか，両側か片側か．
- ●物音や人の声の聞こえ方：「音が異常に響く」「音が何重にも聞こえる」など患者によって様々である．
- ●耳の違和感：「耳に水が入った感じ」「耳に蓋がかぶさった」など

全身状態，随伴症状の把握

> 症状の経過を把握するとともに，他の症状の有無，随伴症状を観察し，治療，看護計画の立案に有効に反映する．

バイタルサイン 全身状態

- ●体温 ➡中耳炎などの感染症
- ●四肢・体幹のしびれや冷感 ➡自律神経失調症の症状で，これらを伴い，かつ外耳・中耳・内耳の器質的異常がなければ耳鳴の原因が自律神経失調症であることも考えられる．
- ●悪心・嘔吐 原因・誘因 メニエール病

頭頸部

- ●頭頸部外傷，打撲の有無および髄液耳漏，髄液鼻漏を確認する．鼻汁と髄液との区別は糖試験紙を用い，陽性であれば髄液と判断される 原因・誘因 頭蓋骨骨折を伴い，中耳（耳小骨骨折）や内耳（特に蝸牛）の障害，聴神経の損傷などが考えられる．
- ●耳垢，外耳道の異物 ➡耳垢塞栓，異物による伝音性障害の可能性がある．
- ●めまい 原因・誘因 不定期に回転性めまい発作を繰り返す場合はメニエール病を疑う．突発性難聴ではめまいを繰り返すことは少ない．
- ●顔面神経麻痺 原因・誘因 聴神経腫瘍（聴神経と顔面神経は並列しているため腫瘍が両神経を圧迫することで生じる）
- ●眼振 原因・誘因 メニエール病，突発性難聴など内耳性疾患を鑑別する．
- ●ドライアイ ➡四肢・体幹のしびれや冷感と同様，自律神経失調症の症状である．

胸部 腹部

- ●動悸，息切れ，呼吸困難 ➡自律神経失調症の症状である．
- ●食欲不振，悪心（めまいに伴う）

26
耳鳴

445

第3章　感覚器系

	🔍 **起こりうる看護問題**：耳鳴や随伴症状の難聴により安楽が障害されている／平衡感覚機能障害のため転倒のリスクが高い／コミュニケーションが図れない／予後に関連した不安がある／他者との相互関係が構築できない
患者・家族の心理・社会的側面の把握	耳鳴があると，患者はそれによる苦痛とともに不安を感じる．また，難聴を伴うと，聴力を失うのではないかという予後に関連した不安を生じる可能性がある．さらに，強いストレスが加わるなど精神的な変調をきたした結果として耳鳴症状が出現することもあり，精神状態の変化を把握するうえでも以下の観察は重要である． ●言葉による表出 ・不安だ，心配だという訴え ・病状や治療に関する説明の理解度や質問の有無，内容 ●非言語的な表出 ・落ち着きがない言動，無表情，怒りの表出 ・不安や緊張に伴う生理的変化：ふるえ，手指の振戦，バイタルサインの変化(頻脈，不整脈，血圧上昇，頻呼吸など)，自覚症状(動悸，呼吸困難) ●随伴症状 ・悪心・嘔吐など不安を増強させる随伴症状の有無 ●他者との関わり ・家族との関わりの様子 ・同室者や医療スタッフなど身近な社会との関わりの様子 🔍 **起こりうる看護問題**：予後に関連した不安がある／他者との相互関係が構築できない

| STEP ❶ アセスメント | STEP ❷ 看護課題の明確化 | STEP ❸ 計画 | STEP ❹ 実施 | STEP ❺ 評価 |

看護問題リスト

#1　耳鳴や随伴症状の難聴により安楽が障害されている(認知-知覚パターン)
#2　コミュニケーションが図れない(役割-関係パターン)
#3　聴力を失うのではないか，耳鳴から解放されないのではないかという予後に関連した不安がある(自己知覚パターン)
#4　平衡感覚機能障害による転倒のリスク，難聴による危険情報の入手困難などにより受傷しやすい(健康知覚-健康管理パターン)
#5　耳鳴により他者との相互関係が構築できず，疎外感や不満をもっている(役割-関係パターン)

看護問題の優先度の指針

●耳鳴は過剰な聴覚刺激となり，また，随伴症状として出現率の高い難聴を伴うことにより，外界からの情報を正しくキャッチできず混乱をきたしている状態にあるため，混乱を除去できるように努める．
●耳鳴は難聴やめまいを伴うことが多く，めまいによる転倒の危険がある．また，聴力が低下しているため，聴覚を通じて外界からの情報を正確に捉えることが難しい状況にある．危険の察知が困難で身体損傷のリスクが高いため，身体の安全を守ることが必要である．
●耳鳴は一部の原因を除いて他覚的に観察できないため，患者は「人にわかってもらえないつらさ」を感じている．コミュニケーションの支障が，長期間にわたる場合は社会的関係を維持できず孤立感を深めていく可能性があるため，社会的活動に参加できるように促していく．
●患者は，聴力喪失を予期したり，不快な症状がいつまで継続するのかわからないといった状況に絶望感をもつなど不安を抱えているため，その解消に努める．

| STEP❶ アセスメント | STEP❷ 看護課題の明確化 | STEP❸ 計画 | STEP❹ 実施 | STEP❺ 評価 |

1 看護問題	看護診断	看護目標（看護成果）
#1 耳鳴や随伴症状の難聴により安楽が障害されている	**安楽障害** **関連因子**：不快な環境刺激 **関連する状態**：疾患に関連した症状（耳鳴） **診断指標** □耳鳴に伴う不快感を示す □リラックスすることが困難 □心理的苦痛を訴える	〈長期目標〉症状が軽減し、不快でなくなったことを患者が示す 〈短期目標〉耳鳴の誘因や増強因子を見出し、除去または軽減できる

26 耳鳴

看護計画	介入のポイントと根拠
OP 経過観察項目 ●耳鳴の性質や音量レベルとその変化（患者の表現） ●耳鳴の誘因や増強因子の探索（患者とともに） ●ストレスの有無とその内容 ●ストレス対処行動	➡特定の音が増幅するなど、異常に気になる音があるか把握する ➡症状出現・悪化の原因を把握し、原因を除去する　根拠 誘因や増強因子を把握することで、原因疾患を推測しつつ適切な看護計画につなげることができる
TP 看護治療項目 ●精神的安静を図る ●耳鳴以外の身体症状があればその緩和を図る（四肢の冷感がある場合は保温するなど） ●音が増強して聞こえるような時は、患者が希望すれば耳栓をする	➡特に急性期はテレビ、ラジオなどによる刺激も控える 根拠 耳鳴は自律神経失調症に起因することも多く、他の症状を伴っていることもあるため、精神的な安寧状態を保つことは原因除去の点で重要である ➡耳鳴は患者の主観的症状であるため、軽減する方法も個人の感じ方によって異なる。逆効果の場合もあるので、対処法を患者とともに探ることが重要である
EP 患者教育項目 ●患者自身がコントロールできないストレス状況を明らかにし、ストレスを軽減するための対処方法について話し合う ●場合によりメンタルヘルスカウンセリングを紹介したり、適度な運動やリラクセーション法について助言する	➡その人に合ったストレス軽減活動（リラクセーション、運動プログラムなど）の実践を援助する 根拠 本人に合った方法でない場合、ストレスを増強させることとなるため個別の方法を一緒に探す

2 看護問題	看護診断	看護目標（看護成果）
#2 コミュニケーションが図れない	**言語的コミュニケーション障害** **関連する状態**：末梢神経系疾患、中枢神経系疾患 **診断指標** □発話量の低下 □コミュニケーションの維持が困難	〈長期目標〉患者がコミュニケーションに関する満足感が高まったと表現する 〈短期目標〉1) メッセージを受け取る能力が高まる。2) 自分を表現する能力が改善し、ほかの手段でメッセージを受け取ることができる

447

第3章　感覚器系

看護計画	介入のポイントと根拠
OP 経過観察項目 ● メッセージを正確に理解できているか ● 自らの意思を表現しているか ● 補聴器の機能は十全か ● 患者が話す時の口唇の動きや表情 ● 周囲との関係が維持できているか	⇨ すでに補聴器を用いている場合は補聴器の機能が正常に働いているかチェックする　**根拠** 補聴器の異常から耳鳴のような異音を発することもある ⇨ **根拠** 口の形や表情も意味のある情報となる
TP 看護治療項目 ● 周囲が気の散るような状況にあり，難聴が著しい時は静かな環境で話す ● 低めのトーンでゆっくりと話す．また，せかさず患者の話を理解しようと努力する ● 患者の視野に入り，患者の注意を向けてから話し始める ● 補聴器使用時は通常の音量で話す．補聴器を用いていない時は，やや大きめの音量ではっきりと話す ● 代替や補助のコミュニケーション手段（筆談，文字盤，絵や文字のカード，ジェスチャー）を提案し，必要に応じ物品を準備する	⇨ **根拠** 難聴があると騒音状況下では，騒音と会話相手の声との区別がつかない ⇨ **高齢者** 老人性難聴では高音域の音，早口での会話が聞き取りにくい ⇨ **根拠** 患者の注意が向けられることで聴覚のみでなく，身ぶりや口の動きなど視覚情報も同時に入り，メッセージの理解が容易になる
EP 患者教育項目 ● 患者にジェスチャーなど，言語以外の表現手段を用いるように指導する ● 意思疎通できないことによる欲求不満について共感的理解を示し，互いに忍耐が必要であることを説明する ● 家族や身近な人に一つひとつの言葉をはっきりと話すように指導する ● インターネットなど利用できる環境であれば，視覚情報も同時に得るようにすると効果的であることを伝える	⇨ 口唇を正しく動かし，ゆっくり，はっきりと発音するように指導する　**根拠** 口唇の動きは患者が言葉を理解するのに重要な情報となりうる

3 看護問題	看護診断	看護目標（看護成果）
#3　聴力を失うのではないか，耳鳴から解放されないのではないかという予後に関連した不安がある	**不安** **関連因子**：不慣れな状況，満たされないニーズ，ストレッサー **診断指標** □ 不安定な気持ち □ イライラした気分 □ 苦悩（苦痛） □ 心拍数増加 □ 血圧上昇 □ 呼吸パターンの変化	〈長期目標〉身体的・心理的安楽が増大したと表現する 〈短期目標〉1) 不安を言葉に出して表現できる．2) 自ら不安な状況にあること，その原因について理解する．3) 不安への対処方法について理解する．4) 不安が減少する．5) 表情や身振りが苦痛を軽減していることを示す

看護計画	介入のポイントと根拠

OP 経過観察項目
- 不安だ，心配だという訴え
- 落ち着きがない言動，無表情，怒りの表出
- 不安や緊張に伴う生理的変化：ふるえ，手指の振戦，バイタルサインの変化（頻脈，不整脈，血圧上昇，頻呼吸等），自覚症状（動悸，呼吸困難）
- 病状や治療に関する説明の理解度や質問の有無，内容

- 不安を増強させる随伴症状の有無

➡バイタルサインを含め，非言語的表現を捉える
根拠 言葉で伝えても伝わらないのではないかと思い，表現することをあきらめてしまうこともある 高齢者 高齢者では，言葉以外の手段で表出されることも多いので見逃さないよう注意する

➡説明には図など視覚的な資料を示すなど工夫する 根拠 耳鳴により言語的説明が十分理解できないことが多い
➡原因疾患によっては，悪心・嘔吐など不安を増強させる症状を伴うことが多い

TP 看護治療項目
- 悪心・嘔吐などの随伴症状の悪化など，不安を促進しているものを取り除く

- 治療や処置を行う場合は，説明を十分に行い心配や質問がないか聞き，丁寧に答える
- 散歩などのレクリエーションやリラクセーションを十分行う

➡ 根拠 悪心だけでも不安を助長する．また，悪心・嘔吐による脱水症状に陥った場合，精神的不安が増強する
➡相手の表情・反応を見ながら，図示するなどしてわかりやすく説明する
➡気分転換を図り患者の不安を軽減する

EP 患者教育項目
- わからないこと，心配なことがあれば質問するよう伝える

➡質問を積極的に受け入れる 根拠 不安を軽減するための対処を促す

4	看護問題	看護診断	看護目標（看護成果）
	#4 平衡感覚機能障害による転倒のリスク，難聴による危険情報の入手が困難などにより受傷しやすい	損傷リスク状態 **関連する状態**：感覚障害（平衡感覚，聴覚障害）	〈**長期目標**〉1) 身体を損傷することがない，2) 平衡感覚の不調による危険を感じることが少なくなったと述べる〈**短期目標**〉1) 身体損傷のリスクを高める因子がわかる．2) 身体損傷予防のための安全な手段を理解し，実践できる

看護計画	介入のポイントと根拠

OP 経過観察項目
- めまい症状の出現状況（誘因，頻度，程度）
- 歩行状態（ふらつきなど）
- 血液データ：ヘモグロビン，ヘマトクリット値（貧血との鑑別を行ううえで重要である）
- 血圧変動，頻脈
- 危険を察知し，回避できる能力

➡ 根拠 貧血によるふらつきは転倒など身体損傷のリスクを高める
➡バイタルサインが安定していない場合は，頻回に測定する 根拠 特に血圧の変動はめまいなどの症状の悪化を招きリスクを高める

TP 看護治療項目
- ベッド周辺や廊下など，患者の動線上から障害物を取り除く
- 体位変換あるいは移動時はゆっくり援助する

26
耳鳴

449

第3章　感覚器系

EP 患者教育項目

- 夜間にトイレに行く時などは援助を求めるように指導する
- 周囲の危険を察知するための聴覚以外の手段について一緒に考えるか，情報を提供する
- 家族にも危険予防の必要性と方法について指導する

→ 夜間の不十分な照明では，視覚的情報が入りにくく，聴覚・視覚的に危険を察知することは困難である

→ 家族の理解を得る　根拠 家族の協力が得られれば，より安全な環境が確保できる

5	看護問題	看護診断	看護目標（看護成果）

#5　耳鳴により他者との相互関係が構築できず，疎外感や不満をもっている	**社会的相互作用障害** **関連因子**：コミュニケーション能力（スキル）の不足，ソーシャルサポートの不足 **診断指標** □社会的に機能するのが難しい □家族がやりとりの変化を訴える □他者との交流時の不安 □人と満足できる相互関係を構築するのが難しい □他者との交流が最小限		〈**長期目標**〉社会生活が通常どおり営める．孤独感がなくなったと表現する 〈**短期目標**〉1）社会生活を営むうえで支障になっていることを明らかにする．2）効果的な社会化を促進するための行動をみつける．3）社会化を促進する行動をとる

看護計画	介入のポイントと根拠

OP 経過観察項目

- 家族との関わりの様子
- 同室者や医療スタッフなど身近な人との関わりの様子

→ 言語的・非言語的コミュニケーションの様子を捉える．自己の意思や欲求を十分に伝え，また他者のメッセージを理解するのに積極的であるかをみる

TP 看護治療項目

- 人と関われないこと，あるいは人と関わろうとすることによって生じる不安を表出できるような態度で接する
- 患者が周囲との会話に参加できるように調整する
- 家族に面会時間の調整を提案し，ゆっくりと過ごせる環境を提供する

→ 根拠 家族は患者にとって最も身近な社会であり，砦（とりで）となる存在であるため患者の安寧につながる

- レクリエーションや心理療法などに参加できるように調整し，参加できたら褒める

→ 患者の行動について，肯定的にフィードバックすることで，患者の自信や意欲の向上につながる

EP 患者教育項目

- 他者と意思疎通を図るためのアプローチ方法を患者とともに考え，患者自らが実践できるようにする

→ 患者自身が人と関わりたいという気持ちをもてるように関わり，患者に意欲が芽生えたときには，その気持ちを尊重する

| STEP ❶ アセスメント | STEP ❷ 看護課題の明確化 | STEP ❸ 計画 | STEP ❹ 実施 | STEP ❺ 評価 |

病期・病態・重症度に応じたケアのポイント

【急性期】耳鳴の原因は様々で，その原因が特定できないことが多い．いずれにしても，早期に適切な
治療が開始されるよう，患者の訴えをよく聞き，症状の推移について把握することが重要である．突
然発症することが多く，また常時耳の感覚異常を感じているため精神的苦痛が大きい．また，難聴を
伴うことが多く，コミュニケーション障害が生じるため，人間関係や社会的地位を失うことにつなが
り，その人の人生をも変えてしまうことがある．急性期は心身の安静が重要であるが，意思疎通が図
れるようコミュニケーションの方法について工夫する．

【回復期】患者は，治療により耳鳴の症状が軽減しても再発を予期するなど，常に不安を抱えた状態で
いることを念頭においてケアする必要がある．レクリエーションや気分転換のための活動を取り入れ
ていく．

看護活動(看護介入)のポイント

診察・治療の介助
●主症状(耳鳴)や難聴などの随伴症状や経過から，原因を把握する．
●繰り返し行われる検査(聴力検査など)が適正に行われるように検査法を熟知して患者に説明する．
●指示された薬物を正確に投与する．

耳鳴とそれに伴う安楽障害への援助
●安静，精神的安寧が保てるように環境を整える．
●耳鳴に伴う苦痛，つらさを認め，共感的理解を示す．
●患者自身が抱えるストレスを軽減できるよう対処方法について話し合う．
●指示された薬物療法を正確に行い，利尿薬などを用いた場合は水分出納を評価する．

随伴症状に対する援助
●回転性めまいを伴う場合，無理に立ったり歩いたりしないように指導し，日常生活動作を援助する．
●悪心・嘔吐が著しく経口的栄養摂取ができない場合は，指示された輸液を正確に行い，脱水予防に努
める．経口的に食事ができるようになったら様子をみながら進めていく．

他者とのコミュニケーションを円滑にするための援助
●他者とコミュニケーションをとるときには，ゆっくり，はっきり発音するように勧める．また，看護
者も患者に関わるときに心がける．
●視覚的情報も併せて取り入れることにより会話の内容理解を促す．

退院指導・療養指導

●ストレスをためないよう，十分に睡眠をとり，規則正しい生活を送るように指導する．
●再び症状が現れた場合は速やかに受診するように指導する(早期治療ほど効果が高い)．

| STEP ❶ アセスメント | STEP ❷ 看護課題の明確化 | STEP ❸ 計画 | STEP ❹ 実施 | STEP ❺ 評価 |

評価のポイント

看護目標に対する達成度
●耳鳴や音の増幅などの不快症状が軽減し，安楽が得られているか．
●身体損傷を免れ，安全に過ごしているか．
●コミュニケーションが図れているか．
●聴力喪失の予期，症状継続に対する不安を軽減できているか．
●社会生活が通常どおり営めているか．孤独感がなくなったと表現しているか．

26
耳鳴

451

第3章 感覚器系

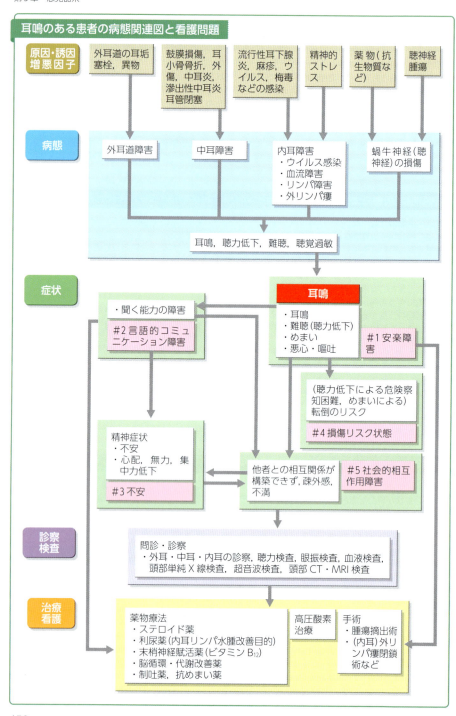

27 めまい

西尾 綾子・喜多村 健

目でみる症状

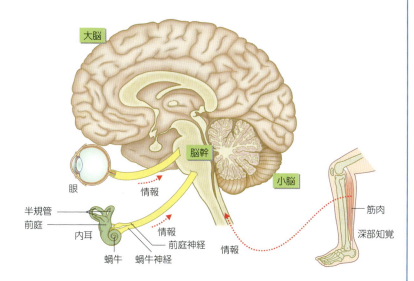

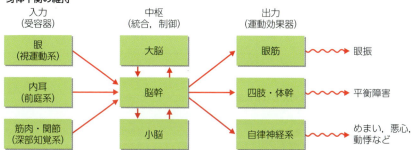

めまいは，身体の平衡を維持している眼や内耳，深部知覚系などの神経回路のどこかが障害された時に自覚される症状
内耳は前庭神経核を介して眼筋，骨格筋，自律神経系に連絡しているので，内耳からの情報が混乱すると，めまいのほかに，眼振，身体の平衡障害，悪心・嘔吐などが生じる

■図 27-1　めまいの発生機序

第 3 章　感覚器系

病態生理

めまいとは，安静にしている時，あるいは運動中に自分自身の身体と周囲の空間との相互関係，位置関係が乱れていると感じ，不快感を伴った時に生じる症状とされる．目が回ること，目がくらむこと，とも表現される．

●身体の平衡は，内耳の三半規管や耳石器からの情報（前庭系），眼からの視覚情報（視運動系），四肢・体幹の筋肉や関節からの知覚情報（深部知覚，脊髄運動系）を，脳が統合することによって維持されている．

●めまいは，身体の平衡を維持している神経回路のどこかが障害された場合に，自覚される症状である．

患者の訴え方

めまいは，①回転性めまい，②浮動性めまい，③立ちくらみ感などに大きく分類される．

●主症状の訴え
●回転性めまい：「自分がぐるぐる回る感じ」「周囲がぐるぐる回る感じ」など．
●浮動性めまい：「ふわふわした感じ」「体がふらつく」など．
●立ちくらみ：「目の前が暗くなる」「頭から血がひく感じがする」など．
●随伴症状
●めまいの原因疾患により，様々な随伴症状を訴える（表 27-1, 2）．
　・耳鳴，難聴，耳閉感などの蝸牛症状：内耳の障害を考える（末梢性めまい）．
　・意識障害，手足のしびれ，頭痛，構音障害，言語障害，歩行障害，四肢の運動麻痺などの神経症状：脳の障害を考える（中枢性めまい）．
●前庭自律神経反射により，めまいに伴って悪心・嘔吐が現れる．めまいの急性期には不安が強くみられることも多い．

診断

急性期のめまい患者においては，脳血管障害によるめまいを見逃さないことが重要である．悪心・嘔吐などの随伴症状が強くみられる場合は，それらに対する処置を行いながら鑑別診断をしていく．

●心疾患，高血圧，糖尿病，脂質異常症などの脳血管障害のリスクファクターがないか，問診で確認する．バイタルサインの変動や他の神経症状がみられないか，注意深く観察する．

●原因・考えられる疾患
●めまいの原因となりうる疾患を表 27-1 に示す．緊急対応を要する疾患を見逃さないよう注意する．
●一般に，中枢性めまいは浮動性めまいが多いとされるが，小脳梗塞など脳血管障害でも回転性めまいの症状を訴える場合がある．

■表 27-1　めまいの原因または考えられる疾患（赤字は緊急対応を要する疾患）

中枢性めまい	末梢性めまい	その他のめまい
●脳血管障害	●内耳疾患	●自律神経機能障害
●小脳・脳幹梗塞	●前庭神経炎	●熱中症
●小脳・脳幹出血	●メニエール病	●起立性低血圧
●椎骨脳底動脈循環不全	●突発性難聴	●糖尿病，アミロイドーシスなど
●脳腫瘍	●良性発作性頭位めまい症	●循環器疾患
●聴神経腫瘍など	●外リンパ瘻	●うっ血性心不全，弁膜症，高度徐脈など
●その他	●遅発性内リンパ水腫	
●髄膜炎，脊髄小脳変性症，多発性硬化症，アーノルド-キアリ奇形など	●外傷	●頸性めまい
	●側頭骨骨折など	●頸椎症
	●感染症	●視性めまい
	●内耳炎，ハント症候群，内耳梅毒など	●心因性めまい
	●薬剤性	●持続性知覚性姿勢誘発めまい（PPPD）
	●ストレプトマイシン硫酸塩など	●前庭性片頭痛

■表 27-2　めまいの随伴症状と考えられる疾患（赤字は緊急対応を要する疾患とその随伴症状）

	随伴症状	考えられる疾患
中枢性めまい	頭痛，意識障害，四肢の運動麻痺	脳血管障害，脳腫瘍
	構音障害，歩行障害，協調運動不全，動作時振戦	小脳・脳幹梗塞，小脳・脳幹出血，脊髄小脳変性症
	一過性意識消失，手足のしびれ	椎骨脳底動脈循環不全
	難聴，顔面神経麻痺	聴神経腫瘍
末梢性めまい	耳鳴，難聴，耳閉感（増悪と寛解を繰り返す）	メニエール病
	耳鳴，難聴，耳閉感	突発性難聴，外リンパ瘻
	片耳または両耳の高度難聴	遅発性内リンパ水腫
	耳鳴，難聴，耳閉感，耳介発疹，顔面神経麻痺	ハント症候群
その他	眼前暗黒感，一過性意識消失	起立性低血圧
	片頭痛，光過敏，音過敏，視覚性前兆	前庭性片頭痛

- ●鑑別診断のポイント
- ●症状の経過，めまいの誘因，蝸牛症状などの随伴症状（表 27-2）の有無，既往歴・生活歴を考えて鑑別をする．
- ●意識障害，バイタルサインの変動，激しい頭痛，脱水症状など緊急対応を要する所見があるかどうか．
- ●手足のしびれ，構音障害，歩行障害，協調運動不全，動作時振戦，四肢の運動麻痺など脳血管障害を疑わせる症状があるかどうか．

治療法・対症療法

原因疾患に応じた治療を行う．悪心・嘔吐の随伴症状が強い場合は，脱水の程度に応じて補液を行い，制吐薬などによる対症療法を行う．

- ●治療方針
- ●中枢性めまいが疑われる場合は緊急対応を要することもあるため，脳神経内科などにコンサルトする．
- ●末梢性めまいが疑われる場合は，急性期には対症療法を行い，症状が落ち着いてから聴力検査，平衡機能検査などによる鑑別診断をして，疾患に応じた治療を行う．
- ●末梢性めまいを疑い対症療法を行う場合であっても，時間の経過とともに他の神経症状が明らかになる場合があるため，慎重な経過観察を行う．
- ●めまいの慢性期には，運動療法（平衡訓練）や生活指導（過労・睡眠不足・ストレス回避）が有用である．
- ●薬物療法
- ●めまいの急性期には，抗めまい薬や制吐薬，抗不安薬を用いる．慢性期には病態に応じた治療薬を投与する．

Px 処方例 めまいの急性期
- ●メイロン注（7%）　1回 14〜72 mL　静注　←アシドーシス治療薬

Px 処方例 めまいの急性期で悪心・嘔吐が強い場合　下記 1)〜3) のいずれか，または適宜組み合わせて用いる．
1) アタラックス P 注（25・50 mg）　1回 25〜50 mg　静注・点滴静注または筋注　←抗不安薬
2) プリンペラン注（10 mg）　1回 10 mg　筋注または静注　←消化管運動改善薬
3) トラベルミン注（1 mL）　1回 1 mL　皮下注または筋注　←抗めまい薬（抗ヒスタミン薬）

Px 処方例 めまいの慢性期　下記 1)〜3) のいずれか，または適宜組み合わせて用いる．
1) アデホスコーワ顆粒（10%）　1回 100 mg　1日 3回　朝昼夕食後　←脳循環代謝改善薬
2) セファドール錠（25 mg）　1回 1〜2 錠　1日 3回　朝昼夕食後　←抗めまい薬（脳血管拡張薬）
3) メリスロン錠（6・12 mg）　1回 6〜12 mg　1日 3回　朝昼夕食後　←抗めまい薬（脳血管拡張薬）

Px 処方例 メニエール病の場合
- ●イソバイドシロップ（70%）　1回 30〜40 mL　1日 3回　朝昼夕食後　←利尿薬

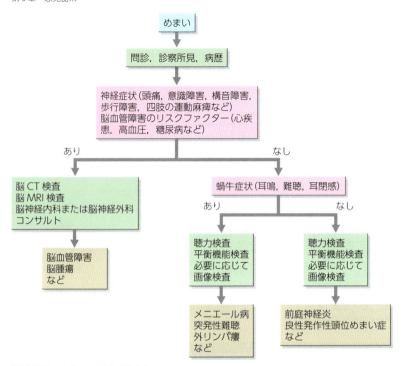

■図 27-2　めまいの診断の進め方

■表 27-3　めまいの主な治療薬

分類	一般名	主な商品名	薬の効くメカニズム	主な副作用
アシドーシス治療薬	炭酸水素ナトリウム	メイロン	体液中の酸性物質を中和する	電解質異常，テタニー，知覚異常
抗不安薬	ヒドロキシジン塩酸塩	アタラックスP	中枢抑制作用，嘔吐の抑制	眠気，口渇，血圧低下，QT延長
消化管運動改善薬	メトクロプラミド	プリンペラン	嘔吐の抑制，消化管運動促進	振戦，けいれん，意識障害，悪性症候群
抗めまい薬（抗ヒスタミン薬）	（合剤）ジフェンヒドラミンサリチル酸塩・ジプロフィリン	トラベルミン	脳幹の興奮を鎮静する	動悸，頭痛，眠気，口渇，眼圧上昇，尿閉
抗めまい薬（脳血管拡張薬）	ジフェニドール塩酸塩	セファドール	椎骨脳底動脈の血流増加	頭痛，浮動感，口渇，動悸
	ベタヒスチンメシル酸塩	メリスロン	内耳の血流増加，内頸動脈の血流増加	悪心・嘔吐
脳循環代謝改善薬	アデノシン三リン酸二ナトリウム水和物	アデホスコーワ	脳神経細胞の代謝を促進する	悪心，頭痛，全身拍動感，胃腸障害
利尿薬	イソソルビド	イソバイド	血清浸透圧を高める	悪心・嘔吐，頭痛，電解質異常

めまいの病期・病態・重症度別にみた治療フローチャート

```
めまい ─┬─ 末梢性めまい ─┬─ 急性期 ── めまい症状 悪心・嘔吐の程度 ─┬─ 軽度  ── 内服治療
        │                │                                         ├─ 中等度 ── 点滴治療
        │                │                                         └─ 高度  ── 入院点滴治療
        │                └─ 慢性期 ──────────────── 疾患に応じた内服治療
        │                                         運動療法，生活指導
        └─ 中枢性めまい ── 原疾患の治療を行う
                          脳梗塞，脳出血，髄膜炎などは緊急対応を要する
```

27 めまい

第3章　感覚器系

めまいのある患者の看護

有田　清子

看護過程のフローチャート

観察項目 (OP)	看護問題 (看護診断)	看護目標 (看護成果)	看護活動 (看護介入)

原因・誘因
- **中枢性めまい**
  脳血管障害（小脳・脳幹梗塞，小脳・脳幹出血），脳腫瘍など
- **末梢性めまい**
  内耳疾患（前庭神経炎，メニエール病，突発性難聴），外傷，感染症，薬剤など
- **その他**
  自律神経機能障害（起立性低血圧，糖尿病），循環器疾患，頸性めまい，視性めまい，心因性めまいなど

→ #めまいによる悪心・嘔吐がある → 悪心・嘔吐が軽減する

→ #めまいによる転倒の危険がある → 転倒を予防する

OP 経過観察項目
主症状・随伴症状の有無と程度
発症の経過
めまいの原因と誘因
経口摂取量
尿量
診察・検査結果
患者・家族の症状に対する不安

身体的問題
- **主症状**
  めまい
- **随伴症状**
  神経症状（頭痛，意識障害，四肢の運動麻痺など）
  自律神経症状（悪心・嘔吐，冷汗，血圧低下，脈拍の変化など）
  蝸牛症状（難聴，耳閉感，耳鳴など）

→ #めまい，悪心・嘔吐により水分摂取困難となり体液量が不足する → 1,500 mL/日程度の尿量がある／電解質が基準値内に維持される

→ #めまい，悪心・嘔吐により食事摂取が困難となり必要な栄養量が不足する → 栄養状態が改善する／1日に必要な栄養量が摂取できる

TP 看護治療項目
安全の確保
原因・誘因の除去
めまい，悪心・嘔吐に対する安楽
指示による輸液，薬剤の確実な投与
更衣，食事，入浴，排泄の援助

- **その他**
  日常生活動作の制限

→ #めまいにより更衣，食事，入浴，排泄のセルフケアが不足する → 更衣，食事，入浴，排泄のセルフケアができる

心理・社会的問題
症状に対する不安や恐怖
社会生活・対人関係の狭小化

→ #患者が疾患に不安を抱えている → 不安が軽減し心身ともに安定した生活を送ることができる

EP 患者教育項目
患者・家族への状態説明
不安の軽減
めまい発作時の安全対策
日常生活の過ごし方

基本的な考え方

- めまいは、脳神経・血管疾患、内耳疾患、自律神経機能障害、循環器疾患、心因性など、多様な原因により起こる。めまいの随伴症状には悪心・嘔吐などがあり、身体的な苦痛が大きい。脳神経・血管疾患によりめまいが生じている場合は、意識障害、頭痛、四肢の運動麻痺などが現れ、迅速な治療を行わないと生命が脅かされる。そのため患者に対しては、症状や随伴症状の緩和や安楽の援助を行うと同時に患者の状態を慎重に観察し、病状の把握に努める。
- めまいの急性期には、めまいとその随伴症状を観察し、脳血管障害によるめまいを見逃さないようにする。急性期の症状は医師の指示に基づき適切に対処する。

緊急 急性期は、自律神経の失調を引き起こす。そのため悪心・嘔吐などの随伴症状により脱水をきたしやすい。したがって脱水の程度に応じた補液、制吐薬など、指示された薬剤を確実に投与する。患者の心身の安静を図り、点滴注射部位の確認と固定を行う。また、脳血管障害によっても、めまいが生じ、悪心・嘔吐が現れる。その場合は、随伴症状として、頭痛、意識障害、四肢の運動麻痺、手足のしびれ、一過性の意識障害などが起こるため、これらの徴候が観察された場合は、迅速な対応が必要である。脳血管障害の発症を疑わせるサインや情報を見逃さないよう十分な観察を行う。特にバイタルサインの変動（血圧の上昇、呼吸の遅延、脈圧拡大）、意識レベルの変化、運動麻痺の出現には注意する。

27
め
ま
い

| STEP ❶ アセスメント | STEP ❷ 看護課題の明確化 | STEP ❸ 計画 | STEP ❹ 実施 | STEP ❺ 評価 |

情報収集	アセスメントの視点と根拠・起こりうる看護問題
病歴の把握	**患者・家族から症状出現の経過、症状の変化を聞くことで、原因・誘因の特定や全身状態の把握につながり、治療や看護ケアにも重要な情報を得ることができる。**
経過	● いつから、どのくらい続いているか。今までにこのような経験をしたことがあるか。 ● めまいの種類はどれか。回転性（自分のまわりがぐるぐる回る）、浮動性（頭・体がふわふわする）、眼前暗黒感（目の前が暗くなる感じがする）、失神（意識がなくなる） ● 急激に始まったか、前駆症状があったか。 ● 症状の変動の有無（症状が強くなったり弱くなったりするか。繰り返すのか） ● どんなことをきっかけにめまいが起こったか（突然か、頭を動かした時、目覚めた時、立ち上がろうとした時、横になっていて寝返りを打った時など）。 ● 症状出現が突然であり一過性のことが多く、悪心・嘔吐など自律神経障害に関連する症状がみられる。また、耳鳴、難聴、耳閉感などを伴っていることが多い。一方、意識障害などの中枢神経症状や四肢麻痺などの運動機能障害がみられることは少ない **原因・誘因** 末梢性めまい ● めまいは持続的で、中枢神経障害症状（頭痛、意識障害、手足のしびれ、運動障害）がみられることが多い。しかし、耳鳴、難聴、耳閉感を伴うことは少ない **原因・誘因** 中枢性めまい
誘因	● 服薬との関係 **原因・誘因** 患者が使用している薬剤により、めまいを起こす可能性もある。特に、降圧薬、ジギタリス製剤、利尿薬、糖尿病治療薬、抗菌薬、抗精神病薬、睡眠薬など
随伴症状	● 頭痛、意識障害、四肢の運動麻痺、構音障害、歩行障害、協調運動障害、一過性意識消失、手足のしびれなど **原因・誘因** 中枢神経障害症状がみられる場合は脳血管障害が疑われる。この場合は、原因疾患の治療が最優先となるため、迅速に対処する。 ● 神経学的所見の確認、CT・MRI検査などを行う **緊急** 出血、梗塞、腫瘍などがみられたら要注意 ● 蝸牛症状（耳鳴、難聴、耳閉感）の有無 ● めまいと悪心・嘔吐との関係
生活歴	● 睡眠状況（就寝時間、起床時間、熟眠感などを含む） ● 食生活の状態（食事時間、回数、量、食事内容などを含む） ● 生活上の出来事（ストレスの有無を把握する） ● 仕事上の問題の有無 **原因・誘因** めまいの原因は多様である。心身のストレス、

459

第3章 感覚器系

既往歴	環境の変化，食生活，生活上の出来事などがめまいを起こすこともあるため，患者の生活背景を確認することが重要である． ●高血圧，心疾患，糖尿病，貧血などの既往 **原因・誘因** 高血圧，糖尿病などは動脈硬化のリスクファクターであり，脳血管障害を合併することが多い． ●耳疾患，脳腫瘍，脳血管障害，頭部外傷などの既往
嗜好品，常用薬 **職業歴** **その他**	●アルコール，薬物の服用 ●仕事の種類や内容 ●月経，妊娠との関係 **妊婦** 妊娠可能な女性では，まず妊娠の可能性を考える．疑わしい場合は妊娠反応のチェックを行う．
主要症状の出現 **状況，程度，性** **状の把握** **めまいの** **出現状況**	症状の出現状況や随伴症状を把握することで，原因疾患の特定につながる情報が得られる． ●突発性 **原因・誘因** 末梢性めまい，中枢性めまいは突然，症状が発現することが多い．中枢性めまいは，中枢神経障害症状（意識障害，歩行障害，四肢の運動麻痺，しびれなど）を随伴することが多く，難聴や耳鳴などの蝸牛症状を随伴することは少ない．末梢性めまいは，中枢神経障害症状を呈することは少なく，蝸牛症状を伴うことが多い． ●反復性 **原因・誘因** 反復するめまいの主な疾患はメニエール病，反復し徐々に悪化するものには聴神経腫瘍などがある．めまいの経過を把握することが重要である． ●性質や持続時間（どのようなめまいが，どれくらい持続したか） **原因・誘因** 脳腫瘍では，腫瘍の増大により頭蓋内圧亢進，視床障害により頭重感とともに立ちくらみを感じる．このほか，随伴症状として運動失調や歩行・平衡障害などがみられる．メニエール病や前庭神経炎では突然激しいめまいが発現し，メニエール病では数十分〜数時間，前庭神経炎では1週間程度継続する．聴神経腫瘍は，難聴，耳鳴，めまいが初発症状になることが多い． ●誘因 **原因・誘因** 前庭神経炎は，ウイルスの感染が原因と考えられており，感冒症状がみられることがある．良性発作性頭位めまい症は起き上がる，寝返りをうつなど，頭の位置が変わることにより回転性のめまいを生じる．
めまいの種類	●回転性 **原因・誘因** 良性発作性頭位めまい症，前庭神経炎，メニエール病 **緊急** 椎骨脳底動脈不全，脳血管疾患（脳梗塞，脳出血），脳腫瘍など ●浮動性 **原因・誘因** 突発性難聴 ●回転性＋浮動性 **原因・誘因** 突発性難聴 ●眼前暗黒感 **原因・誘因** 心疾患，起立性低血圧
全身状態，随伴 **症状の把握** **バイタルサイン**	症状の経過の把握とともに，全身状態，随伴症状を観察し，治療，看護計画の立案に有効に反映する． ●体温 ➡ 39℃以上の高熱 **緊急** 頭蓋内圧亢進による中枢性過高熱 **原因・誘因** 脳出血，脳腫瘍などにより視床下部の体温調節中枢が障害されて起こる．感染症 ●血圧 ➡ 血圧の上昇，脈圧が大きくないか **緊急** クッシング現象 **原因・誘因** 急激な頭蓋内圧亢進による血圧，脈圧の上昇 ●脈拍 ➡ 心室性期外収縮，上室性期外収縮 **緊急** 頭蓋内圧亢進，心疾患による不整脈 ●呼吸状態 **緊急** チェーン-ストークス呼吸，中枢性過呼吸，失調性呼吸など **原因・誘因** 急激な頭蓋内圧亢進
全身状態	●嘔吐による脱水状態を同時に把握する． ● **緊急** 意識障害の有無を確認する **原因・誘因** 出血，腫瘍，梗塞などによる頭蓋内圧亢進 ●構音障害 ➡ 脳神経疾患が原因となっている可能性がある． ●頭痛 ➡ 頭痛の程度，経過などを確認する **緊急** 意識障害，瞳孔異常，麻痺，項部硬直など頭痛に関連する随伴症状を観察する．

460

頭頸部	● 皮膚 ➡ 皮膚のツルゴール（皮膚緊満）を観察する. ● 貧血の有無を確認する. ● 平衡機能検査 ➡ ロンベルグ試験，単脚起立試験 【原因・誘因】 開眼と閉眼の両方を行う. 末梢性障害の場合，開眼状態では身体の動揺が少ない. 中枢性障害では開眼・閉眼時にも身体が動揺する. ● 頭部 ➡ 外傷，打撲の有無を確認する. ● 顔面 ➡ 表情の観察（顔面神経麻痺の有無） 【原因・誘因】 顔面神経麻痺がある場合は聴神経腫瘍，ハント症候群など ● 聴力検査 ➡ 難聴の種類（伝音難聴，感音難聴） 【原因・誘因】 聴神経腫瘍では，蝸牛神経が障害されていることから感音難聴をきたす. ● 内耳機能検査（迷路性難聴か後迷路性難聴かの判別） ➡ バランステスト（ABLB），TTD（threshold tone decay）テスト ● 結膜 ➡ 貧血の有無をみる. ● 瞳孔 ➡ 瞳孔不同，対光反射がない場合は脳神経疾患の可能性 ● 眼球 ➡ 眼球の位置（眼位）. 眼球の偏位があれば脳神経疾患の可能性 ● 眼振 ➡ 頭位眼振，頭位変換眼振. 脳神経・耳鼻科疾患を鑑別する. ● 項部硬直の有無を確認する 【原因・誘因】 くも膜下出血
胸部 腹部 四肢	● 聴診 ➡ 心疾患の有無 ● 腹部症状の有無 ➡ 部位と程度から消化器疾患による悪心・嘔吐かを鑑別する. ● 運動麻痺 ➡ 上肢，下肢，片麻痺か両側性か. ● 歩行障害の有無 ● 反射の低下や亢進の有無 🔍 **起こりうる看護問題**：めまいによる悪心・嘔吐がある／食事摂取が困難となり必要な栄養量が不足する／水分摂取困難となり体液量が不足する／悪心・嘔吐など身体的苦痛による不安がある／めまい，悪心・嘔吐によるセルフケアが不足する／めまいによる転倒の危険がある
患者・家族の心理・社会的側面の把握	**患者は，めまい，悪心・嘔吐などの症状による身体的苦痛とともに不安を感じており，精神的なサポートが求められる.** ● めまいは自覚症状であることから，程度や苦痛が他者に理解されにくい. めまいの初期は強い不安を感じる. 身体的苦痛の緩和を図りながら，めまいに対する不安の軽減に努める. ● 慢性の経過をたどるめまいでは，発作時の症状や原因疾患の進行に対する不安が増強され，社会生活に支障をきたすおそれがある. 🔍 **起こりうる看護問題**：めまい発作の症状や疾患の進行に対する不安がある

STEP ① アセスメント　STEP ② 看護課題の明確化　STEP ③ 計画　STEP ④ 実施　STEP ⑤ 評価

看護問題リスト

#1　めまいによる悪心・嘔吐がある（認知-知覚パターン）
#2　悪心・嘔吐により水分摂取が困難になり，体液量が不足する（栄養-代謝パターン）
#3　悪心・嘔吐により食事摂取が困難になり，必要栄養量が不足する（栄養-代謝パターン）
#4　めまいにより，更衣，食事，排泄，入浴のセルフケアが不足する（活動-運動パターン）
#5　患者が症状に対する不安を抱えている（自己知覚パターン）
#6　めまいによる転倒の危険がある（健康知覚-健康管理パターン）

看護問題の優先度の指針

● めまいは，脳神経・血管疾患が原因となることがある. 脳神経・血管疾患が疑われる場合は，検査，治療を緊急に進めることが必要になる. したがって，めまいとその随伴症状の程度や性質，頻度，バ

第3章 感覚器系

イタルサインなどに注意する.
- めまいは，急激に出現するものとそうでないものがあり，悪心・嘔吐，血圧低下，頻脈などを伴うことがある．めまいや随伴症状による身体的苦痛は大きい．第一に，指示された薬物療法や安静療法などを行い，身体的苦痛の緩和を図る．次に，めまい，悪心・嘔吐により，経口による水分や栄養の摂取が困難になり，脱水や栄養低下も起こりやすくなるため，早急に対処する.
- 頭の位置や身体を動かしたりすることにより誘発されるめまいでは，患者自身が更衣，食事，排泄，入浴のセルフケアが困難になることがあり，それらの看護を行う.
- めまいのつらさを他者に理解してもらうことは難しい．めまいや随伴症状の強い苦痛は患者の不安を増大させる．身体的安楽を図ると同時に不安の軽減に努める.
- 平衡機能の障害により起こるめまいでは，患者は自分の姿勢を保持・修正することが困難になり，転倒の危険がある．転倒予防のために環境を整備するとともに患者・家族へ説明する必要がある.

| STEP ❶ アセスメント | STEP ❷ 看護課題の明確化 | STEP ❸ 計画 | STEP ❹ 実施 | STEP ❺ 評価 |

1 看護問題	看護診断	看護目標（看護成果）
#1 めまいによる悪心・嘔吐がある	**悪心** **関連因子**：不安，不快な感覚刺激 **診断指標** □のどの絞扼感 □嚥下回数増加 □唾液分泌量増加	〈長期目標〉悪心・嘔吐がなくなる 〈短期目標〉悪心が軽減し，嘔吐回数，量が減少する

看護計画	介入のポイントと根拠

急性期の緊急対応

OP 経過観察項目	
● 随伴症状（頭痛，意識障害，四肢の運動麻痺，歩行障害など）の有無と，バイタルサインの変動を継続して観察する	➡ 根拠 時間の経過とともに症状が悪化したり，脳神経・血管疾患が原因で起こるめまいの徴候を見逃さない ➡ 根拠 頭痛，意識障害，運動麻痺，血圧上昇などがみられる場合は，脳神経・血管疾患が原因となりめまいを起こしていると考えられる．特に，脳出血，脳梗塞が原因の場合は，治療の遅れが生命の危機を招く．めまいのみにとらわれず，随伴症状を観察し，これらの症状がみられた場合には，ドクターコールを行う

TP 看護治療項目	
● 嘔吐している場合は，気道を確保する	➡ 根拠 吐物による気道閉塞を防止する
● めまい，悪心・嘔吐が強い場合は，点滴静脈内注射が行われる．指示された輸液を確実に投与する	➡ 根拠 めまいは自律神経失調を誘発し，悪心・嘔吐を招くことが多い．これにより，経口で水分や食事を摂取することが困難になり，脱水や栄養不足になる可能性がある．また症状緩和のための鎮静薬，制吐薬，抗めまい薬も投与することから輸液を確実に投与し，症状を観察する
● 嘔吐がある場合は，側臥位とする	➡ 根拠 嘔吐時に，吐物を誤嚥しないようにする
● 嘔吐があった場合は，汚染された寝衣・寝具を適時交換し，口腔ケアを行い嘔吐の誘発を防ぐ	➡ 根拠 吐物により寝衣・寝具が汚染されると，臭気によりさらなる悪心が誘発される
● 患者・家族の不安の軽減に努める	➡ 根拠 めまい，悪心・嘔吐があると患者は重症感をもちやすい．また，不安が悪心・嘔吐を誘発

する可能性があるため症状の緩和に努め，心身の安定を図る

EP 患者教育項目
- 患者の身体損傷（打撲，外傷など）を予防し，安全を確保するためベッドに臥床させ，その理由を説明する
- 患者が抱えている不安があれば，遠慮なく看護師に伝えるよう指導する

➡ **根拠** めまいにより転倒し，身体を損傷する可能性が高いことを患者・家族に伝え，不安を軽減する
➡ **根拠** 不安があると悪心・嘔吐を誘発しやすい

OP 経過観察項目
- めまいの程度，経過
- 悪心の有無，程度
- 嘔吐の回数，量，性状

➡ めまいの経過および随伴症状を観察して悪心・嘔吐との関連，めまいの原因の把握に努める．投与している薬剤の効果を観察する **根拠** 症状と随伴症状の関連を把握することで，原因疾患を推測し，適切な看護計画につなげることができる

TP 看護治療項目
- めまいを誘発する体位を避ける
- 音や振動を少なくして安静を図る

- 嘔吐時は，うがいや口腔ケアを行う
- 安楽な体位をとる
- 汚れた衣服や寝具を交換し，清潔を保つ

➡ **根拠** 頭位や体位により，めまいが誘発されることがある．周囲を落ち着ける環境に整え，不安を緩和する
➡ **根拠** 吐物の悪臭や不快感はさらなる嘔吐を誘発する

EP 患者教育項目
- めまい発作時には看護師に伝えるように患者・家族に指導する

➡ **根拠** めまいの経過を把握することで，原因疾患を推測し，適切な看護につなげる

---

2 看護問題	看護診断	看護目標（看護成果）
#2 悪心・嘔吐により水分摂取が困難になり，体液量が不足している	**体液量不足** **関連する状態**：水分摂取に影響する異常，進行する体液量の喪失 **診断指標** □尿量減少 □尿中濃度の上昇	〈長期目標〉適切な水分摂取ができる 〈短期目標〉1) 尿量が1日1,000～1,500 mL程度に維持されている．2) 電解質が基準値以内にある

看護計画	介入のポイントと根拠
OP 経過観察項目 - 体重 - 水分出納 - 口渇，舌の乾燥，皮膚の乾燥・緊張 - 尿量，尿の色，比重 - 血圧変動，頻脈の有無 - 血液データ：電解質，ヘマトクリット値	➡ **根拠** 数日間での体重の増減は体液量の増減を示す ➡ 体重と併せて水分出納（尿量と輸液量，経口水分摂取量のバランス）を観察する **根拠** 体液バランスを評価する ➡ バイタルサインが安定していない場合は，頻回に測定する **根拠** 血圧の低下，頻脈は体液量の不足を反映する
TP 看護治療項目 - 医師に指示された輸液，薬剤を投与する - 室温を調整し，安楽な体位をとる	➡ 薬剤を確実に投与する **根拠** 症状緩和，脱水予防のため．症状が緩和され，身体的苦痛が軽減される ➡ 身体的な安楽を図る

第3章　感覚器系

●皮膚ケアを行う	➡清潔に保つ　根拠 嘔吐を伴うと皮膚が汚染されやすく，吐物の臭いによりさらに悪心・嘔吐を誘発する
EP 患者教育項目 ●輸液の必要性を説明する	➡持続点滴は患者にとって拘束感が強い．患者・家族に点滴の必要性について理解を得る　根拠 説明することにより，患者は安心して治療を受けることができ，不安の緩和につながる

3 看護問題	看護診断	看護目標（看護成果）
#3　悪心・嘔吐により食事摂取が困難になり，必要栄養量が不足する	栄養摂取バランス異常：必要量以下 関連因子：食物嫌悪 診断指標 □体重が年齢・性別理想体重の範囲を下回る □食物摂取量が1日あたりの推奨量以下	〈長期目標〉栄養状態が維持される 〈短期目標〉血清総蛋白，アルブミンが基準値以内である

看護計画	介入のポイントと根拠
OP 経過観察項目 ●体重 ●食事摂取量 ●悪心の程度 ●嘔吐の回数 ●血清総蛋白，アルブミン TP 看護治療項目 ●食事時間・回数にこだわらず，悪心・嘔吐のない時に食事摂取を勧める ●食べ物の選択は，患者の好みも加味して決める EP 患者教育項目 ●無理して食べないよう指導する	➡ 根拠 数日間での体重減少は，体内の水分量減少を反映する ➡悪心・嘔吐の経過（症状の経過）を観察する 根拠 悪心・嘔吐の間隔を確認して，経口摂取できる状態の時に食事を勧める ➡経口からの食事摂取量を増やす ➡ 根拠 無理に食事すると，悪心・嘔吐を誘発する

4 看護問題	看護診断	看護目標（看護成果）
#4　めまいにより，更衣，食事，排泄，入浴のセルフケアが不足する	入浴，更衣，摂食，排泄セルフケア不足 関連因子：[入浴]不安，モチベーションの低下　[更衣]不安，モチベーションの低下，不快感　[摂食]不安，モチベーションの低下，不快感　[排泄]不安，モチベーションの低下 診断指標 [入浴] □浴室までの移動が困難 [更衣]	〈長期目標〉他者の援助なしに更衣，食事，排泄，入浴のセルフケアができる 〈短期目標〉他者の援助を部分的に受けながら，更衣，食事，排泄，入浴のセルフケアができる

464

□衣類の着脱が困難
[摂食]
□食物の嚥下が困難
[排泄]
□トイレまで行くのが困難

看護計画	介入のポイントと根拠
OP 経過観察項目 ●めまい症状の経過(増強するか,間欠性か,持続時間) ●現在のセルフケアの程度	➡ 根拠 めまいがある場合は,更衣,食事,排泄,入浴に関するセルフケアが困難になるため,患者が困難な部分を確認して援助する ➡セルフケアのレベルに応じて援助する
TP 看護治療項目 ●患者がどの部分に困難を感じているか確認して援助する	➡ 根拠 多くの場合,安静が必要になるのは急性期の2~3日である.末梢性めまいは長期の安静によって悪化する可能性があることから,状態を確認し,更衣,食事,排泄,入浴のセルフケアができるように支援する
EP 患者教育項目 ●めまいが強い時は,看護師に伝えるように説明する	➡ 根拠 めまいがある時に無理をして身体を動かすと,さらにめまいが誘発される場合がある.またトイレへの移動や立位をとる際に転倒する危険もある

5 看護問題	看護診断	看護目標(看護成果)
#5 患者が症状に対する不安を抱えている	**不安** **関連因子**:満たされないニーズ,ストレス要因 **診断指標** □苦悩(苦痛) □悪心	〈長期目標〉患者が心理的・身体的に安楽が増大したことを表現できる 〈短期目標〉不安を言葉に出して表現できる

看護計画	介入のポイントと根拠
OP 経過観察項目 ●会話時のアイコンタクト,こわばった表情など ●不安や心配の訴え ●身体的反応:動悸,過呼吸,頻脈など ●セルフケアレベルの低下の有無 ●めまいの経過	➡不安は非言語表現によっても表される.このため,感情指標や生理的指標をあわせて評価する,不安の程度や不安の身体的影響を明らかにする ➡めまいが軽減していれば身体的に安楽になり,不安の緩和につながる
TP 看護治療項目 ●処置や現在の状況などを丁寧に説明する ●患者の健康状態の変化など,不安を促進している要因を取り除く	➡丁寧な説明をすることで,不安が軽減する ➡薬剤を確実に投与し,身体の苦痛を取り除く 根拠 身体的安楽が図られることで不安が軽減する
EP 患者教育項目 ●わからないこと,心配なことがあれば質問するよう伝える	➡ストレスや不眠がめまいの誘因になることもある

第3章　感覚器系

●退院後の日常生活の過ごし方について伝える　　➡ 根拠 日常生活の通ごし方を確認し，退院後にめまいを誘発する因子を避けるようにする

6	看護問題	看護診断	看護目標（看護成果）
	#6　めまいによる転倒の危険がある	成人転倒転落リスク状態 **危険因子**：姿勢バランス障害，日常生活動作（ADL）が困難 **関連する状態**：感覚障害	〈**長期目標**〉転倒しない 〈**短期目標**〉めまいのある時には1人で行動しない

看護計画

OP 経過観察項目
●めまいの経過と程度

TP 看護治療項目
●めまいのある時は，移動時に介助者が付き添う
●ベッド周囲の環境調整をする

EP 患者教育項目
●めまいのある時は，1人で行動しないことを説明する
●ベッドから起き上がる時や姿勢を変える時はゆっくり行うことを説明する

介入のポイントと根拠

➡ 根拠 めまいの強い時は移動などを介助することで転倒を予防する

➡身体が動揺している感覚があると立位をとることが困難になる　 根拠 転倒を予防する

➡体位を変えた時のめまいの状態を観察する
根拠 体位や頭位の変化でめまいが誘発されることがある

STEP ❶ アセスメント　　STEP ❷ 看護課題の明確化　　STEP ❸ 計画　　STEP ❹ 実施　　STEP ❺ 評価

病期・病態・重症度に応じたケアのポイント

【急性期】めまいは脳神経・血管疾患，前庭神経疾患，内耳疾患，自律神経機能障害，循環器疾患などにより起こる．特に急性期では，脳血管障害によるめまいを見逃さないようにすることが重要である．患者は，突然出現しためまいに不安を感じ，悪心・嘔吐を伴うことで精神的・身体的苦痛が大きい．したがって，患者の心身の安楽を図るとともに，悪心・嘔吐以外の随伴症状を観察し，早期にその原因が特定され，適切な治療が行われることが重要となる．急性期の対処として，安静および点滴治療が行われる．また，めまいがあることから，患者自身が更衣，食事，入浴，排泄することが困難になる場合が多いため，日常生活を円滑に送れるよう看護ケアを行う．
【回復期】全身状態の改善に伴い，医師の指示のもと，点滴治療や，原因疾患に応じた内服治療を行う．この時期には自宅に帰ることを視野に入れ，患者自身による日常生活の管理，めまい発作時の対処など，ケアが行えるよう指導を行う必要がある．

看護活動（看護介入）のポイント

診察・治療の介助
●めまいの程度，経過から，原因を把握する．
●めまいの随伴症状の有無と経過を観察する．
●指示された輸液，薬剤を正確に投与する．
めまいに対する援助
●安静にできるよう環境を整える．
●安楽な体位をとる．
●めまいを誘発する体位を避ける．

- ●食事，更衣，入浴，排泄に関するセルフケアが困難になるため，セルフケアの程度を把握し援助する．
- ●良性発作性頭位めまい症には，理学療法（頭位変換療法のエプリー Epley 法など）を実施する．
- ●平衡機能訓練を実施する．

悪心・嘔吐に対する援助
- ●指示された輸液，薬剤の投与を正確に行い，水分出納を評価する．
- ●吐物で寝衣・寝具が汚染された場合は，ただちに交換する．
- ●口腔ケアを励行し，口腔内を清潔に保ち，悪心・嘔吐が誘発されないようにする．

栄養・水分摂取の援助
- ●栄養・水分摂取時に悪心・嘔吐が誘発されていないか観察する．
- ●食事制限がされていなければ，患者の好きなもの，食べやすいものを準備して食べられるようにする．
- ●めまいの症状が落ち着いている時に，水分摂取を勧める．

退院指導・療養指導

- ●心身のストレスがめまいの原因になることもある．規則正しく日常生活が送れるように指導する．
- ●めまいを誘発する体位を避けるよう指導する．
- ●内服薬の飲み方，作用・副作用を説明し，副作用への対処方法を指導する．
- ●エプリー法または平衡機能訓練について指導する．

STEP ❶ アセスメント　STEP ❷ 看護課題の明確化　STEP ❸ 計画　STEP ❹ 実施　STEP ❺ 評価

評価のポイント

看護目標に対する達成度
- ●めまいが軽減しているか．
- ●悪心・嘔吐が軽減しているか．
- ●適切な水分摂取ができているか．
- ●栄養状態が維持されているか．
- ●更衣，食事，排泄，入浴などのセルフケアが充足できているか．
- ●めまいに関する不安や恐怖が軽減しているか．
- ●めまいを管理し安全に日常生活が送れているか．

●参考文献
1) 上鶴重美訳：NANDA-I 看護診断―定義と分類　原書第 12 版　2021-2023，医学書院，2021
2) ゴードン，マージョリー（看護アセスメント研究会訳）：ゴードン看護診断マニュアル―機能的健康パターンに基づく看護診断　原著第 11 版，医学書院，2010
3) 馬場元毅：絵でみる脳と神経―しくみと障害のメカニズム　第 4 版，pp.172-176，医学書院，2017
4) 福井次矢他総編集：今日の治療指針 2020，pp.1019-1024，1597-1598，1615-1616，医学書院，2020
5) 関口恵子編：根拠がわかる症状別看護過程　改訂第 3 版，こころとからだの 69 症状・看護展開と関連図，pp.465-473，南江堂，2016
6) 福井次矢監訳：ハリソン内科学　第 5 版，pp.153-156，メディカル・サイエンス・インターナショナル，2017
7) 黒江ゆり子監訳：看護診断ハンドブック　第 11 版，医学書院，2018

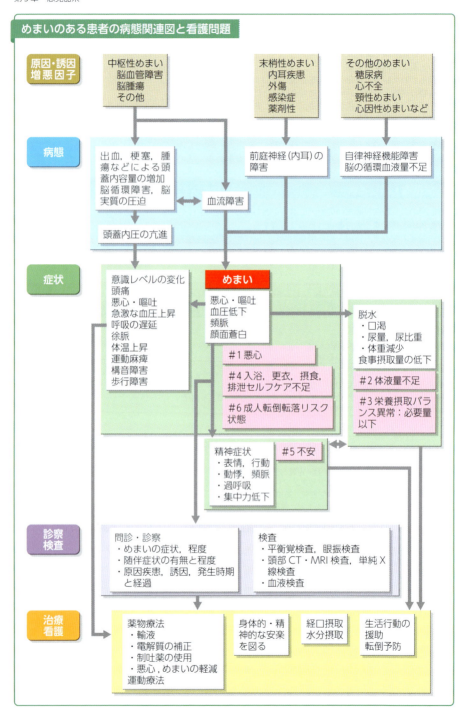

第4章

呼吸器系

28 咳嗽・喀痰

三宅 修司

目でみる症状

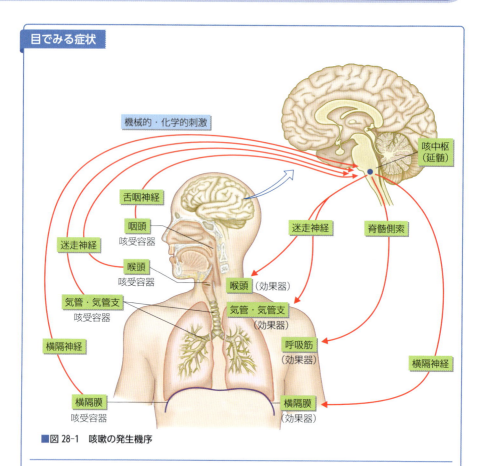

■図 28-1 咳嗽の発生機序

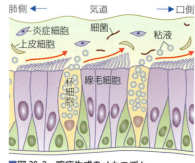

■図 28-2 喀痰生成のメカニズム

喀痰の生成

痰は気管支腺と杯細胞から分泌され，線毛運動により気道上部に運ばれる．呼吸器疾患に罹患すると気道内分泌物が増加し，痰の喀出を自覚するようになる．
喀痰中には気道内分泌液のほか，唾液，上皮細胞，炎症細胞などが含まれ，感染症では細菌などが加わる．

病態生理

咳嗽（咳）は，爆発的な呼気により，気管・気管支内部の分泌物や異物を体外に排出するために行う生理的な現象で，痰が出ない乾性咳嗽と痰を伴う湿性咳嗽とがある．生体の防御反応の1つであり，咳嗽反応が低下した場合は誤嚥性肺炎を合併しやすくなり，高齢者肺炎の大きな原因になっている．

- 咳中枢は延髄に存在し，咽頭，喉頭，気管，気管支，細気管支での機械的・化学的刺激などによって咳が誘発される．さらに気道以外の外耳道，心膜，胸膜，横隔膜や食道，胃にも咳の受容器が存在するといわれている．
- 咳嗽の持続期間によって，①3週間未満で治まる咳を急性咳嗽，②3週間以上持続する咳嗽（慢性的な咳嗽）でさらに8週以上持続する咳を慢性咳嗽，③3週間以上続くが8週間以内に消失するような咳を遷延性咳嗽と呼んで分類する．
- 痰の主体は気道内の分泌物であり，健康な状態でも少量の分泌物が出ている．しかし，咳払いや飲み込みなどで無意識のうちに排出されており，自覚することはない．呼吸器疾患に罹患した際に気道内分泌物が増加し，痰の喀出を自覚するようになる．喀痰中には気道内分泌液のほか，唾液，気管支表面から剝離した上皮細胞や炎症細胞（好中球や好酸球）が含まれ，感染症によってはこれら細胞成分が増えるほか，細菌や壊死物質などが加わり，痰の色調が黄色，黄緑色，緑色に変化する．これらの色の痰を膿性痰と呼ぶ．
- 乾性咳嗽は，痰の出ない "空咳(からせき)" と呼ばれるもので，病巣がのど(咽頭～喉頭)から気管までに限定されている場合に認める．気管支から細気管支，肺胞での病巣や，上気道から炎症が及んだ場合は，痰を伴う咳嗽(湿性咳嗽)になる．

患者の訴え方

咳嗽は病院を受診する患者の訴えとして非常に頻度の高い症状であり，様々な原因によって咳が出現する．

●咳嗽
- 咳嗽は上半身全体を用いて行う体力を消費する行為であり，本人も自覚するため，症状の有無の判断に困ることはない．しかしながら，咳嗽の原因は様々である．原因疾患を考えるうえで，咳嗽の詳細（特に下記の点）を確認することが重要である．
- 咳嗽の発症形式：突然自覚するようになった咳嗽か，次第に咳がひどくなり自覚するようになった咳嗽か，咳嗽が3週間以上持続している慢性の経過かどうか．
- 咳嗽に随伴する症状：発熱・咽頭痛，鼻汁の有無，胸痛，喘鳴，呼吸困難の有無．
- 咳嗽の経過：軽快傾向か，増悪傾向か，軽快と増悪を繰り返すか，以前に同様の症状があったか．
- 咳嗽の性質：乾性か湿性か，痰の色はどうか．
- 咳嗽の程度の日内変動：早朝，深夜，明け方に多いか，食事との関連はないか．
- 咳嗽が誘発される環境：冷気，たばこの煙，深吸気，最大呼気，体動，職場との関連．

●喀痰
- 上気道や気管での分泌物は少量であり，咳嗽とともに出る喀痰の量は少ないが，気管支や肺胞で炎症をきたした場合は病巣の面積が広がることによって気道内分泌物が増える．その結果，喀痰を自覚するようになる．
- 痰が出る場合は痰の色が重要であり，粘稠(ねんちゅう)白色→黄色→黄緑色→緑色と，色がつくほど感染による炎症物が含まれていることが示唆され，膿性痰とも呼ばれる．さらに血液が混じる痰は，血線状痰(痰に血が混じる程度)，血痰(粘稠な赤い痰)，喀血(さらさらした血液そのものを喀出)に分類される．いずれも気道の一部で炎症もしくは出血が生じていることを示している．

診断

咳嗽，喀痰の診断では咳の続いている期間や程度，痰の有無や痰の色が重要である．

- 診断のための検査：以下の検査をすべて行うわけではなく，一度に行う必要もない．症状により，選択して実施する．
  - ①酸素飽和度：原因疾患の重症度を知るうえで有用であり，90% 未満では早急な対応が必要である．
  - ②喀痰培養：起炎菌の同定率は低く，軽症例では培養は省略可能である．結核菌の培養では，3日間

28

咳嗽・喀痰

471

連続で実施することの有用性が確認されている.

③血液検査：CRP，赤血球沈降速度，白血球数は炎症の有無を知るうえで有用な検査である．結核菌感染の有無を知るためには，T-スポット検査 (T-スポット®. TB) が最も優れている．ウイルス感染の確定診断には，ウイルス抗体検査を実施する．抗体価が有意な高値であるか，2週間の間隔で抗体価が4倍以上上昇した場合に起炎ウイルスであると診断する.

④尿中抗原検査：肺炎球菌とレジオネラによる感染症では，尿中で検出される抗原を利用する検査が可能である．ただし，レジオネラ尿中抗原検査で陽性となるのはレジオネラの中の血清群1の抗原であり，レジオネラ感染症の20～30%は血清群1以外であることも忘れてはならない.

⑤咽頭ぬぐい液：インフルエンザ，RSウイルス，アデノウイルス，A群β溶血性連鎖球菌は咽頭ぬぐい液で迅速診断が可能である．マイコプラズマ感染に対しても約15分で判定できる迅速検査法が可能になっている.

⑥PCR検査：ウイルスの遺伝子 (DNAまたはRNA) を増幅させて検出する方法である.

⑦その他：胸部X線検査，心電図検査，喀痰細胞診.

● **原因・考えられる疾患**

● 咳の原因は表28-1に示すように多岐にわたる．上気道 (声門から上) から下気道 (声門から下) までの炎症のほか，食道，心臓，心因性まで様々である．慢性咳嗽では，咳喘息が最も頻度の高い疾患である.

● ひどい咳嗽を繰り返した結果，気道粘膜が傷害されて喀痰中に血液が混じる場合もあるが，中高年の患者で血液が混じる場合は悪性疾患の可能性を常に考慮する必要がある.

● **鑑別診断のポイント** (表28-2)

● 症状からみた鑑別診断の流れを図28-3に示した．咳嗽の持続期間を，3週間未満の急性の咳嗽か，3週間以上持続している慢性的な咳嗽かに大きく分ける．そして喀痰の有無で分類し，喀痰が出る場合は喀痰の色でさらに細分化する.

● 発熱の有無も重要であり，鼻汁の有無や，慢性副鼻腔炎の既往歴もしくは副鼻腔炎症状の有無も確認する.

● 家族や同僚で同様の症状の者がいないかどうかを確認する.

● 呼吸器系のなかでは，結核菌感染と肺がんは鑑別診断を行ううえで大切な疾患である．可能性がないかどうかを最初に確認することが重要である.

● 胃液が食道下部へ逆流する場合も咳嗽が誘発される．胸やけ症状の有無を確認する.

● 心不全では，就寝後まもなく息苦しさや咳嗽と喀痰 (ピンク色泡沫状) を自覚する．明け方に息苦しさを感じる場合は気管支喘息の可能性が高い.

● 薬剤性：高血圧の治療薬であるアンジオテンシン変換酵素 (ACE) 阻害薬の内服で，3～20%の割合で乾性咳嗽の副作用が出現するとされるので，服薬歴の確認も必要である.

治療法・対症療法

咳嗽や喀痰に対してあくまで原因疾患を検索し，原因疾患の治癒を目指すべきである．上述のような診断の流れで原因疾患を推定する．時には薬を内服してその反応をみることで最終診断する場合 (診断的治療) もある.

● 乾性咳嗽が強い場合に鎮咳薬の投与を考慮するが，去痰困難をきたしていないかどうかを確認する．特に夜間の場合は注意が必要である.

● 生体防御反応である咳嗽を抑制することは，逆に去痰困難な状態になりうる．喀痰が多い咳嗽では安易に鎮咳薬を投与してはいけない．原因疾患の治療が重要である.

● 一方，咳嗽時の呼気流速は時速約150kmにもなり，咳での気流がのどの粘膜への刺激となって咳を誘発する悪循環に陥る場合もある．また，(肋間筋などの) 呼吸補助筋の急激な収縮によって肋骨に亀裂骨折を生じる場合や，咳嗽が続くための不眠や体力の消耗をきたす場合もあるため，ひどい咳嗽に対しては鎮咳薬を投与する.

● **急性期の咳嗽に対する治療方針**

● 急性に出現した咳嗽では，まず感染症を考える．上気道炎症状 (鼻汁，咽頭痛，発熱) の有無を確認し，さらに喀痰の有無とその色調を確認する．多くはウイルス感染症であり，対症療法を行い，抗菌薬治療は不要である.

■表 28-1　咳嗽の原因または考えられる疾患 (赤字は最も頻度の高い疾患)

- **呼吸器系**
  - 上気道の炎症
    - 咽頭炎, 喉頭炎
    - 副鼻腔炎 (後鼻漏により咳が出現)
  - 下気道の炎症
    - 気管支炎, 気管支結核
    - 気管支拡張症
    - びまん性汎細気管支炎
    - 肺炎, 肺結核
  - 間質性肺炎
  - 気管支喘息, 咳喘息, アトピー咳嗽
  - 肺がん
  - 気胸
- **消化器系**
  - 胃食道逆流症
- **循環器系**
  - うっ血性心不全による咳嗽 (就寝後まもなくのピンク色泡沫状の痰)
- **メンタル**
  - 心因性咳嗽
- **薬剤性**
  - アンジオテンシン変換酵素 (ACE) 阻害薬

■表 28-2　咳嗽の鑑別診断のポイント

- **咳嗽の発症形式でのポイント**
  - 突然出現した咳嗽であれば, まず感染症や誤嚥を疑う.
  - 明らかなエピソードがなく, 咳嗽が続いている場合は, 気管支や肺の結核, 肺がん, 真菌感染症の可能性を考える.
  - 風邪症状のあとに咳嗽が続いている場合は, 咳喘息や, ウイルス感染後の慢性咳嗽, 百日咳なども考慮する.
  - 中高年の場合は, 肺がんの可能性を常に考慮することが大切である.
  - アトピー性皮膚炎の患者や気管支喘息の患者では, アレルギー性の咳嗽 (アトピー咳嗽, 咳喘息など) の可能性を考える.
  - 肥満体型の患者では胃食道逆流症による慢性乾性咳嗽の可能性を考える.
- **咳嗽に随伴する症状でのポイント**
  - 咳嗽以外の症状も重要な情報である. 発熱や咽頭痛は呼吸器感染症の存在を示唆する.
  - 鼻汁があれば, 後鼻漏による咳嗽の可能性を考える.
  - 若年成人男性で咳嗽と同時に胸痛を自覚すれば, 自然気胸の可能性を考える.
  - 咳嗽とともに喘鳴を自覚する場合は気管支喘息の可能性を考える. 呼吸困難を訴え, 酸素飽和度が低下しているようであれば, 肺塞栓症の可能性も考慮する.
- **咳嗽の経過でのポイント**
  - 軽快と増悪を繰り返す場合や, 以前にも同様の症状経過があった場合は, 気管支喘息などの慢性疾患の可能性を考慮する.
- **咳嗽の性質でのポイント**
  - 乾性咳嗽であれば, 上気道と気管までの炎症による急性上気道炎や, マイコプラズマ肺炎, クラミドフィラ感染症を考える.
  - 湿性咳嗽は, 気管支以下での感染を示唆している. この場合は, 痰の色が黄緑色や緑色であれば気道での細菌感染を示唆している. 血痰は, 咳嗽・喀痰による気道内粘膜傷害の場合と肺がんの場合の両方の可能性を考える. 前者の代表的疾患は慢性気管支炎と気管支拡張症である.
- **咳嗽の程度の日内変動でのポイント**
  - 早朝や明け方に多い咳嗽の多くは気管支喘息である.
  - 就寝後まもなく咳嗽で目覚める場合は心不全で認める徴候である.
- **咳嗽が誘発される環境でのポイント**
  - 冷気やたばこの煙, 深吸気や最大呼気で咳嗽が誘発される場合は, 気管支喘息もしくは咳喘息の可能性が高い.
  - 職場に行くと咳嗽が増える場合は, 職場に何らかのアレルゲンとなっている物質が存在している可能性を示唆している.
  - 人前での発表など, 緊張した時に乾性咳嗽が出る場合は心因性の可能性が高い.

- 膿性痰を認める場合や, 膿性の鼻汁が 1 週間以上出ている場合は, 抗菌薬治療を開始する.
- 全身状態が不良な場合や, 高熱を認める場合, 呼吸音で副雑音 (ラ音) を聴取する場合は, 胸部 X 線写真を撮影し, 肺炎の有無を確認する.
- 若年成人で, 高熱, 頭痛とともに出現する咳嗽ではマイコプラズマ感染症の可能性を考え, マクロライド系抗菌薬を投与する (症状の程度では胸部 X 線写真も撮影し, 肺炎の有無を確認する).
- やせ型の若年成人で胸痛を伴う場合は, 気胸を考慮して胸部 X 線写真を撮影する.
- 去痰を優先させ, むやみに鎮咳薬を投与しないで原因疾患の治療を行う.

第4章 呼吸器系

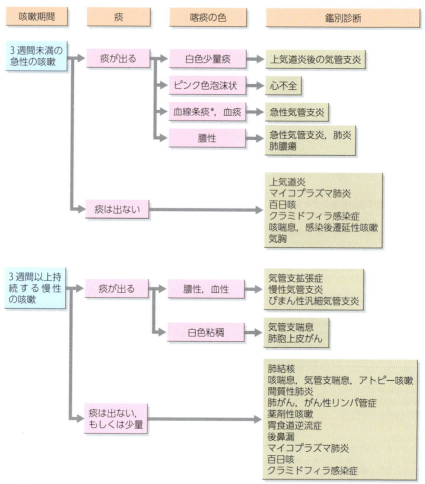

*血線条痰：痰の中に線状の血液が混じっている痰．一方，血痰は痰全体が赤色もしくは茶褐色になっている痰であり，出血量の違いによるものである．健常者でもひどい咳を繰り返すと血線条痰を認めることがある．

■図 28-3 咳嗽・喀痰の症状からみた鑑別診断の進め方

●慢性の咳嗽に対する治療方針
- 遷延性咳嗽(3～8週間続く咳嗽)の中心は感冒後の咳嗽であり，マイコプラズマ肺炎，クラミドフィラ感染症，百日咳などの感染症が多い．さらに，少なからず咳喘息による咳嗽も含まれている．
- 3週間以上持続する咳嗽の患者では，まず胸部X線写真を撮影し，肺結核や肺がんなどの異常陰影の有無を確認したのち，否定されれば感染症の治療としてマクロライド系もしくはニューキノロン系抗菌薬で治療を行い，効果不良の場合は咳喘息の治療としてステロイド吸入薬による治療を行う．
- 8週間以上の慢性咳嗽では，感染症よりも慢性疾患が中心になる．肺がん，肺結核，気管支喘息，慢性気管支炎，気管支拡張症，胃食道逆流症，間質性肺炎，慢性副鼻腔炎による後鼻漏，薬剤性，心因性を鑑別診断として考慮しながら，治療による効果で診断(診断的治療)を行う場合もある．胸部X線検査にて肺がん，肺結核を除外したのち，他の疾患の可能性を考えて治療する．

■表 28-3 咳嗽・喀痰の主な治療薬

	分類	一般名	主な商品名	薬の効くメカニズム	主な副作用
鎮咳薬	中枢性麻薬性鎮咳薬	(合剤) ジヒドロコデインリン酸塩・dl-メチルエフェドリン塩酸塩・クロルフェニラミンマレイン酸塩	フスコデ	咳嗽反射の抑制	気道分泌抑制作用,便秘
	中枢性非麻薬性鎮咳薬	デキストロメトルファン臭化水素酸塩水和物	メジコン	咳嗽反射の抑制	呼吸抑制(まれ)
去痰薬	粘液溶解薬	ブロムヘキシン塩酸塩	ビソルボン	ムコ蛋白に作用し,気道内分泌物の粘度を低下	吸入による気管支への刺激
	粘膜修復薬	L-カルボシステイン	ムコダイン	線毛細胞の修復作用	肝機能障害,薬剤過敏症(まれ)
	粘膜潤滑薬	アンブロキソール塩酸塩	ムコソルバン	Ⅱ型肺胞上皮のサーファクタント産生促進作用,痰と気道粘膜との粘着性の低下作用	悪心,胃部不快感

28 咳嗽・喀痰

- 繰り返しになるが,咳嗽の治療とは,咳嗽を押さえ込むことではなく,その原因となる疾患を治療することである.
- ●薬物療法
- Px 処方例 感染症状とともに軽度の乾性咳嗽が出現した場合
- ●PL 顆粒　1回1g　1日3回　朝昼夕食後　←抗炎症薬
- ●フスコデ錠　1回3錠　1日3回　朝昼夕食後　←鎮咳薬
- Px 処方例 膿性痰を伴うひどい咳嗽
- ●ムコダイン錠(500 mg)　1回1錠　1日3回　朝昼夕食後　←去痰薬
- ●ムコソルバンL錠(45 mg)　1回1錠　1日1回　朝食後　←粘膜潤滑薬
- ●トミロン錠(50 mg)　1回1錠　1日3回　朝昼夕食後　←セフェム系抗菌薬
- Px 処方例 発熱とひどい乾性咳嗽
- ●PL 顆粒　1回1g　1日3回　朝昼夕食後　←抗炎症薬
- ●メジコン錠(15 mg)　1回2錠　1日3回　朝昼夕食後　←鎮咳薬
- ●クラリス錠(200 mg)　1回1錠　1日2回　朝夕食後　←マクロライド系抗菌薬
- Px 処方例 鼻汁がひどい時の咳嗽
- ●エバステル OD 錠(10 mg)　1回1錠　1日1回　夕食後　←抗ヒスタミン薬
- ●メジコン錠(15 mg)　1回1錠　1日3回　朝昼夕食後　←鎮咳薬

第4章 呼吸器系

咳嗽・喀痰のある患者の看護

平尾 明美

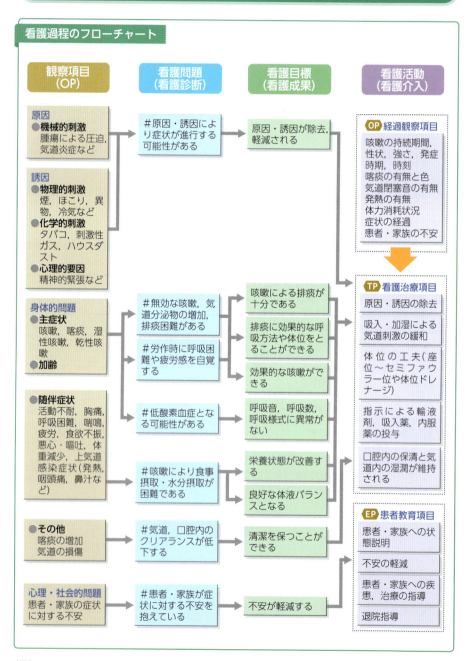

基本的な考え方

- 咳嗽は元来気道系の生体防御反応であるため，むやみに止めてはならない．しかし，乾性咳嗽が頻発すると体力の消耗，睡眠障害，気胸などの合併症が起こるため鎮咳薬を使用する．湿性咳嗽での鎮咳薬の使用は気道内に喀痰が貯留し感染の原因となるため安易に用いず，去痰薬，感染を伴う場合は抗菌薬を使用する．
- 誤嚥の場合には，体位変換や体位ドレナージなどを試みる．
- **緊急** 動脈血ガス分析で PaO_2 が 60 mmHg 以下または，$PaCO_2$ が平常時より 20 mmHg 以上高い場合，喀痰の排出が困難な場合は，気管挿管を行い呼吸管理をする必要がある．換気や排痰困難の程度に応じて人工呼吸器管理を行う．

STEP❶ アセスメント	STEP❷ 看護課題の明確化	STEP❸ 計画	STEP❹ 実施	STEP❺ 評価

28
咳嗽・喀痰

情報収集	アセスメントの視点と根拠・起こりうる看護問題
病歴の把握	咳嗽は気道異物や喀痰を排出するための生体防御反応であるが，咳反射が弱いと気道内の浄化が効果的に行えない，また反対に強すぎる，経過が長すぎると気道粘膜の損傷につながる．咳嗽は様々な病態から生じるため，患者・家族から症状出現の経過や変化を聞くことで全身状態の把握につながり，治療や看護ケアにも重要な情報を得ることができる．
経過	●咳嗽の期間：いつからか，どれくらい続いているのか． ●咳嗽の出現時期や時刻：いつ起こりやすいのか（日内変動，季節や気候）． ●慢性的か単発的か：回数，強弱，風邪症状に続く咳嗽か．急性咳嗽は感染症による． ●喀痰を伴うか（湿性咳嗽），伴わないか（乾性咳嗽）．喀痰を伴う場合は粘稠(ねんちゅう)度，量，色，臭気，混入物，層形成の有無をみる．
誘因	●腫瘍による圧迫や気道炎症などの機械的刺激 ●冷気などによる物理的刺激 ●タバコやハウスダスト，刺激性ガスなどの化学的刺激 ●緊張やストレス（心因性咳嗽） ●精神的緊張などの心理的要因 ● **緊急** 気道異物や有毒ガス吸引では緊急処置が必要である．
随伴症状	●活動不耐，胸痛，呼吸困難，喘鳴，咽頭痛，頭痛，疲労，食欲不振，悪心・嘔吐，体重減少，上気道感染症状（発熱，咽頭痛，鼻汁など）
生活歴	●睡眠状況 ●ストレスの有無 ●職場の環境 ●気候や環境 ●イヌ，ネコ，トリなどのペットを飼っていないか．
既往歴	●アレルギーの有無 ●呼吸器疾患，心疾患，鼻疾患などの既往　**原因・誘因** **緊急** ピンク色の泡沫痰は左心不全による肺うっ血が考えられる．
嗜好品，常用薬	●喫煙，飲酒の量と期間 ●薬物〔β遮断薬，ACE（アンジオテンシン変換酵素）阻害薬〕の副作用で咳が出る．
職業歴	●有機溶剤，化学薬品などを扱う特殊環境下での仕事
主要症状の出現状況，程度，性状の把握	症状の出現状況（急性・慢性）や喀痰の有無（乾性咳嗽，湿性咳嗽であれば喀痰の性状），出現時刻を把握することで原因疾患の特定につながる情報が得られる．
喀痰の有無	●喀痰を伴う湿性咳嗽　**原因・誘因** 気道の炎症，腫脹・浮腫 ●乾性咳嗽　**原因・誘因** 間質性肺炎，肺線維症
咳嗽の始まる時間	●早朝〜午前　**原因・誘因** 慢性気管支炎，肺気腫 ●就寝直後　**原因・誘因** 急性気管支炎

477

第4章　呼吸系

咳嗽の特徴 喀痰の性状	● 就寝1〜3時間後　**原因・誘因** 肺うっ血，肺水腫　**緊急** 左心不全（ピンク色の泡沫痰） ● 深夜〜早朝　**原因・誘因** 気管支喘息 ● 体動で誘発される　**原因・誘因** 感染症後の気道過敏，気管支喘息，逆流性食道炎 ● 喘鳴を繰り返す　**原因・誘因** 感染性の気管支喘息，慢性気管支炎，肺気腫 ● 咳払いを繰り返す　**原因・誘因** アレルギー性鼻炎，鼻ポリープ，不安神経症，ヒステリー球 ● 黄色〜緑色の膿性痰　**原因・誘因** 急性気管支炎，急性肺炎（細菌） ● 濃い緑色の膿性痰　**原因・誘因** 慢性気管支炎，気管支拡張症の増悪，急性肺炎（緑膿菌） ● さび色　**原因・誘因** 肺化膿症，肺膿瘍（化膿菌） ● 甘酸っぱい臭気　**原因・誘因** 肺カンジダ症（真菌） ● 悪臭のある膿性痰　**原因・誘因** 肺膿瘍，肺炎，肺化膿症（嫌気性菌） ● 粘液性　**原因・誘因** 慢性気管支炎（気道粘液の過分泌） ● ピンク色の漿液性　**原因・誘因** 肺水腫（血漿成分の漏出） ● 血痰　**原因・誘因** 肺がん，気管支拡張症（気道の出血性病変）　**緊急** 大量出血による窒息に注意する．
全身状態，随伴症状の把握 バイタルサイン 全身状態 頭頸部 胸部 腹部 四肢	▌症状の経過の把握とともに，症状の有無，随伴症状を観察し，治療，看護計画の立案に有効に反映する． ● 体温 ➡感染症の有無 ● 血圧 ➡降圧薬を内服していないか確認する． ● 体格 ➡慢性疾患，悪性腫瘍による体重減少がないかを確認する．肥満による胃食道逆流症を確認する． ● 皮膚 ➡アレルギー性疾患や発疹の確認，チアノーゼの有無 ● 顔貌，表情 ➡心因性の咳嗽として緊張や不安でみられることがある． ● 結膜 ➡貧血の有無をみる． ● 頸部 ➡リンパ節の腫脹の有無 ● 鼻腔・咽頭 ➡気道閉塞音の有無を確認し，耳鼻咽喉科疾患を鑑別する． ● 打診，聴診 ➡心肺疾患の有無を鑑別する．呼吸音，心雑音の聴取で鑑別する． ● 腹部の触診 ➡肝脾腫の有無，腹部膨隆や腹腔内腫瘍の有無を鑑別する． ● 下腿浮腫の有無 ➡循環器疾患，腎疾患，肝疾患を鑑別する． ● ばち指の有無 ➡呼吸器疾患，循環器疾患を鑑別する． ● **緊急** 喘鳴　**原因・誘因** 肺うっ血，うっ血性心不全，肺水腫を鑑別する． ● **緊急** 低酸素血症，気道閉塞　**原因・誘因** 低換気，分泌物，腫瘍などによる気道の閉塞 🔍 起こりうる看護問題：無効な咳嗽，気道分泌物の増加，排痰困難がある／労作時に呼吸困難や疲労感を自覚する／咳嗽により食事摂取困難，水分摂取困難がある
患者・家族の心理・社会的側面の把握	▌咳嗽や排痰は昼夜に限らず突然に起こるものであり，入院時の同室者への気兼ねや，患者のみならず同室者の安静も妨げてしまう可能性があり，精神的なストレスや関係悪化に陥る． ● 激しい咳嗽や排痰に伴う呼吸困難や胸痛などの症状は，患者の死への不安や恐怖感につながりやすい　**原因・誘因** 心的エネルギーの消耗 ● 来院時には患者・家族のそばに付き添い，咳嗽の軽減や排痰への援助のほかに共感や励ましの声かけをするとともに，家族へのタッチングが行われているかなどの心的エネルギーの充足状況を把握する． 🔍 起こりうる看護問題：患者・家族が症状に対する不安を抱えている

478

| STEP 1 アセスメント | STEP 2 看護課題の明確化 | STEP 3 計画 | STEP 4 実施 | STEP 5 評価 |

看護問題リスト

- #1 無効な咳嗽, 気道分泌物の増加, 排痰困難がある (活動-運動パターン)
- #2 労作時に呼吸困難や疲労感を自覚する (活動-運動パターン)
- #3 咳嗽により食事摂取, 水分摂取が困難である (栄養-代謝パターン)
- #4 患者・家族が症状に対する不安を抱えている (自己知覚パターン)

看護問題の優先度の指針

- 緊急時の対応が求められるのは, 気道分泌物や異物による気道閉塞 (窒息) や心不全による肺うっ血, 間質性肺炎などによる低酸素状態である. また, 咳嗽が続くことで体力を消耗するため, 乾性咳嗽では鎮咳薬を使用する.
- 上気道感染を起こしている, または起こす可能性が高いため, 口腔内の保清と栄養の補給も重要である.
- 呼吸困難は患者の不安につながるため, 咳嗽の軽減と排痰を速やかに行える援助が必要である.

28 咳嗽・喀痰

| STEP 1 アセスメント | STEP 2 看護課題の明確化 | STEP 3 計画 | STEP 4 実施 | STEP 5 評価 |

1

看護問題	看護診断	看護目標 (看護成果)
#1 無効な咳嗽, 気道分泌物の増加, 排痰困難がある	**非効果的気道浄化** **関連因子**: 受動喫煙に注意を払わない, 気道内の異物, 貯留した分泌物 **関連する状態**: 慢性閉塞性肺疾患, 気道感染症 **診断指標** □呼吸副雑音 □効果のない咳 □頻呼吸 □補助呼吸筋の使用	〈長期目標〉必要以上の咳嗽で体力が消耗しない 〈短期目標〉効果的な咳嗽により排痰ができ, 副雑音が消失する

| 看護計画 | 介入のポイントと根拠 |

急性期の緊急対応

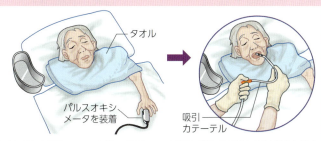

■図 28-4 吸引方法

吸引器の吸引圧を調整し, 事前に水で吸引状態を確認しておく.

頭部の下に処置用シーツを敷き, 襟元はタオルで覆う. 膿盆を近くに用意しておく.

口腔に挿入する時は, 接続部分を折り曲げて圧がかからないようにする.

OP 経過観察項目
- 呼吸音の聴取

→連続性副雑音を聴取した場合は気道狭窄, 断続

第4章　呼吸器系

- 胸郭の動き，呼吸補助筋の使用の有無
- 経皮的酸素飽和度（SpO₂）の確認
- 末梢の血液循環の悪化傾向（皮膚の冷感，蒼白な皮膚の色）

性副雑音では気道分泌物貯留が示唆される

⮕ 根拠 　咳嗽，喀痰を伴う呼吸困難では，低酸素血症に陥ることがある．SpO₂ 92％以下ではPaO₂は60 mmHg以下で，急性呼吸不全の状態である．また安定時より3〜5％以上の低下がみられる時には何らかの異常を示しており観察を続ける

TP 看護治療項目

- 喀痰・異物による気道狭窄，閉塞などで除去が可能であれば除去を優先し，不可能であれば気管切開で気道を確保する必要がある

⮕ 根拠 　救急カートを準備し，気管挿管，気管切開などに対応できるように準備をしておく
⮕喀痰による気道閉塞であれば排出によって改善は見込めるが，炎症の急性増悪や腫瘍による気道狭窄では，原因である病態が改善するまで気管挿管，気管切開などによる気道確保が必要である
⮕呼吸困難は，①気道の問題（換気障害），②肺胞内の障害（ガス交換障害），③血液循環障害によって起こる．①は酸素吸入では改善しないので，気道の確保が重要である

- 低酸素となる状態をすぐに回避できない場合は酸素吸入の準備を行う
- 継続的な観察を怠らない

⮕ 根拠 　ガス交換障害では時間の経過とともに症状が悪化する場合もある．呼吸困難による低酸素血症では意識レベルの低下や不穏となりやすいため，そばに付き添い安全を確保する

EP 患者教育項目

- 呼吸困難の苦痛と生命危機の恐怖のなかで患者が抱えている不安を解消する

⮕ 根拠 　不安にかられると頻呼吸となり，有効な換気量が確保されない

OP 経過観察項目

- 咳嗽の経過（急性，慢性，時間帯），喀痰の有無（湿性咳嗽・乾性咳嗽）
- 喀痰の性状（粘稠度，色，臭気）
- 呼吸音の聴取（呼吸音の音調，減弱，強度）
- 経皮的酸素飽和度（SpO₂），呼吸困難の有無，程度

⮕感染性の咳嗽は異物除去のために生じているのでむやみに鎮めない．空気中のガスや寒冷が刺激となり咳嗽を誘発している場合には，環境を整える．咳嗽との関連を把握し，原因を除去する
根拠 　関連を把握することで，原因疾患を推測しつつ適切な看護計画につなげることができる

TP 看護治療項目

- 排痰援助によって排痰の促進を図る（呼吸理学療法，体位ドレナージ）
- 呼吸訓練，呼吸筋ストレッチなどを行う

⮕ 根拠 　咳嗽でエネルギーをできるだけ使わないように排痰を促す
⮕頸部，胸郭，背部の筋緊張をほぐすことで呼吸筋のリハビリテーションやリラクセーション効果を得ることができる

- 医師の指示により鎮咳薬，去痰薬などの薬液吸入を行う
- うがいや口腔内清拭で清潔に保ち，また適度な加湿を行う
- 安楽な体位をとる
- 必要時は気道内吸引を行う
- 咳嗽を誘発させないように少量ずつ経口的水分摂取を増やしていく

⮕ 根拠 　中枢神経に作用する薬物もあり，薬効，副作用，他剤との拮抗作用を知っておく
⮕口腔内の乾燥の程度をみる

⮕ 根拠 　座位をとることで胸郭運動の負担が軽減する

EP 患者教育項目

- 咳嗽の方法，呼吸方法について指導する

⮕ 根拠 　上半身を起こして深くゆっくりと腹式呼吸を行う．また，ハッフィングを行うことで適切な強制咳嗽が行える

- タバコ，花粉，冷気など咳嗽を誘発する刺激を避けるように説明する

⇨ 環境の整備，換気を行う必要性がある

2 看護問題

#2 労作時に呼吸困難や疲労感を自覚する

看護診断

活動耐性低下
関連因子：酸素供給/需要の不均衡，活動に不慣れ，身体可動性障害，坐位中心ライフスタイル
診断指標
☐労作時呼吸困難
☐倦怠感を示す
☐全身の脱力
☐活動時の異常な血圧反応
☐活動時の異常な心拍反応
☐心電図の変化
☐労作時不快感

看護目標（看護成果）

〈長期目標〉労作時に呼吸困難が起こらない
〈短期目標〉日常生活動作を行ってもバイタルサインに大きな変動がみられない

28 咳嗽・喀痰

看護計画

OP 経過観察項目
- 咳嗽の継続時間，期間
- 皮膚の色調，冷感の有無

- 日常生活動作と疲労の自覚程度（ボルグ指数：運動時の負担の程度を表す指標）を測る

- 疲労感の有無
- 活気，精神症状

TP 看護治療項目
- 医師に指示された輸液剤，吸入薬を正確に投与する

- 酸素消費量を最小とするように日常生活動作を支援する
- 室温，湿度調整する

- 医師の指示のもと，経口的水分摂取を勧める

EP 患者教育項目
- 輸液の必要性について説明する
- 経口摂取が許可されたら，徐々に水分をとるよう促す

介入のポイントと根拠

⇨ **根拠** 安静時，日常生活動作時の咳嗽の誘発の有無や咳嗽が日常生活にもたらす支障についての評価が必要である
⇨ **根拠** 1回の咳嗽で呼吸筋が消費するエネルギーは約2kcalである．過度の咳嗽は疲労，倦怠感をもたらす
⇨ 患者の活動レベルの調整によっても疲労感は異なる **高齢者** 高齢者には個々の生活パターン，動作のリズムがあるので特に気をつける

⇨ 輸液による水分補給と吸入による加湿によって分泌物の粘稠度を下げ排痰を容易にする **根拠** 超音波ネブライザーは1〜5μmの微細な粒子となり肺胞に到達する
⇨ 咳嗽は体力を消耗するので日常生活動作が困難になることがある
⇨ **根拠** 空気の乾燥や室内外の温度差は咳嗽を誘発する．特に，暖房時には乾燥傾向となるため湿度50〜60％を維持できるように加湿する
⇨ 少量ずつ勧める **根拠** 一度に大量に摂取すると咳嗽や嘔吐を誘発する

⇨ 患者・家族の理解を得る **根拠** 説明することにより，輸液の苦痛を受け入れてもらえる

第4章　呼吸器系

3 看護問題	看護診断	看護目標（看護成果）
#3　咳嗽により食事摂取，水分摂取が困難である	**栄養摂取バランス異常：必要量以下** **診断指標** □食物摂取量が1日あたりの推奨量以下 □食物を摂取できないとの自覚	〈長期目標〉栄養状態が改善する 〈短期目標〉食物を摂取することができ，BMI，血清総蛋白，アルブミンが基準値以内になる

看護計画 / 介入のポイントと根拠

OP 経過観察項目
- 体重を測る
- 食事摂取量，食事の内容，水分摂取量
- 悪心・嘔吐，食欲
- 血液データ：血清総蛋白，アルブミン，電解質，ヘマトクリット
- バイタルサイン

TP 看護治療項目
- 経腸栄養・輸液によって栄養補充を行う場合は，指示された量を正確に投与する
- 許可された範囲で，消化によい食べ物を少量ずつ開始する
- 食べ物の選択は，患者の好みも加味して決める
- 咳嗽などの症状がなく食べられたら，徐々に量や種類を増やしていく

EP 患者教育項目
- 無理をして食べないよう指導する
- 食事内容・方法を家族に指導する

➡毎週同じ条件で測定する　**根拠** 栄養状態を評価する．結核などではるいそうを伴うため特に重要である
➡咳嗽との関連を観察する　**根拠** 咳嗽を誘発する刺激のあるもの，誤嚥しやすいものは避ける
➡**根拠** 栄養状態を把握する

➡**根拠** 脱水傾向は低血圧，頻脈を招きやすい

➡**根拠** 長期にわたって栄養・水分が経口摂取できず，消費エネルギーが上回る場合には，経腸・経静脈栄養が開始される
➡**高齢者** 消化機能が弱くなっている高齢者では，特に気をつける
➡ゼリー，おかゆなど，のどごしのよさや嗜好もふまえて，選択肢から選ぶ　**根拠** 嫌いなものでは食が進まないことがある

➡食事は徐々に勧めていく　**根拠** 食事摂取にもエネルギーを要するため，疲れさせないようにする

4 看護問題	看護診断	看護目標（看護成果）
#4　患者・家族が症状に対する不安を抱えている	**不安** **関連因子**：不慣れな状況 **診断指標** □緊張を示す □イライラした気分 □苦悩	〈長期目標〉患者・家族が心理的・身体的安楽が増大したことを表現できる． 〈短期目標〉1) 不安を言葉に出して表現できる．2) 表情や身振りが苦痛を軽減していることを反映している

看護計画 / 介入のポイントと根拠

OP 経過観察項目
- 呼吸困難感や随伴症状の悪化に伴う不安や消耗した表情，活気のない様子
- 不安や心配の訴え，怒り，または何も訴えない
- 状態や治療に対する質問の有無，内容

➡非言語的表現をとらえる　**根拠** 会話するだけで咳嗽を誘発したりエネルギーを消耗する場合もある．そのため病態に応じて yes，no で答えられるように質問の仕方を工夫する．また，患者の特徴的な表情や動作などで身体的苦痛を推測し，

- ●家族からの支援的な言葉かけ，身体的苦痛軽減への働きかけ

➡意図的タッチングやマッサージなどで苦痛の緩和を図る
➡家族の支援は患者にとり心強いものだが，家族も不安を抱えていることに配慮する

TP 看護治療項目
- ●不安が表出できるような態度で接する

➡共感的態度で接する **根拠** 身体的苦痛を共感する態度は不安の表出と軽減につながる

- ●咳嗽が続く，症状の緩和が図られないなど，不安を促進している要因を軽減できるように病態のアセスメントを具体的に伝える

➡ **根拠** すぐには軽減されない咳嗽について，具体的に説明することによって患者自身にも病態の把握ができ，回復の方向性を実感することができる

- ●治療や処置を行う場合は，説明を十分に行い心配や質問がないか聞き，丁寧に答える

➡治療や環境の変化で咳嗽が一時的に悪化することがある．患者の不安の程度に合わせてわかりやすく説明する **根拠** 治療や処置の前に説明することで，心構えをもつことができる

EP 患者教育項目
- ●わからないこと，心配なことがあれば質問するよう伝える

➡質問を受けるが，病態に合わせて筆談にしたり，咳嗽の少ない体調のよい時に行う **根拠** 不安を軽減するための対処を促す

STEP❶ アセスメント　　STEP❷ 看護課題の明確化　　STEP❸ 計画　　STEP❹ 実施　　STEP❺ 評価

病期・病態・重症度に応じたケアのポイント

【急性期】頻回の咳嗽により体力の消耗が激しい．また，湿性咳嗽で喀痰を伴う場合には気道の不快感だけでなく呼吸困難による生命の危機に脅かされることもある．しかし，咳嗽は気道内の異物や分泌物を体外に出す目的があり，湿性か乾性かの判断による適切な治療が行われることが重要となる．急性期の対処としては，十分な組織の酸素化を維持しつつ効果的な排痰が行えるように看護ケアにつなげていく．また，去痰が不十分であれば，去痰薬や吸入による対症療法を行う．

【回復期】咳嗽が軽快し排痰も行えるようになれば，消耗した体力を回復させ，体力を維持するために必要な栄養摂取と日常生活動作の拡大を行う．また，原因となる病態が慢性呼吸不全や感染症による時には増悪を繰り返すこともあるため，退院後は，患者自身による観察，ケアが行えるよう指導を行う必要がある．

看護活動（看護介入）のポイント

診察・治療の介助
- ●咳嗽が激しい時には，鎮咳薬や去痰薬などが処方される．内服，吸入など投与方法，使用する薬剤量は少ないこともあり正確に行う．
- ●咳嗽が激しい時には自然気胸を起こすことがあるため，中枢性鎮咳薬の使用と呼吸の観察・アセスメントを十分に行い，異常がみられたらただちに医師に伝える．
- ●指示された輸液剤，薬物を正確に投与し，投与後の患者の状態に変化がないか観察する．

咳嗽に対する援助
- ●咳嗽が激しい時には，気道の刺激を抑えるように加湿を十分に行い，マスクの着用を勧める．
- ●咳嗽により睡眠や休息が不十分になりやすいので，咳嗽がない時は十分に休息がとれるように環境を整える．
- ●口腔内の清潔に努める．
- ●呼吸が楽にできる体位をとる．
- ●指示された輸液を正確に行い，水分出納を評価する．

現状理解への援助
- ●経口摂取が開始されたら，許可されたものを少量から始め，徐々に種類や量を増やしていく．

28
咳嗽・喀痰

第 4 章　呼吸器系

●食事を摂取中に咳嗽などの症状が出現しないか，注意して観察する．

退院指導・療養指導

●咳嗽が続く時には呼吸が安楽にできる体位をとり，患者が安静に療養できるよう環境を整える．
●日常生活は身体の酸素消費による疲労の程度をみながら，徐々に拡大していくよう指導する．
●就寝後 2 時間程度経った時に咳嗽がみられる場合は循環器系の異常が考えられるので，再度受診するよう説明する．

STEP ❶ アセスメント　STEP ❷ 看護課題の明確化　STEP ❸ 計画　STEP ❹ 実施　STEP ❺ 評価

評価のポイント

看護目標に対する達成度
●不要な咳嗽が軽減しているか．
●咳嗽の回数，喀痰の性状や量が減少しているか．
●SpO_2 などから酸素飽和度が低下しない程度の日常生活動作が行えているか．
●食事摂取状況，水分摂取状況が改善しているか．
●患者・家族の症状に対する不安が払拭され，心理的・身体的安楽が増大したと表現しているか．

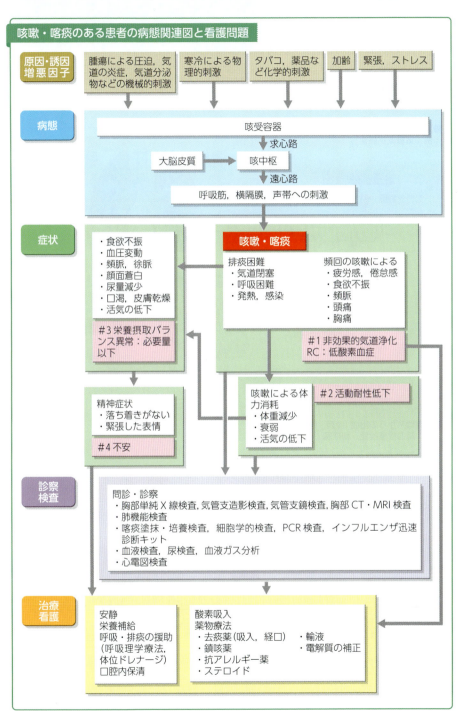

29 血痰・喀血

臼井 裕

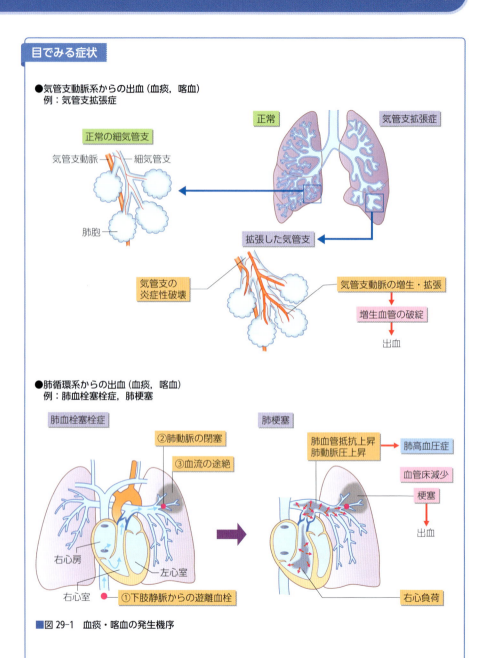

図 29-1 血痰・喀血の発生機序

病態生理

血液を混じる痰を血痰という．新鮮血，赤褐色〜黒色の凝血，両者が混じる場合，いずれも認められる．血液そのものを喀出した場合は喀血という．

- 気管支の栄養血管は気管支動脈系である．通常，気管支動脈は胸部大動脈から直接分枝し，左右に分かれて両側肺に分布していく．肋間動脈などから分枝する場合もあり，バリエーションに富む．
- 腫瘍性疾患でも非腫瘍性疾患（感染症や炎症など）でも新生血管が増生する．結果として気管支動脈の血流や病変周囲での肋間動脈などとの吻合が増加し，毛細血管網が発達する．また，いずれの病態においても既存の血管を傷害する可能性があり，血痰・喀血の原因となりうる．下気道からの出血はほとんどが気管支動脈系由来である．
- 肺には肺循環（右心室〜左心房）も存在し，血管炎症候群や肺水腫，肺梗塞などの場合に出血源となる．

患者の訴え方

● 主症状の訴え

- 血痰：「痰に血液が混じる」と訴える．痰は下気道由来の分泌物で咳や咳払いとともに喀出されるため，通常それらを伴う．口腔を含めた上気道由来の出血や分泌物が喀出される場合は，その限りではない．
- 喀血：ほとんどの者が「血を吐いた」と訴える．下気道由来の出血は咳反射の刺激となるため，通常は咳を伴うが，明らかな咳の自覚を伴わずに喀出する例もある．悪心・嘔吐などを伴えば上部消化管からの出血である可能性が高い．一方，原因疾患や併存疾患によって気分不快を生じている場合もあり，消化器症状を伴うので喀血ではないと断定することはできない．血痰同様，歯科領域，耳鼻科領域の出血源の検索も必要となる．

● 随伴症状

- 原因疾患により様々な随伴症状を伴いうる（表29-1, 2）．
- 発熱，咳，喀痰（細菌感染があれば膿性），胸痛など．悪性腫瘍や肺結核などで罹病期間が長いと易疲労感や体重減少を伴う．
- 口腔内や上気道に出血原因が存在する場合は，当該部位の局所症状（歯周囲炎であれば歯肉腫脹や疼痛など）を伴う．

29

血痰・喀血

■ 表29-1 血痰・喀血の原因または考えられる疾患（赤字は緊急対応を要する疾患）

重症度と頻度による分類*
● 肺がん
● 肺結核，非結核性抗酸菌症
● 気管支拡張症
● 特発性（原因不明）
● 気管支炎
● 急性肺血栓塞栓症，肺梗塞
● 肺アスペルギルス症〔菌球症（肺アスペルギローマ），慢性進行性肺アスペルギルス症，侵襲性肺アスペルギルス症〕
● 肺水腫（心不全）
● 肺炎，肺膿瘍
● 肺胞出血症候群，血管炎症候群
● 出血傾向
● 肺動静脈瘻，血管腫，肺分画症，気管支結石症
● 気管支内視鏡検査に伴うもの

出血源による分類
● 気管支動脈系からの出血：気道系の病変による．周辺部への吸い込みが少ないとX線画像で異常陰影を認めないことがある．肺がん，肺結核，気管支拡張症，肺アスペルギルス症など．
● 肺循環系からの出血：循環障害と肺胞出血がある．X線画像でびまん性肺胞陰影を呈し，重症呼吸不全を呈しうる．循環障害には肺水腫，肺血栓塞栓症/肺梗塞など，肺胞出血には血管炎症候群などがある．

＊緊急度は原因疾患の重症度に依存し，出血量に左右される．呼吸不全や大量喀血では常に緊急性は高い．

487

第4章　呼吸器系

■表 29-2　血痰・喀血の随伴症状と考えられる疾患(赤字は緊急対応を要する疾患とその随伴症状)

随伴症状	考えられる疾患
咳，発熱，胸痛，食欲不振，体重減少など	肺がん
咳，発熱，体重減少など	肺結核，非結核性抗酸菌症
咳，血痰・喀血の既往，気道感染を併発する場合は喀痰など	気管支拡張症
咳，発熱，感冒症状の先行，労作性呼吸困難，喘鳴など	気管支炎
突発的な胸痛，呼吸困難，失神など	急性肺血栓塞栓症，肺梗塞
咳，発熱，胸痛など	肺アスペルギルス症〔菌球症(肺アスペルギローマ)，慢性進行性肺アスペルギルス症，侵襲性肺アスペルギルス症〕
ピンク色の泡沫状喀痰，顔面・下腿浮腫，体重増加，夜間呼吸困難など	肺水腫(心不全)
咳，喀痰(肺炎球菌性肺炎では鉄さび色，嫌気性菌では悪臭を伴う)，胸痛，発熱，呼吸困難など	肺炎，肺膿瘍
全身倦怠感，発熱，呼吸困難など	肺胞出血症候群，血管炎症候群
皮膚粘膜の点状出血，採血時の止血困難など	出血傾向〔播種性血管内凝固(DIC)，抗凝固薬服用，ビタミンK欠乏など〕
局所症状を伴うことは少ない．肺分画症や気管支結石症で感染を伴うと咳，喀痰，発熱など	肺動静脈瘻，血管腫，肺分画症，気管支結石症
気管支鏡検査の既往	気管支内視鏡検査に伴うもの

診断

血痰・喀血の診療で重要なのは，バイタルサインをただちに評価し，出血量と出血箇所を速やかに把握することである．

●原因・考えられる疾患(表 29-1，2)
●表に示すような様々な背景疾患がある．
●鑑別診断のポイント(図 29-2)
●年齢，臨床経過，随伴症状を考慮する．
●下気道からの出血では空気が混じり泡沫様であることがある．また，痰を混じることがある．
●大半は気管支動脈系からの出血である．問診によって，血痰・喀血の量や既往の有無，随伴症状などを聴取し，バイタルサイン(体温，血圧，脈拍，呼吸数，経皮的酸素飽和度など)をただちにチェックする．
●血算，血液生化学検査，胸部単純X線検査は必須で，ただちに行う．
●胸部X線検査，CT検査など画像所見が役に立つ．
●喀痰検査として一般細菌，抗酸菌の塗抹・培養検査，細胞診をセットで行う．
●原因が特定できていない場合は，喀血量にかかわらず一度は胸部CT検査を行うべきである．
●気管支動脈系からの出血では異常所見は通常限局性(肺がん，気管支拡張症など)である．X線写真上，すりガラス陰影として観察される血液の吸引像も，患側に偏りが認められる場合が多い．
●肺循環系からの出血である肺水腫，肺胞出血(血管炎症候群など)ではびまん性肺陰影を呈する．一方，肺梗塞では局所性陰影(浸潤影，胸水など)である．
●肺血栓塞栓症が疑われる場合は，D-ダイマー測定，胸部造影CT検査が簡便で有用である．
●びまん性肺胞出血をきたす疾患の鑑別診断のポイント
　①多発血管炎性肉芽腫症(GPA)：細胞質性抗好中球細胞質抗体(PR3-ANCA)陽性，上気道(副鼻腔など)，肺，腎病変の存在．
　②顕微鏡的多発性血管炎(MPA)：抗好中球細胞質ミエロペルオキシダーゼ抗体(MPO-ANCA)陽性，急速進行性糸球体腎炎，肺胞出血または間質性肺炎．

488

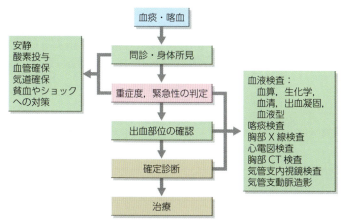

■図 29-2　血痰・喀血の診断の進め方

③グッドパスチャー症候群：抗糸球体基底膜抗体（抗 GBM 抗体），急速進行性糸球体腎炎．
④全身性エリテマトーデス（SLE），混合性結合組織病（MCTD）：発熱，抗核抗体，関節炎，その他の臓器症状．
⑤特発性肺胞出血（肺ヘモジデローシス）：原因不明，ヘモジデリン貪食肺胞マクロファージ．

治療法・対症療法

● **治療方針**
● **窒息の防止**：第一に，窒息を防止し，呼吸状態の悪化，呼吸不全への進展を最小限に抑えることが目標となる．
● **止血**：安静が必要である．アクティブな出血があり出血側が判明している場合は，患側を下にした体勢をとると健側への出血の吸い込みを軽減できる．止血薬投与を行う（表 29-3）．
● **原因疾患の治療**：原因疾患が特定できれば，それに対する治療を開始する．
● **救急・応急処置目標**
● **気道確保，窒息の防止**：大量喀血や持続性の喀血で進行性呼吸不全を呈する場合には，気道確保のために気管挿管を考慮する．喀出力の乏しい者（高齢者など）では特に慎重な対応を要する．
● **酸素化の保持**：経皮的酸素飽和度（SpO_2）90％ または動脈血酸素分圧（PaO_2）60 Torr を下回らないように酸素投与する．それらが保てない場合（すなわち呼吸不全）には一時的な人工換気もありうる．
● **出血部位，出血原因の特定**：X 線画像検査として胸部単純 X 線写真撮影をただちに，可能なら胸部 CT 検査を早期に行う．原因の特定に至らずとも，出血部位の特定はおおむね可能である．必要に応じて，気管支内視鏡や気管支動脈造影などの侵襲的検査・治療手技に進む．
● **大量喀血への対応**：血管確保と輸液・輸血の準備を行い，急性の失血が循環動態に悪影響を及ぼす場合は輸液・輸血を考慮する．状況に応じて，内視鏡による止血，気管支動脈造影・塞栓術，外科手術などの対策をとる．大量喀血や間断のない持続的喀血で気管支動脈系由来の出血が考えられる場合は，原因を問わず気管支動脈造影，気管支動脈塞栓術を考慮しておく．
● **気管支内視鏡による止血処置**：血痰・喀血に対してただちに気管支内視鏡を行うことが常に得策であるわけではない．来院時にアクティブな喀血があっても，呼吸不全に至る可能性が低ければ安静を優先するのが賢明な場合もある．安易な気管支内視鏡は検査刺激による喀血を誘発することもあり，検査自体にある程度の侵襲もある．また，凝血を吸引・除去することで大量の再喀血が起き，止血に難渋することもありうる．血痰・喀血に対する気管支内視鏡の適応は，緊急的止血目的で行われる場合以外は，非侵襲的検査で原因特定ができず，気管支内視鏡によって原因特定が期待される場合に待機的に行うことが一般的である．

第4章　呼吸器系

■表29-3　血痰・喀血に対する主な治療薬

分類	一般名	主な商品名	薬の効くメカニズム	主な副作用
止血薬	カルバゾクロムスルホン酸ナトリウム水和物	アドナ	血管透過性亢進を抑制，血管抵抗値を増強	食欲不振，胃部不快感など
	トラネキサム酸	トランサミン	プラスミンの働きを抑え，抗出血・抗炎症作用を示す	食欲不振，悪心，胸やけ，瘙痒感，発疹など
	トロンビン	トロンビン	フィブリン形成促進	血栓形成傾向
鎮咳薬	デキストロメトルファン臭化水素酸塩水和物	メジコン	咳嗽中枢の抑制(非麻薬性)	悪心，めまい，発疹など
	コデインリン酸塩	コデインリン酸塩	咳嗽中枢の抑制(麻薬性)	便秘，眠気，胃部不快，呼吸抑制など
血管収縮薬	アドレナリン	ボスミン	血管平滑筋収縮	血圧上昇，頻脈など

①血液の吸引・除去：気道閉塞や健常肺への過剰な血液の吸い込みを避ける目的で，気管・気管支内腔の血液・凝血を吸引・除去する．呼吸状態不良の場合や出血量が多い場合は気管挿管し，気道確保後に行う．ただし，咳が激しい場合や呼吸状態不良の場合は気管支内視鏡施行には限界がある．

②出血部位の確認：できる限り速やかに出血部位(もしくは出血の責任気管支)を同定する．気管支内腔に多量の血液・凝血がある時には，特定困難な場合もある．

③気管支鏡の楔(せつ)入：出血部位が特定できて，アクティブな出血を認める場合は，当該気管支に気管支内視鏡先端を楔入(くさびを打ち込んですきまをなくすようにすること)し，血液が凝固するのを待つ．一時的な止血や他部位への吸い込みを防止するのに有効である．

④止血薬注入：気管支動脈系からの出血で観察時にアクティブな出血のある場合，当該気管支から冷たい生理食塩液やアドレナリン入り生理食塩液，トロンビンなどを注入する．

⑤バルーンカテーテル留置：気管支内視鏡の鉗子孔からバルーンカテーテルを当該気管支に挿入し，バルーンを膨らますことで出血を抑える方法である．カテーテルを残し気管支内視鏡を抜去することも可能であるが，あくまで一時的な処置で，咳などで容易に外れてしまう可能性がある．

⑥健側肺挿管：出血が大量の時は，血液や凝血を吸引しきれないばかりか内腔観察もままならないことがある．アクティブな出血によって呼吸不全を呈している時や呼吸不全に至る可能性が高い場合は，健側肺の換気を保護する目的の応急処置として，健側肺の主気管支に挿管チューブを留置する．

●経皮的気管支動脈造影・気管支動脈塞栓術(図29-3)：中等量の喀血で，保存的治療では出血のコントロールができない場合や大量喀血時などで考慮する．気管支動脈造影で血管増生や造影剤の漏出所見を認める場合は，引き続いて塞栓術を行う．気管支動脈塞栓術を行う場合，気管支動脈と前脊髄動脈の吻合があるかないかを見極める必要がある．吻合がある場合に安易に塞栓術を行うと，脊髄麻痺を発症する危険性がある．

●外科手術：上記の対処によっても出血がコントロールできない場合や，一時的に止血可能であっても再発する場合などに考慮される．肺結核の遺残空洞に発症した菌球症(肺アスペルギローマ)や空洞性肺病変を伴う非結核性抗酸菌症などで，原因疾患の治療を兼ねて病変部切除を行う場合や，気管支動脈瘤の破裂で気管支動脈結紮(けっさつ)術を行う場合などがある．時に緊急手術が行われることもある．

●薬物療法

●呼吸不全に対する酸素投与，止血薬の投与，激しい咳による喀血の誘発を防ぐ目的での鎮咳薬投与がある．気管支内視鏡下の止血薬としてアドレナリン(ボスミン)，トロンビンなどを用いる．

Px 処方例 血痰・喀血が少量の場合　下記のいずれかを用いる．

●アドナ錠(30 mg)　1回1錠　1日3回　朝昼夕食後　←止血薬

●トランサミン錠(500 mg)　1回1錠　1日3回　朝昼夕食後　←止血薬

Px 処方例 血痰・喀血が中等量以上の場合　下記のいずれかを用いる．

●アドナ注(25 mg/アンプル)　1日3アンプル　持続点滴静注　←止血薬

●トランサミン注(250 mg/アンプル)　1日3〜6アンプル　持続点滴静注　←止血薬

490

> **Px 処方例** 鎮咳作用を期待　下記のいずれかを用いる.
> - メジコン錠 (15 mg)　1回2錠　1日3回　朝昼夕食後　←鎮咳薬
> - コデインリン酸錠 (20 mg)　1回1錠　1日3回　朝昼夕食後　←鎮咳薬
>
> **Px 処方例** 気管支内視鏡下の止血目的で気道内に散布・注入する場合　下記のいずれかを用いる.
> - ボスミン注 (0.1% 1 mL/アンプル)　0.1 mL＋生理食塩液 20 mL　←血管収縮薬
> - トロンビン末 (500 mg/袋)　500〜1,000 mg＋生理食塩液 10 mL　←止血薬

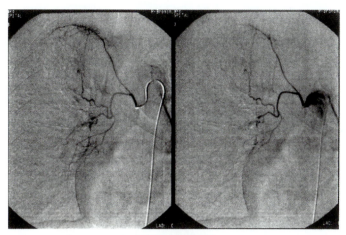

塞栓術前の右気管支動脈造影（左）では肺尖部を中心に血管の増生像や吻合所見を認める. 塞栓術後（右）では同所見が顕著に軽減している.

■図 29-3　喀血に対する緊急的気管支動脈塞栓術

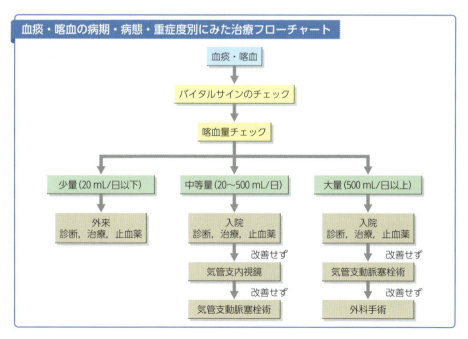

第4章 呼吸器系

血痰・喀血のある患者の看護

平尾 明美

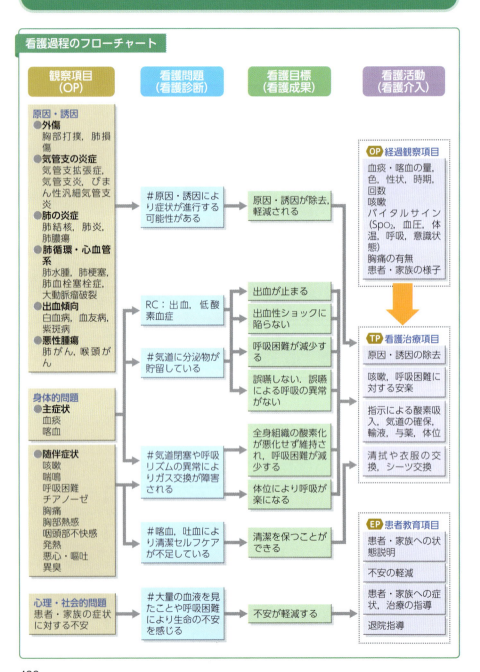

基本的な考え方

- 原因疾患の治療が根本的な治療となるが，喀血による気道閉塞，出血性ショックは緊急処置を要する．
- 発熱，咳嗽，胸痛の程度，随伴症状を観察し，その影響にも注意する．

緊急 緊急処置が必要な大量喀血では，窒息や換気障害を起こし生命に関わることがある．その場合にはただちに気管内吸引，気管挿管などの気道確保を行い，換気サポート（人工呼吸）による迅速な対応が求められる．これらを疑わせるサインや情報を見逃さないよう十分な観察を行う．時に少量であっても大量喀血の前兆の場合があるので，出血の状態やバイタルサインの変化に注意する．

STEP❶ アセスメント	STEP❷ 看護課題の明確化	STEP❸ 計画	STEP❹ 実施	STEP❺ 評価

29 血痰・喀血

情報収集	アセスメントの視点と根拠・起こりうる看護問題
病歴の把握	患者・家族から症状の経過，症状の変化を聞くことで，原因・誘因の特定や全身状態の把握につながり，治療や看護ケアにも重要な情報を得ることができる．
経過	●いつから，どのくらい続いているか． ●急激に始まったか，前駆症状があったか． ●症状の変動の有無
誘因	●外傷の関係：交通事故による胸部打撲，肋骨骨折による肺損傷，胸部大動脈瘤の破裂 **緊急** しばしば**大量出血**．**ショック**，**窒息**に注意 ●炎症：気管支の炎症，肺の炎症．血痰，しばしば大量出血もある．炎症ではさび色や淡紅色の血液が混じる． ●血管壁の障害：僧帽弁狭窄，高血圧による左心不全，急性肺水腫 ●出血性素因（出血傾向）
随伴症状 生活歴	●咳嗽，呼吸困難，喘鳴，チアノーゼ，胸痛，胸部不快感，咽頭部不快感，発熱 ●ストレスの有無 ●睡眠状況
既往歴	●高血圧，慢性閉塞性肺疾患（COPD），肺がん，肺結核，肺真菌症などの呼吸器疾患 ●肺循環系疾患（肺水腫，肺梗塞）が出血の原因にもなる． ●胃・消化管からの出血や鼻出血が喀出されたものは吐血である．肺や気管支からの出血である喀血との鑑別が必要となる．
嗜好品，常用薬	●喫煙歴 ●治療薬（抗がん剤，抗凝固薬）
その他	●月経との関係：月経時に代償性の喀血を生じる． ●肺吸虫症：淡水産のカニ（モクズガニ，サワガニ），ザリガニ，イノシシやシカの生肉摂取による感染 ●放射線照射などの治療歴
主要症状の出現状況，程度，性状の把握	症状の出現状況や血痰・喀血の色，量などの性状を把握することで，原因疾患の特定につながる情報が得られる．
前駆症状 喀血の様子	●胸部症状：異臭，生温かい液体がこみ上げる． ●呼吸困難を伴うか．吐血との判別（食道，胃，十二指腸からの吐血では悪心を伴う）． ●咳嗽に伴い持続的に出血する．吐血との判別（嘔吐に伴うものは胃からの吐血である）．
喀出物の性状	●喀血の色が鮮紅色 **原因・誘因** 上部気道からの出血・吐血の場合は暗赤色 **緊急** **大量喀血**により**出血性ショック**に陥ることがまれにある． ●泡沫状で痰が混入 **原因・誘因** 肺葉末梢からの出血 ●血液が凝固していない **原因・誘因** 吐血では血液が凝固し食物残渣が混入する． ●咳，発熱，体重減少 **原因・誘因** 肺結核，肺がん **緊急** 肺結核で排菌が疑われる時には隔離が必要となる．

493

第4章　呼吸器系

- ●咳，喀痰　**原因・誘因** 気管支拡張症の気道感染，悪臭，嫌気性菌による肺炎を伴う．
- ●ピンク色の泡沫状痰　**原因・誘因** 肺水腫（心不全）
- ●皮膚粘膜の点状出血　**原因・誘因** 出血傾向

喀血への緊急対応

- ●喀血による気道閉塞や誤嚥による呼吸器感染症とならないよう，喀出を促す．喀出が不十分な際には吸引を行うが，激しい咳嗽は出血の誘因になるので注意する．
- ●経皮的酸素飽和度（SpO₂）のモニタリングを続け，低酸素の場合には酸素投与を行う．大量喀血や持続的な出血により酸素化が悪化してきた場合は気道確保のための気管挿管を行う．
- ●循環動態にも影響を及ぼしている時には，輸液，緊急輸血の準備が必要となる．
- ●出血側がわかっている時は患側を下にした体位をとり，安静を保持する．
- ●緊急内視鏡や血管塞栓術（気管支動脈塞栓術），外科的治療が行われることもあるので，迅速に準備し，患者・家族へ状況の説明を行う．
- ●大量でなくとも血を吐くことは，患者・家族の不安を抱かせる．使用後のティッシュペーパーは見えないようにし，また衣服・寝具が汚れた際には安静を保持できる範囲ですぐに片づけて清潔を保つ．

全身状態，随伴症状の把握 バイタルサイン	緊急性の高い症状へ移行するのか，持続的にこの状態が続くのか判別し，治療，看護計画の立案に有効に反映する．
	●体温 ➡肺結核や気管支炎などの感染症を鑑別する． ●血圧，脈拍・リズム ➡循環器疾患を鑑別する． ●呼吸状態　**緊急** 気道閉塞　**原因・誘因** 大喀血（100 mL以上）の鮮血 ●**緊急** 意識障害　**原因・誘因** 低酸素脳症
全身状態	●体格 ➡ COPD，悪性腫瘍による体重減少がないかを確認する． ●皮膚 ➡チアノーゼ，皮膚の点状出血の有無を観察する． ●貧血の有無
頭頸部	●頭部 ➡外傷，打撲の有無を確認する． ●顔貌，表情 ➡呼吸困難，胸内苦悶の表情を認めることがある． ●口腔内からの出血でないことを確認する．
胸部	●聴診 ➡心肺疾患の有無を鑑別する．副雑音（ラ音）を聴取する． ●打診 ➡外傷時に胸腔内出血と鑑別する．血胸では濁音がする．
腹部	●腹部の圧痛の有無 ➡喀血と吐血（消化器疾患）を鑑別する． ●腹部の聴診 ➡腸蠕動音によって腹膜疾患を鑑別する．
四肢	●チアノーゼ，末梢冷感の有無 ●**緊急** 呼吸困難，チアノーゼ，四肢の冷感　**原因・誘因** 気道閉塞，出血性ショック 🔍共同問題：出血，低酸素血症 🔍起こりうる看護問題：気道に分泌物が貯留している／気道閉塞や呼吸リズムの異常によりガス交換が障害される
患者・家族の心理・社会的側面の把握	●喀血が続くことや大量の血液を喀出した時には，呼吸困難が伴い生命の危機感を募らせることになる．精神的動揺は再喀血につながることもあり，患者を1人にしない配慮が必要である． ●家族が来院している時にはできるだけそばに付き添ってもらい，安心感を抱けるような環境をつくる．しかし，大量の喀血時には家族も動揺するため，あらかじめ十分な病状の説明と患者への精神的支援の必要性を家族に伝えておく必要がある． 🔍起こりうる看護問題：大量の血液を見たことや呼吸困難により生命の不安を感じる

494

| STEP ❶ アセスメント | STEP ❷ 看護課題の明確化 | STEP ❸ 計画 | STEP ❹ 実施 | STEP ❺ 評価 |

看護問題リスト

RC：出血，低酸素血症
#1　気道に分泌物が貯留している（活動-運動パターン）
#2　気道閉塞や呼吸リズムの異常によりガス交換が障害される（活動-運動パターン）
#3　大量の血液を見たことや呼吸困難により生命の不安を感じる（自己知覚パターン）

看護問題の優先度の指針

●喀血は少量でも持続的な出血が続いている場合は窒息で死亡することがある．少量でも呼吸機能障害がある時は低酸素状態になりやすいので注意する．局所の安静を促し，再喀血の予防に努める必要がある．
●呼吸困難などの苦痛を伴うため患者は不安を抱きやすい．緊張した雰囲気を和らげなければならない．

| STEP ❶ アセスメント | STEP ❷ 看護課題の明確化 | STEP ❸ 計画 | STEP ❹ 実施 | STEP ❺ 評価 |

共同問題	看護目標（看護成果）
RC：出血，低酸素血症	〈看護目標〉出血や低酸素血症による症状発現を管理し，最小限に抑える

看護計画	介入のポイントと根拠
OP 経過観察項目 ●バイタルサイン（体温，血圧，脈拍，呼吸数，SpO_2） ●気道閉塞，ショック ●チアノーゼ ●喀血の性状と量，血痰の程度	➡疑われる症状がみられたらドクターコールを行う ➡喀血による気道閉塞，ショックなど緊急性の高い病態に対しては迅速な対応が求められる ➡チアノーゼを伴う気道閉塞，ショック（末梢冷感，皮膚の蒼白，意識レベル低下）は要注意である ➡鮮血を伴う喀血と喀痰に血液が混じる程度の出血では緊急性が異なる．ただし，肺胞内の出血ではガス交換の障害にもなるため，SpO_2 の継続的な観察を怠らない **根拠** 喀血が持続すると経過とともに症状が悪化することがある ➡鮮血で肺結核が疑われる時には，医療従事者の感染予防策が必要となる
TP 看護治療項目 ●大量喀血では，気道の確保が先決である ●患者が自力喀出しやすい体位をとる ●出血側が判明していれば，上葉の場合は患側を下に，下葉の場合は患側を上にする ●大量喀血によりショック状態に陥ったり，気道分泌物，不感蒸泄が多く脱水症状になっている場合は，補液のための静脈ルートの確保を行う	➡ **根拠** 血液による気道閉塞を防止するため ➡ **高齢者** 特に高齢者や意識レベルの低下，全身衰弱のある患者が喀血すると，効果的な咳嗽ができず，窒息の恐れがある ➡ **根拠** 出血量が多い場合は，健側肺への垂れ込みを防ぐために患側を下にした側臥位を，止血が完了し，肺内に貯留した血液を排除したい場合には患側を上にした側臥位をとらせる
EP 患者教育項目 ●急変の可能性が高いため，冷静な態度で対応し患者のそばに付き添う	➡ **根拠** 患者は喀血に伴う呼吸困難，胸痛などに襲われ生命危機への不安を抱えているので軽減する

29
血痰・喀血

495

第 4 章　呼吸器系

1 看護問題	看護診断	看護目標（看護成果）
#1　気道に分泌物が貯留している	**非効果的気道浄化** **関連因子**：貯留した分泌物（気管支の分泌物），気道内の異物 **診断指標** □過剰な喀痰 □効果のない咳 □減弱した呼吸音 □チアノーゼ □呼吸リズムの変化	〈長期目標〉1) 再出血を起こさない．2) 誤嚥を起こさない 〈短期目標〉気道の確保ができ，窒息しない

看護計画	介入のポイントと根拠
OP 経過観察項目 ●血痰・喀血の量と性状 ●咳嗽の有無，程度 ●血痰・喀血の発現時期，回数 ●喀血の前駆症状，随伴症状の有無 ●悪心の有無 ●胸痛の有無，程度 ●呼吸状態についてアセスメントする（呼吸回数，呼吸パターン，呼吸音，SpO_2，チアノーゼの有無） **TP 看護治療項目** ●安静にする ●安楽な体位をとる ●出血側が判明していれば，上葉の場合は患側を下にした側臥位に，下葉の場合は患側を上にした側臥位にする ●薬剤の管理をする ●会話の工夫，面会者を制限する ●うがいや口腔内清拭を行う ●汚れた衣服や寝具は交換し，清潔を保つ **EP 患者教育項目** ●安静の必要性を説明する ●前駆症状，随伴症状を説明し，これらの徴候がみられたら知らせるように指導する	●**根拠** 色，量，性状，混入物によって喀血と吐血の区別がつく ●**根拠** 喀血を嚥下し，吐出することもある．胃内に血液がたまると悪心を伴う ●**根拠** 活動により再出血のおそれがある ●**根拠** 上葉で下になった側は呼吸運動の制約を受け，下葉で上になった側は横隔膜運動の制約を受けるため胸郭運動が抑制され，出血部位の安静が保たれる ●状態によって止血薬，鎮静薬，鎮咳薬が投与される．鎮静薬，鎮咳薬を使うと気管支内に血液，分泌物が貯留しても喀出されないことがあるので注意する ●**根拠** 会話は呼吸運動を促進するので最小限にとどめ，筆談，指文字などを工夫する ●**根拠** 血液の混じった痰の臭いは不快である ●患者自身が再喀血を予防し，発現時に早期に対応できるように説明を行う ●早期発見により，迅速に対処できる

2 看護問題	看護診断	看護目標（看護成果）
#2　気道閉塞や呼吸リズムの異常によりガス交換が障害される	**ガス交換障害** **関連する状態**：換気血流不均衡 **診断指標** □低酸素血症	〈長期目標〉1) 動脈血ガス分析値が正常範囲にある．2) 呼吸困難がなくなる．3) 不安が軽減する 〈短期目標〉低酸素血症が回避される

496

□皮膚色の異常
□呼吸リズムの変化
□呼吸困難
□低酸素血症
□イライラした気分

看護計画	介入のポイントと根拠
OP 経過観察項目 ●血液検査：ヘマトクリット，Na，K ●血液ガス分析 ●バイタルサイン：呼吸数，リズム，呼吸音，SpO_2，血圧，脈拍 ●顔色，冷汗，チアノーゼの有無 ●咳嗽，血痰，喀血の性状，回数，誘因 ●不安の程度 ●活気，精神症状	●**根拠** 大量喀血がなくても持続的に出血が続くと肺胞換気に影響する ●バイタルサインが安定していない場合は頻回に測定する **根拠** 血痰は呼吸器，循環器の疾患が原因であることが多い．呼吸器と循環器は影響し合うためバイタルサインの確認が必要である．また症状の悪化を早期に発見できる ●低酸素血症による活気のなさ，混乱，落ち着きのなさなどの精神症状に注意する
TP 看護治療項目 ●医師に指示された輸液，薬物を正確に投与する ●医師の指示により冷罨法を行う ●口腔内ケアを行う ●医師の指示のもと，経口摂取を勧める	 ●**根拠** 胸部の冷罨法で止血を図る ●清潔に保つ **根拠** 肺炎など感染症になりやすいため清潔を保持する ●高エネルギーでカルシウム，ビタミン，鉄分などに富む食事にする **根拠** 咳嗽は体力を消耗する．また，造血に必要な栄養素を摂取する
EP 患者教育項目 ●呼吸運動の調整法を説明する	●鼻から吸って口で吐く，吸気2，呼気4のリズムの規則正しい静かな呼吸を促す

3 看護問題	看護診断	看護目標（看護成果）
#3 大量の血液を見たことや呼吸困難により生命の不安を感じる	**不安** **関連する状態**：状況的な危機状態にある人 **診断指標** □緊張感 □イライラした気分 □精神的・肉体的な激しい苦悶	〈長期目標〉患者・家族が不安が軽減したことを表現できる 〈短期目標〉1) 治療効果を言葉にして表現できる．2) 表情や身振りは苦痛が軽減していることを反映している

看護計画	介入のポイントと根拠
OP 経過観察項目 ●不安や緊張の表情，落ち着きがない様子 ●不安や心配の訴え，怒り ●身体的反応：ふるえまたは手指の振戦，頻脈，頻呼吸，冷汗 ●症状，状態や治療に対する質問の有無，内容	●言語だけでなく非言語的表現をとらえる **根拠** 不安を言葉にすることは少ない．言葉以外の訴えの表出を見逃さないよう注意する，また家族も言葉にならない不安を抱えていることがある
TP 看護治療項目 ●不安が表出できるような態度で接する ●できるだけそばに付き添う	●支援的態度で接する **根拠** 支援的態度が不安の表出を促す

第4章　呼吸器系

- ●患者の健康状態の変化など，不安を促進している要因を取り除く
- ●薬物療法，輸血，輸液，気管支内視鏡治療などの必要性を十分に説明する．心配や質問がないか聞き，丁寧に答える

- ⮕不安の要因を取り除く．要因を取り除くことが難しい時には軽減を図る
- ⮕相手の表情を見ながら，わかりやすく説明する
  - 根拠 治療や処置の前に説明することで，不要な心配を抱くことのないようにする．その際，呼吸活動を促進しないように患者の発語はできるだけ少なくし，筆談などで行う

EP 患者教育項目
- ●わからないこと，心配なことがあれば質問するよう伝える

- ⮕質問を積極的に受け入れる　根拠 不安を軽減するための対処を促す

STEP ① アセスメント ▶ STEP ② 看護課題の明確化 ▶ STEP ③ 計画 ▶ **STEP ④ 実施** ▶ STEP ⑤ 評価

病期・病態・重症度に応じたケアのポイント

【急性期】大量喀血で気道が塞がれている場合には，ただちに気道確保（気管挿管，気管内吸引）と換気サポート（人工呼吸器）が必要となる．

【回復期】呼吸運動の調整や前駆症状の有無を確認しながら呼吸状態の改善を図る．また自宅での生活を視野に入れた患者自身による観察，ケアが行えるよう指導を行う．

看護活動（看護介入）のポイント

診察・治療の介助
- ●前駆症状や経過から，原因を把握する．
- ●緊急時には内視鏡や血管塞栓術，外科的治療が行われることもあるので，その準備と介助を行う．
- ●咳嗽による出血を誘発しないための安静と体位の工夫を行う．
- ●指示された輸液，薬物を正確に投与する．

血痰・喀血に対する援助
- ●安静にできるよう環境を整える．
- ●安楽な体位をとる．
- ●激しい咳嗽を起こさないためにも鎮咳薬を投与する．
- ●二次感染を起こさないよう口腔内，気道の清潔を保持する．

呼吸方法の援助
- ●呼吸運動の調整方法を指導する．

退院指導・療養指導

- ●再出血への早期対応のため前駆症状や随伴症状を把握する必要性を説明する．
- ●会話によって呼吸運動が促進されることを説明し，会話による疲労をコントロールするよう指導する．
- ●胸部熱感や咽頭部不快感など前駆症状が出現してくるようであれば，再度受診するよう説明する．

STEP ① アセスメント ▶ STEP ② 看護課題の明確化 ▶ STEP ③ 計画 ▶ STEP ④ 実施 ▶ **STEP ⑤ 評価**

評価のポイント

看護目標に対する達成度
- ●バイタルサインが安定しているか．
- ●再喀血を起こしていないか．
- ●再喀血の予防を自ら行うことができているか．
- ●呼吸困難，喀出困難が消失しているか．
- ●患者・家族が心理的・身体的安楽が増大したことを表現できているか．

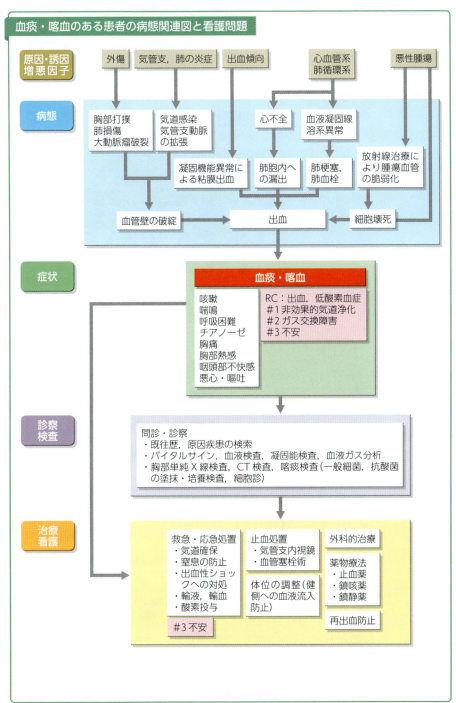

30 呼吸困難

宮崎　泰成・古家　正

> 目でみる症状

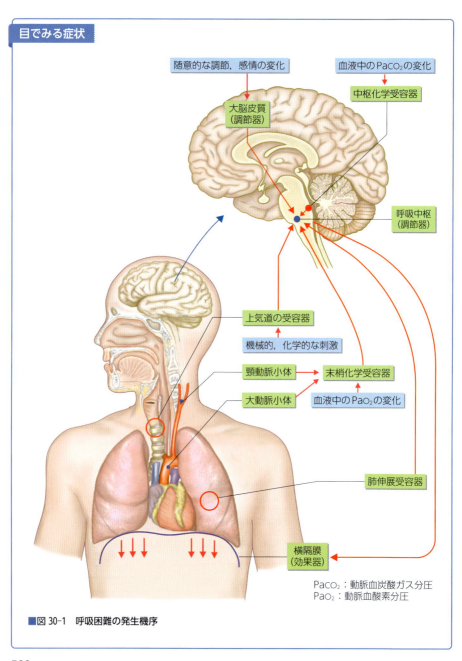

■図30-1　呼吸困難の発生機序

病態生理

呼吸は，通常は無意識下に行われるが，呼吸に伴い不快感を感じる状態，または呼吸をするために努力が必要な状態を呼吸困難と定義することができる．運動時など体内の酸素要求量が増加する時は，病的状態ではなくても呼吸困難を感じるが，呼吸器疾患や循環器疾患，代謝疾患や精神疾患など様々な疾患で通常感じるより強い呼吸困難を生じる．

- 受容器で体内の変化を感知し，その情報が中枢の調節器に伝わり，そこで要求に見合う呼吸の深さや数が決定される．その情報は効果器である呼吸筋に伝わり呼吸が行われることで呼吸が調節されている（図 30-1）．
- 受容器は，血液中の酸素や二酸化炭素，pH などの変化を感知する化学受容器と，その他の受容器に分けられる．化学受容器は，延髄に存在する中枢化学受容器と，頸動脈小体と大動脈小体に存在する末梢化学受容器からなる．その他の受容器には，肺や鼻や喉頭などの上気道に存在する受容器や，関節や筋肉に存在し運動を感知する受容器などがある．
- 正常な状態では，血液中の $PaCO_2$ の変化を感知する中枢化学受容器が PaO_2 の変化を感知する末梢化学受容器よりも優位に反応している．
- 調節器は，延髄と橋に存在し吸気と呼気のリズムを形成する呼吸中枢と，随意的な調節を行う大脳皮質の調節器がある．
- 受容器からの情報をもとに調節器で決定された呼吸の指令（呼吸ドライブ）と，実際に行われる呼吸の運動が見合わない場合に呼吸困難を感じるとされている．呼吸ドライブが増加すること自体が呼吸の努力感，すなわち呼吸困難として認識されるとする説もある．

患者の訴え方

- **主症状の訴え**
- 「息をたくさんしても苦しい」「息が吸えない」「酸素が足りない感じがする」「運動時に苦しくてたくさん息をしてもなお苦しい」など．
- **随伴症状**
- 原因疾患により様々な症状を訴える．咳，痰，喘鳴，胸痛，起座呼吸，発熱，浮腫，悪心など．

診断

呼吸困難を訴える患者に対しては，まず症状が数日～1 週間以内の期間で生じたいわゆる急性の経過か（図 30-2），または数週～数か月の慢性の経過で徐々に増悪しているか（図 30-3）を区別すること，低酸素血症を伴うか，意識障害があるかを見極めることが重要である．

- **原因・考えられる疾患**
- 呼吸困難をきたす疾患は，呼吸器疾患をはじめ循環器疾患，代謝性疾患など多岐にわたる（表 30-1）．
- 症状の出現が急性で，特にある時点から突然出現した場合や，重度の低酸素血症や低血圧，意識障害を伴う場合は致命的となる可能性があり，早急な診断と適切な治療を行う必要がある．
- 呼吸困難を客観的に数値化して表現するために，修正 MRC の呼吸困難度分類が用いられる（表 30-2）．
- **鑑別診断のポイント**
- 症状の出現様式や随伴する症状についての詳細な問診が重要であり，そのうえで X 線検査や血液ガスを含めた血液検査，心電図検査を行う．さらに必要に応じ胸部 CT 検査や心エコー検査，脳 MRI 検査などを行う．
  - ・発熱，膿性痰があるか．
  - ・胸痛があるか．
  - ・聴診上，呼吸音の左右差があるか．
  - ・聴診上，副雑音（ラ音）があるか．
  - ・胸部 X 線で浸潤影があるか．
  - ・浮腫，心拡大があるか．

30

呼吸困難

501

第4章 呼吸器系

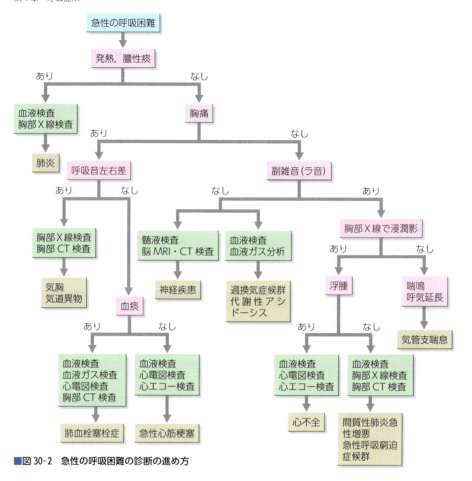

■図 30-2　急性の呼吸困難の診断の進め方

■表 30-1　呼吸困難の原因または考えられる疾患（赤字は緊急対応を要する疾患）

急性に症状が出現	慢性に症状が出現
●呼吸器疾患 　●気胸，気道内異物，肺炎，気管支喘息，慢性閉塞性肺疾患（COPD）の増悪，間質性肺炎急性増悪 ●循環器疾患 　●急性心不全（急性心筋梗塞，発作性心房細動，輸液過多など），肺血栓塞栓症，慢性心不全の増悪 ●全身疾患に伴うもの 　●急性呼吸促迫症候群（ARDS） ●過換気症候群 ●代謝性疾患 　●代謝性アシドーシス（糖尿病性アシドーシス，尿毒症性アシドーシス，乳酸アシドーシスなど） ●神経疾患 　●髄膜炎，脳炎，脳腫瘍など	●呼吸器疾患 　●慢性閉塞性肺疾患（COPD），間質性肺炎，胸郭変形による拘束性障害（肺結核後遺症や側弯など） ●循環器疾患 　●慢性心不全（弁膜症，心筋症，陳旧性心筋梗塞など），肺高血圧症 ●血液疾患 　●貧血 ●神経筋疾患 　●重症筋無力症，筋萎縮性側索硬化症，筋ジストロフィー

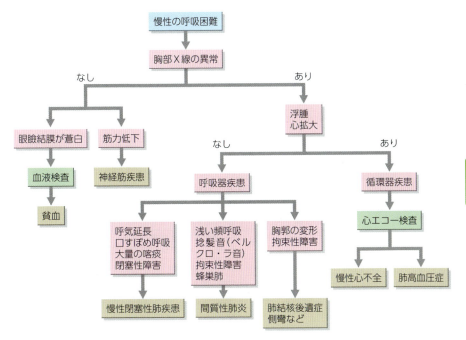

■図 30-3　慢性の呼吸困難の診断の進め方

■表 30-2　修正 MRC の呼吸困難度分類

グレード分類	あてはまるものにチェックしてください(1 つだけ)	
0	激しい運動をしたときだけ息切れがする	□
1	平坦な道を早足で歩く，あるいは緩やかな上り坂を歩くときに息切れがある	□
2	息切れがあるので，同年代の人より平坦な道を歩くのが遅い，あるいは平坦な道を自分のペースで歩いているとき，息切れのために立ち止まることがある	□
3	平坦な道を約 100 m，あるいは数分歩くと息切れのために立ち止まる	□
4	息切れがひどく家から出られない，あるいは衣服の着替えをするときにも息切れがある	□

治療法・対症療法

●治療方針
●診断・治療の原則は呼吸困難の原因となる疾患の診断とそれに対する治療である．しかし，特に急性の呼吸困難で低酸素血症を伴う場合は致命的となる場合もあり，原因疾患の診断，治療とともに適切な酸素投与，必要な場合は人工呼吸を行う(表 30-4)．
●薬物療法
　Px 処方例　気管支喘息発作時の治療　下記のいずれか，または併用して用いる．
●ベネトリン吸入液　0.3 mL＋生理食塩液 1.5～2.0 mL　ネブライザー吸入　←短時間作用型 β_2 刺激薬
●ソル・メドロール注　1 回 40～125 mg　点滴静注　←副腎皮質ホルモン製剤
●リンデロン注　1 回 8 mg　点滴静注(アスピリン喘息の場合)　←副腎皮質ホルモン製剤
●ネオフィリン注　0.6～0.8 mg/kg/時　点滴静注　←キサンチン誘導体
●ボスミン注　1 回 0.3 mL　皮下注　←カテコールアミン系薬剤

第4章　呼吸器系

■表30-3　呼吸困難の随伴症状と考えられる疾患（赤字は緊急対応を要する疾患とその随伴症状）

	随伴症状	考えられる疾患
急性の呼吸困難	胸痛，咳嗽，呼吸音左右差	気胸
	発熱，膿性痰	肺炎
	喘鳴，咳嗽，呼気延長	気管支喘息，慢性閉塞性肺疾患急性増悪，心不全
	咳嗽，喘鳴，呼吸音左右差	気道内異物
	浅い頻呼吸，蜂巣肺，肺野全体の浸潤影	間質性肺炎急性増悪
	胸痛，浮腫，心拡大	急性心筋梗塞
	浮腫，心拡大	急性心不全（発作性心房細動，輸液過多など）
	胸痛，血痰	肺血栓塞栓症
	浅い頻呼吸，発熱，血圧低下，肺野全体の浸潤影	急性呼吸促迫症候群
	頭痛，悪心，意識障害，脳の局在症状	神経疾患（髄膜炎，脳炎，脳腫瘍など）
	しびれ，筋けいれん，意識障害，頭痛，不安感	過換気症候群
	意識障害，低血圧，頻脈，クスマウル呼吸，悪心，浮腫，高血圧（尿毒症）	代謝性アシドーシス（糖尿病性アシドーシス，尿毒性アシドーシス，乳酸アシドーシスなど）
慢性の呼吸困難	呼気延長，口すぼめ呼吸，大量の喀痰	慢性閉塞性肺疾患
	浅い頻呼吸，捻髪音（ベルクロ・ラ音），蜂巣肺	間質性肺炎
	胸郭の変形	胸郭変形による拘束性障害（肺結核後遺症や側彎など）
	浮腫，心拡大，浸潤影	慢性心不全
	浮腫，心拡大	肺高血圧症
	眼瞼結膜の蒼白	貧血
	筋力低下	神経筋疾患

Px 処方例 慢性閉塞性肺疾患（COPD）の治療　下記のいずれかを用いる.
- スピリーバレスピマット（2.5 µg）　1回2吸入　1日1回吸入　←長時間作用型抗コリン薬
- シーブリ吸入用カプセル（50 µg）　1回1カプセル　1日1回吸入　←長時間作用型抗コリン薬
- エンクラッセエリプタ（62.5 µg）　1回1吸入　1日1回吸入　←長時間作用型抗コリン薬
- スピオルトレスピマット　1回2吸入　1日1回吸入　←長時間作用型抗コリン薬/長時間作用型β₂刺激薬の合剤
- ウルティブロ吸入用カプセル　1回1カプセル　1日1回吸入　←長時間作用型抗コリン薬/長時間作用型β₂刺激薬の合剤
- アノーロエリプタ　1回1吸入　1日1回吸入　←長時間作用型抗コリン薬/長時間作用型β₂刺激薬の合剤
- ビベスピエアロスフィア　1回2吸入　1日2回吸入　←長時間作用型抗コリン薬/長時間作用型β₂刺激薬の合剤
- テリルジー100エリプタ　1回1吸入　1日1回吸入　←長時間作用型抗コリン薬・長時間作用型β₂刺激薬・副腎皮質ホルモン製剤の合剤
- ビレーズトリエアロスフィア　1回2吸入　1日2回吸入　←長時間作用型抗コリン薬・長時間作用型β₂刺激薬・副腎皮質ホルモン製剤の合剤

Px 処方例 間質性肺炎急性増悪時の治療
- ソル・メドロール注　1,000 mg/日　3日間　点滴静注　←副腎皮質ホルモン製剤

Px 処方例 急性呼吸促迫症候群（ARDS）の治療　下記のいずれか，または併用して用いる.
- ヒドロコルチゾンコハク酸エステルNaまたはソル・コーテフ注　200 mg/日　点滴静注　7日間　←副腎皮質ホルモン製剤
- ソル・メドロール注　1〜2 mg/kg/日　点滴静注　←副腎皮質ホルモン製剤

504

■表 30-4　非侵襲的人工呼吸ではなく侵襲的人工呼吸を考慮すべき状態

- 呼吸停止
- 循環動態がきわめて不安定である
- 患者の協力が得られない
- 上気道閉塞がある
- 頭部外傷や火傷などでマスクを装着できない
- 誤嚥や嘔吐の危険性が高い

■表 30-5　呼吸困難の主な治療薬

分類	一般名	主な商品名	薬の効くメカニズム	主な副作用
短時間作用型 β_2刺激薬	サルブタモール硫酸塩	サルタノール，ベネトリン	β_2受容体を刺激して気管支平滑筋を弛緩	心悸亢進，振戦
副腎皮質ホルモン製剤	メチルプレドニゾロンコハク酸エステルナトリウム	ソル・メドロール	全身性の抗炎症作用	糖尿病，胃潰瘍，易感染性，中心性肥満
	ベタメタゾンリン酸エステルナトリウム	リンデロン		
	ヒドロコルチゾンコハク酸エステルナトリウム	ヒドロコルチゾンコハク酸エステル Na，ソル・コーテフ		
キサンチン誘導体	アミノフィリン水和物	ネオフィリン	気管支平滑筋弛緩作用，抗炎症作用	痙攣，意識障害，動悸，肝障害
カテコールアミン系薬剤	アドレナリン	ボスミン	気管支筋の弛緩による気管支拡張，呼吸量増加	心悸亢進，不整脈，悪心・嘔吐，発疹
長時間作用型抗コリン薬	チオトロピウム臭化物水和物	スピリーバ	気道平滑筋の M_3受容体に対するアセチルコリン結合を阻害し，気管支収縮抑制	口渇，便秘，心不全，不整脈
	グリコピロニウム臭化物	シーブリ		
	ウメクリジニウム臭化物	エンクラッセ		
長時間作用型抗コリン薬・長時間作用型 β_2刺激薬の合剤	チオトロピウム臭化物水和物・オロダテロール塩酸塩	スピオルト	気道平滑筋の M_3受容体に対するアセチルコリン結合を阻害し気管支収縮を抑制，さらに β_2受容体を刺激して気管支平滑筋を弛緩	口渇，便秘，心不全，不整脈，心悸亢進，振戦
	インダカテロールマレイン酸塩・グリコピロニウム臭化物	ウルティブロ		
	ウメクリジニウム臭化物・ビランテロールトリフェニル酢酸塩	アノーロ		
	グリコピロニウム臭化物・ホルモテロールフマル酸塩水和物	ビベスピ		
長時間作用型抗コリン薬・長時間作用型 β_2刺激薬・副腎皮質ホルモン製剤の合剤	フルチカゾンフランカルボン酸エステル・ウメクリジニウム臭化物・ビランテロールトリフェニル酢酸塩	テリルジー	気道平滑筋の M_3受容体に対するアセチルコリン結合を阻害して気管支収縮を抑制，β_2受容体を刺激して気管支平滑筋を弛緩，さらに抗炎症作用	口内乾燥，口渇，嗄声，排尿困難，便秘，心不全，不整脈，心悸亢進，振戦，口腔咽頭カンジダ症，肺炎
	ブデソニド・グリコピロニウム臭化物・ホルモテロールフマル酸塩水和物	ビレーズトリ		

30
呼吸困難

505

第4章 呼吸器系

呼吸困難の病期・病態・重症度別にみた治療フローチャート

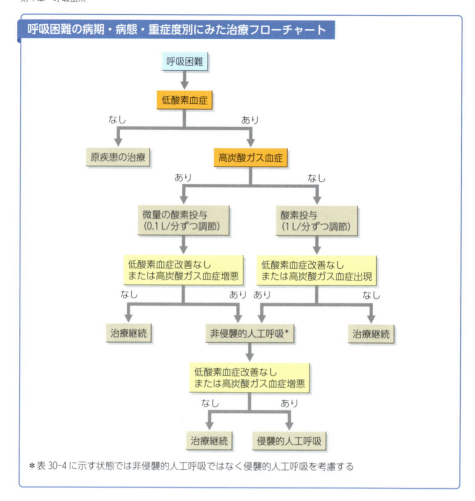

＊表30-4に示す状態では非侵襲的人工呼吸ではなく侵襲的人工呼吸を考慮する

呼吸困難のある患者の看護

山崎　智子

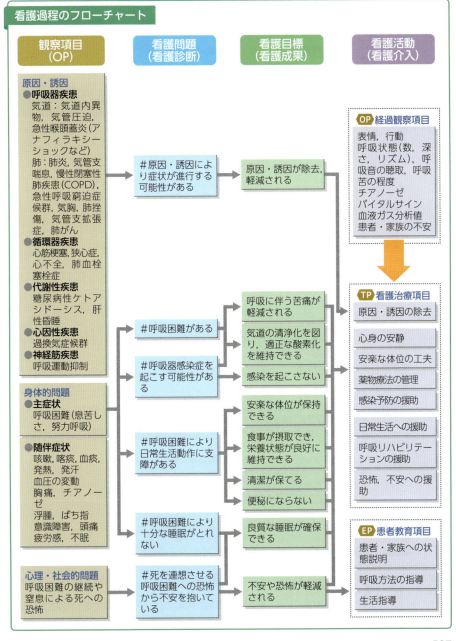

第4章　呼吸器系

基本的な考え方

- 緊急性の高い救命処置を必要とする疾患の有無と鑑別が非常に重要となる．症状の経過や呼吸状態，随伴症状をよく観察し，何が原因か，適切な処置について見極める必要がある．
- 呼吸困難は主観的症状であり，個人差が非常に大きい．客観的な情報と主観的な情報を十分に把握し，多様な原因を把握するとともに，症状緩和や安楽の援助を行わなければならない．
- **緊急** 緊急処置の必要な病態に対しては気管切開，気管挿管や異物の除去，酸素療法，人工呼吸器の装着などの迅速な対応が必要である．また呼吸器以外の原因を鑑別し，それらの疾患を疑わせるサインや情報を見逃さないよう十分な観察を行う．特に意識障害，胸痛は要注意である．

STEP ❶ アセスメント	STEP ❷ 看護課題の明確化	STEP ❸ 計画	STEP ❹ 実施	STEP ❺ 評価

情報収集	アセスメントの視点と根拠・起こりうる看護問題
病歴の把握	患者・家族から呼吸困難の出現状況，症状の経過，変化を聞くことで，原因・誘因の特定や全身状態の把握につながり，治療や看護ケアにも重要な情報を得ることができる．
経過	● いつから，どのくらい続いているのか． ● 急激に始まったのか，徐々にまたは以前から（慢性的に）起こっていたのか． ● 症状が出現してきた時間帯や季節は関係しているか．
誘因	● 異物の誤嚥，薬物中毒などがないか． ● アレルギー源への接触はないか． ● 外傷の有無，部位 ● 感染徴候，過労 ● 異常な精神的興奮，ストレス　**原因・誘因** 過換気症候群
随伴症状	● 意識障害，意識レベルの低下 ● 血圧の変化，脈拍の変化 ● 胸痛 ● 喘鳴，咳，痰，血痰 ● 浮腫 ● チアノーゼ ● 精神的動揺
生活歴	● 最近の精神状態 ● 睡眠の状況 ● 日常での過労やストレス
既往歴	● 気管支喘息　**原因・誘因** **緊急** 気管支喘息発作 ● 気胸　**原因・誘因** **緊急** 緊張性気胸 ● 高血圧，狭心症などの心疾患の既往　**原因・誘因** **緊急** 心筋梗塞 ● 結核 ● 放射線照射などの治療歴　**原因・誘因** **緊急** 放射線肺臓炎 ● アレルギー（食物，花粉，かび，薬剤，ペットほか） ● 膠原病，筋疾患 ● 糖尿病　**原因・誘因** **緊急** 糖尿病性ケトアシドーシス
嗜好品，常用薬	● 喫煙歴 ● 薬剤の服用状況（抗菌薬，利尿薬，気管支拡張薬ほか）
職業歴	● アスベスト，粉塵などの特殊環境下での仕事
家族歴	● 喘息，結核，肺気腫，肺がんなどに罹患している家族がいないか．
主要症状の出現状況	呼吸困難の出現状況，その程度や強さを把握することで，原因疾患の特定につながる情報が得られる． ● 急性に，突然に発症　**原因・誘因** 自然気胸，異物吸引，心筋梗塞，肺塞栓症，心不全による肺水腫，術後の急性呼吸窮迫症候群（ARDS），パニック発作

	● 咳嗽，咯痰の前駆症状を伴う　[原因・誘因] 気管支喘息，急性肺炎，肺水腫，うっ血性心不全
	● 夜間の発作性呼吸困難　[原因・誘因] 心疾患
	● 春，秋に好発する呼吸困難　[原因・誘因] 気管支喘息
	● 夜中から明け方の呼吸困難　[原因・誘因] 気管支喘息
	● 慢性に進行する労作時息切れ，呼吸困難　[原因・誘因] 肺気腫，間質性肺炎

呼吸状態の把握	**呼吸状態をアセスメントする主な目的は，低酸素血症を発見し，その原因を推測することにある．自覚的な要素が強いので，客観的な指標で評価することも重要である．**
視診	● 呼吸数：呼吸数は意識的に変化させることができるので，気づかれないように，脈拍の測定とともに測る．
	● 呼吸数の増加：成人では 20 回/分以上を頻呼吸とする　[原因・誘因] ショックによる代謝性アシドーシス，重度の呼吸不全，喘息．初期は増加するが，呼吸筋が疲労すると，呼吸数が低下する．
	● 呼吸数の低下　[緊急] 意識障害の有無を確認する　[原因・誘因] 脳腫瘍，脳梗塞，薬物による呼吸抑制にも注意する．
	● 呼吸のパターン：吸気時間，呼気時間，吸気の深さ，リズムを観察する．健康な成人では 1 回換気量は 7〜9 mL/kg，吸気・呼気比は 1：2 である．
	● 呼吸のリズムの異常：チェーン-ストークス呼吸　[原因・誘因] 中枢神経の障害，心不全
	● 呼吸の深さ，周期の変化：ビオー呼吸　[原因・誘因] 中枢神経の障害
	● 1 回換気量，呼吸数増大　[緊急] **クスマウル呼吸**　[原因・誘因] 糖尿病性ケトアシドーシス
	● 呼吸の深さやリズムが完全に不規則　[緊急] **チェーン-ストークス呼吸**
聴診	● 呼吸音：気道狭窄や気道分泌物など低酸素血症の原因のいくつかが特定できる．
	● 呼吸音の減弱　[原因・誘因] 気胸，無気肺
	● 異常音
	・ストライダー（ゼイゼイ，ヒューヒューの音）：気道の狭窄によって生じる　[原因・誘因] 気管支喘息，上気道異物
	・ウィーズ：狭窄した気道を気体が通過する際に発する高調性の音．呼気時に聴取されることが多いが，重症化すると吸気時にも聴取される　[原因・誘因] 気道れん縮，粘膜浮腫（主に喘息），肺血栓塞栓症
	・ロンカイ（低調でゴロゴロした音）：気道分泌物によって気道が部分的に閉塞している場合に聴取され，咳により改善する．
	・クラックル（断続性の音）：吸気時に聴取されることが多い　[原因・誘因] 肺水腫，肺炎
検査所見	● 動脈血ガス値（PaO_2，$PaCO_2$，pH，HCO_3^-），肺活量，1 回換気量，胸部 X 線検査，末梢血液検査（白血球，赤血球，ヘモグロビン，ヘマトクリット，血小板），CRP，心電図検査，血液生化学検査，胸部 CT 検査
	🔍 **起こりうる看護問題：死を連想させる呼吸困難への恐怖から不安を抱いている／呼吸困難により十分な睡眠がとれない**

呼吸困難への緊急対応

- 口腔内に異物や嘔吐物，分泌物が認められる場合は，吸引や背部叩打法，上腹部圧迫法などでそれらを除去し，気道を確保し，酸素を投与する．
- 気胸の場合はただちに脱気治療（胸腔ドレナージ）を行う．
- 喘息患者の来院時は，順番にかかわらず早急な対応が必要である．重積発作にはただちに酸素療法，薬物投与が行われるので，医師の指示に従い，迅速に対応する．
- COPD 患者に対しては CO_2 ナルコーシスに陥る危険から，高濃度酸素を投与してはならない．呼吸回数や血中の pH をみながら慎重に酸素投与を行う．

第4章　呼吸器系

全身状態，随伴症状の把握 バイタルサイン	**症状出現の経過の把握とともに，呼吸状態や他の随伴症状を観察し，治療，看護計画の立案に有効に反映する.** ●体温　**緊急** 高熱　**原因・誘因** 肺炎 ●血圧，脈拍・リズム ➡循環器疾患を鑑別する. ●**緊急** 意識障害の有無を確認する　**原因・誘因** 脳腫瘍，脳梗塞 ●**緊急** クスマウル呼吸　**原因・誘因** 糖尿病性ケトアシドーシス
全身状態	●年齢 ➡加齢とともに全身の弾性線維が劣化し，肺の収縮性が低下する. ●体格 ➡慢性疾患，悪性腫瘍による体重減少がないかを確認する．また肥満では機能的残気量が減少し，肺容量が小さい. ●皮膚 ➡湿潤状況，黄疸，発疹を観察する. ●貧血の有無を確認する.
頭頸部	●補助呼吸筋(胸鎖乳突筋)の収縮　**原因・誘因** 呼吸不全 ●頭部 ➡外傷，打撲の有無を確認する. ●顔貌，表情 ➡不安，苦悶の表情，精神症状　**原因・誘因** 過換気症候群 ●結膜 ➡貧血，黄疸の有無をみる. ●瞳孔 ➡瞳孔不同があれば，脳神経疾患の可能性がある.
胸部	●肋間が陥没するのに加え，胸骨上窩が陥没する　**原因・誘因** 上気道閉塞 ●外傷の場合は胸部打撲，気道狭窄の有無を確認する. ●喀血　**原因・誘因** 気管支拡張症，肺結核後遺症，肺がん，うっ血性心不全，肺栓塞栓症 ●胸痛　**原因・誘因** 心筋梗塞，狭心症，肺血栓塞栓症，緊張性気胸，自然気胸，胸膜炎 ●喘鳴　**原因・誘因** 気管支喘息，肺気腫，びまん性汎細気管支炎，異物ないし腫瘍 ●聴診 ➡心肺疾患の有無を鑑別する.
腹部	●正常な状態では吸気時に腹部や胸部がふくらむが，呼吸不全患者では異常を示す. ●腹部の触診，視診 ➡肝脾腫の有無，腹部膨隆や腹腔内腫瘍の有無を鑑別する. ●腹部の聴診，視診 ➡大動脈瘤などの圧迫の可能性の鑑別
四肢	●浮腫の有無　**原因・誘因** 心不全，慢性呼吸不全の急性増悪 ●しびれ(頻呼吸を伴う)　**原因・誘因** 過換気症候群 ●チアノーゼの有無　**原因・誘因** 中枢神経疾患，チアノーゼ型心疾患 ●ばち指　**原因・誘因** 気管支拡張症，肺がん，間質性肺炎 🔍 **起こりうる看護問題**：呼吸器感染症を起こす可能性がある／呼吸困難により十分な睡眠がとれない／呼吸困難により日常生活動作に支障がある
患者・家族の心理・社会的側面の把握	**呼吸困難により生命の危機的状況を感じ，大きな不安を抱いている．状態を患者・家族に説明するとともに精神的な援助を心がける.** ●呼吸困難の症状により，生命に直結するという恐怖や不安が生じることを理解し，訴えのみならず非言語的なサインを逃さず,不安の緩和に対応していく必要がある. ●患者・家族がどの程度現状を理解できているかを確認し，必要に応じて丁寧に説明を行う必要がある. 🔍 **起こりうる看護問題**：死を連想させる呼吸困難への恐怖から不安を抱いている

STEP❶ アセスメント　STEP❷ 看護課題の明確化　STEP❸ 計画　STEP❹ 実施　STEP❺ 評価

看護問題リスト

#1　呼吸困難がある(活動-運動パターン)

#2　死を連想させる呼吸困難への恐怖から不安を抱いている(自己知覚パターン)

#3　呼吸器感染症を起こす可能性がある(栄養-代謝パターン)

#4　呼吸困難により十分な睡眠がとれない(睡眠-休息パターン)

#5　呼吸困難により日常生活動作に支障をきたしている(活動-運動パターン)

看護問題の優先度の指針

● 急性期に，急速に呼吸困難が進めば，酸素不足から心停止に至ることも考えられる．したがって呼吸状態や呼吸困難の程度，さらには随伴症状を注意深く観察し，呼吸困難の原因を探り早急に対処する必要がある．
● 呼吸困難による恐怖は，さらなる呼吸困難や錯乱状態を引き起こすことになるので，説明しながら処置を行うなど不安を軽減するように関わる必要がある．
● 呼吸器感染症は呼吸状態のさらなる悪化を引き起こすので，感染の予防が重要になる．
● 夜間の休息がとれないことは身体的にも精神的にも疲労を重ねることとなり，呼吸困難を悪化させるため，睡眠への援助は重要である．
● 呼吸困難から日常生活動作が障害されることで，セルフケアが行えなくなるため，援助が必要となる．

STEP ❶ アセスメント	STEP ❷ 看護課題の明確化	STEP ❸ 計画	STEP ❹ 実施	STEP ❺ 評価

30
呼吸困難

1 看護問題	看護診断	看護目標（看護成果）
#1 呼吸困難がある	**ガス交換障害** **関連する状態**：換気血流不均衡 **診断指標** □呼吸深度の変化 □呼吸リズムの変化 □混乱 □低酸素血症 □高炭酸ガス血症	〈**長期目標**〉呼吸困難がなくなる 〈**短期目標**〉1) 呼吸に伴う苦痛が軽減する. 2) 呼吸困難による恐怖や不安が減少する. 3) 自分で行える日常生活動作が拡大する

看護計画 / 介入のポイントと根拠

急性期の緊急対応

OP 経過観察項目
● 苦悶様の表情や喉をかきむしるなどの動作，意識障害や胸痛といった症状は要注意である

➡ 疑われる症状がみられたらドクターコールを行う　**根拠** すぐに対応しなければ呼吸停止や心停止が起こる

● 動脈血ガス分析結果を把握する
● 継続的な観察を怠らない

➡ **根拠** 症状とデータを照合して病態を予測する
➡ **根拠** 時間の経過とともに症状が悪化する場合もある

TP 看護治療項目
● 口腔内，気道内の異物などを確認し，窒息であれば速やかに除去し，気道の確保を行う

➡ **根拠** 異物誤嚥は窒息の可能性がある

● 吸引での異物除去の可能性も考え準備する
● 酸素投与を行う
● 緊急性の高い気管支喘息の重積発作やCOPDの急性増悪に対しては，迅速な対応が求められる．適切な情報の収集と迅速な判断を行う
● 呼吸困難を軽減するための安楽な体位をとる
● 薬物治療が開始される場合には，正確な薬液管理を行う．補液のための静脈ルートの確保を行う

➡ **根拠** 気管支喘息の重積発作は閉塞性呼吸障害を招き，放置すると呼吸停止から心停止を招く．初期の対応が重要である
➡ **根拠** 肺の換気面積，横隔膜の運動面積を増大させる

511

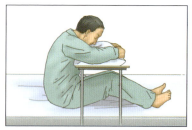
起座位：横隔膜の圧迫を取り除く

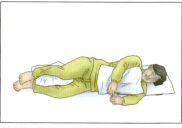
側臥位：換気血流比を改善する，動脈血酸素分圧が上昇する

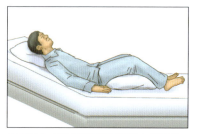
ファウラー位：腹部の緊張を取り，呼吸を楽にする

仰臥位での肩枕の挿入：後頭部を反らせ，舌根沈下による気道閉塞を防ぐ

■図 30-4　呼吸困難時の安楽な体位

OP 経過観察項目
- 呼吸数，リズム，深さ，呼吸の型
- 咳嗽，喀痰の性状
- 血圧，脈拍の変化
- 皮膚の色調，顔色，チアノーゼ
- 低酸素血症，高炭酸ガス血症の症状
- 動脈血ガス分析結果
- 呼吸機能検査

TP 看護治療項目
- 適切な酸素を投与する
- 気道の清浄化，適正な酸素化を図る

- 心身の安静を図る
- 指示された薬剤を管理する

- 室温，湿度，空気の清浄化など環境の調整を行う
- 安楽な体位を工夫する．ファウラー位，起座位，患側部を下にした体位の工夫など．衣服による圧迫を取り除く

- 栄養状態を管理する
- 便秘への援助を行う
- 食事への援助（消化のよい，発酵しにくい食品）

⇒ 根拠　どのタイプの呼吸困難かを推測する

⇒ 根拠　一般状態を十分把握する

⇒ 根拠　換気不良の状態を反映する
⇒ 根拠　換気の状態をアセスメントする

⇒ 指示通り酸素投与を行う
⇒ 体位ドレナージ，吸引・吸入を行い，痰の排出を行う　根拠　有効な換気を確保する
⇒ 根拠　酸素の消費量を最小限にする
⇒ 気管支拡張薬，抗菌薬，副腎皮質ステロイド薬などは危険な副作用があるので十分注意する
⇒ 根拠　適切でない温度，湿度，空気中のちりなどは呼吸困難を増強させる
⇒ 枕，座布団，バックレスト，オーバーテーブル，ギャッチベッドなどを利用し，ファウラー位，起座位などをとる　根拠　肺の換気面積，横隔膜の運動面積を増大する
⇒ 根拠　呼吸筋の筋力低下を防ぐ必要がある
⇒ 根拠　腸内ガスは横隔膜を挙上し，呼吸運動を抑制する

EP 患者教育項目

- 呼吸リハビリテーションの方法を指導し援助を行う
- 呼吸困難を予防する生活習慣の必要性について説明する
  - ・原因疾患の治療の継続とその管理の必要性
  - ・緊張やストレスを軽減する生活の必要性
  - ・心身の過労を軽減する生活の必要性
  - ・活動制限

●**根拠** 患者が自己管理できるようにするため行動変容への支援が必要である

2

看護問題	看護診断	看護目標（看護成果）
#2 死を連想させる呼吸困難への恐怖から不安を抱いている	**不安** **関連因子**：満たされないニーズ，ストレッサー **診断指標** □不眠 □不安定な気持ち □呼吸パターンの変化 □血圧上昇 □混乱	〈**長期目標**〉患者が心理的・身体的安楽が増大したことを表現できる 〈**短期目標**〉1) 呼吸困難が軽減する．2) 不安が軽減したことを言葉に出して表現できる．3) 表情や身振りが苦痛を軽減していることを反映している

30 呼吸困難

看護計画	介入のポイントと根拠

OP 経過観察項目

- 不安や緊張の表情，落ち着きがない様子，顔色
- 活気，精神症状
- 身体的反応：ふるえ，または手指の振戦，頻脈，頻呼吸
- 睡眠の状況
- 呼吸数，リズム，深さ
- 呼吸の苦しさに対する恐怖，不安の訴え

- 状態や治療に対する質問の有無，内容

- 血圧変動，頻脈
- 動脈血ガス分析

TP 看護治療項目

- 患者を1人にしないように頻繁に訪問し，そばに付き添い，落ち着いた態度で接する
- 不安が表出できるような態度で接する

- マッサージ，リラクセーション
- 治療や処置を行う場合は，十分に説明し，心配や質問がないか聞き，丁寧に答える
- コミュニケーションを十分にとる
- 家族への説明や援助を行う

➡非言語的表現をとらえる **根拠** 不安や恐怖の程度の推測が必要である **高齢者** 活動性の低下している高齢者は，言葉以外の訴えの表出を見逃さないよう注意する

➡**根拠** 不安による睡眠への影響を把握する

➡**根拠** 呼吸困難の程度を把握する

➡**根拠** 患者が不安や恐怖をどのように捉え，表現しているかを知る

➡**根拠** 自分の身体状況をどのように捉えているかを把握する

➡**根拠** 生理的な反応についても十分把握する

➡**根拠** 換気の状態をアセスメントする

➡1人にしない **根拠** すぐに対応してもらえるという安心感を与える

➡支援的態度で接する **根拠** 支援的態度が不安の表出を促す

➡**根拠** 筋緊張，精神的緊張感を解く

➡相手の不安の表情を見ながら，わかりやすく説明する **根拠** 治療や処置の前に説明することで，不要な心配を抱くことのないようにする

➡できる限り不安の原因を除去する **根拠** 家族の不安が患者の不安を助長させるので，心配事を長引かせたり，抱えさせない．少しでも原因となる要因を取り除くことにより，不安を軽減する

513

第4章　呼吸器系

EP 患者教育項目
- 十分な説明を行う
- わからないこと，心配なことがあれば質問するよう伝える

⮕ 説明を行うとともに，質問を積極的に受け入れる　根拠 不安を軽減するための対処を促す

3 看護問題	看護診断	看護目標（看護成果）
#3　呼吸器感染症を起こす可能性がある	**感染リスク状態** **危険因子**：呼吸器疾患，栄養不良，口腔衛生の不足 **関連する状態**：線毛運動の減少	〈長期目標〉呼吸器感染症が起こらない 〈短期目標〉1）38℃以上の熱が出ない．2）低換気状態に陥らない

看護計画 ・ 介入のポイントと根拠

OP 経過観察項目
- 呼吸回数，リズム，呼吸の型

⮕ 根拠 感染による呼吸の異常がみられないかを観察する

- 肺音の聴取

⮕ 根拠 痰の存在する部位や程度を確認し，体位ドレナージに生かす

- 咳，痰の量・性状
- 体温，脈拍
- 検査データ（CRP，白血球）

⮕ 根拠 感染の徴候がないか判断する

- 痰の培養検査
- 食欲，食事摂取量，血液データ（総蛋白，アルブミン）
- 他のカテーテル挿入部位（尿道，点滴，ドレーン類）の状態

⮕ 根拠 痰の中の細菌の有無，種類を同定する
⮕ 根拠 栄養状態の低下は抵抗力の低下につながる
⮕局所の炎症所見や排液を観察する　根拠 呼吸器以外の感染ルートに十分注意する

TP 看護治療項目
- 気道の清浄化と適正な酸素化を維持する
  - 呼吸訓練：腹式呼吸，口すぼめ呼吸
  - 排痰法の施行：タッピング，バイブレーション，ハッフィング，スクイージング，体位ドレナージ

⮕ 根拠 1回換気量を増やす
⮕ 根拠 肺理学療法で排痰を促す

  - 口腔ケア

⮕ 根拠 口腔内細菌数を減らし，細菌が気道内に流入するリスクを減らす

  - 薬液吸入，ネブライザー
  - 必要に応じた痰の吸引
- 全身の清潔ケアを行う
- カテーテル挿入部位を消毒する
- 医療者や面会者の手洗いを徹底する

⮕ 根拠 痰の粘稠（ねんちゅう）度を低下させる
⮕喀出が難しい時は吸引し，同時に咳嗽も促す
⮕ 根拠 感染ルートやリスクをできる限り少なくする必要がある
⮕ 根拠 医療者や面会者を介して病原菌が持ち込まれる可能性がある

- 環境の調整（温度，湿度，換気）を行う

⮕ 根拠 細菌，ウイルスの繁殖しにくい環境を整える

- 栄養状態を管理する

⮕食事の援助を行い，摂取できない場合は栄養剤の点滴について検討する　根拠 栄養状態を評価し免疫力を低下させないようにする必要がある

- 面会者の制限を行う

⮕ 根拠 抵抗力が落ちているので，外界との接触は必要最小限にする必要がある

EP 患者教育項目
- 正しい排痰法を指導する
- 咳嗽や深呼吸，感染予防の根拠を説明する

⮕ 根拠 感染予防について自己管理できるように支援する必要がある

- ●面会者にも感染予防の必要性と方法について説明をする
  - ➡ 根拠 面会者にも感染予防の行動を十分にとってもらう必要がある

4 看護問題 / 看護診断 / 看護目標（看護成果）

看護問題	看護診断	看護目標（看護成果）
#4 呼吸困難により十分な睡眠がとれない	**睡眠剥奪** **関連因子**：不快感，体力が回復しない睡眠覚醒サイクル **診断指標** □注意力の変化 □不安 □苦痛を示す □倦怠感 □イライラした気分	〈**長期目標**〉呼吸困難をきたすことなく睡眠がとれる 〈**短期目標**〉1) 睡眠が中断されない．2) 熟睡感が得られる．3) 呼吸困難への不安が緩和される

30
呼吸困難

看護計画 / 介入のポイントと根拠

OP 経過観察項目
- ●表情，顔色，活気
- ●呼吸困難による苦痛の程度
- ●睡眠の状況（時間，深さ，中断の回数）
- ●熟睡感や睡眠の満足度
- ●日中の休息や睡眠状況
- ●疲労感，食欲，食事摂取量
- ●不安に関する言動，訴え

- ➡ 根拠 疲労の程度や精神状態を評価する
- ➡ 根拠 呼吸困難による睡眠への影響を把握する
- ➡ 根拠 睡眠の質，日中の休息の様子，満足度について評価する
- ➡ 根拠 眠れないことによる影響を把握する
- ➡ 根拠 状況の受け止め方を把握する

TP 看護治療項目
- ●日中，頻繁に訪室し，精神的な緊張や不安を取り除くように努める

- ●安楽な睡眠，休息の姿勢を工夫する
- ●体位の調整にオーバーテーブルや枕を利用する

- ●清潔な寝具や寝衣を使用する
- ●落ち着ける環境の整備を行う
- ●入眠を促す援助：腰背部のマッサージや足浴，温罨法を行う

- ●抗不安薬，鎮静薬を投与する

- ➡支持的に接し，不安や恐怖の気持ちを受け止める 根拠 精神的な緊張や不安は呼吸困難を増大させるため，その緩和が必要である
- ➡ギャッチベッドの角度や枕などを利用し安楽な体位を工夫する 根拠 効果的な呼吸の体位を整え，換気量を増やす
- ➡ 根拠 精神的な爽快感や安心感につながる
- ➡適切な温度，湿度の設定，使いやすい物品配置
- ➡首や肩を中心に全身の筋肉をほぐす 根拠 疲労した呼吸筋や全身の筋肉をほぐし，タッチングは安心感を与える効果がある
- ➡ 根拠 疲労があまりにも蓄積する場合には考慮される

EP 患者教育項目
- ●日中は呼吸状態に応じた活動や休息を促し，夜間に入眠できるリズムを獲得するように指導する

- ➡ 根拠 夜間目覚めていることは，不安を増強させる原因にもなる

5 看護問題 / 看護診断 / 看護目標（看護成果）

看護問題	看護診断	看護目標（看護成果）
#5 呼吸困難により日常生活動作に支障をきたしている	**活動耐性低下** **関連因子**：酸素の供給／需要の不均衡，筋肉量の不足，筋力の低下，栄養不良	〈**長期目標**〉呼吸困難が生じることなく活動量が増す 〈**短期目標**〉1) 効果的な呼吸法が実施できる．2) 身体状況に応じて，活動範囲をコン

第4章　呼吸器系

診断指標
□労作時不快感
□労作時呼吸困難
□倦怠感を示す
□全身の脱力

トロールできる

看護計画	介入のポイントと根拠
OP 経過観察項目 ●呼吸困難の程度と抑制される生活レベルの把握（ヒュー=ジョーンズの分類） ●倦怠感や疲労感 ●安静時，労作時の呼吸数，脈拍，血圧 ●動脈血ガス分析データ ●パルスオキシメーターの値の観察 ●栄養状態(総蛋白，アルブミン，体重減少，BMI) ●活動への不安や心配の訴え ●睡眠時間や休息状況 ●排便の状態	●自覚的な呼吸状態の把握　**根拠**　どの程度の活動が可能なのかを知る目安となる ●**根拠**　安静時の状態を把握し，活動時の変化と比較する ●動脈血酸素飽和度，酸素分圧の確認　**根拠**　客観的指標として血液中の酸素，炭酸ガス濃度を把握する ●栄養状態の把握　**根拠**　栄養状態が悪くなると，呼吸筋が減少する ●**根拠**　呼吸困難の悪化への不安が強いと活動が制限される　**高齢者**　拘束感や不安からせん妄が出現する可能性がある ●**根拠**　疲労回復の状況を判断する ●**根拠**　動かないことにより便秘がちとなり，食事摂取への意欲が低下する
TP 看護治療項目 ●必要な日常生活の援助を行う ●栄養状態改善への援助を行う ●排便をコントロールする ●呼吸状態をみながら徐々に活動の範囲を広げていく ●感染症を予防する	●**根拠**　急性期は酸素消費量を減らすために，生活行動の大部分を援助する必要がある ●呼吸困難，食欲不振により食事摂取量が低下するので摂取しやすい工夫が必要　**根拠**　栄養状態が悪化すると呼吸筋のみならず全身の筋肉が減少する ●**根拠**　便秘は横隔膜を挙上し，呼吸運動を抑制する．排便時の努責は酸素消費量を増し，呼吸を促進させる．便秘は食欲不振にもつながる ●急激な負荷とならないように徐々に生活行動を拡大していく　**根拠**　急激な運動負荷により酸素消費量が増え，再び呼吸困難を経験することで，活動に対し恐れを抱いてしまう　**高齢者**　環境への不適応から活動許容範囲より動いてしまう可能性があり，注意を要する ●**根拠**　感染により酸素消費量が増え，呼吸困難に陥り，活動の拡大が妨げられる
EP 患者教育項目 ●意識的に口すぼめ呼吸，腹式呼吸を行うよう指導する ●エネルギーを温存する方法について指導する	●**根拠**　腹式呼吸は横隔膜と腹筋を用いて，ゆっくりと大きな呼吸をするので，疲労を軽減する効果がある．口すぼめ呼吸は，胸腔内圧と口腔内圧の差が減少し，気流がスムーズとなり，1回換気量を増加させる ●**根拠**　1日の活動と休息の配分について考え，エネルギーを回復させ，かつ消耗を防ぐ

516

| STEP ① アセスメント | STEP ② 看護課題の明確化 | STEP ③ 計画 | STEP ④ 実施 | STEP ⑤ 評価 |

病期・病態・重症度に応じたケアのポイント

【急性期】 呼吸困難の原因は様々である．しかし命に直結する病態が多く，緊急に対処すべきか否かを的確に判断し，適切な治療が行われることが重要である．緊急時の対処として，気道確保や気管挿管，人工呼吸器装着，薬物投与などが必要となる場合は，意識がある場合も多いため，不安の軽減に努めながら援助を行う．緊急を要しない場合には，安楽な体位の工夫や気道の清浄化などの呼吸を楽にする援助，活動が制限されることにより障害される生活の援助を行う．

【回復期】 呼吸状態の改善に伴い，徐々に腹式呼吸の練習，呼吸筋のストレッチなどを指導する．また呼吸状態をみながら日常生活動作を拡大していく必要がある．この時期には自宅に帰ることを視野に入れ，患者自身による観察や感染予防のケアが行えるよう指導を行う必要がある．

看護活動（看護介入）のポイント

診察・治療の介助
- 呼吸の状態や随伴症状から，原因を把握する．
- 緊急時は気管挿管，酸素投与，人工呼吸器の準備をただちに行う．
- 指示された輸液，薬剤を正確に投与する．

呼吸困難に対する援助
- 酸素消費量を最小限にし，心身の安静を図る．
- 安楽な体位を工夫する．
- 室温，湿度，空気の清浄化など，環境の調整を行う．
- 栄養，排泄，清潔の援助など，日常生活の援助を行う．
- 状態の安定とともに肺理学療法の援助を開始する．

精神的な安定への援助
- 持続する呼吸困難は死を想起させ，大きな恐怖や不安となるため，その緩和を行う．
- 恐怖や不安，活動性の低下は睡眠障害へとつながる．身体的・精神的ともに安楽に過ごせるように援助する．

退院指導・療養指導

- 肺理学療法の手技が継続できるように援助を行う．
- 呼吸器のみならず感染症予防の意義とその方法について説明する．

| STEP ① アセスメント | STEP ② 看護課題の明確化 | STEP ③ 計画 | STEP ④ 実施 | STEP ⑤ 評価 |

評価のポイント

看護目標に対する達成度
- 息苦しさが軽減しているか．
- 適正な酸素供給が保たれているか．
- 心理的・身体的に安楽が増大したことを表現できているか．
- 良質な睡眠が確保できているか．
- 感染のリスクが回避できているか．
- 可能な範囲内で生活が拡大されているか．

30
呼吸困難

517

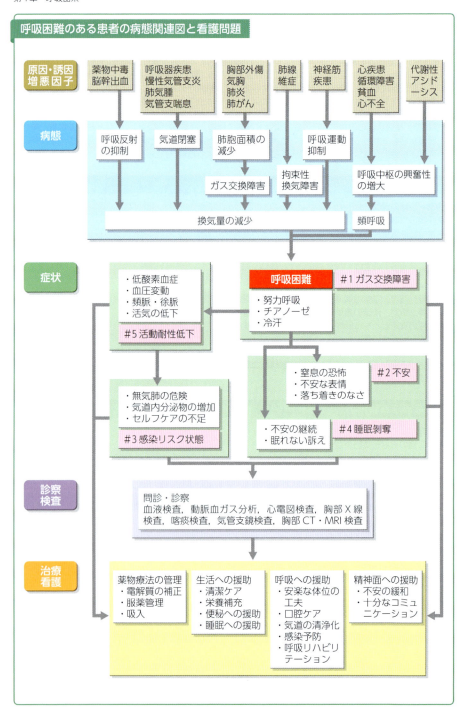

31 喘鳴

夏目 一郎

目でみる症状

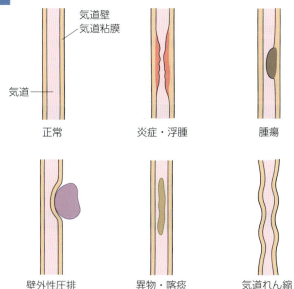

■図 31-1 気道狭窄の類型

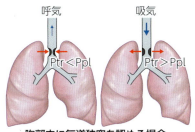

胸郭内に気道狭窄を認める場合
通常，呼気時に胸腔内圧 (Ppl) が気管内圧 (Ptr) より高くなる．そのため，呼気時に気道狭窄が悪化する

胸郭外 (上部) に気道狭窄を認める場合
吸気時に気管内圧 (Ptr) が大気圧 (Patm) より低くなる．そのため，吸気時に気道狭窄が悪化する

Ppl : pleural pressure，胸腔内圧
Ptr : tracheal pressure，気管内圧
Patm : atmospheric pressure，大気圧

■図 31-2 呼気時，または吸気時で喘鳴が増強する仕組み
Kryger M, Bode F, Antic R, et al : Diagnosis of obstruction of the upper and central airways. Am J Med 1976 ; 61 : 85 を参考に作成

第4章　呼吸器系

病態生理

喘鳴とは呼吸に伴って聴こえる「ゼーゼー」「ヒューヒュー」といった音と定義される．英語圏では主に呼気時に聴取される wheeze, rhonchi と，吸気時に聴取される stridor に分かれる（喘鳴という日本語表記と完全に一致する英語表記はなく，すべて喘鳴と訳されている．学習に注意が必要である）．

- 気道（喉頭〜気管〜気管支〜末梢肺までの空気の通り道）が何らかの原因で狭窄・閉塞し，呼気または吸気が狭窄した気道を通過するときに空気の流れが乱れ，気道を構成する壁が共鳴・振動することで，音が発生する．
- 気道の狭窄の主な類型を図 31-1 に示す．
- 音の高低（ピッチ）は気道を構成する壁の質量，弾性，および空気の流速で変化する．
- 音の大きさは気道閉塞の程度の指標にはならない．気道が完全閉塞した場合，音は聴取できなくなる．
- wheeze, rhonchi と stridor について，表 31-1 に示す．
- 呼気時および吸気時に音量が増大する仕組みを図 31-2 に示す．

患者の訴え方

呼吸困難が多い．しかし重篤になると発語ができない．

- 呼吸困難（軽症の場合，労作時のみの場合もある）：「息苦しい」「息ができない」
- 喘鳴についての訴え：「ゼーゼーしている」「ヒューヒューする」
- 原因・疾患によって，様々な症状を伴う．
- 嗄声，咽喉頭の違和感，嚥下困難，咳嗽，喀痰，血痰，発熱，チアノーゼ，ショックなど．

診断

診断の鑑別が重要だが，気道確保が必要かどうか，緊急性の有無を判断することも重要である．

- **原因・考えられる疾患**
- 気道狭窄部位，経過での鑑別疾患を表 31-2, 3 に示す．
- **鑑別診断のポイント**
- wheeze, rhonchi と stridor を鑑別する．stridor の方が緊急で，重篤な疾患であることが多い．
- 既往や他の症状を参考にする．
- 正確な診断には，呼吸機能検査や CT などの画像検査を要する．

治療法・対症療法

原因・疾患により治療は異なる．窒息の恐れがある場合，原因や疾患が不明であっても気道確保，呼吸状態の安定化を最優先する必要がある．緊急性が乏しければ診断確定後，それに応じた治療を行う．

- **治療方針**
- 気道確保
  - ・まず，周囲のスタッフを集め，酸素投与，静脈路確保を速やかに行う．
  - ・気管内挿管，輪状甲状靱帯穿刺，気管切開などがある．
  - ・気道確保をしても呼吸状態が安定しない場合は，人工呼吸器装着，ECMO（体外式膜型人工肺）を導入する．
- 異物除去，喀痰吸引
- 薬物療法
  - ・アドレナリン，副腎皮質ステロイド，抗菌薬などが用いられる．
  - ・処方例は下記に示す（特に記載のない場合は，成人量）
- 外科手術，がん薬物療法，放射線治療，緩和療法
  悪性腫瘍が原因だった場合に検討される．
- **薬物療法**
- **Px 処方例** 喉頭浮腫，アナフィラキシーに対して下記を併用する
- ボスミン注（1 mg/アンプル）　0.5 mg　筋注　←カテコールアミン系薬剤
  もしくは，エピペン（2 mg/バイアル）　0.3 mg　筋注

520

治療抵抗性を示す場合，5〜15分毎に繰り返し投与する
- ポララミン（5 mg/アンプル） 5 mg 点滴静注 ← H₁抗ヒスタミン薬
- ソル・メドロール（125 mg/アンプル） 125 mg 点滴静注 ←副腎皮質ステロイド製剤
  もしくは，デカドロン（3.3 mg/アンプル） 6.6 mg 点滴静注
- メプチン吸入液（0.3 ml/ユニット） 0.3 ml 吸入 ←β₂-アドレナリン受容体刺激薬

Px 処方例 感染症，膿瘍を疑う場合
- ユナシンS（3 g/アンプル） 3 g 6時間毎 点滴静注 ←ペニシリン系抗菌薬

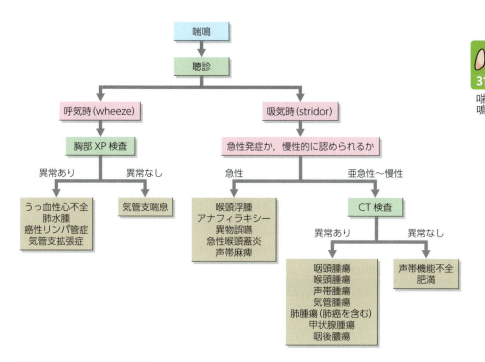

■図31-3 喘鳴の診断の進め方

■表31-1 喘鳴の分類

	wheeze, rhonchi	stridor
特徴	主に呼気時に聴取される	主に吸気時に聴取される
	聴取に聴診器を必要とすることがある wheezeは高調音 rhonchiは低調音	音量は大きく，診察時に確認できる
気道狭窄部位	主に末梢気道であるが，中枢気道の場合もある（胸郭内の気管〜末梢気管支）	中枢気道（喉頭，気管）
代表的な疾患	気管支喘息 慢性閉塞性肺疾患（COPD） うっ血性心不全 アナフィラキシー	喉頭浮腫 アナフィラキシー 急性喉頭蓋炎 上気道腫瘍 声帯機能不全，声帯麻痺

第4章　呼吸器系

■表31-2　気道狭窄部位別での喘鳴の原因または考えられる疾患

喉頭	気管・主気管支	末梢気管支
・喉頭浮腫 　アナフィラキシー 　抜管後合併症 ・声帯機能不全，声帯麻痺 ・声帯浮腫，声帯血腫 ・喉頭気嚢胞 ・急性喉頭蓋炎 ・咽後膿瘍 ・咽頭腫瘍，喉頭腫瘍 ・扁桃腫大 ・喉頭異物 ・肥満	・異物誤嚥 ・気管腫瘍 ・肺腫瘍（肺癌を含む） ・甲状腺腫瘍 ・気管支結核 ・再発性多発軟骨炎 ・気管軟化症 ・気管瘢痕狭窄 ・胸部大動脈瘤	・気管支喘息 ・慢性閉塞性肺疾患（COPD） ・うっ血性心不全 ・肺水腫 ・癌性リンパ管症 ・気管支炎 ・気管支拡張症

■表31-3　経過別での喘鳴の原因または考えられる代表的な疾患

急性	亜急性～慢性
・喉頭浮腫 　アナフィラキシー 　抜管後合併症 ・急性喉頭蓋炎 ・声帯麻痺・声帯浮腫・声帯血腫 ・異物誤嚥 ・気管支喘息 ・うっ血性心不全 ・肺水腫	・腫瘍性疾患 　喉頭腫瘍，咽頭腫瘍，気管腫瘍，肺腫瘍 ・扁桃腫大 ・気管軟化症 ・肥満

■表31-4　喘鳴の主な治療薬

分類	一般名	主な商品名	薬の効くメカニズム	主な副作用
カテコールアミン系薬剤	アドレナリン	ボスミン エピペン	血管収縮作用，血圧上昇効果，気道浮腫軽減効果，心拍数増加，心拍出量増加，気管支拡張作用	頻脈，不整脈，血圧異常上昇，呼吸困難，心停止
H_1抗ヒスタミン薬	クロルフェニラミンマレイン酸塩	ポララミン	抗ヒスタミン作用でアレルギー反応を抑制	傾眠，呼吸抑制
副腎皮質ステロイド製剤	メチルプレドニゾロンコハク酸エステルナトリウム	ソル・メドロール	抗炎症作用	血糖上昇，消化管潰瘍，うつ症状，易感染性
	デキサメタゾンリン酸エステルナトリウム	デカドロン		
β_2-アドレナリン受容体刺激薬	プロカテロール塩酸塩水和物	メプチン吸入液	気管支拡張作用	振戦，頻脈
ペニシリン系抗菌薬	（合剤）アンピシリンナトリウム・スルバクタムナトリウム	ユナシンS	細菌細胞壁の合成阻害による殺菌効果	アレルギー反応，発疹

●参考文献
1) Kryger M, Bode F, Antic R, et al. Diagnosis of obstruction of the upper and central airways. Am J Med 1976；61：85-93.(2023 Up to date)
2) V.C.Broaddus, J.D.Ernst, T.E.King Jr., et al.：Murray & Nadel's Textbook of Respiratory Medicine, 7th Edition. ELSEVIER, 2022
3) 日本アレルギー学会監：アナフィラキシーガイドライン 2022. 日本アレルギー学会，2022

喘鳴のある患者の看護

立野 淳子

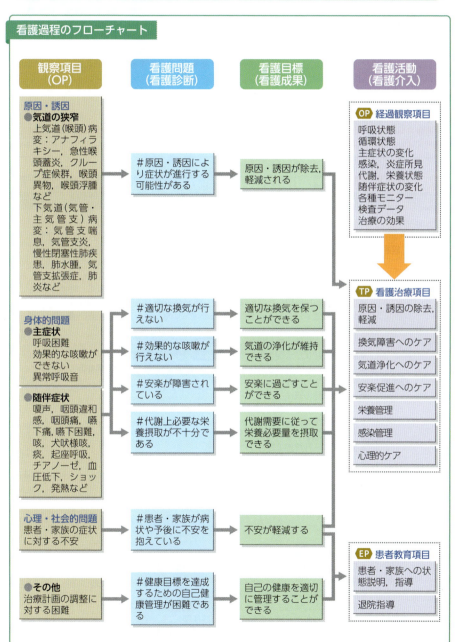

第 4 章　呼吸器系

基本的な考え方

- 喘鳴(ぜんめい)の原因は呼吸器疾患のほか，循環器疾患や耳鼻科疾患など多岐にわたる．急性に呼吸不全に至る場合もあるため速やかに原因を特定し，治療を開始する必要がある．
- 緊急性の高い原因に，急性喉頭蓋炎，クループ症候群，喉頭・気管支異物，扁桃周囲膿瘍，肺水腫，気管支喘息発作がある．
- 気管支喘息では，可逆性の気道狭窄により気流が制限されており，呼出障害を認める．呼吸介助法や薬物療法，酸素療法などにより換気を適切に保つための援助が必要となる．
- 気管支喘息の既往をもつ高齢者が COPD(慢性閉塞性肺疾患)を合併すると，病状の複雑化や症状の悪化を招く．
- β_2 刺激薬の吸入によって喘鳴が改善しない場合には，循環器疾患や耳鼻科系疾患を考慮する必要がある．
- 小児や高齢者の場合には，異物の誤嚥による気道狭窄を念頭におく．

緊急 換気障害が高度になると生命に関わるため，ただちに適切な治療を開始する必要がある．上気道病変により気管挿管が困難な場合には，緊急気管切開術の適応となる．

STEP① アセスメント ▶ **STEP② 看護課題の明確化** ▶ **STEP③ 計画** ▶ **STEP④ 実施** ▶ **STEP⑤ 評価**

情報収集	アセスメントの視点と根拠・起こりうる看護問題
病歴の把握	患者・家族から症状出現の経過，症状の変化を聞くことは，原因・誘因の特定や全身状態の把握につながり，治療や看護ケアにも重要な情報を得ることができる．
経過	● いつから，どのくらい続いているか． ● 急性に増悪したか． ● 症状に日内変動はあるか ●気管支喘息発作は，深夜や早朝に起こりやすい．
誘因	● 症状出現前に摂取したものはないか　**原因・誘因** アレルギー反応，異物の誤嚥 ● 症状出現前に服用した薬剤はないか　**原因・誘因** 薬剤による喉頭浮腫 ● たばこの煙やほこりなどを吸引する環境にいなかったか　**原因・誘因** アレルギー反応 ● ペットとの接触はあったか　**原因・誘因** アレルギー反応 ● 運動後に症状が出現するか　**原因・誘因** 運動誘発喘息 ● 症状に先行して感冒症状はなかったか　**原因・誘因** 慢性呼吸器疾患の急性増悪
既往歴	● 呼吸器疾患の既往 ● 循環器疾患の既往 ● けいれん性疾患の既往 ●薬剤投与に際し考慮する必要がある． ● 耳鼻科疾患の既往 ● 先天性気道狭窄の有無 ● アレルギー性疾患の既往 ● 以前にも同様の症状はなかったか．
服薬歴 随伴症状	● 常用薬の服用状況 ●ステロイド薬の服用は気管支喘息の重症度判定に有用である． ● 咳嗽や喀痰はないか． ● 呼吸困難はないか． ● 発熱はないか． ● 胸痛はないか．
生活歴，嗜好品	● 睡眠状態 ● 食欲，食事摂取量 ● 精神状態　**小児** 機嫌が悪い，興奮している，活気がないなど，いつもと違う様子はないか． ● 喫煙歴 ●呼吸器疾患や循環器疾患との関連が高い． ● 保育園などで集団生活を送っているか　**小児** ウイルス感染症
家族歴	● 家族のアレルギー歴，呼吸器疾患の既往歴 🔍**起こりうる看護問題：適切な換気が行えない／安楽が障害されている**

主要症状の出現状況，程度，性状の把握	▌ 症状の出現状況を把握することで，原因疾患の特定につながる情報を得る.
発症機序	● 急性か慢性か　　緊急　急性に呼吸不全に陥る可能性がある.
	● 反復性か　　原因・誘因　気管支喘息発作，慢性閉塞性肺疾患の急性増悪
	● 季節性か　　原因・誘因　気管支喘息発作，ウイルス感染症
症状の変化	● 日内変動の有無
	● 吸入療法による症状の改善の有無
	● 労作や体位による悪化はないか　　原因・誘因　呼吸器疾患，うっ血性心不全
	● 運動による悪化はないか　　原因・誘因　運動誘発喘息
性状	● 吸気時か，呼気時か，吸気時と呼気時の混合型か.
	・吸気時喘鳴 (stridor)　　原因・誘因　上気道病変
	・呼気時喘鳴 (wheeze, rhonchus)　　原因・誘因　下気道病変
	小児　気道が全体に狭小であり，上気道および下気道の両相で喘鳴を聴取することもある.
頻度	● 間欠性か持続性か　➡重症度判定の指標となる.

喘鳴への緊急対応

- 意識レベル，バイタルサインを確認し，呼吸停止またはそれに近い病態であれば速やかに心肺蘇生術を開始する.
- 気道狭窄が高度な場合には気管挿管を行う. 困難な場合には緊急気管切開術が必要となるため迅速に対応する.
- 呼出障害を認める場合には，ゆっくりと腹式呼吸をするように促す. 呼気に合わせて用手的呼気介助法を実施することにより呼吸困難の緩和に努める.
- アナフィラキシーショックの場合には，アドレナリンやステロイド薬，抗ヒスタミン薬などが投与されるため，投与量，方法，回数を医師に確認のうえ適正に実施する. 大量輸液が必要になるため，速やかに静脈路を確保する.
- 気管内異物が疑われる場合には，ハイムリック法や背部叩打法により異物の除去を試みる.
- 呼吸，循環動態の安定化を図ると同時に，原因検索を行い，適切な治療が速やかに開始できるように検査や診察の準備，介助を行う.

全身状態，随伴症状の把握	▌ 症状の経過の把握とともに，全身状態，随伴症状を観察し，治療，看護計画の立案に有効に反映する.
バイタルサイン	● 体温　➡感染症を鑑別する.
	● 脈拍　　小児　頻脈は緊急性の指標となる.
意識レベル	● 意識レベル　➡病状の進行により昏睡状態を呈する場合もある.
呼吸状態	● 呼吸数
	● 呼吸困難の程度　　小児　自覚的に訴えることができないため他覚的に判断する.
	● 呼吸様式　➡努力呼吸 (呼吸補助筋を使用した呼吸) の有無，程度により重症度を評価する.
	● 呼気延長の有無　➡呼出障害の程度を評価する.
	● 呼吸の深さ，リズム
	● 喉頭浮腫の有無，程度　　緊急　気道確保のための緊急処置が必要となる.
循環状態	● 心雑音，心音
	● 胸部症状の有無
随伴症状	● チアノーゼの有無，程度　➡低酸素血症を評価する.
	● 咳嗽の有無，程度
	● 喀痰の性状，量，程度
	● 症状の持続時間
症状の経過	● 気管支拡張薬の吸入や点滴後の症状の変化

31

喘鳴

525

第4章　呼吸器系

モニタリング，検査	●パルスオキシメーター　●低酸素血症を評価する． ●心電図，心エコー　●循環器疾患を鑑別する． ●胸部X線所見　●呼吸器疾患を鑑別する． ●動脈血ガス分析　●換気障害の程度を評価する，電解質異常の有無を評価する． ●スパイロメトリー　●換気障害の有無を評価する． ●ピークフローメーター　●ベースラインからの変化により重症度を評価する． ●血清IgE値　●アレルギー反応を鑑別する． ●血液，喀痰，鼻汁検査　●アレルギー反応，感染症を鑑別する，代謝亢進を評価する． 🔍 **起こりうる看護問題：適切な換気が行えない／効果的な咳嗽が行えない／安楽が障害されている／代謝上必要な栄養摂取が不十分である／健康目標を達成するための治療計画を調整することが困難である**
患者・家族の心理・社会的側面の把握	症状の出現による心理的・社会的変化（不安や役割変化など）は，療養生活の質に影響するため重要である． ●患者や家族の病状や予後についての理解度，不安の有無と程度 ●認知レベル，年齢など　●治療計画の自己管理能力を評価する． ●社会的役割 ●治療計画に対する患者や家族の意向　●治療計画の意向を医療チームと共有する． 🔍 **起こりうる看護問題：健康目標を達成するための治療計画を調整することが困難である／患者・家族が症状や予後に不安を抱えている／家族が療養生活を支援する過程で，身体的，情動的，社会的，経済的負担をきたす恐れがある**

STEP ❶ アセスメント　STEP ❷ 看護課題の明確化　STEP ❸ 計画　STEP ❹ 実施　STEP ❺ 評価

看護問題リスト

#1　適切な換気が行えない（活動-運動パターン）
#2　効果的な咳嗽が行えない（活動-運動パターン）
#3　安楽が障害されている（認知-知覚パターン）
#4　代謝上必要な栄養摂取が不十分である（栄養-代謝パターン）
#5　患者・家族が病状や予後に不安を抱えている（自己知覚パターン）
#6　健康目標を達成するための自己健康管理が困難である（健康知覚-健康管理パターン）

看護問題の優先度の指針

●本症状は気道狭窄を示す所見であり，生命に関わる緊急性の高い問題である．急性期には気道の確保に努めるとともに，症状軽減のための治療やケアを最優先する必要がある．病因は多岐にわたるため，詳しい問診を心がけ，症状の性質や随伴症状を総合的にアセスメントする．患者からの問診ができない場合には家族から情報収集を行う．
●呼出障害による呼吸困難は死の恐怖を抱かせる．酸素療法や呼吸介助，薬物療法などにより呼吸困難の軽減を優先させる．セルフケア能力も低下するため，適切な援助が必要である．
●気道狭窄，有効な咳嗽が行えないことによる過剰で粘稠（ねんちゅう）な分泌物の貯留は，呼吸困難を悪化させ，窒息の危険を招くため，気道の浄化のための適切な看護介入を必要とする．
●生体に侵襲が加わることにより代謝が亢進する．呼吸困難などによりエネルギー需要に見合う栄養摂取が困難となるため，栄養管理に努めることが大切である．
●慢性期には，療養生活における継続治療や感染予防，急性増悪の予防に関する教育的介入が必要になる．長期的な療養生活となるため，患者だけではなく，支援する家族へも心身ともに安定した日常生活が送れるように支援することが大切である．患者や家族の不安にも並行して介入する．

| STEP ❶ アセスメント | STEP ❷ 看護課題の明確化 | STEP ❸ 計画 | STEP ❹ 実施 | STEP ❺ 評価 |

1 看護問題

看護問題	看護診断	看護目標(看護成果)
#1 適切な換気が行えない	**非効果的呼吸パターン** **関連因子**：肺拡張を妨げる体位，身体運動(肉体的労作)の増加 **関連する状態**：気道抵抗の増加 **診断指標** □腹部の奇異呼吸パターン □呼気相の延長 □呼気圧低下 □1回換気量の変化 □頻(多)呼吸 □補助呼吸筋の使用 □口すぼめ呼吸 □分時換気量減少 □起坐呼吸 □鼻孔が開く □徐呼吸	〈長期目標〉適切な換気を保つことができる 〈短期目標〉1)呼吸数が正常範囲内に改善する．2)呼吸のリズム，深さ，様式が正常になる．3)呼吸困難が改善する

31
喘鳴

看護計画	介入のポイントと根拠
OP 経過観察項目 ●意識レベル ●バイタルサイン ●呼吸の深さとリズム，呼吸様式 ●起坐呼吸の有無 ●吸気相と呼気相の比率 ●喘鳴のタイプ ●呼吸困難の有無，程度 ●咳嗽，喀痰の状況 ●表情，顔貌 ●随伴症状の有無，程度	➡会話が途切れずにできるかどうかが重症度判定の指標となる ➡呼吸回数，発熱，頻脈に注意して観察する ➡努力呼吸(呼吸補助筋を使用した呼吸)に注意して観察する ➡気管支喘息の大発作時には，呼気相が吸気相の2倍以上に延長しており，呼出障害を示す **根拠** 吸気時喘鳴か呼気時喘鳴かにより病変を推測できる．吸気時では上気道病変が，呼気時では下気道病変が考えられる ➡上気道閉塞が考えられる場合には，急激に病状が進行し，致死的となりやすいため迅速な対応が必要となる．気管挿管が困難な場合もあることを念頭において対応する ➡気管支喘息では呼気時が主体であるが，病状が進行すると吸気時も出現することがある ➡ヒュー=ジョーンズの分類は呼吸困難の程度をアセスメントできる(「30．呼吸困難」参照) **小児** 呼吸困難を訴えることができないため，他覚的に判断する ➡咳嗽の性状を観察する **根拠** **小児** 仮性クループでは，犬吠(けんばい)様咳嗽が特徴的な所見である ➡喀痰の性状を観察する **根拠** 性状から感染症やうっ血性心不全などを推定することができる ➡苦悶表情や口をすぼめて呼吸している様子から，呼吸困難を他覚的に捉える ➡呼吸困難や咳嗽を伴うことが多い．胸部症状を

527

第4章　呼吸器系

	伴う場合は，虚血性心疾患などの循環器疾患が背景にあることも考えられる．皮疹を認める場合は，食物依存性アナフィラキシーが考えられる
●喉頭浮腫の有無	○嗄声(させい)を伴うことも多い
●血液ガス分析	○ガス交換の状態を評価する指標となる ○気管支喘息発作や肺水腫などによる二酸化炭素の排泄障害では呼吸性アシドーシスを認める．二酸化炭素蓄積により過換気の状態にある場合には，動脈血炭酸ガス分圧($PaCO_2$)は逆に低下し呼吸性アルカローシスとなる場合もある
●心音，心雑音	○ 根拠 循環器疾患の評価に有用である
●パルスオキシメーター	○ 根拠 呼吸器疾患の評価に有用である
●胸部X線検査	
●心電図検査，心エコー検査	○ 根拠 循環器疾患の評価に有用である
●換気機能検査	○ 根拠 スパイロメトリーにより換気障害の種類を判別する．ピークフローメーターで，より簡易的にピークフロー(最大呼気流量)を測定できる ○気管支喘息発作時には，ピークフローは個別のベースラインよりも低下する
●血液検査	○免疫グロブリン検査では，血清IgE値を評価する　根拠 IgEは即時型アレルギー反応に関与しているといわれ，気管支喘息では高値を示す ○好酸球増加の有無を評価する．アレルギー性炎症で高値を示す
●喀痰，鼻汁検査	○喀痰または鼻汁中のウイルス，好酸球をチェックすることより炎症，感染の状態を評価する 小児 喘鳴をきたす疾患に多く認められるRSウイルスは，鼻汁中のウイルスを確認することで確定診断される

TP 看護治療項目

●医師の指示に従い，酸素投与を行う	○呼出障害がある場合には，$PaCO_2$を経時的にモニタリングする　根拠 CO_2ナルコーシスの危険性がある
●安静を促す	○ 根拠 酸素需要量の減少，呼吸筋の仕事量の軽減を目的とする　小児 泣くと十分な吸気が得られないため，不要な刺激は極力避ける
●安楽な体位をとるよう援助する	○前傾姿勢の座位をとるように援助する　根拠 座位は横隔膜の運動を制限しない体位であり，呼気障害のある場合は，腹筋を使用して呼気を行うため前傾姿勢をとるほうが呼気が容易になる
●呼吸介助法を実施する	○呼気相に一致して胸郭を用手的に圧迫する　根拠 呼気量を増加させることにより，吸気量も増加する
●薬物療法を適切に管理する	○気管支拡張薬を投与する場合は，緑内障や前立腺肥大の既往がないか事前に確認しておく　根拠 眼圧を上昇させたり，排尿障害をきたすおそれがある ○気管支拡張薬を投与する際には頻脈や動悸の出現に注意する　小児 けいれん性疾患の既往がある場合には，アミノフィリン水和物の投与は原則禁忌である

●人工呼吸器や気管切開など緊急時の対応に備え準備する	⇒急激に呼吸不全に陥る場合もあることを念頭におき，速やかに処置できる環境を整えておく ⇒気道狭窄が高度な場合には，気管挿管を行う．困難な場合には緊急気管切開が必要になることもある
EP 患者教育項目 ●呼吸調整法（口すぼめ呼吸，腹式呼吸）を指導する	⇒ 根拠 口すぼめ呼吸は，息をゆっくり吐くので，肺胞を長く膨らませることができ，呼吸困難をコントロールできる．腹式呼吸は，浅くて速い非効果的な呼吸を止めることができる ⇒最初は，デモンストレーションしてみせたり，呼吸を介助したりしながら徐々に手技の習得を促す

31 喘鳴

2 看護問題	看護診断	看護目標（看護成果）
#2 効果的な咳嗽が行えない	**非効果的気道浄化** **関連因子**：過剰な粘液，貯留した分泌物，気道内の異物 **診断指標** □過剰な喀痰 □効果のない咳 □呼吸副雑音 □頻呼吸 □呼吸リズムの変化 □減弱した呼吸音	〈長期目標〉気道の浄化が維持できる 〈短期目標〉1) 効果的な咳嗽が行える．2) 異常な呼吸音がない

看護計画	介入のポイントと根拠
OP 経過観察項目 ●呼吸音 ●呼吸困難の有無，程度 ●呼吸数，リズム，深さ，様式 ●喀痰の性状，量 ●咳嗽の性状，回数 ●水分出納 ●胸部X線検査	⇒脱水傾向は喀痰の粘稠度を助長する
TP 看護治療項目 ●口腔ケアを行う	⇒ 根拠 口腔内分泌物の貯留は肺炎など感染症のリスクを高めるため，口腔内を清潔に保つことが望ましい
●適切な水分状態を維持する	⇒ 根拠 効果的な喀痰喀出を行うためには，適度な湿度が必要であり，脱水や気道内の乾燥を防ぐことが大切である．特に制限がない限り，できるだけ水分の経口摂取を促す．喀痰の粘稠度が高い場合には，超音波ネブライザーなどを使用することも有効である
●体位ドレナージを実施する	⇒聴診や胸部X線写真により痰の貯留部位を確認し，体位ドレナージを実施する 根拠 効果的に痰の移動を促すためには，痰の貯留部位により体位を選択する必要がある

第4章　呼吸器系

●排痰援助を行う	⮕スクイージング，軽打法，振動法などがある ⮕ 根拠 深くゆっくりとした呼吸や速い呼気を促すことで，分泌物を移動させる効果がある
●咳嗽援助を行う	⮕呼気のタイミングで正確に同調して胸郭へ圧迫を加えることにより，末梢から中枢気道に存在する痰の排泄が促される
●喀痰を吸引する	⮕気管内吸引は，聴診により主気管支への痰の貯留を確認した場合に実施する 根拠 主気管支に痰の貯留がない場合に行っても喀出できず，不要な苦痛を患者に強いることになる．末梢の細気管支に痰が貯留している場合には，体位ドレナージにより主気管支に痰を移動させるなどの援助が必要である
EP 患者教育項目	
●咳嗽による排痰法（ハッフィング）を指導する	⮕目的と方法をわかりやすく説明し，自立して実施できるように指導する 根拠 効果的な排痰法を習得することは，療養生活において，気道の浄化を維持するために重要である

3 看護問題／看護診断／看護目標（看護成果）

看護問題	看護診断	看護目標（看護成果）
#3　安楽が障害されている	**安楽障害** **関連する状態**：状況管理が不十分 **診断指標** □泣く □不安 □リラックスすることが困難 □心理的苦痛を示す □イライラした気分 □睡眠覚醒サイクルの変化	〈長期目標〉安楽に過ごすことができる 〈短期目標〉1) 疾患に関連する症状が改善する．2) 十分な睡眠時間と質を確保できる

看護計画／介入のポイントと根拠

看護計画	介入のポイントと根拠
OP 経過観察項目 ●呼吸困難の有無，程度 ●発熱の有無，程度 ●全身倦怠感や瘙痒など身体的な不快感の有無，程度 ●精神状態 ●睡眠状態 ●不快であるという訴えの有無，内容，程度 ●バイタルサインの変化 ●表情，顔貌 **TP** 看護治療項目 ●訴えを積極的に傾聴する ●呼吸困難を軽減する（「看護問題#1, 2」参照） ●安楽な体位をとるよう援助する ●薬剤の投与を適切に管理する	 ⮕ 小児 自覚的な訴えができないため，機嫌が悪い，興奮しているなどの他覚的な様子を捉える ⮕直接的な不快の訴えがない場合でも，血圧上昇や頻脈など生理学的指標からもアセスメントすることが大切である ⮕発熱に対しては解熱薬や抗菌薬，呼吸困難の改善にはβ₂刺激薬やアミノフィリン水和物など，不眠に対しては睡眠薬などが処方される．投与量

	や回数，副作用の出現などを適切に管理する
●冷罨法を実施する	⮑ 根拠 発熱時の頭部冷罨法は冷却効果が期待できないが，心地よさという精神的な効果は得られる
	⮑ 根拠 瘙痒は冷やすことで治まることも多い
●環境整備を行う	⮑照明や空調，騒音を調整し，心身がリラックスできる環境を整える
●気分転換を図る	⮑病状の経過をみながら，可能な範囲で気分転換が図れるように配慮する

EP 患者教育項目

●不快な症状の原因，対処方法について説明する	⮑原因や治療方法，ケアについて知ることで安心感を与えることができる
●苦痛を軽減するために患者自身がとれる方法を指導する	⮑生活歴や患者の意向を確認し，苦痛を軽減するためにできる方法をともに考え，必要に合わせて指導する

31
喘鳴

4 看護問題	**看護診断**	**看護目標（看護成果）**
#4 代謝上必要な栄養摂取が不十分である	栄養摂取バランス異常：必要量以下 **関連因子**：必要栄養量についての知識不足 **診断指標** □食物摂取量が1日あたりの推奨量以下 □体重が年齢・性別理想体重の範囲を下回る	〈**長期目標**〉代謝需要に応じた栄養必要量を摂取することができる 〈**短期目標**〉1) 代謝が正常化する．2) 身体の不快症状が改善する．3) 体重が理想体重に近づく

看護計画	**介入のポイントと根拠**
OP 経過観察項目 ●身長，体重（体重の増減） ●BMI（body mass index） ●食事摂取量，内容，回数 ●咀しゃく機能，嚥下機能 ●食欲 ●消化器症状（悪心・嘔吐，便秘・下痢）の有無 ●身体不快症状（呼吸困難，発熱，倦怠感，不眠）の有無，程度 ●心理状態 ●活動量 ●エネルギー必要量 ●嗜好品 ●血液データ（血清総蛋白，血清アルブミン，ヘモグロビン，BUN，クレアチニン，CRPなど）	⮑ 根拠 食習慣を把握することで，ライフスタイルに合った効果的な栄養指導に役立てる ⮑BUN（血中尿素窒素）の上昇は，蛋白異化の亢進を示す
TP 看護治療項目 ●身体不快症状を緩和する ●食事内容，量，回数を調整する	⮑呼吸困難は，疲労感を強め，食欲不振を増強させるため，改善できるように援助する（「看護問題#1」参照） ⮑嗜好品などを取り入れ，食欲増進を図るように

531

第4章　呼吸器系

●医師の指示により，経静脈栄養法または経腸栄養法を適切に管理する

EP 患者教育項目
●適切な栄養摂取の必要性を説明する
●経静脈栄養法や経腸栄養法について説明し理解を得る

努める
➡総エネルギー量を計算した後，代謝に合わせて蛋白質やビタミンなどの投与量を算出する
➡中心静脈ラインやチューブの固定，挿入位置確認，抜去予防に努める

5 看護問題	看護診断	看護目標（看護成果）
#5　患者・家族が病状や予後に不安を抱えている	**不安** **ハイリスク群**：状況的な危機状態にある人 **診断指標** □緊張を示す □注意力の変化 □呼吸パターンの変化 □血圧上昇 □心拍数増加 □不安定な気持ち □不眠	〈長期目標〉不安が軽減する 〈短期目標〉1) 病状が安定する．2) 不安な気持ちを表出できる．3) 病状や治療について理解できる．4) 不安に対して適切なコーピングがとれる

看護計画

OP 経過観察項目
●生理的指標（バイタルサイン，発汗など）
●情緒的指標（イライラしている，落ち着きがないなど）
●不安や心配の訴え
●認知的指標（混乱，放心状態など）
●病状に対する理解の程度
●認知障害の有無，程度
●ストレスに対する対処行動
●状態や治療に対する質問の有無，内容

TP 看護治療項目
●患者のそばに付き添い，訴えを傾聴する
●共感的理解を示す態度で接する
●睡眠に対する援助（睡眠薬の投与を検討する）
●呼吸困難などの苦痛を軽減する

●病状についての情報を提供する
●効果的なコーピング行動がとれるよう援助する
●リラクセーション法の実施（マッサージ，足浴など）
●面会時間を調整し，家族との時間を確保する
●治療や処置を行う場合は，十分に説明し，心配や質問がないか聞き，丁寧に答える

介入のポイントと根拠

➡非言語的表現を捉える　**根拠** **小児** **高齢者**
言語表現が十分ではない小児や活動性の低下している高齢者の場合には，言葉以外の訴えの表出を見逃さないよう注意する，また家族も言葉にならない不安を抱えていることがある

➡**根拠** これまでのストレスに対する対処方法や，現在のストレスに対する対処行動を知ることにより，効果的な支援の方法を見出す

➡**根拠** 支援的態度が不安の表出を促す
●患者のそばに静かに付き添う，背中をさするなどにより気持ちを受け止めていることを伝える
●不安の原因を除去する　**根拠** 原因を取り除くことにより，不安も消失する
●相手の表情を見ながら，わかりやすく説明する
根拠 治療や処置の前に説明することで，不要な心配を抱くことのないようにする

●可能な限り，遊びやレクリエーションを取り入れる **EP** 患者教育項目 ●症状，予後，治療方法，合併症について説明する ●不明点や心配事があれば質問するよう伝える	⮕気分転換を図る **根拠** **小児** 患児・家族の不安を軽減できる

31 喘鳴

6 看護問題	看護診断	看護目標（看護成果）
#6 健康目標を達成するための健康管理が困難である	**非効果的健康自主管理** **関連因子**：治療計画についての知識不足，ソーシャルサポートの不足 **診断指標** □疾病徴候の悪化 □危険因子を減らす行動がとれない □治療計画を日常生活に組み込めない	〈長期目標〉自己の健康を適切に管理することができる 〈短期目標〉1) 現在の病状を把握できる．2) 病状悪化の症状・徴候および予防方法を理解できる．3) 急性増悪時の対処方法を述べることができる

看護計画	介入のポイントと根拠
OP 経過観察項目 ●症状の経過，現在の状態，治療，合併症に関する理解の程度 ●自己管理能力の程度 ●喫煙歴 ●生活歴 ●職業，役割 ●療養生活に対する心理的問題（不安，意欲低下など） ●治療計画に対する患者の意向 ●ソーシャルサポートの状況 **TP** 看護治療項目 ●状態や予後，治療計画について説明する ●自己効力感を高められるように関わる ●利用可能な社会資源について情報を提供する	⮕理解の程度をアセスメントすることで，個別性のある指導計画を立案することができる ⮕患者がどの程度自己管理できるかについて，認知症の有無や理解力，年齢などを総合的にアセスメントし，自己管理能力に応じた指導計画を立案するとともに，家族への指導内容を検討する **根拠** 気管支喘息やCOPDなどは，慢性的な経過をたどる疾患であり，治療や合併症の予防などにおいて，長期的な管理が必要となる ⮕ **根拠** 喫煙は呼吸器疾患との関連が深く，喫煙者には禁煙指導が必要である ⮕入院前の生活パターンを把握することで，治療計画をどのように日常生活に組み込んでいけばよいかを考えることができる ⮕社会や家族のなかでの役割を把握し，療養生活に支障をきたす要因がないかをアセスメントする ⮕心理的な問題は，療養生活の質を維持するために必要な患者の協力を阻害する要因となる ⮕治療計画に対する意向を医療チームで共有し，計画立案に反映させる ⮕家族構成などから療養生活をサポートできる資源を確認する ⮕ **根拠** 患者が「自分にもできる」という気持ちをもつことは，療養生活を送る上で大切であり，自己管理能力を高めることにつながる ⮕ **根拠** 呼吸器感染は，喘鳴の原因となるため，予防することが重要である

533

第4章 呼吸器系

EP 患者教育項目

- 呼吸器感染の予防の必要性と方法を指導する

  ⟹例：外出後は手洗いとうがいをする，人混みや風邪をひいている人には近づかない，医師と相談の上インフルエンザの予防接種を行う，風邪気味の時には早めに受診するなど

- 活動レベルを理解し，過度な活動は避けるように指導する

  ⟹ **根拠** 無理な活動による過負荷は，慢性の経過をたどる呼吸器疾患や心不全の原因となる

- 増悪の徴候について指導する
  - 軽度の喘鳴
  - 息切れ，労作時の呼吸困難感，倦怠感の増加
  - 喀痰量の増加，性状の変化
  - ピークフロー値の低下
  - 風邪症状（咽頭痛，体温上昇など）
  - 活動レベルの低下
  - 食欲低下
  - 不眠
  - 右心不全の徴候（急激な体重増加，浮腫など）

  ⟹ **根拠** 症状の急性増悪の早期発見，早期対処は，病状の回復や予後に影響するため重要であることを理解しておく必要がある

  ⟹急性増悪の徴候を認めた場合の対処方法や受診方法についても併せて指導する

- セルフチェック方法を指導する

  ⟹状態を把握するための項目（体重，浮腫，食事摂取量など）を具体的に挙げる．ピークフローメーターによるピークフロー値の測定は，簡便に呼吸状態を把握できる指標となる **根拠** 日頃の状態を自身でチェックすることは，急性増悪の徴候の早期発見につながる．また，自身の現状を理解することは，療養生活を送るうえで大切である

  ⟹ **小児** ピークフロー値の測定が困難な場合は，喘息発作の回数，程度を記録するように指導する **根拠** 発作の頻度や程度から重症度を判定できる

STEP ❶ アセスメント STEP ❷ 看護課題の明確化 STEP ❸ 計画 **STEP ❹ 実施** STEP ❺ 評価

病期・病態・重症度に応じたケアのポイント

【急性期】呼吸停止やそれに近い状態の場合は，速やかに心肺蘇生法を実施し，呼吸・循環の維持に努める．原因や誘因の除去，軽減のためのケア，換気障害へのケア，気道浄化へのケア，安楽の促進のためのケア，栄養管理，感染管理がケアの中心となる．急激な病状の変化により不安を抱えている患者や家族へのケアも同時に行う必要がある．

【回復期】全身状態の改善に伴い，徐々に活動レベルを上昇させていく．退院を見すえ，治療の継続や療養生活に必要な教育的介入を行う．患者自身が生活に治療計画を取り込めるように支援する．

看護活動（看護介入）のポイント

診察・治療の介助

- 発症直後には，心電図検査，胸部X線検査，心エコー検査，血液ガス分析などの検査が行われるため，必要物品の準備や介助，環境整備を行う．患者や家族には，医師からの説明後に，準備や所要時間などについて説明する．
- 循環動態，呼吸状態を定期的に観察し，患者の状態を把握する．異常時には，原因を検索するとともに，速やかに医師に報告する．

換気障害に対する援助

- 医師の指示に従い，酸素投与を開始する．高流量の酸素投与によるCO_2ナルコーシスに注意する．
- 安静を促し，安楽な姿勢がとれるように援助する．
- 必要に合わせて，呼吸介助や気管内吸引などを実施する．

534

- β_2 刺激薬やアミノフィリン水和物，アドレナリンなどを投与する場合は，副作用の出現に注意するとともに症状を厳重に管理する．
- 呼吸調整法について指導する．

気道の浄化に対する援助
- 体位ドレナージにより主気管支への痰の移動を促す．
- 安全で効果的な排痰援助を実施する．
- 口腔ケアを実施し分泌物の貯留を防ぐ．
- 水分出納を調整し，気道内の乾燥を防ぐ．
- 自己喀痰法を指導する．

安楽障害に対する援助
- 呼吸困難や発熱など不快症状の緩和を図るよう努める．
- 不快症状に対する薬物療法を適切に管理する．
- 環境整備や気分転換活動を計画し，心身がリラックスできるように援助する．

栄養管理
- 代謝の状態に合わせたエネルギー必要量を算出する．
- 医師の指示に従い，経静脈栄養法や経腸栄養法を適切に管理する．

心理・社会的問題への援助
- 病状について，患者や家族にわかりやすく説明し，不安の軽減に努める．
- 不安に対して適切なコーピングがとれるように援助する．
- 再発の予防法や，症状出現時の対処法について説明し，退院後の不安を軽減するように援助する．

退院指導・療養指導

- 病状や継続治療の必要性を説明する．
- 急性増悪の予防方法や悪化の徴候を指導する．
- 再受診のタイミングや方法を指導する．
- 治療計画を日常生活に組み込めるように，療養生活での問題点，不足点を改善できるように支援する．
- 療養生活をサポートする家族を含めた退院指導を実施する．

STEP ❶ アセスメント　STEP ❷ 看護課題の明確化　STEP ❸ 計画　STEP ❹ 実施　STEP ❺ 評価

評価のポイント

看護目標に対する達成度
- 喘鳴は消失しているか．
- 呼吸困難は改善しているか．
- 呼吸数は正常範囲内に改善しているか．
- 呼吸のリズム，深さ，パターンは正常か．
- 効果的な咳嗽は行えているか．
- 異常呼吸音は改善しているか．
- 疾患に関連する症状は改善しているか．
- 不快な感覚は改善しているか．
- 十分な睡眠がとれているか．
- 不安は軽減しているか．
- 不安に対して適切なコーピングができているか．
- 病状を理解できているか．
- 病状悪化の徴候および予防方法を理解できているか．

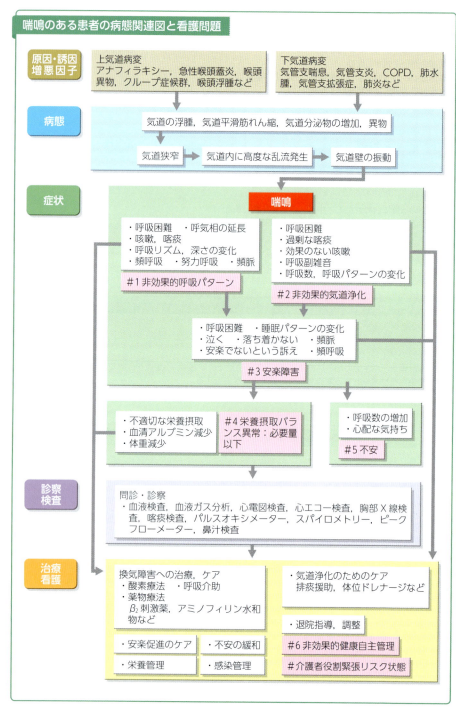

32 嗄声

大野 十央・角田 篤信

目でみる症状

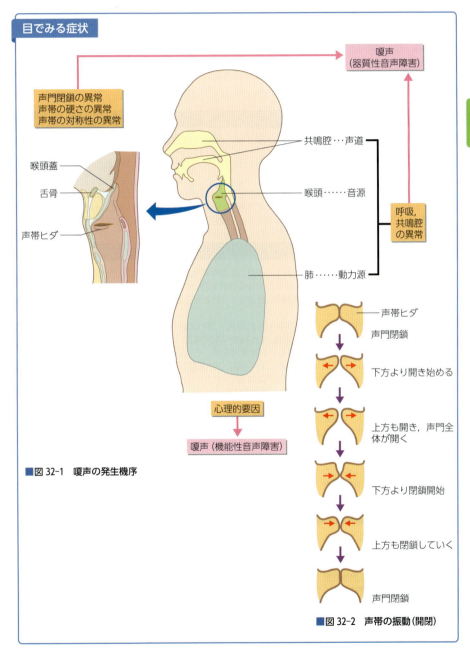

■図 32-1　嗄声の発生機序

■図 32-2　声帯の振動（開閉）

第4章　呼吸器系

病態生理

嗄声（させい）とは声の3要素（高さ，強さ，音質）のうち，音質の障害を意味するものであり，音声障害として最も高頻度に発生する．

- 音声を形成する3要素には肺（動力源），喉頭（音源），共鳴腔（声道）がある．肺によって呼気流が喉頭に向かって流れ，それにより声帯が振動，開閉することで原音を形成し，共鳴腔を越えて構音されることで声となる．
- 嗄声は，①声門閉鎖の異常，②声帯の硬さの異常，③声帯の対称性の異常，④呼吸・共鳴腔の異常，⑤心理的要因，などにより生じる．このうち，①〜④のように発声器官に異常を認めるものを器質性音声障害，⑤のように発声器官に器質的な異常がないにもかかわらず音声障害を認めるものを機能性音声障害と分類する．

患者の訴え方

音声の異常には患者は容易に自覚することができ，その多くは耳鼻咽喉科を受診する．
- **主症状の訴え**
- 「声が出ない」「出づらい」「かすれる」など．
- **随伴症状**
- 声量の低下，吸気性喘鳴，場合によっては呼吸困難などの緊急性のある症状を伴うこともある．
- 神経疾患に伴う嗄声の場合は，筋の萎縮や姿勢保持困難など全身症状が現れることが多い．
- 随伴症状が全身の多種にわたる愁訴である時には，機能性音声障害も鑑別に含める．

診断

嗄声の診断には詳細な問診が重要である．患者の職業や喫煙歴，基礎疾患，既往歴などを十分に聴取することで疾患の見当をつけていく．また特殊な機材を使わなくとも，聴覚心理的評価〔GRBAS（グルバス）尺度〕や最長発声持続時間（MPT）を測定することで，障害の程度を把握することが可能である．

- 聴覚心理的評価：G（grade）；嗄声の総合的な度合い，R（rough，粗糙（そぞう）性）；声帯ポリープ，ポリープ様声帯など，B（breathy，気息性）；反回神経麻痺など，A（asthenic，無力性）；機能性嗄声など，S（strained，努力性）；けいれん性発声障害など．これらについて，母音を自然な高さと大きさで発声してもらい，0（正常），1（軽度），2（中等度），3（高度）の4段階で観察する．嗄声を特に特徴づけるのはRとB．G3R4B3A0S1などと表記する．
- 最長発声持続時間：通常10秒以下は異常値とされる．
- **原因・考えられる疾患**
- 嗄声をきたす疾患は，代表的なものでも表32-1に挙げるように多岐にわたる．音声障害であるために喉頭の病変と決めつけ，全身疾患や緊急性の高い疾患を見逃さないように注意する．
- **鑑別診断のポイント**
- 症状から緊急性があるかどうか．
- 全身症状が随伴していないかどうかを注意深く観察する（表32-2）．
- 腫瘍性病変が原因ではないか．

治療法・対症療法

器質性音声障害では薬物療法，外科的治療，機能性音声障害では主に音声療法が行われる．呼吸困難などの緊急性を要する場合には気道確保を実施する．

- **治療方針**
- 呼吸困難のように緊急性を要する場合はまず気道確保を行う．
- 嗄声に対する治療法は大きく分けて，音声療法（声の衛生指導，音声訓練），薬物療法，外科的治療がある．音声療法ならびに薬物療法をまとめて"保存的治療"と呼ぶ．
- 音声障害は器質的病変の有無によって器質性音声障害と機能性音声障害に分類されるが，前者では薬物療法もしくは外科的治療，後者では音声療法が行われることが多い．

538

■ 表 32-1　嗄声の原因または考えられる疾患（赤字は緊急対応を要する疾患）

喉頭の器質的疾患	●声帯炎 ●声帯溝症 ●声帯結節 ●声帯ポリープ ●ポリープ様声帯（ラインケ浮腫） ●声帯嚢胞，声帯上皮過形成 ●喉頭乳頭腫 ●喉頭がん ●瘢痕化
反回神経麻痺	●損傷：気管挿管による喉頭麻痺，手術に伴う反回神経損傷 ●腫瘍：甲状腺がん，食道がん，肺がん，縦隔腫瘍 ●循環器疾患：胸部大動脈瘤
全身的要因	●神経筋疾患：先天性（延髄空洞症），変性疾患（パーキンソン病，脊髄小脳変性症，筋萎縮性側索硬化症など），末梢神経疾患（ギラン-バレー症候群），炎症性脱髄疾患（多発性硬化症），感染症（脳炎，髄膜脳炎など），血管障害（脳梗塞，小脳血管障害） ●消化器疾患：胃食道逆流症 ●内分泌疾患：類宦官（かんがん）症，副腎性器症候群，慢性甲状腺炎 ●感染症：喉頭梅毒，喉頭ジフテリア，喉頭結核
機能性	●機能亢進：けいれん性発声障害，仮声帯発声 ●機能低下：心因性失声症，音声衰弱

■ 表 32-2　嗄声の随伴症状と考えられる疾患（赤字は緊急対応を要する疾患とその随伴症状）

随伴症状	考えられる疾患
早老症状，特徴的顔貌	遺伝子疾患（ウェルナー症候群など）
生理不順，体毛増加	内分泌疾患（類宦官症，副腎性器症候群など）
粘液水腫，低体温	甲状腺疾患
頸部腫瘤	悪性腫瘍（甲状腺がん，喉頭がんなど）
胸背部痛，胸部苦悶	胸部大動脈瘤
嚥下障害，嚥下時痛	食道がんなど
振戦，筋萎縮・筋固縮，姿勢・歩行障害，嚥下障害	神経疾患
発熱，咳嗽，咽頭・喉頭痛	感染症
胸やけ，胃部不快	胃食道逆流症
その他（多種多様な随伴症状）	心因性疾患

●反回神経麻痺では腫瘍が原因と考えられる症例，手術における合併症などで確実に切断した症例以外は回復の可能性を考え，約6か月は保存的な治療を行う.
●**薬物療法**

Px 処方例 反回神経麻痺による嗄声　下記のいずれかを用いる.
●プレドニン錠（5 mg）　1回2錠　1日3回　朝昼夕食後　4日間　←副腎皮質ホルモン製剤
　　　　　　　　　　　　1回2錠　1日2回　朝夕食後　4日間　←副腎皮質ホルモン製剤
　　　　　　　　　　　　1回2錠　1日1回　朝食後　3日間　←副腎皮質ホルモン製剤
　　　　　　　　　　　　1回1錠　1日1回　朝食後　3日間　←副腎皮質ホルモン製剤
　　※以上のように漸減投与で14日間行う.
●アデホスコーワ顆粒 10%　1回100 mg　1日3回　朝昼夕食後　←脳循環代謝改善薬
●メチコバール錠（500 μg）　1回1錠　1日3回　朝昼夕食後　←ビタミン B$_{12}$ 製剤

Px 処方例 胃食道逆流に伴う嗄声
●パリエット錠（20 mg）　1回1錠　1日1回　朝食後　←プロトンポンプ阻害薬

第4章 呼吸器系

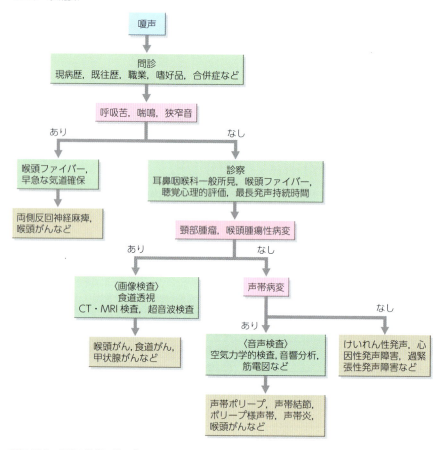

■図 32-3　嗄声の診断の進め方

> **Px 処方例** 声帯結節による嗄声：結節病変に浮腫を伴う場合　下記のいずれかを用いる．
> ● プレドニン錠(5 mg)　1回1～2錠　1日1回　朝食後　5日間　←副腎皮質ホルモン製剤
> ● キュバール 50 エアゾール　1回2吸入(100 µg)　1日2回　←吸入用ステロイド薬
> **Px 処方例** 声帯結節による嗄声：結節病変に瘢痕を伴う場合
> ● リザベンカプセル(100 mg)　1回1カプセル　1日3回　朝昼夕食後　←メディエーター遊離抑制薬
> **Px 処方例** 喉頭肉芽腫による嗄声
> ● パリエット錠(20 mg)　1回1錠　1日1回　朝食後　←プロトンポンプ阻害薬
> ● プレドニン錠(5 mg)　1回1錠　1日1～2回　朝(夕)食後　←副腎皮質ホルモン製剤
> ● ガスモチン錠(5 mg)　1回1錠　1日3回　朝昼夕食後　←消化管運動促進薬
> ● 六君子湯(りっくんしとう)(2.5 g)　1回1包　1日3回　朝昼夕食前　←漢方製剤
> ● **外科的治療**
> ● 嗄声に対する外科的治療には，声帯に直接操作を加える喉頭微細手術と，声帯の内腔を操作せず，声帯の位置，緊張を変化させる喉頭枠組み手術がある．
> ● 喉頭微細手術：ポリープ切除，嚢胞摘出，脂肪注入，筋膜移植．
> ● 喉頭枠組み手術：甲状軟骨形成術Ⅰ～Ⅳ，披裂軟骨内転術．

■表 32-3 嗄声の主な治療薬

分類	一般名	主な商品名	薬の効くメカニズム	主な副作用
ビタミン B_{12} 製剤	メコバラミン	メチコバール	神経修復	下痢,胃部不快
副腎皮質ホルモン製剤	プレドニゾロン	プレドニン	炎症抑制,循環改善	胃潰瘍,糖尿病増悪
吸入用ステロイド薬	ベクロメタゾンプロピオン酸エステル	キュバール	炎症抑制,循環改善	口渇,嗄声
脳循環代謝改善薬	アデノシン三リン酸ニナトリウム水和物	アデホス	代謝活性を増加	頭痛
膵臓性循環系ホルモン製剤	カリジノゲナーゼ	カルナクリン	毛細血管の拡張	発疹,悪心・嘔吐
プロトンポンプ阻害薬	オメプラゾール	オメプラール	胃酸分泌抑制	血管浮腫,気管支けいれん
	ラベプラゾールナトリウム	パリエット		間質性肺炎,肝障害
メディエーター遊離抑制薬	トラニラスト	リザベン	瘢痕形成抑制	肝障害,膀胱炎様症状
抗プラスミン薬	トラネキサム酸	トランサミン	止血作用	食欲不振,悪心

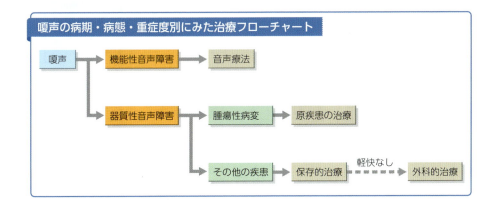

嗄声の病期・病態・重症度別にみた治療フローチャート

嗄声のある患者の看護

會田　信子

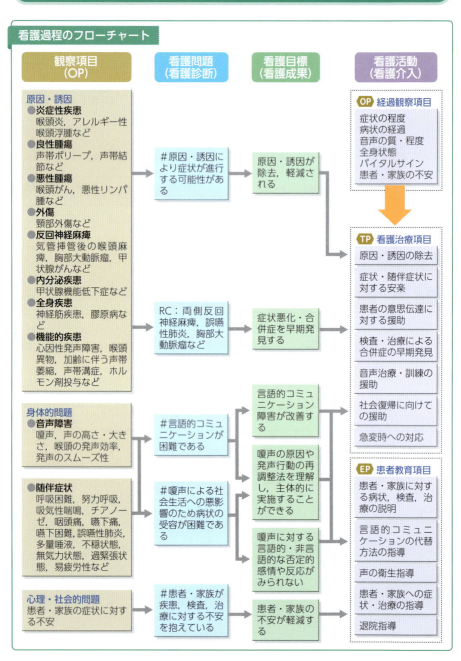

基本的な考え方

- 嗄声の原因には，生命に危険を及ぼす重篤な疾患もある．その場合は嗄声よりも原因疾患の治療が優先される場合があるため，医師による診断や検査結果を理解し，看護計画を立案していく．
- 音声（音色）の質の異常である嗄声は，生命に危険のない良性疾患や機能的要因による一時的な病状もあるが，個人によっては，社会生活を営んでいくうえで大きな支障をきたす場合もあるため，心理的・社会的な側面を理解し援助していく必要がある．
- 機能性発音障害では，発症に至るまでの経緯や心的背景などが重要となるため，病歴を的確に理解し，医師，言語聴覚士，精神科医などとのチームによる対応が必要となる．

STEP ❶ アセスメント	STEP ❷ 看護課題の明確化	STEP ❸ 計画	STEP ❹ 実施	STEP ❺ 評価

32 嗄声

情報収集	アセスメントの視点と根拠・起こりうる看護問題
病歴の把握	**嗄声の原因には，器質的な要因と機能的な要因があり，器質的要因は声帯振動の障害と声門閉鎖不全の2つに分けられる．器質的嗄声の背景には，炎症性病変や良性・悪性腫瘍，内分泌障害，全身疾患などによる声帯の運動麻痺（声帯麻痺）が潜在している可能性があるので，原因・誘因の特定や治療・看護ケアの方針決定のためにも重要な情報となる．特に生命の危険に関わる緊急的処置を必要とする原因には注意が必要である．**
経過	●嗄声の発症時期　【小児】発症年齢・月齢 ●出現状況（嗄声がどのような時に始まったか，急激に始まったか，徐々に増悪したか）　【高齢者】飲食後に急に出現した場合は誤嚥，認知機能が低下した高齢者では薬のPTP包装による喉頭異物も考えられる． ●出現後の状況（進行性か，変動的か） ●出現前後の声帯の使用状況
随伴症状	●呼吸困難，吸気性喘鳴　【原因・誘因】【緊急】両側反回神経麻痺（甲状腺全摘術後や食道がん術後など） ●呼吸困難，咽頭痛，嚥下痛，嚥下困難，ふくみ声を伴った嗄声　【原因・誘因】【緊急】咽喉頭の重篤な炎症性疾患 ●嚥下障害，誤嚥性肺炎の症状（発熱など）　【原因・誘因】【緊急】迷走神経レベルや縦隔レベルの麻痺
発達段階	●発達段階別に比較的多くみられる嗄声の要因 　・新生児期　【原因・誘因】先天性喉頭横隔膜症，声帯溝症 　・乳児期　【原因・誘因】喉頭異物（2歳未満に多い），仮性クループ（犬吠（けんぱい）様咳嗽が特徴） 　・幼児期〜学童期　【原因・誘因】声帯結節 　・思春期　【原因・誘因】変声期など 　・老年期　【原因・誘因】加齢に伴う声帯萎縮，喉頭異物，誤嚥，声帯浮腫，声帯溝症，胃食道逆流による喉頭疾患
既往歴	●炎症性疾患（喉頭炎，気管支炎，アレルギー性喉頭浮腫，仮性クループ，麻疹，喉頭梅毒，喉頭結核，胃食道逆流症など） ●良性腫瘍（声帯ポリープ，声帯結節，喉頭白板症，喉頭乳頭腫など）　【小児】小児の嗄声の多くが小児声帯結節 ●悪性腫瘍（喉頭がん，悪性リンパ腫，声門下腫瘤など） ●外傷（頸部外傷，迷走神経挫滅，気管支鏡検査後，挿管後肉芽腫など） ●反回神経麻痺（挿管麻酔後麻痺，有毒ガスや重金属中毒，肺がん，胸部大動脈瘤，縦隔腫瘍，甲状腺がん，食道がんなど） ●内分泌障害（甲状腺機能低下症，下垂体機能異常，月経前声帯浮腫など） ●全身疾患〔パーキンソン症候群，膠原病，延髄疾患，サルコイドーシス，アミロイドーシス，多発血管炎性肉芽腫症（GPA）など〕 ●心因性要因（音声減弱症，仮声帯発声，過緊張性発声障害など）

543

第4章　呼吸器系

治療歴 職歴 生活歴	●手術の有無，女性に対する男性ホルモンや蛋白同化ホルモン剤など ●接客販売業，教師，僧侶，歌手，エアロビクスインストラクターなど ●喫煙，飲酒，月経周期，精神的ストレスを伴うライフイベント，声の乱用を伴う活動・趣味（カラオケなど）など
音声障害の程度 の把握	嗄声は，音声障害のなかの声の音質（音色）の障害に位置づけられるが，嗄声の原因となっている病態を把握していくためにも，声の高さや大きさ（強さ）を含めて音声を総合的にアセスメント（音声の聴覚印象評価）する必要がある．
音質	●聴覚心理的評価〔GRBAS（グルバス）尺度〕で評価する．嗄声を特に特徴づけるのはR（rough，粗糙性）とB（breathy，気息性）である． 　・がらがら声（R）　原因・誘因　声帯ポリープ，喉頭がんなどの声帯の器質的病変 　・息漏れのある声，かすれた声（B）　原因・誘因　反回神経麻痺による声帯麻痺 ●小児　乳幼児の場合は，患児の声をよく聞くとともに，喘鳴や呼吸困難の様子なども把握する．
声の高さ	●咳払いをさせて通常発声時の声の高さを確認する（咳払いは心理的影響を受けづらいため）． ●その人の声域の中間の声でゆっくりと自然な強さで母音（アもしくはエ）を発声し，順次音程を上下させる．
声の大きさ （強さ）	●弱々しさなど⮕声の大きさ（dB）は，声の高さ（Hz）や呼気流率（mL／秒）と関連しながら変動するので，発声機能検査装置（フォノラリンゴグラム）による同時測定で正確に検査する場合もある．
喉頭の発声効率	●最長発声持続時間（maximum phonation time；MPT）⮕最大吸気後に，通常の発声（楽な強さと高さ）で母音（アもしくはエ）を発声させて持続時間を確認する．3回施行して最大値を採用する．正常な喉頭は，肺活量（呼気）のおおよそ8割を声に変換させることができ，15秒以上持続が可能である　原因・誘因　持続時間が10秒以下の場合は声門閉鎖不全，肺活量低下，呼吸・喉頭調節運動に関与する中枢神経障害
発声の スムーズ性 その他の声質	●発声が途切れ途切れになる　原因・誘因　けいれん性発声障害 ●発声時の力みすぎ，過大な発声努力　原因・誘因　心因性（過緊張性発声障害） ●過緊張性，低緊張性，声の翻転（高い声と低い声がかわるがわる出現）など ●音響分析検査⮕音声障害の程度や経過を評価するために実施される場合がある．音響分析検査には，平均基本周波数（mean F0），基本周期のゆらぎ（jitter）と振幅のゆらぎ（shimmer），喉頭雑音成分，およびサウンドスペクトログラムがある．jitterとshimmerが大きくなると嗄声の聴覚的印象となる．サウンドスペクトログラムは，音声情報を視覚的に観察する． 🔍起こりうる看護問題：嗄声と声帯の安静療養により言語的コミュニケーションが困難である／嗄声による社会生活への悪影響のため病状の受容が困難である／原因・誘因により症状が進行する可能性がある 🔍共同問題：両側反回神経麻痺，誤嚥性肺炎，胸部大動脈瘤
全身状態，随伴 症状および検査 結果の把握	症状出現経過の把握とともに，嗄声に伴う症状を把握し，治療や看護計画立案に有効に反映させることが重要である．
バイタルサイン	●呼吸状態　緊急　呼吸困難，吸気性喘鳴　原因・誘因　両側反回神経麻痺，咽喉頭の重篤炎症性疾患 ●体温　緊急　発熱　原因・誘因　迷走神経レベルや縦隔レベルの麻痺に起因する誤嚥性肺炎 ●血圧，脈拍，リズム⮕呼吸状態が悪いと血圧低下や頻脈がみられる．
全身状態	●衰弱，倦怠感，顔面蒼白など⮕喉頭がんや肺がんなどの悪性腫瘍による全身疾患 ●顔面発赤，体熱感，疲労など⮕咽頭喉頭炎などの炎症性疾患 ●努力呼吸，多量の唾液，チアノーゼ，不穏状態など　小児　仮性クループ．乳幼児

544

声帯・声門下の 検査	の気道内径は構造的に狭いため，分泌物や浮腫による喉頭周辺の狭窄を生じやすい． ●無気力状態，過緊張状態，易疲労性など ➡心因性要因(音声減弱症，仮声帯発声， 　過緊張性発声障害など)を念頭に置く． ●喉頭鏡検査 　・間接喉頭鏡検査：小鏡を咽頭に入れ光を当て，反射された喉頭奥の声帯の鏡像を 　　　　　　　　　見る．下咽頭・喉頭の所見，左右の声帯のレベル差などを観察 　・直接喉頭鏡検査：喉頭鏡を挿入し顕微鏡下で多角的視野で観察する．喉頭各部の 　　　　　　　　　視診や病変組織の生検が可能 ●喉頭内視鏡検査 　・喉頭用硬性内視鏡(側視鏡)検査：ストレートタイプのファイバースコープで，口 　　から挿入して喉頭部をレンズ系像で観察 　・喉頭用軟性内視鏡(喉頭ファイバースコープ)検査：鼻から挿入し，発声時の喉頭 　　所見を観察．生検や小手術も可能 　　　　声帯に病変　原因・誘因 急性喉頭炎，声帯ポリープ，ポリープ様声帯，声帯 　　　　結節，喉頭がん，喉頭乳頭腫，加齢変化 　　　　声門下病変　原因・誘因 仮性クループ 　　　　声帯の運動障害　原因・誘因 反回神経麻痺(迷走神経麻痺)，喉頭外傷，気管 　　　　挿管後性，術後性，腫瘍，特発性 　　　　声帯・声門下に異常なし　原因・誘因 心因性の発声障害，精神疾患 　　　　➡ 小児 呼吸困難がある乳幼児に喉頭ファイバースコープを挿入することに 　　　　よって，喉頭けいれんや気道狭窄を誘発する危険性があるため，単純頸部X 　　　　線検査(正面・側面)やCT検査などの画像検査を優先させて実施する場合があ 　　　　る． 　・喉頭ストロボスコピー：声帯の振動をスローモーション画像で，基本振動数，対 　　称性，規則性，声門閉鎖の有無，振幅，粘膜波動，非振動部位などを観察する． ●発声時平均呼気流率(mean air flow rate；MFR)：気流阻止法では，声の高さ・ 　強さ，発声時の呼気流率，声門下圧，最長発声持続時間を測定する． 　・発声時の呼気流率≦80 mL/秒　原因・誘因 声門の過緊張状態，呼気能力の低下 　・発声時の呼気流率≧200 mL/秒　原因・誘因 声門閉鎖不全
口蓋咽頭部	●発赤，腫脹　原因・誘因 炎症性疾患 ●口蓋咽頭運動低下　原因・誘因 中枢神経・脳神経疾患
頸部	●頸部腫脹，痛み　原因・誘因 頸部腫瘤，甲状腺腫瘍，悪性腫瘍のリンパ節転移， 咽頭がん，下咽頭がん
胸部	●咳嗽，呼吸苦，嚥下困難，胸痛など　原因・誘因 胸部大動脈瘤 ●咳嗽，喀痰，血痰，呼吸苦，胸痛など　原因・誘因 肺がん ●食道に何かある感じ，飲食時にしみる感じ，食事がつかえる，胸痛，悪心など 　原因・誘因 食道がん ●咳嗽，喀痰，発熱　原因・誘因 肺結核，縦隔洞炎
中枢神経， 脳神経	●舌咽神経(IX)，迷走神経(X)，副神経(XI)，舌下神経(XII)の所見 ➡口蓋咽頭運動 や摂食嚥下機能に関係 ●構音障害，失語症など ●四肢麻痺，歩行障害など
その他の検査	●生化学検査，腫瘍マーカー，頸部X線検査，CT・MRI検査，シンチグラフィーなど 🔍起こりうる看護問題：原因・誘因により症状が進行する可能性がある／嗄声と声 　帯の安静療養により言語的コミュニケーションが困難である 🔍共同問題：両側反回神経麻痺，誤嚥性肺炎，胸部大動脈瘤など
患者・家族の心 理的・社会的側 面の把握	嗄声は，日常生活や社会生活を営むうえで他者に気づかれやすい症状の1つである． 生命に危険のない原因であっても，患者・家族は，職業上，多大な影響を受ける可 能性がある．また悪性腫瘍や弓部大動脈瘤などの重篤な疾患が原因となっている場 合もあるため，そのような点を十分理解して心理・社会的側面を把握する．

32
嗄声

第4章　呼吸器系

- ●患者・家族が患者の音声障害を心理社会的にどのようにとらえているかをアセスメントする.
  - ・機能的側面（F：functional）：患者が自分の声の障害による社会生活・社会活動を行ううえでの支障度や制限のとらえかた
  - ・身体的側面（P：physical）：自分の声の状態がどの程度悪いと感じているか，それに対してどの程度，努力をしているかの程度
  - ・感情的側面（E：emotional）：自分の声に対する不安や無力感など
  - ＊患者の上記3側面を把握できる質問紙「Vocal Handicap Index」を活用する（VHI, VHI-10 など）　⮕ 小児 子ども用は pVHI（Pediatric VHI）
  - 🔍 起こりうる看護問題：嗄声による社会生活への悪影響のため病状の受容が困難である／患者・家族が疾患，検査，治療に対する不安を抱えている

STEP❶ アセスメント　STEP❷ 看護課題の明確化　STEP❸ 計画　STEP❹ 実施　STEP❺ 評価

看護問題リスト

RC：両側反回神経麻痺，誤嚥性肺炎，胸部大動脈瘤
- ＃1　嗄声と声帯の安静療養により言語的コミュニケーションが困難である（役割-関係パターン）
- ＃2　嗄声による社会生活への悪影響のため病状の受容が困難である（自己知覚パターン）
- ＃3　患者・家族が疾患，検査，治療に対する不安を抱えている（自己知覚パターン）

看護問題の優先度の指針

- ●嗄声の原因は様々で，時に重篤な疾患が潜在しており緊急の対応が必要な場合があるので，原因による症状の進行や，確定診断のために必須となる喉頭内視鏡検査による合併症を予防することが前提として位置づけられる.
- ●嗄声のために伝えたいことが伝わりにくかったり，治療・安静のために筆談が必要となったりなど，不十分な言語的コミュニケーションは社会生活に何らかの影響を及ぼす．特に声を使う職業に就いている人は，ストレスや喪失感，自己尊重の低下，うつ状態などを生じる可能性があるので，家族を含めた包括的な援助が重要である.

STEP❶ アセスメント　STEP❷ 看護課題の明確化　STEP❸ 計画　STEP❹ 実施　STEP❺ 評価

共同問題	看護目標（看護成果）
RC：両側反回神経麻痺，誤嚥性肺炎，胸部大動脈瘤	〈看護目標〉両側反回神経麻痺，誤嚥性肺炎，胸部大動脈瘤の症状をモニターし，悪化・合併症を早期発見する

看護計画	介入のポイントと根拠
OP 経過観察項目 ●緊急性の高い両側反回神経麻痺，咽喉頭の重篤な炎症性疾患，および迷走神経や縦隔レベルの麻痺に起因する誤嚥性肺炎に対しては，迅速な対応が求められる．呼吸困難，吸気性喘鳴，発熱，咽頭痛，嚥下痛，嚥下困難，血圧低下，頻脈，不整脈といった症状は要注意である	⮕ 根拠 両側反回神経麻痺や咽喉頭の重篤な炎症性疾患で喉頭が急激に腫れた場合は，両側声帯が閉じて呼吸ができない状態となるので緊急事態となる（両側反回神経麻痺には，両側の声帯が閉じて呼吸ができない場合と，開いているため声が出ず，誤嚥が生じるために飲食ができない場合がある．後者の場合は，次の迷走神経や縦隔レベルの麻痺に準ずる） ⮕ 根拠 迷走神経や縦隔レベルの麻痺で，嚥下障

- 胸部大動脈瘤では，嗄声のほかに咳嗽，呼吸苦，嚥下困難，胸痛などがみられる．急激な血圧上昇などで動脈瘤が拡大し，突然破裂する危険性もあるので注意を要する

害やそれに伴う誤嚥がある場合は，誤嚥性肺炎の危険性が高くなる
- ➡ **根拠** 胸部大動脈瘤は，発生部位によって上行大動脈瘤，弓部大動脈瘤，下行大動脈瘤に分かれる．右の反回神経は右鎖骨下動脈を，左の反回神経は大動脈弓を下から後方に反回して上行している．そのため動脈瘤が大きくなると，反回神経は圧迫されやすく嗄声が生じる．食道が圧迫されると嚥下困難が生じる．動脈瘤が小さい場合は無症候だが，2倍以上になると破裂の危険性が高まるほか，大動脈弁を変形させて心臓弁膜症や心不全を引き起こすため，血圧管理などの専門的治療が必要となる

TP 看護治療項目
- 救急処置の準備をする

- 誤嚥性肺炎では，即刻禁食として肺炎の治療を行う

- 胸部大動脈瘤では，血圧を管理する

- ➡ **根拠** 両側の声帯が閉じて呼吸ができない状況では，すぐに気管切開となる場合が多い
- ➡ 肺炎によって呼吸状態が非常に悪い場合は，気管挿管および人工呼吸器での呼吸管理が必要となるので，救急処置を準備する
- ➡ 急激な症状発現に注意する．また医師の指示に従い，専門的治療を受けられるよう準備する

EP 患者教育項目
- 緊急処置に伴う苦痛や，重篤な疾患による死への恐怖などを理解し，安心して救急治療に臨めるよう援助する

1 看護問題	看護診断	看護目標（看護成果）
#1　嗄声と声帯の安静療養により言語的コミュニケーションが困難である	**言語的コミュニケーション障害** **関連因子**：情動(情緒)不安定，環境障壁 **関連する状態**：□腔咽頭の異常，中枢神経系疾患，新生物(腫瘍)，□腔咽頭の異常，□蓋帆咽頭不全，声帯機能不全 **ハイリスク群**：術後早期の人 **診断指標** □音声障害(発声困難) □会話による疲労 □社会的交流に参加する意欲の低下	〈**長期目標**〉言語的コミュニケーション障害が改善する 〈**短期目標**〉1)言語的コミュニケーション障害の要因が緩和する．2)患者は言語的コミュニケーションに関する満足感が高まったと表現する．3)言語的コミュニケーションでメッセージを伝える能力が改善されたことが表情や身振りに反映されている

看護計画	介入のポイントと根拠
OP 経過観察項目 - 音声障害の把握：音質(音色)，声の高さ，声の大きさ(強さ)，喉頭の発声効率，発声のスムーズ性など - バイタルサイン：呼吸困難，発熱，血圧低下，頻脈，不整脈	

第 4 章　呼吸器系

- 全身状態：チアノーゼ，顔面蒼白，不穏状態，衰弱，倦怠感，易疲労性，無気力状態，過緊張状態など
- 随伴症状：呼吸困難，吸気性喘鳴，咳嗽，多量の唾液，喀痰，血痰，咽頭痛，咽頭発赤・腫脹，嚥下痛，嚥下困難，摂食嚥下障害，口蓋咽頭運動の低下，頸部腫脹，頸部痛，胸痛，構音障害，失語症，四肢麻痺，歩行障害など
- 検査結果：喉頭鏡検査，喉頭内視鏡検査，発声時平均呼気流率，生化学検査，腫瘍マーカー，頸部 X 線検査，CT・MRI 検査，シンチグラフィーなど

TP 看護治療項目

- 器質的病変に対する治療は，医師の指示に基づいて実施する
- 声の安静中 (沈黙療法) は，患者の好みの方法を把握しながら，患者との意思伝達を図る
- 吸入・経口薬の薬物療法 (消炎薬，抗菌薬，ステロイド薬など) は正確，適切に実施する
- 保存的治療 (薬物療法，音声治療，声の衛生指導など) は，患者・家族に対する教育的介入を医師，言語聴覚士と連携をとりながら適切に実施する

- 音声治療 (音声療法) が必要な患者には，医師，言語聴覚士と連携をとりながら，指導内容を効果的に習得できるように援助する
- 手術療法 (経内視鏡的な喉頭微細手術，外切開による喉頭枠組み手術など) が必要な患者に対しては，患者・家族に術前オリエンテーションを実施し，安全に安心にして手術が受けられるようにする
- 手術後は，病室の乾燥を予防するとともに，一定期間，声の安静が必要となるため，術前にあらかじめ患者と確認しておいた意思疎通の補助的手段 (筆談など) を実施する
- 心因性による機能性発声障害のため心理療法や精神医学的治療が必要な患者に対しては，臨床心理士や精神科医と連携をとりながら，効果的に治療が受けられるように援助する

EP 患者教育項目

- 疾患，検査，治療に関する疑問や不安を傾聴し，医師と連携をとりながら説明する

- 声の衛生の必要性について，患者・家族の理解の程度に応じて具体的に説明する
- 心配なことや質問は遠慮なく看護師に伝えるよう協力を得る

➡ 嗄声の局所症状のみでなく，嗄声の病因を理解し，全身状態や随伴症状も観察する必要がある

➡ **根拠** 保存的治療には，声の安静，声の衛生指導 (声を出さない，叫んだり金切り声をあげたりしない，禁煙，禁酒，環境整備，発声法，発声時の姿勢など)，薬物療法などがある．患者のみでなく家族の協力も必要となる

➡ **根拠** 音声治療とは，発声様式や生活習慣などの声の誤用・乱用による機能的要因に対して，患者が生活を送るうえで必要な声を取り戻すために実施される行動変容に基づく発声行動の再調整法である．沈黙療法のほか，発声方法を変える音声訓練，患者の生活指導があり，これらの訓練の実施や助言・指導などの役割は，言語聴覚士が担う部分が大きい

➡ **根拠** 理解不足による患者の不安を軽減するとともに，疾患，治療や声の衛生に関する理解を図ることは，セルフケア能力の向上につながる

➡ **根拠** 声帯部の手術後は，声の安静 (声を出さないこと) 後，発声の許可が出てから退院となるのが一般的．声の衛生が必要な理由は，大きな声などは声門閉鎖に負担がかかり，炎症を増悪させるためである

2 看護問題	看護診断	看護目標（看護成果）

#2　嗄声による社会生活への悪影響のため病状の受容が困難である

非効果的役割遂行
関連因子：健康資源（リソース）の不足
関連する状態：身体疾患，うつ病
ハイリスク群：仕事で高度な役割が求められる人
診断指標
□自信がない
□悲観的な見方
□無力感
□抑うつ症状
□役割認知の変化
□無効なコーピング方法

〈**長期目標**〉嗄声の病因や発声行動の再調整法を理解し，主体的に実施することができる
〈**短期目標**〉1）嗄声に対する言語的・非言語的な否定的感情や反応がみられない．2）声の誤用や乱用の要因，音声治療の必要性を理解できる．3）医療者からの声の衛生指導の内容を理解し実践できる．4）適切な発声方法で日常生活や社会生活を送ることができる

32
嗄声

看護計画	介入のポイントと根拠

OP 経過観察項目
- 機能的側面：自分の声は他人に聞き取りにくいと思っている，他者との会話を避ける，日常生活や社会生活に支障があるなど
- 身体的側面：他者から声の異常を指摘される，自分の声を耳障りな声だと思う，声をかえて出すようにしているなど
- 感情的側面：不安，緊張，イライラ，無力感，羞恥心など

TP 看護治療項目
- 患者が置かれている状況や心理的背景，感情などを受容する
- 患者自身の声に対する主観的評価を否定しないで，受容的態度で傾聴する
- 治療・看護ケアのゴールを共有しながら音声訓練を実施する
- 医師，言語聴覚士および医療ソーシャルワーカーなどと連携をとりながら，社会復帰に向けてのリハビリテーションの援助を行う
- 患者が自分の音声障害の質・レベルに過度にとらわれる場合は，医師，言語聴覚士および公認心理師，臨床心理士などとの連携をとりつつ，音響分析などの客観的情報をもとに説明しながら，心理・精神面に対する援助をする
- 同じような経験をしてきた人々（ピア・グループなど）と体験を分かち合う機会を提供する

EP 患者教育項目
- 疾患，検査，治療に関する疑問や不安を傾聴し，医師と連携をとりながら説明する
- 音声治療や声の衛生指導の重要性・必要性について説明する
- 患者の心理状況に即しながら，実施可能な音声治療や声の衛生指導を実施できるよう援助する
- 言語的コミュニケーションに代わる代替方法

根拠 職業的音声酷使者（professional vocal abuser）の代表的職業は，接客販売業，教師，僧侶，歌手，エアロビクスインストラクターなどで，嗄声による職業生活への影響は多大である．職業に生きがいや自尊感情を抱いていた人にとって，嗄声は自身が望むあるべき姿との乖離に混乱をきたす可能性がある

小児 小児は，通院加療が困難な場合があるので，親と一緒に声の衛生治療などに取り組めるよう工夫が必要となる．また患児の成長発達，学習過程を支援していくために，治療に際してはカウンセリングも重要となる

高齢者 高齢者の嗄声の原因は器質的疾患のほか，加齢変化，環境要因，生活習慣などが関与し，個人差も大きい．病的な嗄声か生理的なものか臨床上判断が難しく，また音声治療に対するアドヒアランスが低い傾向にある．気息性で弱々しい嗄声の場合，うつ状態などが潜在している場合があるので，治療に対する高齢者の反応をみていく必要がある

根拠 一般的に，接客販売業，教師，僧侶，歌手などは，大きな声や高い声，のどを絞めつける，いわゆる「のど詰め」の声などで声帯を酷使しているといわれる．また，エアロビクスインストラクターやマッサージ師などは，息をこらえながら発声するために，音声障害を生じやすい．社会生活に復帰する時には，このような職業生活に応じ

549

第 4 章　呼吸器系

や，大きな声に頼らない方法などを一緒に考え，実践できるようにする

た，具体的な代替方法を一緒に考えていく必要がある

3 看護問題	看護診断	看護目標（看護成果）
#3　患者・家族が疾患，検査，治療に対する不安を抱えている	**不安** **関連因子**：ストレッサー（ストレス要因） **ハイリスク群**：周術期の人 **診断指標** □苦悩（苦痛） □どうすることもできない無力感 □不眠 □食欲不振 □震える声	〈**長期目標**〉患者・家族が不安や恐怖が軽減したと表現できる 〈**短期目標**〉1) 不安を言葉に出して表現できる．2) 表情や身振りが不安を軽減していることを反映している

看護計画	介入のポイントと根拠
OP 経過観察項目 ● 不安や緊張，怒り，悲しみの表情，落ち着きがない様子など ● 不安や心配，怒り，悲しみの訴えなど ● 身体的反応：頻脈，頻呼吸，手指振戦，ふるえなど ● 病状や検査・治療に対する質問の有無，内容など	⮕ 確定診断が出るまでの不安など，患者・家族の言語的な表現のみでなく，非言語的な表現をとらえる ⮕ **根拠** 嗄声の原因には，声帯ポリープなどの良性疾患もあれば喉頭がんなどの悪性疾患の場合もある．疾患・治療によっては，声を失う可能性もあるので，患者・家族の心理的・精神的側面を支援していくことが必要となる
TP 看護治療項目 ● 不安が表出できる態度で接する ● 患者の健康状態や検査・治療など，不安の要因を把握して緩和する	⮕ 支持的態度で接する　**根拠** 支持的態度が，患者・家族の感情，思い，考えなどの表出を促す
EP 患者教育項目 ● 検査・治療実施時は，患者・家族の理解状況に合わせて，絵や図を効果的に用いながら説明する ● 心配なことや質問は遠慮なく看護師に伝えるよう協力を得る	⮕ 声帯が身体のどこにあり，どうして嗄声が起こっているか，検査・治療はそれに対してどのように行うかなどを絵や図を用いることで理解を促すことができる ⮕ **根拠** こうした説明によって，不安・心配が緩和されるのみならず，セルフケアの協力が得られる

STEP ❶ アセスメント ▶ STEP ❷ 看護課題の明確化 ▶ STEP ❸ 計画 ▶ STEP ❹ 実施 ▶ STEP ❺ 評価

病期・病態・重症度に応じたケアのポイント

【急性期】嗄声で緊急性を要するのは，両側反回神経麻痺や咽喉頭の重篤な炎症性疾患によって，両側の声帯が閉じて呼吸ができない状態で，生命維持を最優先として救命処置が行われる．また誤嚥性肺炎を併発している場合は，肺炎による生命の危険性があるため，嗄声の治療よりも肺炎治療が優先される．嗄声の原因と病態に応じた治療指針に即した看護が求められる．

【回復期】原因に応じて手術療法（経内視鏡的な喉頭微細手術，外切開による喉頭枠組み手術など）が実施される．手術を受けたからといって，すぐに嗄声のない健康な声が回復するとは限らず，声の安静

や発声訓練などが必要となる場合が多い．手術部位の回復を促進し，早期に社会復帰できるように，医師や言語聴覚士と連携をとりながら，声の衛生指導や発声訓練，心理面における援助が必要である．

【慢性期】 機能性音声障害や保存的治療中の声帯麻痺，全身疾患に併発した嗄声などは長期的な治療・看護が必要で，原因によっては，嗄声よりも疾患の治療を優先しなければならない場合もある．この時期は，原因や嗄声を受容し，治療のアドヒアランスやセルフケア機能を促すことと，ボディイメージの混乱に対する心理的・精神的援助が重要となる．

看護活動（看護介入）のポイント

診察・治療の介助
- 嗄声の質や程度，検査結果および経過などから嗄声の原因を把握する．
- 救命を目的とした緊急処置が必要となる場合もあるため，的確な診察・治療介助ができるよう嗄声の原因を理解する．
- 緊急処置に伴う苦痛や，重篤な疾患による死への恐怖などを理解し，安心して救急治療に臨めるよう援助する．
- 指示された薬物療法を適切に実施し，それらに伴う合併症を予防する．
- 保存的治療を受ける患者に対しては，患者・家族への教育的介入が重要となる．
- 音声治療は，医師，言語聴覚士と連携をとりながら，指導内容が効果的に習得できるように援助する．
- 手術療法が必要な患者に対しては，患者・家族が安心して安全に手術に臨めるよう周術期の看護を提供する．
- 機能性の音声障害に対しては心理療法や精神医学的治療が必要となるため，公認心理師，臨床心理士や精神科医と連携をとっていく．

嗄声に対する援助
- 疾患，検査，治療に関する疑問や不安を傾聴し，医師と連携をとりながら説明する．
- 治療，看護ケアのゴールを共有しながら音声訓練の実施を援助する．
- 病室は乾燥しないよう環境整備に努める．
- 声の安静中は，患者の好みのコミュニケーション方法を把握しながら，患者との意思伝達を図る．

患者・家族の心理・社会的問題への援助
- 患者自身の声に対する主観的評価を否定しないで，受容的態度で傾聴する．
- 患者・家族が不安や心配事を表出できるように支援する．
- 患者・家族の不安や心配事，質問に対して，他職種と連携しながら対応する．
- 同じような経験をしてきた人々（ピア・グループなど）と体験を分かち合う機会を提供する．
- 予後不良の原因の場合は，他職種との連携のもと，患者・家族のインフォームドコンセントを図れるよう援助する．

退院指導・療養指導

- 疾患，検査，治療に関する疑問や不安を傾聴し，医師と連携をとりながら説明する．
- 言語的コミュニケーションの代替方法や，大きな声に頼らない方法などを一緒に考え，実践できるようにする．
- 声の衛生指導（声の安静，禁煙，禁酒，環境整備，発声法，発声時の姿勢など）を患者・家族の理解状況に合わせて行う．
- 患者が嗄声の原因や発声行動の再調整法を理解し，主体的に実施できるよう援助する．
- 声の誤用や乱用の要因，音声治療の必要性を理解できるよう援助する．
- 適切な発声方法で日常生活や社会生活を送ることができるよう援助する．
- 医師，言語聴覚士および医療ソーシャルワーカーなどと連携をとりながら，社会復帰に向けての援助を行う．

32
嗄声

第 4 章　呼吸器系

STEP ❶ アセスメント　STEP ❷ 看護課題の明確化　STEP ❸ 計画　STEP ❹ 実施　STEP ❺ 評価

評価のポイント

看護目標に対する達成度

- 言語的コミュニケーション障害が改善しているか.
- 言語的コミュニケーション障害の要因が緩和しているか.
- 患者は言語的コミュニケーションに関する満足感が高まったと表現しているか.
- 言語的コミュニケーションでメッセージを伝える能力が改善したことが表情や身振りに反映されているか.
- 嗄声の原因や発声行動の再調整法を理解し, 主体的に実施することができているか.
- 嗄声に対する言語的・非言語的な否定的感情や反応がみられていないか.
- 声の誤用や乱用の要因, 音声治療の必要性を理解できているか.
- 医療者からの声の衛生指導内容を理解し実践できているか.
- 適切な発声方法で日常生活や社会生活を送ることができているか.
- 患者・家族が不安を言葉に出して表現できているか.
- 不安を言葉に出して表現できているか.
- 表情や身振りが不安を軽減していることを反映しているか.

● 参考文献
1) 木村美和子：声の評価の進め方, JOHNS 34 (2)：153-156, 2018
2) 田口亜紀：自覚的評価法 "VHI" と "V-PQOL", 喉頭 28：70-76, 2016
3) 城本修ほか：推奨版 VHI および VHI-10 の信頼性と妥当性の検証―多施設共同研究, 音声言語医学 55：291-298, 2014

552

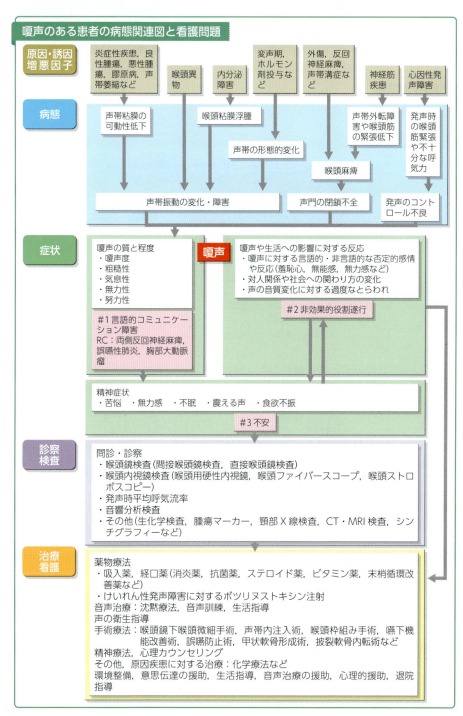

33 胸水

東條　尚子

目でみる症状

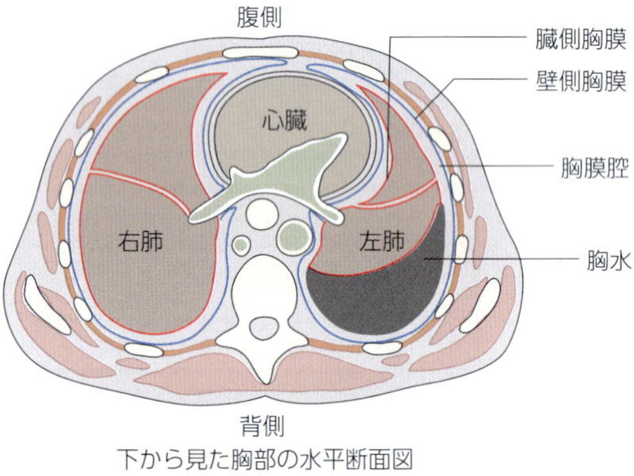

腹側

臓側胸膜
壁側胸膜

心臓

胸膜腔

右肺　　左肺

胸水

背側

下から見た胸部の水平断面図

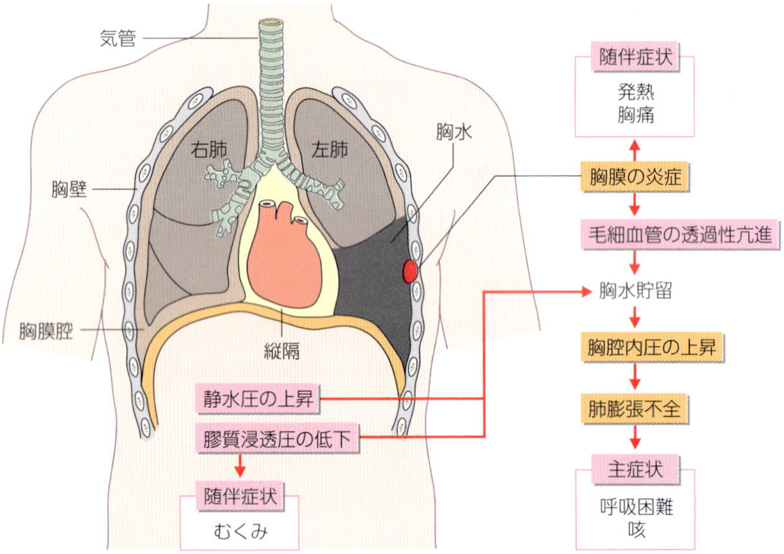

気管

右肺　左肺

胸水

胸壁

胸膜腔

縦隔

随伴症状
発熱
胸痛

胸膜の炎症

毛細血管の透過性亢進

胸水貯留

胸腔内圧の上昇

肺膨張不全

静水圧の上昇

膠質浸透圧の低下

随伴症状
むくみ

主症状
呼吸困難
咳

■図 33-1　胸水の発生機序

病態生理

肺の表面は肺胸膜（臓側胸膜）に覆われ，胸壁の内面は壁側胸膜に覆われている．壁側胸膜と臓側胸膜は袋状の構造をなし，その内部を胸膜腔という．通常，胸膜腔内にはごくわずかな量の胸膜液が存在し，潤滑液の役割をしている．胸膜液は毛細血管の静水圧と膠質浸透圧のバランスにより調節されているが，このバランスが崩れた時，異常に増加し，胸腔内に胸水として貯留する．

- 胸水が貯留する原因には，静水圧が上昇するうっ血性心不全，膠（こう）質浸透圧が低下するネフローゼ症候群や肝硬変がある（表 33-1）．また，悪性腫瘍，結核，細菌性肺炎，関節リウマチなどでは毛細血管の透過性が亢進して胸水が貯留する．

患者の訴え方

原因にかかわらず，胸水により肺が圧迫されることによる訴えは共通している．

- **主症状の訴え**
- 呼吸困難：「動くと苦しい」「息苦しい」など．
- 咳：「咳き込む」「咳が出る」．
- **随伴症状**
- 原因疾患により様々な症状を訴える（表 33-2）．
  - ・心不全，ネフローゼ症候群，肝硬変では足のむくみなど．
  - ・結核性胸膜炎では発熱，胸痛など．
  - ・肺炎随伴性胸膜炎では発熱，胸痛，膿性痰など．

診断

胸水貯留の有無は胸部 X 線検査，超音波検査，胸部 CT 検査で確認できる．

- 原因疾患を調べるため，胸水貯留部位を試験穿刺して胸水を採取する．肉眼的な性状を観察したのち，生化学的検査，細菌学的検査，細胞診検査を行う．
- **原因・考えられる疾患**
- 胸水はその性状によって漏出液と滲出液に分けられる．
  - ・漏出液は静水圧，膠質浸透圧バランスの崩れに起因し，両側性に貯留することが多い．
  - ・滲出液は毛細血管の透過性亢進に起因することが多い．
- **鑑別診断のポイント**
- 随伴症状，基礎疾患．
- 両側性か，片側性か．
- 胸水の肉眼的性状（透明，混濁，血性）．

■**表 33-1　胸水の原因または考えられる疾患**（赤字は緊急対応を要する疾患）

漏出性胸水	滲出性胸水
● 心不全	● がん性胸膜炎
● 肝硬変	● 結核性胸膜炎
● ネフローゼ症候群	● 肺炎随伴性胸水
● 低蛋白血症	● 膿胸
	● 膠原病
	・全身性エリテマトーデス（SLE）
	・関節リウマチ
	● 肺血栓塞栓症
	● 悪性胸膜中皮腫
	● 急性膵炎
	● 開胸術後
	● 外傷

33

胸水

第4章　呼吸器系

■表33-2　胸水貯留時の随伴症状と考えられる疾患（赤字は緊急対応を要する疾患とその随伴症状）

随伴症状	考えられる疾患	胸水の肉眼的特徴
むくみ	心不全 ネフローゼ症候群 肝硬変 低蛋白血症　など	淡黄色 透明 両側性に貯留することが多い
発熱，胸痛	結核性胸膜炎	淡黄色～黄褐色 透明～やや混濁 フィブリンの析出
発熱，胸痛，無症状（慢性）	膿胸	混濁（好中球が多い） 臭気（嫌気性菌の場合）
発熱，胸痛，膿性痰	肺炎随伴性胸水	淡黄色～黄褐色 透明～やや混濁
突然の胸痛，頻呼吸	肺血栓塞栓症	淡黄色～黄褐色～血性
	外傷	血性
原疾患の病状に関連する症状	がん性胸膜炎	やや混濁～血性
	全身性エリテマトーデス	淡黄色～黄褐色 両側性に貯留することが多い
	関節リウマチ	淡黄色～黄褐色 片側性に貯留することが多い
胸痛	悪性胸膜中皮腫	やや混濁～血性
腹痛，背部痛	急性膵炎	淡黄色～黄褐色 左側に多い
随伴症状に乏しい	開胸術後	血性
	乳び胸（外傷など）	白濁（乳び：カイロミクロン）

※原疾患にかかわらず，主症状として咳，胸水の貯留量に応じて呼吸困難を呈する．呼吸困難を呈している場合は，すべて緊急対応を要する．

治療法・対症療法

- **●原疾患の治療**
- ●まず原疾患に対する治療を行う．
- **●貯留胸水に対する治療法**
- ●合併症のない肺炎，肺血栓塞栓症および手術が原因の場合，胸水自体は自然に再吸収されるので，無症状であれば一般的に胸水に対する治療の必要はない．
- ●滲出性胸水が大量に貯留し呼吸困難を有する場合は穿刺排液する．ただし，一度に大量の胸水を除去すると，肺が急激に再膨脹することにより肺水腫を引き起こす場合があるため，1.5 L 以上除去することは避け，日を分けて除去する．
- ●がん性胸膜炎で胸水貯留を繰り返す場合は，胸腔内にカテーテルを留置して持続的に排液し，完全に排液させたのち，臓側胸膜と壁側胸膜を癒着させて間隙をなくす（胸膜癒着術）．
- ●膿胸では，胸腔内にカテーテルを留置して排液を行う．改善しない場合は，外科的に胸腔鏡下掻爬術（剝皮術）などを行う．
- ●肺炎随伴性胸水で胸水 pH＜7.2 あるいは胸水の細菌培養（＋）の場合は，胸腔内にカテーテルを留置して排液を行う．
- **●その他の対症療法**
- ●痛みに対し鎮痛薬を使用する．
- ●呼吸困難に対し酸素投与を行う．

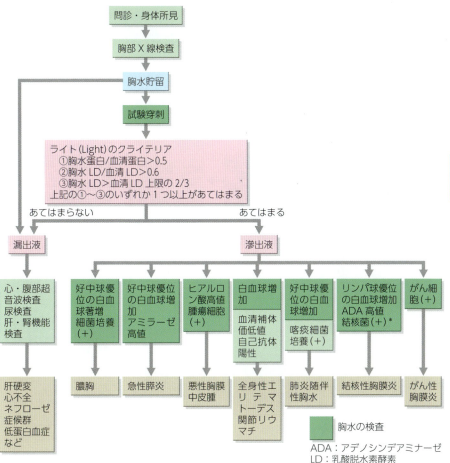

■図 33-2 胸水の診断の進め方

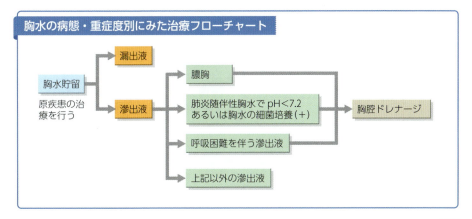

第4章 呼吸器系

胸水のある患者の看護

會田 信子

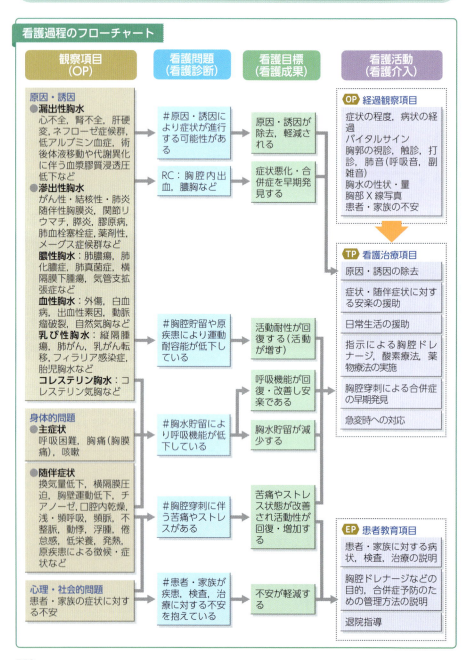

基本的な考え方

- 胸水貯留を引き起こす原因は多種多様であるが、急激な大量胸水や重篤な感染症など、迅速な対応が求められる状況もある。胸水採取による鑑別診断が適切に進められるよう、症状・随伴症状のほか、病歴、常用薬や社会的背景などを把握する。
- 胸水による症状は、原疾患や胸水の貯留量・部位、胸膜の炎症や呼吸運動障害の程度などによって異なる。時として無症候の場合もあるため、聴診、打診、触診、胸部X線写真などのデータから総合的にアセスメントして早期に発見することが重要となる。
- 非医療職者である患者が、胸腔（胸膜腔）内に水がたまる胸水貯留の具体像をイメージすることは難しい。患者が自身の病状を適切に把握し、治療やケアに前向きに臨めるように支援していく必要がある。
- 胸水や原疾患による様々な症状や、胸水穿刺やドレナージなどの検査・治療に伴う苦痛や不安を緩和し、安楽な生活が送れるよう援助することが大切である。

STEP❶ アセスメント	STEP❷ 看護課題の明確化	STEP❸ 計画	STEP❹ 実施	STEP❺ 評価

33
胸水

情報収集	アセスメントの視点と根拠・起こりうる看護問題
病歴の把握	胸水貯留の原因は多様で、重篤な疾患が潜在化している可能性もあるため、病歴や治療歴のみならず、常用薬や職歴、生活習慣などを多面的に把握する。
病歴	●心不全、腎不全、肝硬変、ネフローゼ症候群、悪性腫瘍（肺がん、乳がん、卵巣腫瘍、悪性リンパ腫、白血病、消化器系がんなど）、低アルブミン血症、悪性中皮腫、メーグス症候群、肺結核、肺炎、肺膿瘍、肺真菌症、横隔膜下膿瘍、縦隔腫瘍、関節リウマチ、膠原病、膵炎、フィラリア感染症、肺血栓塞栓症、急性呼吸窮迫症候群（ARDS）、外傷、動脈瘤破裂、気胸、コレステリン気胸など ● 小児 胎児期の肺の形態異常の1つとして胎児胸水がある。胎児胸水の原因は様々だが、多くは腹水などを伴う胎児水腫の1つの症状としてみられる。心奇形や染色体異常などの疾患が原因となっている場合を続発性胸水といい、原疾患がみられない場合は原発性胸水という。ほとんどは胸管から漏出した乳び液が胸腔内に貯留する乳び胸によるもの
治療歴	●腹膜透析、胸部・腹部外科手術など
常用薬	●抗不整脈薬（アミオダロン塩酸塩）、抗がん剤（ブレオマイシン塩酸塩）、抗てんかん薬（バルプロ酸ナトリウム）など
職歴	●石綿曝露など
生活習慣	●食事摂取量、喫煙、アルコールなど
家族歴	●悪性腫瘍、関節リウマチ、出血性素因など
症状の把握	症状を的確に把握することは、胸水貯留の原因検索や治療・ケアの方向性を決めるうえで重要である。胸水貯留が少量の時は無症候の場合もあるため、身体所見と総合的にアセスメントする必要がある。
症状	●胸水貯留が少量の場合は無症候 ●胸水貯留による呼吸運動の仕事量増加や胸膜炎症で呼吸困難、胸痛（胸膜痛）、咳嗽が生じるが、原疾患の状態などにより異なる。 ・呼吸困難：胸水による換気量の低下と換気仕事量の増加によって生じる。呼吸困難の程度は、胸水の貯留量や原疾患に影響されるため、安静時に生じるのか体位により呼吸困難に変化があるか、労作に伴って生じる場合は、どのような労作の時に生じるのかなどを把握する。 ・胸痛（胸膜痛）：炎症などによって壁側胸膜に分布する肋間神経終末が刺激されるため、知覚神経に限局して起こる。典型的な胸痛は、鈍痛から刺しこむような鋭い痛みなど様々で、咳嗽、くしゃみ、もしくは深吸気時などに増強する。 ・咳嗽：胸水による肺の圧迫や臓側胸膜の炎症などによって、壁側胸膜からの迷走神経刺激によって起こると考えられている。多くは痰を伴わない乾性咳嗽であるが、肺炎や肺結核などの細菌感染症では膿性痰を伴い、肺がんや肺結核症などで

559

第4章　呼吸器系

随伴症状	は血痰や血液の線状・点状混入となる.
	●胸壁運動低下，換気量低下，横隔膜圧迫，チアノーゼ，口腔内乾燥，浅・頻呼吸，頻脈，不整脈，動悸，浮腫，倦怠感，低栄養，発熱，原疾患による徴候・症状など
	🔍起こりうる看護問題：胸水貯留により呼吸機能が低下している／原因による症状の進行／胸水貯留や原疾患により運動耐容能が低下している／患者・家族が疾患，検査，治療に対する不安を抱えている
	🔍共同問題：胸腔内出血，膿胸など
身体所見の把握	胸水貯留の部位や重症度の情報を得て，早期発見するためにも，身体所見を適切に把握することが重要である.
バイタルサイン	●呼吸：頻呼吸，呼吸状態，呼吸時の体位
	●脈拍：頻脈，不整脈，SpO$_2$の低下，血液ガス分析（PaO$_2$，PaCO$_2$など）の異常
	●血圧：血圧の低下
	●体温：胸水貯留の前駆症状や症状として発熱がみられる場合がある.
視診	●胸郭の大きさに左右差はないか，肋間の膨隆がないか，胸壁呼吸運動の低下はないか ➡胸水貯留による胸腔内圧の上昇により，一般的には患側の胸郭が拡大し肋間が開大する.
	●肋間の狭小化・陥凹化 　原因・誘因　無気肺に伴う胸水は，患側胸腔内の陰圧が高まるため狭小化・陥凹化する.
触診	●声音振盪（とう）の減弱もしくは消失 ➡胸水貯留している辺縁部でも声音振盪は認められるため，胸腔穿刺位置を決定する際の情報として重要（声音振盪：発声した声が肺を介して体表に伝わる現象. 肺に当てた手掌に響く感覚で左右差などをみる）
打診	●胸水貯留部位の濁音，無反響 ➡胸水が貯留している辺縁部は濁音を呈さないため注意する.
聴診	●患側呼吸音の減弱
	●呼吸音の左右差
	🔍起こりうる看護問題：胸水貯留により呼吸機能が低下している／原因・誘因により症状が進行する可能性がある／胸水貯留や原疾患により運動耐容能が低下している／患者・家族が疾患，検査，治療に対する不安を抱えている
	🔍共同問題：胸腔内出血，膿胸など
胸水の存在を診断するための検査結果の把握	胸部X線検査や超音波検査，胸部CT検査は侵襲性が比較的少なく，早期に胸水の存在を診断するために欠かせない検査である. 胸水貯留部位や範囲，重症度が正確に把握できる.
胸部X線検査	●立位背腹撮影（正面）：患側の肋骨横隔膜角の鈍化，患側部位のX線透過性低下，大量胸水時は胸腔が全体的に真っ白になる，肺葉間部の貯留時は辺縁部の結節影
	●患側を下にした側臥位撮影：50mL程度の胸水貯留時も検出可能. 立位背腹撮影による所見は，最低でも200mL以上の胸水が貯留していないと検出できないこともある.
	●仰臥位背腹撮影：肺尖部キャップ徴候（肺尖部が最低位置となるため，貯留した胸水の肺尖部にかぶさるような像），背中側の胸水貯留により患側肺野のX線透過性が全体的に低下，大量胸水時は含気が低下し縦隔を対側に圧排した像となる ➡安静臥床により，立位背腹や患側を下にした側臥位での撮影が不可能な場合は仰臥位背腹撮影が実施されるが，立位背腹撮影よりもさらに胸水検出能は低下する.
胸部超音波検査 胸部CT検査	●胸水の量的・質的鑑別に有用. 少量の胸水でも検出可能
	●胸水の有無や量的診断のほか，多房性胸水などの情報が得られる. また胸水貯留の原因となっている肺炎や無気肺，肺血栓塞栓症などの診断にも有用である（多房性胸水：胸膜癒着などによって，肺の裂溝内に閉じ込められた体液の集積. CT検査によって胸郭内部の多房化の様相をみることができる）.
	🔍起こりうる看護問題：胸水貯留により呼吸機能が低下している／原因・誘因により症状が進行する可能性がある／胸水貯留や原疾患により運動耐容能が低下して

560

	いる／胸腔穿刺に伴う苦痛やストレスがある／患者・家族が疾患，検査，治療に対する不安を抱えている
胸腔（胸水）穿刺検査結果の把握	正しい診断のために，原則として胸腔穿刺を実施し胸水を検査する．これらの情報は，今後の治療・ケア方針などに関わってくるので，胸水の性状やその他の検査結果とともに把握する必要がある． ●貯留程度：急激な大量貯留（片側胸郭半分以上）　原因・誘因 出血（血性），感染（膿性） ●貯留部位： ・両側性　原因・誘因 うっ血性心不全，ネフローゼ症候群など ・一側性（病側）　原因・誘因 がん性胸膜炎，肺炎随伴性胸水，結核性胸膜炎，悪性中皮腫，膿胸など ・一側性（右側が多い）　原因・誘因 肝硬変，腹膜透析など ・一側性（左側が多い）　原因・誘因 膵炎など ●性状： ・漏出性：透明〜淡黄色，漿液性，蛋白や細胞成分なし　原因・誘因 心不全，ネフローゼ症候群，腹膜透析，肝硬変，低アルブミン血症など ・滲出性 　漿液性：透明〜混濁，淡黄色〜黄色，蛋白や細胞成分に富む　原因・誘因 がん性胸膜炎，肺炎随伴性胸水，結核性胸膜炎，悪性中皮腫，膠原病，膵炎など 　膿性：膿様混濁，時に悪臭を伴う腐敗性で灰褐色〜褐色　原因・誘因 肺結核，気管支拡張症，肺膿瘍，肺化膿症，肺真菌症，横隔膜下腫瘍など 　血性　原因・誘因 外傷，動脈瘤破裂，白血病，肺血栓塞栓症，自然気胸など ・乳び性：乳汁様，混濁，微細な脂肪球，無菌性　原因・誘因 外傷，縦隔腫瘍，肺がん，乳がんの転移，フィラリア感染症など ・コレステリン胸水：牛乳様混濁，コレステロール結晶多数　原因・誘因 コレステリン気胸
その他の検査	●心・肝・腎疾患：血液生化学検査，超音波検査など ●がん性胸膜炎の疑い：胸水細胞診（細胞分画，悪性細胞の有無），胸水中腫瘍マーカー，胸水ヒアルロン酸，胸膜生検など ●感染症の疑い：胸水の一般細菌，病原体に対する血清抗体価，喀痰培養，喀痰細胞診など ●結核性胸膜炎の疑い：胸水の結核菌培養，喀痰培養・細胞診，結核菌 PCR 検査，アデノシンデアミナーゼ（ADA）濃度など 🔍 **起こりうる看護問題**：胸水貯留により呼吸機能が低下している／原因・誘因により症状が進行する可能性がある／胸水貯留や諸疾患により運動耐容能が低下している／胸腔穿刺による胸腔外臓器損傷，出血，再膨張性肺水腫，気胸，皮下気腫，感染症，胸膜刺激による副交感神経刺激（血圧低下など），アレルギー（麻酔薬，天然ゴムなど）がある／胸腔穿刺に伴う苦痛やストレスがある／患者・家族が疾患，検査，治療に対する不安を抱えている
患者・家族の心理・社会的側面の把握	胸水貯留は，一過性・反応性の良性胸水の場合もあるが，がんの胸膜浸潤など悪性胸水の可能性もあるため，発見時期によっては病状がかなり進行していることがある．患者・家族は，症状や治療に伴うストレスのみでなく，病状に対する不安を抱く可能性がある．また療養の長期化に伴う社会生活への影響も大きい． ●胸水貯留に対する疑問や不安の表出を図り把握する． ●症状をどのように理解し，受け止めているかを把握する． ●症状や治療に伴うストレスや苦痛などを主観的・客観的に把握する． ●胸水貯留による病状の悪化や療養の長期化に伴う社会生活への影響を把握する． 🔍 **起こりうる看護問題**：患者・家族が疾患，検査，治療に対する不安を抱えている

33

胸水

第4章　呼吸器系

STEP① アセスメント ▶ **STEP② 看護課題の明確化** ▶ **STEP③ 計画** ▶ **STEP④ 実施** ▶ **STEP⑤ 評価**

看護問題リスト

RC：胸腔内出血，膿胸など
#1　胸水貯留により呼吸機能が低下している（活動-運動パターン）
#2　胸水貯留や原疾患により運動耐容能が低下している（活動-運動パターン）
#3　胸腔穿刺に伴う苦痛やストレスがある（認知-知覚パターン）
#4　患者・家族が疾患，検査，治療に対する不安を抱えている（自己知覚パターン）

看護問題の優先度の指針

- 胸水が1,000 mL以上たまると呼吸困難が出現するといわれている．胸水によって呼吸運動が抑制され，循環不全も併発する可能性があるため，特に急激な大量胸水の貯留時には生命維持に関わる項目の優先度が高くなる．
- 胸水貯留に起因する徴候・症状や検査・治療に伴う様々な苦痛が，患者の生活に与える影響も大きいため，活動耐性やセルフケア，安楽障害に関する看護問題も重要である．また，胸腔穿刺によるドレナージなどの治療が長期にわたる場合には，検査・治療に伴う合併症が生命に関わるおそれがあるため，検査中・後の注意深い観察が重要で異常時には緊急処置を行う必要がある．
- 以上のことをふまえて，胸水貯留の原疾患や重症度などに関連した患者・家族の不安を視野に入れた看護問題をあげる必要がある．

STEP① アセスメント ▶ **STEP② 看護課題の明確化** ▶ **STEP③ 計画** ▶ **STEP④ 実施** ▶ **STEP⑤ 評価**

共同問題	看護目標（看護成果）
RC：胸腔内出血，膿胸など	〈看護目標〉胸腔内出血，膿胸の症状をモニターし，悪化・合併症を早期発見する

看護計画	介入のポイントと根拠

急性期の緊急対応

OP 経過観察項目

- 急性の血性胸水は胸腔内出血が疑われ，動脈解離や動脈瘤破裂などの心大血管系疾患が原因の場合は，緊急に専門的治療が必要となる

➡ バイタルサインを正確に把握する．呼吸数や不整脈，発熱などにも注意し，疑わしい症状があればドクターコールを行う **根拠** 動脈解離や動脈瘤破裂による胸腔内出血は致命的な結果につながる

- 感染症による膿胸では呼吸困難などの症状がある．片側胸郭の半分以上を占める胸水，膿性もしくは混濁胸水，培養が陽性，pH 7.2未満などの胸水はドレナージの適応となる
- 患者の徴候・症状の観察とともに，検査結果を把握していく必要がある

➡ **根拠** 急性で発症する重篤な膿胸は，呼吸困難や胸痛のほか，悪寒，高熱，血圧低下，敗血症でショック状態となることもある **高齢者** 高齢者は典型的な症状が出現しない場合があるため，注意深い観察が必要となる

TP 看護治療項目

- 症状の緩和が図れるよう身体的・心理的な看護が重要である
- 様々な検査が実施されるため，患者・家族へのインフォームドコンセントが適切に行われるとともに，検査の準備などを迅速・的確に行う
- 検査・治療に伴う二次的障害を起こさないよう早期発見に努める

➡ 患者の心理的状況に配慮しながら，安全に実施されるよう援助する
➡ **根拠** 診断にあたっては，胸部X線検査や超音波検査，胸部CT検査などで，胸水貯留部位や胸膜被膜，癒着の有無，横隔膜の高さなどを確認したのち，胸腔穿刺で胸水を調べるため，様々な検査が実施される

562

EP 患者教育項目
- 胸水の原因によって治療・看護方針は異なるため，患者・家族が病状を適切に理解できるよう援助することが必要となる
- 検査に伴う合併症を予防するため，患者の理解状況に合わせて説明する

⮞検査や治療に対する患者・家族の理解状況を確認する　**根拠** 胸水貯留の原因や貯留量などによって治療方針などが異なり，がん性胸膜炎など悪性の場合もあるため，病状や治療に対する患者・家族の理解が重要となる

1 看護問題	看護診断	看護目標（看護成果）
#1　胸水貯留により呼吸機能が低下している	**ガス交換障害** **関連因子**：胸水 **ハイリスク群**：早産児 **診断指標** □動脈血 pH の異常 □低酸素血症 □呼吸リズムの変化 □頻（多）呼吸 □頻脈	〈長期目標〉呼吸機能が回復・改善する 〈短期目標〉1) 胸水貯留が減少する．2) 呼吸が安楽である．3) 血液ガス分析で悪化の徴候・症状がない

33

胸水

看護計画	介入のポイントと根拠
OP 経過観察項目 ● バイタルサイン，SpO₂，血液ガス分析 ● 胸郭の大きさの左右差，肋間膨隆，胸壁呼吸運動の低下，声音振盪の減弱・消失，触診による濁音・無反響，患側呼吸音の減弱，呼吸音の左右差 ● 呼吸困難，胸痛（胸膜痛），咳嗽 ● 換気量低下，横隔膜圧迫，胸壁運動低下，チアノーゼ，口腔内乾燥，浅・頻呼吸，頻脈，不整脈，動悸，浮腫，倦怠感，低栄養，発熱，原疾患に関連した徴候・症状など	⮞患者の主観的な訴えのほか，フィジカルアセスメントによる客観的データとともに総合的にアセスメントしていく　**根拠** 胸水貯留が少ない時は，顕著な症状がみられない
TP 看護治療項目 ● 胸水貯留や原疾患に関連した症状が軽減できるよう安楽な体位をとる ● 医師の指示に従い正確に酸素療法を実施する ● 安楽・安全に検査が実施できるよう援助する ● 口腔内乾燥を緩和し，清潔を保持する	⮞症状のほかに，原疾患も念頭におきながら安楽のための援助を実施する　**根拠** 胸水貯留の原因が非炎症性（心・肝・腎不全など）の場合と，炎症性の場合（がん性胸膜炎，結核性胸膜炎，悪性中皮腫など）とでは，患者の苦痛の性質は全く異なる ・炎症性の胸水：通常，炎症部位の胸膜性胸痛がみられ，吸気時に悪化する．炎症部位以外にも関連痛もあり，胸壁下部や腹部（肋間神経系），頸部や肩（横隔神経系）に痛みを訴える場合もある ・非炎症性の胸水：無症状の場合もあるが，胸水の量により呼吸困難や胸の違和感，咳などがみられる
EP 患者教育項目 ● 安静度の範囲と安静の必要性について説明する ● 酸素療法実施時は，その必要性を説明する ● 病状や胸水貯留の原因などに関する疑問点など	⮞病状や胸水貯留の原因を患者が理解しているこ

563

第4章 呼吸器系

を表現できるよう関わる

とが，治療やケア方針の理解につながるので，患者の疑問などを把握する　**根拠** 胸水貯留の原因や部位，程度などは原疾患によって異なり，治療方針やケア方針も変わってくる

2 看護問題	看護診断	看護目標（看護成果）
#2　胸水貯留や原疾患により運動耐容能が低下している	**活動耐性低下** **関連因子**：酸素の供給／需要の不均衡 **ハイリスク群**：高齢者 **関連する状態**：呼吸器疾患 **診断指標** □労作性（時）呼吸困難 □活動時の異常な心拍反応 □活動時の異常な血圧反応 □倦怠感を示す	〈長期目標〉活動耐性が回復する（活動が増す） 〈短期目標〉1) 胸水貯留が減少する．2) 胸水貯留や原疾患による症状・苦痛が緩和（消失）する．3) 病状に応じた範囲で日常生活動作を実施できる

看護計画	介入のポイントと根拠
OP 経過観察項目 ●バイタルサイン，SpO₂，血液ガス分析 ●安静時と活動中・後の呼吸困難，呼吸状態，チアノーゼ，胸痛（胸膜痛），咳嗽，倦怠感，めまい，混乱など ●日常生活動作のセルフケアのレベル ●胸水貯留の原疾患に関連した徴候・症状	➡安静中の徴候・症状のみでなく，日常生活において，苦しいと感じる動作などをきめ細かに把握していく　**根拠** 安静中は徴候・症状が出現しなくても，何らかの労作によって出現することがある
TP 看護治療項目 ●呼吸困難時は安楽な呼吸体位に整える．胸水貯留部位を下にした側臥位が望ましいが，患者の症状に応じた安楽な体位にする ●呼吸困難などの症状がある場合は，医師の指示に従って酸素療法などの対症療法を実施する ●酸素療法実施時は，指示された酸素量を投与し，気道の浄化や口腔内の清潔を図ったり，口腔内の乾燥を予防したりする ●患者の病状に応じた日常生活の援助をする（清潔，排泄，移動など） ●胸痛（胸膜痛）の強さや頻度などに応じて，湿布薬で緩和を図る ●咳嗽は体力を消耗するばかりでなく，胸痛（胸膜痛）を増強させるため，医師の指示のもと鎮咳薬で咳嗽を抑える ●急変時などに備えて，一次救命セットをスタンバイしておく	➡患者の病状に即して，安全・安楽・自立を図りながら，安静度の範囲で日常生活の支援をする　**根拠** 不要な（過度の）安静はかえってデコンディショニング（身体機能の低下）を促進する場合がある　**高齢者** 高齢者は筋力の低下などにより，日常的な活動量が少ない傾向があるため，過度の安静によって，活動耐性がより低下し，寝たきりになったり，転倒などの事故を起こす可能性がある
EP 患者教育項目 ●呼吸困難や胸痛（胸膜痛），咳嗽の起こりやすい理由などを，わかりやすく説明する ●胸郭にひびかない咳嗽の方法（枕を抱きかかえる，手掌で胸を押さえるなど）を説明する ●治療計画に沿った安静度の範囲や理由を，患	➡医師と連携をとりながら，患者・家族に必要な情報をわかりやすく提供する　**根拠** 呼吸困難や胸痛（胸膜痛）は，患者・家族にとっては死を意識する症状で不安が大きい

者・家族の理解の程度に合わせてわかりやすく説明し協力を得る

3 看護問題	看護診断	看護目標（看護成果）
#3 胸腔穿刺に伴う苦痛やストレスがある	**安楽障害** **関連する状態**：病気に関連した症状，治療計画 **診断指標** □苦しみうめく □不快感を示す □睡眠覚醒サイクルの変化 □不安 □リラックスすることが困難	〈**長期目標**〉苦痛やストレス状態が改善され活動性が回復・増加する 〈**短期目標**〉1)胸腔穿刺の必要性を理解できる．2)胸腔穿刺に伴う苦痛やストレスを言葉に出して表現できる．3)表情や身振りが苦痛やストレスを軽減していることを反映している

33
胸水

看護計画	介入のポイントと根拠

 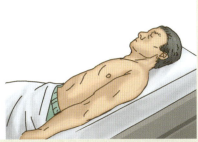

a：胸腔穿刺時の体位：一般的には座位姿勢で，座位がとれない場合は上半身をギャッチアップして（半座位），肋間腔を広げるようにする．穿刺部位は肺と胸壁が離れている部位で，肩甲線と後腋窩線との間の第6～9・10肋間腔が選ばれる．

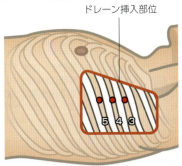 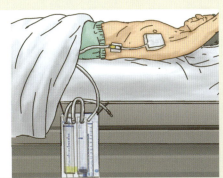

b：胸腔ドレーン挿入部位と挿入後の体位：胸腔ドレーン挿入の場合，血管損傷の防止などのためにsafety triangle（前面は大胸筋外側縁，後面は広背筋前縁，上縁は腋窩位置，下縁は乳頭の高さ位置に囲まれる領域）部位の第3～5肋間・中腋窩線部が選ばれる場合がある．挿入後は仰臥位となり，ドレーン挿入側をやや挙上し，上肢を頭の後ろに回して腋窩を十分に広げるようにする．

■図33-3　胸腔穿刺時の体位と胸腔ドレーン挿入時の体位

第 4 章　呼吸器系

胸腔穿刺時の緊急対応

OP 経過観察項目

- 胸腔ドレーン挿入時に胸腔外臓器損傷の可能性があるので，挿入時の患者の表情を観察し，痛みの訴えなどを聞く
- 出血 (血性胸水) が 100 mL/時以上持続している場合は，緊急に開胸して止血が必要となるため，医師に連絡し，指示を得る
- 胸水による重度の虚脱肺が長期間 (約 1 週間以上) みられた場合，急激に肺を再膨張させると再膨張性肺水腫を招く危険性があるため (機序は不明)，患者の主観的・客観的情報を把握し，医師の指示に基づいて処置を行う
- 胸腔ドレナージバッグの水封室中の水面の呼吸性・拍動性移動がない場合は，フィブリン析出などによるドレナージチューブの閉塞，体位による屈曲・ねじれ，ドレーン挿入部の位置，肺の完全膨張による胸腔内空間の狭小化，胸腔内の過剰陰圧などが考えられる
- 胸腔ドレーン挿入部の縫合・固定不全によってチューブ周囲から胸腔内に空気が流入すると，気胸や皮下気腫を起こす危険性がある
- ドレーン挿入部の発赤，圧痛，化膿，壊死などは，ドレーン固定部の糸のゆるみや感染症の可能性がある
- ドレーン挿入後のラテックスアレルギー (ドレーンの材質である天然ゴムの成分による) では，呼吸困難，喘息，血圧低下，ショック状態となり緊急処置が必要である

➡胸腔穿刺の目的や原理，方法を理解し，胸腔穿刺に伴う合併症の予防ができるよう予測的に観察する　**根拠** 胸水の貯留量や貯留部位，性状，原疾患の病状などによって合併症の徴候・症状は多様である

➡**根拠** 胸腔内は生理的に軽度の陰圧で，それに近い状態で吸引圧を調節しながら，胸腔内の排液を行う．胸腔内から出てきた胸水と気体は，水分である胸水は排液ボトル内に貯留し，気体は水封室に流入する．気体を水封室の水中に強制的にくぐらせることで，空気の行き来を遮断する (ウォーターシール)．ドレナージチューブが閉塞している場合は，患者の胸腔から水封室への気体の流れが止まってしまうため，水封室中の水中の呼吸性・拍動性移動はみられなくなる．その原因には，①胸水成分の 1 つであるフィブリンの結晶化や，血液凝固などによる閉塞，②体位によるドレナージチューブの屈曲・ねじれ，③ドレーンが胸腔内に正しく挿入されていない，④肺が完全に膨張しているために胸腔内に空間がなくなる，がある．胸腔ドレナージバッグの種類によっては，胸腔内が吸引設定圧よりも大きい過剰陰圧になると，水封室中の水が安全弁まで到達して，呼吸性・拍動性移動はみられなくなるものもある

TP 看護治療項目

- 医師と連携しながら，原因に応じた適切な対応を実施する
- 胸腔ドレーン挿入による二次的障害を予防する

➡緊急性を見逃さないように観察し予測的に対応する　**根拠** 特に心大血管による出血や再膨張性肺水腫などは生命に危険を伴う状態である

EP 患者教育項目

- 患者の病態に応じて胸腔穿刺の方法 (単回穿刺か，持続ドレナージかなど) が選択されることの理解を得る
- 徴候・症状がみられた場合は，すぐに医療者に知らせるように伝える
- 胸腔ドレーンの自然抜去による二次的障害を防止するため，患者・家族の理解状況に応じて説明する

➡病状や検査・治療に対する患者・家族の理解状況を把握する　**根拠** 単回穿刺法と持続ドレナージでは，胸腔に穿刺・挿入する医療器具が多少異なり，それに伴う苦痛の程度や生活への支障にも相違がある

OP 経過観察項目

- 倦怠感，硬い表情，苦痛表情，意欲低下，神経過敏など
- バイタルサイン，SpO_2，血液ガス分析

➡胸腔穿刺の目的や原理，方法を理解し，起こりうるトラブルや合併症などの徴候・症状を早期に発見する　**根拠** 胸腔ドレーンが指示された陰圧

- 主症状の増悪の有無〔呼吸困難，胸痛（胸膜痛），咳嗽，発熱，疼痛など〕
- 胸腔穿刺時の血圧低下，冷汗，悪心などの有無（胸膜刺激による副交感神経刺激）
- 穿刺後の出血の有無
- ドレナージ中の胸郭の大きさの左右差，肋間膨隆，胸壁呼吸運動の低下，声音振盪の減弱・消失，触診による濁音・無反響，患側呼吸音の減弱，呼吸音の左右差
- 排液された胸水の性状・量
- 水封室中の水面の呼吸性・拍動性の動き（動きがない場合は凝血などによる閉塞の疑いあり）
- ドレーン挿入部の状態（発赤，圧痛，皮下気腫など）

- 胸腔ドレーン抜去後，胸腔内への空気の入り込みの有無と，ドレーン抜去部の縫合の状態

レベルで機能していないと，胸水の排液が適切に図れなかったり，皮下気腫，感染症などの重篤な合併症を併発する危険性がある

➡胸腔ドレナージの管理を正しく安全に，かつ患者への苦痛を最小限にして行う必要がある
 根拠 胸腔ドレナージの目的（①陰圧による持続吸引，②液体の排出と逆流防止，③気体の排出と逆流防止）を果たせるよう実施していくことが，治療の効果を高め，患者の回復促進につながる
➡胸腔ドレナージの効果は，胸水の排液量や性状のみでなく，呼吸状態や肺胞呼吸音などの正確なアセスメントによって評価していく必要がある
 根拠 胸腔ドレナージのトラブルや合併症を早期に発見し，適切に対応していくことが，患者の苦痛やストレスの増強を予防することにつながる
➡ 根拠 胸腔ドレーン抜去後は，抜去部から空気が入り込む可能性があるので，縫合部の観察や呼吸のフィジカルアセスメントを適切に行う

TP 看護治療項目
- 患者・家族にインフォームドコンセントが適切になされるよう援助する
- 胸腔穿刺・排液時は，患者が最小限の苦痛で安楽な体位がとれるよう援助する
- 医師の指示に基づく併用療法（利尿薬投与，胸膜癒着術など）を正確に実施する
- 胸腔ドレーン挿入中の生活援助（清潔，移動など）を行う

➡特に呼吸困難や胸痛（胸膜痛）のある患者は体位保持が困難な場合があるので援助が必要となる
 根拠 体動により穿刺が困難となるばかりでなく，胸腔外臓器損傷の可能性がある

EP 患者教育項目
- 胸腔穿刺の手順などを簡潔にわかりやすく説明する
- 胸腔ドレーンの安全な管理に関する説明をする（ドレナージチューブの屈曲・抜去防止など）
- 患者・家族の不安や疑問，生活上の不便さなどを把握して適切に対応する
- ドレーン抜去時は，患者に最大吸気位（肺が膨らみ胸壁に接しているため）もしくは最大呼気位（胸腔内圧が高くなるので外界からの空気の入り込みを防ぐ）で，息を止められるようにコツを教えたり励ましたりする

➡胸腔穿刺に対する過度の不安を惹起しないよう，疑問点などを傾聴し，わかりやすく説明する．局所麻酔をするため，胸腔穿刺自体は極度に強い苦痛ではないことや，穿刺時の適切な体位保持の必要性などについて理解を得る　根拠 患者・家族にとって，胸腔穿刺を具体的にイメージするのが困難な場合があり，そのことが不安を増幅させる．理解することで，体位制限などに対する協力が得られる

4　看護問題	看護診断	看護目標（看護成果）
#4　患者・家族が疾患，検査，治療に対する不安を抱えている	不安 **関連因子**：ストレッサー（ストレス要因） **診断指標** □緊張感 □不安定な気持ち	〈長期目標〉患者・家族が不安が軽減したと表現できる 〈短期目標〉1）不安を言葉に出して表現できる．2）不安が軽減していることを表情や身振りに反映している

第4章　呼吸器系

□不眠
□どうすることもできない無力感
□呼吸パターンの変化
□食欲不振

看護計画	介入のポイントと根拠
OP 経過観察項目 ●不安や緊張，怒り，悲しみの表情，落ち着きがない様子など ●不安や心配，怒り，悲しみの訴えなど ●身体的反応：頻脈，頻呼吸，手指の振戦，ふるえなど ●病状や検査・治療に対する質問の有無，内容など	●検査結果が出るまでの不安，治療中の恐怖心など，患者・家族の言語的な表現のみでなく，非言語的な表現を捉える　**根拠** 胸水貯留という病態は，患者・家族にとってなじみがなく，また予想もしなかった重篤な病状（がんの末期など）が胸水貯留の原因となっている場合がある
TP 看護治療項目 ●不安が表出できる態度で接する ●患者の健康状態や検査・治療など，不安の要因を把握して緩和する	●支持的態度で接する　**根拠** 支持的態度が，患者・家族の感情，思い，考えなどの表出を促すため
EP 患者教育項目 ●検査・治療実施時は，患者・家族の理解状況に合わせて，絵や図を効果的に用いながら説明する ●心配なことや質問は遠慮なく看護師に伝えるよう協力を得る	●胸水がどのような部位にたまっているか，どの部位にチューブが入っているかなどを，絵や図を用いて理解を促す　**根拠** 胸腔やドレーンの仕組みがわかることによって，不安・心配が緩和されるのみでなく，ドレーン管理のセルフケアにも協力が得られる

STEP ❶ アセスメント　STEP ❷ 看護課題の明確化　STEP ❸ 計画　STEP ❹ 実施　STEP ❺ 評価

病期・病態・重症度に応じたケアのポイント

【急性期】 胸腔内出血による大量胸水に対しては，専門医による緊急的処置が必要となる．その他の大量胸水については，利尿薬や抗菌薬，鎮痛解熱薬，ステロイド薬などの原疾患に応じた薬物療法や酸素療法などの対症療法と並行しながら，胸腔穿刺（単回穿刺法，持続ドレナージ）を実施して救命を図るため，患者の状態変化をすばやくキャッチして，検査，診断，治療をスムーズに実施するための診療介助が必要となる．急性期では，呼吸困難，胸痛（胸膜痛），咳嗽，発熱などの症状や苦痛を緩和し，患者・家族の精神的支援をしていくことが重要である．

【慢性期】 大量胸水の貯留は緩和しても，疾患によっては薬物療法や持続ドレナージが必要とされる場合がある．またネフローゼ症候群では，胸水貯留による症状が強い場合には胸膜癒着術が，がん性胸膜炎では胸水貯留スペースをなくすための同様の胸膜癒着術が施行されるが，副作用として発熱，疼痛などの消耗性の苦痛を伴うため，安楽な体位，保清などの日常生活の支援が必要となる．持続ドレーンが抜去されても，長期にわたって疾患管理のための薬物療法が必要となる場合があるため，退院後も適切な保健行動がとれるよう患者・家族に指導する．

【終末期】 がん性胸膜炎のように，がん性胸水が進行がんのステージを意味したり，肝性胸水のように，すでに腹水貯留を併発している肝がん合併の肝硬変であったりなど，胸水貯留が予後不良を意味する病状もあるため，他職種との連携のもと，患者・家族のインフォームドコンセントを図りながら，患者が望み必要とする緩和ケアを提供していく．

看護活動（看護介入）のポイント

診察・治療の介助
- 胸水貯留に起因する症状や検査結果，経過などから原因を把握する．
- 救命を目的とした緊急処置が必要となる場合もあるため，的確な診察・治療介助ができるよう胸水貯留の原因を理解する．
- 胸水貯留が少量の場合は無症候のため，フィジカルアセスメントによる客観的データとともに総合的にアセスメントする．
- 指示された薬物療法や酸素療法，胸腔穿刺（介助）などを正確に実施し，それらに伴う合併症を予防する．
- 胸腔穿刺の目的，原理，方法を理解し，胸腔穿刺に伴う合併症の予防とともに，患者の安楽・安全を図る．
- 急変時に備えて，一次救命セットをスタンバイしておく．

胸水貯留や原疾患に関連した症状・苦痛に対する援助
- 胸水貯留や原疾患に関連した症状・苦痛の緩和を図る．
- 症状・苦痛緩和のための対症療法を正確に実施し，それらに伴う合併症を予防する．
- 症状・苦痛を増強させないための工夫や，日常生活の援助で患者の安楽を図る．
- 胸水貯留の程度によっては，予後不良の場合もあるため，他職種との連携のもと，患者が望み必要とする緩和ケアを提供していく．

患者・家族の心理・社会的問題への援助
- 呼吸困難や胸痛（胸膜痛）は，死を想像させ，大きな不安・恐怖心となるので，患者・家族が不安や心配事を表出できるように支援する．
- 患者・家族の不安や心配事，質問に対して，他職種と連携しながら対応する．
- 胸水貯留の程度によっては，予後不良の場合もあるため，他職種との連携のもと，患者・家族のインフォームドコンセントを図れるよう援助する．

退院指導・療養指導

- 胸水の原因によって治療・看護方針は異なるため，患者・家族が病状を適切に理解できるよう援助する．
- 医師と連携しながら，病状，検査，治療の説明を理解の程度に合わせて実施しインフォームドコンセントが行われるよう支援する．
- 持続胸腔ドレナージ実施時は，胸腔ドレナージの目的や原理，合併症予防のための管理のあり方などを患者・家族にわかりやすく説明し協力を得る．
- 胸水貯留が消失しても，長期にわたる薬物療法が必要となる場合があるので，原疾患に必要となる適切な保健行動がとれるよう援助する．

STEP ❶ アセスメント　STEP ❷ 看護課題の明確化　STEP ❸ 計画　STEP ❹ 実施　STEP ❺ 評価

評価のポイント

看護目標に対する達成度
- 胸水貯留が減少（消失）しているか．
- 呼吸機能が回復・改善しているか．
- 呼吸が安楽であるか．
- 胸水貯留や原疾患による症状・苦痛が緩和（消失）しているか．
- 活動性が回復（増加）しているか．
- 検査，治療に伴う苦痛やストレスが緩和（消失）しているか．
- 検査，治療の必要性を理解しているか．
- 病状，検査，治療に対する不安や心配事を表出しているか．
- 病状，検査，治療に対する不安や心配事が軽減していることが表情や身振りに反映されているか．

33

胸水

569

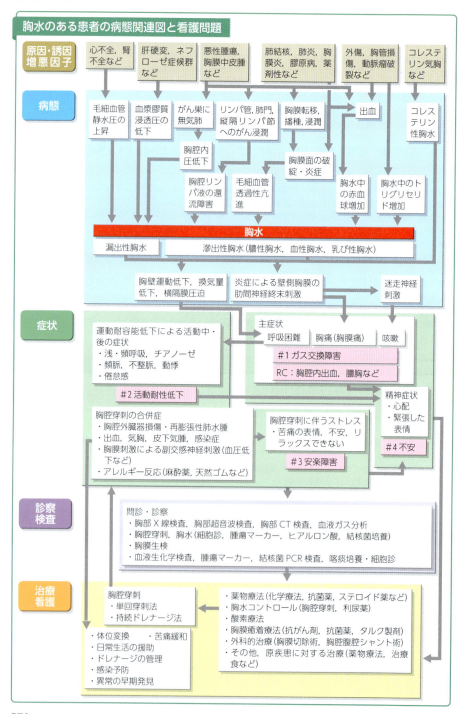

第**5**章

循環器系

34 胸痛

笹野 哲郎

目でみる症状

痛み刺激は，交感神経の求心性線維を介して第8頸髄，第1～5胸髄の脊髄後角の二次ニューロンに入り，そこから脊髄視床路を介して視床下部から大脳皮質へと伝わる

狭心症や心筋梗塞では下顎，左頸部，左肩，左上腕の内側に関連痛を感じることがある．ここに分布する皮膚からの求心性線維も同じ二次ニューロンに接続され，痛み情報が脳に伝達される際に，皮膚由来の痛みと誤認識することがある

障害を受けた細胞からアデノシン，ブラジキニン，プロスタグランジン，セロトニン等が放出されるこれらが化学受容体などの痛覚受容器を刺激して痛みが生じる

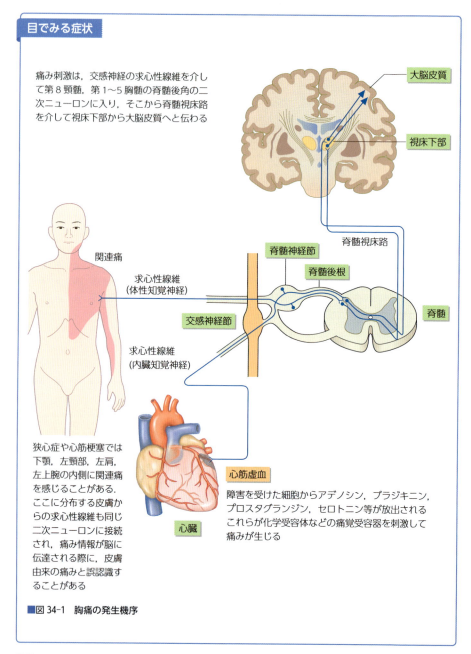

■図 34-1 胸痛の発生機序

病態生理

胸痛とは，狭義にはその名の通り胸の痛みであるが，実際には「痛み」として訴えるだけでなく，「締め付けられる」「押さえられる」といった，圧迫感や絞扼感といった訴えも含む．また，痛みの部位も心臓の位置を中心とした前胸部に限局せず，ある程度の広がりをもった範囲で感じることがある．そのため，総称として「胸部症状」と呼ぶこともある．

- 痛みの感覚は，内臓痛と体性痛に分けられる．
- 内臓痛とは，心臓・大動脈などの胸腔内臓器に由来する痛みであり，自律神経の求心性線維である内臓知覚神経を介して伝えられる痛みである．臓器の虚血や炎症により放出された蛋白が化学受容体を刺激することや，伸展や拡張などの変化が機械的に受容体を刺激することによって生じる．内臓痛の特徴は，明確かつ狭い部位に生じることはなく，広範な部位で漠然と感じる痛みということである．
- 体性痛は，胸郭の外側にある骨・筋肉・神経・皮膚などに由来する痛みであり，体性知覚神経を介する痛みである．痛みの部位や範囲がはっきりしており，鋭い痛みとして感じることが多い．

● 狭心痛の病態生理
- 心臓の痛みは内臓痛に分類されるが，そのなかで，特に心筋虚血によって生じる痛みを狭心痛という．
- 狭心痛は，前胸部の痛みだけでなく心窩部痛として感じる場合も多いほか，下顎・肩・左上肢などへ痛みが広がるのが特徴である．心筋組織が虚血に陥ると，細胞外 K^+ イオン濃度が上昇し，また障害を受けた細胞からアデノシン，ブラジキニン，プロスタグランジン，セロトニン等が放出される．これらが化学受容体などの痛覚受容器を刺激して痛みが生じる．この痛み刺激は，交感神経の求心性線維（内臓知覚神経）を介して脊髄後角の二次ニューロンに入る．そこから脊髄視床路を介して刺激は視床下部から大脳皮質へと伝えられる（図34-1）．
- 脊髄後角に入るのは内臓知覚神経だけではなく，下顎・左頸部・左肩・左上腕内側に分布する皮膚からの求心性線維（体性知覚神経）も同じ二次ニューロンに接続される．このため，痛み情報が脳に伝達される際に，皮膚由来の痛みと誤認識されることがある．このような痛みを関連痛（放散痛）という．
- 以上のようなメカニズムにより，狭心症や心筋梗塞の際には，肩・左上肢・背部などに放散する関連痛を感じることがある．歯の痛みを訴えることもある．典型的には強い痛みを感じるが，糖尿病患者などでは，神経障害のために痛み刺激が弱く，狭心痛を明確に感じない場合もある．

患者の訴え方

▌ 胸痛を起こす疾患は多様であり（表34-1），痛みの訴え方も様々である．

● 主症状の訴え
- 狭心痛の場合，胸部症状だけでなく，不安感や恐怖感を伴った複雑な症状として訴えることもあり，その表現は様々である．単純に「胸が痛いですか」と聞くと，むしろ否定的な反応をされることもある．部位としては，前胸部，特に胸骨裏側を中心に感じられることが多いが，部位を明確に特定した痛みであることはなく，「胸全体が締め付けられる」といった漠然とした痛みとなる．明確に1点を指して，「心臓のこの部分が痛い」という場合はむしろ狭心痛でないことを疑う所見となる．
  - ・狭心症では，胸部症状の持続時間は数分程度である．狭心痛は，労作や精神的ストレスによって誘発される場合と，安静時に誘因なく生じる場合がある．特に労作によって誘発された場合は，安静により通常1〜2分で軽減する．
  - ・急性心筋梗塞では痛みが消失せずに持続する．20分以上持続する場合は急性心筋梗塞あるいは他の疾患を考える必要がある．
- 急性心膜炎でも前胸部に痛みを感じるが，刺すような痛みとして訴えることがあり，狭心痛とはやや異なる．特に，呼吸や体動により痛みが増強し，前屈位でやや軽減する，というように痛みの強さが変化することが特徴である．
- 大動脈解離の場合，突然に生じる前胸部から背部への激痛であり，「引き裂かれるような」「刺されたような」痛みとして訴えることが多い．発症時に最も強い痛みを感じ，その後は解離の進行に伴って痛みの部位が徐々に移動する．解離の部位により，前胸部に強い痛みを感じる場合と背部へと移動する場合がある．
- 肺動脈血栓塞栓症では，胸痛を感じることもあるが，痛みを単独で訴えることは少なく，呼吸困難感が主体である．胸痛を全く訴えない場合もある．また，気胸でも突然出現する胸痛を訴えるが，片側の胸部に生じ，呼吸困難と咳を伴うことが多い．

34
胸痛

第 5 章　循環器系

- 片側性で肋間神経走行に沿ったピリピリするような痛みを訴える場合は，帯状疱疹の可能性がある．また，明確に肋骨の一部に限局した痛みで，体動・呼吸で痛みが増強する場合，圧痛を伴う場合は，肋骨骨折などを疑う．

●随伴症状の訴え

- 狭心痛では，左肩・左上腕・下顎・頸部に関連痛（放散痛）を訴えることがある．歯の痛みとして訴えることもあり，胸部圧迫感にこのような関連痛を伴う場合は狭心痛を強く疑う所見となる．また，特に急性心筋梗塞では心拍出量低下によるショックの症状として，悪心・嘔吐・冷汗などの全身症状を伴うこともあるほか，呼吸困難や息切れなどの心不全の症状を合併することがある．
- さらに，狭心痛には精神的な恐怖感を伴うこともあり，その程度によって随伴症状の内容と程度は様々である．
- 高齢者や糖尿病患者などで胸痛を強く感じない場合には，ショックや心不全の随伴症状を主たる症状として訴えることもある．

診断

胸痛を起こす疾患は，心臓疾患以外に，急性大動脈解離などの血管疾患，気胸などの呼吸器疾患など多彩であり，緊急対応を要する疾患が多く含まれる．胸痛の性状と時間的経過・随伴症状の聴取によって診断をつけることが可能であるため，まず緊急対応を要する疾患を念頭において簡潔に訴えを聞き，緊急性を判断する．緊急性が高い場合は素早く検査・処置・治療へと移行し，緊急性が低い場合は，主症状・随伴症状の丁寧な聴取を行う．

- 胸痛は，その性状と部位・時間経過を把握することで，病態・緊急性・まず行うべき検査まで判断することが可能なため，詳細な問診が重要である．しかし，緊急性を要する疾患に対して患者に長時間の問診を行うことは避けなければならない．胸痛をもった患者の問診をする際には，まず緊急性の高い疾患を除外することを考えて主症状・随伴症状を聴取する．
- 胸痛の問診の際に留意するポイントを表 34-2 に示す．

■表 34-1　胸痛を起こす疾患（赤字は緊急対応を要する疾患）

心臓	労作性狭心症，不安定狭心症，急性心筋梗塞，タコツボ心筋症，急性心膜炎，心筋炎，大動脈弁狭窄症，肥大型心筋症，不整脈
大動脈	急性大動脈解離，胸部大動脈破裂，高安動脈炎
肺動脈	肺血栓塞栓症，肺梗塞
呼吸器系	気胸，肺炎，気管支炎，膿胸，胸膜炎，肺がん，転移性肺腫瘍
消化器系	食道炎，食道潰瘍，胃炎，胃・十二指腸潰瘍，胆石症，急性胆嚢炎，急性膵炎，食道破裂〔ブールハーフェ (Boerhaave) 症候群〕
胸壁	肋骨骨折，肋軟骨炎，筋肉痛，筋炎，外傷
その他	帯状疱疹，肋間神経痛，脊髄疾患，椎間板疾患，悪性腫瘍の骨転移，心臓神経症，過換気症候群，乳腺症，パンコースト (Pancoast) 腫瘍

■表 34-2　胸痛の問診で留意すべきポイント

部位	漠然とした範囲の痛み，明確に部位を特定できる痛み 前胸部，胸骨裏側，背部，側胸部，片側性か否か
性状	押しつけられるような痛み，締め付けられるような痛み，刺されるような痛み，ピリピリする痛み
発生状況	労作時，安静時，空腹時，食後，就寝中，日中
誘因	労作（運動），精神的ストレス，食事，飲酒
随伴症状	関連痛（放散痛），悪心・嘔吐，冷汗，恐怖感，咳，呼吸困難，ショック，動悸
出現様式と 持続時間	突然の激痛，徐々に痛みが増強，痛みの部位が移動，咳・呼吸・体動・体位による変化 数分で消失，20 分以上持続，1 日以上持続

●**考えられる疾患**
- 胸痛をきたす疾患には，循環器系疾患（心疾患，大動脈疾患，肺動脈疾患），呼吸器系疾患，消化器系疾患，胸壁の疾患，その他，などがある（表 34-1）．
- 主症状と随伴症状から疑うべき疾患のフローチャートを図 34-2 に示す．
- 各疾患にはリスク因子や誘因が知られており，これらの情報の聴取も重要である（表 34-3）．

●**診断のポイント**
- 急性心筋梗塞，狭心症，急性心筋炎，心膜炎，大動脈解離，肺血栓塞栓症などがあり，早急な対応を要するものが多い．
- 狭心症は，痛みの経過によって安定狭心症と不安定狭心症に分類される．不安定狭心症は，急性心筋梗塞に移行するリスクが高く，この 2 つをあわせて急性冠症候群と呼び，緊急対応が必要な疾患群である．
  - ・安定狭心症：最近 3 週間において，労作時など一定の条件の際に胸痛が生じ，休むと痛みが消失するなど，胸痛の出現と消失に一定のパターンがあって変動しないもの．
  - ・不安定狭心症：これまでになかった胸痛が新たに出現してきた場合や，労作時だけに生じていた胸痛が安静時にも出現するようになるなど，胸痛の出現パターンが直近 3 週間で変化，増悪しているもの．
- 来院時に胸痛が持続しているか，完全に消失しているかは緊急性を判断するうえで重要な情報である．
- まず心電図検査を行い，虚血性の変化を評価する．特に ST 上昇が見られた場合は，急性心筋梗塞の可能性を念頭において以後の検査を進める．血液検査で心筋壊死マーカー（CK，CK-MB，トロポニンなど）の上昇が見られ，心エコーで局所壁運動低下が見られた場合は，急性心筋梗塞を疑い緊急で冠動脈造影を行う．
- 血液検査で D ダイマーが上昇している場合は，血栓形成とその後の線溶を反映していると考えられ，肺血栓塞栓症を疑う．
- 胸部 X 線検査では，心陰影の拡大や縦隔陰影拡大を評価する．縦隔陰影拡大がみられた場合は，急性大動脈解離など，大動脈疾患を疑う．
- 心エコー検査では，心室の局所壁運動，心嚢水の有無，右心負荷所見（心室中隔の左室側への圧排），などに注意する．
- 造影胸部 CT 検査は，大動脈解離や大動脈瘤切迫破裂の診断，肺動脈内の血栓の診断に有用である．
- 受診時に胸痛が消失していても，症状の出現が不安定であり，不安定狭心症を疑った場合は冠動脈造影を考慮する．

34

胸痛

■**表 34-3　胸痛の原因となる心血管疾患と，そのリスク因子および誘因**

原因疾患	リスク因子・誘因
急性心筋梗塞・狭心症	加齢，脂質異常症，糖尿病，喫煙，肥満，メタボリック症候群
急性大動脈解離・大動脈瘤	高血圧，家族歴
肺血栓塞栓症	長期臥床，経口避妊薬，悪性腫瘍，妊娠
急性心筋炎・心膜炎	先行する感冒症状
タコツボ心筋症	強い精神的ストレス

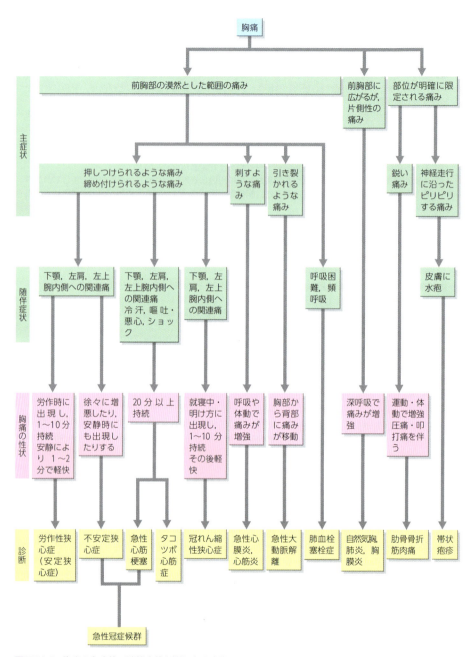

■図 34-2　胸痛の主症状・随伴症状と疑われる疾患

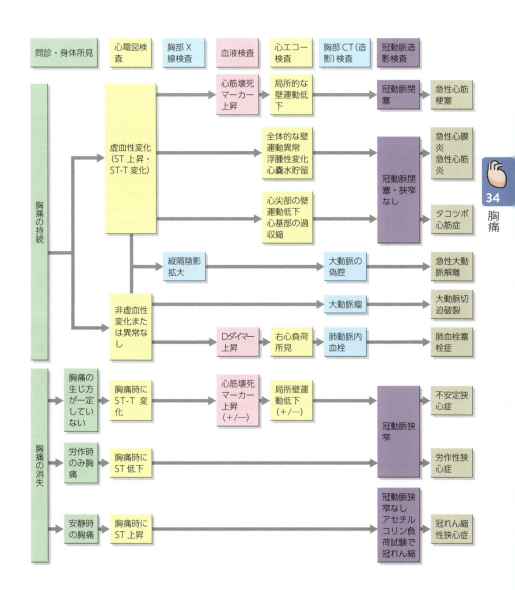

■図 34-3　心血管疾患を疑う時の検査と診断

治療法・対症療法

胸痛を訴える患者では，急速な経過で死に至る疾患の可能性があることを念頭において，原疾患に対する治療を優先して行う．確定診断の前に対症療法として鎮痛薬などを使用することはないが，確定診断後に胸痛の緩和が必要な場合は，鎮痛薬を投与することもある．

● **治療方針**
● 心血管疾患である急性心筋梗塞，不安定狭心症，急性大動脈解離，大動脈切迫破裂，重症肺血栓塞栓症などは緊急対応を必要とする疾患であり，胸痛の訴えからその疑いがあれば，心電図検査・血液検査・画像検査を速やかに行う．診断をつける前に痛みを緩和するための対症療法を行うことはないと考えてよい(図 34-4)．

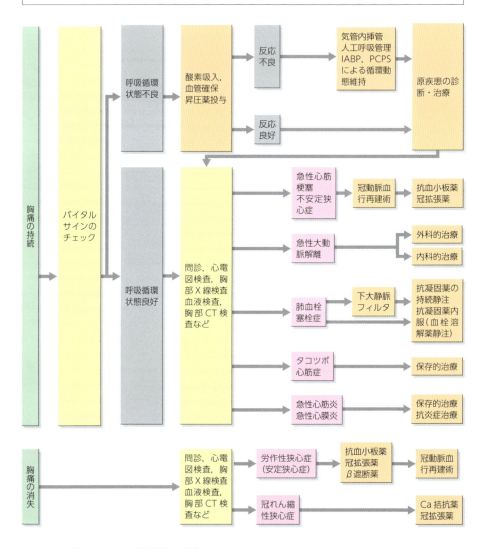

■図 34-4　胸痛を訴える心血管疾患の治療

- 緊急対応を必要とする疾患では，循環動態が破綻する可能性も高い．意識，血圧，脈拍，呼吸数，体温などのバイタルサインの確認と管理が必要である．呼吸循環状態が不良である場合は酸素吸入，血管確保と昇圧薬投与などを行う．反応不良であれば，気管内挿管と人工呼吸管理を行い，さらに大動脈内バルーンパンピング（IABP）や経皮的心肺補助装置（PCPS）を使用して補助循環を開始して循環動態を維持し，原疾患に対する治療を並行して行う．
- 急性冠症候群（急性心筋梗塞，不安定狭心症）には抗血小板薬，冠拡張薬が使用される．同時に冠動脈造影を行い，冠動脈の閉塞や狭窄が認められれば，冠動脈インターベンションや冠動脈バイパス術による血行再建術が行われる．
- 急性大動脈解離，大動脈切迫破裂では，緊急手術を行う可能性がある．手術療法・保存的療法の選択は発症からの時間や病変の広がりなどによって決定する．基本的には解離が上行大動脈に及ぶスタンフォード分類 A 型では大動脈置換術などの緊急手術の適応であり，解離が下行大動脈に限局するスタンフォード分類 B 型では降圧薬を中心とした内科的治療が行われる．
- 肺血栓塞栓症は，主として下肢の深部静脈血栓症を基盤として発症し，遊離した血栓が肺動脈を閉塞して生じる．血行動態の安定化と抗凝固薬の投与を行う．下肢に残存する血栓が認められる場合，下大静脈フィルタを一時的に留置し，肺塞栓の再発を防ぐ．

● 薬物療法

- 心血管疾患を対象とした薬物療法としては，急性冠症候群に対しては冠拡張薬，抗血小板薬，抗凝固薬が使用され，痛みが強い場合にはモルヒネの使用を考慮する．
- 狭心症に対しても冠拡張薬，抗血小板薬を用いるが，労作性狭心症では労作時の心筋酸素需要を低下させるために β 遮断薬を併用し，冠れん縮性狭心症では Ca 拮抗薬を併用する．
- 大動脈解離や大動脈瘤切迫破裂等の大動脈疾患では，血圧のコントロールが重要である．Ca 拮抗薬（ニカルジピン）点滴静注による早期の降圧および内服薬（Ca 拮抗薬や β 遮断薬）によるコントロールを行う．
- 肺血栓塞栓症に対しては抗凝固薬を使用する．ヘパリン Na の持続静注に引き続いてワルファリンまたはエドキサバン経口投与に切り替えるか，リバーロキサバン，アピキサバンの投与を行う．広汎な肺血栓塞栓があり，ショックや低血圧が遷延する場合は血栓溶解療法を考慮する（表 34-4，図 34-4）．

Px 処方例　急性心筋梗塞，不安定狭心症の急性期治療

1) ニトロペン錠（0.3 mg）　1 錠　舌下　←抗狭心症薬
2) ミリスロール注（50 mg）　0.1〜0.2 µg/kg/分で開始，5 分ごとに 0.1〜0.2 µg/kg/分ずつ増量し，1〜2 µg/kg/分で維持　持続静注　←血管拡張薬
3) シグマート注（48 mg）　2〜6 mg/時　持続静注　←血管拡張薬
4) バイアスピリン錠（100 mg）　1 回 2〜3 錠　1 日 1 回　かみ砕いて内服　←抗血小板薬
※急性心筋梗塞時の疼痛緩和を目的として以下を追加する
5) モルヒネ塩酸塩注（10 mg）　2〜5 mg　静注　←麻薬性鎮痛薬
※冠動脈インターベンションと組み合わせて以下を使用する
6) エフィエント錠（5 mg）　初回治療として 1 回 4 錠　内服　←抗血小板薬
7) プラビックス錠（75 mg）　初回治療として 1 回 4 錠　内服　←抗血小板薬
　＊6），7）はいずれかを用いる
8) ヘパリン Na 注（5,000 単位）　60〜70 単位/kg　静注　その後 12〜15 単位/kg/時で持続静注　活性化トロンボプラスチン時間（APTT）がコントロールの 1.5〜2.5 倍になるように調節する　←抗凝固薬

Px 処方例　狭心症の治療

1) バイアスピリン錠（100 mg）　1 回 1 錠　1 日 1 回　朝食後　←抗血小板薬
2) アイトロール錠（20 mg）　1 回 1 錠　1 日 2 回　朝夕食後　←血管拡張薬
3) フランドルテープ（40 mg）　1 日 1 枚貼付　←抗狭心症薬
　＊2），3）はいずれかを用いる
※労作性狭心症の場合は以下を追加する

第5章 循環器系

4) メインテート錠 (5 mg)　1回1錠　1日1回　朝食後　←交感神経遮断薬
※冠れん縮性狭心症の場合は以下を追加する
5) ヘルベッサーR (100 mg)　1回1カプセル　1日1回　朝食後　←血管拡張薬

Px 処方例　急性大動脈解離の治療
1) ペルジピン注 (25 mg)　2〜10 μg/kg/分　持続静注　←血管拡張薬

Px 処方例　肺血栓塞栓症の治療
1) ヘパリンNa注 (5,000単位)　5,000単位　静注　←抗血小板薬
　＊以後は持続静注を行うが，用量は急性心筋梗塞に準ずる
2) ワーファリン錠 (1 mg)　1回1〜5錠　1日1回　朝食後　←抗凝固薬
　＊PT-INR (プロトロンビン時間国際標準化比)　1.5〜2.5に維持するように用量調節する
3) リクシアナ錠 (60 mg)　1回1錠　1日1回　朝食後　←抗凝固薬
4) イグザレルト錠 (15 mg)　1回1錠　1日2回　朝夕食後　初期3週間のみ　以後は1回1錠　1日1回　朝食後　←抗凝固薬
5) エリキュース錠 (5 mg)　1回2錠　1日2回　朝夕食後　初期1週間のみ　以後は1回1錠　1日2回　朝夕食後　←抗凝固薬
　＊1)の後に2)，3)のいずれかを用いる，または4)，5)のいずれかを用いる

■表 34-4　心血管疾患に対する薬物療法

分類		一般名	主な商品名	薬の効くメカニズム	主な副作用
血管拡張薬	硝酸薬	ニトログリセリン	ミリスロール	冠動脈拡張作用をもつ血管拡張により心臓への負荷を軽減する	頭痛，めまい，頻脈，動悸，血圧低下緑内障には禁忌
		硝酸イソソルビド一硝酸イソソルビド	ニトロールアイトロール		
		ニコランジル	シグマート	硝酸薬作用とATP感受性 K$^+$ チャネル開口作用の2つの作用により，冠動脈拡張および虚血心筋保護作用を持つ	肝機能障害，血小板減少，頭痛，めまい，血圧低下
	Ca 拮抗薬	アムロジピンベシル酸塩	アムロジンノルバスク	血管平滑筋の Ca^{2+} チャネルを阻害し，動脈を拡張させる血管拡張により心臓への負荷を軽減して心筋の酸素需要を減らす	動悸，頭痛，ほてり，浮腫徐脈（ヘルベッサー）
		ベニジピン塩酸塩	コニール		
		ジルチアゼム塩酸塩	ヘルベッサー		
		ニカルジピン塩酸塩	ペルジピン		
交感神経遮断薬	β遮断薬	ビソプロロールフマル酸塩	メインテート	交感神経抑制により，労作性の酸素需要を減少させる	徐脈，喘息の悪化，心不全，低血圧
		ビソプロロール	ビソノ		
	α/β遮断薬	カルベジロール	アーチスト		
抗血小板薬・抗凝固薬	抗血小板薬	アスピリン	バイアスピリン	シクロオキシゲナーゼを阻害してトロンボキサン A$_2$ を抑制し，血小板凝集を防ぐ	出血，ショック，喘息，皮膚粘膜眼症候群
		クロピドグレル硫酸塩	プラビックス	P2Y12 受容体を抑制して血小板凝集を防ぐ	出血，汎血球減少，肝機能障害
		プラスグレル塩酸塩	エフィエント		
	抗凝固薬	ヘパリンナトリウム	ヘパリン Na	アンチトロンビンと複合体を形成して凝固を阻害する	出血，ショック，血小板減少
		エドキサバントシル酸塩水和物	リクシアナ	凝固因子 Xa を直接阻害して凝固を阻害する	出血，肝機能障害，黄疸
		リバーロキサバン	イグザレルト		
		アピキサバン	エリキュース		出血，肝機能障害
		ワルファリンカリウム	ワーファリン	ビタミン K 拮抗薬であり，肝臓での凝固因子生成を阻害する	出血，黄疸，肝機能障害
血栓溶解薬	組織プラスミノーゲンアクチベータ	モンテプラーゼ（遺伝子組み換え）	クリアクター	広汎な肺血栓塞栓症で，ショックが遷延する場合などに使用する出血性素因・活動性の内部出血などがある場合は使用できない	重篤な出血，心破裂，心中隔穿孔，心室細動

34
胸痛

581

第5章 循環器系

胸痛のある患者の看護

杉山　文乃

看護過程のフローチャート

観察項目 （OP）	看護問題 （看護診断）	看護目標 （看護成果）	看護活動 （看護介入）

原因・誘因
- 急性心筋梗塞，狭心症，心膜炎
- 胸部大動脈瘤，急性大動脈解離，肺塞栓，肺高血圧
- 気管支炎，肺炎，胸膜炎，気胸，膿胸，縦隔炎
- 逆流性食道炎，食道痙攣，アカラシア，胃十二指腸潰瘍，マロリー・ワイス症候群，胆石症，胆嚢炎，膵炎
- 肋骨骨折，脊椎腫瘍，肋軟骨炎，脊椎圧迫骨折，頸椎ヘルニア，脊椎炎，肋間筋痙攣
- 乳腺炎，帯状疱疹
- 心臓神経症，過換気症候群

身体的問題
- **主症状**
  息が詰まる感じ，前胸部や胸骨後部の重苦しさ・圧迫感，絞扼感，不快感
  頸，肩，心窩部，背部への関連痛

- **随伴症状**
  悪心・嘔吐，冷汗，呼吸困難感，全身倦怠感，食欲不振，失神，意識レベルの低下

心理・社会的問題
患者・家族の症状に対する不安や，再発への不安
家族役割や社会役割の変化

#呼吸・循環動態が変調しショックに至る

→ 原因・誘因が除去され，循環動態が維持できる

#胸痛がある

→ 胸痛が消失する

#胸痛や治療のための活動制限により，日常生活動作に支障がある

→ 適切な援助により，日常生活が維持できる

#安楽が障害されている

→ 安楽に過ごすことができる

#胸痛や検査・治療に不安がある

→ 不安がなく，検査や治療を受けられる

#治療，再発予防に向けて，主体的な健康管理が困難である

→ 治療，再発予防に向け，自主的に健康管理ができる

OP 経過観察項目

バイタルサイン
12誘導心電図の変化
症状の発生の原因，寄与因子，増悪因子
症状の程度と変化，発生頻度
随伴症状の状況と変化
薬剤の効果と副作用
病歴，生活歴
治療や検査に対する患者・家族の表情や言動，身体的反応
ストレス反応やコーピング様式など

TP 看護治療項目

救命処置の施行と記録

原因・誘因，増悪因子の除去

心電図の記録と評価

適切な薬剤投与と記録

安心して過ごせる環境づくり

日常生活の援助

患者・家族への心理的援助

EP 患者教育項目

患者・家族へ疾患・治療・服薬・症状管理の指導

患者・家族への退院指導

基本的な考え方

- 胸痛を惹起する疾患のうち，一部の疾患（急性冠症候群，急性大動脈解離，肺血栓塞栓症，緊張性気胸，特発性食道破裂など）ではただちに生命を脅かす可能性があることを念頭に，人員を集めて迅速に対処する．
- 胸痛の強弱は，必ずしも病状の重症度とは一致しないため，同時に疼痛の部位や持続時間，特徴，誘発および増悪因子の有無を把握することが必要である．
- 胸痛は死を予感させることが多く，患者や家族の不安を増強する．救命と同時に，心理的援助を行う．
- **緊急** 救命処置が必要な場合，看護師の役割は気道確保，胸骨圧迫，静脈ラインの確保，記録，家族への対応である．人員を集め，迅速に BLS あるいは ACLS につなげる．

| STEP ❶ アセスメント | STEP ❷ 看護課題の明確化 | STEP ❸ 計画 | STEP ❹ 実施 | STEP ❺ 評価 |

情報収集	アセスメントの視点と根拠・起こりうる看護問題
全身状態の把握	胸痛の原因が，生命を脅かす疾患であるか，ただちに評価する必要がある．ショック状態を示す徴候（ショックの5P：蒼白 pallor，虚脱 prostration，冷汗 perspiration，脈拍触知不能 pulseless，呼吸不全 pulmonary insufficiency）の出現に注意する．
バイタルサイン	●呼吸 ・急性冠症候群による肺水腫の合併例では，呼吸困難や起坐呼吸，咳嗽や泡沫状血痰が認められる． ・呼吸によって胸痛が変化する場合，心膜炎や胸膜炎などの他に呼吸器疾患を疑う． ・呼吸器疾患のうち，緊急性を要するものとして，自然気胸，肺塞栓，膿胸などがある． ●脈拍・心拍 ・胸痛を訴える患者には，循環器疾患由来の胸痛を考慮してすぐに 12 誘導心電図検査を行い，心電図をモニターして，経時変化を把握する． ・ST 上昇型心筋梗塞，非 ST 上昇型心筋梗塞を疑う心電図がみられた場合は，急性心筋梗塞の可能性があると考え，人員を集めて対処する． **緊急** 12 誘導心電図，血液検査，超音波検査等による急性冠症候群，急性大動脈解離，肺血栓塞栓症，緊張性気胸，特発性食道破裂の鑑別． ・不安や興奮が強いことによる交感神経性亢進による頻脈や，ベツォルド–ヤーリッシュ Bezold-Jarisch 反射による徐脈が認められることがある． ●血圧 ・不安や興奮が強いことによる交感神経活性亢進により，一時的な血圧上昇が認められることがある．除痛と安心できる環境になるよう援助しつつ，継時的に十分な観察が必要である． ・血圧低下にも注意が必要である　**緊急** 30 分を超えて遷延する 90 mmHg 以下の低血圧，または，平常時より収縮期血圧が 30 mmHg 以上の低下が認められる場合は，ショック状態と判断する． ・**緊急** 上肢の血圧の左右差が大きい場合，急性大動脈解離が疑われる． ●体温 ・心膜炎，胸膜炎，胆のう炎，肺炎などにより，発熱が認められることがある． ●四肢末梢の皮膚 ・チアノーゼ，皮膚の湿潤，冷汗 🔍**起こりうる看護問題**：呼吸・循環動態が変調しショックに至る／胸痛がある／胸痛や治療のための活動制限により，日常生活動作に支障がある／安楽が障害されている

34

胸痛

583

第5章　循環器系

胸痛への緊急対応

- 急性冠症候群，急性大動脈解離，肺血栓塞栓症，緊張性気胸，特発性食道破裂など，ただちに生命を脅かす場合があることを念頭に，人員を集めて迅速に対処する．
- 胸痛の強弱は，必ずしも病状の重症度とは一致しないため，必ず疼痛の部位や持続時間，特徴，誘発および増悪因子の有無を把握し，対応する．
- 詳細な症状聴取より，バイタルサインや心電図検査を優先することで，迅速な治療につなげることができる．
- 意識障害やショックを呈している場合は，人員を集めて救命処置を行う．
- ショック状態を示すショックの5Pの出現に注意する．
- 意識障害やショック症状を呈している患者にはバイタルサインをモニタリングし，変化を確認する．

主要症状の出現状況，程度，性状の把握	バイタルサインが安定している場合には，問診を詳細に行い，循環器疾患だけでなく，呼吸器疾患，消化器疾患等の可能性を考慮してアセスメントを行う．胸痛の程度や持続時間，胸痛出現時の活動状況を把握することで，疾患の重症度を予測できることもある．
	● 激しい胸痛は緊急度・重症度が高いことが多いが，胸痛が強くなくても早急な対応が必要な場合があるため，急変に注意が必要である．
	● 胸痛を訴えている場合，迅速な治療につなげるために，短時間で的確に必要なことを尋ねなければならない．そこで胸痛の訴えを聞きながら情報を整理する必要があり，7つの視点（持続時間・経過，発生状況，部位・範囲，性質，量・程度，影響する要因，随伴症状）を意識して，情報を整理しながら確認する．
持続時間・経過	● いつから持続しているか，あるいは持続したか：
	・心筋梗塞の場合は20分以上で，数時間に及ぶことが多い．塩酸モルヒネを使用するほどの強い痛みが認められる場合もあるが，症状の強さと重症度は必ずしも一致しないため，症状が強くない場合も注意が必要である．
	・狭心症，不安定狭心症による胸痛の持続時間は，数分程度が多い．長くても15～20分程度である．
発生状況	● どのような状況で生じたか：急ぎ足や階段を上る際，重いものを持っているときだけでなく，安静時にも出現することがある．
部位・範囲	● 痛みが生じた部位，範囲はどこか：前胸部，胸骨下，心窩部に疼痛が出現することが多い．また，痛みの範囲は，限局するものから，肩や頸部に放散するもの（関連痛）がある．
性質	● 痛みはどのような性質か：呼吸ができないほどの激痛や，鋭い痛み，などの他に，絞扼感や灼熱感，圧迫感，不快感として表現されることもある．
量・程度	● 痛みの程度：一番痛いのを10とすると，今はどの程度か．
	● 視覚的アナログスケール（VAS：visual analogue scale）や，数値的評価スケール（NRS：numerical rating scale），フェイススケールを用いて確認する．
	・VAS：紙の上に10 cmの線を引き，左端に0（全く痛みなし），右端に今までで一番強い痛みと記載したものを示し，現在の胸痛がどのあたりか示してもらう．
	・NRS：痛みを0〈痛みがない〉から10〈今までで一番強い痛み〉までとすると，現在の胸痛がどのあたりか尋ねる．
	・フェイススケール：胸痛を言語や数値ではなく，人の顔の表情を示したスケールの中から，現状に近い表情を選んでもらう．
影響する因子	● 症状の増悪や軽減に影響する因子は何か：
	・深呼吸や食事や運動によって変化するか，感冒症状や発熱がないか．
	・食後に仰臥位になったことで灼熱感が増強し，制酸薬で軽減するか．
随伴症状	● 胸痛に伴って，他の症状が出現しているか：
	・冷汗や悪心・嘔吐，呼吸困難などがないか．
	・不整脈の出現や酸素飽和度の低下があるか．

584

既往歴・リスクファクターの把握	既往歴やリスクファクターに関する情報は，早期に適切な診断や治療法の選択をするために重要である．
	●現在生じている胸痛と同様の症状が過去にあったか．
	●狭心症や心筋梗塞の既往や，脳血管疾患，末梢血管疾患など，循環器疾患の指摘を受けたことや，治療歴があるか．
	●冠危険因子(年齢，糖尿病，脂質異常症，高血圧，喫煙，家族歴，腎機能障害)があるか．
	●胸痛が発生する前に，飛行機や車での移動など，長時間同一体位で過ごしていたか．.
	●胸膜炎や肺血栓塞栓症，気胸，肺炎などの呼吸器疾患はないか．
	●帯状疱疹，肋間神経痛の既往がないか，
	●自然気胸の既往や自然気胸の発症者に多く見られる特徴(若い痩せ型の男性)の有無．

検査結果・治療効果の把握	早期診断および早期治療が予後や社会復帰のために重要である．患者到着後，速やかにバイタルサインの測定，心電図モニターの装着，簡潔な症状聴取と徴候の観察および12誘導心電図の記録を行わなければならない．
	●12誘導心電図：胸痛出現時と非出現時の12誘導心電図の比較により，冠血管の虚血部位を推測できる　原因・誘因 心疾患：急性心筋梗塞，狭心症，心膜炎
	●心エコー検査，CT検査：心血管の構造や壁運動が把握できる　原因・誘因 心疾患：急性心筋梗塞，狭心症，心膜炎，脈管系疾患：胸部大動脈瘤，急性大動脈解離，肺塞栓
	●胸痛が安静やニトログリセリンの使用により，どのくらいの時間で消失するか　原因・誘因 心疾患：急性心筋梗塞，狭心症，
	●胸痛の原因が心血管疾患ではない場合，呼吸器疾患，消化管疾患，整形外科疾患等の検査を行う
	●レントゲン検査，上部・下部消化管造影検査　原因・誘因 消化器疾患：逆流性食道炎，食道痙攣，アカラシア，胃十二指腸潰瘍，マロリー・ワイス症候群，胆石症，胆嚢炎，膵炎．整形外科疾患：肋骨骨折，脊椎腫瘍，肋軟骨炎，脊椎圧迫骨折，頸椎ヘルニア，脊椎炎，肋間筋痙攣．胸壁疾患：乳腺炎，帯状疱疹．心因性：心臓神経症，過換気症候群

患者・家族の心理的・社会的側面の把握	患者・家族が不安を感じている場合，家族役割が変化している場合は，心理的な援助を行う必要がある．
	●患者・家族が胸痛をどのように認識しているか把握する．
	●胸痛の改善を促す安静や，検査のための同一体位に対し，苦痛がないかを常に把握する．
	●家族関係や家族役割に変化があるか．
	🔍 起こりうる看護問題：胸痛や検査・治療に不安がある／治療，再発予防に向けた，主体的な健康管理が困難である

34

胸痛

STEP❶ アセスメント　STEP❷ 看護課題の明確化　STEP❸ 計画　STEP❹ 実施　STEP❺ 評価

看護問題リスト

#1　胸痛がある(認知-知覚パターン)
#2　胸痛や治療のための活動制限により，日常生活動作に支障がある(活動-運動パターン)
#3　安楽が障害されている(認知-知覚パターン)
#4　胸痛や検査・治療に不安がある(自己知覚パターン)
#5　治療，再発予防に向けて，主体的な健康管理が困難である(健康知覚-健康管理パターン)

第5章 循環器系

看護問題の優先度の指針

- 胸痛の強弱は，緊急度・重症度と一致しないことが多いため，フィジカルアセスメントを迅速に行い，早期治療につなげる必要がある．
- 胸痛は患者・家族に死を予感させることが多く，不安を増強する．救命と同時に，心理的援助を行う必要がある．
- 胸痛を引き起こす原疾患の治療にともない，日常生活の見直しやセルフケアの援助を必要とする．
- 患者・家族が療養生活や退院後の生活に感じていることを把握し，不安の除去や行動変容を支援する必要がある．

STEP① アセスメント　STEP② 看護課題の明確化　STEP③ 計画　STEP④ 実施　STEP⑤ 評価

1 看護問題	看護診断	看護目標（看護成果）
#1 胸痛がある	**急性疼痛** **関連因子**：内臓の障害（循環器系，呼吸器系，消化器系等の障害），体表面の障害（皮膚，筋肉等の障害），心因性 **診断指標** □生理的パラメータの変化 □痛みの顔貌 □表現行動 □痛みを和らげる体位調整 □発汗	〈長期目標〉胸痛がなく過ごせる 〈短期目標〉1) 胸痛を訴えることができる． 2) 胸痛が緩和する

看護計画	介入のポイントと根拠

急性冠症候群の緊急対応

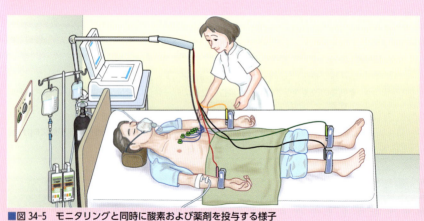

■図34-5　モニタリングと同時に酸素および薬剤を投与する様子

OP 経過観察項目
- バイタルサイン，身体所見
- 心電図
- 酸素飽和度

○ただちにバイタルサイン，身体所見，12誘導心電図検査を行い，記録・評価する **根拠** 急性冠症候群はただちに生命を脅かすおそれがあるため，症状は常に把握し，急変に注意する

●胸痛時と平常時の心電図所見の違い	➡ 根拠 心電図は，急性冠症候群の診断だけでなく，重症度評価にも重要である ➡モニター心電図，パルスオキシメーターを装着し，継続して観察する　根拠 循環器疾患由来の胸痛を考慮して12誘導心電図検査を行い，心電図モニターして，経時変化を把握する
TP 看護治療項目 ●安静臥床を促す ●胸痛時は医師に迅速に相談し，硝酸薬の舌下投与を行う．また，酸素，治療薬等を適切に投与する (図 34-5) ●安心して過ごすことができるよう，環境を整備する ●救急カートやバックバルブマスクなどをすぐ使用できるように準備する	➡ 根拠 安静臥床により酸素消費量を下げることで，症状の増悪を防ぐ ➡ 根拠 不安や苦痛に起因する胸痛を予防する
EP 患者教育項目 ●胸痛出現時は，すぐにナースコール等で医療者に知らせるように伝える ●全身状態が安定するまでは，症状改善のために安静臥床が必要であることを伝える	➡ 根拠 遠慮からナースコールを押さなければ，症状の悪化につながる恐れがある

OP 経過観察項目 ●胸痛の持続時間・経過，発生状況，部位・範囲，性質，量・程度，影響する要因，随伴症状 ●既往歴，リスクファクター，嗜好品，常用薬等，原因・誘因となり得る情報	➡胸痛の訴えを聞きながら，情報を整理できるように左記の7つの視点を意識して確認する ➡ 根拠 迅速に治療につなげるため，短時間で的確に必要なことを確認する
TP 看護治療項目 ●症状出現時は安静臥床を促し，医師に報告して指示薬を投与するなど，診療を補助する ●安心し，落ち着いて過ごすことができるよう環境を整備する	➡ 根拠 心筋梗塞を原因とする症状出現時は，安静にすることにより心臓破裂や弁機能の低下を予防できる
EP 患者教育項目 ●治療経過に応じた活動や飲食などができるよう指導する ●症状出現時に適切な対処(硝酸薬や制酸薬，抗不安薬などの服用)がとれるよう指導する	➡ 根拠 過度の安静によるディコンディショニングを予防するため，治療経過に応じた段階的なリハビリテーションが必要である

2

看護問題	看護診断	看護目標 (看護成果)
#2　胸痛や治療のための活動制限により，日常生活動作に支障がある	**活動耐性低下** **関連因子**：胸痛があることや胸痛が再出現することへの恐怖，酸素の供給/需要の不均衡 **関連する状態**：冠血管疾患，呼吸器疾患，消化器疾患が疑われ，検査や治療が必要な状態 **ハイリスク群**：活動体制低下歴のある人，高齢者	〈長期目標〉胸痛が出現することなく日常生活動作が行える 〈短期目標〉1) 治療のための活動制限によって生じる日常生活動作への支障を認識できる．2)必要な援助を得て，日常生活行動ができる

34
胸痛

第 5 章　循環器系

診断指標
□心電図の変化
□活動時の異常な血圧反応
□労作時不快感
□倦怠感を示す

看護計画

OP 経過観察項目
● 治療によって生じる日常生活への影響(体動, 食事, 睡眠, 排泄習慣など)
● 安静時, 労作時のバイタルサイン, 心電図の変化
● 倦怠感や疲労感, 食欲不振, 睡眠への影響

TP 看護治療項目
● 必要な日常生活の援助を行う
● 治療経過に伴い, 徐々に活動の範囲を広げられるよう援助する

● 日常生活の動作が連続しないよういように, 計画的に支援する

EP 患者教育項目
● 治療経過に合わせて, 必要な活動制限を説明する
● 活動と休憩の配分を, 患者と相談して活動計画を立てる

介入のポイントと根拠

➡ **根拠** 胸痛が再度出現することへの不安や, 原因疾患の治療に伴う安静, および薬剤や酸素投与などによる体動の制限は活動低下の原因になる

➡ **根拠** 治療に必要な非日常的な空間は, 疲労感や倦怠感を生じさせることがある

➡ **根拠** 非日常的な空間にいることで, 日常生活の援助を求めることができない場合もある. また, 活動による心筋酸素消費量の増加を予防するため, 日常生活援助を支援する必要がある

➡ **根拠** 胸痛を惹起させないため

➡ **根拠** 安静が必要な場合でも, 日常生活の支援を受けることに抵抗を感じる患者も多い. 患者の尊厳を保つ必要がある

---

3 看護問題	看護診断	看護目標(看護成果)
#3　安楽が障害されている	**安楽障害** **関連因子**:プライバシー不足, 不快な環境刺激 **関連する状態**:胸痛, 治療計画 **診断指標** □不安 □不快感を示す □状況への不満 □ため息 □睡眠覚醒サイクルの変化 □リラックスすることが困難	〈長期目標〉安楽な状態で過ごせていると表現できる 〈短期目標〉1)不快な環境刺激が消失する, 2)プライバシーが得られる, 3)治療計画に参加し, 納得できる, 4)リラックスする方法を見つけられる

看護計画

OP 経過観察項目
● 安楽に関する訴えの有無, 内容, 程度

● 表情や顔貌, しぐさなど
● 日中の過ごし方や睡眠状態

介入のポイントと根拠

➡ **根拠** 安楽障害の原因には個人差があるため, 個々の訴えをよく聴く必要がある
➡ **根拠** 患者が積極的に訴えてこない場合もあり, 日中の過ごし方や睡眠状態, 表情やしぐさにも注意が必要である

TP 看護治療項目
- 積極的に患者の話を傾聴する
- 音楽を流したり，照明を工夫したりして，気分転換を図る
- 安楽な環境になるよう，医療機器を整備して不必要な音を減らす

EP 患者教育項目
- 胸痛の原因や対処方法を説明する
- 治療に必要な制限がある状況で実施できる気分転換の方法の例を説明する

⮕ **根拠** 患者が，必要以上に活動を制限されていると，認識している場合もある．患者の話を積極的に傾聴し，気分転換や安楽な環境整備を行う

---

4 看護問題	看護診断	看護目標（看護成果）
#4　胸痛や検査・治療に不安がある	**不安** **関連因子**：疼痛，不慣れな状況 **関連する状態**：精神障害 **ハイリスク群**：状況的に危機状態にある人 **診断指標** □不安定な気持ち □どうすることもできない無力感 □食欲不振 □震える声 □混乱 □忘れっぽい	〈長期目標〉不安がないことを表現できる 〈短期目標〉1) 不安な気持ちを表出できる，2) 不安に対して適切な対処を見つけられる

34
胸痛

看護計画	介入のポイントと根拠
OP 経過観察項目 ● 不安の表情，落ち着きのない様子，活気や精神症状，睡眠状況 ● バイタルサインの変化 ● 今後の療養生活への質問の有無 ● 認知障害の有無 ● これまでのストレスへの対処方法	⮕ **根拠** 活動性が低下している場合は，言葉以外の表現を見逃さないように注意する ⮕ **根拠** 不安によるバイタルサインへの影響にも注意する
TP 看護治療項目 ● 患者の不安を軽減できるよう頻回に訪室し，不安が表出できる環境を整える ● 治療や処置を行う場合は，事前に説明してから実施する ● 心配や質問がないか尋ね，丁寧に答える	⮕ 落ち着いた丁寧な態度で，支援的に接する ⮕ 理解できるよう，十分な時間をとってわかりやすく説明する
EP 患者教育項目 ● 患者・家族には，十分な時間をとって説明し，わからないことや疑問点は気軽に質問してよいことを伝える	⮕ 非日常的な環境により，患者や家族は普段より混乱しやすい状況にある．それらを考慮し，繰り返し説明する必要がある

第5章　循環器系

5 看護問題	看護診断	看護目標（看護成果）
#5　治療，再発予防に向けて，主体的な健康管理が困難である	**非効果的健康自主管理** **関連因子**：ソーシャルサポートの不足，意思決定の経験が少ない，病気（疾患）を受容しない **関連する状態**：緊急度の高い疾患 **ハイリスク群**：薬の副作用が出ている人，高齢者 **診断指標** □疾患症状の悪化 □疾患徴候の悪化 □生活の質（QOL）への不満 □危険因子を減らす行動がとれない □疾患徴候に注意を払わない	〈長期目標〉胸痛の原因・誘因を説明でき，除去・回避できる 〈短期目標〉1）胸痛の原因・誘因を言える，2）胸痛の原因・誘因を除去・回避する方法を言える

看護計画

OP 経過観察項目
- 胸痛の原因や疾患に関する患者の言動や認識
- 薬の種類と効果と効果に対する患者の言動や認識
- 治療や再発予防に関する患者の言動や認識
- 生活習慣や行動変容への意欲に関する言動

TP 看護治療項目
- 患者とともに服薬，受診，食習慣や運動習慣の改善について目標を設定する
- 治療や健康回復の計画を患者とともに立案する
- 禁煙や健康維持に関する情報収集など，自主的な行動をとる患者に，称賛や支持を示す

EP 患者教育項目
- 胸痛の原因疾患に関する病態を説明する
- 予防行動の重要性や効果を説明する
- 食習慣や運動習慣の改善の成果の指標（体重，検査データなど）を説明する

介入のポイントと根拠

➡ **根拠** 原因・誘因や治療等に関する言動から患者の文化的信念や健康習慣を把握して，主体的に健康管理ができるよう支援する必要がある

➡ **根拠** 患者が原因・誘因を理解し，それらの除去に努め，日常生活を整える必要がある

➡ 疾患の悪化や症状の再燃にかかわる生活習慣を，患者自ら気づき，改善できるよう促す必要がある

➡ 胸痛と病態のつながりを理解することで，予防行動や，生活習慣の改善につながることがある．患者の価値観を尊重し，段階的に理解を促す

STEP ① アセスメント ▶ STEP ② 看護課題の明確化 ▶ STEP ③ 計画 ▶ STEP ④ 実施 ▶ STEP ⑤ 評価

病期・病態・重症度に応じたケアのポイント

【急性期】救急部門に急性の胸痛で搬入される患者のうち，非心臓疾患が50％であることが報告されており，病歴や身体所見（心電図，胸部レントゲン写真，血液生化学検査，心エコー）から，急性冠症候群とその他の疾患を鑑別する必要がある．
　胸痛の原因が，急性冠症候群，特にST上昇型心筋梗塞である場合，発症早期より治療を開始して再灌流に至るまでの時間を短くすることが重要である．7つの視点を意識して患者情報を確認する．あわせて，胸痛に対する患者・家族の不安や恐怖への心理的援助も必要である．

【回復期】専門的治療の開始による全身状態の改善および原疾患の治療とともに，急性冠症候群やその他の疾患に対する二次予防や，退院後の生活支援が必要となる．患者の社会生活への復帰が無理なく進むように，日常生活上の増悪因子について患者・家族と話し合い，理解を促す．必要な場合は，禁煙や食事療法，節酒，運動療法，血圧管理など，生活習慣の改善や，服薬の継続など，患者や家族が

590

新しい生活スタイルを継続できるよう支援する必要がある.

看護活動（看護介入）のポイント

診療の補助
- 心電図モニターを装着するとともに，12誘導心電図検査，胸部レントゲン検査，血液生化学検査，心エコーなど必要な検査が迅速に行われるよう補助する.
- 診療の補助と並行して，胸痛の持続時間・経過，発生状況，部位・範囲，性質，量・程度，影響する要因，随伴症状の7つの情報を確認する.
- 胸痛の強さと重症度は必ずしも一致しないため，胸痛の訴えが強くない場合でも重症である可能性を念頭におき，情報を収集する.
- 患者・家族にとって胸痛自体，また複数の医療者による対処は，生命の危機を意識することにつながる. 患者・家族の不安を除去するには，わかりやすい表現で状況を理解できるまで説明することも大切である. また，環境を整えて，安静臥床を促し，できるだけ不安や恐怖の軽減を図る.
- 酸素や薬剤を適切に投与し，その効果を記録する.
- 患者と家族に，胸痛の原因となった疾患，その原因や増悪因子について説明し，予防方法を指導する.

セルフケアの援助
- 治療経過に応じた安静度で，快適に過ごすことができるよう，清拭や排泄など日常生活を援助する.
- 食事，運動，休息など，回復に適した日常生活を送ることができるよう支援する.
- 健康行動の指標を説明し，患者・家族が主体的にセルフケアを実施・評価できるよう支援する.

心理・社会的問題への援助
- 胸痛の誘因や原因疾患について患者・家族にわかりやすく説明し，心理的苦痛や不安を解消し，社会生活への復帰を支援する.

退院指導・療養指導

- 胸痛発作を予防し，患者・家族が安心して生活ができるよう，生活習慣や環境整備に関する指導を行う.
- 服薬や食事，運動習慣など，胸痛のリスクファクターを除去する行動について，患者の価値観を尊重し，継続できるものになるよう患者と具体的に検討し，患者を支援する.
- 胸痛が再び出現した場合の対処法を説明する.

34
胸痛

STEP **1** アセスメント　STEP **2** 看護課題の明確化　STEP **3** 計画　STEP **4** 実施　STEP **5** 評価

評価のポイント

看護目標に対する達成度
- ショックに陥らずあるいはショックが増悪することなく，迅速に治療できているか.
- 胸痛が消失・軽減しているか.
- 胸痛が出現することなく日常生活動作が行えているか.
- 安楽な状態で過ごせているか.
- 患者・家族の不安が軽減し，療養できているか.
- 退院後，安定した生活を送るための健康管理方法を理解しているか.

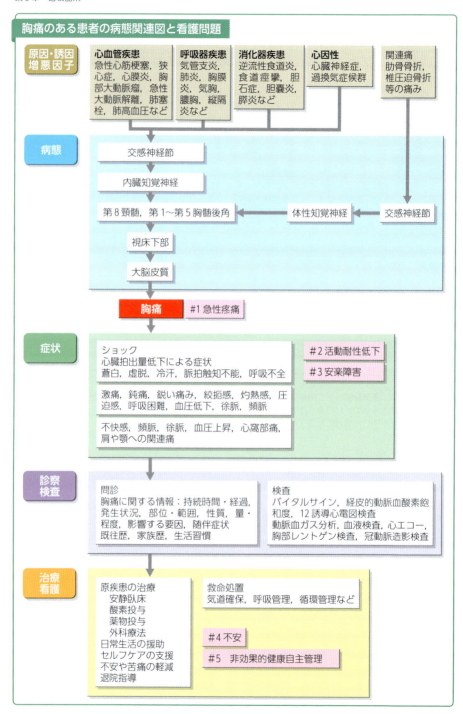

35 動悸

蜂谷 仁

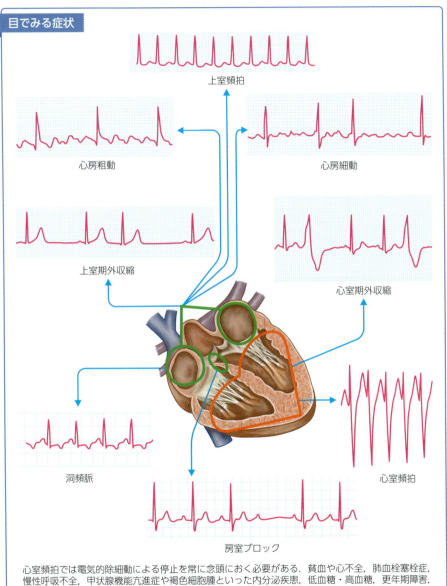

■図 35-1 動悸の原因となる不整脈

心室頻拍では電気的除細動による停止を常に念頭におく必要がある．貧血や心不全，肺血栓塞栓症，慢性呼吸不全，甲状腺機能亢進症や褐色細胞腫といった内分泌疾患，低血糖・高血糖，更年期障害，薬剤などが洞頻脈，時に心房細動の原因となる．

第5章　循環器系

病態生理

❚ 患者が異常と自覚しうる心拍を動悸という.
●心拍数増加時に自覚されることが多く, 心拍が規則的な場合と不規則な場合がある.

患者の訴え方

●動悸の定義は前述のとおり, 患者が異常と自覚しうる心拍をいう. しかし少数ではあるが患者によってはいわゆる頻脈性不整脈の状態を「胸部圧迫感」という言葉で訴えることがある. すなわち, 必ずしも医療従事者が定義として理解している用語どおりの意味で使われない場合がありうる. これは実際に頻脈性不整脈の状態を胸部圧迫感と自覚されている場合もあれば, 他の随伴症状(呼吸苦など)により症状が修飾され複合的に感じられている場合があるためと考えられる. 実は動悸であるのに胸部圧迫感があると訴える患者において心筋梗塞や狭心症などの疾患を鑑別するために, 問診にあたってはこちらから「心臓の拍動がトントントントントントンと速くなりませんか?」「心臓の拍動がトン, ツートン, トトンツーのように不規則ではありませんか?」などとわかりやすい言葉を用いて病態を正確に導き出すことが必要である.
●反対に心不全の状態を, 呼吸苦とともに心拍も速くなるがゆえに「動悸」という随伴症状を主訴として訴える場合がありうる. このような場合は正確な診断へ至るために, 問診とともに診察所見が重要となる.
●いわゆる発作性頻拍, 特にアブレーション治療*で根治可能な頻拍を診断する問診上のポイントは, 動悸が開始・停止する瞬間を自覚できるか否かを聞き出すことである. このことは患者側から積極的に伝えようと考える事柄ではないため, 問診する側からしっかりと聞き出す必要がある.
＊アブレーション治療:不整脈の原因となっている箇所をアブレーション(焼灼)カテーテル先端からの高周波通電により治療すること.

診断

●原因・考えられる疾患
●動悸の原因診断のポイントは, 貧血や心不全, 肺塞栓症, 慢性呼吸不全, 甲状腺機能亢進症や褐色細胞腫などの内分泌疾患, 更年期障害, 低血糖・高血糖, 薬剤などが原因の洞頻脈と, 循環器専門医が対応すべき他の不整脈を鑑別することである(図35-1).
●鑑別診断のポイント
●問診・診察および心電図検査, ホルター心電図検査(病態によっては血液検査, 胸部X線検査など)で鑑別可能である.
●動悸の原因が不整脈であれば, 心電図所見により上室頻拍か心室頻拍か見極めたい. 心室頻拍ならばwide(幅広い)QRS頻拍となるといってよいが, 基本的に逆はいえない. 通常は幅の狭い, 正常QRSの上室頻拍でも洞調律時にすでに脚ブロックであったり, 頻拍時に変行伝導を伴えばwide QRS頻拍となりうるので, その鑑別のためのフローチャートを図35-2に示す.
●また動悸に随伴する症状が診断に有用である(表35-1).

■表35-1　動悸の随伴症状と考えられる病態・疾患
〔赤字は緊急を要する疾患とその随伴症状(他でも緊急を要する場合あり)〕

随伴症状	考えられる病態・疾患
失神・めまい	心室頻拍, 房室ブロック, 上室頻拍などの不整脈, 肺塞栓症, 低血糖・高血糖など
胸痛	心室頻拍, 房室ブロック, 上室頻拍などの不整脈, 肺塞栓症など
呼吸困難	心不全, 肺塞栓症, 慢性呼吸不全, 気管支喘息, 貧血, 心室頻拍など
全身倦怠感	貧血, 更年期障害, 心不全, 慢性呼吸不全, 甲状腺機能亢進症・褐色細胞腫などの内分泌疾患, 高血糖, 薬剤, アレルギー, 感染症など
発熱	感染症, アレルギー, 薬剤など

594

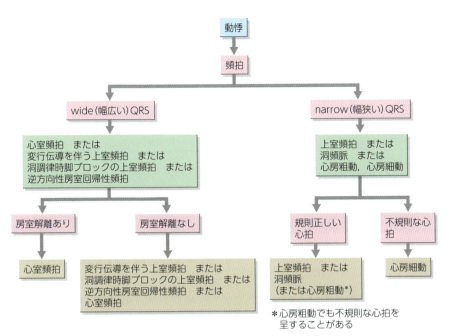

■図 35-2　心電図による頻拍の鑑別フローチャート

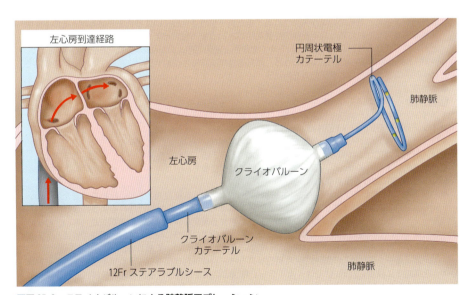

■図 35-3　クライオバルーンによる肺静脈アブレーション
Kuck K-H, Brugada J, Fürnkranz A, et al：Cryoballoon or radiofrequency ablation for paroxysmal atrial fibrillation. N Engl J Med 374：2235-2245, 2016 より改変

第5章　循環器系

■表35-2　ヴォーン・ウィリアムズ分類

分類		作用機序		薬剤名
Ⅰ群	ⅠA群	Naチャネル抑制作用	活動電位幅延長	キニジン，プロカインアミド，ジソピラミド，シベンゾリン，ピルメノール
	ⅠB群		活動電位幅短縮	リドカイン，メキシレチン，アプリンジン
	ⅠC群		活動電位幅不変	フレカイニド，プロパフェノン，ピルシカイニド
Ⅱ群		β遮断作用		プロプラノロール，メトプロロールなど
Ⅲ群		活動電位幅延長（Kチャネル抑制）		アミオダロン，ソタロール，ニフェカラント
Ⅳ群		Caチャネル抑制作用		ベラパミル，ジルチアゼム，ベプリジル

治療法・対症療法

動悸の原因が不整脈以外の病態や疾患への対処法は原疾患の治療が原則となる（不整脈においても緊急対処を除き原疾患，原因治療が原則である）．高度徐脈に基づく動悸症状に対する治療はペースメーカー植え込みの適応か否かの診断から始める．

●治療方針
●本項では頻脈性不整脈における治療方針について述べる．表35-2に抗不整脈薬のヴォーン・ウィリアムズ分類，および表35-3に各薬剤の左室への影響，排泄経路，催不整脈要因，心臓外副作用を示す．

〈発作性上室頻拍治療における留意点〉
●発作性上室頻拍治療の第一選択は基本的にアブレーション治療となる．しかし，アブレーション治療を望まない症例や，離断すべき異常伝導路が正常伝導路に近接しているためにアブレーションが不可能な症例などでは抗不整脈薬による治療が選択される．
●リエントリー性不整脈では，Ⅰ群抗不整脈薬がリエントリー回路の一部となっている異常伝導路の伝導を抑制することでその効果が発揮される．また抗不整脈薬全般にいえることであるが，その不整脈発生抑制効果とともに新たな不整脈の基質を生むという催不整脈作用および心外副作用が存在することも忘れてはならない（表35-3）．図35-4に発作性上室頻拍停止のための治療フローチャートを示す．
●通常，narrow（幅狭い）QRS頻拍のうち，順方向性房室回帰性頻拍や房室結節リエントリー性頻拍では予防的薬物治療として下記処方を用いる．

●薬物療法
Px 処方例　下記のいずれかを用いる．
●メインテート錠（2.5 mg）　1回1〜2錠　1日1回　←房室伝導抑制薬（β遮断作用）
●インデラル錠（10 mg）　1回1錠　1日3回　朝昼夕食後　←房室伝導抑制薬（β遮断作用）
●ワソラン錠（40 mg）　1回1〜2錠　1日3回　朝昼夕食後　←房室伝導抑制薬（Caチャネル抑制作用）
●リスモダンカプセル（100 mg）　1回1カプセル　1日3回　朝昼夕食後　←Naチャネル遮断薬
●リスモダンR錠（150 mg）　1回1錠　1日2回　朝夕食後　←Naチャネル遮断薬

〈心房細動治療における留意点〉
●心房細動に対するアブレーション（主に肺静脈左房間電気的隔離術）が広く行われてきた[1]（図35-5[2]）．さらに近年クライオバルーンによる肺静脈隔離術[3]（図35-3）が施行されるようになり，他のバルーンアブレーションも追従しつつある．しかしながら薬物による治療もいまだ欠かせない．心房細動治療において抗凝固療法は非常に重要であるが，本項では動悸に関連して，①洞調律維持，②洞調律維持が不可能もしくは適さない場合の心拍数コントロールについて触れる．
　①洞調律維持：発作性心房細動の発生概日リズムと，自律神経作用をもつⅠ群抗不整脈薬の予防効果を前向きに検討した報告[4]では，ホルター心電図の結果から発作性心房細動の持続ピーク時間帯により夜間型，日中型，混合型に分類し，夜間型ではシベンゾリンの予防効果が大きく，日中型および混合型ではプロパフェノンが高い有効性を示したという．またNaチャネル遮断作用，Kチャネル遮断作用を併せもち，さらにM₂受容体拮抗作用をもつジソピラミドが，昼間型や混合型よりも夜間型心房細動を有意に停止へ導き，再発を防止すると報告されている[5]．心機能低下例にはアミ

■表 35-3　抗不整脈薬の副作用

心臓性副作用		
陰性変力作用		Ⅰ群薬，Ⅱ群薬，Ⅳ群薬
催不整脈作用	突然死	陳旧性心筋梗塞では IC 群薬で突然死増加
	心房粗動	IC 群薬で心房細動が心房粗動に移行．抗コリン作用を持つⅠ群薬（シベンゾリン，ジソピラミドなど）で 1：1 伝導の心房粗動誘発
	ブルガダ症候群	Ⅰ群薬でブルガダ症候群の顕在化と心室細動誘発
	ペースメーカ不全	Ⅰ群薬
	除細動閾値上昇	Ⅰ群薬，アミオダロン（高用量）
	除細動閾値低下	Ⅲ群薬
	QT 延長（TdP）	ⅠA 群薬，Ⅲ群薬，ベプリジル
	徐脈性不整脈	Ⅱ群薬，Ⅲ群薬（アミオダロンとソタロール），Ⅳ群薬
	ジギタリス中毒	徐脈性不整脈，頻脈性不整脈誘発
心外性副作用		
	前立腺肥大症	抗コリン作用を持つⅠ群薬で悪化（尿閉）
	緑内障	閉塞隅角緑内障では抗コリン作用を持つⅠ群薬で緑内障発作
	気管支喘息	アデノシン製剤（ATP），非選択性 β 受容体遮断作用薬
	下肢浮腫	Ⅳ群薬
	全身倦怠，睡眠障害，うつ傾向，間欠性跛行	Ⅱ群薬
	低血糖	ジソピラミド，シベンゾリン
	甲状腺機能障害	アミオダロン
	肺合併症	アミオダロン，ベプリジル
	肝障害	アミオダロン
	眼合併症（視神経炎）	アミオダロン
	皮膚合併症（日光過敏症）	アミオダロン
	消化器症状	キニジン

日本循環器学会／日本不整脈心電学会：2020 年改訂版 不整脈薬物治療ガイドライン．p22，表 10，2020
https://www.j-circ.or.jp/cms/wp-content/uploads/2020/01/JCS2020_Ono.pdf（2023 年 8 月 1 日閲覧）

オダロン，腎不全・透析患者症例には肝代謝であるプロパフェノンやアプリンジンを用いる（表35-3）．
②心拍数コントロール：心房細動の心拍数をコントロールすることは動悸や息切れの改善につながるだけでなく，頻拍誘発性心筋症や心不全の発症も防ぐ．通常 WPW 症候群（ウォルフ-パーキンソン-ホワイト症候群）によるデルタ波がなければ，β遮断薬（β遮断薬が禁忌か使いにくい場合，ベラパミル）で心拍数コントロールを行う．β遮断薬，ベラパミルには陰性変力作用があり，心機能が著しく低下している患者には適さないため，そのような患者にはジギタリス製剤が用いられることが多い．ジギタリス製剤使用の際には，高齢者や腎不全の患者に投与過量とならないよう十分な配慮が必要である．

〈心室不整脈治療における留意点〉
●現在，基礎心疾患のない流出路起源心室不整脈，および左室中隔起源特発性心室頻拍に対してはアブレーション治療が重要な治療選択肢となっている．心筋梗塞や心筋症など基礎心疾患のある心室不整脈にはアブレーションに加え，植え込み型除細動器そして抗不整脈薬による治療が選択され，症例ごとにそれぞれの治療法が組み合わされる．Ⅰ群抗不整脈薬（特に IA，IC 群）（表 35-2）は陰性変力作用

を有することから低心機能例に用いられることは少なく，Ⅲ群抗不整脈薬（表35-2）であるアミオダロンなどが主として用いられる．
- かつて持続性心室頻拍や心室細動を誘発する心室期外収縮に対しては，有効な治療を行うことで突然死を予防し生命予後を改善しうるとの仮説に基づきⅠ群抗不整脈薬の投与が行われていた．しかし，心筋梗塞後の心室期外収縮に対するⅠ群薬の予後改善効果を検討したCAST（Cardiac Arrhythmia Suppression Trial）の結果は，ⅠC群抗不整脈薬であるフレカイニド，エンカイニドにより全死亡および不整脈死が増加したという従来の仮説と相反するものであった．

● 参考文献
1) Hachiya H, Hirao K, Takahashi A, et al : Clinical implications of reconnection between the left atrium and isolated pulmonary veins provoked by adenosine triphosphate after extensive encircling pulmonary vein isolation. J Cardiovasc Electrophysiol 18：392-398, 2007
2) 日本循環器学会／日本不整脈心電学会：2020年改訂版 不整脈薬物治療ガイドライン．2020 https://www.j-circ.or.jp/cms/wp-content/uploads/2020/01/JCS2020_Ono.pdf（2023年8月1日閲覧）
3) Kuck K-H, Brugada J, Fürnkranz A, et al : Cryoballoon or radiofrequency ablation for paroxysmal atrial fibrillation. N Engl J Med 374：2235-2245, 2016
4) 渡辺英一, 荒川友晴, 内山達司ほか：Ⅰ群抗不整脈薬による発作性心房細動の予防. 概日リズムを考慮した薬剤使い分け. 心電図 23：45-52, 2003
5) 小松　隆, 中村　紳, 蓮田邦彦ほか：発症時間帯からみた発作性心房細動に対するdisopyramide停止効果・長期予防効果, 心臓 33：29-35, 2001

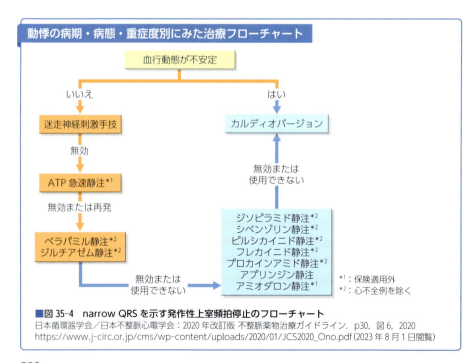

■ 図35-4　narrow QRSを示す発作性上室頻拍停止のフローチャート
日本循環器学会／日本不整脈心電学会：2020年改訂版 不整脈薬物治療ガイドライン．p30, 図6, 2020
https://www.j-circ.or.jp/cms/wp-content/uploads/2020/01/JCS2020_Ono.pdf（2023年8月1日閲覧）

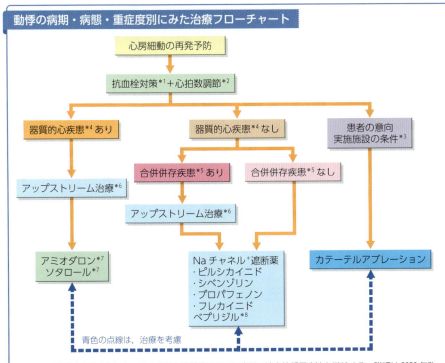

* 1 : 再発予防を行う症例でも，その効果と塞栓症リスクに応じて適宜抗凝固療法を継続する．詳細は2020年改訂版 不整脈薬物治療ガイドラインの3. 抗凝固療法を参照
* 2 : 治療中も再発が否定できず，発作時に症候性の頻拍を生ずる症例では適宜心拍数調節治療を継続する．詳細は2020年改訂版 不整脈薬物治療ガイドラインの4. 心拍数調整療法を参照
* 3 : アブレーションは実施施設の経験度に応じて積極的適応が認められている．詳細は不整脈非薬物治療ガイドライン(2018年改訂版)参照
* 4 : 肥大心，不全心，虚血心
* 5 : 高血圧，脂質異常症，糖尿病，肥満，慢性腎不全，睡眠時呼吸障害などをいう．詳細は2020年改訂版 不整脈薬物治療ガイドラインの2.5 併存疾患の管理を参照
* 6 : 基礎疾患・併存疾患に対する適切な治療介入．脂質異常症では，スタチンによる予防効果が報告されている．詳細は2020年改訂版 不整脈薬物治療ガイドラインの6. アップストリーム治療を参照
* 7 : アミオダロンは，わが国では肥大型心筋症か心不全に伴う心房細動以外には保険適用が認められていない．ソタロールは虚血性心疾患に伴う心房細動における再発予防効果が報告されているが，保険適用は認められていない
* 8 : ベプリジルは，心機能低下例で有効とする報告もあるが，逆に催不整脈性が増加するという報告もある

■図35-5　心房細動の再発予防のフローチャート
日本循環器学会／日本不整脈心電学会：2020年改訂版 不整脈薬物治療ガイドライン．p74，図18，2020
https://www.j-circ.or.jp/cms/wp-content/uploads/2020/01/JCS2020_Ono.pdf (2023年8月1日閲覧)
※著者注：アブレーションでは主に肺静脈隔離術を行う．
アップストリーム治療：ACE阻害薬，ARB，抗アルドステロン薬，スタチンなどの薬剤により，高血圧，心不全，炎症などによるリモデリングを予防すること．

第 5 章 循環器系

動悸のある患者の看護

杉山 文乃

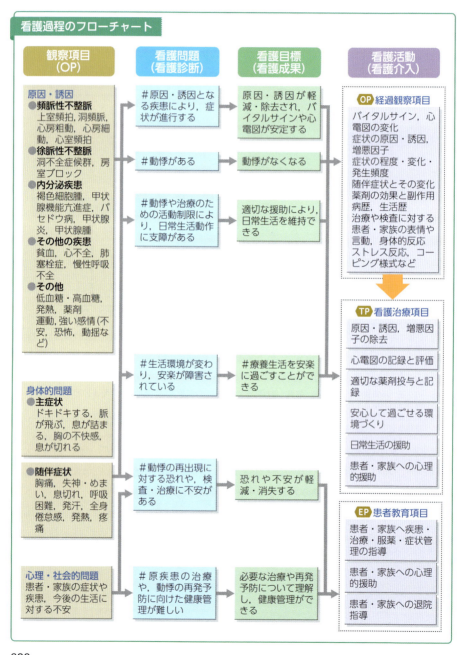

基本的な考え方

- 動悸とは異常な心拍を自覚することであり，患者は心臓が脈打つ感覚や震え，激しい鼓動などを訴えることがある．
- 動悸を惹起する疾患には，不整脈や心不全などの心疾患，甲状腺疾患などがあり，一部の不整脈や疾患はただちに救命が必要となる場合がある．これらが疑われるときは，迅速に人員を集めて対処する．
- 疾患以外に動悸を生ずる要因として，アルコール，カフェイン，ニコチン，エフェドリン，テオフィリンなどの摂取，低血糖・高血糖，発熱などが挙げられる．また，運動，強い感情(不安，恐怖など)によっても生じる．
- 動悸がある患者では重篤な状態に至る疾患が隠れていることもあるため，医師の診察や検査を受ける必要がある．

緊急 救命処置が必要な場合，看護師の役割は，気道確保，胸骨圧迫，静脈ライン確保，記録，家族への対応が挙げられる．人員を集め，迅速に BLS あるいは ACLS につなげる．

35 動悸

| STEP❶ アセスメント | STEP❷ 看護課題の明確化 | STEP❸ 計画 | STEP❹ 実施 | STEP❺ 評価 |

情報収集	アセスメントの視点と根拠・起こりうる看護問題
全身状態の把握 　全身状態 　疼痛 　バイタルサイン 　胸部	■ 動悸の原因・誘因が生命を脅かす疾患であるか，ただちに評価する必要がある． ● 意識レベル，発汗 ● 胸部不快，疼痛 ● 呼吸，経皮的動脈血酸素飽和度 　・呼吸困難や起坐呼吸，咳嗽や泡沫状血痰は，ショックに至る可能性がある． 　・呼吸によって動悸や随伴する胸痛が変化するか **原因・誘因** 心膜炎や胸膜炎，呼吸器疾患 **緊急** 自然気胸，肺塞栓，膿胸など ● 脈拍・脈圧・心音・心電図 **原因・誘因** 上室頻拍，心房細動，心房粗動，上室期外収縮，心室期外収縮，洞頻脈，房室ブロック(図35-1参照) **緊急** 心室頻拍，高度房室ブロック，発作性心房細動，心筋梗塞 　・不安や強い興奮が要因の場合は，交感神経活性亢進による頻脈を認める． 　・肺塞栓による動悸では，ベツォルド−ヤーリッシュ Bezold-Jarisch 反射による徐脈を認める． ● 血圧 　・一時的な血圧上昇 **原因・誘因** 不安や強い興奮による交感神経活性亢進 　・血圧低下：30分を超えて遷延する 90 mmHg 以下の低血圧，または，平常時より収縮期血圧が 30 mmHg 以上の低下 **緊急** ショック ● 体温：発熱 **原因・誘因** 心膜炎，胸膜炎，胆のう炎，肺炎など **緊急** 甲状腺クリーゼ ● アセトン臭 **原因・誘因** 糖尿病性ケトアシドーシス
頭頸部 四肢	● 前頸部の腫れ，違和感 **原因・誘因** 甲状腺腫 ● 皮膚の状態：四肢末梢のチアノーゼ，皮膚の湿潤，冷汗の有無

動悸の緊急対応
- 動悸を訴える患者が失神やショックを呈している場合，およびモニター心電図や12誘導心電図で急性冠症候群の所見がある場合は，迅速に人員を集め救命処置を行う．詳細な症状聴取より，バイタルサインや心電図検査を優先することで，迅速な治療につなげることができる．

| 主要症状の出現
状況，程度，性
状の観察 | 動悸の程度やその持続時間，動悸出現時の活動状況を把握することで，疾患の重症度を予測し，看護実践につなげることができる．患者の状態が不安定な場合は，バイタルサインや心電図検査を優先し，迅速な治療につなげる必要がある．全身状態が安定している場合には，問診を詳細に行い，心疾患だけでなく，甲状腺機能亢進症や褐色細胞腫などの内分泌疾患，呼吸器疾患，心因性の疾患などの可能性を考慮してアセスメントを行う． |

第5章　循環器系

持続時間・経過 発生状況 性質 影響する因子 随伴症状	●いつから持続している（持続した）か. ●どのような状況で生じたか. ●動悸は安静時にも出現するか. ●動悸の感じ方：ドキドキする感じ, 胸の不快感, 息が切れる, 脈が飛ぶなど ●動悸と他の症状が複合して感じられることもあるため, 心臓の鼓動が「トントントンと早くなりますか」「トン・ト・トンのように不規則に感じますか」など, わかりやすい表現で確認する. ●動悸が強くなったり, 軽減したりすることはあるか. ●動悸が, 深呼吸や食事, 運動などによって変化するか. ●感冒症状や発熱, 発汗, 全身倦怠感, 疼痛がないか. ●胸痛や嘔吐, 失神・めまい, 息切れ, 呼吸困難などがない.
既往歴・リスク ファクターの把 握 嗜好品・常用薬 職業	**既往歴やリスクファクターに関する情報は, 早期に適切な診断をし, 治療法を選択するうえで重要である.** ●現在生じている動悸と同様の症状は過去にあったか. ●意識を消失したことがあるか. ●狭心症や心筋梗塞の既往や, 末梢血管疾患など心血管疾患の指摘や治療歴があるか. ●冠危険因子（年齢, 糖尿病, 脂質異常症, 高血圧, 喫煙, 家族歴, 腎機能障害）があるか. ●甲状腺機能亢進症や糖尿病などの内分泌疾患の診断を受けたことがあるか. ●呼吸器疾患の診断を受けたことがあるか. ●感染症の徴候（発熱, 全身感, 呼吸器症状）はあるか. ●アルコールの摂取の有無と程度 ●喫煙の有無と程度 ●激しい労作を伴う仕事か：高地での作業, 潜水作業など ●ストレスの多い仕事か.
検査結果・治療 効果の把握	**早期診断および早期治療が, 予後や社会復帰のために重要である.** ●バイタルサイン, 心電図の異常, ●臨床検査：血液検査, 胸部X線検査, 心エコー検査など ●心電図の異常　**原因・誘因**　頻脈性不整脈：上室頻脈, 洞頻脈, 心房粗動, 心房細動, 心室頻拍, 徐脈性不整脈：洞不全症候群, 房室ブロック ●血液検査, 胸部レントゲン検査　**原因・誘因**　内分泌疾患：褐色細胞腫, 甲状腺機能低下症, ●眼球突出, 甲状腺腫大, 頻脈　**原因・誘因**　バセドウ病 🔍 **起こりうる看護問題：原因・誘因となる疾患により, 症状が進行する／動悸がある／動悸や治療のための活動制限により, 日常生活動作に支障がある／生活環境が変わり, 安楽が障害されている**
患者・家族の心 理的・社会的側 面の把握	●患者・家族が動悸や疾患などの治療をどのように認識しているか. ●動悸の消失を促す安静や, 検査のための同一体位への苦痛や不安がないか. ●患者・家族がどのような不安を感じているか, また, 家族役割が変化しているか 　↻心理的援助が必要になる. 🔍 **起こりうる看護問題：動悸の再出現に対する恐れや, 検査・治療に不安がある／原疾患の治療や, 動悸の再発予防に向けた健康管理が難しい**

| STEP ① アセスメント | STEP ② 看護課題の明確化 | STEP ③ 計画 | STEP ④ 実施 | STEP ⑤ 評価 |

看護問題リスト

- #1 動悸がある（認知-知覚パターン）
- #2 動悸や治療のための活動制限により，日常生活動作に支障がある（活動-運動パターン）
- #3 生活環境が変わり，安楽が障害されている（認知-知覚パターン）
- #4 動悸の再出現に対する恐れや，検査・治療に不安がある（自己知覚パターン）
- #5 原疾患の治療や，動悸の再発予防に向けた健康管理が難しい（健康知覚-健康管理パターン）

看護問題の優先度の指針

- 動悸は患者が異常と自覚する心拍のことであり，その程度の強弱は緊急度や重症度と一致しないことがある．フィジカルアセスメントを迅速に行って，早期治療につなげる必要がある．
- 動悸は死を予感させることがあり，患者や家族の不安を増強するため，心理的援助を行う必要がある．
- 動悸を引き起こす疾患の治療には，日常生活の変容やセルフケアが必要な場合がある．患者・家族が療養生活や退院後の生活に感じている不安なことを把握し，それらの除去や行動変容を支援する必要がある．

35 動悸

| STEP ① アセスメント | STEP ② 看護課題の明確化 | STEP ③ 計画 | STEP ④ 実施 | STEP ⑤ 評価 |

1 看護問題	看護診断	看護目標（看護成果）
#1 動悸がある	**心拍出量減少** 関連する状態：心リズムの変化 診断指標 ☐心電図の変化 ☐徐脈 ☐頻脈 ☐倦怠感 ☐呼吸困難 ☐起坐呼吸	〈長期目標〉心拍出量が適切に維持できる 〈短期目標〉1) バイタルサインが基準値内に安定する．2) 動悸が消失・軽減する

| 看護計画 | 介入のポイントと根拠 |

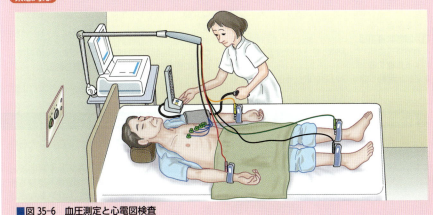

■図 35-6　血圧測定と心電図検査

第5章　循環器系

OP 経過観察項目
- バイタルサイン，身体所見
- 胸痛，胸部圧迫感の有無
- 12誘導心電図所見
- 心電図の経時変化

➡ モニター心電図，パルスオキシメーターを装着し，継続して観察する　**根拠** 急変の可能性があるため，症状は常に把握する必要がある
➡ 動悸とともに胸痛を訴える患者には，循環器疾患を考慮してすぐに12誘導心電図検査を行い，心電図モニターして，経時変化を把握する
根拠 心電図は，急性冠症候群の診断だけでなく，重症度評価にも重要である

TP 看護治療項目
- 安静臥床を促す
- 医師に迅速に相談し硝酸薬の舌下投与を行うなど，鎮痛薬や酸素，治療薬等を適切に投与する
- 安心して過ごすことができるよう環境整備を行う
- 救急カートやバックバルブマスクなどをすぐ使用できるように準備する

➡ **根拠** 安静臥床により酸素消費量を下げることで，症状の増悪を防ぐ
➡ **根拠** 安心できるよう環境を整備することで不安や苦痛が起因する動悸を予防する

EP 患者教育項目
- 動悸が増強する場合や，他の症状が出現した場合は，すぐにナースコール等で医療者に知らせるように伝える
- 全身状態が安定するまでは，症状改善のために安静臥床が必要であることを伝える

OP 経過観察項目
- 動悸の発生状況，好発時間，持続時間・経過，部位・範囲，性状，頻度，影響する要因の有無，随伴症状
- 既往歴，リスクファクター，嗜好品，常用薬，職業環境等

➡ **根拠** 発生状況や持続時間などを把握することが，原因や治療法を検討するうえで重要となることがある
➡ **根拠** 既往歴や治療中の疾患を把握することが，動悸の原因疾患を推測するうえで重要となることがある

TP 看護治療項目
- 症状出現時は安静臥床を促し，医師に報告して指示された薬剤を投与するなど診療を補助する

- 安心し，落ち着いて過ごすことができるよう環境を整備する

➡ **根拠** 急性冠症候群の可能性がある場合は，安静を促し，ただちに人員を集めて対処する必要がある
➡ 安静，硝酸薬や制酸薬，抗不安薬などの服用を促す

EP 患者教育項目
- 治療経過に応じた活動の維持や飲食等ができるよう指導する
- 症状出現時に適切な対処が取れるよう指導する

➡ 症状出現時は安静が必要であるが，治療経過に応じて段階的に活動を増やす必要もある

2 看護問題	看護診断	看護目標（看護成果）
#2　動悸や治療のための活動制限により，日常生活動作に支障がある	**活動耐性低下** **関連因子**：動悸や動悸の再出現への恐怖，酸素の供給/需要の不均衡 **関連する状態**：冠血管疾患，呼吸器疾患，消化器疾患が疑われ，検	〈長期目標〉動悸が出現することなく日常生活動作が行える 〈短期目標〉1) 治療に伴う活動制限によって生じる日常生活動作への支障を認識できる。2) 必要な援助を得て日常生活動作ができる

604

査や治療が必要な状態
ハイリスク群：活動耐性低下歴の
ある人，高齢者
診断指標
□心電図の変化
□活動時の異常な血圧反応
□活動時の異常な心拍反応
□労作時不快感
□倦怠感を示す

看護計画	介入のポイントと根拠
OP 経過観察項目 ●必要な治療に伴う日常生活への影響	⇒体動，食事，睡眠，排泄習慣などを把握する 根拠 動悸が再度出現することへの不安や，原疾患の治療による安静療法，および薬剤や酸素投与等に伴う動作の制限は，活動低下の原因になる
●安静時，労作時のバイタルサイン，モニター心電図の変化	⇒ 根拠 治療経過に合わせて活動範囲を拡大する場合，バイタルサインやモニター心電図を注意深く確認し，異常の早期発見に努める必要がある
●倦怠感や疲労感，食欲不振の有無と程度，睡眠への影響	⇒ 根拠 治療に必要な非日常的な空間は，疲労感や倦怠感を生じさせることがある
TP 看護治療項目 ●必要な日常生活の援助を行う ●治療経過に伴い，徐々に活動の範囲を広げられるよう援助する	根拠 非日常的な空間で過ごしていることで，日常生活の援助を求めることができない場合もある．また，活動による心筋酸素消費量の増加を防ぐため，日常生活援助を支援する必要がある
●動悸と関連する日常生活の動作が連続しないように，計画的に日常生活行動を支援する	⇒ 根拠 動悸を惹起させない
EP 患者教育項目 ●治療経過に合わせ，必要な活動制限を説明する ●活動と休憩の配分を患者と相談し，日常生活行動の計画を立てる	⇒ 根拠 安静が必要な場合でも，日常生活行動の援助を受けることに抵抗を感じる患者も多い．患者の尊厳を守る必要がある

3 看護問題	看護診断	看護目標（看護成果）
#3　生活環境が変わり，安楽が障害されている	**安楽障害** **関連因子**：プライバシー不足，不快な環境刺激 **関連する状態**：動悸，治療計画 **診断指標** □不安 □不快感を示す □状況への不満 □ため息 □睡眠覚醒サイクルの変化 □リラックスすることが困難	〈**長期目標**〉安楽な状態で過ごせていると表現できる 〈**短期目標**〉1)不快な環境刺激が消失する．2)プライバシーが保たれる．3)治療計画に参加し，納得できる．4)リラックスする方法を見つけられる

35
動悸

第5章　循環器系

看護計画	介入のポイントと根拠

OP 経過観察項目
- 安楽に関する訴えの有無，内容，程度

- 表情や顔貌，しぐさなど
- 日中の過ごし方，睡眠状態

TP 看護治療項目
- 患者の話を積極的に傾聴する

- 気分転換を図る
- 安楽に過ごせるよう，環境を整える

EP 患者教育項目
- 動悸の原因や対処方法を説明する
- 治療に必要な様々な行動制限がある中で，実施可能な気分転換の方法を説明する

⮕ **根拠** 安楽障害の原因は個人差があるため，個々の訴えをよく聴く必要がある
⮕ **根拠** 患者が積極的に訴えてこない場合もある

⮕ **根拠** 治療のため様々な制限がされているが，患者はそれ以上に活動を制限されていると感じている場合もある
⮕ 音楽や照明などで気分転換を図る
⮕ 周囲の雑音，医療機器が発する光・音などをできるだけ抑える

⮕ **根拠** 原因の理解や対処方法の知識が，動悸の早期対処や予防につながることがある

4 看護問題	看護診断	看護目標（看護成果）
#4　動悸の再出現に対する恐れや，検査・治療に不安がある	**不安** **関連因子**：疼痛，不慣れな状況 **関連する状態**：精神障害 **ハイリスク群**：状況的に危機状態にある人 **診断指標** □不安定な気持ち □どうすることもできない無力感 □食欲不振 □震える声 □混乱 □忘れっぽい	〈長期目標〉不安がないことを表現できる 〈短期目標〉1) 不安な気持ちを表出できる．2) 不安に対して適切な対処法を見つけられる

看護計画	介入のポイントと根拠

OP 経過観察項目
- 不安の表情，落ち着きのない様子，活気や精神症状，睡眠状況
- バイタルサイン
- 今後の療養生活への質問の有無
- 認知障害の有無と程度
- これまでのストレスへの対処方法

TP 看護治療項目
- 患者の不安を軽減できるよう，頻回に訪室し落ち着いた丁寧な態度で接する
- 不安が表出しやすくなるように環境を整える
- 治療や処置を行う場合は，事前に十分な時間をかけて説明する
- 心配事や質問がないかを聞き，丁寧に対応する

⮕ **根拠** 活動性が低下している場合は，言葉以外の表現を見逃さないように注意する
⮕ バイタルサインの変化を把握する　**根拠** 不安がバイタルサインへ影響を及ぼす場合もある

⮕ 支援的態度で接することで，患者が不安を表出しやすくなる　**根拠** 不慣れな治療環境によって，患者が不安を表出し難いと感じている

EP 患者教育項目
- 疾患や症状に関することや，実施される検査・治療について，患者・家族に十分な時間をかけて説明する

⇒わからないことや疑問点は，いつでも気軽に質問してほしいと伝える

5 看護問題	看護診断	看護目標（看護成果）
#5 原疾患の治療や，動悸の再発予防に向けた健康管理が難しい	**非効果的健康自主管理** **関連因子**：ソーシャルサポートの不足，意思決定の経験が少ない，動悸の原因・誘因を受容しない **関連する状態**：緊急度の高い疾患 **ハイリスク群**：薬の副作用が出ている人，高齢者 **診断指標** □原因・誘因となる疾患徴候の悪化 □動悸の悪化 □生活の質（QOL）への不満 □動悸の要因を減らす行動がとれない □動悸の徴候に注意を払わない	〈長期目標〉動悸の原因・誘因を説明でき，除去・回避できる 〈短期目標〉1)動悸の原因・誘因を言える．2)動悸の原因・誘因を除去・回避する方法を言える

35
動悸

看護計画	介入のポイントと根拠
OP 経過観察項目 ● 動悸の原因や疾患に関する患者の言動や認識 ● 薬の種類と効果と，効果に関する患者の言動や認識 ● 治療や再発予防に関する患者の言動や認識 ● 生活習慣の改善や行動変容への意欲に関する言動	⇒**根拠** 患者の言動や認識から文化的信念や健康習慣を把握して，主体的に健康管理ができるよう支援するため
TP 看護治療項目 ● 患者とともに，服薬，受診，食習慣や運動習慣の改善について目標を設定する ● 治療や健康回復の計画を患者とともに立案する ● 禁煙や健康維持に関する情報収集など，自主的な行動に称賛や支持を示す	⇒**根拠** 患者自身が，原因・誘因を理解し，それらの除去に努め，日常生活を整える必要がある
EP 患者教育項目 ● 動悸の原因疾患に関する病態を説明する ● 予防行動の重要性や効果を説明する ● 食習慣や運動習慣の改善の成果を示す指標を説明する	⇒患者の表情を見ながら，患者の理解が深まるペースで説明し，質問しやすい環境を作る ⇒指標には体重，検査データなどがある

第5章　循環器系

`STEP ① アセスメント` `STEP ② 看護課題の明確化` `STEP ③ 計画` `STEP ④ 実施` `STEP ⑤ 評価`

病期・病態・重症度に応じたケアのポイント

【急性期】動悸の原因が不整脈によるもので，急性冠症候群が起因している場合，発症早期から治療を開始することが重要である．心電図モニターの装着，12誘導心電図検査，胸部X線検査，血液生化学検査，心エコー検査は鑑別診断に有効であるため，その準備を迅速に進め，診療の補助を行う．あわせて，患者・家族の不安や恐怖への心理的援助も行う．

【回復期】患者の社会生活への復帰が無理なく進むように，日常生活上の増悪因子について患者・家族と話し合い，その理解を促す．必要な場合は，禁煙や食事療法，節酒，運動療法，血圧管理など生活習慣の変容や，薬物療法の継続など，患者や家族が継続できるよう支援する．

看護活動（看護介入）のポイント

診療の補助
- 心電図モニターの装着，12誘導心電図検査，胸部レントゲン写真，血液生化学検査，心エコー検査が迅速に行われるよう補助する．
- 診療の補助と並行して，動悸の持続時間・経過，発生状況，性質，影響する要因，随伴症状を確認する．
- 動悸の訴えが強くない場合も，重症である可能性を念頭に状態の変化に注意する．
- 動悸があることや，迅速な治療のために複数の医療者が対応することは，患者・家族にとって命の危機にあることを意識させる可能性がある．患者・家族の不安を軽減するために，わかりやすい表現で，状況を理解できるまで繰り返し説明することも重要である．
- 安静臥床を促し，環境整備を行い，できるだけ不安や恐怖の軽減を図る．
- 酸素や薬剤を適切に投与し，その効果を記録する．
- 患者と家族に動悸を引き起こした疾患，その原因や増悪因子について説明し，動悸の再発予防や危険因子を減らす方法を指導する．

セルフケアの援助
- 治療経過に応じた安静度の中で快適に過ごすことができるよう，清拭や排泄など日常生活を援助する．
- 食事，運動，休息など，回復に適した日常生活を送ることができるよう支援する．
- 健康行動の指標を説明し，患者・家族が主体的にセルフケアを実施・評価できるよう支援する．

心理・社会的問題への援助
- 動悸の誘因や原疾患について，患者・家族にわかりやすく説明し，心理的苦痛や不安の解消，社会生活への復帰に向けた支援をする．

退院指導・療養指導

- 患者・家族が安心して生活ができるよう，生活習慣の改善や療養環境の整備に関する指導を行う．
- 動悸の原因や誘因となる生活習慣を改善・除去する方法について，患者の価値観を尊重し，継続できるものになるよう，患者と具体的に検討し，支援する．
- 動悸が再び出現した場合の対処法を説明する．

`STEP ① アセスメント` `STEP ② 看護課題の明確化` `STEP ③ 計画` `STEP ④ 実施` `STEP ⑤ 評価`

評価のポイント

看護目標に対する達成度
- 動悸が消失・軽減しているか
- 動悸が出現することなく日常生活活動が行えているか．
- 安楽な状態で過ごせているか．
- 患者・家族の不安が軽減し，療養できているか
- 退院後，安定した生活を送るための健康管理方法を理解しているか

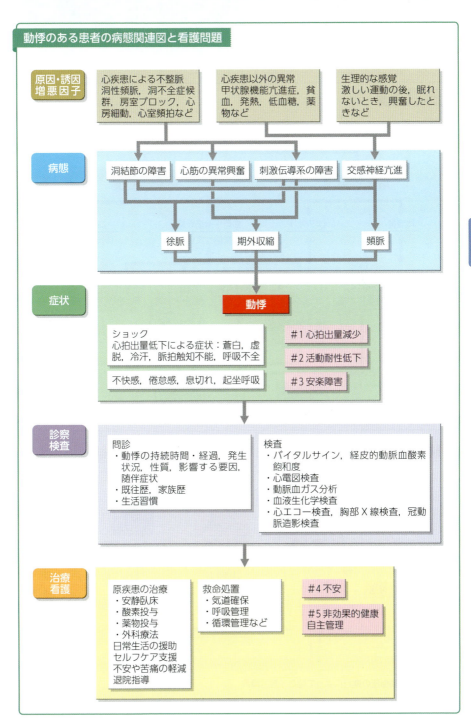

36 高血圧

井上　秀樹・冨田　公夫

目でみる症状

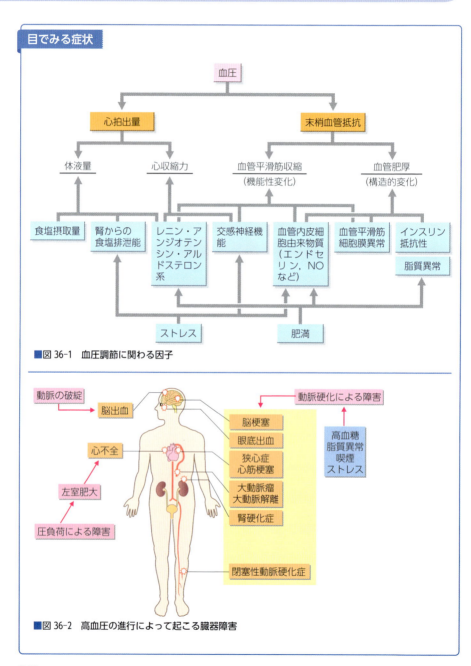

■図 36-1　血圧調節に関わる因子

■図 36-2　高血圧の進行によって起こる臓器障害

病態生理

高血圧とは異常に高い動脈内圧が持続する状態のことであり，血管に対する圧負荷によって様々な臓器障害を生じうる.

- 血行動態的には，血圧は心拍出量と末梢血管抵抗の積で規定される．おのおのの調節には多くの因子が関与しており，本態性高血圧はこれらの調節因子の複合的な異常により発症するものと考えられている.
- 血圧の上昇には生活環境も密接に関連しており，食塩摂取量，飲酒，喫煙，肥満，ストレスなどが影響するといわれている.
- 高血圧に伴う障害には，血管の破裂である脳出血や圧負荷による左室肥大などの直接的な障害と，脂質異常，高血糖，喫煙などの因子と複合して生じる動脈硬化性の障害がある.
- 高血圧診療においては，高血圧に伴う臓器障害ならびに動脈硬化の評価が重要であり，高血圧治療の目標は各臓器障害の進行を予防することにある.

患者の訴え方

本態性高血圧は無症候性のことが多い．一方，二次性高血圧では多様な症候が認められる.

●主症状の訴え
- 重症高血圧でなければ血圧上昇による特異的な症状はない．健康診断などで初めて指摘されることも多い.

●随伴症状
- 本態性高血圧症：時に頭痛，肩こり，しびれ，動悸，易疲労感，インポテンスなど.
- 二次性高血圧症：原因疾患によって様々な症状が認められる．鼻出血，血尿，目のかすみ，めまい，脱力感，呼吸苦，頭痛，悪心・嘔吐，多飲・多尿，発汗，動悸，筋力低下，いびき，昼間の眠気など.

診断

血圧測定値をもとに診断し，本態性高血圧症と二次性高血圧症を鑑別していく．また，高リスクの患者では高血圧による臓器障害の程度についても評価を行う.

- 高血圧の診断は血圧測定値に基づいて行う（表 36-1）．診察室血圧がスタンダードとされているが，家庭血圧の測定を同時に行うことが推奨されている．診察室血圧と同様に家庭血圧も標準化された測定を行うことで臨床的価値が得られる．また 24 時間自由行動下血圧の測定も有用とされている.
- 問診，身体所見，一般臨床検査所見から二次性高血圧が疑われる場合は，特殊スクリーニング検査を行う.
- 高血圧に伴う臓器障害を評価する．高血圧レベルと主要な危険因子，高血圧性臓器障害，脳心血管病の有無によりリスク層別化を進め（表 36-2），高リスク患者においては高値血圧の段階から臓器障害の評価を行うべきである.

●鑑別診断のポイント
- 高血圧の約 90％ が本態性高血圧であり，二次性高血圧よりも圧倒的に多い.
- 軽症高血圧で，低カリウム血症や腎機能障害がなく，二次性高血圧を示唆する特別な所見がなければ，まず本態性高血圧と考えて治療を行う.
- 治療抵抗性である場合は二次性高血圧を疑って精査を行う（表 36-3）.

治療法・対症療法

高血圧患者をリスク層別化した上で治療計画を立てる．まずは生活習慣の修正を行い，降圧目標達成のために必要に応じて降圧薬治療を開始する.

●治療方針
- すべての年齢層の高血圧患者が治療の対象となる．低リスク，中等リスク，高リスクの 3 群に層別化し，各々のリスクに準拠した治療を実施する（図 36-4）.
- 生活習慣の修正は高血圧の予防だけでなく，降圧薬投与開始後においても重要であり，複合的な修正はより効果的である（表 36-4）.

36
高血圧

611

第5章　循環器系

■表 36-1　成人における血圧値の分類(mmHg)

分類	診察室血圧 (mmHg)			家庭血圧 (mmHg)		
	収縮期血圧		拡張期血圧	収縮期血圧		拡張期血圧
正常血圧	<120	かつ	<80	<115	かつ	<75
正常高値血圧	120〜129	かつ	<80	115〜124	かつ	<75
高値血圧	130〜139	かつ/または	80〜89	125〜134	かつ/または	75〜84
Ⅰ度高血圧	140〜159	かつ/または	90〜99	135〜144	かつ/または	85〜89
Ⅱ度高血圧	160〜179	かつ/または	100〜109	145〜159	かつ/または	90〜99
Ⅲ度高血圧	≧180	かつ/または	≧110	≧160	かつ/または	≧100
(孤立性)収縮期高血圧	≧140	かつ	<90	≧135	かつ	<85

日本高血圧学会高血圧治療ガイドライン作成委員会編：高血圧治療ガイドライン 2019. p.18, 表 2-5, 2019

■表 36-2　診察室血圧に基づいた脳心血管病リスク層別化

リスク層 ＼ 血圧分類	高値血圧 130〜139/80〜89 mmHg	Ⅰ度高血圧 140〜159/90〜99 mmHg	Ⅱ度高血圧 160〜179/100〜109 mmHg	Ⅲ度高血圧 ≧180/≧110 mmHg
リスク第一層 予後影響因子がない	低リスク	低リスク	中等リスク	高リスク
リスク第二層 年齢(65歳以上),男性,脂質異常症,喫煙のいずれかがある	中等リスク	中等リスク	高リスク	高リスク
リスク第三層 脳心血管病既往,非弁膜症性心房細動,糖尿病,蛋白尿のある CKD のいずれか,または,リスク第二層の危険因子が 3 つ以上ある	高リスク	高リスク	高リスク	高リスク

層別化で用いられている予後影響因子は，血圧，年齢(65歳以上)，男性，脂質異常症，喫煙，脳心血管病(脳出血，脳梗塞，心筋梗塞)の既往，非弁膜症性心房細動，糖尿病，蛋白尿のある CKD である.

日本高血圧学会高血圧治療ガイドライン作成委員会編：高血圧治療ガイドライン 2019. p.50, 表 3-2, 2019 より一部改変

- 75 歳以上の後期高齢者は臓器障害を伴うことが多いため，140/90 mmHg 未満を目標として慎重に降圧治療を進める. 忍容性があれば，最終的には 130/90 mmHg 未満を目指す (表 36-5).
- **薬物療法**
- 最初に投与すべき降圧薬は，カルシウム (Ca) 拮抗薬，アンジオテンシンⅡ受容体拮抗薬(ARB)，アンジオテンシン変換酵素(ACE)阻害薬，利尿薬の中から選択する. 降圧目標を達成するためには，多くの場合 2〜3 剤の併用が必要となる (図 36-5).

Px 処方例 中・高齢者の高血圧　下記のいずれかより開始する. 併用も可能.

1) アムロジン錠(5 mg)　1 回 1 錠　1 日 1 回　朝食後　← Ca 拮抗薬
2) イルベタン錠(100 mg)　1 回 1 錠　1 日 1 回　朝食後　←アンジオテンシンⅡ受容体拮抗薬(ARB)
　※上記 2 剤で降圧目標を達成できない場合，さらに下記 3) を併用する.

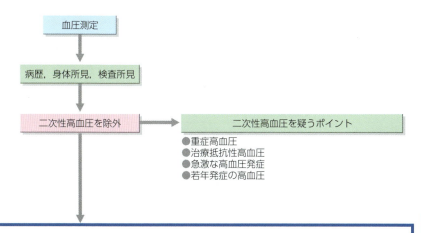

血圧以外の危険因子を評価		臓器障害，脳心血管病の評価	
高齢（65歳以上）		脳	脳出血・脳梗塞 一過性脳虚血発作
男性		心臓	左室肥大（心電図，心エコー） 狭心症，心筋梗塞，冠動脈再建術後 心不全 非弁膜症性心房細動[*2]
喫煙			
脂質異常症[*1]	低 HDL コレステロール血症 （<40 mg/dL） 高 LDL コレステロール血症 （≧140 mg/dL） 高トリグリセライド血症 （≧150 mg/dL）	腎臓	蛋白尿 eGFR 低値[*3]（<60 mL/分/1.73 m²） 慢性腎臓病（CKD）
肥満（BMI ≧ 25 kg/m²）（特に内臓脂肪型肥満）		血管	大血管疾患 末梢動脈疾患（足関節上腕血圧比低値：ABI≦0.9） 動脈硬化性プラーク 脈波伝導速度上昇（baPWV≧18 m/秒，cfPWV>10 m/秒） 心臓足首血管指数（CAVI）上昇（≧9）
若年（50歳未満）発症の脳心血管病の家族歴			
糖尿病	空腹時血糖≧126 mg/dL 負荷後血糖 2 時間値≧200 mg/dL 随時血糖≧200 mg/dL HbA1c≧6.5%（NGSP）		
		眼底	高血圧性網膜症

*1 トリグリセライド 400 mg/dL 以上や食後採血の場合には non HDL コレステロール（総コレステロール−HDL コレステロール）を使用し，その基準は LDL コレステロール＋30 mg/dL とする．
*2 非弁膜症性心房細動は高血圧の臓器障害として取り上げている．
*3 eGFR（推算糸球体濾過量）は下記の血清クレアチニンを用いた推算式（$eGFR_{creat}$）で算出するが，筋肉量が極端に少ない場合は，血清シスタチンを用いた推算式（$eGFR_{cys}$）がより適切である．
$eGFR_{creat}$ (mL/分/1.73 m²) = 194×Cr$^{-1.094}$×年齢$^{-0.287}$（女性は×0.739）
$eGFR_{cys}$ (mL/分/1.73 m²) = (104×Cys$^{-1.019}$×0.996^{年齢}（女性は×0.929）) − 8

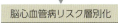

■ 図 36-3　高血圧の診断の進め方

日本高血圧学会高血圧治療ガイドライン作成委員会編：高血圧治療ガイドライン 2019, p.49, 表 3-1, 2019 より一部改変

第5章　循環器系

■表36-3　二次性高血圧の原因疾患と示唆する所見，鑑別に必要な検査

・二次性高血圧一般（示唆する所見）

若年発症の高血圧，中年以降発症の高血圧，重度高血圧，治療抵抗性高血圧，それまで良好だった血圧の管理が難しくなった場合，急速に発症した高血圧，血圧値に比較して臓器障害が強い場合，血圧変動が大きい場合

原因疾患	示唆する所見	鑑別に必要な検査
腎血管性高血圧	RA系阻害薬投与後の急激な腎機能悪化，腎サイズの左右差，低カリウム血症，腹部血管雑音，夜間多尿	腎動脈超音波，腹部CTA，腹部MRA，血漿レニン活性，血漿アルドステロン濃度
腎実質性高血圧	血清クレアチニン上昇，蛋白尿，血尿，腎疾患の既往	血清免疫学的検査，腹部CT，超音波，腎生検
原発性アルドステロン症	低カリウム血症，副腎偶発腫瘍，夜間多尿	血漿レニン活性，血漿アルドステロン濃度，負荷試験，副腎CT，副腎静脈採血
睡眠時無呼吸症候群	いびき，肥満，昼間の眠気，早朝・夜間高血圧	睡眠ポリグラフィー
褐色細胞腫	発作性・動揺性高血圧，動悸，頭痛，発汗，高血糖	血液・尿カテコールアミンおよびカテコールアミン代謝産物，腹部超音波・CT，MIBGシンチグラフィー
クッシング症候群	中心性肥満，満月様顔貌，皮膚線条，高血糖，低カリウム血症，年齢不相応の骨密度の減少・圧迫骨折	コルチゾール，ACTH，腹部CT，頭部MRI，デキサメタゾン抑制試験
サブクリニカルクッシング症候群	副腎偶発腫瘍，高血糖，低カリウム血症，年齢不相応の骨密度の減少・圧迫骨折	コルチゾール，ACTH，腹部CT，デキサメタゾン抑制試験
薬物誘発性高血圧	薬物使用歴，低カリウム血症，動揺性高血圧	薬物使用歴の確認
大動脈縮窄症	血圧上下肢差，血管雑音	胸腹部CT，MRI・MRA，血管造影
先端巨大症	四肢末端の肥大，眉弓部膨隆，鼻・口唇肥大，高血糖	IGF-1，成長ホルモン，下垂体MRI
甲状腺機能低下症	徐脈，浮腫，活動性減少，脂質・CK・LDHの高値	甲状腺ホルモン，TSH，自己抗体，甲状腺超音波
甲状腺機能亢進症	頻脈，発汗，体重減少，コレステロール低値	甲状腺ホルモン，TSH，自己抗体，甲状腺超音波
副甲状腺機能亢進症	高カルシウム血症，夜間多尿，口渇感	副甲状腺ホルモン
脳幹部血管圧迫	顔面けいれん，三叉神経痛	頭部MRI，MRA
その他	（尿路異常，ナットクラッカー症候群，レニン産生腫瘍など）	

日本高血圧学会高血圧治療ガイドライン作成委員会編：高血圧治療ガイドライン2019，p.179，表13-1，2019
CTA：CTアンギオグラフィー，MRA：MRアンギオグラフィー，MIBG：メタヨードベンジルグアニジン，ACTH：副腎皮質刺激ホルモン，CK：クレアチンキナーゼ，LDH：乳酸脱水素酵素，TSH：甲状腺刺激ホルモン

---

3) フルイトラン錠（1mg）　1回1錠　1日1回　←サイアザイド系利尿薬
　※1) ＋2) の配合剤，2) ＋3) の配合剤も使用可能.
Px 処方例　心不全を伴う高血圧　下記のいずれか，あるいは両者を用いる.
●ミカルディス錠（40mg）　1回1/2～1錠　1日1回　朝食後　←アンジオテンシンⅡ受容体拮抗薬（ARB）
●アーチスト錠（1.25mg）　1回1～2錠　1日2回　朝夕食後　←β遮断薬
　＊うっ血症状がある場合，下記1) を併用する.
1) ラシックス錠（20mg）　1回1～2錠　1日1回　朝食後　←ループ利尿薬
　＊効果が不十分な場合，下記2) あるいは下記3) を併用する.
2) アルダクトンA錠（25mg）　1回1/2～1錠　1日1回　朝食後　←カリウム保持性利尿薬

614

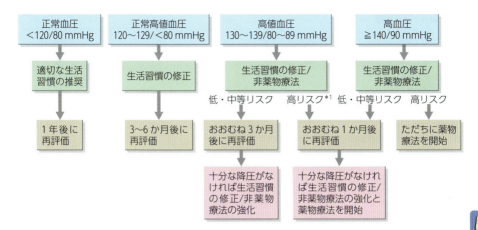

*1 高値血圧レベルでは，後期高齢者（75歳以上），両側頸動脈狭窄や脳主幹動脈閉塞がある．または未評価の脳血管障害，蛋白尿のないCKD，非弁膜症性心房細動の場合は，高リスクであっても中等リスクと同様に対応する．その後の経過で症例ごとに薬物療法の必要性を検討する．

■図36-4　初診時の血圧レベル別の高血圧管理計画
日本高血圧学会高血圧治療ガイドライン作成委員会編：高血圧治療ガイドライン2019，p.51，図3-1，2019

■表36-4　生活習慣の修正項目

1. 食塩制限 6 g/日未満
2. 野菜・果物の積極的摂取*
   飽和脂肪酸，コレステロールの摂取を控える
   多価不飽和脂肪酸，低脂肪乳製品の積極的摂取
3. 適正体重の維持：BMI（体重 [kg]÷身長 [m]²）25 未満
4. 運動療法：軽強度の有酸素運動（動的および静的筋肉負荷運動）を毎日 30 分，または 180 分/週以上行う
5. 節酒：エタノールとして男性 20～30 mL/日以下，女性 10～20 mL/日以下に制限する
6. 禁煙

生活習慣の複合的な修正はより効果的である
*カリウム制限が必要な腎障害患者では，野菜・果物の積極的摂取は推奨しない
　肥満や糖尿病患者などエネルギー制限が必要な患者における果物の摂取は 80 kcal/日程度にとどめる

日本高血圧学会高血圧治療ガイドライン作成委員会編：高血圧治療ガイドライン2019，p.64，表4-1，2019

3) ミネブロ錠 (2.5 mg)　1回 1/2～1 錠　1日1回　朝食後　←ミネラルコルチコイド受容体拮抗薬
　※なお，症状を有する場合，ARB（またはACE阻害薬）からアンジオテンシン受容体ネプリライシン阻害薬（ARNI）への変更を考慮する．

Px 処方例 妊娠時高血圧
● アルドメット錠 (250 mg)　1回 1～2 錠　1日3回　朝昼夕食後　←中枢性α₂アゴニスト
　※重症の場合，妊娠 20 週以内では 1)，妊娠 20 週以降では 2) を併用する．
1) トランデート錠 (50 mg)　1回 1～3 錠　1日3回　朝昼夕食後　←β遮断薬
2) アダラートCR錠 (20 mg)　1回 1 錠　1日1回　朝食後，あるいは 1回 2 錠　1日2回　朝夕食後まで増量可　←Ca拮抗薬
　※禁忌　ARB，ACE阻害薬

Px 処方例 高血圧緊急症：脳血管障害急性期
● ペルジピン注 (10 mg/アンプル)　0.5～6 μg/kg/分　点滴静注（生理食塩液で希釈も可能）　←Ca拮抗薬

■表36-5 降圧目標

	診察室血圧(mmHg)	家庭血圧(mmHg)
75歳未満の成人[*1] 脳血管障害患者(両側頸動脈狭窄や脳主幹動脈閉塞なし) 冠動脈疾患患者 CKD患者(蛋白尿陽性)[*2] 糖尿病患者 抗血栓薬服用中	<130/80	<125/75
75歳以上の高齢者[*3] 脳血管障害患者(両側頸動脈狭窄や脳主幹動脈閉塞あり,または未評価) CKD患者(蛋白尿陰性)[*2]	<140/90	<135/85

[*1] 未治療で診察室血圧130〜139/80〜89 mmHgの場合は,低・中等リスク患者では生活習慣の修正を開始または強化し,高リスク患者ではおおむね1か月以上の生活習慣修正にて降圧しなければ,降圧薬治療の開始を含めて,最終的に130/80 mmHg未満を目指す.すでに降圧薬治療中で130〜139/80〜89 mmHgの場合は,低・中等リスク患者では生活習慣の修正を強化し,高リスク患者では降圧薬治療の強化を含めて,最終的に130/80 mmHg未満を目指す.
[*2] 随時尿で0.15 g/gCr以上を蛋白尿陽性とする.
[*3] 併存疾患などによって一般に降圧目標が130/80 mmHg未満とされる場合,75歳以上でも忍容性があれば個別に判断して130/80 mmHg未満を目指す.

降圧目標を達成する過程ならびに達成後も過降圧の危険性に注意する.過降圧は,到達血圧のレベルだけでなく,降圧幅や降圧速度,個人の病態によっても異なるので個別に判断する.

日本高血圧学会高血圧治療ガイドライン作成委員会編:高血圧治療ガイドライン2019, p.53, 表3-3, 2019

[*1] 高齢者では常用量の1/2から開始,1〜3か月間の間隔で増量

■図36-5 積極的適応がない場合の降圧治療の進め方
日本高血圧学会高血圧治療ガイドライン作成委員会編:高血圧治療ガイドライン2019, p.78, 図5-2, 2019より一部改変

■表 36-6　高血圧の主な治療薬

分類	一般名	主な商品名	薬の効くメカニズム	主な副作用と禁忌
Ca 拮抗薬	アムロジピンベシル酸塩	ノルバスク，アムロジン	カルシウム流入を阻害し，血管平滑筋を弛緩※ジルチアゼムは心収縮力抑制，刺激伝導系抑制の作用をもつ	動悸，頭痛，ほてり感など※ジルチアゼムは洞性徐脈，房室ブロックあり
	ニフェジピン	アダラート		
	アゼルニジピン	カルブロック		
	シルニジピン	アテレック		
	ニカルジピン塩酸塩	ペルジピン		
	ベニジピン塩酸塩	コニール		
	ジルチアゼム塩酸塩	ヘルベッサー		
アンジオテンシンⅡ受容体拮抗薬(ARB)	ロサルタンカリウム	ニューロタン	アンジオテンシンⅡの作用(血管収縮，体液貯留，交感神経亢進)を抑制	腎不全患者では高カリウム血症妊婦や重症肝障害患者への投与は禁忌
	テルミサルタン	ミカルディス		
	カンデサルタン シレキセチル	ブロプレス		
	イルベサルタン	イルベタン，アバプロ		
	バルサルタン	ディオバン		
	オルメサルタン メドキソミル	オルメテック		
	アジルサルタン	アジルバ		
アンジオテンシン変換酵素(ACE)阻害薬	エナラプリルマレイン酸塩	レニベース	強力な昇圧系であるレニン・アンジオテンシン系の抑制	空咳腎不全患者では高カリウム血症妊婦への投与は禁忌
	イミダプリル塩酸塩	タナトリル		
直接的レニン阻害薬	アリスキレンフマル酸塩	ラジレス	レニン・アンジオテンシン系の起点であるレニンを直接的に阻害	妊婦，ACE 阻害薬または ARB 投与中の糖尿病患者への投与は禁忌eGFR 60 mL/分/1.73 m^2 未満では ACE 阻害薬または ARB との併用は推奨されない
アンジオテンシン受容体ネプリライシン阻害薬(ARNI)	サクビトリルバルサルタンナトリウム水和物	エンレスト	ARB とネプリライシン(BNP やブラジキニンなどの生理活性ペプチドを分解する酵素)疎外の 2 つの作用により，強い降圧作用をもつ	腎不全患者では高カリウム血症利尿作用も有するため，特に高齢者では夏季の脱水，過降圧に注意する
サイアザイド系利尿薬	トリクロルメチアジド	フルイトラン	遠位尿細管でのナトリウム再吸収を抑制	低カリウム血症，高尿酸血症，脱水
	インダパミド	ナトリックス		
カリウム保持性利尿薬，ミネラルコルチコイド受容体拮抗薬	スピロノラクトン	アルダクトン A	遠位尿細管，接合集合管に作用し，カリウムの喪失なくナトリウム排泄を促進	高カリウム血症※エサキセレノンは性ホルモン関連副作用(勃起不全，女性化乳房)が出にくい
	エサキセレノン	ミネブロ		

36

高血圧

617

■表36-6 高血圧の主な治療薬(つづき)

分類	一般名	主な商品名	薬の効くメカニズム	主な副作用と禁忌
β遮断薬 (αβ遮断薬)	アテノロール	テノーミン	心拍出量の低下，レニン産生の抑制，交感神経抑制	気管支喘息，徐脈，Ⅱ度以上の房室ブロックには禁忌 糖尿病治療中は低血糖症状の隠蔽作用あり 糖・脂質代謝に悪影響 ※カルベジロールは脂質代謝への悪影響は少ない
	ビソプロロールフマル酸塩	メインテート		
	カルベジロール	アーチスト		
α遮断薬	ドキサゾシンメシル酸塩	カルデナリン	交感神経末端の平滑筋側のα₁受容体を選択的に遮断	起立性低血圧によるめまい，動悸，失神

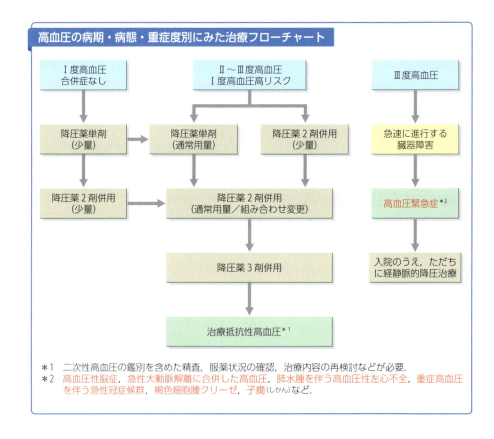

*1 二次性高血圧の鑑別を含めた精査，服薬状況の確認，治療内容の再検討などが必要．
*2 高血圧性脳症，急性大動脈解離に合併した高血圧，肺水腫を伴う高血圧性左心不全，重症高血圧を伴う急性冠症候群，褐色細胞腫クリーゼ，子癇(しかん)など．

高血圧のある患者の看護

杉山　文乃

看護過程のフローチャート

観察項目（OP）

原因・誘因
- 本態性高血圧：不明
- 二次性高血圧
  - 脳・心血管疾患：大動脈縮窄症、動脈硬化症など
  - 腎疾患：糸球体腎炎、嚢胞腎、腎盂腎炎など
  - 神経疾患：頭蓋内圧亢進、灰白髄炎など
  - 内分泌疾患：アルドステロン症、褐色細胞腫など
  - 薬剤性
- 妊娠，子癇（しかん）

身体的問題
- 特異な症状が乏しい
- 随伴症状
  - 頭重感，頭痛，耳鳴，肩こり，倦怠感，不眠，顔面紅潮など
- 生活習慣
  - 喫煙，飲酒，ストレス，過食，努責，肥満
- 薬の副作用
  - 頭痛，倦怠感，咳嗽，口渇，動悸

心理・社会的問題
- 高血圧や治療に対する理解，生活習慣の修正や継続的な服薬に対する認識不足

看護問題（看護診断）

- \#急激に血圧が上昇し，血管や組織が損傷する可能性がある
- \#高血圧が持続し，合併症のリスクを低減できない
- \#頭痛や肩こりなどの不快な症状がある
- \#高血圧治療や急激な血圧上昇予防に関する心配がある

看護目標（看護成果）

- 高血圧による血管，組織損傷の徴候がない
- 血圧が正常範囲内で安定する
- 患者は血圧が上昇しやすい動作や活動を回避することができる
- 患者は適度な血圧を維持できる範囲で活動性を高める（維持する）ことができる
- 不快な症状が緩和する
- 望ましい保健行動の獲得によって，病因の悪化や合併症の予防的セルフケアができる
- 高血圧や血圧上昇の要因となる疾患の知識をもち，治療に意欲的に臨める

看護活動（看護介入）

OP 経過観察項目
- バイタルサイン
- 1日の血圧変動
- 合併症の徴候の有無
- 血圧上昇の誘発行為
- 薬の作用・副作用
- 随伴症状
- 患者・家族の保健行動，表情や言動

TP 看護治療項目
- 急激な血圧上昇や持続する高血圧への迅速な対応
- 高血圧の誘因の除去，軽減
- 降圧治療の管理
- 生活習慣改善の援助

EP 患者教育項目
- 患者・家族への状態・治療の説明
- 患者・家族への心理的援助
- 社会資源活用のための患者・家族への援助

36 高血圧

第5章　循環器系

基本的な考え方

● 高血圧の定義は，診察室で測定した場合は，収縮期血圧 140 mmHg 以上，拡張期血圧 90 mmHg 以上（家庭で測定した場合は，135/85 mmHg 以上）とされ，血圧が高値になるほど脳・心血管疾患のリスクが高まるが，正常範囲内であっても急激な血圧変動には注意を要する．
● 高血圧そのものの特異な症状はないが，血圧上昇による頭痛や肩こりなどの随伴症状が頻繁にみられる．
● 高血圧の治療としては，主に生活習慣の修正と薬物療法が行われる．
● 高血圧の予防には原因となる疾患の管理や生活習慣の修正とともに，血圧上昇の誘因となる疼痛や寒冷刺激などに注意する．
● 高血圧が持続すると血管内皮細胞が傷害され，動脈硬化の原因となる．
● 内服や生活習慣に関する不十分な保健行動は持続的な高血圧や臓器障害の要因となるため，適切な保健行動や生活習慣の修正に対する意欲を支援する必要がある．
　緊急 緊急処置の必要な脳血管疾患や心疾患には迅速な対応が必要である．これらの疾患を疑わせるサインや情報を見逃さないよう十分な観察を行う．特に意識障害，胸痛，運動障害には要注意である．

STEP ❶ アセスメント　**STEP ❷ 看護課題の明確化**　**STEP ❸ 計画**　**STEP ❹ 実施**　**STEP ❺ 評価**

情報収集	アセスメントの視点と根拠・起こりうる看護問題
原因・誘因の把握	高血圧の原因・誘因となる脳・心血管疾患や腎疾患，内分泌疾患など既往歴，現病を把握する． ● 高血圧時の活動状況や心理的状況，普段の血圧との比較 ● バイタルサイン（意識，脈拍数・リズム，呼吸，尿量など） ● 自覚症状の有無（頭痛，胸痛，肩こり，めまいなど） ● 高血圧の原因・誘因の把握： ・本態性高血圧：家族歴，アルコールや喫煙習慣，塩分摂取量などの把握 ・血管性高血圧：眼底検査や収縮期血圧の上昇などが示す動脈硬化傾向の把握 ・腎血管性高血圧：高血圧の既往がないことや大動脈炎症候群の既往 ・腎実質性高血圧：タンパク尿，血尿，腎炎の既往 ・神経性高血圧：脳腫瘍や脳血管障害に伴う意識変化など頭蓋内圧亢進症状の観察 ・内分泌性高血圧：原発性アルドステロン症，クッシング症候群，褐色細胞腫などの既往 ・白衣高血圧：自宅や病院以外の施設で測定されている正常血圧の把握 ・仮面高血圧：自宅や病院以外の施設で測定されている高血圧の把握 ・早朝高血圧：起床時の高血圧や，日中より夜間上昇する高血圧の把握 ● 脳・心血管疾患の危険因子：高血圧，喫煙，糖尿病，脂質代謝異常（高コレステロール血症，低 HDL コレステロール血症），肥満（特に内臓肥満），尿中微量アルブミン，高齢（男性 60 歳以上，女性 65 歳以上），若年発症の脳・心血管疾患の家族歴
随伴症状，合併症の把握	高血圧は脳，心臓，腎臓に障害を及ぼすため，随伴症状が増悪し生命や生活に障害をもたらす合併症が発症する可能性がある． ● 随伴症状：意識障害，運動障害，頭重感，頭痛，心悸亢進，頻脈，徐脈，めまい，耳鳴，肩こり，倦怠感，不眠，食欲不振，悪心・嘔吐，手足のしびれ，顔面紅潮など ● 脳循環障害：胸痛，冷汗，胃部不快感，悪心，動悸など．高血圧が長期間持続すると脳内の細い血管に壊死や変性が生じ小動脈瘤が形成される．その後何らかの原因で血圧が上昇し，小動脈瘤に圧がかかり，動脈瘤の壁が破綻して高血圧性脳出血が生じる．高血圧を伴う脳の動脈硬化は血流障害を起こし，閉塞すると脳梗塞になる 　**緊急** 意識低下，けいれん，運動障害が出現した場合は応援を要請する．仰臥位で安楽な姿勢を促し，呼吸や心拍のモニターを開始し心肺蘇生法（CPR）の準備を行う． ● 心臓循環障害：尿量減少，タンパク尿，クレアチニン値上昇など．長期にわたる高血圧の持続によって心臓壁が肥厚し，酸素や栄養の消費が増加するため，心臓の働く効率が低下する．さらに高血圧が継続すると，心臓の収縮力低下による心不全や

620

酸素供給不足による心筋虚血，虚血性心疾患を誘発する　**緊急** 末梢冷感や頸静脈怒張などの症状が出現した場合は，応援を要請する．心拍モニターを開始し急激な血圧低下に備えCPRの準備を行う．
- 腎障害：持続的な高血圧によって腎細動脈が硬化し，腎血流量が減少するため，腎機能が低下し腎不全となる．

🔍**起こりうる看護問題**：病因の増悪や身体的問題により急激に血圧が上昇し，血管や組織が損傷する可能性がある／高血圧が持続することで合併症のリスクがある／高血圧治療や急激な血圧上昇予防に関する心配がある

急激な血圧上昇の要因	高血圧の原因・誘因となる疾患の治療に加え，急激な血圧上昇の要因をアセスメントし，血管や臓器障害を予防する．

- 血圧上昇の誘因の把握
  - 手術：覚醒レベルや意識状態は交感神経活動亢進などにより血圧を上昇させる．手術侵襲に対するカテコールアミンやアルドステロンの分泌増加により，術中から術後2〜4日は循環血液量が増加し血圧が上昇することがある．一方，周手術期の出血や浸透圧の変化，降圧薬の使用によって急激な血圧低下も起こりやすい．
  - 疼痛：疼痛は交感神経活動亢進や高血糖，睡眠障害，混乱，せん妄により血圧上昇の誘因となる．痛みの部位や性質（明確な部位に限局するか，神経の走行に沿って投射するか，次第に広がり放散するか，原因に隣接あるいは関連するか）や程度（VASやフェイススケールによる測定）や鎮痛薬の使用時間をアセスメントする．状況によってレスキュードーズ（臨時のオピオイド速放性製剤使用），タイトレーション（痛みが軽減するまでオピオイド増量）を実施する．
  - 精神：ストレスや興奮，緊張などは交感神経を活性化し，心拍出量と末梢血管抵抗を上昇させ血圧が上昇する．
  - 環境：寒冷刺激は末梢血管を収縮させ，血圧を上昇させる．
  - 薬剤：向精神薬（モノアミン再取り込み阻害薬など）や腎性貧血治療薬（エリスロポエチン製剤）などの内服は薬剤誘発性高血圧も考慮する．

🔍**起こりうる看護問題**：病因の増悪や身体的問題により急激に血圧が上昇し，血管や組織が損傷する可能性がある／高血圧が持続することで合併症のリスクがある

使用される降圧薬の把握	降圧薬の副作用や急激な血圧変化の徴候に注意し，医師の指示のもと適切に対応するために，使用される薬の特徴を把握する．

- 臓器障害のある患者や高齢者は，降圧薬治療により急激に血圧が変化し，循環障害をもたらす可能性があるため，症状の出現に注意が必要である．
- 使用する治療薬の特徴を把握する：
  - Ca拮抗薬：血管拡張作用に伴う顔面紅潮，頭痛，熱感や，心筋収縮作用に伴う徐脈，房室ブロックの出現に注意する．
  - ACE（アンジオテンシン変換酵素）阻害薬：急速に降圧効果が得られるものもあり，急激な血圧低下に伴うめまいや気分不快などの症状に注意して観察する．数日間内服後に腎機能低下，瘙痒，発疹，空咳が出現することもある．
  - ARB（アンジオテンシンⅡ受容体拮抗薬）：投与後1週間以内に顔，口唇，舌などに血管浮腫が出現する可能性がある．異常が認められた場合は投与を中止して主治医に報告し症状の変化に注意する．
  - 利尿薬：血管拡張作用に伴う頭痛や急激な血圧低下に伴うふらつきに注意する．
  - β遮断薬：飲み始めの時期にめまいや強い疲労感，浮腫が出現することがある．主治医に報告し症状の変化に注意する．
  - α遮断薬：初回投与時の失神，急速な血圧低下，起立性低血圧に注意する．
- 薬物療法を開始した場合，多くは継続する必要がある．まれに生活習慣の修正によって薬を飲まなくても血圧が正常化するケースもある．
- 血圧変化の自覚症状がないと，内服による血圧管理の継続がおろそかになりやすい．
- 透析患者の血圧は，透析日と非透析日で異なり，非透析日に高値を示すが，透析中

第5章　循環器系

や透析直後は低血圧をきたすことが多いため，血圧変動パターンを考慮する．
🔍 起こりうる看護問題：高血圧治療や急激な血圧上昇予防に関する心配がある

修正が必要な生活習慣の把握	生活習慣の修正は高血圧の予防だけでなく，降圧薬治療中でも有効な効果を得ることができる．通常，薬物療法の前に生活習慣の修正による治療が一定期間行われるので，患者の生活習慣を把握して適切な支援につなげる．
初診時の血圧値	●初診時の血圧値，危険因子の有無，臓器障害や心血管疾患の有無 ➡生活習慣の修正期間は，初診時の血圧値がⅠ度高血圧で，他に危険因子，臓器障害や心血管疾患を認めない低リスク患者では3か月，初診時の血圧値がⅡ度高血圧で，白衣高血圧や白衣現象が除外され，他の危険因子を加味したリスク評価で中等リスク患者の場合は1か月である（表 36-1 参照）．なお，生活習慣の修正による治療後も 140/90 mmHg 以上であれば，降圧薬治療を開始する．
食生活	●塩分の1日の摂取量 ➡塩分摂取により体内のナトリウムイオンが増え体液量が増加することで，血圧は上昇する．過剰な塩分摂取が続くと，高血圧から動脈硬化などをもたらす．
	●目標の摂取量は1日6g以下である．ただし，妊婦においては胎児への影響を考慮して，厳格な減塩は推奨しない．
	●カリウム多く含む野菜，果物などの摂取量 ➡カリウムは降圧作用が期待できる．ただし，カリウム制限が必要な慢性腎不全の患者には野菜，果物の積極的摂取を推奨しない．
体重の管理状況	●適正体重を維持しているか ➡ BMI 20 kg/m² 未満を1とすると，BMI 25.0〜29.9 kg/m² で高血圧発症リスクは 1.5〜2.5 倍に上昇する．
	●減塩による降圧効果は，体重 1.0 kg につき収縮期血圧で約 1.1 mmHg，拡張期血圧で約 0.9 mmHg と推定されている．
運動習慣	●運動習慣の有無とその内容 ➡運動より，収縮期血圧で 2〜5 mm Hg，拡張期血圧で 1〜4 mmHg の低下が期待できる．
飲酒習慣	●飲酒の有無，飲酒歴，飲酒の有無とアルコールの種類，飲酒回数・量など ➡アルコールの単回摂取は，数時間持続する血圧低下をもたらすが，長期的飲酒習慣は，高血圧の要因となる．エタノール換算で男性は 20〜30 ml/日，女性は 10〜20 ml/日以下に制限する．
喫煙習慣	●喫煙の有無，喫煙歴 ➡1本の紙巻きたばこの喫煙で，15 分以上持続する血圧上昇を引き起こす．
その他	●地域の気候，住環境 ➡寒冷は，血圧を上昇させるため，トイレ，浴室等，陶器の暖房に配慮する．
	●便秘などの有無 ➡便秘に伴う努責は血圧を上昇させる
	🔍 起こりうる看護問題：病因の増悪や身体的問題により急激に血圧が上昇し，血管や組織が損傷する可能性がある／高血圧が持続することで合併症のリスクがある／高血圧治療や急激な血圧上昇予防に関する心配がある
患者・家族の心理・社会的側面の把握	高血圧の治療や急激な血圧上昇の予防に対する心配ごとや，将来の起こりうる疾患に対する不安を把握したうえで，患者のライフスタイルに合わせ適切な保健行動がとれるよう援助していくことが求められる．治療や今後の生活について，患者・家族が不安を感じている場合は，医師，栄養士，医療ソーシャルワーカーなどとの連携による支援も必要になる．
	●バイタルサインのモニタリングや持続点滴，急激な症状の出現は，患者の不安を増強し，さらに血圧を上昇させるため，適切な説明と安楽を促す必要がある．
	●患者・家族が生活習慣の変容についてどのように理解・認識しているかを把握する．
	●日常生活における高血圧の誘因や，循環動態への影響，症状出現時の対処方法について，患者・家族がどのように理解し，受けとめているか把握する．
	🔍 起こりうる看護問題：高血圧が持続することで合併症のリスクがある／高血圧治療や急激な血圧上昇予防に関する心配がある

| STEP ❶ アセスメント | STEP ❷ 看護課題の明確化 | STEP ❸ 計画 | STEP ❹ 実施 | STEP ❺ 評価 |

看護問題リスト

#1　急激に血圧が上昇し，血管や組織が損傷する可能性がある（活動-運動パターン）
#2　頭痛や肩こりなど不快な症状がある（認知-知覚パターン）
#3　高血圧が持続し，合併症のリスクを低減できない（健康知覚-健康管理パターン）
#4　高血圧治療や急激な血圧上昇予防に関する心配がある（自己知覚パターン）

看護問題の優先度の指針

● 意識障害，呼吸障害，運動障害などの症状がみられる場合は，緊急対応を要請し，迅速に対応するとともに，不快な症状や不安の増強による血圧上昇を回避する．
● 自覚症状がなくても収縮期血圧が 180 mmHg 以上の場合や脳・心血管疾患の既往がある場合，あるいは臓器障害があり急激な血圧上昇によるさらなる臓器障害が予想される場合は，医師へ報告するとともに安静などの対処が必要である．
● 不安や緊張のある時は血圧が上昇しやすい．白衣高血圧などを考慮し，時間をおいて複数回測定する．また，1 回の血圧測定で＋15 mmHg の上昇があってもすぐに高血圧と判断できないこともある．一過性の血圧上昇と識別するため，どのような状況で血圧上昇に至ったのかを把握することが大切である．
● 血圧管理には継続的な自己管理が必要だが，明確な自覚症状がないためおろそかになりやすい．患者・家族が適切な保健行動を獲得し，安心して日常生活を過ごせる援助が必要である．

36
高血圧

| STEP ❶ アセスメント | STEP ❷ 看護課題の明確化 | STEP ❸ 計画 | STEP ❹ 実施 | STEP ❺ 評価 |

1 看護問題	**看護診断**	**看護目標（看護成果）**
#1　急激に血圧が上昇し，血管や組織が損傷する可能性がある	非効果的脳組織灌流リスク状態 心臓組織灌流減少リスク状態 **関連する状態**：高血圧（症） **ハイリスク群**：直近の心筋梗塞歴がある人	〈**長期目標**〉高血圧による合併症の徴候，症状を早期発見し，迅速に対応する 〈**短期目標**〉1）血圧が正常範囲内である．2）高血圧による血液供給の減少リスク状態が改善される．3）急激な血圧上昇のリスクを回避できる

看護計画 / 介入のポイントと根拠

OP 経過観察項目

● 高血圧の原因となっている疾患の把握
● 血圧値の変動と合併症の徴候
● 頭痛，意識障害，言語障害，感覚障害，しびれ，麻痺，運動障害など

● 胸痛，不整脈，冷汗，心電図の変化など
● 乏尿，クレアチニン値など
● 周手術期の輸液や薬剤投与による血圧変動の予測
● 疼痛の評価

➡ 高血圧の原因や誘因を把握し，緊急に医療処置が必要か，安静を促し経過観察が必要かを判断する　**根拠** 正常高値血圧でも，糖尿病や慢性腎疾患，3 つ以上の危険因子を有すると，脳・心血管疾患の高リスク群とされ医療処置が必要となることがある
➡ 血圧だけでなく心電図と酸素飽和度をモニターし臓器障害を予防する
➡ **根拠** 術後の高血圧は不整脈や心筋虚血，術後出血やそれに伴う血圧変動に注意が必要である
➡ 疼痛スケールや心拍数，表情を利用してアセスメントする

TP 看護治療項目

● 意識状態の変化やバイタルサイン，心電図波形をモニタリングする
● 臓器障害の徴候を伴う血圧の変動は緊急処置が

➡ 速やかな降圧治療を援助するとともに降圧治療による過度の血圧低下に注意する
➡ **根拠** 血圧上昇の原因にかかわらず，約 1～2

623

第5章　循環器系

必要であり，応援を要請して迅速に対応する
- 心電計，電気的除細動器，救急カートなどはいつでも使用できるよう準備しておく
- 脳循環障害の症状出現時は，頭部CT検査が必要となる．状態悪化と血圧管理を持続しながら安全に検査が進められるよう介助する
- 点滴ルートの確保や気管挿管，酸素飽和度のモニタリングなど，状態悪化を予測して対応し，異常の早期発見に努め，安全に検査・治療が進むよう介助する

EP 患者教育項目
- 症状があれば，いつでも遠慮なく医師や看護師に伝えるよう説明する
- 緊急治療や持続的な血圧管理による患者・家族の不安を傾聴する
- 高血圧治療の重要性をわかりやすく説明する

時間以内に血圧を下降させないと臓器障害が進行する可能性が高い．臓器障害が急速に進行すると，急性冠症候群により有効な心拍出が得られなくなるため，迅速な対応が必要になる

⇒検査や薬剤，酸素投与を的確に実施し観察する
根拠 血圧上昇に伴う臓器障害が急激に進行している場合は降圧治療とともに，他の臓器の循環を確認する検査や循環を維持する点滴ルート，挿管チューブなどの確保やモニタリングが重要である

⇒治療の経過や今後の予定を伝え，患者の緊張や不安の軽減を図る
⇒ 根拠 急性期は緊急処置やモニタリングが行われるが，患者の緊張や不安の要因となり自律神経系に作用して血圧上昇に影響を及ぼすことがある

2 看護問題	看護診断	看護目標（看護成果）
#2　頭痛や肩こりなど不快な症状がある	安楽障害 **関連する状態**：治療計画 **診断指標** □不快感を示す	〈長期目標〉不快な症状が緩和する 〈短期目標〉不快に思っている症状を表出できる

看護計画	介入のポイントと根拠
OP 経過観察項目 - 不快な部位を保護する姿勢 - 苦痛顔貌 **TP 看護治療項目** - 体位を工夫する - リラクセーションを図る - 安心できる環境を整える **EP 患者教育項目** - 高血圧の治療状況を説明する - 不快な症状は，遠慮せず伝えることを説明する	⇒不快な症状の有無，部位，程度，持続時間を尋ね，表情や言動を観察し，総合的に判断する ⇒ベッドをギャッチアップし，小枕やクッションを使用して安楽な体位を工夫する ⇒閉眼し深呼吸を促す ⇒音楽や照明を調節し，患者が落ち着く環境をつくる．ケアを行う前に患者に説明し，ケア中もどのような方法がより心地よいか確認しながら行う 根拠 不快な症状の持続により緊張状態にあることが多い ⇒ 根拠 不快な症状の原因になっている高血圧の治療経過が理解できると安心できる

3 看護問題	看護診断	看護目標（看護成果）
#3　高血圧が持続し，合併症のリスクを低減できない	非効果的健康自主管理 **関連因子**：治療計画についての知識不足，意思決定が困難，治療計画に対する否定的な気持ちなど	〈長期目標〉高血圧や合併症を予防する保健行動が実践でき，継続することの有用性を説明できる

624

診断指標
□治療計画を日常生活に組み込めない
□危険因子を減らす行動がとれない

〈短期目標〉1) 血圧上昇や合併症の徴候，薬物療法による副作用の徴候がない．2) 高血圧を予防する日常生活上の留意点を理解し自己管理が実践できる

看護計画	介入のポイントと根拠
OP 経過観察項目 ●血圧の自己管理状況 ●薬の内服状況と副作用の徴候 ●治療に対する言動 ●食事，体重管理 ●血液，尿検査データの変化 ●禁煙，節酒など嗜好品の自己管理状況	⇨血圧の自己管理に取り組む経過や効果を評価する ⇨食事療法や適正体重の維持によって高血圧のリスクを軽減する行動ができているか評価する ⇨ 根拠 生活習慣を修正することは容易ではない．自己管理を継続するうえで潜在するリスクを明らかにする ⇨適正体重の維持，禁煙，節酒への取り組みを評価する
TP 看護治療項目 ●血圧の適切な自己管理について説明する ●食生活の修正について説明する ・塩分摂取は1日6g未満を目標とする ・食塩以外の栄養素の摂取 ・適正体重(BMI 25未満を目安)を維持する ●生活習慣の修正について説明する ・適度な有酸素運動を行う ・飲酒を制限する ・喫煙を控える ●適切な保健行動獲得に関する緊張を緩和する	⇨血圧測定器具の取り扱いや測定方法を指導する 根拠 自覚症状がなく日常生活に支障がないと保健行動につながる動機が薄れやすい ⇨ 根拠 塩分制限は，体内のナトリウム量を減らし体液量と心拍出量を減少させ，末梢血管抵抗を下げて血圧を低下させる ⇨コレステロールや飽和脂肪酸の摂取を控える 根拠 脂質や糖質などの摂取制限によって，肥満による体液量増加や，交感神経活動亢進，インスリン抵抗性増大による血圧上昇を予防する ⇨野菜や果物の積極的な摂取を促す 根拠 野菜や果物に含まれるカルシウム，カリウム，マグネシウムの適切な摂取はナトリウムの排泄能を高め血管収縮を抑制し，血圧上昇を予防する．ただし腎機能が低下している場合は高カリウム血症のリスクがあるため推奨しない．また肥満や糖尿病のためエネルギー摂取制限が必要な患者では糖分の多い果物の過剰摂取は勧めない ⇨ BMIは体重(kg)÷身長(m)^{2}で求める 根拠 肥満は高血圧の重要な危険因子である ⇨体調に合わせた定期的な有酸素運動を行う 根拠 有酸素運動は交感神経活動を抑制し，心拍出量と末梢血管抵抗を低下させ血圧を下げる ⇨節酒する．エタノール換算で男性は20～30 mL/日以下，女性は10～20 mL/日以下を目安とする 根拠 多量の飲酒はエネルギーや塩分の摂取過多につながり血圧上昇の原因となる ⇨禁煙する 根拠 ニコチンは交感神経を刺激し血管を収縮させ血圧を上昇させる ⇨達成可能な方法や手段，目標を設定する

36 高血圧

第5章　循環器系

・患者が高血圧の治療や予防の必要性について理解し、自ら進んで治療を続けることができる（アドヒアランス）よう支援する．
・患者が医師、看護師などの医療者とともに医療チームの一員として対等な立場で話し合いに参加し、合意のもとに治療方針等を決定できる（コンコーダンス）よう支援する．

EP 患者教育項目
●家庭での血圧測定方法を説明する
●内服薬の自己管理方法を説明する
●副作用出現時の対処方法を説明する
●定期的な医療機関の受診を促す
●生活習慣の修正状況の確認について説明する

根拠 個人のライフスタイルに適した方法や目標設定が継続的な自己管理につながる

⮕血圧管理や副作用に関する知識を把握し、誤解による不適切な服薬や保健行動を防ぐ **根拠** 家庭での血圧測定は、薬の効果を継続的に評価でき、血圧の日内変動や白衣高血圧、早朝高血圧の診断にも有用である

4 看護問題	看護診断	看護目標（看護成果）
#4　高血圧治療や急激な血圧上昇予防に関する心配がある	**不安** **関連因子**：ストレッサー（ストレス要因）、不慣れな状況、満たされないニーズ **ハイリスク群**：状況的な危機状態にある人 **診断指標** □イライラした気分 □不眠 □不安定な気持ち □深く考えすぎる □混乱	〈長期目標〉患者の不安が軽減され、血圧管理をしていても安楽が得られるという言動が表出される 〈短期目標〉1）患者・家族が不安に思っていることを表出できる．2）不安や心配を増悪させる原因を認識できる．3）適切な対処行動がとれる

看護計画

OP 経過観察項目
●治療や生活習慣の修正に関する心配、緊張に関する表情、食欲不振、倦怠感など
●合併症や副作用出現時の対応状況

TP 看護治療項目
●不安を共感的姿勢で傾聴し、患者の努力を肯定的に評価する
●適切な保健行動につながる対処を一緒に考える

EP 患者教育項目
●誤解や知識不足による不安がある時は、正しい知識を提供する
●達成可能な目標から立案することで、自己効力感が得られるよう支援する
●ストレス状況を把握して不安を解消するための方法を一緒に考える

介入のポイントと根拠

⮕**根拠** 適切な保健行動への援助の糸口とするため、不安の原因を把握する
⮕誤解や情報不足を把握する

⮕不安や苦痛を共感的態度で傾聴する

⮕患者が主体的に問題解決型対処ができるよう支援する

⮕**根拠** 健康管理に対する失敗感や過度な自信を除去することは、適切な保健行動獲得につながる

⮕不安を解消する介入（音楽・患者会参加）や、精神科医の介入など医療チームで対応する

STEP ❶ アセスメント　STEP ❷ 看護課題の明確化　STEP ❸ 計画　STEP ❹ 実施　STEP ❺ 評価

病期・病態・重症度に応じたケアのポイント

【急性期】高血圧に至った状況を把握し，脳，循環器，腎臓などに障害が起こらないよう迅速に対応する．臓器障害を予測し異常の早期発見に努め，血圧や呼吸，症状をモニタリングする．緊急処置に対する患者・家族の不安を除去する．
【回復期】自覚症状がなく生活に支障がない場合にも，継続的な血圧管理と適切な保健行動がとれるよう援助する．

看護活動（看護介入）のポイント

診察・治療の介助
- 高血圧に至った状況を把握し，速やかに降圧治療を介助する．
- 周手術期の交感神経活動亢進や水分出納，疼痛による血圧上昇をアセスメントし，血圧変動を予測した薬物療法や疼痛緩和の援助を行う．

合併症予防に対する援助
- 血圧や症状をモニタリングし，合併症の徴候や内服薬の副作用の早期発見に努める．
- 合併症の徴候や内服薬の副作用などの異常が出現した時は応援を要請し，迅速に対応する．

生活習慣の修正への援助
- 自覚症状がなく生活に支障がなくても，患者が主体的に生活習慣の修正に取り組めるよう援助する．
- 誤解や知識不足による挫折感や失敗に配慮し，患者が自己効力感を得て問題解決型対処ができるよう支援する．

36 高血圧

退院指導・療養指導

- 家庭での継続的な血圧測定による血圧管理が合併症予防につながることを認識できるよう説明する．
- 患者が合併症の徴候や内服薬の副作用を理解し，異常出現時は安静や受診などの対処行動がとれるよう説明する．
- 食事療法や適度な運動習慣，ストレス解消や気分転換など，高血圧リスクをもつ患者のライフスタイルに適した対処行動ができるよう支援する．

STEP ❶ アセスメント　STEP ❷ 看護課題の明確化　STEP ❸ 計画　STEP ❹ 実施　STEP ❺ 評価

評価のポイント

看護目標に対する達成度
- 血圧が正常範囲内に維持できているか．
- 高血圧による脳，循環器，腎臓などの合併症の徴候がみられないか．
- 降圧薬による副作用がないか．
- 患者が治療，血圧管理に伴う不安や疑問を表出できているか．
- 患者が血圧管理につながる生活習慣を実践できているか
- 患者が内服薬の薬名，投与量，投与回数，作用・副作用を理解できているか．
- 患者は合併症の徴候や内服薬の副作用が出現した時に，適切な保健行動を理解し実践できているか．
- 患者の不安が解消され，血圧管理をしていても安楽が得られることを表出しているか．

● 参考文献
1) 井上智子，窪田哲朗編：病期・病態・重症度からみた疾患別看護過程＋病態関連図　第4版，pp.274-290，医学書院，2020
2) T. ヘザー・ハードマン，上鶴重美原書編集（上鶴重美訳）：NANDA-I 看護診断—定義と分類 2021-2023，医学書院，2018
3) 日本高血圧学会高血圧治療ガイドライン作成委員会編：高血圧治療ガイドライン 2019，ライフサイエンス出版，2019

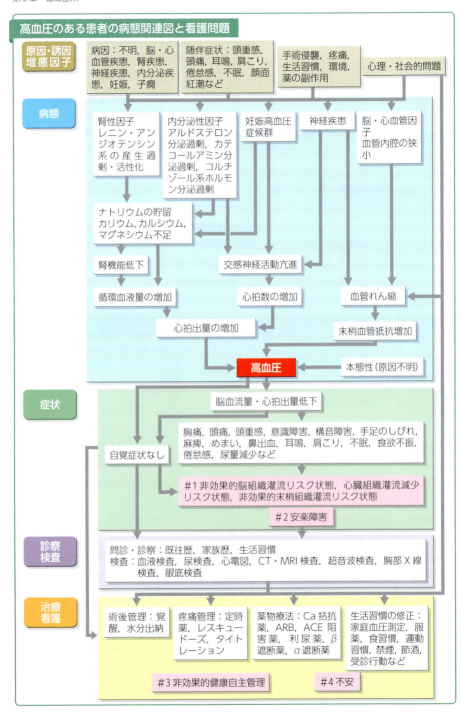

37 低血圧

野々口 博史

目でみる症状

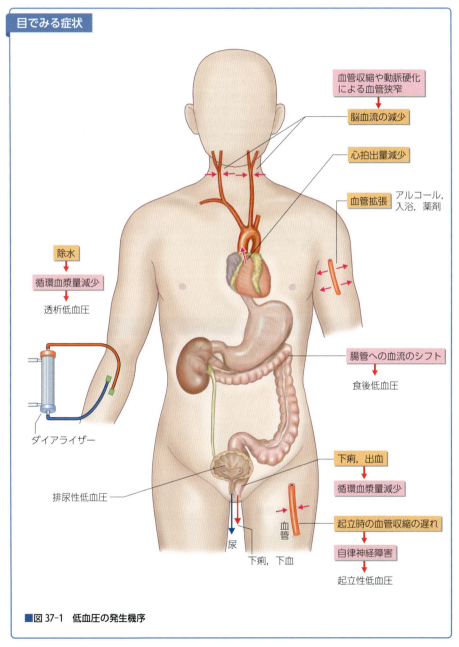

■図 37-1 低血圧の発生機序

第5章　循環器系

病態生理

低血圧とは欧米では 90/60 mmHg 以下，わが国では 100/60 mmHg 以下を指すが，それに基づく臨床症状があって初めて問題となる．血圧が低くても，それに起因する症状がなければ臨床的には問題とはならない点が，血圧そのものが動脈硬化の危険因子として問題となる高血圧とは若干異なる．

- 低血圧の原因としては，様々な異常が挙げられる（図 37-1）．原因がはっきりしない本態性低血圧と，薬剤や糖尿病などの他の原因による二次性低血圧に大きく分けられる（表 37-1）．起立性低血圧は二次性低血圧に分類されるが，よくみられるので独立して分類されることも多いようである．
- 起立性低血圧：臥位から立位へ変わる時に収縮期血圧が 20 mmHg 以上，拡張期血圧が 10 mmHg 以上低下する状態を指す．①糖尿病やパーキンソン病の患者で多くみられる．②薬剤性のものも多く，降圧薬として，あるいは前立腺肥大症で使われるα遮断薬の副作用としてよくみられる．③他の降圧薬でも過量の場合にみられることがある．起立性低血圧の原因は自律神経の異常であり，糖尿病性神経障害や血液透析終了時の患者でよくみられる．臥位から立位になる際に，血液は重力によって下肢へ流れようとする．健常な人では自律神経の緊張によって血管が収縮し，上半身にある脳や心臓への血流は維持されるが，自律神経の異常があれば脳などへの血流が低下し，めまい，立ちくらみなどの症状をひき起こす．したがって，急に立ち上がるのを避けるようにすることで多少は予防できる．
- 透析低血圧：①除水による循環血漿量の減少や，②糖尿病性腎症を原疾患とする患者が多く，糖尿病では起立性低血圧が多いことなどに起因する．生理食塩液を急速に点滴静注することで回復する．
- 食後低血圧：食後 30 分以内にみられる．腸管への血流が増加し，一過性に脳虚血になるためである．自律神経失調の患者で生じやすい．アルコールなどの血管拡張作用のあるものの飲用でもひき起こされる．
- 排尿性低血圧：排尿時にみられる低血圧で，男性に多い．特に飲酒時の排尿で多い．排尿を我慢することで緊張しているのが，一気に解除されることによって生じるので，座位での排尿にするのも予防策として 1 つの方法である．
- 入浴時低血圧：温まることによる血管拡張が原因である．入浴中に起こると事故につながるので注意が必要である．脱衣室の温度が低いと危険性が高まる．入浴後にみられることも多い．飲酒後や食直後の入浴は低血圧の危険性を高めるため，特に避けるべきである．

患者の訴え方

低血圧による症状には，めまい，立ちくらみ，悪心，頭痛，腹痛，動悸，息切れ，朝起きられない，倦怠感などが挙げられるが，多種多様である．

- 透析中の低血圧では，初めは胃部不快感を訴えることが多く，次第に冷汗，悪心となり，ひどい場合には意識を失ってしまうため，早めの対処が必要である．

主症状の訴え
- めまい：目が回る，天井がぐるぐる回る．
- 立ちくらみ：立ち上がるとくらっとする．
- 悪心：気持ちが悪い，むかつく，吐き気がする．

随伴症状
- 不定愁訴が多いが，原疾患によって様々な症状を訴える．重症の場合には意識を失うこともある．

■表 37-1　低血圧の原因または考えられる疾患

- **本態性低血圧**
- 原因：はっきりしない．若い女性に多くみられる．
- **二次性低血圧**
- 原因：①糖尿病など自律神経障害の患者にみられる起立性低血圧が最も多い．②内分泌疾患でもアジソン病，低アルドステロン症など鉱質コルチコイド不足では体液量低下が原因である．③大動脈狭窄症，心筋梗塞後などでは心拍出量低下が原因である．④出血，下痢などによる循環血漿量減少でもみられる．⑤静脈瘤や動静脈奇形などの血管性疾患でもみられる．⑥薬剤性では，降圧薬，シルデナフィルクエン酸塩，亜硝酸製剤，向精神薬などで多い．特にシルデナフィルクエン酸塩（バイアグラ）など ED 治療薬と狭心症での亜硝酸製剤の併用は過度の降圧の危険性があり禁忌である．
- 分類：起立性低血圧，透析低血圧，食後低血圧，排尿性低血圧，入浴時低血圧など．

■表 37-2　低血圧の随伴症状と考えられる疾患

随伴症状	考えられる疾患
のどが渇く	糖尿病
脈が遅い	房室ブロックなどの心疾患
下痢，嘔吐	循環血漿量の減少
不正出血	鉄欠乏性貧血
高カリウム血症	アジソン病，低アルドステロン症
生理がない	神経性やせ症（神経性食欲不振症）
体重減少	神経性やせ症（神経性食欲不振症）
息が切れる	大動脈狭窄症，心筋梗塞後，心筋症などによる心拍出量の低下
小刻み歩行	パーキンソン病

診断

▌血圧測定が必須である．
● 一般的に低血圧が重症化すると頻拍になるので，頻拍の有無にも注意する．ただし，房室ブロックのように，徐脈により低血圧になることもあるため注意が必要である．症状や検査に基づいて鑑別診断する（図 37-2）．

治療法・対症療法

▌二次性低血圧の場合には，治療以上にその原因に応じた予防策が重要となる．
● 物理療法
● 十分な睡眠と 1 日 15 分程度の日光浴で，生体内リズムを整えることが基本である．
● 起立性低血圧は下肢への血流が増えることが原因であるため，弾性ストッキングで下肢への血流を抑えることが予防につながる．
● 食後低血圧では，腸管への大量の血液の移動を防ぐために食事はゆっくりと摂取するのが望ましい．アルコールは血管拡張作用があり，低血圧を起こしやすくするので控えるようにする．胃切除後の患者では，食事内容物がすぐに腸に移動することでダンピング症候群から低血圧を起こしやすいので，1 回の食事摂取量を抑えて何回かに分けて食事をするようにする．
● 透析患者では，体重増加の多い患者ほど大量の除水が必要となり，低血圧の危険も増大する．よって透析間の体重増加を抑えることが基本である．過度の除水による低血圧を防止するためにクリットライン（連続的ヘマトクリット測定装置）による循環血漿量のチェックを行うことがある．これは，経時的にヘマトクリットを測定し，その変化から循環血漿量の変化をグラフに示し，過度の除水によるヘマトクリットの上昇，すなわち循環血漿量の減少を発見し，低血圧を発症する前に補液で予防しようとするものである．非常に有用な機器であるが，金額面で高価であることが唯一の問題である．

● 薬物療法
● 昇圧薬が基本的な薬剤となる．体液量を増加させる鉱質コルチコイドも使用可能であるが，副作用も強いので注意が必要である．吐き気やめまいが強い場合には，低血圧だけでなく，症状に応じた処方の追加も考慮する．

Px 処方例 軽症から中等症まで　下記のいずれかを用いる．
● リズミック錠（10 mg）　1 回 1 錠　1 日 2 回　透析低血圧に対しては透析開始 30 分～1 時間前に 1 錠
　←昇圧薬
● メトリジン錠（2 mg）　1 回 1 錠　1 日 2 回　透析低血圧に対しては透析開始 30 分～1 時間前に 1 錠
　←昇圧薬
● ドプス OD 錠（100 mg）　1 回 1 錠　1 日 2 回　透析低血圧に対しては透析開始 30 分～1 時間前に 1 錠　←昇圧薬
● エホチール錠（5 mg）　1 回 1～2 錠　1 日 3 回　朝昼夕食後　←昇圧薬

第5章 循環器系

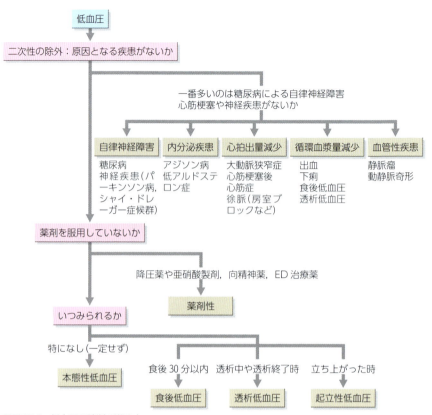

■図 37-2 低血圧の診断の進め方

> **Px 処方例 かなり重症の場合**
> ● フロリネフ錠(0.1 mg)　1回 0.2～1錠　1日 2～3回　←アルドステロン製剤
> 　※腎集合尿細管でのナトリウム再吸収を増やすことで体液量を増加させ血圧を上昇させるが，浮腫が出やすく，アルカローシスになり，カリウム排泄が増加するので，体重，電解質チェックが必要である．フロセミドなどのループ利尿薬の併用が必要となることが多い．
>
> **Px 処方例 嘔吐が強い場合**　下記のいずれかを用いる．
> ● ナウゼリン錠(10 mg)　1回1錠　1日3回　朝昼夕食前　←制吐薬
> ● プリンペラン錠(5 mg)　1回1錠　1日3回　朝昼夕食前　←制吐薬
>
> **Px 処方例 めまいが強い場合**　下記のいずれかを用いる．
> ● グランダキシン錠(50 mg)　1回1錠　1日3回　朝昼夕食後　←抗不安薬
> ● メリスロン錠(6 mg)　1回1～2錠　1日3回　朝昼夕食後　←抗めまい薬
> ● セファドール錠(25 mg)　1回1～2錠　1日3回　朝昼夕食後　←抗めまい薬
>
> **Px 処方例 重症でショックの場合**　下記のいずれかを用いる．
> ● エホチール注(10 mg)　0.2～1アンプル　皮下注，筋注，静注　←昇圧薬
> ● ドブトレックス注(100 mg)　生理食塩液か 5% ブドウ糖液で希釈し 1～5 µg/kg/分で点滴静注　←昇圧薬
> ● カコージン注(100 mg)　生理食塩液か 5% ブドウ糖液で希釈し 1～5 µg/kg/分で点滴静注　←昇圧薬

■表37-3 低血圧の主な治療薬

分類	一般名	主な商品名	薬の効くメカニズム	主な副作用
昇圧薬	アメジニウムメチル硫酸塩	リズミック	神経終末におけるノルアドレナリンの再取り込み・不活化化の抑制	頻脈,動悸,ほてり感
	ミドドリン塩酸塩	メトリジン	交感神経α_1受容体を直接刺激し,末梢血管を緊張・収縮させる	悪心・嘔吐,頭痛,期外収縮
	ドロキシドパ	ドプス	体内でノルアドレナリンに変換	頭痛,頭重感,悪心
	エチレフリン塩酸塩	エホチール	心筋収縮力,心拍出量を増やす	心悸亢進,頭痛
	ドブタミン塩酸塩	ドブトレックス	交感神経β_1受容体に直接作用し,心収縮力を増強	頻脈,不整脈,狭心痛
	ドパミン塩酸塩	イノバン,ツルドパミ	心筋収縮力,心拍出量,腎血流,上腸間膜動脈血流を増やす	四肢冷感,不整脈,動悸,麻痺性イレウス
アルドステロン製剤	フルドロコルチゾン酢酸エステル	フロリネフ	腎集合尿細管でのNa再吸収を増加させる	浮腫,高血圧,低カリウム血症
制吐薬	ドンペリドン	ナウゼリン	消化管ならびに嘔吐中枢に作用して消化管運動を調整する	腹痛,下痢
	メトクロプラミド	プリンペラン		
抗不安薬	トフィソパム	グランダキシン	自律神経系の緊張不均衡を改善	眠気,口渇
抗めまい薬	ベタヒスチンメシル酸塩	メリスロン	内耳血管条,内頸動脈の血流量増加	悪心
	ジフェニドール塩酸塩	セファドール	椎骨脳底動脈不全の寛解	口渇,浮動感

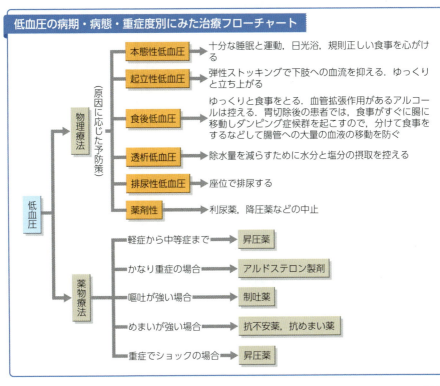

第5章　循環器系

低血圧のある患者の看護

川本　祐子

看護過程のフローチャート

観察項目 （OP）	看護問題 （看護診断）	看護目標 （看護成果）	看護活動 （看護介入）

原因・誘因
- ●本態性低血圧
  不明
- ●二次性低血圧
  自律神経障害
  心拍出量減少
  循環血液量減少（貧血, 出血, 下痢, 熱傷, 過度の除水など）
  内分泌疾患
  血管性疾患
  腎機能障害
  薬剤性など
- ●誘因
  年齢, 性別, 気温, 透析, 体位, 飲酒, 食事, 排泄, 入浴, 睡眠, 低栄養など

→ #原因・誘因の進行などにより症状が悪化する可能性がある
→ 原因・誘因が除去, 軽減され症状の悪化がない

→ #低血圧を改善・予防するための健康管理行動の実施が困難である, 遵守できない
→ 低血圧を改善・予防するための自己管理行動が実践できる

身体的問題
- ●主症状
  立ちくらみ
  めまい, 悪心
- ●随伴症状
  失神, 顔面蒼白
  四肢冷感
  あくび, 冷汗
  頭重感, 頭痛
  動悸, 息切れ
  食欲不振
  全身倦怠感
  易疲労性
  脱力感
  不穏, 不眠
  精神力の減退など

→ #低血圧および随伴症状の悪化に伴い苦痛が生じる
→ 症状による苦痛が改善あるいは緩和する

→ #めまいや一過性の意識消失などにより身体を損傷する危険性がある
→ めまいなどによる転倒や身体損傷を予防するための行動がとれる

→ #低血圧や随伴症状により日常生活や社会生活に支障をきたしている
→ 生活機能を維持できる

心理・社会的問題
患者・家族の症状に対する不安

→ #患者・家族が症状に対する不安を抱えている
→ 患者・家族の不安が軽減する

OP 経過観察項目
バイタルサイン
主症状・随伴症状の有無・程度
原因・誘因の有無・程度
血圧に影響する要因の有無・程度
低血圧に対する診察・検査の結果
実施されている治療内容とその効果
低血圧やその治療に対する患者・家族の反応
主症状・随伴症状による生活への支障の有無・程度, など

TP 看護治療項目
原因・誘因の把握および除去・軽減

めまいなどによる身体損傷の予防

十分な睡眠時間の確保

栄養状態の改善

指示による薬物療法の管理

患者・家族の不安への傾聴と軽減

EP 患者教育項目
食事指導

十分な睡眠・休息確保の指導

身体損傷を予防する動作, 体位変換の指導

患者・家族への疾患, 治療の指導

基本的な考え方

- 低血圧は自覚症状が乏しいために気づかれにくいが，血圧が低くても臨床上は特に問題とならない場合が多い．しかしながら，血圧を低下させるような基礎疾患がある場合や急激な血圧低下が認められる場合は，重篤な循環障害や致死的な障害をきたすおそれがあるため注意を要する．
- 多様な原因を把握するとともに，随伴症状の緩和や安楽の援助を行わなければならない．原因に応じて，生活習慣の変更や薬物療法に関する支援，精神的な支持などを行う．
- **緊急** ショック状態における急激な血圧低下は，迅速な対応が必要である．ショック状態を疑わせる情報を見逃さないよう十分な観察を行う（急激な血圧低下時の看護については，「5 ショック」参照）．

37 低血圧

STEP 1 アセスメント → STEP 2 看護課題の明確化 → STEP 3 計画 → STEP 4 実施 → STEP 5 評価

情報収集	アセスメントの視点と根拠・起こりうる看護問題
病歴および生活歴の把握	患者・家族から低血圧発症の経過，症状の変化を聞くことで，原因・誘因や全身状態の把握につながり，治療や看護ケアにも重要な情報を得ることができる．
経過	●いつ生じたか． ●慢性的なものかあるいは一時的なものか． ●症状変動の有無
誘因	●食事内容・時間，栄養状態との関係　**高齢者** 高血圧や糖尿病，パーキンソン病などを合併していると，食後性の低血圧を生じやすい． ●体位や活動(入浴，排泄など)との関係 ●睡眠との関係 ●治療(手術，透析，薬剤など)との関係 ●飲酒との関係 ●周囲の環境(気温や室温，日差し，人混みなど)との関係 ●時間との関係 ●年齢や性別との関係
主症状・随伴症状	●立ちくらみ，めまい，悪心などの症状に加え，失神，顔面蒼白，四肢冷感，あくび，冷汗，頭重感，頭痛，動悸，息切れ，尿量低下，食欲不振，全身倦怠感，易疲労性，脱力感，不穏，不眠，精神力の減退などの随伴症状はないか　**緊急** 意識障害や呼吸不全などショック状態では，速やかな対処が必要となる．
生活歴	●食事の摂取状況(内容，量，回数，エネルギー，栄養バランスなど) ●排泄の状況(頻度，量，性状，緩下剤の使用状況など) ●入浴の状況(頻度，時間など) ●睡眠の状況(時間，熟眠感，睡眠導入剤の使用状況など) ●ストレスや仕事上の問題の有無 ●規則的な生活を送っているか． ●長期間の臥床，立ち仕事や早朝勤務の有無など ●運動習慣の有無・程度 ●飲酒習慣の有無・程度
既往歴	●低血圧の経験の有無(主症状・随伴症状の出現経験の有無，頻度，内容，出現状況など) ●低血圧の発症や転倒などの続発的リスクに影響しうる生活環境因子の有無(浴室，脱衣所，トイレ，寝室などのレイアウト，室温管理設備の有無，照明，段差，障害物，滑りやすい床，寝具の種類など) ●高血圧，糖尿病，腎不全，アルコール中毒などの既往 ●神経疾患の既往 ●心疾患の既往 ●内分泌疾患の既往 ●自己免疫疾患の既往 ●出血や貧血，熱傷，感染，下痢，脱水などの有無

第5章　循環器系

家族歴 治療歴 常用薬	● **緊急** 心筋梗塞や脳血管障害などを合併している場合には，急変する可能性を十分に考慮した対応が必要となる． ● 遺伝的素因，低血圧患者の有無 ● 手術や麻酔の有無，術式，手術・麻酔時間，出血量，胃切除術の既往の有無など ● 透析治療の有無，除水の程度，不均衡症候群の有無・程度など ● 薬物（利尿薬，降圧薬，抗うつ薬，血管拡張薬，精神安定薬など）の服用 ● 服用中の薬剤との併用が禁忌とされている薬剤や食物などの摂取の有無
全身状態，随伴症状の観察 バイタルサイン 全身状態 頭頸部 胸部 腹部 四肢	低血圧発症の経過の把握とともに，低血圧の症状や随伴症状の有無を観察し，治療，看護計画の立案に有効に反映する． ● 血圧，脈拍数やリズム不整の有無など ⮕平常時と比較する．仰臥位で測定後，坐位や立位でも測定して収縮期血圧が 20 mmHg 以上低下するか確認する．また，循環器疾患を鑑別する． ● 体温 ⮕感染症や内分泌疾患などを鑑別する． ● 呼吸状態 ⮕呼吸器疾患や心疾患などを鑑別する． ● 意識状態　**緊急** 意識障害の有無を確認する　**原因・誘因** 頭部外傷，脳血管障害，感染，ショック，心筋梗塞，電解質・酸塩基平衡障害(低ナトリウム血症など)，代謝障害(腎不全や肝不全など)，中毒など ● 脱水状態 ⮕水欠乏性か電解質バランスによるものかを確認する． ● 体格 ⮕慢性疾患などによる体重減少がないかを確認する． ● 皮膚 ⮕蒼白や冷汗，湿潤，立毛の有無などを観察する． ● 貧血の有無を確認する． ● 悪心・嘔吐，食欲不振の有無 ⮕消化器疾患や心疾患，頭蓋内圧を亢進させる病変の有無などを鑑別する． ● 倦怠感の有無 ● 尿量や尿性状の変化 ⮕循環動態の把握に加え，腎疾患などを鑑別する． ● 頭部 ⮕外傷，打撲の有無を確認する． ● 顔貌，表情 ⮕神経痛，うつ病などの精神疾患では特徴的な表情を認めることがある． ● 結膜 ⮕貧血などの有無をみる． ● 瞳孔 ⮕瞳孔不同があれば，脳神経疾患の可能性がある． ● 眼振 ⮕脳神経系の疾患や耳鼻科疾患などを鑑別する． ● 頭痛の有無 ⮕自律神経失調や頭蓋内圧亢進などを鑑別する． ● めまい，耳鳴の有無 ⮕自律神経の失調や感覚器疾患，脳血管障害などを鑑別する． ● 打診，聴診 ⮕心疾患の有無を鑑別する． ● 胸痛の有無 ⮕心肺疾患の有無を鑑別する． ● 触診，聴診 ⮕消化器疾患を鑑別する． ● 下腿浮腫の有無 ⮕循環器・腎・肝疾患などを鑑別する． ● チアノーゼの有無 ⮕呼吸器・循環器疾患などを鑑別する． 🔍 **起こりうる看護問題：低血圧および随伴症状の悪化に伴い苦痛が生じる／めまいや一過性の意識消失などにより身体を損傷する危険性がある／低血圧や随伴症状により日常生活や社会生活に支障をきたしている**
患者・家族の心理・社会的側面の把握	治療においては，患者が生活を自ら管理・改善することが求められる．しかし自覚症状の乏しさから，患者・家族は生活改善の必要性が感じられないことや行動変容の自己効力感が得られにくいこともある．そのため患者・家族が低血圧症状をどのように理解し，どのような対処行動をとっているのかを確認する必要がある． ● 症状や治療に関する知識や理解の程度を確認し，不足があれば補う必要がある． ● 患者・家族の認識や対処行動も把握し，患者・家族の状況に合った生活改善目標を設定することが重要になる． ● 薬物療法や生活改善を継続するためには，家族や身近な人の協力や理解が不可欠であり，サポート環境を整える必要がある．

> 🔍 **起こりうる看護問題**：低血圧を改善・予防するための健康管理行動の実施が困難である，遵守できない／患者・家族が症状に対する不安を抱えている／低血圧や随伴症状により日常生活や社会生活に支障をきたしている

| STEP ❶ アセスメント | STEP ❷ 看護課題の明確化 | STEP ❸ 計画 | STEP ❹ 実施 | STEP ❺ 評価 |

看護問題リスト

#1 低血圧および随伴症状の悪化に伴い苦痛が生じる (認知-知覚パターン)
#2 めまいや一過性の意識消失などにより身体を損傷する危険性がある (健康知覚-健康管理パターン)
#3 低血圧を改善・予防するための健康管理行動の実施が困難である，遵守できない (健康知覚-健康管理パターン)
#4 患者・家族が症状に対する不安を抱えている (自己知覚パターン)
#5 低血圧や随伴症状により日常生活や社会生活に支障をきたしている (活動-運動パターン)

看護問題の優先度の指針

● 低血圧患者は自覚症状が乏しいことなどから，日常生活において意識されない場合が多く，実際に治療を要さないことも多い．しかしながら，血圧低下を招きやすい基礎疾患を有する場合や急激な血圧低下が認められる場合，不適切な対応によっては苦痛が増強するばかりでなく，重篤な循環障害や致死的な障害をきたすおそれがある．そのため，状態の悪化を防ぐことが優先される．また，意識消失などの随伴症状は身体を損傷する可能性があり，日常生活での自己管理が不可欠となるため，患者・家族の認識に働きかける教育的視点が重要である．
● 低血圧の治療は生活習慣の変更を基本とする．患者・家族がこれまでの生活を見直し，変更を実施して継続させることは困難を伴いやすい．そのため，個々の患者・家族の状態を十分に考慮した教育的関わりに加え，継続的な精神的支援も必要となる．
● 症状が改善されず継続・悪化する場合には，症状による身体的・心理的苦痛から日常の活動性が低下する可能性がある．そのため，患者の社会的側面も看護問題として重要となる．

37
低血圧

| STEP ❶ アセスメント | STEP ❷ 看護課題の明確化 | STEP ❸ 計画 | STEP ❹ 実施 | STEP ❺ 評価 |

1 看護問題	看護診断	看護目標 (看護成果)
#1 低血圧および随伴症状の悪化に伴い苦痛が生じる	**安楽障害** **関連因子**：病気に関連した症状 (頭痛，悪心，倦怠感) **診断指標** □不快感を示す □苦しみうめく (バイタルサインの変動，発汗) □心理的苦痛を示す □睡眠覚醒サイクルの変化	〈長期目標〉苦痛が改善あるいは緩和する 〈短期目標〉1) 苦痛を表出できる．2) 苦痛を緩和するための対処行動がとれる．3) 苦痛が緩和したことを示す症状や言動がみられる

看護計画

OP 経過観察項目
● 低血圧および随伴症状の出現状況・程度・変動

● 安楽を阻害・増強させる因子の有無・程度

介入のポイントと根拠

➡ 苦痛の程度や受け止め，原因などを把握する．苦痛は主観的な体験であり，原因や増強因子は患者によって異なる．患者の個別性に応じた援助が行えるよう，丁寧に観察することが重要となる
➡ 症状悪化の原因を把握する　**根拠** 苦痛を生じ

第5章　循環器系

- 症状によって影響を受けている生活状況(睡眠や休息の障害, 食欲や活動意欲の低下など)
- 苦痛に感じていることを示す症状や言動
- 低血圧や随伴症状の治療内容, 管理状況
- 症状や治療, 苦痛に対する患者・家族の認識や思い
- 苦痛に対する患者の対処方法

TP 看護治療項目
- 患者が思いを表出しやすい環境を整え, 苦痛の訴えを傾聴する
- 日中は休息できる時間を設け, 夜間は中断されない睡眠環境を提供できるように調整する(病室内の環境, 病室の配置, 入眠に至るまでの状況づくりなど)
- 患者とよく相談しながら, 苦痛の原因・増強要因となる症状や状況を改善する
- 苦痛症状が強い場合には, 必要に応じて ADL(日常生活動作)の援助を行う

EP 患者教育項目
- 苦痛を我慢することなく, 看護師に相談してほしい旨を伝える
- 苦痛や症状, 治療に関する誤解がないかを話し合い, 患者が納得できるように説明する
- 予測される苦痛に対して, 予防法を指導する

- 患者の生活様式を考慮した, 効果的で実施可能な苦痛緩和や原因除去の方法を指導する(生活習慣の改善, 安楽な体位の工夫, 休息の確保, リラクセーション方法など)

させる原因を解決するための手がかりとなる

⤷苦痛や症状, 対処方法などについて患者自身がどのように認識・理解しているのかを把握する　**根拠** 患者の認識や理解状況を把握することは, 安楽な状態を維持するうえで重要となる

⤷安楽を阻害している原因を把握する

⤷休息や睡眠を十分に確保する　**根拠** 苦痛は心身を消耗させ, そのことが苦痛のさらなる増強につながるため, 日中・夜間ともに適切な休息をとることが必要である
⤷患者を尊重した関わりをする　**根拠** 患者の意思や価値観を理解することで, 患者に適した苦痛の緩和方法を見いだし, 患者自身が主体的に症状緩和に取り組むことを促進する

⤷相談しやすい環境を提供する　**根拠** 低血圧や随伴症状に伴う苦痛は主観的な側面が大きいため, 周囲に理解されにくく我慢してしまうことがある. 苦痛を我慢することで, 症状のさらなる悪化を招くおそれがあることから, 苦痛を早期に察知することが求められる
⤷苦痛緩和に関する知識を提供する　**根拠** 患者の生活に密着した苦痛緩和の方法を説明することで, セルフケア能力を高める

2 看護問題	看護診断	看護目標(看護成果)
#2　めまいや一過性の意識消失などにより身体を損傷する危険性がある	**損傷リスク状態** **危険因子**:神経行動学的症状(めまい, 失神), 院内因子(長期のベッド上安静, 不慣れな環境), 物理的障壁(転倒や受傷しやすい環境:照明, 段差, 障害物, 滑りやすい床), 薬物(血管拡張薬, 血圧降下薬, 向精神薬, 利尿薬など) **関連する状態**:低酸素症, 効果器の機能障害(起立性低血圧, 倦怠感)	〈長期目標〉患者が身体を損傷しない 〈短期目標〉1) 患者が身体損傷の危険性とそれを高める要因を言葉で表現できる. 2) 身体損傷を予防する安全な動作を具体的に言葉で表現できる. 3) 身体損傷を予防するための行動がとれる

看護計画	介入のポイントと根拠
OP 経過観察項目 - 体位の変更や運動, 使用中の薬物などによるバイタルサインの変動の有無・程度 - 意識障害や動悸, めまい, 失神, けいれん, 倦	⤷身体損傷の危険性が高い動作や状況を把握する　**根拠** 患者は身体損傷のリスクに対する認識・自覚が乏しい可能性がある. 患者や家族からの情報,

638

- 怠感の有無・程度
- 前兆や初期に生じる症状の有無・程度
- 転倒や身体損傷などの続発的リスクに影響しうる生活環境因子の有無・程度（浴室，脱衣所，トイレ，寝室などのレイアウト，室温管理設備の有無，照明，段差，障害物，滑りやすい床，寝具の種類など）
- 転倒・転落や受傷など，身体損傷の既往の有無・状況・程度
- 身体損傷の危険性に対する患者・家族の認識・理解
- めまいや一過性の意識消失などを生じやすい状況（長時間の入浴や起立動作，必要以上の安静臥床，高温な環境での活動など）におけるナースコールの必要性への理解
- めまいや一過性の意識消失などが生じた際の患者の対処方法

TP　看護治療項目
- 環境を整備する（転倒・転落を防ぐようなベッド柵の高さや照明，履き物の調整，ベッド周囲や生活環境の整頓）
- めまいや一過性の意識消失などを生じやすい状況はできるだけ避ける
- 転倒・転落や受傷の危険性が高い場合には，必要に応じてADLの援助を行う
- 入院中，身体損傷の危険性が高く看護師の介助が必要な状態であるにもかかわらず，ナースコールなどによる援助要請が期待できない場合，頻繁な巡視に加え，目が届きやすい病室への移動を検討する

EP　患者教育項目
- 身体損傷の危険性が高い動作や状況についての具体的な情報を患者や家族に伝え，理解状況を確認したうえで，予防方法について指導する
- 急激な動きではなく，症状に合わせて段階を踏んだ体位変換の方法を指導する（必要に応じて理学療法士などのスタッフとも連携をとりながら指導を進める）
- 体動によるふらつきやめまいが生じる時には，ナースコールなどで介助を求めるように伝える
- 弾性ストッキングの着用を勧める
- 自宅が構造的に転倒や受傷しやすい環境である場合，住宅改修についても必要に応じて助言する（滑りにくい床面への変更や手すりの設置，障害物の除去，移動しやすい広さの確保など）

入院中の様子などを細かく分析することで，身体損傷のリスクを正確に抽出する必要がある

➡身体損傷の危険性が高い動作や状況，その予防法についての患者・家族の理解状況を把握する　根拠 身体損傷の危険性に対する自覚が不足している場合，大事故を招くおそれがある．患者の安全確保を継続するためには，患者・家族の危機意識を把握することが不可欠となる

37 低血圧

➡生活環境や生活動作に存在する身体損傷の危険因子を除去する　根拠 めまいや意識消失などを生じさせないような状況を維持することが第一である．しかし，それを実行しても意識消失などの症状が生じた場合に備え，身体を損傷しうる環境因子をできるだけ除去しておく必要がある

➡患者の危険を早期に察知できるような状況を整える　根拠 危険な状況が予期されても，患者の行動を完全に制して自由を奪うような方法はできるだけ避け，患者・家族と相談しながら，安全確保の方策を立てる必要がある

➡身体損傷のリスクやその予防法に対する患者・家族の正しい理解を得る　根拠 危険性についての具体的な情報提供により患者・家族の認識や自覚を高め，予防行動への動機づけを促す．その際，誤った病態の理解を防ぐため，血圧変動の機序についてもわかりやすい表現で説明を加える必要がある

➡下肢に血流が停滞するのを抑える
➡退院後に安全な環境を確保するために，患者・家族へ環境調整の指導を行う　根拠 退院後も転倒や受傷など身体を損傷する危険性がある場合は事故を防止できる環境を整えておく必要がある

3	看護問題	看護診断	看護目標（看護成果）
#3	低血圧を改善・予防するための健康管理行動の	非効果的健康自主管理 関連因子：治療計画についての知識不足，ソーシャルサポートの不	〈長期目標〉症状を改善・予防するための自己管理行動が継続できる 〈短期目標〉1）症状を改善・予防するため

第5章　循環器系

実施が困難である，遵守できない	足，治療計画に対する否定的な気持ち，自己効力感が低い，競合するライフスタイル選好	の自己管理行動の必要性について言葉で表現できる．2) 具体的な自己管理行動について，自ら言葉で表現できる．3) 自己管理行動が実践できる

診断指標
□危険因子を減らす行動がとれない
□健康目標の達成に向け，日常生活における選択が無効
□治療計画を日常生活に組み込めない
□疾患症状の悪化

看護計画

OP 経過観察項目
● 自覚・他覚症状の有無・程度
● 現在の生活状況に関する内容(生活リズム，睡眠状況，運動習慣，食習慣，嗜好，水分摂取，排泄習慣，就労状況など)
● 薬物療法や生活改善における患者の自己管理能力の程度
● 日常生活において低血圧や随伴症状が生じた際の患者の対処方法に関する情報
● 生活習慣の改善を妨げる原因に関する内容(不十分な知識，自己効力感の低下，家族の理解や協力の不足，医療者への不信感，認知症など)
● 療養生活に対する心理的問題(不安や意欲低下など)の有無・内容・程度

TP 看護治療項目
● 患者が情報や感情を整理するのを手伝う
● 誠実な態度で向き合い，患者の態度を肯定的に受容し，患者の強みをみつけて支持する
● ライフスタイルの変更に伴う患者のストレスに対して，共感的な態度を示す
● 具体的で実現可能な生活目標を患者と話し合いながら設定する
● 生活パターンを規則正しく整え，過労や睡眠不足を防ぐよう説明する

EP 患者教育項目
● 低血圧の発生機序や治療計画，その必要性について，患者の理解を確認しながら，わかりやすい資料や表現を用いて説明する．必要に応じて追加説明の機会を調整する
● 患者が低栄養の傾向にある場合は，高蛋白・高エネルギー・高ミネラル・高ビタミン食を意識しながら，バランスのよい食事摂取が継続できるように指導する
● 特に制限のない患者の場合は，適度な水分と塩分の摂取を勧める
● 食事をゆっくり摂取するように促す

介入のポイントと根拠

⇨食事や運動など日常生活についての情報はできるだけ具体的に把握する　**根拠** 低血圧は生活習慣の影響を受けやすい
⇨患者がどのくらい自己管理できているか，認知症の有無や理解力，年齢などを総合的に評価するとともに，効果的な健康管理行動を妨げる原因を特定する　**根拠** 低血圧の発生機序や現在の状態，治療などに対する患者の理解状況を把握することで，自己管理能力に応じた個別性のある指導計画を立案できる
⇨患者の療養生活の質を左右する心理状態を確認する　**根拠** 心理的な問題は，患者のセルフケア行動に対する意欲を阻害しうる

⇨これまでの生活習慣を責めず，まず患者を受容する．そのうえで現在・過去に患者自身ができている(できていた)ことについて話す　**根拠** 患者の心を開き，意欲の向上につなげていく
⇨自己効力感を高めるため，生活に密着した身近な到達目標を設定する　**根拠** 一般的に低血圧は自覚症状が乏しいため，自己管理に関する学習の動機づけが困難な場合が多い

⇨資料を渡す場合は，きちんと資料に目を通したか，質問はないか，内容が理解できているかなどを確認する　**根拠** 一方的な情報提供で終わらないように注意する必要がある
⇨血圧調節機能や血液の粘稠(ねんちゅう)度の改善を図る
⇨治療として食事療法を行っている場合は，その方針に合わせながら指導する
⇨脱水を防ぎ，循環血液量を増加させる

⇨消化のため，胃や腸に血液が急激に移動するの

を防ぐ
➲胃切除後の患者の場合，1回の食事量を少なくし，数回に分けてよく噛んで食べるように促す
➲食事や運動など，ライフスタイルを変更するきっかけとなる情報を提供する　根拠 低血圧はその症状の乏しさから，生活改善の必要性を感じにくい．そのため，患者が主体的に行動変容をしていくような促しが重要となる
➲患者・家族への働きかけを行う　根拠 患者は自身の生活改善における孤独感から解放される可能性がある
➲継続的に自己管理行動を実施できるよう，患者の自己効力感を高める働きかけを行う

●薬物療法を行う場合は，確実な投与・管理が行われるように，患者・家族への服薬指導を行う

●必要ならば患者の家族にも働きかけて，患者とともに学習する機会を提供する

●患者が望ましい自己管理行動を実践している場合はその努力を認め，継続していくためのさらなる工夫についてともに考える機会をつくる

4 看護問題	看護診断	看護目標（看護成果）
#4　患者・家族が症状に対する不安を抱えている	**不安** **関連因子**：ストレス要因（健康状態の変化） **診断指標** □呼吸パターンの変化 □心拍数増加　□血圧上昇 □緊張を示す　□注意力の変化 □睡眠覚醒サイクルの変化 □精神運動性激越（落ち着きがない）	〈**長期目標**〉患者・家族が心理的・身体的安楽が増大したことを言葉で表現できる 〈**短期目標**〉1）不安を言葉に出して表現できる．2）表情や身振りが苦痛を軽減していることを反映している

37

低血圧

看護計画

OP 経過観察項目
●不安についての言動・内容・程度
 ・生理的反応：呼吸数や心拍数の増加，発汗，身体のふるえ，不眠，倦怠感，めまい，顔面紅潮・蒼白，頭痛，下痢，悪心・嘔吐，口渇，知覚異常，食欲不振など
 ・情動的反応：不安や心配，リラックスできない，自信がない，無力，自分や他者に対する批判などの感情について自身が述べる
 ・認知的反応：不安や緊張を示す表情，精神を集中させることができない様子
●症状や治療に対する患者・家族の認識や理解，もっている情報量，疑問や不満の有無などに関する内容
●性格やコーピングパターン，サポート状況

TP 看護治療項目
●不安が表出できるような環境を整える
●コミュニケーションを十分に行う
●混乱しているときは，整理する時間を与える
●治療や処置を行う場合は，説明を十分に行い，

介入のポイントと根拠

➲非言語的表現をとらえる　根拠 小児 高齢者 言語表現が十分ではない小児や活動性の低下している高齢者には，言葉以外の訴えの表出を見逃さないよう注意する．また家族も言葉にならない不安を抱えていることがある

➲患者・家族の認識や知識量などについても情報を得ながら，不安の内容や程度，原因を把握する　根拠 症状や治療についての情報不足や誤った認識によって不安が生じているのか，あるいはそれ以外に原因があるのかなどを明らかにする

➲訴えによく耳を傾け，支援的態度で接する　根拠 気持ちを受け止めてくれるという安心感を患者・家族に与え不安の表出を促す
➲患者・家族の表情や発言を確認しながら，わか

第5章　循環器系

心配や質問がないか聞き，丁寧に答える
● 可能な限り患者の努力を肯定的に評価する

● 患者の健康状態の変化など，不安を促進している要因を取り除く
● 必要に応じ，不安や緊張を和らげる支援(音楽やリラクセーション，マッサージなど)を行う

EP 患者教育項目
● わからないことや心配なことがあれば遠慮なく相談するように伝える
● 不安を生じさせている状況を自己コントロールしていく方法について，患者・家族が学習する機会をつくる
● 入院環境，症状，検査，治療などに関する患者・家族の認識や理解，情報量などを確認し，不足や誤りがある場合は丁寧な説明で補足する

りやすい表現で説明する　**根拠** 治療や処置の前にきちんと必要な情報を提供することが，未知や不慣れな治療・処置に対する過剰な心配を防ぐ
➡ 不安の原因を除去する　**根拠** 原因を取り除くことにより，不安も消失する

➡ 患者・家族の相談を積極的に受け入れる
根拠 不安軽減のため，患者・家族が主体的な対処行動がとれるよう促す．まず自発的な相談があれば受容し，その後の自己コントロールにつなげていく
➡ 療養生活のなかの不安の原因が何かを確認しながら，情報提供を行う　**根拠** 患者・家族によって理解の程度や不安に感じていることは異なる

5 看護問題	看護診断	看護目標(看護成果)
#5　低血圧や随伴症状により日常生活や社会生活に支障をきたしている	**活動耐性低下** **関連因子**：体調の変化(自律神経障害)，酸素の供給/需要の不均衡(心拍出量減少，循環血液量減少)，環境内の障壁 **診断指標** □活動時の異常な血圧反応(顔面蒼白) □活動時の異常な心拍反応 □労作性(時)不快感(めまい，立ちくらみ) □倦怠感を示す　□全身の脱力	〈長期目標〉生活機能を維持できる 〈短期目標〉1)活動耐性を低下させる要因について言葉で表現できる．2)活動耐性を低下させる要因を改善あるいは緩和できる．3)安静と活動のバランスをとることができる

看護計画	介入のポイントと根拠
OP 経過観察項目 ● 日常や社会生活における活動で支障をきたしている内容とその要因(身体的，心理的，社会的) ● 活動中または活動後における低血圧や随伴症状の有無・変動・程度 ● 活動意欲や活動状況(活動内容，量，時間，頻度，行動様式など)と休息のバランス **TP 看護治療項目** ● 患者の意思を尊重しながら，低血圧や随伴症状の程度に応じて，行動と休息のバランス調整を促す ● 患者の状態に応じて，ADLの援助を行う ● 活動意欲の妨げになっているものを取り除く **EP 患者教育項目** ● めまいや立ちくらみ，倦怠感などをきたさない程度の活動を心がけ，過度な運動は控えるよう	➡ 活動耐性を低下させる要因を把握するため，身体症状の観察は，生活動作の前後に実施するのが望ましい．その際，繰り返しの観察が患者の負担となりうることも十分に考慮する　**根拠** 症状と活動強度との関連を考える必要がある ➡ 活動強度と症状出現の関連を把握すると症状を起こさない範囲で活動を最大限に広げることが可能となる　**根拠** 低血圧は症状が乏しいことが多いが，随伴症状などによって身体損傷をきたすおそれがあり，活動強度が症状出現に及ぼす影響を理解したうえで休息を調整することが大切になる

642

に伝える
- 必要に応じ，活動中に休息をとるよう指導する

| STEP❶ アセスメント | STEP❷ 看護課題の明確化 | STEP❸ 計画 | **STEP❹ 実施** | STEP❺ 評価 |

病期・病態・重症度に応じたケアのポイント

【急性期】通常，自覚症状が乏しい，あるいは症状が自覚されないまま経過することも多いが，低血圧や随伴症状が急激に著しく出現した場合には，重篤な循環不全状態に陥ることもある．そのため，自覚・他覚症状や検査データなどを総合的に判断し，原因や誘因を追究しながら，症状の緩和に努める．

【回復期】症状緩和や悪化予防を目指して，誘因となる生活を継続的に改善できるように支援する．また，原因疾患や症状改善のための薬物療法が，確実に行われるような関わりをする．

看護活動（看護介入）のポイント

低血圧や随伴症状に対する援助
- 低血圧や随伴症状の原因・誘因を把握する．
- 低血圧や随伴症状に伴う苦痛を早期に緩和する．
- めまいや一過性の意識消失などにより，転倒・転落や受傷の危険性が高くなるため，患者が身体を損傷することなく過ごせるように環境を整える．
- 十分な休息や睡眠時間が確保できるように環境を整える．
- 指示された薬物を正確に投与する．
- 低血圧や随伴症状によって，患者の日常や社会生活における活動が阻害されないように支援する．

生活改善に対する患者教育
- 患者・家族のこれまでの生活様式を尊重した関わりをする．
- 最初から極端な全行動の変容を指導するのではなく，患者が実現可能なことから少しずつ変容できるように教育する．
- 患者だけでなく，支える家族に対しても，できる限り教育を行うようにする．
- 患者が低栄養傾向にある場合，食事は，高蛋白・高エネルギー・高ミネラル・高ビタミン食を摂取できるように指導する．ただし，食事療法を行っている場合は，その治療内容に合わせて行う．
- 十分な休息や睡眠時間を確保するように指導する．
- 患者が身体を損傷することなく過ごせるような，身体の動かし方や環境調整の方法などを指導する．
- 薬物療法を行う場合は，確実な投与・管理が行われるように，患者・家族への服薬指導を実施する．

患者・家族の心理・社会的問題への援助
- 症状や治療について，患者・家族にわかりやすく説明し，不安を解消するように援助する．

退院指導・療養指導

- 薬物療法や生活改善を継続できるように，患者・家族の症状や治療に対する理解を確認し，不足があれば補う．
- 低血圧や随伴症状に著しい変化があれば，再度受診するように説明する．

37 低血圧

| STEP❶ アセスメント | STEP❷ 看護課題の明確化 | STEP❸ 計画 | STEP❹ 実施 | **STEP❺ 評価** |

評価のポイント

看護目標に対する達成度
- 苦痛が改善あるいは緩和できているか．
- 患者が身体を損傷することなく過ごすことができているか．
- 症状を改善・予防するための自己管理行動が継続できているか．
- 患者・家族が心理的・身体的安楽が増大したことを実感できているか．
- 生活機能を維持できているか．

643

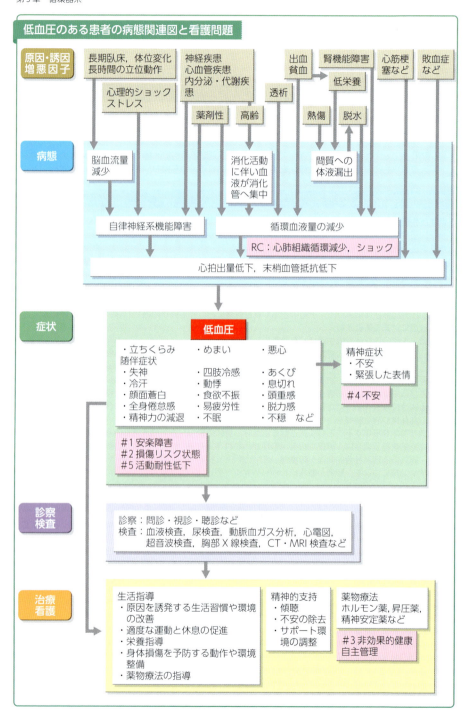

第6章

消化器系

38 腹痛

小田 剛史・吉村 哲規・杉原 健一

目でみる症状

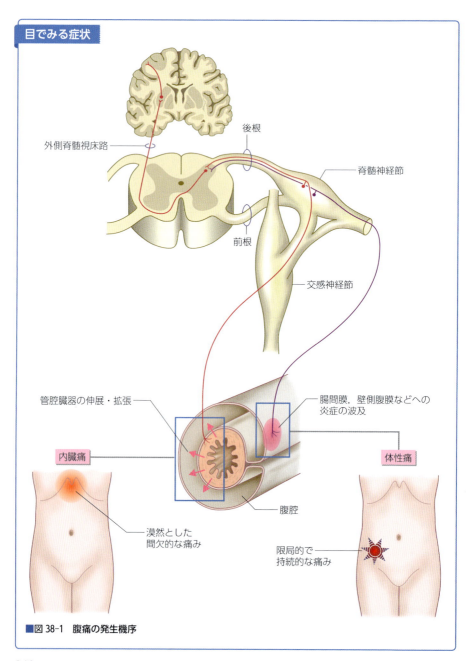

■図 38-1　腹痛の発生機序

病態生理

腹痛とは,腹部に感じる痛みの総称である.
- 腹痛は病態生理学的に 3 つのタイプ,すなわち,①内臓痛,②体性痛,③関連痛に分類される.
- ①内臓痛:管腔臓器(消化管や尿路)自体から発生する腹痛のことである.管腔臓器が拡張されるなどの機械的刺激が脳に伝わって痛みと感じる.間欠的な鈍痛が特徴.腹部正中あるいは非限局的に痛みを感じる.
- ②体性痛:腹膜からの痛みをいう.(炎症などを起こした)疾患臓器から壁側腹膜,腸間膜,横隔膜などに刺激が伝わり,痛みを自覚する.持続性の鋭い痛みが特徴.痛みの部位は限局している.
- ③関連痛:疾患臓器から離れた部位に感じる痛みのことを指す.内臓の障害からくる痛みの情報が伝わる際に,皮膚からの痛みの情報だと脳が誤認識することによって引き起こされる.例えば急性心筋梗塞の際に左肩や上腹部などに痛みを感じることがある.

患者の訴え方

痛みの程度は,その感受性により個人差がある.訴え方と重症度が一致しないこともあり,注意を要する.基礎疾患(糖尿病など)をもつ患者や高齢患者などでは訴えが少ないことがある.また内服薬(鎮痛薬やステロイド薬)により症状が隠されることもある.

- 主症状の訴え (図 38-2)
- 痛みは主観的なものであり,具体的に訴えてもらうことが重要である.すなわち,
  ①発症形式:いつからか,緩徐か,突発的か
  ②性状:持続的か,間欠的か,鋭い痛みか,鈍い痛みか
  ③重症度や痛みの程度:以前経験したことのある痛みか,これ以上ない痛みを 10 とするといくつくらいの痛みか
  ④部位:上腹部か,下腹部かなど
  ⑤増悪因子:食後痛くなるか,空腹時に痛くなるか,排便により変化するかなどである.
- 随伴症状 (表 38-2)
- 悪心・嘔吐,腹部膨満,下痢,便秘,排ガスの停止,吐血,血便,タール便などの消化器由来と思われる症状.
- 血尿や発熱,黄疸,月経異常,呼吸困難,ショックなどの症状を認めることもある.

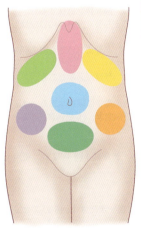

随伴症状を認めない場合は,頻度の高い患者から鑑別していく

右季肋部	胆石発作,胆嚢炎,総胆管結石,十二指腸潰瘍,胃潰瘍,虫垂炎,憩室炎,腸炎,肝腫瘍,肝炎,肝膿瘍,膵炎,腎梗塞,腎結石,フィッツ・ヒュー・カーティス症候群,大動脈解離,上腸間膜動脈解離
心窩部	胃炎,胃潰瘍,胆石発作,急性虫垂炎初期,膵炎,腸閉塞,胆石発作,胆嚢炎,肝腫瘍,肝炎,肝膿瘍,大動脈解離,上腸間膜動脈解離,上腸間膜動脈閉塞
左季肋部	胃潰瘍,膵炎,食道破裂,食道炎,脾梗塞,脾破裂,脾腫,脾動脈破裂,憩室炎,虚血性腸炎,腸閉塞,腎結石,腎盂腎炎,腎梗塞,大動脈解離,上腸間膜動脈解離
右下腹部	尿路結石,急性虫垂炎,憩室炎,腸炎,卵巣嚢腫茎捻転,ヘルニア嵌頓,異所性妊娠,卵巣出血,骨盤腹膜炎,付属器炎,付属器膿瘍
下腹部	尿閉,膀胱炎,尿路結石,便秘,腸炎,月経痛,子宮筋腫,卵巣嚢腫茎捻転,異所性妊娠,卵巣出血,骨盤腹膜炎,付属器炎,付属器膿瘍
左下腹部	尿路結石,憩室炎,腸炎,ヘルニア嵌頓,卵巣嚢腫茎捻転,異所性妊娠,卵巣出血,骨盤腹膜炎,付属器炎,付属器膿瘍
臍部	胃炎,臍炎

■図 38-2 腹痛の部位と代表的な疾患

第6章　消化器系

診断

まずは顔色やバイタルサインから全身状態を把握する．安定していれば，問診や診察，検査などを行い，素早く診断を鑑別していく．

- 腹痛をきたす疾患は，軽症なものから緊急を要する重症なものまで幅広い．原因として消化器疾患以外にも循環器領域，泌尿器科領域，婦人科領域など多岐にわたる．
- 腹痛診断へのフローチャートを図38-3に挙げる．

●原因・考えられる疾患

- 腹痛をきたす疾患で代表的なものを表38-1に挙げる．臨床の現場では緊急性の高いものを見逃さないことが最も重要となる．
- 患者が女性の場合は，妊娠の可能性や産婦人科的な緊急疾患を早めに考慮する．

●問診のポイント

- 腹痛発症前の食事の内容と時間
- 随伴症状の有無（特に緊急性を伴う症状については表38-2を参照）
- 既往歴（腹痛の原因となるような疾患を以前指摘されたことがあるか，開腹手術の既往，鎮痛薬の内服歴など）
- 生活歴（飲酒歴，喫煙歴）：過度の飲酒や喫煙は急性膵炎や血管系疾患の原因となり得る．

●鑑別疾患のポイント

次の6つをもとに総合的に最終診断する．
- まずは全身状態を把握する（ショックではないか）．
- 反跳痛や筋性防御などの腹膜刺激症状の有無で外科的処置が必要か判断する．
- 腹痛の部位（図38-2），随伴症状（表38-2）などを正確に把握し，考えられる疾患をある程度判断する．
- 血液所見，尿検査：血算（白血球の上昇や貧血），生化学検査（肝胆道系酵素の上昇やCRP上昇，アミラーゼ上昇），血尿の有無，血液ガス（呼吸状態，全身代謝状態の把握）．
- 画像所見：腹部単純X線検査，腹部超音波検査，腹部骨盤CT検査，内視鏡検査，MRI検査．
- その他：心電図検査（循環器疾患の把握）．

治療法・対症療法

治療方針を決定するには，腹痛の正確な診察・診断が必要である．一方，鎮痛薬の使用は患者の苦痛を緩和し，診断率の低下や予後不良にはつながらないため，医師と相談のうえで以下の薬物療法を早期から考慮する．

●治療方針

- 緊急処置が必要な病態かを判断することが第一である．
- ショック状態（出血や敗血症が原因）にあればただちにショック体位をとり，静脈路を確保する．
- 反跳痛，筋性防御などの腹膜刺激症状を認める場合は緊急手術を要することも多く，外科にコンサルトする．
- 緊急性がないと判断した場合，対症療法とともに原因疾患の治療にあたる．必要に応じて食事の制限を行う．
- 原因が同定できないこともある．その場合は経時的変化が重要で，注意深い観察が必要である．

●薬物療法

- 腹痛は原因疾患の特定とその治療が大事であるが，対症療法が可能な場合の薬物は鎮痛薬あるいは鎮痙薬となる．胃炎や胃十二指腸潰瘍と診断された場合は，プロトンポンプ阻害薬，H_2受容体拮抗薬，粘膜保護薬を投与する．

Px 処方例 内臓痛：経口摂取可能な場合
- ブスコパン錠（10 mg）　1回1錠もしくは2錠　1日3回　朝昼夕食後　または1回1～2錠　頓用　←鎮痙薬
- アセリオ　1回1000 mgを15分間で静注　←鎮痛薬

Px 処方例 体性痛：経口摂取可能な場合
- ボルタレンSRカプセル（37.5 mg）　1回1カプセル　1日2回　朝夕食後　または1回1カプセル頓用　←鎮痛薬，抗炎症薬
- アセリオ　1回1000 mgを15分間で静注　←鎮痛薬

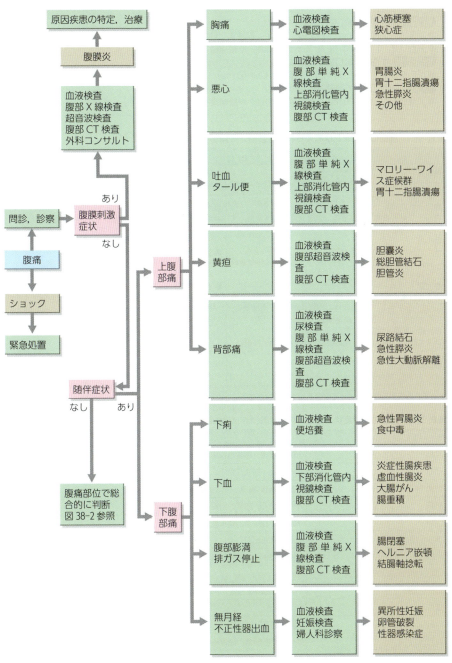

■図 38-3　腹痛の診断の進め方

第6章　消化器系

> **Px 処方例** 内臓痛：経口摂取困難な場合
> ● ブスコパン注 (20 mg)　1回 10～20 mg　筋注または皮下注または静注　←鎮痙薬
> ● アセリオ　1回 1000 mg を 15 分間で静注　←鎮痛薬
> **Px 処方例** 体性痛：経口摂取困難な場合
> ● ボルタレンサポ (25, 50 mg)　1回1個 (25～50 mg)　頓用　←鎮痛薬
> **Px 処方例** 上記処方で改善できない場合
> ● アセリオ　1回 1000 mg を 15 分間で静注　←鎮痛薬

■表 38-1　腹痛の原因または考えられる疾患（赤字は緊急対応を要する疾患）

消化器疾患	消化器疾患以外
●食道 ●逆流性食道炎，**特発性食道破裂**，マロリー-ワイス症候群 ●胃・十二指腸 ●胃十二指腸潰瘍，**潰瘍穿孔**，急性胃炎，慢性胃炎，アニサキス症 ●小腸 ●**腸閉塞（イレウス），腸管穿孔，ヘルニア嵌頓**（かんとん），炎症性腸疾患（クローン病），メッケル憩室，**非閉塞性腸管梗塞，腸管壊死** ●大腸 ●炎症性腸疾患（クローン病，潰瘍性大腸炎），便秘，**腸閉塞，腸管穿孔**，結腸軸捻転，急性虫垂炎，大腸憩室炎，虚血性腸炎，**非閉塞性腸管梗塞，腸管壊死** ●肝臓・胆道・脾臓系疾患 ●急性肝炎，肝膿瘍，肝腫瘍破裂，胆石症，**急性胆嚢炎，胆管炎，脾梗塞** ●膵臓疾患 ●**急性膵炎**，慢性膵炎	●腎・尿路系疾患 ●腎結石・尿管結石，腎盂腎炎，**腎梗塞**，急性膀胱炎，尿閉 ●産科・婦人科疾患 ●異所性妊娠，**卵巣破裂，卵巣茎捻転**，性器感染症，急性卵管炎，子宮内膜症，月経困難症（月経痛），フィッツ・ヒュー・カーティス症候群 ●血管系疾患 ●**大動脈瘤破裂・急性大動脈解離，虚血性心疾患（狭心症・心筋梗塞）** ●その他 ●全身疾患（膠原病，ポルフィリン症），帯状疱疹

※いずれの疾患も程度によって緊急を要する場合がある．

■表 38-2　腹痛の随伴症状と考えられる疾患（赤字は緊急対応を要する疾患とその随伴症状）

随伴症状	考えられる疾患
発熱	炎症性疾患，感染性疾患
悪心・嘔吐	急性胃炎・腸炎，胃十二指腸潰瘍，**急性膵炎，腸閉塞**
吐血	**上部消化管（食道～十二指腸）出血**
黄疸	総胆管結石，**閉塞性胆管炎**，肝炎
下痢	胃腸炎，食中毒，**腹膜炎**
タール便	上部消化管出血
下血	炎症性腸疾患，感染性疾患，虚血性腸炎，腸重積，大腸がん
便秘，無排ガス，腹部膨満	**腸閉塞**
鼠径部膨隆	**ヘルニア嵌頓**
血尿	尿路結石
無月経，不正性器出血	異所性妊娠，**卵管破裂**
背部痛	**急性大動脈解離，急性膵炎**，尿路結石
胸痛	**狭心症，心筋梗塞**
呼吸困難，ショック	腹膜炎，**腹部大動脈瘤破裂，急性大動脈解離，大量下血**

※いずれの疾患も程度によって緊急を要する場合がある．

650

■表 38-3　腹痛の主な治療薬

	分類	一般名	主な商品名	薬の効くメカニズム	主な副作用
鎮痙薬	抗コリン薬	ブチルスコポラミン臭化物	ブスコパン	消化管，尿路や膀胱などの筋肉のけいれんを抑える	口渇，便秘，眼の調節障害，動悸
鎮痛薬	非ステロイド性抗炎症薬	ジクロフェナクナトリウム	ボルタレン	炎症や痛みの原因とされるプロスタグランジンを減らす	胃部不快感，腎機能障害
	非ピリン系解熱鎮痛薬	アセトアミノフェン	アセリオ	中枢性 COX 阻害に加えて，カンナビノイド受容体やセロトニンを介した下行性抑制系の賦活化と考えられる	肝障害

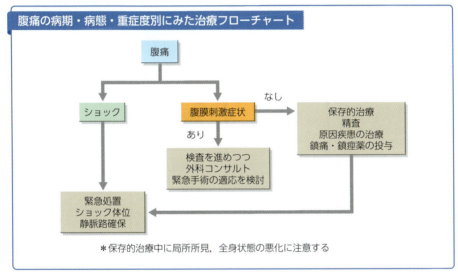

腹痛の病期・病態・重症度別にみた治療フローチャート

＊保存的治療中に局所所見，全身状態の悪化に注意する

38
腹痛

第6章 消化器系

腹痛のある患者の看護

矢富 有見子

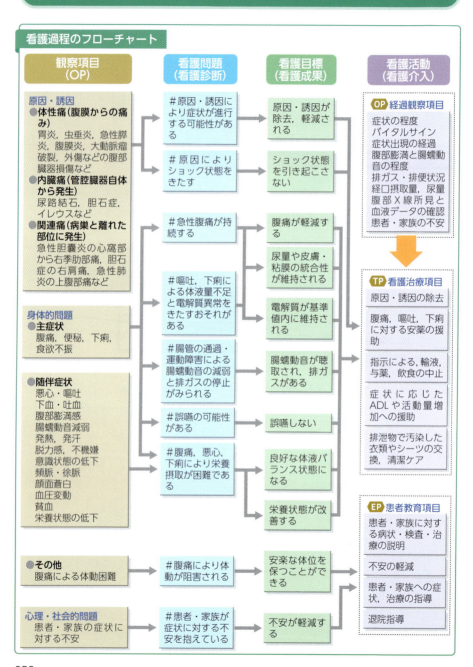

基本的な考え方

- 多様な原因を把握するとともに，症状緩和や安楽への援助を行わなければならない．原則は原因疾患の治療であり，安易な対症療法をすべきではない．
- 腹痛の程度，随伴症状を観察し，その影響にも注意する．

緊急 緊急処置の必要な急性腹症に対しては迅速に対応する．これらの疾患を疑わせるサインや情報を見逃さないよう十分な観察を行う．特に吐血・下血，意識障害，ショック症状には要注意である．

STEP❶ アセスメント ▶ STEP❷ 看護課題の明確化 ▶ STEP❸ 計画 ▶ STEP❹ 実施 ▶ STEP❺ 評価

情報収集	アセスメントの視点と根拠・起こりうる看護問題
病歴の把握	**患者・家族から症状出現の経過，症状の変化を聞くことで，原因・誘因の特定や全身状態の把握につながり，治療や看護ケアにも重要な情報を得ることができる．**
経過	● 腹痛部位はどこで，いつから，どのくらい続いているか． ● 腹痛の性質はどのようなものか（激痛，鈍痛，刺痛，拍動痛など）． ● 症状の変動の有無
誘因	● 食べ物との関係 **原因・誘因** 食中毒，感染性腸炎 ● 服薬との関係 ● アルコール摂取との関係
随伴症状	● 随伴症状の有無 **原因・誘因** **緊急** 急性腹症によるショック症状に注意 ● 随伴症状と腹痛との時間的関係
生活歴	● 睡眠状況 ● ストレスの有無 ● 排便習慣と排泄状況
既往歴	● 腹痛の経験の有無 ● 消化管炎症・潰瘍，高血圧，心疾患，肝疾患，泌尿器科疾患，婦人科疾患などの既往 ● 手術歴 **原因・誘因** **緊急** 術後の癒着によるイレウスに注意
嗜好品，常用薬 その他	● アルコール，薬物の服用 ● 妊娠との関係 **妊婦** 異所性妊娠の可能性を考え，妊娠の有無，性器からの出血も観察する．
主要症状の出現部位，出現状況，程度の把握	**症状の部位，出現状況を把握することで，原因疾患の特定につながる情報が得られる．**
腹痛の出現部位	● 腹部全体 **原因・誘因** 腹膜炎，イレウス，食中毒，過敏性腸症候群，大動脈瘤破裂，消化管穿孔，膵炎など ● 右下腹部痛 **原因・誘因** 急性虫垂炎，尿路結石，鼠径ヘルニア，腸重積など ● 右季肋部痛 **原因・誘因** 胆石・胆嚢炎，急性肝炎，胸膜炎，十二指腸潰瘍など ● 心窩部痛 **原因・誘因** 胃・十二指腸潰瘍または穿孔，急性胃炎，胃けいれん，急性心筋梗塞，肺炎，胸膜炎，胸painに伴う関連痛など ● 左季肋部痛 **原因・誘因** 胃潰瘍，胃炎，急性膵炎，脾梗塞・破裂，腎盂炎など ● 左下腹部痛 **原因・誘因** 急性大腸炎，尿路結石，鼠径ヘルニア，便秘，下痢など ● 下腹中央部痛 **原因・誘因** 急性膀胱炎，骨盤腹膜炎，尿閉，異所性妊娠など
腹痛の出現状況	● 間欠性腹痛 **原因・誘因** 胃・十二指腸炎，胃・十二指腸潰瘍，胃けいれん，尿路結石，膀胱炎，帯状疱疹，便秘，下痢など ● 持続性腹痛 **原因・誘因** 胃・十二指腸穿孔，イレウス，急性腹膜炎，鼠径ヘルニア，異所性妊娠など **緊急** 心筋梗塞，大動脈瘤破裂など ● 圧痛 **原因・誘因** 右下腹部（マックバーニー点）：急性虫垂炎．右季肋部：急性胆嚢炎．心窩部：胃・十二指腸潰瘍．ブルンベルグ徴候（腹部を強く圧迫し急に離すと鋭い痛みを感じる）：腹膜炎

38

腹痛

653

第6章　消化器系

腹痛への緊急対応

- 激しい腹痛が突然出現した場合は，急性腹症の可能性が高く，緊急手術の適応になることも多い．症状アセスメントにより緊急度の判断が必要となる．
- 鎮痛薬や腸管刺激薬，罨法は症状をかえって悪化させる危険があるので，原因が判別できるまでは使用を避ける．衣類をゆるめ，体位を工夫することで症状を緩和させる．
- 吐血・下血，腹腔内出血などによりショック状態が予測される場合は，下肢挙上体位をとり，輸血・輸液の準備，モニターや酸素投与の準備，バイタルサインの確認を行う（ショック状態への対応）.
- 腸管を刺激せず，安静を保つために飲食禁止になることが多い．反対に腸蠕動を促すため，積極的に運動を促すこともある．原因と病期を見極め，患者の理解が得られるように説明する．
- 吐血や嘔吐により，吐物が気道に入り込み誤嚥することがある．嘔吐時はすぐに顔を横に向け，口腔内の吐物を除去する必要がある（誤嚥予防）.
- 排泄物による衣服や寝具の汚れ，臭いは安楽を妨げ，さらなる悪心にもつながるので，すぐに片づけて清潔を保つ．

全身状態，随伴症状の把握 バイタルサイン	症状出現の経過の把握とともに，他の症状の有無，随伴症状を観察し，治療，看護計画の立案に有効に反映する．

- 体温 ➡炎症性疾患や感染症を鑑別する．
- 血圧，脈拍・リズム ➡出血やショックによる血圧低下，脈拍の減弱に注意し，また循環器疾患を鑑別する．
- 呼吸 ➡意識障害による低酸素状態，激痛により，パニックや過換気を起こしている可能性があるので注意する．

全身状態
- **緊急** 意識障害の有無を確認する　**原因・誘因** 急性腹症によるショック状態，肝性脳症
- 吐血・下血 ➡性状と量による出血部位と重症度の予測
- 排便状況を確認する．
- 経口摂取状況と排泄物により脱水状態を把握する．
- 体重 ➡消化器疾患による消化吸収障害，悪性腫瘍による体重減少の有無を確認する．
- 皮膚 ➡チアノーゼ，黄疸，発疹，腹水，浮腫の有無を観察する．
- 消化管出血による貧血の有無を確認する．
- 黄疸，呼気アンモニア臭の有無 ➡肝疾患を鑑別する．

胸部 腹部
- 聴診，打診 ➡心肺疾患の有無を鑑別する．
- 腹部全体の膨隆　**原因・誘因** 腹水，腹部のがん，卵巣嚢腫，水腎症，妊娠など
- 手術痕　**原因・誘因** イレウス，腹膜癒着
- 皮下出血　**原因・誘因** 急性腹膜炎，急性膵炎
- 聴診 ➡腸蠕動音，血管雑音によって腹部疾患を鑑別する　**原因・誘因** イレウス（金属音），腹部大動脈瘤や腎動脈狭窄（血管雑音）
- 打診 ➡消化管内のガス，腹水貯留の有無を確認する．
- 触診 ➡ **原因・誘因** 肝脾腫の有無，腹部膨隆や腹腔内腫瘍の有無，圧痛の有無などにより疾患を鑑別する．

🔍 **起こりうる看護問題：急性腹痛が持続する／嘔吐，下痢による体液量の不足と電解質異常をきたすおそれがある／腸管の通過・運動障害による腸蠕動音の減弱と排ガスの停止がみられる／誤嚥の可能性がある／栄養摂取が困難である**

患者・家族の心理・社会的側面の把握	腹痛患者は，腹痛や随伴症状による苦痛とともに不安を感じている．原因がすぐに特定できない場合や重症な場合もあり，患者・家族は症状や予後に対して不安を抱きやすい．

- 症状の状態，出現の経過などを聞き，症状緩和とともに，患者・家族がどのように感じているか把握する．

●経過に合わせ，安静から離床，退院に向け，注意事項を指導する必要がある．

🔍 **起こりうる看護問題**：家族・患者が症状に対する不安を抱えている

STEP① アセスメント ▶ **STEP② 看護課題の明確化** ▶ **STEP③ 計画** ▶ **STEP④ 実施** ▶ **STEP⑤ 評価**

看護問題リスト

#1　腹痛がある（認知-知覚パターン）
#2　嘔吐，下痢による体液量不足と電解質異常をきたすおそれがある（栄養-代謝パターン）
#3　腹痛，悪心，下痢により栄養摂取が困難である（栄養-代謝パターン）
#4　腸管の通過・運動障害による腸蠕動音の減弱と排ガスの停止がみられる（排泄パターン）
#5　誤嚥の可能性がある（認知-知覚パターン）
#6　患者・家族が症状に対する不安を抱えている（自己知覚パターン）

看護問題の優先度の指針

●急性期に最も症状が強く，緊急手術となる場合もある．緊急性を見極め，症状緩和を図る．また，脱水や電解質異常，貧血や栄養低下も起こりやすいため，これらへの対処を早期に行う．
●原因により腸管を安静にする場合と腸蠕動を促進する場合がある．経過と診断により対応する必要がある．
●嘔吐の際に誤嚥を起こすと，感染や気道閉塞により病態が重篤となるため，並行して誤嚥予防を行う．
●患者・家族の不安の軽減に努める．

38
腹痛

STEP① アセスメント ▶ **STEP② 看護課題の明確化** ▶ **STEP③ 計画** ▶ **STEP④ 実施** ▶ **STEP⑤ 評価**

1 看護問題	**看護診断**	**看護目標（看護成果）**
#1　腹痛がある	**急性疼痛** **関連因子**：生物学的損傷要因，物理的損傷要因 **診断指標** □標準疼痛スケールで痛みの程度を訴える □生理的パラメータの変化 □痛みの顔貌 □痛みを和らげる体位調整 □食欲の変化	〈長期目標〉腹痛がなくなる 〈短期目標〉1) 腹痛を我慢せず訴えられる． 2) 腹痛が緩和する

看護計画	**介入のポイントと根拠**
急性腹症の緊急対応 **OP 経過観察項目** ●緊急性の高い急性腹症に対しては迅速な対応が求められる．血圧低下を伴う意識障害は，狭心症や腹部大動脈瘤破裂などの心疾患や出血性ショックでみられ，生命の危機も考えられるので，鑑別診断と迅速な対応が必要である ●継続的な観察を怠らない	➡疑われる症状がみられたら，他の看護師に患者のそばにいてもらうよう依頼したうえで，ドクターコールを行う．状態の変化が急激なので，患者のそばに必ず誰かついているようにする ➡ **根拠** 時間の経過とともに症状が悪化し，緊急手術となる場合もある

655

第6章 消化器系

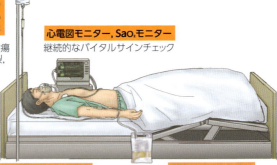

急性腹症に注意：突然の発症，激しい腹痛，緊急手術の必要性を早急に判断する必要がある．重篤な腹部疾患
急性虫垂炎，胃・十二指腸潰瘍の穿孔，解離性大動脈瘤破裂，異所性妊娠など

心電図モニター，Sao₂モニター
継続的なバイタルサインチェック

酸素投与
低酸素予防

輸液・輸血のための静脈ルート確保
脱水対策

尿道カテーテル挿入
脱水の評価

TP 看護治療項目
- 急性腹症でショック状態を呈している患者には血流が増加しやすい体位をとり，意識状態を確認しながら心電図モニタリングをただちに行う．また，酸素投与の準備を行う
- 出血，嘔吐，下痢が多く，脱水症状に陥っていれば，補液のための静脈ルートの確保，脱水の評価のため尿道カテーテルを挿入する

⇒ **根拠** 体液・血流の不足による意識状態の低下，血圧の低下，酸素量の低下を起こしやすい．また，出血や下痢，嘔吐が続く場合はさらに状態が変化しやすい

⇒ **高齢者** 高齢者の身体反応は緩慢なことがあり，意識レベルの低下，血圧の低下が比較的緩徐に現れることもあるので注意する

EP 患者教育項目
- 腹痛や随伴症状に伴う苦痛のなかでも，状況を説明し，患者が抱えている不安を軽減する

OP 経過観察項目
- 服薬，食事摂取の有無と時間
- 腹痛の部位，程度
- 吐血・下血の有無，性状，量，嘔吐の回数，性状，量
- 便の回数，性状，量
- 腹痛時の様子

⇒ 腹痛との関連を把握し，原因を除去する
根拠 関連を把握することで，原因疾患を推測しつつ適切な看護計画につなげることができる

TP 看護治療項目
- 安静を図り，医師の指示により飲食を禁止する
- 医師の指示により，鎮痛薬，腸蠕動促進薬を使用する
- 安楽な体位をとる
- 回復期には活動量を増やしていく
- 回復期には少量ずつ経口摂取を増やしていく

⇒ 基本的には，診断がつくまで薬物療法は状態を悪化させる場合があるので行わず，飲食禁止によって腸管を安静にすることが多い **根拠** 飲食による腹痛，嘔吐，下痢の誘発を予防する

⇒ **根拠** 回復期に活動量と経口摂取を増やし，腸蠕動運動を促し，消化管を慣らしていく **小児** 説明を理解できるようわかりやすく話す．疼痛時には安静が守られなかったり，ベッド転落の危険もあるので注意する

EP 患者教育項目
- 飲食の禁止や安静の必要性を説明する

- 回復期には，活動量と摂取してよい食べ物を説

⇒ 理解不足による不安を軽減させる **根拠** 止血や腸管の安静を保つ

⇒ 症状が再出現しないか確認しながら，活動と休

明する

息のバランスをとり，経口摂取を勧める
➲刺激物を避け消化しやすい食べ物を選択する

---

2 看護問題 ｜ 看護診断 ｜ 看護目標（看護成果）

#2 嘔吐，下痢による体液量の不足と電解質異常をきたすおそれがある

体液量不足リスク状態
電解質バランス異常リスク状態
危険因子：嘔吐，下痢，体液量の不足，水分摂取不足
関連する状態：進行する体液量の喪失，水分吸収に影響する異常

〈**長期目標**〉嘔吐，下痢が消失し，適切な水分摂取ができる
〈**短期目標**〉1）嘔吐，下痢の回数が減少する．2）尿量が維持されている．3）電解質が基準値内にある

看護計画 ｜ 介入のポイントと根拠

OP 経過観察項目
- 口渇，舌の乾燥，皮膚の乾燥・緊張
- 尿量，尿の色，比重
- 排便状況
- 体重の変化
- 水分摂取量
- 血圧変動，頻脈，末梢血管の脈圧
- 水分出納
- 血液データ：電解質，ヘマトクリット値，ナトリウム値，カリウム値
- 活気，精神症状

➲ **根拠** 腎機能の総合的評価が必要である

➲同じ条件で体重を測定する **根拠** 正確な体重は，体液のバランスを反映する
➲バイタルサインが安定していない場合は，頻回に測定する **根拠** バイタルサインは体液の変化を反映するため，症状の悪化を早期に発見できる

➲脱水による活気のなさ，混乱，落ち着きのなさなど精神症状に注意する

TP 看護治療項目
- 医師に指示された輸液，薬物を正確に投与する

- 室温の調整を行う

- 皮膚ケアを行う
- 医師の指示のもと，経口水分摂取を進める

➲安全に行う **根拠** **小児** 小児はその動きにより，ルートトラブルや自己抜去のリスクが高いので注意する
➲体温を調整する **根拠** 不感蒸泄による体液の喪失を防ぐ
➲清潔に保つ **根拠** 脱水で乾燥した皮膚は，損傷を受けやすい **高齢者** 頻回の下痢は陰部のただれや褥瘡発生の要因となるので注意する

EP 患者教育項目
- 輸液の必要性について説明する
- 経口摂取が許可されたら，徐々に水分をとるよう促す

➲患者・家族の理解を得る **根拠** 説明することにより，点滴の苦痛や食事内容を受け入れてもらえる

---

3 看護問題 ｜ 看護診断 ｜ 看護目標（看護成果）

#3 腹痛，悪心，下痢により栄養摂取が困難である

栄養摂取バランス異常：必要量以下
関連因子：食物嫌悪
関連する状態：消化器系疾患
診断指標
□腹痛 □下痢 □便秘
□食物摂取量が1日あたりの推奨量以下

〈**長期目標**〉栄養状態が改善する
〈**短期目標**〉1）腹痛，悪心，下痢が改善する．2）許可された範囲で食物を摂取できる．3）血清総蛋白値，アルブミン値が基準値内になる

38
腹痛

657

第6章　消化器系

看護計画	介入のポイントと根拠
OP 経過観察項目 ●腹痛，悪心の有無と食欲 ●排便状況 ●腸蠕動音 ●体重 ●食事摂取量 ●活気，機嫌，表情 ●血清総蛋白値，アルブミン値 **TP 看護治療項目** ●輸液から栄養補充する場合は，指示された量を投与する ●許可された範囲で，消化しやすい食べ物を少量ずつ開始する ●食べ物の選択は，患者の好みも加味して決める ●症状なく食べられたら，徐々に量や種類を増やしていく **EP 患者教育項目** ●無理して食べないよう指導する ●食事内容について家族に指導する	➡排便と腸蠕動音との関連を観察する **根拠** 食事摂取を進めてよいかの評価を行う ➡毎日同じ条件で測定する **根拠** 栄養状態を評価する ➡ **根拠** 長期に経口摂取できない場合は，経静脈栄養が開始される ➡ **高齢者** 消化機能が弱くなっている高齢者では，特に気をつける ➡刺激物など，悪心・嘔吐を誘発する食べ物は避ける．プリンやゼリー，おかゆなど嗜好もふまえて，選択肢から選ぶ **根拠** 患者は悪心がなくても，嫌いなものでは食が進まないことがある ➡食事は徐々に進めていく **根拠** 急な食事量の増加は，腹痛，悪心，下痢を誘発する

4 看護問題	看護診断	看護目標（看護成果）
#4　腸管の通過・運動障害による腸蠕動音の減弱と排ガスの停止がみられる	**消化管運動機能障害** **関連因子**：栄養不良(失調)，身体可動性障害，不安，ストレッサー(ストレス要因) **関連する状態**：医薬品，感染，胃腸(消化管)循環の減少 **診断指標** □腹痛　　　□下痢 □悪心　　　□嘔吐 □排ガスの欠如　□腸音の変化	〈**長期目標**〉正常な腸蠕動音が聞かれる 〈**短期目標**〉1)腹痛，下痢，悪心・嘔吐が軽減する．2)排ガスがある

看護計画	介入のポイントと根拠
イレウスへの緊急対応 **OP 経過観察項目** ●腹部状態の経時的観察(視診，聴診，触診，打診) ●バイタルサインの継続的観察	➡ **根拠** 時間の経過とともに症状が悪化し，ショック状態になったり緊急手術となる場合もある
TP 看護治療項目 ●治療薬投与と脱水の是正，またショック状態の危険もあるため静脈ルートの確保 ●検査・治療の介助	➡ **小児** **高齢者** ルートトラブルに注意．また，トイレ歩行困難な状況の場合は尿道カテーテルによる排泄とする
EP 患者教育項目 ●状況や検査・治療について説明し，患者が抱えている不安を軽減する	➡ **根拠** 早急に検査・治療が進められると，患者・家族の不安はさらに増幅する

658

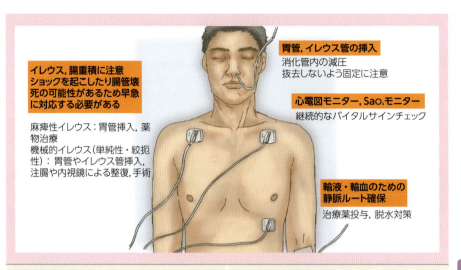

イレウス，腸重積に注意
ショックを起こしたり腸管壊死の可能性があるため早急に対応する必要がある

麻痺性イレウス：胃管挿入，薬物治療
機械的イレウス（単純性・絞扼性）：胃管やイレウス管挿入，注腸や内視鏡による整復，手術

胃管，イレウス管の挿入
消化管内の減圧
抜去しないよう固定に注意

心電図モニター，Sao₂モニター
継続的なバイタルサインチェック

輸液・輸血のための静脈ルート確保
治療薬投与，脱水対策

OP 経過観察項目	
● 腹痛，悪心の有無と食欲 ● 排便，排ガスの状況 ● 腸蠕動音の観察 ● バイタルサイン，意識レベルの経時的観察	⇒ イレウスの徴候，程度を観察する ⇒ 根拠 治療の効果を把握する．また，時間経過により状態が悪化する場合もある

TP 看護治療項目	
● 腸管の安静を保つため，輸液管理，胃管などのチューブ管理を行う ● 状態が安定している場合は，温罨法で腸管運動を促進する ● 腸管運動を促進するために，床上での運動から開始し，離床を進めていく	⇒ 胃管が挿入されている場合は排液を促す ⇒ 腰背部からの温熱刺激で腸管運動を促進する ⇒ 根拠 状態により安静が必要なこともある．安静が解除されたら，徐々に身体を動かし，積極的に運動し，腸蠕動を促進する

EP 患者教育項目	
● チューブ挿入時の注意点を説明する ● 患者に状態を説明し，適切な活動量を指導する	⇒ 抜去しないよう注意する ⇒ 根拠 適切な活動量を理解していない場合が多い

5	看護問題	看護診断	看護目標（看護成果）
	#5 誤嚥の可能性がある	誤嚥リスク状態 **危険因子**：胃腸（消化管）運動の低下，胃残留物の増加 **関連する状態**：嘔吐反射低下，胃内圧上昇，意識レベル低下	〈長期目標〉誤嚥しない 〈短期目標〉1) 正常な腸蠕動音が聞かれる．2) 嘔吐が減少する．3) 誤嚥の予防法が説明できる

看護計画	介入のポイントと根拠
OP 経過観察項目 ● 嘔吐の有無 ● 喘鳴，呼吸音，呼吸数，呼吸困難，咳嗽，チア	⇒ 誤嚥の徴候を観察する　根拠 咳嗽の出現は誤

38 腹痛

第6章　消化器系

　　ノーゼ，発熱，バイタルサイン
- 腹部症状，腸蠕動音，排便状況
- 唾液分泌量，口腔内の清潔
- 意識レベル

TP 看護治療項目
- 悪心や嘔吐がみられる時は側臥位にする
- 経口摂取開始時は，嚥下時の嘔吐反射と甲状軟骨が上下に触れて嚥下することを確認する
- 食後は上半身を30度以上挙上しておく

- 食後は口腔内を清潔にする
- 誤嚥のリスクの高い患者は吸引の準備をしておく

EP 患者教育項目
- 誤嚥の徴候と予防方法を説明し，徴候がみられた場合には報告するよう伝える
- 安全な栄養摂取の方法を説明する

嚥の徴候であることが多い

➡誤嚥リスクを把握する　**高齢者**　意識レベルが低下すると咳嗽反射が弱く，嚥下能力が低くなるため，咽頭に貯留して誤嚥しやすい

➡速やかに対処する　**根拠**　吐物が咽頭へ垂れ込むのを防ぐ．仰臥位では誤嚥のリスクが高い

➡誤嚥を予防する　**根拠**　胃に食物をため，嘔吐を予防する
➡口腔内清拭やうがい，食物残渣がある場合は，吸引で口腔内の食物残渣を除去する　**根拠**　清潔にして誤嚥を予防する

➡家族の理解を得る　**根拠**　誤嚥の予防方法を家族が学んでおくことが大切である

6 看護問題	看護診断	看護目標（看護成果）
#6　患者・家族が症状に対する不安を抱えている	**不安** **関連因子**：疼痛，不慣れな状況，満たされないニーズ，ストレッサー（ストレス要因） **診断指標** □不安定な気持ち □イライラした気分 □不眠　　　□緊張感 □注意力の変化　□混乱	〈長期目標〉患者・家族が心理的・身体的安楽が増大したことを表現できる 〈短期目標〉1)不安を言葉に出して表現できる．2)十分な睡眠がとれる．3)苦痛が軽減した表情や言動がみられる

看護計画	介入のポイントと根拠
OP 経過観察項目 - 不安や緊急の訴え - 怒りや落ち着きのなさ，目の動き，表情や言動の変化 - 睡眠状況 - 身体的反応：ふるえ，発汗，バイタルサインの変化 - 病状や治療・処置に対する質問の有無，内容 **TP 看護治療項目** - 不安が大きい時は頻回に部屋を訪室し，声をかけ，落ち着くまでそばにいるようにする - 不安を表出しやすい態度で接する - なるべく静かに休める環境を提供する - 症状緩和に努め，不安を軽減するようにする - 現状や治療・処置の予定など，状況が理解できるように説明を行い，理解したことを確認する - 心配なことや質問がないか聞き，丁寧に答える	➡非言語的表現をとらえる　**根拠**　急激な症状発現や状況が自分自身で理解できない場合，不安を言語化できないことがあるので，言語以外の表現に注意する必要がある ➡そばに寄り添う姿勢を示す　**根拠**　不安や緊張が強い時は，そばにいることで安心感を与え，不安を緩和することがある ➡状況の理解を促進する　**根拠**　自分の置かれている状況や今後の予定などを理解することで，不安が軽減する

EP 患者教育項目
- 状態の変化があればすぐ伝えるように説明する
- 疑問や不安なことは遠慮せずに質問するよう伝える

➡ **根拠** 質問を促すことで，不安を軽減するための自己対処能力を促進することにつながる

STEP① アセスメント **STEP②** 看護課題の明確化 **STEP③** 計画 **STEP④** 実施 **STEP⑤** 評価

病期・病態・重症度に応じたケアのポイント

【急性期】腹痛の原因は様々である．緊急性の高い状況もあるため，腹痛とともに他の症状や全身状態を把握する必要がある．早期に原因が特定され，適切な治療が行われることが重要となる．急性期の対処としては，飲食を禁止し腸管の安静を図ることが必要となるが，苦痛の除去にも努める．

【回復期】全身状態の改善に伴い腸蠕動を促すために，積極的に活動・運動を行っていく．また，経口摂取を少しずつ再開する．この時期には自宅に帰ることを視野に入れ，患者自身による観察，ケアが行えるよう指導を行う必要がある．

看護活動(看護介入)のポイント

診察・治療の介助
- 腹痛の状況，随伴症状や経過などから，原因を把握する．
- 原因が特定され，腸管の安静が必要な場合は禁飲食となる．場合によっては手術や胃管，イレウス管の管理を行う．
- 指示された輸液，薬物を正確に投与する．

腹痛に対する援助
- 安静にできるよう，また危険を防止するよう環境を整える．
- 安楽な体位をとる．
- 排泄物で汚れた衣類や寝具は交換し清潔に努める．
- 体動が困難な場合は ADL を介助する．
- 指示された輸液を正確に行い，水分出納を評価する．

栄養摂取の援助
- まず腹部症状や腸蠕動音，排便状況を確認し，栄養が消化吸収できる状態か把握する．
- 経口摂取が開始されたら，許可された食べ物を少量から始め，徐々に種類や量を増やしていく．
- 腹痛や悪心，下痢が再燃しないか，観察する．

退院指導・療養指導

- 水分や電解質を摂取する必要性を説明する．
- 食事摂取方法を説明し，無理せずに進めていくことを指導する．
- 腹痛，悪心，下痢，便秘の症状が出現してくるようであれば，再度受診するよう説明する．

STEP① アセスメント **STEP②** 看護課題の明確化 **STEP③** 計画 **STEP④** 実施 **STEP⑤** 評価

評価のポイント

看護目標に対する達成度
- 腹痛が軽減しているか．
- 下痢や嘔吐の回数，性状や量が改善しているか．
- 水分摂取と栄養状態が改善してきているか．
- 腸管運動が正常になってきたか，また排便，排ガスはあるか．
- 誤嚥または誤飲のリスクが回避できているか．
- 患者・家族が心理的・身体的安楽が増大したことを表現できているか．

38
腹痛

第6章 消化器系

腹痛のある患者の病態関連図と看護問題

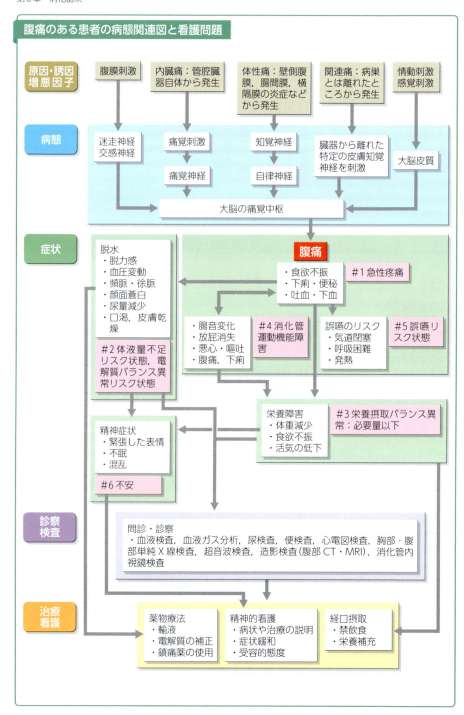

39 嚥下困難

木村　百合香

目でみる症状

運動機能障害による嚥下障害
特徴：
　液体でむせる
嚥下障害を引き起こす疾患：
　・脳血管障害
　・脳腫瘍
　・神経変性疾患
　・炎症性筋疾患
　・頭部外傷
　・重症筋無力症　など

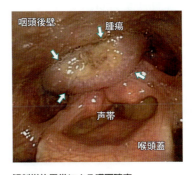

解剖学的異常による嚥下障害
（器質的障害）
特徴：
　固形がのみ込みにくい
嚥下障害を引き起こす疾患：
　・頭頸部腫瘍
　・食道腫瘍
　・縦隔腫瘍
　・頸部外傷
　・奇形　など

■図 39-1　嚥下障害の分類

病態生理

嚥下は飲食物を口から食道に送る過程であり，この過程のどこかで問題が生じた場合（嚥下障害）にみられる症状が嚥下困難である．

- 嚥下の過程は次のように 3 期に分けることができる．
  1. 口腔期：咀嚼によって形成された食塊を飲み込むために，咽頭に移送されるまでの過程．舌が口蓋前方に押し付けられて，食塊を咽頭に向けて絞り出す．
  2. 咽頭期：食塊が咽頭へ送り込まれた時点から，咽頭を通過し食道へ送り込まれるまでの過程．①軟口蓋が挙上し，鼻腔方向への逆流を防ぐ，②舌根の後方運動と咽頭収縮により食塊を咽頭から下方に送り込む，③舌骨・喉頭の前上方運動により喉頭が閉鎖する，④輪状咽頭筋（上部食道括約筋）が弛緩し食道入口部が開大する，という非常に複雑な運動の組み合わせが 0.5 秒以内に完結する反射（不随意運動）が起こる．
  3. 食道期：重力と蠕動運動により食塊が食道を通過し，胃へ運ばれる過程．
- 嚥下障害を引き起こす主な疾患を図 39-1 に示す．
- 一方，誤嚥は飲食物や唾液，逆流した胃内容物などが嚥下時に食道ではなく，喉頭から気管に入ってしまう状態を指す．
- 誤嚥には前咽頭型誤嚥，喉頭挙上期型誤嚥，喉頭下降期型誤嚥，混合型誤嚥の 4 つの病態がある（表 39-1）．実際の症例の多くは混合型誤嚥である．

第6章　消化器系

患者の訴え方

食べ物が飲み込みにくい，詰まった感じ，薬がつかえるなどの訴えだけでなく，食事や口腔ケアの介助時に介助者から口腔内の食塊の残留や食事時間の延長，むせや食塊の逆流などが報告される.

- ●主症状
- ●食べ物が飲み込みにくい
- ●のどに何か詰まっている
- ●食事中によくむせる
- ●食後に痰が出る
- ●入れ歯が合わない
- ●錠剤やカプセルの薬がつかえてしまう
- ●食べ物や酸っぱい液が逆流してくる
- ●他覚症状
- ●1回の食事時間が以前より延びた
- ●水分摂取時によくむせる
- ●口腔内に食べ物の残留物が多い

診断

悪性腫瘍など食物の通過部位の局所的器質的疾患と，脳から筋に至るまでの食物を送り込む機能の障害(運動障害)の2つの視点が必要である.

- ●原因・考えられる疾患
- ●頭頸部腫瘍などの器質的な障害と，脳血管障害などの運動機能障害に分けて考える.
- ●診断の流れと主な検査
- ●診断は，問診，身体機能の評価によって行う. 以下にその流れを示す.

　1. 問診

　　①つかえるのか(固形物か)，飲み物でむせるのか(液体か)：器質的な障害(通過障害)か，運動機能の障害を鑑別する.

　　②嚥下障害はいつ出現し，病状の進行速度はどの程度か：出現時期や進行速度により以下の疾患を考慮する.

　　・急性発症(日単位)：脳血管障害，外傷，感染など

　　・亜急性発症(週単位)：重症筋無力症，炎症性筋疾患など

　　・進行性の経過(月単位)：腫瘍，神経変性疾患など

　　・階段状進行：多発性脳梗塞など

■表39-1　誤嚥の病態

タイプ	病態	原因
前咽頭期型誤嚥	液体がまったく無防備な喉頭に流入する(嚥下反射自体はある). 早期咽頭流入	①口腔内保持機能(運動機能)の低下：口腔腫瘍の術後など口腔の器質的障害，筋萎縮性側索硬化症やパーキンソン病など，舌の運動機能障害を生じる疾患など ②認知機能の障害：アルツハイマー型認知症，レビー小体型認知症など
喉頭挙上期型誤嚥	喉頭閉鎖が不完全なために，喉頭の挙上開始から下降開始の間に生じる誤嚥	①嚥下反射の惹起の遅延：脳血管障害など ②喉頭挙上運動の障害：脳血管障害，神経筋疾患，頭頸部腫瘍術後，気管切開後など
喉頭下降期型誤嚥	全量の食塊を食道に送り込むことができず，喉頭の下降開始以後に起こる誤嚥	①嚥下圧の不足(咽頭収縮力の低下)：脳血管障害，頭頸部腫瘍術後，神経筋疾患など ②食道入口部の弛緩不全(嚥下のタイミングの障害，筋の障害)：脳血管障害，封入体筋炎などの輪状咽頭筋の障害など ③下咽頭や食道の器質的障害：下咽頭がん，食道がん，頸椎の変形など
混合型誤嚥	以上の3病態を複合して有している場合	

664

③食事は何を食べているか：嚥下機能の障害の程度を示す．
④食事への意欲はあるか：摂食障害や食思不振との鑑別を行う．
⑤ 1 回の食事はどのくらい時間をかけて食べるか：嚥下障害の程度を示す．
⑥むせはあるか，食事中や食後に咳や痰は増えるか：嚥下障害の程度を示す．
⑦体重減少はあるか：嚥下障害の程度を示す．

2. 身体機能の評価

1) 全身の評価
①るいそうの有無：嚥下障害の程度を示す．
②顔貌や姿勢・歩容の異常※1
③振戦などの異常運動※1
※1　前傾姿勢や小刻み歩行，仮面様顔貌，安静時振戦は，嚥下障害の原因疾患として重要なパーキンソン病やパーキンソン症候群にしばしば見られる所見である．

2) 口腔咽頭の視診・神経学的診察
①器質的疾患(炎症や腫瘍など)の除外
②神経学的診察(特に下位脳神経)
・Ⅶ(顔面神経)：上部・下部顔面筋の麻痺の有無
・Ⅸ(舌咽神経)，Ⅹ(迷走神経)：軟口蓋挙上時の左右差の有無，カーテン徴候※2の有無，声帯麻痺・咽頭麻痺の有無
・Ⅻ(舌下神経)：舌偏倚・舌萎縮・舌線維束性収縮の有無
※2　カーテン徴候：咽頭収縮筋群の麻痺により，咽頭粘膜への接触刺激や発声，嚥下にともない，咽頭後壁が健側へ動く現象．

3) 頸部の視診・触診：頸部腫瘤の有無のチェックは，嚥下障害をきたす器質的疾患の除外において必須である．

4) 嚥下内視鏡検査：内視鏡(ファイバースコープまたは電子内視鏡)を用いて実施する嚥下機能検査である．検査食を嚥下した際に観察される①早期咽頭流入，②嚥下反射惹起のタイミング，③咽頭残留，④喉頭流入・誤嚥などを指標に，嚥下機能を評価する．また，気道防御反射(感覚や咳反射)の状況を確認することができる．嚥下内視鏡検査の指標として，国内では嚥下内視鏡所見のスコア評価が普及している[1]．

5) 嚥下造影検査：造影剤または造影剤を含む食物を嚥下させて，造影剤の動きや嚥下関連器官の状態と運動をⅩ線透視下に観察する嚥下機能検査．嚥下の口腔期，咽頭期，食道期のすべてについて，嚥下障害の病態を詳細に評価できる．特に，誤嚥の程度や食道入口部開大の状況など，嚥下内視鏡では観察できない項目の評価が可能である．嚥下造影検査所見の評価項目は多岐にわたり，表39-2に代表的な観察項目を挙げる．

6) その他：採血(栄養指標の評価や筋疾患，甲状腺機能の評価)，頸胸部CT検査(頸部の腫瘍性病変，脊椎の変形，食道の拡張や腫大，下気道の炎症等)，上部消化管内視鏡検査(食道の器質的疾患の評価)，頭部MRI検査(脳・脳神経の器質的疾患の評価)などを適宜追加する．

治療法・対症療法

原因疾患に対する治療が第一に優先される．原因疾患に対する治療を行ったうえで，嚥下障害には状態に応じて対応していく(図39-2)．

●嚥下障害への対応

●嚥下内視鏡検査の所見をもとに対応する．

1) 経過観察
・精神機能・身体機能が良好で，嚥下内視鏡検査で異常を認めない場合．

2) 嚥下指導
・嚥下内視鏡検査で何らかの異常を認めるが，明らかな誤嚥がなく，精神機能・身体機能は嚥下指導を行ううえで十分に維持されており，自らが嚥下指導を行えると判断した場合．

3) 専門医療機関に紹介
①嚥下内視鏡検査などで何らかの異常を認め，嚥下造影検査などのより詳細な嚥下機能評価が必要と判断した場合
②嚥下内視鏡検査などで何らかの異常を認め，リハビリテーションや外科的治療が必要と判断した

第6章 消化器系

■表 39-2 嚥下造影検査における主な観察項目

期	観察項目
口腔期	・造影剤の口腔内保持 ・造影剤の口腔から咽頭への送り込み
咽頭期	・軟口蓋運動，鼻腔内逆流の有無 ・喉頭蓋谷や梨状陥凹の造影剤残留 ・誤嚥の有無と程度，および造影剤の喀出の可否 ・喉頭挙上のタイミングと挙上度 ・喉頭閉鎖の状態 ・食道入口部の開大 ・舌根と咽頭後壁の接触の状況
食道期	・造影剤の通過状態および蠕動運動 ・造影剤の逆流の有無 ・食道およびその周囲の器質的疾患の有無

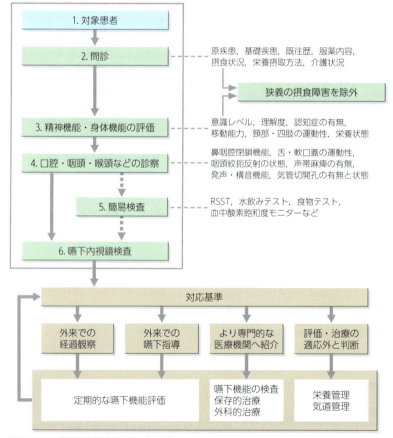

■図 39-2 嚥下障害診療のアルゴリズム
日本耳鼻咽喉科学会編：嚥下障害診療ガイドライン 2018 年版．金原出版，p.2，2018

場合

③①および②の経過中において，より専門的な評価が必要と判断した場合．

4)「評価や治療の適応外」の判断

①全身状態や意識レベルが不良，もしくは重篤な合併症のために嚥下障害に対する検査や治療が行えないと判断した場合

②患者および家族に経口摂取への希望や意欲がない，十分に説明しても誤嚥に対するリスクの受け入れができない場合．

●嚥下指導・嚥下訓練は医師の指示の下，摂食機能療法として看護師が施行可能な医療行為である．嚥下訓練の開始基準として以下の条件を満たすことが必要である．

①意識レベルが JCS で 1 桁までである．

②意思の疎通が図れる．

③経口摂取への意欲がある．

④誤嚥物や痰を自力で喀出できる．

⑤坐位を保つことができる．

⑥全身状態が嚥下指導や訓練に支障がない．

●**治療の選択**

●嚥下姿勢や食形態の調整・選択による代償的アプローチ法と，嚥下機能の代償や補強・改善を目指した訓練を行う治療的アプローチ法がある．

1. 代償的アプローチ法

●現状の嚥下機能を最大限に活用して誤嚥のリスクを最小限にすることを目指した工夫で，嚥下姿勢や食形態の調整・選択が代表的な方法である．

●頸部前屈位：嚥下反射の惹起遅延に対して有用である．

●頸部回旋位：片側の咽頭・喉頭筋麻痺に効果が期待できる．

●食形態の調整・選択：嚥下反射の惹起遅延への対応と，咽頭残留の軽減を目指したもの．一般的に，嚥下反射の惹起遅延に対しては，粘性のある食形態（ミキサー食など）が，咽頭残留が多い場合は粘性の少ない食形態が適している．

●栄養管理や口腔ケアも重要である．

2. 治療的アプローチ法

●麻痺や障害を受けた部分に働きかけて，嚥下機能の代償や補強・改善を目指した訓練である．

1) 嚥下反射惹起を促すための訓練

・咽頭冷圧刺激には，前口蓋弓に冷圧刺激を加えることで嚥下反射の惹起を促す手法などがある．

2) 嚥下関連器官の機能訓練

・嚥下関連器官の筋力強化とストレッチを目的としている．舌の可動訓練，構音訓練もこの範疇に入る．

・頭部挙上訓練（シャキアー法）や種々の変法は，舌骨上筋群を強化し喉頭挙上に伴う食道入口部開大を企図した訓練法である．

3) 咽頭期嚥下の改善・強化訓練

・息こらえ嚥下法は，喉頭閉鎖を補強することで喉頭流入のリスクを軽減する嚥下法である．

・食道入口部の開大不全に対しては，頸突出嚥下法や食道バルーン法がある．

4) 嚥下パターン訓練

・嚥下運動を反復することが嚥下機能の改善につながることから，空嚥下や少量の水嚥下などを繰り返し実施し，誤嚥のリスクの少ない嚥下法や呼吸法のパターンを習得することを目指す．

5) 外科的治療

・嚥下障害に対する外科的治療には，呼吸および発声機能などの喉頭機能を温存しつつ経口摂取を目指す「嚥下機能改善手術」と，発声機能は失うが誤嚥を確実に回避することを目的とした「誤嚥防止手術」がある．

①嚥下機能改善手術：障害された機能を補填し経口摂取を目指し，嚥下訓練などの保存的治療が奏効しない場合に考慮される外科的治療である．術後にも嚥下リハビリテーションが必要である．代表的な手術法には，食道入口部を弛緩させる輪状咽頭筋切断術，喉頭挙上を強化する喉頭挙上術，声門閉鎖不全を改善する声帯内方移動術などがあり，嚥下障害の病態診断に基づいて単独あるいは組み合わせて行われる．

39

嚥下困難

667

②誤嚥防止手術(気道と食道の分離)：気道と食道を分離することで誤嚥を消失させる．喉頭を摘出する術式(喉頭全摘出術)のほかに，喉頭を温存し気管レベル(喉頭気管分離術，気管食道吻合術)，喉頭レベル(喉頭閉鎖術)で分離する方法も考案されている．いずれの術式でも発声機能は失われ，永久気管孔が造設される．また，誤嚥防止が目的であり必ずしも術後の経口摂取を保証するものではない．本術式の施行後に造設される永久気管孔は気道の唯一の入口であり，絶対に塞いではならない．鼻呼吸機能喪失(防塵，加湿，嗅覚)も含めて，喉頭全摘出後に準じた対応が必要となる．

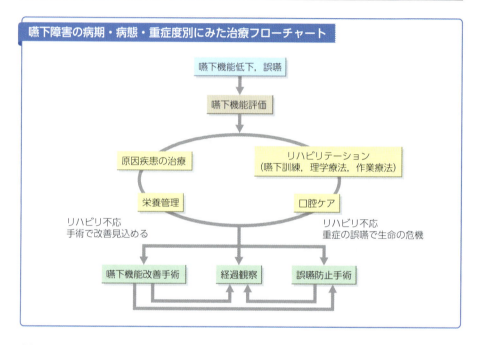

嚥下障害の病期・病態・重症度別にみた治療フローチャート

●文献
1) 兵頭政光, 西窪加緒里, 弘瀬かほり：嚥下内視鏡検査におけるスコア評価基準(試案)の作成とその臨床的意義. 日本耳鼻咽喉科学会会報 113：670-678, 2010
2) 日本耳鼻咽喉科学会編：嚥下障害診療ガイドライン 2018 年版. 金原出版, 2018

嚥下困難のある患者の看護

深田　順子

看護過程のフローチャート

観察項目 （OP）	看護問題 （看護診断）	看護目標 （看護成果）	看護活動 （看護介入）

原因・誘因
- ●原因
  - 疾患：器質的疾患, 機能的疾患, 神経心理的疾患
  - 治療：手術療法, 放射線療法
- ●誘因
  - 年齢
  - 意識レベル
  - 口腔領域の廃用期間
  - 気管切開
  - 気管切開カニューレの種類
  - 経鼻栄養チューブ留置の有無
  - 睡眠薬などの内服薬
  - 食事環境
  - 食事中・後の姿勢
  - 食事方法
  - 食事介助方法

身体的問題
- ●主症状
  - 口腔期の問題
  - 咽頭期の問題
  - 食道期の問題
  - 誤嚥
- ●随伴症状
  - 窒息
  - 肺炎所見（発熱・副雑音聴取, 咳・喀痰の増加など）
  - 水分摂取量低下
  - 食事摂取量低下
  - 体重減少
- ●日常生活に及ぼす影響
  - 睡眠障害
  - 尿量低下, 便秘
  - 日常生活動作低下など

心理・社会的問題
- 不安, 抑うつ, 自己否定, 孤立感, 社会活動の低下

#原因・誘因により症状が進行する可能性がある

#原因・誘因による嚥下困難がある

#嚥下困難により誤嚥のリスクがある

#嚥下困難により窒息のリスクがある

#嚥下困難により水分摂取が困難となり体液量が不足する

#嚥下困難により必要な栄養摂取が困難である

#嚥下困難により不安, 抑うつ, 自己否定, 孤立感, 社会活動の低下がある

- 原因・誘因が除去, 軽減される
- 嚥下困難の重症度が改善する
- 指示された間接訓練ができる
- 指示された直接訓練（食物形態, 頸部・体幹の姿勢）を守ることができる
- 誤嚥を起こさない
- 誤嚥による呼吸の異常がない
- 口腔ケアを毎日実施できる
- 窒息を起こさない
- 水分必要量が経口的, 経腸的, 経静脈的に確保できる
- 栄養摂取必要量が経口的, 経腸的, 経静脈的に確保できる
- 不安, 抑うつが軽減する
- 社会活動の範囲が維持できる

OP 経過観察項目
- 嚥下困難の程度（緊急性, 重症度）
- 随伴症状：窒息, 肺炎, 脱水, 低栄養の有無, 程度
- 日常生活に及ぼす影響の有無, 程度
- 患者・家族の心理状況, 社会活動状況

TP 看護治療項目
- 原因・誘因の除去
- 指示された間接訓練を行う
- 指示された直接訓練を行う
- 食後に口腔ケアを行う
- 安全な食事環境を整える
- 水分不足量を経口的, 経腸的, 経静脈的に投与する
- 栄養不足量を経口的, 経腸的, 経静脈的に投与する

EP 患者教育項目
- 患者・家族への状態, 治療の説明
- 患者・家族への口腔ケア, 間接訓練, 直接訓練の指導
- 患者・家族への窒息, 誤嚥, 脱水, 低栄養の予防法の指導
- 退院指導：とろみ調整食品（増粘剤）, 嚥下調整食などの購入方法, 緊急時の対応など

39　嚥下困難

第6章　消化器系

基本的な考え方

- 嚥下困難の原因・誘因は様々である．まず疾患の病態を把握するとともに嚥下機能に影響する誘因を明らかにする．病態をとらえる際には，原因疾患が，嚥下機能を獲得していく経過か，嚥下機能が回復していく経過か，嚥下機能が維持あるいは徐々に低下する経過かを踏まえる．
- 次いで口腔期，咽頭期，食道期の各期における嚥下困難の状態とその程度（重症度）をアセスメントする．
- 嚥下困難に随伴する症状として窒息，誤嚥による肺炎，脱水および低栄養の危険などがあり，生命を脅かす問題のリスクの程度を把握する．
- 重症度を踏まえて，生命を脅かす問題を回避しながら，口腔期，咽頭期，食道期の各期の状態に応じた摂食嚥下リハビリテーション（間接訓練，直接訓練）を日常生活に定着させるように実施する．間接訓練（基礎訓練）とは食物を用いないで嚥下機能を支える基礎能力の向上を図る訓練をいい，直接訓練（摂食訓練）とは食物を用いて行う訓練をいう．

緊急 緊急処置の必要な窒息や，重症化する可能性がある誤嚥性肺炎に対しては迅速な対応が必要である．これらの症状を疑わせる窒息のサインや肺炎の所見を見逃さないよう十分な観察を行う．脱水や低栄養の症状についても注意する．

STEP ❶ アセスメント ▶ STEP ❷ 看護課題の明確化 ▶ STEP ❸ 計画 ▶ STEP ❹ 実施 ▶ STEP ❺ 評価

情報収集	アセスメントの視点と根拠・起こりうる看護問題
病歴の把握	患者・家族から嚥下困難の出現状況と経過，症状の変化を問診することで，原因・誘因の特定や全身状態の把握につながり，治療や看護ケアにも重要な情報を得ることができる．さらに，症状から推測される原因・誘因を追究するために身体診査（視診，触診，聴診）によって客観的情報を収集し，正確にアセスメントする．

経過
- 嚥下困難がいつから，どのくらい続いているか．
- 症状の変動の有無とその内容

原因
- 疾患　**原因・誘因** 器質的障害をきたす頭頸部や食道の腫瘍があれば，口腔・咽頭・食道の内腔の閉塞を疑う．機能的障害をきたすパーキンソン病があれば，無動による食塊形成の障害，咽頭への送り込みの低下，喉頭挙上の遅延，食道入口部の開大不全などを疑う．脳血管障害では核上性であれば嚥下中枢である延髄脳神経核より上位中枢が障害され，仮性球麻痺に代表されるように両側性に障害されると舌・口腔・咽頭などの筋力や筋運動の協調性が低下し，失行，失認など高次脳機能障害を伴うことが多い．核性は延髄脳神経核が障害されるため，球麻痺に代表されるように嚥下反射が消失・減弱する．
  - ・器質的障害をきたす疾患：頭頸部や食道の腫瘍，炎症，外傷など
  - ・機能的障害をきたす疾患：脳血管障害，パーキンソン病，重症筋無力症，筋萎縮性側索硬化症など
  - ・神経心理的障害をきたす疾患：認知症，高次脳機能障害，感情失禁，うつなど
- 治療：手術療法，放射線療法の既往の有無　**原因・誘因** 口腔・咽頭・食道に手術療法が施行されていれば，手術による構造や機能の変化を疑う．顔・口腔・頸部に放射線療法が施行されていれば，軟部組織の線維化，粘膜の炎症などの器質的な影響と，唾液分泌の低下，咽頭の知覚低下，咽頭の蠕動様運動低下などの機能的な影響を疑う．

誘因
- 年齢　**原因・誘因**　**高齢者** 加齢に伴って老人性嚥下機能低下（老嚥，嚥下のフレイル）や嚥下関連筋群の一次性サルコペニア（骨格筋量の低下）によって嚥下困難が生じる．具体的には，①咀嚼（しゃく）能力が低下する．②嚥下反射が遅れる．③70歳以上になると喉頭の位置が下降し喉頭閉鎖が不十分となるため嚥下時に誤嚥を生じやすい．④分割嚥下が多くなり，喉頭蓋谷や梨状陥凹に食塊が残留し，嚥下後に誤嚥を生じやすい．⑤胃食道逆流が起こりやすい　**小児** 吸啜（てつ）・嚥下機能が未熟なまま出生した早産児や発達障害などによって嚥下困難をきたす．
- 意識レベル　**原因・誘因** ジャパン・コーマ・スケール（JCS）Ⅱ桁の意識障害患者

では，咽頭期は障害されないが，随意運動を必要とする準備期や口腔期が障害される．JCS Ⅲ桁の意識障害患者では，口腔期と咽頭期がともに障害される．

● 口腔領域の廃用期間　原因・誘因　経口摂取や会話をしないなど口腔機能を使用しないことによる二次性サルコペニア・嚥下関連筋や唾液腺の萎縮，顎関節の拘縮をきたす可能性がある．

● 気管切開の有無　原因・誘因　気管切開は声門下圧を低下させ，呼気が声門に流れにくいため喉頭に侵入した食物を咽頭に押し返すことができない．

● 気管切開カニューレの種類　原因・誘因　気管切開カニューレは，喉頭挙上を制限し，カフ付きカニューレではカフによって食道入口部を圧迫する．

● 経鼻栄養チューブの留置の有無　原因・誘因　経鼻栄養チューブの留置は，口腔・咽頭の清潔が維持されにくく，嚥下運動を制限し，胃食道逆流のリスクを高くする．

● 食事環境　原因・誘因　テレビを見ながら食事をしたり，食物を口の中に入れたまま会話をすることは，嚥下に集中できず誤嚥を起こしやすい．

● 食事中・後の姿勢　原因・誘因　骨盤を後傾して円背となり顎を突き出して座っている屈曲姿勢は，下顎を挙上させ気道を確保する体位になり，食塊が気道に入り誤嚥を起こしやすい．食後に臥床して，胃内容物が逆流すれば，胃食道逆流を疑う．

● 食事方法および食事介助方法　原因・誘因　一口量が多い，1回に与える食物量が多い，早食いする，食事を与えるペースが速いと誤嚥のリスクを高くする．食事介助する際に，上から食物を運ぶと高齢者の下顎が挙上し，気道確保の体位となり誤嚥を起こしやすい．

既往歴
● 脳血管障害(脳卒中，頭部外傷，脳炎など)，神経・筋疾患の既往
● 窒息や肺炎の既往
● 頭頸部の手術療法，放射線療法の既往

常用薬
● 抗精神病薬，抗てんかん薬，抗不安薬，副交感神経遮断薬などの常用中の内服薬の有無　原因・誘因　これらは，精神活動の低下，嚥下反射の低下，唾液分泌の減少などをきたすことがある．
● 降圧薬の内服の有無　原因・誘因　アンジオテンシン変換酵素(ACE)阻害薬の副作用である咳嗽は嚥下障害のある患者に有効に作用する．

| 主要症状の出現状況，程度の把握 | 問診や脳神経系の身体診査などから嚥下各期における嚥下困難の状態とその程度(重症度)を把握し，アセスメントの結果から摂食嚥下リハビリテーションの内容を検討することができる． |

食事中の症状
● 食事時間の延長や食事摂取量の低下がみられるか．
● 食事の嗜好が変化したか．

口腔期の症状
● 舌の障害
　・[舌下神経] 身体診査の結果：舌の偏倚(い)，舌の前後・左右・上下の動きに左右差がある，タ行・カ行の発音不明瞭，舌上や口腔底に食物残渣があるなど
　・問診の結果：口腔内に食物残渣があるなど
　原因・誘因　タ行(舌尖音)・カ行(奥舌音)の発音が不明瞭，食物残渣が舌の上や口腔底にある，舌下神経の障害がある場合は，舌の運動障害による口腔から咽頭への送り込みの障害を疑う．

咽頭期の症状
● 咽頭・喉頭の障害
　・[舌咽神経，迷走神経] 身体診査の結果：軟口蓋の挙上時の口蓋垂の偏倚，喉頭挙上の不足，口蓋反射の消失・減弱，頸部聴診による液体振動音など
　・問診の結果：飲み込みにくい，鼻から水分や食物が出る，開鼻声，むせる，咽頭残留感，湿性嗄声があるなど
　原因・誘因　軟口蓋麻痺，鼻から水分や食物が出ることがある場合は，鼻咽腔閉鎖不全を疑う．口蓋反射の減弱・消失，むせなどがある場合は，咽頭期惹起遅延，舌口蓋閉鎖不全，喉頭閉鎖不全を疑う．頸部聴診による液体振動音，咽頭残留感，湿性嗄声などがある場合は咽頭クリアランス(咽頭内の食塊を食道へ送り込む能力)の低下を疑う．

39

嚥下困難

671

第6章　消化器系

■表39-3　摂食嚥下障害の臨床的病態重症度に関する分類

	重症度		食事	経管栄養	直接訓練 （摂食訓練）*1	在宅管理	備考
誤嚥なし	7	正常範囲	常食	不要	必要なし	問題なし	
	6	軽度問題	軟飯，軟菜食など 義歯，自助具の使用	不要	時に適応	問題なし	食事動作や歯牙の問題など経過観察でよいレベル
	5	口腔問題	軟飯，軟菜食，ペースト食など 食事時間の延長 食事に指示，促しが必要 食べこぼし，口腔内残留が多い	不要	適応 一般施設や在宅で可能	可能	先行期・準備期・口腔期の問題
誤嚥あり	4	機会誤嚥	嚥下障害食から常食 誤嚥防止方法が有効 水の誤嚥も防止可能 咽頭残留が多い場合も含む	時に間欠的経管栄養法の併用	適応 一般施設や在宅で可能	可能	医学的に安定*2
	3	水分誤嚥	嚥下障害食 水を誤嚥し誤嚥防止方法が無効 水分に増粘剤が必要	時に間欠的経管栄養法・胃瘻の併用	適応 一般病院で可能	可能	医学的に安定
	2	食物誤嚥	経管栄養法	長期管理に胃瘻を検討	適応 専門病院で可能	可能	医学的に安定 難治の場合，機能再建術の検討
	1	唾液誤嚥	経管栄養法	長期管理に胃瘻を検討	困難	困難	唾液を誤嚥 医学的に不安定*3 難治の場合，気管食道分離術の検討

*1　間接訓練（基本訓練）は，重症度6以下のどのレベルにも適応あり
*2　適切な摂食管理で，低栄養，脱水，肺炎などの防止可能
*3　経管栄養をしても医学的安定性を保つことができない
馬場尊ほか：経口摂取適応のための摂食・嚥下機能評価，総合リハビリテーション 30(11)：1310，表1，2002 より一部改変

食道期の症状 誤嚥の症状	●食道の障害：つかえ感，胸やけ，逆流感　原因・誘因　これらの症状があれば胃食道逆流などを疑う． ●誤嚥した嚥下の時期（前・中・後），姿勢，食物　原因・誘因　嚥下前にむせれば舌口蓋閉鎖不全による咽頭流入を疑う．嚥下中にむせれば咽頭惹起遅延，喉頭閉鎖不全を疑う．嚥下後にむせれば咽頭クリアランスの低下を疑う． ●睡眠中の咳　原因・誘因　唾液の誤嚥を疑う． ●臨床的病態重症度：誤嚥の有無を軸として7段階で重症度を示した摂食嚥下障害の臨床的病態重症度分類（表39-3）で判定する．
随伴症状，日常生活に及ぼす影響 バイタルサイン 窒息のサイン 肺炎の症状	嚥下困難の随伴症状を観察し，生命を脅かす問題のリスクの有無・程度を把握する．生命を脅かす問題が起きないように，嚥下困難に対する摂食嚥下リハビテーションなどの治療や看護計画の立案に反映する． ●呼吸数，呼吸パターン，胸郭の動き，頸部・胸部の呼吸音，経皮的酸素飽和度など呼吸状態を確認する　原因・誘因　頸部で液体振動音が聴取されれば，喉頭前庭に唾液などの貯留を疑う．胸部で捻髪音が聴取されれば肺炎の初期を疑う．経皮的酸素飽和度が食事中に3%低下すれば誤嚥を疑う． ●喘鳴など気道閉塞の有無 ●窒息のサインとして自分の首をわしづかみする（チョークサイン）　緊急　窒息 ●胸部の副雑音聴取，発熱，咳や喀痰の有無・性状

672

脱水の症状	●胸部 X 線検査，血液検査データ：CRP および白血球数の増加など **原因・誘因** 嚥下困難によって①肺胞性陰影および② 37.5℃ 以上の発熱，CRP の異常高値，白血球数 9,000/μL 以上の増加，喀痰など気道症状のいずれか 2 つ以上存在する場合に誤嚥性肺炎を疑う. ●口渇の有無，程度 ●皮膚・粘膜の乾燥 ●尿量の減少，体重減少など ●体温上昇，頻脈など ●水分出納：input（経口・経腸・静脈栄養法からの水分摂取量，代謝水など），output（尿量，便，不感蒸泄など） ●血液検査データ：ヘマトクリット，BUN，尿酸，血清ナトリウム，血清カリウムなどの増加 **原因・誘因** 水分摂取量が少ない，output が多い，負の水分出納である，皮膚・粘膜の乾燥などがある場合，脱水を疑う.
低栄養の症状	●体重の減少，body mass index（BMI）= 体重（kg）/身長（m）^{2} の低下 ●栄養摂取量（経口・経腸・静脈栄養法からのエネルギー量）の低下 ●血液検査データ（総蛋白，アルブミン，赤血球，ヘモグロビンなど）の低下 **原因・誘因** 体重が 6 か月で 10% 以上減少，血清アルブミンが基準値以下の場合，低栄養であると判断する. ハリス–ベネディクトの式を用いて推定必要エネルギー量（kcal/日）を計算した結果と実際のエネルギー量を比較し，負の摂取量であれば低栄養を疑う.
日常生活に及ぼす影響	●睡眠状況 **原因・誘因** むせによって中途覚醒がある場合，唾液の誤嚥を疑う. ●排泄状況 **原因・誘因** 尿量減少，便秘がある場合，嚥下困難による水分摂取量の低下，食事摂取量の低下を疑う. ●日常生活動作範囲 **原因・誘因** 日常生活動作範囲の縮小がある場合，嚥下困難による摂取エネルギーの低下を疑う. 🔍**起こりうる看護問題**：嚥下困難により窒息のリスクがある／嚥下困難により誤嚥のリスクがある／嚥下困難により水分摂取が困難となり体液量が不足する／嚥下困難により必要な栄養摂取が困難である
患者・家族の心理・社会的側面の把握	**嚥下困難による患者・家族の心理的影響や社会的影響に関する情報を得ることで，看護計画の立案に有効に反映させることができる.** ●心理的影響を把握する. ・患者・家族の「口から食べること」に対する価値観，希望など ・患者の闘病意欲の低下 ・患者の喪失感，絶望感，無気力 ・患者・家族の不安，抑うつ，自己否定 ●社会的影響を把握する. ・食事をする際の人的環境，孤立感 ・家族内の人間関係 ・家族などによる介護支援体制，介護者の健康状態や介護負担 ・口腔ケア物品や嚥下訓練に必要な食品などを購入する手段 ・経済状況 ・社会活動の参加の程度 🔍**起こりうる看護問題**：不安，抑うつ，自己否定，孤立感，社会活動の低下などで示される自己尊重の低下がある

39
嚥下困難

STEP❶ アセスメント ▶ STEP❷ 看護課題の明確化 ▶ STEP❸ 計画 ▶ STEP❹ 実施 ▶ STEP❺ 評価

看護問題リスト

#1 嚥下困難がある（栄養–代謝パターン）

673

第6章　消化器系

\#2　嚥下困難により窒息のリスクがある（健康知覚-健康管理パターン）
\#3　嚥下困難により誤嚥のリスクがある（健康知覚-健康管理パターン）
\#4　嚥下困難により必要な栄養摂取が困難である（栄養-代謝パターン）
\#5　嚥下困難により水分摂取が困難となり体液量が不足する（栄養-代謝パターン）

看護問題の優先度の指針

● 嚥下困難は，窒息，誤嚥，脱水，低栄養などの生命を脅かす問題を導くため，まず嚥下困難に対して早期に対応する必要がある．
● 次に，生命を脅かす問題として緊急性が高い窒息のリスクに対して，窒息予防のための対処を行う．誤嚥性肺炎は，高齢者の死因第4位の肺炎と密接に関係するため，誤嚥性肺炎予防の援助も早急に行う必要がある．
● 嚥下困難によって低栄養や脱水も起こりやすい．低栄養は患者の抵抗力を弱め，肺炎の発症を助長するため，これらへの対処を早期に行う．
● 嚥下困難によって活動，睡眠，排泄などの日常生活に影響を及ぼすことがある．嚥下困難の問題を早期に解決し，日常生活への影響を最小限にすることが必要である．
● すべての問題において患者・家族の不安の解消に努めることが大切である．

| STEP ① アセスメント | STEP ② 看護課題の明確化 | STEP ③ 計画 | STEP ④ 実施 | STEP ⑤ 評価 |

1 看護問題	看護診断	看護目標（看護成果）
#1　嚥下困難がある	**嚥下障害** **関連する状態**：機械的閉塞，脳神経障害，脳損傷，神経筋疾患，呼吸器疾患，喉頭疾患，中咽頭の異常，声帯機能不全，胃食道逆流症，長期間の挿管，医薬品など **ハイリスク群**：高齢者，早産児 **診断指標** 第1期：口腔相 □食塊の形成に時間がかかる □食物が口からこぼれる □食塊の進入が早すぎる □口腔内に食物が残る 第2期：咽頭相 □嚥下の遅延　□鼻への逆流 □のどを鳴らすような声 □十分に喉頭を挙上していない □息がつまる　□咳嗽 第3期：食道相 □胸やけ　　　□酸性臭の息 □逆流	〈**長期目標**〉1)口腔期，咽頭期，食道期の嚥下障害の症状が軽減する．2)必要栄養量，必要水分量が摂取できる 〈**短期目標**〉1)患者が指示された間接訓練を実施できる．2)患者が指示された直接訓練を実施できる．3)窒息を起こさない．4)誤嚥の回数が減少する

看護計画

OP 経過観察項目

● 問診
・口腔期の症状：食後に舌の上や口腔底などに食物残渣がある
・咽頭期の症状：嚥下困難感，鼻への食物の逆流，咽頭残留感，湿性嗄声，むせ，むせる食

介入のポイントと根拠

根拠 嚥下困難の重症度を判断するために，最初に問診，身体診査を行うが，患者が指示動作を行える状況であれば，スクリーニング検査，嚥下造影などの結果から重症度を判断する．また，間接訓練，直接訓練の効果を判定するためにも問診，

品（液体，固形物など）など
・食道期の症状：逆流，胸やけ，つかえ感
・食事時間の延長，特定の食物を避ける，嗜好の変化，経口からの食事摂取量・水分摂取量
●口腔内の身体診査：歯，義歯の適合，歯肉の出血・腫脹，粘膜の炎症・潰瘍，食物残渣，汚れなど
●脳神経系の身体診査
　・三叉神経：口唇・口腔粘膜の知覚，咀嚼筋の運動，舌前 2/3 の知覚
　・顔面神経：頬筋・口唇の動き，舌前 2/3 の味覚，顎下腺・舌下腺からの唾液分泌，口唇音の明瞭度
　・舌咽神経，迷走神経：軟口蓋・咽頭・喉頭・声帯の動き，口蓋反射，咽頭の知覚，舌後 1/3 の知覚・味覚，耳下腺からの唾液分泌など
　・副神経：胸鎖乳突筋・僧帽筋の動き
　・舌下神経：舌の動き，舌尖音・奥舌音の明瞭度

●頸部聴診，頸部の超音波検査：喉頭前庭などの食塊残留の有無

●スクリーニング検査：反復唾液飲みテスト，改訂水飲みテスト，フードテスト（表 39-4）

●嚥下造影（VF 検査），嚥下内視鏡検査（VE 検査）の結果など

●誘因：意識レベル，気管切開，経鼻栄養チューブの留置，睡眠薬などの常備薬，食事環境，食事中・後の姿勢，食物形態，食事方法，介助方法

身体診査，諸検査が必要である
⬆問診は，患者のみならず食事を一緒にしている家族からも聴取する　**根拠**　患者が自覚していない症状もある
⬆身体診査は指示動作によって情報を得ることが多い．意識障害，高次脳機能障害患者では，指示をしなくても把握できる方法で情報を得る．例えば，患者の鼻唇溝・口角を観察して顔面神経麻痺の有無を確認する．口腔ケア時に食物残渣のある部位を確認し，三叉神経や舌下神経の障害の有無を確認する．口蓋反射を観察し，舌咽神経や迷走神経の障害の有無を観察する
⬆摂食嚥下に関する情報項目を意識して，ケアを提供しながら情報を得る．例えば，会話時に，口唇音（パ行）の発音が不明瞭であれば，口唇の運動障害を疑い，舌尖音（タ行）・奥舌音（カ行）の発音が不明瞭であれば，舌の運動障害を疑う．食後や会話の声が，ガラガラした声に変われば，湿性嗄声を疑う　**根拠**　情報項目を意識することで多くの情報を短時間で得ることができる
⬆**根拠**　頸部で液体振動音などが聴取されれば喉頭前庭に唾液などの貯留を疑い，除去する援助を行う
⬆医師の指示によってスクリーニング検査を実施する場合，テスト前に口腔ケアを行う　**根拠**　テストする時に口腔内の食物残渣を誤嚥しないようにし，万一誤嚥した場合でも影響を最小限にする
⬆**根拠**　検査結果によって嚥下困難の程度を把握できる．また，臨床所見と合わせて総合的に重症度を評価し，患者の嚥下困難の症状に合わせた食事中の姿勢，食物形態が決定される
⬆**根拠**　誘因のうち睡眠薬の内服，経鼻栄養チューブの留置，食事環境，食事中・後の姿勢，介助方法などは，それらを除去する援助を実施すれば，嚥下困難の症状が軽減する場合があるため，

■表 39-4　スクリーニング検査

	方法	判定基準
反復唾液飲みテスト （RSST）	被験者を座位とし，検者は被験者の甲状軟骨を触知して，30 秒間に何回嚥下できるかを測定する．	30 秒間に 2 回以下ならば嚥下障害の可能性あり（陽性）と判定する．
改訂水飲みテスト （MWST）	被験者を座位とし，注射器で冷水 3 mL の水を口腔底に注ぎ嚥下を命じる．嚥下後，湿性嗄声を確認する．もし可能なら追加して 30 秒以内に 2 回嚥下運動をさせる．評定が 4 以上なら最大でさらに 2 回施行し，最も低い点で評価する．	1：嚥下なし，むせる and/or 呼吸切迫 2：嚥下あり，d 呼吸切迫（silent aspiration）の疑い 3：嚥下あり，呼吸良好，むせる and/or 湿性嗄声，<u>口腔内残留中等度</u> 4：嚥下あり，呼吸良好，むせない，<u>口腔内残留ほぼなし</u> 5：4 に加え，反復嚥下が 30 秒以内に 2 回可能
フードテスト （FT）	被験者を座位とし，スプーンでプリン 4 g を舌背前部に置き嚥下を命じる．嚥下後，湿性嗄声・口腔内残留を確認する．もし可能なら追加して 30 秒以内に 2 回嚥下運動をさせる．評定が 4 以上なら最大でさらに 2 回施行し，最も低い点で評価する．	※下線部はフードテストで追加して評価する内容

675

第6章　消化器系

- 間接訓練(基礎訓練)の実施状況，指示の遵守
- 直接訓練(摂食訓練)の実施状況，指示の遵守

TP 看護治療項目

- 臨床的病態重症度の全レベルで，直接訓練の開始前は1日4回，直接訓練開始後は訓練前後に口腔ケアを行う．また，同時に前口蓋弓，舌根部などに冷圧刺激を加えるアイスマッサージも行う
- 臨床的病態重症度6以下のレベルでは，直接訓練が開始される前から，嚥下障害に応じた間接訓練を行う
- 臨床的病態重症度で誤嚥がない6(軽度問題)，5(口腔問題)の場合は経腸栄養法は不要で，経口的に摂取可能である．口腔期の問題の程度に応じた食事の姿勢，食物形態を選択して経口摂取する．食事中は注意深く見守ることが必要である

- 臨床的病態重症度4(機会誤嚥)，3(水分誤嚥)で，経口摂取する際には，口腔期，咽頭期，食道期の問題に応じた食事の姿勢，食物形態を選択して経口摂取する．食事中は注意深く見守ることが必要である

情報を収集し検討する

- **根拠** 間接訓練，直接訓練の状況と嚥下困難の状態を関連づけて，訓練効果を評価する

- **根拠** 食事前の口腔ケアは覚醒を促し，口腔内の知覚を高め，唾液の分泌を促し嚥下を円滑にする．食後の口腔ケアは，食物残渣や唾液による誤嚥を予防する

- 主に肩部，頸部，口唇，顎，頬，舌の運動を行う．自力でできない場合は他動的に動かす
  根拠 廃用性の嚥下機能の低下を予防する
- 口腔期の問題として，食塊を舌によって咽頭へ送り込みにくい場合，頸部を後屈位にして食塊を送り込み，すぐに頸部前屈位にして嚥下する．座位や頸部が不安定な場合は，体幹後屈位にして咽頭へ食塊を送り込む **根拠** 重力を利用して食塊を咽頭へ送り込む
- 食事介助の際は，舌に運動障害がある場合は健側の舌の奥に食物を置くようにする **根拠** 健側で食塊を知覚させ，送り込むのを助ける
- 食物形態は高粘度の食品は避ける **根拠** 粘度が高い食品は舌に付着して送り込みにくい
- 咽頭期の問題として口蓋反射が減弱している場合，頸部前屈位で嚥下する **根拠** 頸部を前屈させることで喉頭閉鎖を強化する
- 咽頭期の問題として咽頭クリアランスの低下(咽頭残留)がある場合，頸部を患側に回旋させて(頸部回旋位)嚥下する．液体と固形物を交互に嚥下したり(交互嚥下)，嚥下後に空嚥下を繰り返す複数回嚥下を行う **高齢者** 加齢の影響で咽頭残留をきたしやすい **根拠** 頸部回旋位にすることで，健側に食物を通過しやすくする
- 咽頭期の問題として嚥下と呼吸のタイミングが合わない場合，声門上嚥下(息を吸って止めて嚥下して息を吐く)を行う **根拠** 声門上嚥下は嚥下と呼吸のタイミングを合わせることができ，声門閉鎖を強化し，誤嚥を予防する
- 食道期の問題として胃食道逆流がある場合，食事中と食後2時間は体幹を起こす **高齢者** 加齢の影響で胃食道逆流が起こりやすい **根拠** 体幹を起こすことで逆流を予防する
- おむつやズボンの締まり具合に気を配る
  根拠 腹部が圧迫されることによって胃内容物が逆流することがないようにする
- 咽頭期の問題がある場合，水分の誤嚥を予防するために，とろみ調整食品(増粘剤)を用いて中〜高粘度に調整する **根拠** 粘度が低い食品は咽頭流入しやすく誤嚥を起こしやすい
- 経腸栄養剤注入中・注入後は体幹を起こす
  根拠 体幹を起こすことで胃内容物の逆流を予防する

- 臨床的病態重症度4(機会誤嚥)，3(水分誤嚥)で，時に，経腸栄養法(間欠的経管栄養法)を用いる

- 臨床的病態重症度2(食物誤嚥)，1(唾液誤嚥)の場合，経口摂取は不可となり経腸栄養法(間欠的経管栄養法，胃瘻)を用いる
- 臨床的病態重症度1(唾液誤嚥)で，気管と食道の分離術がなされた場合，気管切開，カニューレの管理を行う
- 患者・家族の嚥下困難による窒息や誤嚥に対する不安などを表出できるような態度で接する
- 患者・家族が間接訓練・直接訓練の実施や留意事項を守ることができていれば「できている」ことを伝える

EP 患者教育項目
- 嚥下障害の重症度に応じた間接訓練，直接訓練の目的，必要性，方法および目標を患者・家族に説明する

- 嚥下しやすく誤嚥しにくい食品の条件と，嚥下しにくく誤嚥しやすい食品の条件を指導する．経済的に許せば，市販されている嚥下調整食やとろみ調整食品(増粘剤)の使用方法と購入方法を指導する

- 食器について患者・家族に指導する

- 経腸栄養法(間欠的経管栄養法，胃瘻)の目的，必要性，方法を患者・家族に説明する

- 退院後に患者が食事を1人でするのではなく，家族と一緒にするとよいことを説明する

⇨栄養剤の粘度によって胃食道逆流がある場合，とろみ調整食品(増粘剤)を用いて粘度を調整する

⇨気管カニューレのカフ圧の管理，気管吸引を無菌的に行う **根拠** 唾液の気管への侵入を予防し，感染予防を図る
⇨支援的態度で接する **根拠** 支援的態度が不安の表出を促す
⇨「できている」ことはしっかり伝えほめる．「できていない」ことは強調せず，できるための方法を患者・家族とともに検討する **根拠** 「できている」ことを強化することで自己を肯定できる

⇨嚥下訓練は，患者・家族を含めて医師，歯科医師，言語聴覚士，理学療法士，作業療法士，栄養士などの他の専門職と連携を密にして，段階的に目標を設定して進めていくことを説明する **根拠** チームで目標を共通理解することで摂食嚥下リハビリテーションを効果的に進めることができる
⇨嚥下しやすく誤嚥しにくい食品の条件は，①密度が均一，②さらさらしすぎず，べとべとしすぎない，③ばらばらになりにくく，食塊としてまとまりやすい，④口腔や咽頭を通過するときに変形しやすい
⇨とろみ調整食品(増粘剤)は嚥下しやすくするために液体にとろみをつけたり，ゼリー状にする．使用する時は，①必ず飲んで味を確かめる．②だまになりやすいので少量ずつ入れる．③とろみ調整食品を入れすぎると飲みにくくなる．④時間が経つと粘度が増し，また口に入れると口腔内温度によって粘度が低くなることを念頭におく．特にゼラチンゼリーは温度が高いと水溶性になる．⑤いつも同じ粘度に仕上げるために，同じカップ，スプーンで，仕上げにかかる時間や温度の基準を指導する
⇨頸部前屈のままで飲むことができるコップ類などを使用する **根拠** 細く深い湯飲みで液体を飲むと下顎が上がり誤嚥することがある．また，コップを用いて水分を摂取する際，特に水分量が少ない時は，頸部を後屈させて嚥下することが多くなる．上を向かずに飲むように指導し，誤嚥を予防する
⇨栄養剤注入中・注入後は体幹を起こすように指導する．また，体幹を起こしても胃食道逆流が生じる場合は，栄養剤の粘度の調整方法を指導する **根拠** 経腸栄養法の合併症として胃食道逆流がある
⇨ **根拠** 飲み込むことに集中する環境にすることも必要であるが，状況が許せば家族と一緒に食事をする楽しみをなくさない

39
嚥下困難

677

2 看護問題	看護診断	看護目標（看護成果）
#2 嚥下困難により窒息のリスクがある	**窒息リスク状態** **危険因子**：口いっぱいに頬張って食べる，認知機能障害，安全対策についての知識不足など **関連する状態**：運動機能障害，顔面／頸部の疾患や損傷など	〈長期目標〉1) 家族が窒息時の緊急対応を実施できる．2) 窒息を起こさない 〈短期目標〉患者・家族が窒息を予防する方法を実施できる

看護計画	介入のポイントと根拠

急性期の緊急対応

● 窒息時には，吸引，背部叩打法，ハイムリック法を実施し，気道閉塞している食物を除去し，気道確保を行う．

窒息のサイン（チョークサイン）
ものがのどに詰まった場合，自然にのどのあたりをわしづかみにするようなしぐさをする

背部叩打法
患者のやや後方に立ち，患者の上体を前かがみにして片手で支え，他方の手掌基部で肩甲骨間を強く叩く

立位

座位

ハイムリック法（上腹部突き上げ法）
患者の後方から剣状突起部や肋骨下縁を避けた位置で手を組んで抱きかかえ，両腕を強く手前上方に引き，上腹部を圧迫して異物を除去する

OP 経過観察項目

● 喘鳴，気道閉塞の有無
● 窒息の症状の有無
　・詰まった直後から言葉が出ないで，咳き込む
　・詰まった物が取れないともがきながら，顔が紫色になり，やがて意識がなくなる
　・自分の首をわしづかみする（窒息のサイン）
● 呼吸状態，経皮的酸素飽和度，チアノーゼの有無

● 窒息の原因となりうる食物：餅，ほうれん草，すじのある肉など
● 意識レベルの把握

➥ 疑われる症状がみられたらドクターコールおよび緊急対処を行う

➥ 経皮的酸素飽和度が 90 % 以下の場合は，動脈血酸素分圧が 60 mmHg 以下を示しており危険である **根拠** 窒息は緊急度が高い状態であるため，呼吸状態から緊急度を把握する
➥ 窒息の原因が明らかであれば，食物形態に応じた緊急対処ができる
➥ 意識レベルに応じた緊急対応ができる

TP 看護治療項目

● 気道を確保することが先決である

● 誤嚥によって食物が気管を不完全に閉塞した場合，意識があれば強い咳をさせる
● 意識があり，完全に閉塞して咳で除去できない場合，吸引，背部叩打法，ハイムリック法で食物を除去する

● 意識がなく，完全に閉塞して咳で除去できない場合，吸引，背部叩打法で食物を除去する

● 食物が除去されたのち，患者に深呼吸を促す．場合によっては酸素吸入を行う

➥ 窒息させた食物が確実に見えれば除去して気道確保する．ただし盲目的に口腔内に指を入れて異物を探すことは，逆に異物を押し込む危険があるので避ける **根拠** 空気が肺胞に達するまでの通路を開放させることが重要である．気道確保できなければ呼吸困難に陥る
➥ **根拠** 患者自身の咳嗽によって気道内の食物を吐き出させる
➥ ハイムリック法は，意識がある場合に推奨される方法で，後方から剣状突起部や肋骨下縁を避けた位置で手を組み，抱きかかえて行う **根拠** 胸腔内を圧迫することで，強い呼気が気道に起こり，気道内の食物が排出される．胃破裂や肝損傷を予防するために，剣状突起部や肋骨下縁を避ける
➥ 窒息の原因が固形物でなければ吸引で取り除く．固形物であれば背部叩打法またはハイムリック法を行う **根拠** 固形物は細い吸引チューブでは吸引して取り除くことができない
➥ 吸引時には適切な吸引圧，吸引時間を守って行う **根拠** 適切な吸引圧は気道粘膜を保護し，適切な吸引時間は低酸素状態を回避する
➥ **根拠** 食物によって気道が閉塞されていた間，酸素が供給されていないため，深呼吸や酸素吸入によって酸素化を促す

EP 患者教育項目

● 窒息による呼吸困難によって患者が陥るパニック状態や死への不安を軽減する

➥ 不完全な閉塞では呼吸をゆっくりさせることで，呼吸困難を軽減させる **根拠** 不完全な閉塞では，患者はパニック状態に陥り，努力呼吸をしているため，それを軽減させる

OP 経過観察項目

● 窒息の既往の有無，その際の食物

● 歯の状態，義歯の適合の有無
● 咀嚼や嚥下困難の状態

➥ **根拠** 窒息の既往がある場合は，窒息のリスクが高いと判断できる
➥ **根拠** 咀嚼が不十分なことが原因で窒息することがある．歯の状態や咀嚼，嚥下状態を把握して，その状態に応じた食物形態に変更する

39

嚥下困難

第6章　消化器系

- 摂取している食物形態
- 意識レベル，覚醒の有無
- 認知機能障害の有無，程度

TP 看護治療項目

- ベッドサイドに吸引器を準備する

- 十分に目を覚ました状態で食事をする

EP 患者教育項目

- 患者・家族に窒息を予防する経口摂取の方法を指導する
- 窒息しやすい食品，窒息予防のための調理方法について患者・家族に指導する

- 退院後の窒息時の対応として，吸引，背部叩打法またはハイムリック法などを家族に指導する

⊃ **根拠** 意識障害や認知障害によって食物を誤嚥し，窒息することがある

⊃ **根拠** 窒息に備えすぐに吸引ができる環境にする

⊃ **根拠** 誤嚥による窒息を予防するために，覚醒した状態で食物を摂取するように援助する

⊃ よくかむように指導する．また詰め込んだり，吸い込んだりする食べ方はしないよう指導する
⊃ 窒息の原因となる肉の塊，餅，かまぼこなどは小さく切る．繊維の多いゴボウ，ホウレンソウなどは軟らかくゆでたうえで小さく切って提供する．ピーナッツなどの堅果類はよくかまずに飲み込むとのどに詰まりやすいため，ペースト状の食品を使用するようにする
⊃ 退院前に口頭での説明だけでなく，実際に吸引，背部叩打法またはハイムリック法などを家族に行ってもらい，その技術を習得してもらう
根拠 窒息は緊急度が高いため，救急隊が来る前に家族が対処できることが重要である

3 看護問題	看護診断	看護目標（看護成果）
#3　嚥下困難により誤嚥のリスクがある	**誤嚥リスク状態** **危険因子**：嚥下困難，非効果的気道浄化，胃腸（消化管）運動の低下，上半身挙上を阻む障壁，経腸栄養チューブの置換など **関連する状態**：脳卒中，神経疾患，口腔／顔面／頸部の手術や外傷，下部食道括約筋の機能不全，慢性閉塞性肺疾患，意識レベルの低下，経腸栄養など	〈**長期目標**〉1) 家族が誤嚥時の緊急対応を実施できる．2) 誤嚥を起こさない 〈**短期目標**〉患者・家族が，誤嚥を予防する方法を実施できる

看護計画	介入のポイントと根拠
誤嚥時の緊急対応 **OP 経過観察項目** ● 誤嚥の症状の有無 　・咳が止まらない 　・のどがゴロゴロしている 　・元気がなくなり，息が荒くなる ● 呼吸数，呼吸音，経皮的酸素飽和度，チアノーゼの有無 ● 嚥下困難の症状と重症度 ● 誤嚥した際の体位，食物形態（水分，食物）	⊃ **根拠** 咳嗽の出現は誤嚥の徴候であることが多い ⊃ **高齢者** 高齢者では発熱や声の変化にも注意する　**根拠** 高齢者は気道の知覚低下などのため，むせがない不顕性誤嚥 silent aspiration が多い ⊃ 高齢者以外でも不顕性誤嚥があるため，呼吸音などによって，誤嚥の有無を把握する

680

TP 看護治療項目
- しっかり咳をさせ，その後に深呼吸させる
- 咳がおさまるまで食事摂取をやめる
- 必要時は吸引する

➡ **根拠** 患者自身の咳嗽によって気道内の誤嚥物を吐き出させる
➡ **根拠** 患者自身の咳嗽によって気道内の誤嚥物を吐き出せない場合は吸引する

EP 患者教育項目
- 誤嚥による呼吸困難によって患者が抱く不安を軽減する

OP 経過観察項目
- 嚥下困難の症状と重症度
- 嚥下造影時の誤嚥の有無
- 誤嚥の症状の有無
- 誤嚥した際の体位，食物形態(水分，食物)
- 唾液誤嚥の有無

➡ 嚥下困難の症状や誤嚥した食物形態などによって臨床的病態重症度を把握する

➡ 食物を経口摂取していない患者には体温測定時，清潔ケアなど食事以外のケア時に唾液を嚥下する際の喉頭運動やむせの状態を観察する
根拠 唾液は成人では1日1,000～1,500 mL分泌される

- 頸部聴診，頸部超音波検査：喉頭前庭，梨状陥凹などの分泌物や，食塊の貯留の有無
- 呼吸数，呼吸パターン，呼吸音
- 喘鳴，咳嗽，痰の有無と性状，発熱，呼吸困難，CRPおよび白血球数の増加
- 口腔内の清潔状況

➡ 喉頭前庭，梨状陥凹に分泌物や食塊が貯留していると嚥下後誤嚥のリスクがある
➡ 不顕性誤嚥があるため呼吸音などによって，誤嚥の有無を把握する **高齢者** 炎症反応や熱が症状として現れにくい
➡ 口腔内に食物残渣があると，それを誤嚥する可能性がある

- 誘因：意識レベル，睡眠薬などの常用薬，食事環境，食事中の姿勢，食物形態，食事方法，介助方法，経腸栄養剤注入中・後の姿勢
- 直接訓練の指示の遵守

➡ 誤嚥をきたしやすい誘因を把握して，除去する援助を検討する

➡ **根拠** 指示された食物形態や姿勢で経口摂取してない場合に，誤嚥が生じやすい

TP 看護治療項目
- 直接訓練(摂食訓練)が開始される前，梨状陥凹に分泌物の貯留が認められる場合は吸引を行う
- 直接訓練(摂食訓練)が開始されたあとは，誤嚥予防のため以下の点に留意する

➡ **根拠** 嚥下後誤嚥を予防する

食事前
- 食事開始の基準が満たされているか確認する

➡ 食事開始の基準として，①刺激をしなくても覚醒している，②発熱がない，③十分に咳ができる，④痰がゴロゴロとしていない，を確認し，1つでもあれば，食事を開始するかを検討する **根拠** 安全に経口摂取する

- 口腔ケアを行う

➡ **根拠** 口腔ケアは，覚醒を促し口腔内の知覚を高め，唾液の分泌を促し嚥下を円滑にする

- 食事に集中できる静かな落ち着いた環境にする

➡ テレビやラジオを消し，指導の言葉以外は刺激を与えない **根拠** 嚥下することに集中させ，誤嚥を予防する

- ベッドサイドに吸引器を準備する
- 十分に目を覚ました状態で食事をする

➡ **根拠** 誤嚥，窒息時の対処に備える
➡ **根拠** 意識レベルが低下している時に食事を摂取すると，誤嚥のリスクが高い

- 食事をするためにベッド上での姿勢を調整する

➡ 30～60度程度のリクライニング位にして，頸

39

嚥下困難

681

第6章　消化器系

●食事をするためのテーブルと椅子の高さを調整する

食事中
●食事を介助する時は，一口ずつ飲み込んだことを確認しながら食べさせ，患者のペースに合わせる

●食事中止の基準として①疲労がみえる，②むせが頻繁に生じる，③飲み込む時間が遅くなる，④食事時間が30分以上かかることを確認し食事の中止を検討する

食事後
●食後には必ず口腔ケアを行い，口腔内に食物残渣がないようにする
●食事終了後あるいは経腸栄養剤注入後1〜2時間は半座位あるいは座位を保つ
●唾液による誤嚥のリスクがある場合は，口腔を常にきれいにするとともに，誤嚥を予防する体位にする

EP 患者教育項目
●食事開始および中止の基準について患者・家族に説明する
●誤嚥の徴候と，誤嚥を予防する体位，食物形態，摂取方法および介助方法を，患者・家族に説明する

部を前屈にする　**根拠** リクライニング位にすることで，解剖学的に気管が上に，食道が下になり誤嚥が起こりにくい
⮕嚥下前に頸部を回旋して非回旋側の梨状陥凹に食塊を誘導し，誤嚥や咽頭残留を予防する方法がある．ただし，リクライニングの角度と頸部回旋角度の組み合わせによって誤嚥の危険性を高めることがある
⮕側臥位しかとれない場合は，健側を下にする
根拠 重力で食物が健側に落ち，健側を通過しやすくなる
⮕食卓が高すぎて顔が食卓の上にかかる，食卓が低すぎて体幹が前傾しすぎないようにする
根拠 顔が食卓の上にかかると下顎が上がり，頸部が伸展して咽頭と気管が直線になり，気道確保の体位となり誤嚥を起こしやすい

⮕一口量はティースプーンで1杯程度（3〜5g）とする　**根拠** 一口量が多すぎると誤嚥を起こしやすい
⮕スプーンなどで食事を介助する場合，口の位置より下方から，また健側から食べ物を入れる
根拠 上から食物を運ぶと下顎が上がり，頸部が伸展して咽頭と気管が直線になり，気道確保の体位となり誤嚥を起こしやすい
⮕ **根拠** 疲労すると誤嚥を起こしやすい

⮕口腔内の食物残渣を確実に除去する　**根拠** 食物残渣があると，誤嚥する危険がある
⮕ **根拠** 胃内容逆流防止のために行う

⮕昼間は30〜60度程度のリクライニング位とし，頸部を前屈にする．夜間は腹臥位ぎみの側臥位とし，唾液を口腔外に流出しやすい体位にする

⮕ **根拠** 安全に患者が経口摂取できるよう，患者・家族が食事開始および中止の基準を遵守し，誤嚥の予防方法を実行できることが重要である

4 看護問題	看護診断	看護目標（看護成果）
#4　嚥下困難により必要な栄養摂取が困難である	**栄養摂取バランス異常：必要量以下** **関連因子**：嚥下困難，嚥下に使う筋肉の弱まりなど **診断指標** □食物摂取量が1日あたりの推奨	〈**長期目標**〉1）1日あたりの推奨量（カロリー）を経口・経腸・静脈栄養法を併せて維持できる．2）BMIが18.5〜22.0の範囲で維持できる．3）体重が減少しない．4）血清アルブミン値や総蛋白値が基準値以内になる

682

量以下
□体重が年齢・性別理想体重の範囲を下回る
□筋緊張低下
□蒼白の粘膜

〈短期目標〉1) 指示された体位で安全に経口摂取できる. 2) 指示された食物形態で安全に経口摂取できる. 3) 経口摂取で不足しているカロリーを経腸栄養法, 静脈栄養法で補うことができる

看護計画	介入のポイントと根拠
OP 経過観察項目 ●体重, 身長 ●上腕周囲長, 上腕三頭筋皮下脂肪厚 ●下腿周囲長 ●食事摂取量 ●経腸栄養法, 静脈栄養法からの摂取カロリー ●指示された体位(体幹・頸部の姿勢)や食物形態で経口摂取できているか ●血液検査データ:血清総蛋白値, 血清アルブミン値	➡可能な限り, 同じ条件で測定する. 体重が測定できない場合は, 上腕周囲長, 上腕三頭筋皮下脂肪厚, 下腿周囲長を測定する **根拠** これらの指標によって栄養状態を評価する ➡ **根拠** 嚥下困難によって経口摂取できない, または不十分な場合は, 経腸・静脈栄養法がなされる. 経口摂取されたカロリーに経腸・静脈栄養法からのカロリーを加えて摂取カロリーを評価する
TP 看護治療項目 ●栄養価の高い食品を, 栄養士と相談して咀嚼や嚥下しやすい形態に調理したり, とろみ調整食品(増粘剤)を用いる ●疲労によって自分で摂取することが困難な場合は, 介助して摂取してもらう ●経口摂取で十分な栄養摂取ができない場合は, 市販されている高カロリー, 高蛋白の補助食品を間食として利用する ●経口摂取で十分な栄養摂取ができない場合は, 医師と相談し, 経腸栄養法や静脈栄養法で栄養と水分を補給できるようにする ●静脈栄養法の管理を安全に正確に行う ●経腸栄養法(経鼻栄養チューブ, 胃瘻など)の管理を安全に正確に行う	➡ **根拠** 咀嚼や嚥下しやすい形態にして経口摂取量を多くする ➡ **根拠** 患者自身で摂取することが困難であることが誘因であれば, それを軽減する ➡経腸栄養法と経口摂取を併用する場合は, 経口摂取後に経腸栄養法を行う **根拠** 経腸栄養法を先に行うと満腹となり, 経口摂取ができなくなる ➡指示された量と注入速度で滴下するように管理する. カテーテル挿入部の感染予防に努める. 薬剤の漏れ, 血液の逆流, 輸液ラインの抜去, 損傷, 断裂, 閉塞がないように注意する ➡栄養剤を注入する前に, 経管栄養チューブの位置や胃瘻の位置を確認する **根拠** チューブの先が胃にあることを確認し, 栄養剤の肺などへの誤注入を回避する ➡栄養剤は, 指示された注入速度で注入する **根拠** 下痢を予防する ➡栄養剤注入中と注入後1時間はベッドの頭部を挙上する **根拠** 胃食道逆流を予防する ➡経鼻栄養チューブ, 胃瘻などの挿入部周囲の皮膚のケアを行う ➡経鼻栄養チューブ, 胃瘻が抜去, 閉塞, 栄養剤が漏れることがないように管理する
EP 患者教育項目 ●咀嚼や嚥下しやすい形態にする調理法やとろみ調整食品(増粘剤)の用い方について患者・家族に指導する	➡ **根拠** 入院中は基本的に栄養部門から提供される嚥下調整食を摂取するが, 自宅では, 介護者が調理することになる

39

嚥下困難

683

第6章　消化器系

- ●経済的に許せば市販されている高カロリー，高蛋白の補助食品，嚥下調整食を紹介し，購入方法を指導する

⮕ 根拠 介護負担を軽減する

5 看護問題	看護診断	看護目標（看護成果）
#5　嚥下困難により水分摂取が困難となり体液量が不足する	**体液量不足** **関連因子**：水分摂取不足，水分の必要性についての知識不足，栄養不良（失調） **診断指標** □のど・口内の渇き □乾燥した粘膜 □皮膚緊張の変化 □乾燥皮膚 □尿量減少 □体温上昇 □ヘマトクリット値の上昇 □精神状態の変化	〈長期目標〉1) 1日に必要な水分量（35 mL/kg/日）が摂取できる．2) 必要な尿量（1 mL/kg/時）が維持できる．3) 皮膚や粘膜が乾燥していない．4) 適切な方法で水分を摂取できる 〈短期目標〉1) 指示された姿勢で，粘度が調整された水分を安全に経口摂取できる．2) 経口摂取で不足している水分量を経腸栄養法や静脈栄養法で補うことができる

看護計画

OP 経過観察項目
- ●口渇の有無，程度
- ●皮膚・粘膜の乾燥・緊張
- ●尿量，尿の色，尿比重
- ●体温，脈拍

- ●意識レベル，精神症状，活気

- ●便の性状，便秘の有無
- ●痰の粘稠度
- ●体重

- ●水分出納：input（経口・経腸・静脈栄養法からの水分摂取量，代謝水など），output（尿量，便，不感蒸泄など）
- ●血液検査データ：ヘマトクリット，BUN，尿酸，血清ナトリウム，血清カリウムなど

TP 看護治療項目
- ●患者の嚥下困難に応じとろみ調整食品（増粘剤）を使用してお茶などに粘度をつける．必要な水分量を少量ずつ頻回に摂取できるようにする
- ●経口摂取で十分な水分を摂取できない場合は，医師と相談し，経腸栄養法や静脈栄養法で栄養と水分を補給できるようにする
- ●室温の調整を行う

介入のポイントと根拠

- ⮕ 根拠 高張性脱水の重症度を判断するために観察する．軽度（体重の2％減少）で口渇，尿量減少が出現．中等度（体重の6％減少）では高度口渇，乏尿，粘膜乾燥，脱力感が出現．高度（体重の8〜14％減少）では中等度の症状が増強，体温上昇，精神・神経症状が出現
- ⮕脱水による活気のなさ，混乱，落ち着きのなさなど精神症状に注意する　根拠 これらの症状は，脳内の水分減少を示すことがある
- ⮕ 根拠 水分が不足することで便が固くなったり，便秘になったり，痰が粘稠化する
- ⮕毎日同じ条件で体重を測定する　根拠 正確な体重は，体液のバランスを反映する
- ⮕代謝水＝5 mL/kg/日（例：体重が50 kgの人の代謝水 250 mL），不感蒸泄＝15 mL/kg/日（例：体重が50 kgの人の不感蒸泄 750 mL）として計算する

- ⮕特に経腸栄養法から経口摂取への移行段階では，嚥下困難により食事や水分の摂取量が減少し，脱水傾向に陥りやすい
- ⮕1日に必要な水分量は30〜35 mL/kg/日として計算し，不足量を判断し補給できるようにする

- ⮕体温を調整する　根拠 不感蒸泄による体液の喪失を防ぐ

> **EP 患者教育項目**
> - 水分摂取の必要性，必要量について患者・家族に説明する
> - 脱水の症状について患者・家族に説明する
> - 患者の嚥下困難に応じた水分摂取方法として，とろみ調整食品(増粘剤)の使用方法，経鼻栄養チューブからの注入について指導する
> - ❷ 1日に必要な水分量を示し，目標を共有する
> - ❷ **根拠** 脱水を早期に発見し，早期に対処できるようにする

STEP❶ アセスメント ▸ **STEP❷ 看護課題の明確化** ▸ **STEP❸ 計画** ▸ **STEP❹ 実施** ▸ **STEP❺ 評価**

病期・病態・重症度に応じたケアのポイント

【病態】原因疾患の経過から嚥下困難の病態をとらえることが必要である．小児では嚥下機能を獲得していく経過から，脳血管障害や口腔・咽頭がん術後などでは嚥下機能が回復していく経過から，神経・筋疾患などでは嚥下機能が維持あるいは徐々に低下する経過から，高齢者では嚥下機能が維持あるいは徐々に低下する経過からとらえ，摂食嚥下リハビリテーション(間接訓練，直接訓練)の目標，方法などをリハビリテーションチームで検討していく．さらに，嚥下困難の病態を嚥下各期に分けて，口腔期の障害，咽頭期の障害，食道期の障害の有無とその程度を判断し，指示された間接訓練，直接訓練を日常生活に定着できるように援助する．

【急性期】経口摂取が禁止されていても，唾液は分泌されているため，口腔ケアや体位の工夫によって唾液の誤嚥を防止することが重要である．また，誤嚥性肺炎を早期発見するために頸部や胸部の呼吸音の聴診を継続して行うことが必要である．廃用性の嚥下機能低下予防のために早期から間接訓練が指示され，他動運動も行う．

【回復期】嚥下困難の病態や重症度によって指示される間接訓練，直接訓練が安全に実施できるようにする．また，退院に向けて，患者自身や家族によって間接訓練，直接訓練が行えるよう指導を行う．経口摂取を段階的に進めていく際には，栄養摂取量や水分摂取量が減少し，低栄養や脱水のリスクが高くなることがあるため継続的な観察が必要である．

【慢性期】指示された間接訓練，直接訓練を安全に継続して実施することが，窒息，誤嚥性肺炎，低栄養，脱水のリスクを回避できる鍵となる．嚥下機能が徐々に低下する疾患では，嚥下機能の低下によって窒息，誤嚥性肺炎などのリスクが高まるため注意が必要である．

【重症度】嚥下困難の重症度を7段階で示される臨床的病態重症度を用いて判断し，その重症度に応じた経口摂取，経腸栄養法などを実施するとともに患者・家族に指導する．同時に，安全に栄養摂取，水分摂取ができるように窒息・誤嚥のリスク管理も行う．

看護活動(看護介入)のポイント

診察・治療の介助
- 原因疾患の経過から嚥下困難の状態を把握する．
- 嚥下各期の障害の症状や重症度について問診，身体診査，嚥下造影などから情報を得る．
- 日常生活の場面から嚥下困難に関する情報を得て把握する．
- 得られた情報は，リハビリテーションチームと共有する．
- スクリーニング検査や嚥下造影などが安全に実施できるように介助する．
- 指示された摂食嚥下リハビリテーション(間接訓練，直接訓練)を生活の一部として定着できるように実施するとともに患者・家族に指導する．
- 指示された経腸栄養法・静脈栄養法を安全に実施する．

嚥下困難に対する援助
- 安全に経口摂取できる環境を整える．
- 嚥下困難の重症度に応じた栄養補給法(経口・経腸・静脈栄養法)を安全に実施する．
- 嚥下各期の障害の程度に応じた食物形態や姿勢で経口摂取を援助するとともに，適切な方法を患者・家族に指導する．

39 嚥下困難

第6章 消化器系

窒息・誤嚥に対するリスク管理
- 誤嚥を早期発見するために，頸部・胸部の呼吸音を聴取するなど呼吸管理を行う．
- 窒息や誤嚥を予防するために，嚥下困難に応じた食物形態や姿勢で経口摂取できるように指導する．
- 窒息や誤嚥を起こした場合は，すぐに咳をする，吸引するなどの対処をする．

低栄養・脱水のリスク管理
- 1日に必要な栄養摂取量・水分摂取量を経口的，経腸的，経静脈的に摂取できているか確認する．
- 栄養摂取量・水分摂取量が不足していれば，経口摂取の場合は，嚥下困難に応じた形態や粘度に調整した食物や水分を摂取させるとともに，患者・家族にその調整方法を指導する．経腸栄養法の場合は，栄養剤注入後に不足している水分量を補う．

退院指導・療養指導

- 指示された間接訓練，直接訓練を安全に継続して実施できるように患者・家族に指導する．
- 窒息や誤嚥を予防するために，嚥下困難に応じた食物形態や姿勢で経口摂取するように指導する．また，食事摂取方法，介助方法を説明し，無理をせずに進めていくことを指導する．
- 窒息や誤嚥を起こした場合は，すぐに対処できるように吸引，背部叩打法，ハイムリック法などを家族に指導する．
- 低栄養や脱水を予防するために，必要な栄養摂取量，水分摂取量を目標に指示された方法で摂取するように指導する．低栄養や脱水を早期に発見するための症状も指導する．

STEP ❶ アセスメント　STEP ❷ 看護課題の明確化　STEP ❸ 計画　STEP ❹ 実施　STEP ❺ 評価

評価のポイント

看護目標に対する達成度
- 嚥下困難の重症度が改善しているか．
- 嚥下困難の原因・誘因が軽減，除去されているか．
- 指示された間接訓練が実施できているか．
- 指示された直接訓練（頸部・体幹の姿勢，食物形態など）が遵守できているか．
- 窒息を起こしていないか．
- 家族が窒息時の緊急対応を理解できているか．
- 誤嚥を起こしていないか．
- 誤嚥による呼吸の異常や肺炎を起こしていないか．
- 家族が誤嚥時の緊急対応を理解・実施できているか．
- 1日に必要な摂取カロリーを摂取できているか．
- 血清アルブミン値や血清総蛋白値が基準値以内であるか．
- 体重が減少せずに維持・増加できているか．
- 1日に必要な水分量（35 mL/kg/日）を摂取できているか．
- 患者の不安，抑うつなどが軽減して自己を肯定的に表現できているか．
- 患者が家族などと一緒に食事ができているか．
- 患者の社会的活動範囲が維持できているか．

● 参考文献
1) 鎌倉やよい編：嚥下障害ナーシング－フィジカルアセスメントから嚥下訓練へ，医学書院，2000
2) 向井美惠，鎌倉やよい編：摂食・嚥下障害の理解とケア，Nursing Mook 20，学習研究社，2003
3) 才藤栄一，向井美惠監：摂食・嚥下リハビリテーション　第2版，医歯薬出版，2007
4) 藤島一郎編著：よくわかる嚥下障害，永井書店，2001
5) 藤島一郎，柴本勇監：動画でわかる摂食・嚥下リハビリテーション，中山書店，2004
6) 湯浅龍彦，野﨑園子編：神経・筋疾患　摂食・嚥下障害とのおつきあい－患者とケアスタッフのために，全日本病院出版会，2007
7) Logemann JA（道健一，道脇幸博監訳）：Logemann 摂食・嚥下障害，pp.66-92，医歯薬出版，2000
8) 才藤栄一：摂食・嚥下障害の治療・対応に関する総合的研究．平成13年度厚生科学研究費補助金（長寿科学総合研究事業）報告書，2002

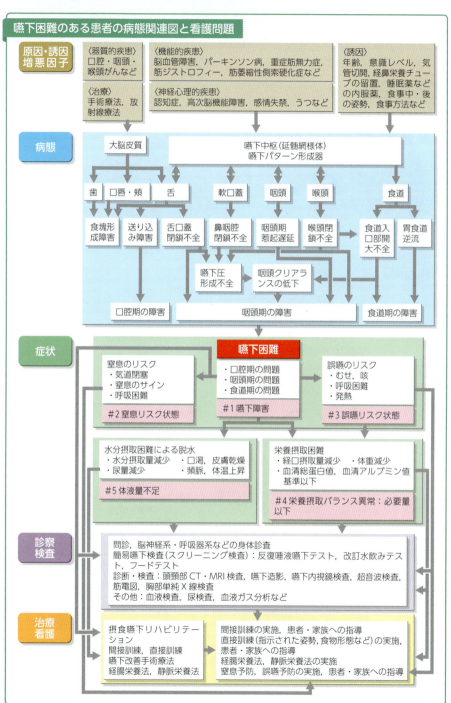

40 食欲不振

小井戸 薫雄・大草 敏史

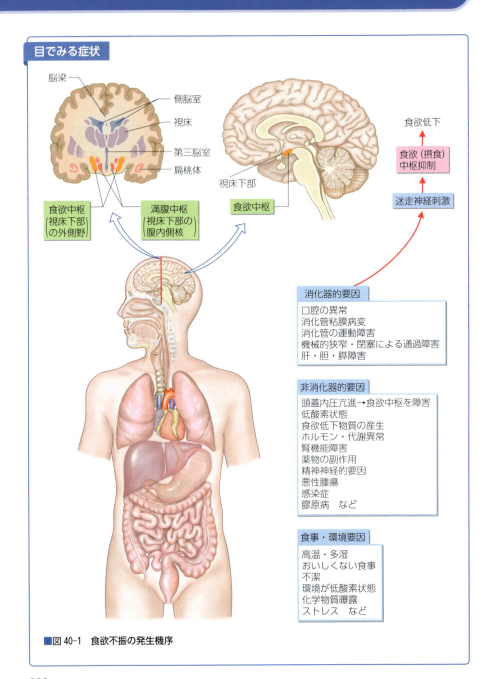

■図 40-1 食欲不振の発生機序

病態生理

食欲不振とは，食物をとりたいという意欲の低下または消失した状態をいう．早期満腹感（胃亜全摘後などでは少量摂取で満腹感を感じる），恐食症（食道潰瘍などで摂取による苦痛を恐れて摂取しない）とは区別を要する．食欲不振を引き起こす原因には，生理的要因，病的要因，食事・環境要因があるが，病的要因によるものが多い．そのほとんどは消化器的要因であり，迷走神経刺激による食欲中枢（摂食中枢）の抑制によって食欲不振が起こると考えられている（図40-1，表40-1）．

- 生理的要因として，①ストレス，②運動不足，③過労，④睡眠不足，⑤二日酔い，⑥妊娠，⑦加齢などがある．
- 病的要因としては，消化器的要因と非消化器的要因がある．
  - (1) 消化器的要因として，①消化管の機械的狭窄や閉塞による通過障害（イレウス，便秘），②消化管粘膜病変（逆流性食道炎，胃腸炎，消化性潰瘍，悪性腫瘍，炎症性腸疾患など），③消化管の運動障害，④口腔の異常（義歯不適合，口内炎，歯肉炎，味覚障害，口腔乾燥症，嚥下能力の低下など），⑤肝・胆・膵障害（肝炎，肝硬変，肝不全，胆石，肝・胆・膵の悪性腫瘍など）などが挙げられる．これらの障害があると，迷走神経が刺激され，食欲中枢が抑制される．
  - (2) 非消化器的要因として，①頭蓋内圧亢進（食欲中枢を障害する），②低酸素状態（心不全，慢性閉塞性肺疾患，肺がん），③食欲低下物質（副腎皮質ホルモン放出ホルモン，インターロイキン1など）の産生，④ホルモン・代謝異常（甲状腺機能低下，副腎不全，糖尿病など），⑤腎機能障害（腎不全や尿毒症など），⑥薬物による副作用（抗菌薬，抗がん剤，麻薬性鎮痛薬，テオフィリン，ジギタリス製剤など），⑦精神神経的要因〔脳血管障害，認知症，神経性やせ症（神経性食欲不振症）など〕，⑧悪性腫瘍（食欲低下物質の産生，抑うつ，抗がん剤や麻薬性鎮痛薬による副作用），⑨感染症（HIVなど），⑩膠原病（関節リウマチなど）などが挙げられる．
- 食事・環境要因として，①高温・多湿などの気候変化，②おいしくない食事，③不潔，④環境が低酸素状態，⑤化学物質曝露，⑥心理的ストレス（食習慣の変化，病室の環境変化など）などが挙げられる．

患者の訴え方

食欲不振は非特異的な症状の1つであり，あらゆる疾患の症状となりうる．その訴え方は患者により多彩である．問いかけなければ患者が訴えない場合も多いので注意が必要である．

- **主症状の訴え**
- 食が細くなった，食べられない，体重が減ったなど．
  - ・お腹がすぐに満腹になる（早期満腹感），食べたいのに食べられない（恐食症）は食欲不振と区別しなければならない．
  - ・単に食べたくないのか，食べにくいのか，病気などで体調が悪いのか，などを見極めることが大切．
- **随伴症状**
- 食欲不振が単独で現れることは少なく，原因疾患によって様々な症状を訴える（表40-2）．発熱，貧血，浮腫，黄疸，るいそう，脱水などの症状を有することが多い．
  - ・全身症状：体重の増減，倦怠感，発熱，貧血，浮腫，黄疸，脱水
  - ・消化器症状：腹痛，背部痛，便通異常，血便，嚥下困難，悪心・嘔吐，吐血
  - ・精神症状：うつ状態，拒食
- ただし，高齢者では食欲不振のみを訴えて受診するケースも多いことに注意．

診断

まず早期満腹感や恐食症を鑑別診断する．次に食欲不振が生理的要因か，病的要因か，食事・環境要因によるものかを考える．病的要因であれば，消化器的要因か非消化器的要因かを念頭において診察や検査を進めると鑑別診断がしやすい（図40-2）．

- 問診（食欲不振）：①発現の状態と誘因，②期間，③程度，④内容，⑤経過について確認する．
- 問診（随伴症状）：①全身症状（体重減少，倦怠感，発熱，貧血，浮腫，黄疸，脱水），②消化器症状（腹痛，背部痛，便通異常，血便，嚥下困難，悪心・嘔吐，吐血），③精神症状（抑うつ，統合失調症，拒食傾向），④どれくらいの期間に体重が何kg減ったか，⑤誘因の有無を確認する．
- 診察：①全身所見（身長，体重，体温，血圧，貧血，黄疸，浮腫，体表リンパ節），②頭頸部（口腔所見，

40

食欲不振

689

第6章　消化器系

■表40-1　食欲不振の原因または考えられる疾患（赤字は緊急対応を要する疾患）

生理的要因			ストレス，運動不足，過労，睡眠不足，二日酔い，妊娠，加齢など
病的要因	消化器的要因	消化器疾患	口内炎，舌炎，歯肉炎
			胃食道逆流症，逆流性食道炎，胃炎，胃・十二指腸潰瘍，食道がん，胃がん，十二指腸がん
			慢性便秘，感染性腸炎，クローン病，潰瘍性大腸炎，腸結核，大腸がん
			肝炎，肝硬変，肝がん，肝不全
			胆道炎，**胆石**，胆道がん
			膵炎，膵がん
			腹膜炎
	非消化器的要因	呼吸器疾患	気管支喘息，肺気腫，肺がん，慢性閉塞性肺疾患（COPD）
		循環器疾患	**心不全**，心筋梗塞
		脳神経疾患	**脳出血，脳梗塞，脳炎，脳腫瘍，頭部外傷，髄膜炎**，パーキンソン病
		感染症	**食中毒**，結核，非結核性抗酸菌症，**インフルエンザ**，新型コロナウイルス感染症，伝染性単核球症，アスペルギルス症，カンジダ症，HIV感染症
		膠原病	全身性エリテマトーデス（SLE），全身性硬化症，関節リウマチなど
		血液疾患	悪性貧血，白血病，悪性リンパ腫など
		内分泌疾患	甲状腺クリーゼ，甲状腺機能低下症，**アジソン病**，副甲状腺機能亢進症
		代謝疾患	**糖尿病性ケトアシドーシス**，ビタミン欠乏症，微量元素欠乏症，ファンコニ症候群
		腎疾患	腎炎，**腎不全（尿毒症）**
		精神疾患	神経性やせ症，うつ病，統合失調症，神経症，アルコール依存症
		悪性腫瘍	種々の**悪性腫瘍**
		薬物の副作用	アルコール中毒，ニコチン中毒，ジギタリス中毒，アミノフィリン中毒，抗がん剤の副作用，覚醒剤中毒，工業用薬物中毒
		高齢者	認知症の進行，抑うつ症状
食事・環境要因			高温・多湿，おいしくない食事，不潔，環境が低酸素状態，化学物質曝露，心理的ストレスなど

静脈怒張，甲状腺腫大），③胸部（心雑音，心肥大，呼吸音），④腹部〔腹部の膨隆・波動・腫瘤，圧痛，反動痛（ブルンベルグ徴候），腸管蠕動音，肝脾腫，陰毛脱落〕．
- 検査：①血液検査，②便潜血検査，③心電図検査，④胸腹部X線検査，⑤腹部CT検査，超音波検査やMRI検査，⑥血液中酸素飽和度．消化器疾患が疑われる場合には消化管検査（内視鏡検査など），妊娠悪阻（おそ）が疑われる場合には妊娠検査を追加する．

●**原因・考えられる疾患**
- 食欲不振をきたす疾患は多岐にわたる（表40-1）．生理的要因，消化器疾患，呼吸器疾患，循環器疾患，脳神経疾患，感染症，膠原病，血液疾患，内分泌疾患，代謝疾患，腎疾患，精神疾患，悪性腫瘍，薬物による副作用，高齢者（認知症，抑うつ症状）が代表的なものである．

●**鑑別診断のポイント**
- 症状発現の状態・誘因・期間・程度・経過，随伴症状（表40-2），身体所見，検査値を考慮して鑑別する．
- 妊娠悪阻の可能性もあるため，生殖年齢の女性の場合には妊娠の有無を確認する．
- 発熱や発疹があれば，感染症を疑う．

■表 40-2　食欲不振の随伴症状と考えられる疾患（赤字は緊急対応を要する疾患）

随伴症状	考えられる疾患
るいそう（若い女性）	神経性やせ症
発熱，発疹	感染症
発熱，関節痛	膠原病
発熱，全身倦怠感	血液疾患
頭痛，乳頭浮腫，意識障害，麻痺	脳神経疾患
微熱，貧血，出血傾向，リンパ節腫大	白血病，悪性リンパ腫
腹痛，血便，嘔吐	感染性腸炎，潰瘍性大腸炎，クローン病，過敏性大腸炎，神経症，胆石症，総胆管結石，膵がん，胆道がん，慢性膵炎，消化管狭窄，幽門輪潰瘍，腸閉塞
胸やけ，げっぷ，悪心・嘔吐，腹部膨満感，腹痛	消化器疾患
悪心（食物に対する嫌悪）	精神神経疾患，抗がん剤
咀しゃく痛，嚥下困難，呼吸困難	循環器疾患，呼吸器疾患，食道狭窄・運動障害，口腔疾患，神経障害
味覚異常	副鼻腔炎，ビタミン欠乏，亜鉛欠乏，うつ病，薬剤（抗がん剤，抗菌薬，鎮痛薬など）の副作用
全身倦怠感，黄疸，呼気アンモニア臭，肝脾腫，羽ばたき振戦	肝疾患（肝硬変，肝がんなど）
黄疸，腹痛，背部痛，腹部の圧痛，腹部腫瘤	膵・胆道疾患（膵がん，胆道がん，結石など）
動悸，息切れ，咳嗽，喀痰，喘鳴	呼吸器疾患
動悸，息切れ，咳嗽，喀痰，浮腫，全身倦怠感	循環器疾患，心疾患（心不全）
動悸，息切れ，浮腫，全身倦怠感，尿量減少，下腿浮腫	腎疾患
蛋白尿や高血圧を伴う浮腫	腎疾患
嗜（し）眠，傾眠	うつ病，神経・筋疾患，飢餓

- 消化器疾患が原因の場合，胸やけ，げっぷ，悪心・嘔吐，腹部膨満感，腹痛，吐血，下血，血便などの消化器症状を伴うことが多い．
- 蛋白尿や高血圧に伴って浮腫がみられれば，心疾患や腎疾患を疑う．
- 微熱，貧血，出血傾向，リンパ節腫大などが同時にみられれば，白血病や悪性リンパ腫を疑う．
- 若年女性で著しいいそうがある場合には，神経性やせ症を疑う．
- 呼吸器疾患患者ではアミノフィリン中毒，循環器疾患患者ではジギタリス中毒を念頭におく．
- 抗がん剤治療を受けている場合は抗がん剤や麻薬性鎮痛薬による副作用を確認する．

治療法・対症療法

▌診断・治療の原則は原因疾患を突き止め，個々の原因に応じた治療を行うことである．

●治療方針
- 原因疾患に対する治療を行う．
- 若年女性の高度の拒食症や高齢者の胃腸炎など，高度の脱水や栄養失調がみられる場合には，入院のうえ輸液管理を行う．
- 副腎クリーゼや心不全などの緊急を要する疾患の場合，個々の原因に応じた緊急処置が必要となる．
- 緊急性がないと判断し対症療法を行う場合であっても，症状がおさまるまで慎重に経過観察を行う．

●薬物療法
- あくまでも原因疾患に対する治療が原則である．健胃・消化薬をむやみに投与しても食欲増進に直結するとは限らない．
- 対症療法として漢方薬を使用することがある．

第6章 消化器系

> **Px 処方例** 体力が低下して胃腸機能も低下している　下記のいずれかを用いる.
> ● 六君子湯 (りっくんしとう) (顆粒)　1日7.5g　1日2〜3回　食前または食間　←漢方薬
> ● 六君子湯 (細粒)　1日6g　1日2〜3回　食前または食間　←漢方薬

食欲不振

問診, 診察所見, 病歴

消化器症状

あり　　　　　　　　　　　　　　　　　　　　なし

上部消化管症状
(悪心・嘔吐, 胸やけ,
心窩部痛, 吐血)

下部消化管症状
(下痢, 便秘, 血便)

血液検査, 尿検査
腹部 X 線検査
内視鏡検査
超音波検査
腹部 CT 検査, MRI 検査

血液検査, 尿検査
腹部 X 線検査
内視鏡検査
腹部 CT 検査, MRI
検査

血液検査, 尿検査
胸部 X 線検査
心電図検査
脳 CT 検査

消化性潰瘍, がん,
胃食道逆流症, 口
内炎, 歯肉炎, 味
覚障害など
肝炎, 肝硬変, 胆
嚢炎, 膵炎, 肝・
胆・膵悪性腫瘍

腎不全, 高カル
シウム血症, 心
不全, 薬剤性(抗
がん剤)など

大腸炎, 大腸がん,
炎症性腸疾患, 腸
結核, イレウス,
過敏性腸症候群

糖尿病による
腸管運動障害

呼吸器疾患 (COPD, 肺がん)
循環器疾患 (心不全, 不整脈)
腎疾患 (腎不全)
内分泌・代謝疾患 (甲状腺機能低下症, 副
腎不全, 糖尿病)
膠原病
感染症 (HIV, 結核, 新型コロナウイルス
など)
電解質異常 (高カルシウム血症)
神経疾患 (脳血管障害, 認知症)
薬剤性 (抗がん剤, 抗菌薬, ジギタリス製
剤, テオフィリン)
精神神経疾患 (うつ病, 神経性やせ症)

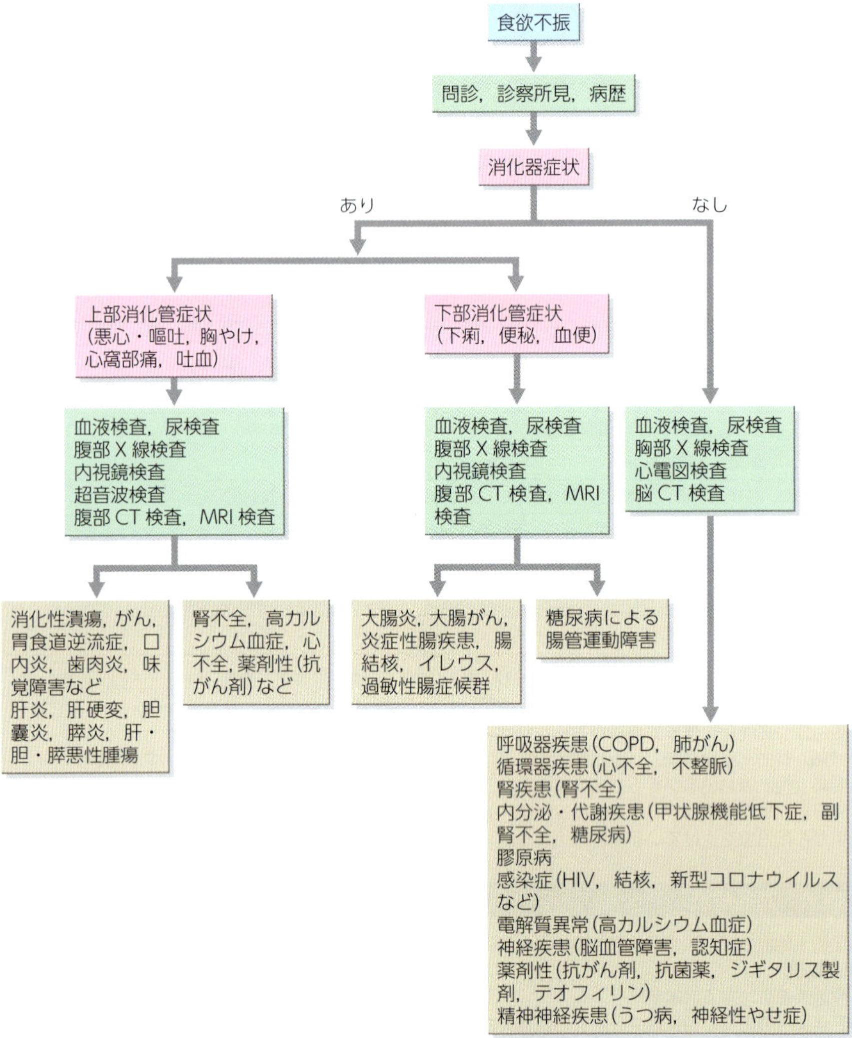

■図40-2　食欲不振の診断の進め方

食欲不振のある患者の看護

高比良　祥子

看護過程のフローチャート

観察項目（OP）	看護問題（看護診断）	看護目標（看護成果）	看護活動（看護介入）

原因・誘因
- **消化器疾患**
  胃炎，胃・十二指腸潰瘍，胃がん，逆流性食道炎，大腸炎，大腸がん，肝炎，肝硬変，慢性膵炎など
- **消化器疾患以外**
  肺炎などの感染症，発熱，慢性腎炎，甲状腺機能障害，下垂体・副腎系機能障害,貧血，うつ病，神経性やせ症，認知症など
- **薬剤の影響**
  抗悪性腫瘍薬，抗菌薬，ジギタリス製剤，抗炎症薬，降圧薬，麻薬，向精神薬など

身体的問題
- **主症状**
  食欲不振
  栄養障害
  脱水
- **随伴症状**
  体重減少，体力低下，気力減退，倦怠感，便秘，めまい，立ちくらみ，味覚異常など
- **その他**
  食事摂取量の減少による口腔の自浄作用の低下

心理・社会的問題
食習慣，生活習慣，生活環境，経済的問題，家族関係

看護問題（看護診断）
- #原因・誘因により症状が進行する可能性がある
- #食欲不振があり，栄養が摂取できない
- #食事・水分摂取量の減少により体液量が不足している
- #不十分な栄養状態により活動耐性が低下する
- #食事摂取量の低下による便秘がある
- #食事・水分摂取量の減少により口腔粘膜が障害される
- #食べられないことに対して，患者・家族が不安を抱えている

看護目標（看護成果）
- 原因・誘因が除去，軽減される
- 患者が食べたいという意欲を示す
- 食事摂取量が増す
- 栄養状態が改善する
- 水分摂取量が増加する
- 尿量が維持される
- 低栄養状態による倦怠感が減少し活動が増す
- 規則正しい排便がある
- 口腔の清潔が保持できる
- 不安が軽減する

OP 経過観察項目
症状の程度，経過
食事摂取量，食欲
体重，栄養状態
バイタルサイン
全身状態，尿量
患者・家族の不安

TP 看護治療項目
- 原因・誘因の除去
- 随伴症状の緩和
- 患者が好む食事の提供
- 食事環境の整備
- 栄養確保
- 指示による輸液，薬物投与
- 水分の提供
- 安静の確保，活動を徐々に増やす
- 必要に応じたセルフケア活動の援助
- 排便環境の調整
- 口腔ケア
- 心理的援助

EP 患者教育項目
- 食事摂取方法の指導
- 水分摂取の必要性と方法の説明
- 口腔の清潔維持の必要性と方法の説明
- 活動量の増やし方の指導

40
食欲不振

693

第6章　消化器系

基本的な考え方

- 食物を摂取したいという生理的欲求が減退または低下した状態である.
- 食欲不振は，消化器疾患患者の多くにみられる症状であるが，各臓器の障害や心理的要因，治療や薬剤による影響からも生じる.
- 患者の食事摂取量を確認し，食欲不振以外の症状がないか観察するとともに，病態へのアプローチをあわせて行い，患者の「口から食べたい」という気持ちを引き出し，「食べる喜び」を支え続けることが，食欲不振を改善するうえで重要である.

STEP ❶ アセスメント	STEP ❷ 看護課題の明確化	STEP ❸ 計画	STEP ❹ 実施	STEP ❺ 評価

情報収集	アセスメントの視点と根拠・起こりうる看護問題
病歴の把握	患者・家族から食欲不振になった経緯，症状の変化を聞くことで，原因・誘因の特定や全身状態の把握につながり，治療や看護ケアに重要な情報を得ることができる.
経過	● いつから，どのくらい続いているか.
	● 症状の変動の有無
誘因	● 消化器疾患：胃炎，胃・十二指腸潰瘍，胃がん，逆流性食道炎，大腸炎，大腸がん，肝炎，肝硬変，慢性膵炎など
	● 消化器疾患以外：肺炎などの感染症，発熱，慢性腎炎，慢性閉塞性肺疾患，甲状腺機能障害，下垂体・副腎系機能障害，貧血，うつ病，神経性やせ症（神経性食欲不振症），認知症など
	● 薬剤の影響：抗悪性腫瘍薬，抗菌薬，ジギタリス製剤，抗炎症薬，降圧薬，麻薬，向精神薬など
随伴症状	● 体重減少，栄養障害，体力低下，気力減退，倦怠感，頭重感などの有無
生活歴	● 生活環境，経済環境，価値観，生い立ち
既往歴	● がん，腎不全，呼吸障害，意識障害，神経性やせ症，うつ病，糖尿病，電解質異常
嗜好品	● 好きな食べ物，嫌いな食べ物，アルコール，薬物の服用
主要症状の出現状況,程度の把握	食欲不振の出現状況や程度を把握し，栄養状態および要因のアセスメントを行う. 主観的包括的評価（SGA）などが活用できる.
主観的包括的栄養評価栄養アセスメント	● SGA（subjective global assessment：主観的包括的栄養評価）を用いて栄養状態のスクリーニングを行う（表40-3）.
	● 現在の身長，現在の体重
	● 体格指数：BMI（body mass index）＝体重（kg）÷身長（m）² 標準（BMI 22），肥満（BMI 25以上），低体重（BMI 18.5未満）
	● 体重減少率：1か月で5%以上，3か月で7.5%以上，6か月で10%以上の体重減少があれば，高度の栄養障害が存在すると考えられる.
	● 血清総蛋白（TP）：基準値 6.3～7.8 g/dL
	● 血清アルブミン（Alb）：基準値 3.9～4.9 g/dL
	● 総コレステロール（TC）：基準値 130～220 mg/dL
	● 末梢血液検査，血液生化学検査，電解質検査，尿検査，糞便検査，障害臓器検査
「食べられない」リスクアセスメント	● 心理的な変化（悩みなど）の有無　原因・誘因 神経性やせ症，うつ病など
	● 生活環境の変化の有無　原因・誘因 入院，施設入所など
	● 疾患による機能状態の変化の有無　原因・誘因 逆流性食道炎，胃切除など
	● 食事中のむせの有無　原因・誘因 嚥下障害
	● 嗜好の変化の有無　原因・誘因 化学療法
	● 食べ物の好き嫌いの有無
	● 発熱の有無　原因・誘因 肺炎などの感染症など
	● 脱水の有無　原因・誘因 下痢や嘔吐，発熱，多尿，発汗など
	● 食欲の低下をきたすような服薬の有無
	🔍 起こりうる看護問題：栄養が摂取できない

694

■表 40-3　SGA（subjective global assessment：主観的包括的栄養評価）

A. 病歴	
1. 体重の変化	
過去6か月間における体重喪失：＿＿＿kg（減少率 %：＿＿＿%）	
過去2週間における変化：増加□　　変化なし□　　減少□	
2. 平常時と比較した食物摂取の変化	
変化なし□	
変化あり（期　間）：＿＿＿週＿＿＿日間	
（タイプ）：不十分な固形食□　完全液体食□　低カロリー液体食□　絶食□	
3. 消化器症状（2週間以上継続しているもの）	
なし□　吐き気□　嘔吐□　下痢□　食欲不振□	
4. 身体機能	
機能不全なし□	
機能不全あり（期間）＿＿＿週＿＿＿か月	
（タイプ）：労働に制限あり□　歩行可能□　寝たきり□	
5. 疾患と栄養必要量の関係	
初期診断：	
代謝要求／ストレス：なし□　軽度□　中等度□　高度□	
B. 身体計測（スコアで表示：0＝正常，1＋＝軽度，2＋＝中等度，3＋＝高度）	
皮下脂肪の減少（三頭筋，胸部）　　筋肉量の減少（太腿四頭筋，三角筋）	
踝部の浮腫　　仙骨部の浮腫　　腹水	
C. 主観的包括的評価	
栄養状態良好　　　　　　　　　　　　A□	
中等度の栄養不良（または栄養不良の疑い）　B□	
高度の栄養不良　　　　　　　　　　　C□	

40 食欲不振

全身状態，随伴症状の把握	症状の経過の把握とともに，他の症状の有無，随伴症状を観察し，治療，看護計画の立案に有効に反映する．
バイタルサイン	●体温　⇨感染症を鑑別（インフルエンザ，細菌性腸炎など）
	●血圧，脈拍・リズム　⇨循環器疾患を鑑別（うっ血性心不全など）
	●呼吸数，呼吸音，SpO₂（経皮的動脈血酸素飽和度）　⇨呼吸器疾患を鑑別（肺気腫，気管支喘息など）
全身状態	●意識状態，精神状態
	●体格　⇨体重減少の有無（悪性腫瘍，慢性疾患など）
	●皮膚　⇨乾燥の程度，発疹の有無
	●黄疸，腹水　⇨肝胆膵疾患を鑑別（肝炎，肝硬変，肝がん，胆嚢（のう）炎，膵炎など）
頭頸部	●顔貌，表情　原因・誘因　うつ病などの精神疾患では特徴的表情を認めることがある．
	●結膜　⇨貧血の有無（消化性潰瘍，血液疾患，悪性腫瘍）
	●瞳孔　⇨瞳孔不同であれば，脳神経疾患を鑑別（脳血管疾患など）
	●眼振　⇨脳神経，耳鼻科疾患を鑑別
	●項部硬直の有無　原因・誘因　髄膜炎，くも膜下出血など
	●歯の本数，口臭，口内炎，舌苔，味覚障害，口渇，嚥下障害　⇨口腔疾患を鑑別
	●悪心・嘔吐
胸部	●胸部の聴診　⇨呼吸器疾患を鑑別
腹部	●腹部の圧痛の有無　⇨消化器疾患を鑑別（胃炎，腸炎，胃・十二指腸潰瘍，大腸がん，便秘など）
	●腹部の触診　原因・誘因　肝脾腫（肝疾患）
	●腹部の聴診　原因・誘因　消化器疾患（イレウスなど）
	●排便の状態　原因・誘因　便秘，下痢，イレウスなど
四肢	●尿量，下肢浮腫の有無　⇨腎疾患を鑑別（慢性腎不全，ネフローゼ症候群など）
神経系	●麻痺などの神経症状の有無
	●機能障害の有無とタイプ（日常生活可能，歩行可能，寝たきり）
	🔍 起こりうる看護問題：食事・水分摂取量の減少により体液量が不足している／食

第6章　消化器系

	事・水分摂取量の減少により口腔粘膜が障害される／不十分な栄養状態により活動耐性が低下する／体力低下による転倒・転落の危険性がある／食事摂取量の低下による便秘がある
患者・家族の心理・社会的側面の把握	患者・家族が食欲不振をどのように認識しているか確認する．療養生活の質にも関係している．また患者・家族が不安を感じている場合は，精神的な援助を継続する必要がある． ●心理的な悩み，気分の落ち込み，あるいは興奮などはないか． ●涙もろさ，焦燥感，絶望感，自尊心の喪失，パニック発作，死の願望，自殺企図などはみられないか． ●疾患に起因する不安症状がみられないか． ●環境の変化，自宅の味とは違う食事，決められた食事時間，個性のない食器などが食欲不振を助長していないか． ●アルコールに依存していないか． 🔍起こりうる看護問題：食べられないことに対して，患者・家庭が不安を抱えている

STEP ❶ アセスメント　STEP ❷ 看護課題の明確化　STEP ❸ 計画　STEP ❹ 実施　STEP ❺ 評価

看護問題リスト

- #1　食欲不振があり，栄養摂取ができない(栄養-代謝パターン)
- #2　食事・水分摂取量の減少により体液量が不足している(栄養-代謝パターン)
- #3　食事・水分摂取量の減少により口腔粘膜が障害される(栄養-代謝パターン)
- #4　不十分な栄養状態により活動耐性が低下する(活動-運動パターン)
- #5　食事摂取量の低下による便秘がある(排泄パターン)

看護問題の優先度の指針

- ●食欲低下による栄養状態の悪化は，様々な合併症を引き起こし，病状の悪循環を招く．食事摂取量を維持し，栄養状態を良好に保つことは，QOLを保つためにも，また治療を継続するうえでも重要である．患者が「口から食べる」ことができるよう，看護師，管理栄養士，医師など多職種が連携した支援を行う．
- ●食事・水分摂取量の減少による体液量不足(脱水)は，高度になると血圧低下，意識障害，ショックを引き起こすため，予防と早期の対応が重要である．
- ●食事摂取量の低下により唾液分泌が低下し，自浄作用，殺菌作用が低下するため，口腔粘膜の障害が起こりやすい．食事摂取量が少ない場合においても，口腔内の清潔を保つことが重要である．
- ●食事摂取量の低下により，活動耐性の低下や便秘が起こりやすい．患者の状況に合わせた活動の維持・増加，便秘の予防に努める．

STEP ❶ アセスメント　STEP ❷ 看護課題の明確化　STEP ❸ 計画　STEP ❹ 実施　STEP ❺ 評価

1　看護問題	看護診断	看護目標(看護成果)
#1　食欲不振があり，栄養が摂取できない	栄養摂取バランス異常：必要量以下 **関連因子**：食事摂取量が不十分 **診断指標** □食物摂取量が1日あたりの推奨量以下 □体重が年齢・性別理想体重の範囲を下回る	〈長期目標〉栄養状態が改善する 〈短期目標〉1)患者が食べたいという意欲を示す．2)随伴症状が緩和される．3)食事摂取量が増す

696

看護計画	介入のポイントと根拠

OP 経過観察項目

● 健康時の食習慣：食事時間，摂取量，味付け，調理方法，嗜好品，偏食の有無，間食の有無

根拠 以前に食べられたもの，食べられそうなもの，食べにくいもの，好きなもの，嫌いなもの，懐かしい料理など，健康時の食習慣をもとに，患者の好む食事の提供を検討する

● 現在の食事状況：食事量と内容，食事時間，食事と食事の間隔，摂取可能な食品，食欲の有無，食事摂取動作

根拠 患者自身が箸を持とうとするか観察し，食欲の有無を観察する

● 身体所見：バイタルサイン，随伴症状，原疾患の症状の発現，痛み，嚥下障害，口渇

根拠 腹満感，悪心・嘔吐，胸やけ，腹痛などの消化器症状，脱水，口渇，貧血，浮腫，黄疸などの全身症状は食欲に影響を与える

● 味覚の変化：味が薄く感じる，苦味がする，味がわからない，塩辛く感じるなど
● 嗅覚の変化：においに敏感になっていないか
● 検査所見：身長，体重，血液検査データ(血清総蛋白，血清アルブミンなど)，尿・便検査
● 治療や処置の内容：食欲不振を招くおそれのある治療，薬剤投与の有無(抗がん剤など)
● 安静度

根拠 治療や検査，処置に伴い一時的に食欲不振が生じている場合もある
根拠 指示された安静度に合った食事のセッティングが必要であるため，確認を行う

● 生活リズム：1日の過ごし方，活動量
● 食事をしている時の表情や言動
● 食事環境：室内に排泄物などの臭気がないか，室温，湿度，テーブルの清潔，家族などの面会時間
● 心理的な問題：悩み，心配事の有無
● 食欲不振に対する患者の思い

根拠 活動量が減少するとエネルギー消費量が低下し，食欲不振を招きやすい

⮕食欲不振の原因を探る．患者がどのような理由で食べないのか，食べられないのか，食べたくないのか，患者の意思や思いを引き出す

TP 看護治療項目

● 患者の好む食事を提供する
　・食事時間(体調のよい時間帯を配慮)
　・食感(硬さ，軟らかさ，歯ごたえ，口当たり，のどごし)
　・味付け(濃い味，薄味，小分け調味料による調整)
　・におい(においの強い食品を避ける)
　・盛り付け(彩り，器，量を少なめにする)
　・至適温度(冷たいものを冷たく，温かいものを温かく)
　・季節感(旬の食材，自然の葉や花を添える)
　・治療上の制限がなければ，家族に患者の好む食品を持ってきてもらう

根拠 食感，味付け，におい，盛り付け，温度，嗜好が患者の食欲に影響を及ぼす．看護師と管理栄養士が連携し，患者の嗜好を反映させた食事の提供を行い，食べる意欲と嗜好に働きかける
⮕食べるきっかけを見つけることが大事である．好きなものを少し口にすることから，はずみがついて食欲を取り戻すことがある
⮕口から食べることで，食物が腸管を通り，腸管の免疫能が高まり，腸内細菌叢が賦活化する．視覚，嗅覚，触覚など，人間の様々な機能を生かしてADLの向上につなげる
⮕家族に患者の好む食品を依頼 **根拠** 梅干や海苔の佃煮，ふりかけ，香辛料，ジャムなど，患者が好む食品は食欲増進の助けとなる

● 食事環境を整備する
　・においを発生させる物の除去(ポータブルトイレなど)
　・室温や湿度の調整，ベッドやテーブルなどの清掃
　・リラックスできる食事場所(デイルームなど)
　・複数人での食事

根拠 食事環境も食欲に大きな影響を与える

40
食欲不振

697

第6章　消化器系

・BGM，花，照明などに配慮
●食前の口腔ケアを行う

⮕ 根拠 口腔内の清潔は唾液の分泌を促し，味覚を保ち，消化機能を刺激し，食欲増進に効果がある

●随伴症状を緩和する
●活動量を増やす（散歩，床上運動など）

⮕ 根拠 痛み，呼吸困難，全身倦怠感，悪心など，随伴症状の緩和は，食欲不振を改善するうえで重要である

●行事に合わせた献立で提供する：正月（おせち料理），ひな祭り（ちらしずし），七夕（流しそうめん）など

⮕行事に合わせた献立　根拠 非日常的な演出が気持ちをリフレッシュさせる効果がある

●心理的援助を行う
　・心理的問題がある場合は患者の話をよく聞く
　・摂取量が増加した時は喜びを共有する
　・摂取量が増加しない場合は指摘せず見守る

⮕ 根拠 患者はできるだけ口から食べたいというニーズが高く，食べられないことに対するストレスを感じている場合もある．患者が負担に感じないように配慮して援助を行う

●必要栄養素を確保する
　・栄養補助食品（ゼリー，ドリンクなど）の利用

⮕ 根拠 目標とするカロリーや栄養をとることが難しい場合は，市販の栄養補助食品などを利用し低栄養を防ぐ

　・栄養管理：経腸栄養法（EN），末梢静脈栄養法（PPN），中心静脈栄養法（TPN）

⮕ 根拠 低栄養になると，筋肉量の減少，内臓蛋白の減少，免疫能の障害，創傷治癒能の低下など，生理機能に障害が起こるため，特に体重減少がみられる場合は，適切な栄養管理が必要となる

EP 患者教育項目
●食べられそうな食品から摂取するように勧める
●食べられない場合は摂取しなくてもよいことを伝える
●食べられる時間に摂取してよいことを伝える
●食べやすい食品を紹介する

2 看護問題	**看護診断**	**看護目標（看護成果）**
#2　食事・水分摂取量の減少により体液量が不足している	**体液量不足** **関連因子**：水分摂取不足 **診断指標** □突然の体重減少　□尿量減少 □乾燥皮膚（ドライスキン） □皮膚緊張の変化	〈長期目標〉体液量の不足をきたさない 〈短期目標〉1) 水分摂取量が増加する．2) 尿量が維持される．3) 電解質が基準値内にある

看護計画	**介入のポイントと根拠**
OP 経過観察項目 ●バイタルサイン：体温，血圧，脈拍，呼吸数 ●口渇，口腔や舌の乾燥 ●皮膚の緊張（ツルゴール），粘膜の乾燥 ●発汗の減少，目のくぼみ	⮕脱水症状がないか観察する　根拠 高齢者 特に高齢者は，空腹感やのどの渇きに鈍感になる傾向があり，脱水症状を起こしやすく重症化することもあるため，普段から症状を観察する ⮕皮膚の緊張の観察によって，体液量が不足しているかどうかを知ることができる．前腕，腹部，大腿部などの皮膚をつまみ上げて離しても，しわがしばらくそのままになっている（皮膚の緊張低下）かどうかを確認する

698

- ●体重
- ●倦怠感，脱力感，めまい，立ちくらみ，悪心・嘔吐
- ●食事摂取量，食欲の有無
- ●水分出納：体内に入る水（水分・食事の摂取量，輸液量），体外に出る水（尿量，便量，嘔吐・下痢の有無，発汗，不感蒸泄）
- ●尿検査：尿量，尿比重，浸透圧，蛋白，糖，ケトン体，尿中Na，K，Cl
- ●血液検査：赤血球，ヘマトクリット，ヘモグロビン，総蛋白，アルブミン，クレアチニン，Na，K，Cl，Ca，BUN，糖など
- ●意識状態

➡毎日同じ条件で同じ時間に測定　根拠 体重の約2%の減少は軽度の脱水，体重の約6%の減少は中等度の脱水を示す

➡ 根拠 尿は体液量不足の程度を知るうえで重要である．尿量の減少，尿の色が濃くなるなどの徴候を観察する

➡ 根拠 軽度の脱水では興奮状態，多弁がみられ，高度の脱水になるともうろう状態となる

TP 看護治療項目
- ●医師に指示された輸液，薬物を投与する
- ●食物，水分の嗜好をアセスメントし，治療上の制限範囲内で，食物，水分を提供する
- ●体液量不足の徴候が持続する場合は，医師に相談し医療チームで対応を検討する

➡ 根拠 激しい脱水や血圧の低下を伴う場合は，輸液管理が必要となる．6R（正しい患者，正しい薬剤，正しい目的，正しい用量，正しい用法，正しい時間）を確認し，指示された輸液速度を守り，適切な輸液管理を行う

EP 患者教育項目
- ●水分摂取の必要性と方法について説明する

➡ 根拠 脱水は治療よりも予防が重要である．心疾患や腎疾患など水分摂取制限がある場合は，事前に医師に相談する

- ●カフェインを含む飲み物は避けるよう説明する

➡ 根拠 カフェインは，平滑筋を弛緩して血管拡張を引き起こし，心臓機能を促進して循環血液量を増加させ，利尿作用をもたらすため，体液量不足時には避ける

40 食欲不振

3 看護問題	看護診断	看護目標（看護成果）
#3　食事・水分摂取量の減少により口腔粘膜が障害される	**口腔粘膜統合性障害** **関連因子**：脱水症，栄養不良，抑うつ症状，口腔衛生の習慣化が不十分 **診断指標** □摂食困難　　□剥離 □口内乾燥症　□舌苔 □口内違和感	〈**長期目標**〉1）口腔の清潔が保持できる．2）食物摂取の際，口腔に不快感がない 〈**短期目標**〉1）毎食後，歯磨きを行うことができる．2）毎食後，義歯の洗浄を行うことができる．3）口腔の不快感の訴えが消失する

看護計画	介入のポイントと根拠
OP 経過観察項目 ●口腔内の観察：口腔乾燥，口臭（舌苔），浮腫，歯肉炎，口内炎，膿性排液，白斑の有無 ●ブラッシング状況 ●義歯装着の有無，歯科治療の状況，う蝕，歯周病の有無 ●口腔内の疼痛の有無 ●味覚障害 ●嚥下困難の有無	➡口腔乾燥　根拠 食欲不振により経口摂取量が減少し，咀しゃく運動が少なくなる．唾液分泌が低下し，口腔乾燥が起こりやすい ➡口臭（舌苔）根拠 舌苔は，上皮組織，白血球，大量の細菌が苔状に堆積したもので，多量に付着すると口臭の原因となる

699

第6章　消化器系

TP 看護治療項目

- 口腔内を清潔にする．食後以外でも必要に応じ口腔ケアを実施する
- 適切な口腔ケア用品を使用する
  - ・歯ブラシ：口腔内の状態を考慮して選択する．磨きやすいようヘッドが小さく，柄がストレートなものがよい
  - ・スポンジブラシ：口腔内の隅々まで届き，スポンジの目が細かいものがよい
  - ・歯磨き剤：口腔粘膜への刺激を抑えるため，低刺激性のものを選択する
  - ・洗口液：ノンアルコールで低刺激性のものを選択する

→ **根拠** 口から食べるためには口腔ケアが重要である．口腔粘膜は細胞の代謝が速いため，口腔ケアを怠ると，細菌や真菌による感染，味覚障害など様々な口腔トラブルを生じる

- 義歯を清潔に保つ．義歯は毎食後，義歯専用ブラシを使って流水下でしっかりと洗う（普通の歯ブラシ，歯磨き剤は使わない）．就寝時は専用の保管容器に水と洗浄剤を入れて保管する．起床時は流水で義歯を洗い装着し，保管容器も洗い乾燥させる

→ **根拠** 義歯は真菌（カンジダ）の温床となりやすいので十分な管理を行い清潔を保つ．特に凹凸の多い構造の複雑な部位，裏の溝などが汚れやすい
→ 義歯の洗浄 **根拠** 研磨剤入りの歯磨き剤で洗うと，義歯に傷がつき細菌繁殖の原因となるため，歯磨き剤は用いない．義歯は割れやすいので，必ず水を張った洗面器の上などで丁寧に洗う．患者自身ができない場合は，家族や看護師が管理する

- 数時間おきに，含嗽剤や保湿剤を用いて含嗽を行う．30秒間のブクブクうがいを基本とする
- 炎症が強い場合は，口腔粘膜を傷つけないように軟らかいスポンジブラシを用いて，粘膜刺激の少ない保湿剤を含ませて口腔清拭を行う．スポンジブラシの動きは「奥から手前」「中から外」への回転動作で行う
- 栄養状態を適切に保つため，栄養面のケアを実施する
- 口内炎や口腔病変の症状や徴候が持続，悪化する場合は，医療チームで対応策を検討する

→ **根拠** 含嗽による保湿は，持続時間は短いものの口腔内を清潔にできる
→ スポンジブラシは軽く絞って使う **根拠** スポンジブラシによる口腔清拭により，粘膜面の痂皮や舌苔を除去する．ケアの際は誤嚥しないよう注意し，水分が口腔内に垂れ込まないよう注意する

EP 患者教育項目

- 「なぜ，口腔内の清潔を保つことが大切なのか」を明確に伝え，患者のモチベーションの向上と継続を図る
- ブラッシングの指導を行う
- 口腔内炎症を増強させないために，極端に熱い，または冷たい食べ物や飲み物を避けるように説明する

→ **根拠** 口腔内の清潔は，唾液分泌の促進，味覚の維持，消化機能の刺激，食欲増進に効果がある．口腔が汚れていると呼吸器感染症の原因となる
→ 無理にブラッシングを行い出血すると感染や悪臭の原因になるので，口腔粘膜を傷つけないように丁寧に行う

4 看護問題	看護診断	看護目標（看護成果）
#4　不十分な栄養状態により活動耐性が低下する	**活動耐性低下** **関連因子**：酸素の供給／需要の不均衡 **診断指標** □倦怠感を示す　□全身の脱力 □活動時の異常な血圧反応 □活動時の異常な心拍反応 □労作性（時）呼吸困難	〈長期目標〉低栄養状態による倦怠感が減少し活動が増す 〈短期目標〉1）倦怠感の訴えが消失する．2）活動時に脈拍数・呼吸数の変化がなくなる

看護計画	介入のポイントと根拠

OP 経過観察項目
- 安静時の体温，脈拍，血圧，呼吸数
- 活動直後の体温，脈拍，血圧，呼吸数
- 活動 3 分後の体温，脈拍，血圧，呼吸数
- 日常生活動作に対する耐性
- 労作時の呼吸困難，労作時の疲労感，倦怠感の有無
- めまい，顔面蒼白

⇨ **根拠** 安静時，活動直後，活動 3 分後のバイタルサインを比較し，活動の強さ，頻度，持続時間をアセスメントする

TP 看護治療項目
- 環境を調整し，騒音を最小限にして安静を促す
- 安静を妨害しない間隔で看護ケアや検査，処置を計画し，患者の希望を最大限に取り入れる
- 面会者の人数と滞在時間を制限する
- 患者の状況に合わせてセルフケア活動を援助する．摂食，入浴，更衣，排泄のセルフケア
- 必要物品や患者の個人的な持ち物を手の届きやすいところに置き，患者自身が動きやすい条件を整える
- 活動を徐々に増やす
  ・長期臥床中の場合は関節可動域運動を行う
  ・毎日 15 分ずつベッドの外にいる時間を増やす
- 患者の気持ちを受け止め理解する

⇨ **根拠** 低栄養状態による倦怠感や疲労感により，食事，入浴，更衣，排泄などのセルフケアが満たされない場合があるため，必要な支援を行う

⇨ **根拠** 患者の気持ちを受け止め，できていることを認める関わりは，患者の自己効力感を高める

EP 患者教育項目
- 活動を進めるなかで息切れ，めまい，呼吸困難，動悸，倦怠感が生じる場合は，活動を中止するよう指導する
- 活動と活動の間に安静時間をとるよう指導する

⇨ **根拠** 活動による酸素消費量の増加に伴い，組織の酸素不足による症状が出現すると，転倒の危険性が高まる

5	看護問題	看護診断	看護目標（看護成果）
	#5　食事摂取量の低下による便秘がある	**便秘** **関連因子**：食物繊維の摂取不足，水分摂取不足，身体可動性障害 **診断指標** □残便感　□週 3 回未満の排便 □硬い便　□兎糞状の便	〈**長期目標**〉1) 規則正しい排便がある．2) 腹部の不快感が消失する 〈**短期目標**〉1) 排便回数が通常に戻る．2) 便の性状が軟便に変わる．3) 排便に随伴する症状が消失する（腹部膨満感，腸蠕動の減弱など）

看護計画	介入のポイントと根拠

OP 経過観察項目
- 食事摂取量，食物繊維の摂取量
- 水分摂取量
- 排便パターン（間隔，回数，時間など）
- 便の性状（量，硬さ，色など）
- 腹部の観察（腸蠕動音，腹部膨満感，圧痛の有無）
- 排便前後の一般状態

⇨ **根拠** 食事摂取量の低下により，腸内容物の不足，胃結腸反射の減弱，腸内圧低下による排便反射の減弱，腸蠕動運動の低下が起こりうる

第6章　消化器系

TP 看護治療項目

- 好物を献立に入れて食事摂取量を増やす
- 食物繊維の多いものをとる（ご飯，いも類，野菜類，果物，海藻など）
- 腸内で発酵しやすいものをとる（納豆，大豆，いも類）
- 適切な水分を補給する
- 乳製品，ヨーグルトをとる

⮕ **根拠** 腸管の働きをよくするために食物繊維が多く含まれるものを積極的に摂取する
⮕ **根拠** 腸内発酵物はガスを発生して腸管に刺激を与える
⮕ **根拠** 腸の内容物を移動しやすくする
⮕ **根拠** 乳製品は蛋白源であるとともに水分補給にも有効である．ヨーグルトは乳酸菌が腸内の細菌叢を整える働きがある

- 朝食をとるよう促す
- 起床後にコップ1杯の水を飲むよう勧める
- 適度な運動や体操を生活のなかに組み込む
- 排泄は落ち着いた環境で行うようにする
- 排泄は腹圧のかかる自然な姿勢で行う

⮕ **根拠** 朝食後に胃結腸反射が起こりやすい
⮕ **根拠** 腸の蠕動を誘発する
⮕ **根拠** 蠕動運動を促進するとともに，腹筋を強くして排便時の腹圧を高める
⮕ **根拠** 座位になり前屈姿勢をとると，重心が下肢にかかり腹圧がかけやすく，いきみやすくなる．また，殿部の筋肉や皮膚が引っ張られ，肛門の周囲が突出し，便が出やすくなる

- 排便中に下腹部のマッサージを試みる

⮕ **根拠** 腹部マッサージにより，腹圧をかけた時のように大腸の内圧の上昇を助ける

- 腹部温罨法を試みる
- できる限り決まった時間に排泄を試みる

⮕ **根拠** 腸管運動が促進され，便が出やすくなる
⮕ **根拠** 毎日決まった時刻に便意がなくてもトイレに行くようにし，排便習慣をつける

- 必要時，下剤，浣腸を使用する

⮕ 下剤を使用する際は，正しい服用方法を指導し，排便状態，回数，性状などを観察する

EP 患者教育項目

- 便秘が身体に与える悪影響について説明する
- 腹部マッサージなど排便を促す方法を指導する
- 排便の時間，環境などを整えるよう説明する

⮕ **根拠** 長期の便秘で，腹部膨満感，腹痛，悪心・嘔吐，食欲不振などの症状が生じることがある
⮕ **根拠** 便意を何度も我慢すると，排便反射が低下し便意を感じなくなり直腸性便秘が起こりうる．毎日決まった時刻に十分な時間的余裕をもって排便を試みるよう指導する

- 腸の動きをよくする適度な運動について説明する

⮕ **根拠** 腸管の緊張が弱く蠕動運動が低下している場合は，腹筋を強める運動を勧める

| STEP❶ アセスメント | STEP❷ 看護課題の明確化 | STEP❸ 計画 | STEP❹ 実施 | STEP❺ 評価 |

病期・病態・重症度に応じたケアのポイント

【急性期】 食欲不振の原因は多岐にわたる．食欲不振の経過，随伴症状，身体所見，検査結果から，早期にその原因が特定され，適切な治療が行われることが重要となる．急性期の対処として，低栄養や体重減少がみられる場合は，栄養補助食品の利用，経腸栄養，末梢静脈栄養，中心静脈栄養による栄養管理を行う．

【回復期】 患者の嗜好を取り入れた食事の提供や，食事環境の整備，口腔ケア，活動量を増やす援助などを行い，患者が食べたいという意欲を示すよう働きかける．この時期には自宅に帰ることを視野に入れ，患者自身で観察やケアが行えるよう指導を行う．

【終末期】 患者が食事にどのようなことを希望しているのかを観察し，適切な栄養摂取方法を選択する．不快な症状を緩和し摂食・消化機能の低下に対応しながら，患者の嗜好に合わせた食事の提供を行う．

看護活動（看護介入）のポイント

診察・治療の介助
- 食欲不振の症状，随伴症状や経過から，病因を把握する．
- 食欲不振の状況や程度を把握し，栄養状態のアセスメントを行う．
- 指示された経腸栄養，末梢静脈栄養，中心静脈栄養の管理を行う．

栄養摂取の援助
- 食感，味付け，温度など，嗜好を取り入れた食事の提供を行う．
- 清潔で明るい雰囲気をつくり，食事環境を整える．
- 随伴症状を緩和し，活動量を増やす援助を行う．
- 食べられない原因を除去しながら栄養状態の改善を図るために，看護師，管理栄養士，医師，歯科医師，薬剤師，理学療法士などが連携した支援を行う．

心理的な援助
- 心理的な問題がある場合は，患者の話をよく聞く．
- 不安やストレスなどの原因を探り，取り除く配慮をする．
- 食べられないことを患者が負担に感じないよう，配慮して援助を行う．

退院指導・療養指導

- 食べられそうな食品から摂取し，無理をせず，少しずつ摂取量を増やしていくことを説明する．
- 適切な水分量を摂取できるよう指導する．
- 口腔内を清潔に保つよう指導する．
- 活動の間に休息時間をとりながら，無理をせず，少しずつ活動量を増やすことを説明する．
- 息切れ，めまい，呼吸困難，胸痛，倦怠感が生じる場合は，活動を中止するよう指導する．
- 規則正しい排便があるよう，排便環境を調整し，腹部マッサージや運動を取り入れるよう説明する．

40 食欲不振

STEP **1** アセスメント ▶ STEP **2** 看護課題の明確化 ▶ STEP **3** 計画 ▶ STEP **4** 実施 ▶ STEP **5** 評価

評価のポイント

看護目標に対する達成度
- 患者が食べたいという意欲を示しているか．
- 栄養必要量が摂取でき，栄養状態が改善しているか．
- 適切な水分摂取ができているか．
- 口腔の清潔が保持できているか．
- 体調に合わせた活動ができているか．
- 規則正しい排便があるか．

● 参考文献
1) 吉田小百合，中村陽一：食欲不振，嘔気・嘔吐での「こんなとき」，消化器外科 nursing 13(12)：1179-1185，2008
2) 田村佳奈美：高齢者，月刊ナーシング 26(10)：30-35：2006
3) 丸山道生：抗がん薬治療を受けている患者，月刊ナーシング 26(10)：48-53，2006
4) 児山香，古田島聡，田村佳奈美，古川優子，園部由美子，菅野美香：座談会 口から食べることの大切さ─経口摂取が可能となった高齢者の事例をとおして，月刊ナーシング 26(10)：18-23：2006
5) 萩田麻貴，花房人美，三谷順子，池上美智子：化学療法中の食事に対する希望調査を実施して─化学療法食の献立作成の視点から，中国四国地区国立病院機構・国立療養所看護研究学会誌 4：285-288，2008
6) 大友理恵子，柴光年ほか：化学療法中の食欲不振患者への食事援助─化学療法食を考案して，全国自治体病院協議会雑誌 48(5)：722-725，2009
7) 吉田貞夫：身体計測指標 身長，体重，BMI，臨床栄養，別冊 JCN セレクト 2，ワンステップアップ栄養アセスメント基礎編，20-27，2010
8) 諏訪さゆり，中村丁次編：「食べる」ことを支えるケアと IPW─保健・医療・福祉におけるコミュニケーションと専門職連携─，pp.40-46，建帛社，2012
9) 川口美喜子，青山広美：がん専任栄養士が患者さんの声を聞いてつくった 73 の食事レシピ，pp.112-121，医学書院，2011

703

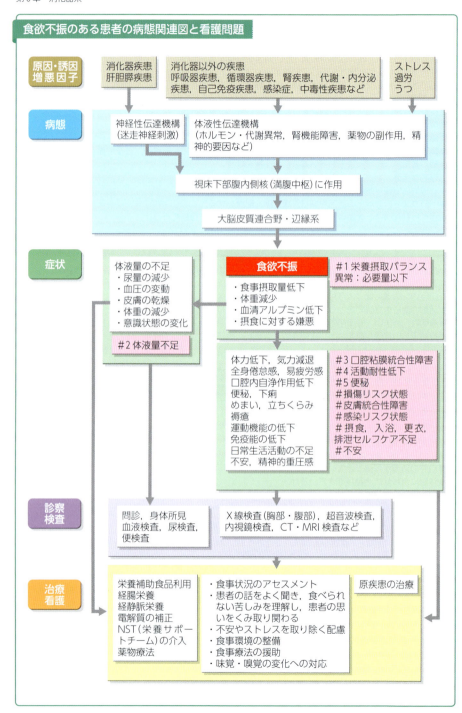

41 悪心・嘔吐

小井戸 薫雄・大草 敏史

目でみる症状

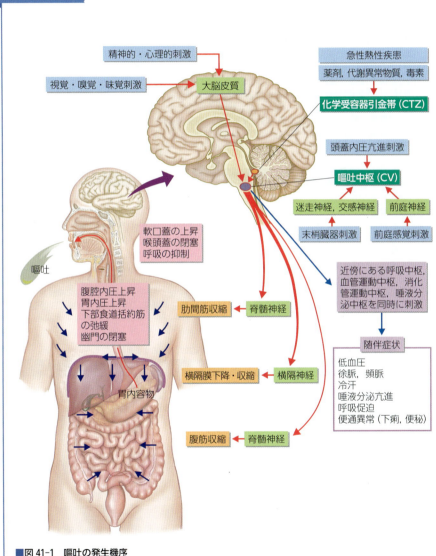

図 41-1　嘔吐の発生機序

第6章　消化器系

病態生理

悪心とは咽頭部から前胸部にかけて感じられ，嘔吐に先立って起きる不快な感覚で，嘔気ともいう．嘔吐とは消化管の内容物が逆流して食道，口腔を通じて排出されることをいう．悪心・嘔吐は，延髄にある嘔吐中枢 vomiting center（CV），および第4脳室底にある化学受容器引金帯 chemoreceptor trigger zone（CTZ）に各種の刺激が伝わることで誘発される．

- 嘔吐は，「反射性（末梢性）嘔吐」と「中枢性嘔吐」に分類される（表41-1）．
  - (1) 反射性嘔吐は腹部臓器（消化管や実質臓器など）の消化器刺激が求心性迷走神経を刺激して，嘔吐中枢を刺激する．
  - (2) 中枢性嘔吐は中枢への直接刺激により生じる．①視覚や嗅覚からの感覚刺激，②精神的刺激，③頭蓋内圧亢進，脳循環障害，脳幹部障害などによる直接的刺激，④薬物（モルヒネ，ジギタリス製剤，ニコチン，抗がん剤，抗菌薬，降圧薬など）（表41-2）や毒物（重金属やガス）の刺激，⑤敗血症，⑥内分泌疾患（糖尿病性昏睡など），⑦代謝性疾患（甲状腺機能亢進症や副腎不全など），⑧心因性反応〔神経性やせ症（神経性食欲不振症），ヒステリーなど〕などにより，延髄にある嘔吐中枢を直接刺激することにより生じる．
    嘔吐中枢が刺激を受けると，横隔神経，交感神経，副交感神経，脊髄神経などを介して，腹圧が上昇し，胃幽門部は閉じ，噴門部は弛緩，胃の逆蠕動が生じる結果，胃内容物が食道へ逆流し口腔から外へ排出される．

患者の訴え方

嘔吐をきたす疾患は多く，その訴え方は患者により多彩である．

- **主症状の訴え**
- 悪心：むかむかする，吐き気がする，気持ち悪い，胃のあたりの違和感など．
- 嘔吐：吐いた，胃液が上がってきた，もどしたなど．
- **随伴症状**
- 原因疾患により様々な随伴症状を訴える（表41-1）．頭痛，発熱，意識障害，発汗，頻脈，腹痛，便秘，めまい，胸痛，呼吸困難など．
- 嘔吐中枢の近傍には呼吸中枢，血管運動中枢，消化管運動中枢，唾液分泌中枢など自律神経系に関する中枢が存在するため，嘔吐時には頭痛，めまい，顔面蒼白，発汗，頻脈，唾液分泌，呼吸促迫，

■表41-1　悪心・嘔吐の原因または考えられる疾患（赤字は緊急対応を要する疾患）

中枢性嘔吐	反射性（末梢性）嘔吐
●CTZ刺激 ●薬物（モルヒネ，ジギタリス製剤，抗菌薬，抗がん剤，降圧薬など） ●毒物（重金属，ガスなど） ●感染症（**敗血症**） ●内分泌疾患（肝性脳症，**糖尿病性昏睡**，尿毒症），妊娠悪阻 ●代謝性疾患（甲状腺機能亢進症，副腎不全など） **●直接刺激** ●頭蓋内圧亢進（**頭部外傷，脳腫瘍，脳出血，くも膜下出血，髄膜炎**など） ●脳循環障害（**ショック，低酸素脳症，脳梗塞**，片頭痛，**脳炎，髄膜炎**など） ●上位中枢刺激（神経性やせ症，不快感，てんかん，ヒステリー，抑うつ状態，不快感，ストレス，視覚・嗅覚・味覚的刺激など）	**●消化器疾患** ●舌・咽頭疾患（アデノイド，咽頭炎） ●食道疾患（胃食道逆流症，食道裂孔ヘルニアなど） ●胃腸疾患（急性胃炎，急性腸炎，**急性虫垂炎**，消化性潰瘍，**食中毒**，消化器がんなど） ●消化管通過障害（**腸閉塞，胃幽門部狭窄，腸重積**など） ●腹膜疾患（**腹膜炎**） ●胆・膵疾患（**急性胆嚢炎，急性胆管炎，急性膵炎**，膵がん，胆管がんなど） ●肝疾患（急性肝炎など） **●循環器疾患** ●**うっ血性心不全，狭心症，急性心筋梗塞**など **●泌尿器疾患** ●尿路疾患（尿路結石，腎結石，急性腎炎，腎盂腎炎，腎不全など） **●耳鼻咽喉科疾患** ●中耳炎，メニエール病，乗り物酔いなど **●眼科疾患** ●緑内障など **●その他** ●呼吸器疾患，婦人科疾患，脊髄疾患，膠原病など

706

血圧低下などの自律神経症状を伴うことがある.

診断

症状の性状や程度，嘔吐量，吐物内容などから，中枢性嘔吐と反射性嘔吐を鑑別する.
- 嘔吐の鑑別診断は必ずしも容易ではなく，時間の経過とともに新たな症状が出現することもある．原因がはっきりしない場合や症状が治まらない場合には，繰り返し観察を行う必要がある．

■表 41-2 悪心の原因となる薬物

1. 消化管運動刺激：消炎鎮痛薬，抗菌薬
2. 腸運動抑制：抗コリン薬，オピオイド，向精神薬
3. CTZ（化学受容器引金帯）刺激：オピオイド，抗がん剤，ジゴキシン，抗菌薬
4. 5-HT$_3$受容体刺激：抗がん剤，抗うつ薬〔選択的セロトニン再取り込み阻害薬（SSRI）〕

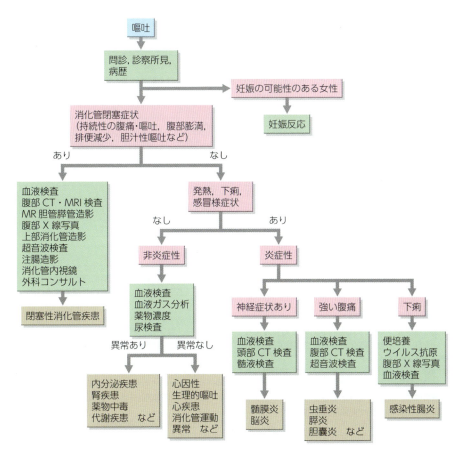

■図 41-2 嘔吐の診断の進め方

第6章　消化器系

■表41-3　悪心・嘔吐の随伴症状と考えられる疾患（赤字は緊急対応を要する疾患とその随伴症状）

	随伴症状	考えられる疾患
中枢性嘔吐	頭痛，意識障害，巣症状	頭蓋内圧亢進，脳循環障害
	意識障害（巣症状を欠く）	内分泌・代謝性疾患
	意識障害，呼気アンモニア臭，羽ばたき振戦	肝性脳症（肝硬変，肝がん）
	クスマウル呼吸，呼気アセトン臭	糖尿病性ケトアシドーシス
	乏尿，全身浮腫	尿毒症，腎不全
	高熱，頻脈，多汗，手指振戦，甲状腺腫	甲状腺クリーゼ
	低体温，徐脈，ショック	副腎不全
	皮膚粘膜色素沈着	アジソン病
	発熱（悪寒戦慄）	感染症
	無月経	妊娠悪阻
	その他	薬物，上位中枢刺激疾患
反射性嘔吐	腹痛，便通異常	消化管疾患
	腹痛，吐血	上部消化管（食道〜十二指腸）出血（食道潰瘍，胃・十二指腸潰瘍，胃がんなど）
	腹痛，筋性防御	消化管穿孔（消化性潰瘍穿孔，胃がん穿孔など），腹膜炎
	腹痛，背部痛	急性膵炎，慢性膵炎，膵がんなど
	腹痛，発熱，黄疸	急性胆道（胆嚢，胆管）炎，胆道（胆嚢，胆管）結石，胆管がんなど
	腹痛，下痢	急性腸炎，食中毒など
	腹痛，便秘	腸閉塞，大腸がんなど
	腹痛，血便	炎症性腸疾患，大腸がんなど
	嚥下障害	舌・咽頭・食道疾患
	腰痛，血尿	泌尿器疾患（結石）
	めまい，耳鳴り，眼振	耳鼻咽喉科疾患
	腰痛，呼吸困難	循環器疾患，呼吸器疾患
	視力障害	眼科疾患

- 悪心や嘔吐は根本的な原因改善が可能な場合があるため，対症療法を開始し，同時に原因検索を行う必要がある．また，嘔吐患者に対しては，まず吐物による気道閉塞を防ぎ，気道確保を優先することが大事である．
- **●原因・考えられる疾患**
- 嘔吐をきたす疾患は代表的なものでも多岐にわたる（表41-1）．臨床の現場では，頻度の高い疾患だけでなく，緊急対応を要する急性腹症や頭蓋内圧亢進症などの疾患を見逃さないように注意する．
- **●鑑別診断のポイント**
- 問診：「いつ頃から，どのようなものを嘔吐したか」「どういう時に嘔吐がみられるか」「随伴症状（表41-3）は認められるか」など．さらに既往歴，治療歴や合併症についても問診する必要がある．
- 意識障害，脱水所見など重症感があるかどうか，必要に応じて血液検査（貧血，高カルシウム血症，血糖，ケトアシドーシスなど）を行う．
- 消化管閉塞症状があるかどうか，腹部X線検査や腹部CT検査などの画像検査が随時必要である．
- 症状の強さから考えて緊急性があるかどうか，脳CT検査なども考慮に入れる．

708

治療法・対症療法

悪心・嘔吐は様々な原因疾患の表現型であり，原因疾患の治療を行うことが原則である．したがって，原因診断を怠って安易に対症療法を行うべきではない．

●治療方針

- ●緊急性があるか否か，バイタルサインを測定し全身状態を把握することが大事である．
- ●意識障害，多量出血などから生命に危険が及ぶと判断されれば，嘔吐の鑑別・治療よりも，血管確保や必要に応じて気道確保などを優先し，全身管理を行う．
- ●消化管閉塞症状があれば外科的緊急疾患である可能性が高い場合がある．
- ●代謝内分泌疾患，薬物中毒，頭蓋内圧亢進症など緊急を要する場合がある．
- ●嘔吐の回数が多い場合には脱水の重症度を判断し，軽症の場合は経口補液を，中等症以上の場合は経静脈的補液を行う．また，電解質異常(低カリウム血症，低ナトリウム血症)を伴う場合は，不整脈や代謝性アルカローシスなどが生じることがある．
- ●緊急性がないと判断し対症療法を行う場合であっても，症状が治まるまで慎重に経過観察を行うことが重要である．

●薬物療法

- ●対症療法としては胃腸機能調整薬を制吐目的で使用することが多い．

Px 処方例 軽症で経口摂取が可能な場合 下記のいずれかを用いる．
- ●ナウゼリン錠(10 mg) 1回1錠 1日3回 朝昼夕食前 ←胃腸機能調整薬
- ●プリンペラン錠(5 mg) 1回1～2錠 1日2～3回 朝夕もしくは朝昼夕食前 ←胃腸機能調整薬

Px 処方例 乗り物酔いの場合
- ●トラベルミン配合錠 1回1錠 1日3～4回 ←抗めまい薬

Px 処方例 精神的嘔吐が予想される場合
- ●セルシン錠(2 mg) 1回1錠 1日2～4回 ←抗不安薬
  ※1日の総投与量が15 mgを超えないようにする
- ●ノバミン錠(5 mg) 1回1錠 1日1～4回 ←定型的抗精神病薬

Px 処方例 経口摂取が不可能な場合 下記のいずれかを用いる．
- ●プリンペラン注(10 mg/アンプル) 1回1アンプル 静注または筋注 ←胃腸機能調整薬
- ●ナウゼリン坐薬(30 mg) 1回1個 1日2～3回 直腸内投与 ←胃腸機能調整薬

Px 処方例 化学療法(抗がん剤)に伴う悪心・嘔吐
- ●カイトリル 抗がん剤治療直前に注射剤を点滴投与ないし錠剤を1回1錠(2 mg)，1日1回内服
  ← $5\text{-}HT_3$ 受容体拮抗型制吐薬
- ●ナゼア 抗がん剤治療直前に注射剤を点滴投与ないしOD錠を1回1錠(0.1 mg)，1日1回内服
  ← $5\text{-}HT_3$ 受容体拮抗型制吐薬

41

悪心・嘔吐

表41-4 嘔吐の主な治療薬

分類	一般名	主な商品名	薬の効くメカニズム	主な副作用
胃腸機能調整薬	メトクロプラミド	プリンペラン	消化管運動促進 嘔吐中枢の抑制	振戦など不随意運動,眠気
	ドンペリドン	ナウゼリン		
抗めまい薬	(合剤)ジフェンヒドラミン・ジプロフィリン	トラベルミン	嘔吐中枢の興奮を鎮静する	頭痛,眠気,めまい
抗不安薬	ジアゼパム	セルシン	筋の過緊張をやわらげる	呼吸抑制,気道閉塞
定型的抗精神病薬	プロクロルペラジン	ノバミン	ドパミンなどの脳内神経伝達物質の産生や放出を調整	体重増加,女性化乳房など
5-HT_3受容体拮抗型制吐薬	グラニセトロン塩酸塩	カイトリル	迷走神経末端の5-HT_3受容体を遮断	アナフィラキシー
	ラモセトロン塩酸塩	ナゼア		
経口補水液	オーエスワン		水・電解質補充	—
内服用電解質剤	(合剤)ナトリウム・カリウム・マグネシウム配合剤	ソリタ-T配合顆粒2号,3号	電解質補充	嘔吐,下痢

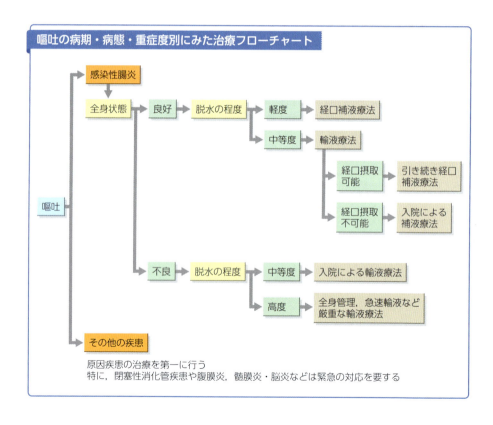

悪心・嘔吐のある患者の看護

中神　克之

看護過程のフローチャート

観察項目 （OP）	看護問題 （看護診断）	看護目標 （看護成果）	看護活動 （看護介入）

● 嘔吐の状況
嘔吐の回数，吐物の性状，量，臭気，混入物
出現時期・経過
誘因（食物，薬物などとの関係）

#悪心・嘔吐がある → **悪心・嘔吐が軽減する**

OP 経過観察項目
悪心・嘔吐，随伴症状の程度，経過
検査結果
経口摂取量，輸液量，尿量
誤嚥による呼吸異常
患者・家族の不安

原因・誘因
● 中枢性嘔吐
薬物，毒物，放射線治療，感染症，内分泌疾患，代謝疾患，頭蓋内圧亢進，脳循環障害，心理的刺激，視覚・嗅覚刺激など
● 反射性（末梢性）嘔吐
舌・咽頭疾患，食道疾患，胃腸疾患，消化管通過障害，腹膜炎，肝・胆・膵疾患，循環器疾患，泌尿器疾患，耳鼻咽喉科疾患，眼疾患など

#誤嚥の危険がある → **誤嚥しない**

身体的問題
● 主症状
悪心・嘔吐，食欲不振

#嘔吐と水分摂取困難により体液量が不足する

→ **良好な体内水分状態となる**

→ **電解質が基準値内に維持される**

TP 看護治療項目
原因・誘因の除去

悪心・嘔吐に伴う不快感の軽減

指示による飲食の制限または中止，輸液，与薬

含嗽・口腔ケア

清拭，衣服やシーツの交換

● 随伴症状
唾液分泌亢進，冷汗，顔面蒼白，血圧変動，頻脈，徐脈，脱力感，呼吸促迫，腹痛，下痢，発熱，めまい，脱水症状，栄養状態低下など

#食物摂取困難により栄養状態が低下する → **栄養状態が改善する**

EP 患者教育項目
患者・家族への状態説明

不安の軽減

患者・家族への症状，治療の指導

退院指導

● その他
吐物による口腔内の不快感
吐物による皮膚や衣服の汚れ

心理・社会的問題
患者・家族の症状に対する不安

#患者・家族が症状に対する不安を抱えている → **不安が軽減する**

41
悪心・嘔吐

第6章　消化器系

基本的な考え方

- 多様な原因を把握するとともに，まず，症状緩和や安楽の援助を行う．
- 悪心・嘔吐の程度と経過，随伴症状を観察し，その影響にも注意する．
- 治療の原則は，原因疾患の治療である．
- **緊急** 吐物による気道閉塞が疑われる場合は，ただちに気道確保を行う．
- **緊急** 緊急処置の必要な急性腹症や頭蓋内圧亢進に対しては迅速な対応が必要である．これらの疾患を疑わせる徴候や情報を見逃さないよう十分な観察を行う．特に筋性防御を伴う腹痛，早朝頭痛，視力障害，意識障害，項部硬直には要注意である．

STEP ❶ アセスメント	STEP ❷ 看護課題の明確化	STEP ❸ 計画	STEP ❹ 実施	STEP ❺ 評価

情報収集	アセスメントの視点と根拠・起こりうる看護問題
病歴の把握	患者・家族から症状出現の経過，症状の変化を聞くことで，全身状態の把握や原因・誘因の特定につながり，治療や看護ケアにも重要な情報を得ることができる．
経過	● いつから始まったか，どのくらい続いているか． ● 急激に始まったか，前駆症状があったか． ● 症状の変動の有無
誘因	● 食事内容との関係，食事時間との関係 ● 服薬との関係　**原因・誘因** 抗がん剤，抗炎症薬，抗菌薬，降圧薬，ジギタリス製剤，利尿薬，経口避妊薬，喘息治療薬，中枢神経作動薬，免疫抑制薬など ● アルコール摂取との関係 ● 周囲の環境との関係　**原因・誘因** 有機溶剤，化学薬品などの存在，新築建物への転居によるシックハウス症候群
生活歴	● 睡眠状況 ● ストレスの有無 ● 仕事上の問題の有無
既往歴	● 悪心・嘔吐の経験の有無 ● 高血圧，肝疾患，心疾患，腎疾患，糖尿病，内分泌疾患などの既往 ● 手術歴　**原因・誘因** **緊急** 開腹術後の癒着によるイレウスに注意 ● 放射線照射などの治療歴
嗜好品，常用薬 職業歴 その他	● アルコール，薬物の服用 ● 有機溶剤，化学薬品などを扱う特殊環境下での仕事の有無 ● 月経，妊娠との関係　**妊婦** 妊娠可能な女性では，まず妊娠の可能性を考える．疑わしい場合は妊娠反応をチェックする． ● ダイエット，食物に対する過度の嫌悪感 ● 長期間の絶食，飢餓
主要症状の出現状況，程度，性状の把握	症状の出現状況や吐物の性状を把握することで，原因疾患の特定につながる情報が得られる．
前駆症状	● 悪心を伴う場合　**原因・誘因** 反射性 ● 突然の嘔吐の場合　**原因・誘因** 中枢性
随伴症状	● 唾液分泌亢進，冷汗，顔面蒼白，血圧変動，頻脈・徐脈，脱力感，呼吸促迫，腹痛，下痢，めまい，発熱，脱水症状，栄養状態低下など ● 随伴症状と悪心・嘔吐との時間的関係
食事時間との関係	● 早朝空腹時　**原因・誘因** 尿毒症初期，妊娠，アルコール依存症，就寝中の後鼻漏，心因反応 ● 食直後　**原因・誘因** 食道狭窄，胃の機能性疾患 ● 食後1～4時間　**原因・誘因** 胃・十二指腸疾患　**緊急** 毒素型食中毒 ● 食後12～48時間　**原因・誘因** **緊急** 幽門・十二指腸閉塞，感染性食中毒

712

吐物の性状	●無臭 【原因・誘因】食道嚢胞(のうほう)，アカラシア
	●糞便臭 【原因・誘因】【緊急】**イレウス**，胃–大腸瘻(ろう)，長期間の幽門・十二指腸閉塞
	●腐敗臭 【原因・誘因】胃残渣の細菌増殖，真菌感染を伴う胃がん組織の壊死
	●食物残渣 【原因・誘因】食後 8 時間以上経過し，残渣がある場合は胃流出路の閉塞
	●食物残渣＋胆汁 【原因・誘因】大十二指腸乳頭(ファーター乳頭)部より肛門側の閉塞 【緊急】**イレウス，腸重積**など
	●胆汁 【原因・誘因】輸入脚症候群 【緊急】**胃幽門部狭窄**
	●大量の胃液 【原因・誘因】十二指腸潰瘍，ゾリンジャー–エリソン症候群
	●少量の粘液＋胃液 【原因・誘因】慢性胃炎，鼻咽頭炎，妊娠
	●大量の粘液＋胃液 【原因・誘因】胃内容うっ滞，胃炎，悪性腫瘍
	●膿 【原因・誘因】腐食性物質の誤嚥による化膿性胃炎，胃潰瘍 【緊急】**胃外性膿瘍の穿通**
	●異物，寄生虫など

嘔吐への緊急対応

- 嘔吐により，吐物が気道に入り込み，誤嚥を起こすことがある．誤嚥により気道閉塞や呼吸器感染症とならないよう，嘔吐時はすぐに顔を横に向け，口腔内の吐物を除去する必要がある(**誤嚥予防**)．高齢者や乳幼児は咳嗽反射の低下により誤嚥の危険が高い．
- 咳が十分でなく，自分で喀出できないときは吸引を行う．
- 激しい悪心・嘔吐の場合は，胃管を挿入し，**胃内容物を除去**することで胃の内圧を下げ，悪心・嘔吐を軽減させる．
- 薬物などによる中毒の場合には，**胃洗浄**を行う．
- 嘔吐により食欲不振となり，また経口摂取が病む，症状を増悪させる可能性が高いため，飲食禁止となり，栄養の摂取ができなくなることに注意する．
- 嘔吐による口腔内の不快感が悪心を誘発することもあるので,口腔内を清潔に保つ.
- 嘔吐による衣服や寝具の汚れ，臭いは安楽を妨げ，さらなる悪心にもつながるので，すぐに片づけて清潔を保つ.

41

悪心・嘔吐

全身状態，随伴症状の把握	症状出現の経過の把握とともに，他の症状の有無，随伴症状を観察し，治療，看護計画の立案に反映させる．
バイタルサイン	●体温 ⊃感染症や内分泌疾患を鑑別する．
	●血圧，脈拍・リズム ⊃循環器疾患を鑑別する．
	●呼吸回数・深さ ⊃呼吸状態への影響を判断する．
	●【緊急】**呼吸困難，チアノーゼ，副雑音** 【原因・誘因】誤嚥性肺炎
	●【緊急】**クスマウル呼吸** 【原因・誘因】【緊急】**糖尿病性ケトアシドーシス**
	●【緊急】**意識障害** 【原因・誘因】【緊急】**頭蓋内圧亢進，肝性脳症**
全身状態	●体格 ⊃慢性疾患，悪性腫瘍による体重減少の有無
	●皮膚 ⊃黄疸，発疹の有無
	●脱水 ⊃口渇，皮膚・粘膜の乾燥，皮膚のツルゴール(緊張)低下
	●貧血 ⊃結膜，皮膚色，口唇色
	●黄疸，呼気アンモニア臭 ⊃肝疾患を鑑別する．
頭頸部	●【緊急】**項部硬直** 【原因・誘因】【緊急】**髄膜炎，くも膜下出血**
	●【緊急】**頭痛** 【原因・誘因】【緊急】**頭蓋内圧亢進，脳循環障害**
	●【緊急】**呼気アセトン臭** 【原因・誘因】【緊急】**糖尿病性ケトアシドーシス**
	●頭部 ⊃外傷，打撲の有無
	●顔貌,表情 ⊃神経痛，うつ病などの精神疾患では特徴的な表情を認めることがある．
	●結膜 ⊃貧血，黄疸の有無
	●瞳孔 ⊃瞳孔不同があれば，脳神経疾患の可能性がある．
	●眼振 ⊃脳神経疾患，耳鼻科疾患を鑑別する．

第6章　消化器系

胸部 腹部		●打診，聴診 ◐心肺疾患の有無，誤嚥による副雑音の有無 ●圧痛の有無 ◐部位と程度によって消化器疾患を鑑別する. ●触診 ◐肝脾腫の有無，腹部膨隆や腹腔内腫瘍の有無を鑑別する. ●聴診 ◐腸蠕動音によって腹膜疾患を鑑別する.
四肢		●下腿浮腫の有無 ◐循環器・腎・肝疾患を鑑別する. ●チアノーゼの有無 ◐呼吸器・循環器疾患を鑑別する.
神経系		緊急 羽ばたき振戦　原因・誘因　緊急 肝性脳症 ●緊急 髄膜刺激症状，反射の亢進・低下，知覚鈍麻，乳頭浮腫の有無を確認する 　原因・誘因　緊急 髄膜炎，くも膜下出血 🔍 **起こりうる看護問題**：悪心・嘔吐がある／誤嚥の危険がある／嘔吐と水分摂取困難により体液量が不足する／食物摂取困難により栄養状態が低下する
患者・家族の心理・社会的側面の把握		**悪心や嘔吐があると，患者はそれらによる苦痛とともに不安を感じる．また，それを見た家族にも不安が生じる．さらに，全身状態の改善とともに，退院後の注意事項を指導する必要がある．** ●症状出現の経過などを聞きながら，同時に患者や家族が症状や原因疾患をどのように感じているか，どのようなことに不安を感じているかを確認する　小児 年齢に合った言葉で声をかけ，不安が増強しないようにする. ●悪心・嘔吐，随伴症状による苦痛を軽減し，それらを予防する方法について，どのように考えているのか，どのように対処しようとしているのかを確認する. 🔍 **起こりうる看護問題**：患者・家族が症状に対する不安を抱えている

STEP❶ アセスメント ▶ STEP❷ 看護課題の明確化 ▶ STEP❸ 計画 ▶ STEP❹ 実施 ▶ STEP❺ 評価

看護問題リスト

#1　悪心・嘔吐がある（認知-知覚パターン）
#2　嘔吐と水分摂取困難により体液量が不足する（栄養-代謝パターン）
#3　食物摂取困難により栄養状態が低下する（栄養-代謝パターン）
#4　誤嚥の危険がある（認知-知覚パターン）

看護問題の優先度の指針

●悪心・嘔吐の状況，経過，原因・誘因，苦痛の強さ，全身状態，心身への影響などによって優先順位が異なる．これらの情報から緊急度と重症度を判断して優先度を決定する.
●緊急度が高い場合：例えば，頭蓋内圧亢進，脳循環障害，消化管穿孔，急性膵炎，急性胆囊炎，急性胆管炎，複雑性（絞扼性）イレウス，食中毒，循環器疾患，糖尿病性ケトアシドーシス，肝性脳症などが疑われる場合は，悪心・嘔吐に伴う患者の苦痛を緩和し，病態に応じた緊急処置を行う.
●重症度が高い場合：重症度は，病態の進行や症状の程度によって異なる．緊急度が高い場合として列挙した病態は，重症度が高い場合も多い．症状が続けば，さらに重篤となり，体液量の不足や栄養状態の低下への対処が必要である.
●嘔吐の際に誤嚥を起こすと，感染や気道閉塞により病態が重篤となるため，並行して誤嚥予防を行う.
●患者・家族の不安の程度は，病態の緊急度や重症度に関係しないこともある．患者・家族の心理状態に応じた対応に努める.

714

STEP ① アセスメント　STEP ② 看護課題の明確化　STEP ③ 計画　STEP ④ 実施　STEP ⑤ 評価

1 看護問題

#1　悪心・嘔吐がある

看護診断

悪心
関連因子：不安，毒素への曝露，恐怖，不快な感覚刺激，不快な味
診断指標
□食物嫌悪
□のどの絞扼感（しめつけられる感覚）
□唾液分泌量増加
□嚥下回数増加
□口の中が酸っぱい

看護目標（看護成果）

〈長期目標〉悪心・嘔吐が軽減する
〈短期目標〉1)悪心の訴えがなくなる．2)嘔吐の回数・量が減少する．3)悪心・嘔吐の誘因を避ける行動をとる．4)落ち着いた表情や態度を示す

看護計画

急性期の緊急対応

介入のポイントと根拠

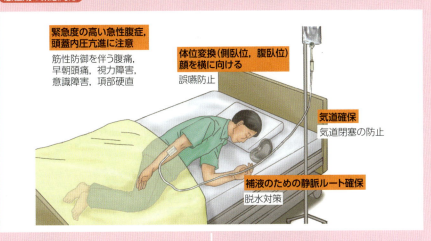

緊急度の高い急性腹症，頭蓋内圧亢進に注意
筋性防御を伴う腹痛，早朝頭痛，視力障害，意識障害，項部硬直

体位変換（側臥位，腹臥位）顔を横に向ける
誤嚥防止

気道確保
気道閉塞の防止

補液のための静脈ルート確保
脱水対策

OP 経過観察項目

- 緊急性の高い急性腹症や頭蓋内圧亢進症に対しては迅速な対応が求められる．**筋性防御を伴う腹痛**（急性腹症），**早朝頭痛**や**視力障害**（頭蓋内圧亢進），**意識障害**や**項部硬直**（髄膜炎，脳炎，くも膜下出血）といった症状は要注意である
- 継続的な観察を怠らない

TP 看護治療項目

- 嘔吐患者では，**気道確保**が先決である
- **誤嚥防止**のために体位変換を行う．仰臥位は避け，側臥位または腹臥位で，誤嚥しないように顔は横を向かせる
- ゆっくり背中をさするなど，リラックスできるようにする
- 嘔吐へ対応できるよう，吐物を処理する容器を準備しておく

⇨疑われる症状がみられたらドクターコールを行う

⇨ 根拠　時間の経過とともに症状が悪化する場合がある

⇨ 根拠　吐物による気道閉塞を防止する
⇨ 高齢者　特に高齢者や意識レベルの低下がみられる患者，全身衰弱のある患者が嘔吐すると，誤嚥を起こす可能性が高い

⇨ 根拠　患者が気兼ねなく嘔吐できるようにする

41 悪心・嘔吐

第6章　消化器系

●吐物を手早く処理し，患者の目に触れないようにする．汚染された衣服やリネン類も手早く交換する ●嘔吐が頻回にわたり脱水症状になっている場合は，補液のための静脈ルートの確保を行う	➡ 根拠 吐物の臭いやリネン類汚染が，さらなる嘔吐を誘発する
EP 患者教育項目 ●嘔吐は身体防御反応の1つであるため，我慢しないよう説明する ●嘔吐に伴う苦痛のなかで患者が抱えている不安を解消する	➡ 根拠 すべて吐き出すことで楽になる ➡ 根拠 嘔吐に伴う不安が，さらなる嘔吐を誘発することもある

OP 経過観察項目
- 悪心の有無，程度
- 嘔吐の回数，量，性状(色，臭い)，混入物(食物残渣，胆汁，血液など)の有無
- 嘔吐時の様子
- 食事内容，食事時間との関係，飲酒との関係，服薬との関係
- 随伴症状の有無・程度
- 不安や緊張の表情，落ち着きがない様子
- 不安や心配の訴え，怒り
- 状態や治療に対する質問の有無，内容

➡ 悪心・嘔吐の状況，誘因との関連，経過などを把握して原因除去，悪化防止，再発予防を行う
根拠 関連を把握することで，適切な看護計画につなげることができる

➡ 言語的および非言語的表現をとらえる 根拠
小児 高齢者 言語表現が十分ではない小児や活動性の低下している高齢者の場合には，言葉以外の訴えの表出を見逃さないよう注意する．また家族においても言葉にならない不安を抱えていることがある

TP 看護治療項目
- 安静を図り，医師の指示により飲食を禁止する
- 嘔吐時は，うがいや口腔清拭を行う
- 汚れた衣服や寝具を交換し，清潔を保つ
- 胃管の管理，排液の観察を行う
- 安楽な体位，嘔吐しやすい体位を工夫する
- 胃部の冷罨法を行う
- 嘔吐を誘発するような環境(音，照明，臭いなど)を避ける
- 制吐薬が投与される場合は，その服薬管理を行う
- 不安が表出できるような態度で接する

- 患者の健康状態の変化など，不安を促進している要因を取り除く
- 治療や処置を行う場合は説明を十分に行い，心配や質問がないか聞き，丁寧に答える

➡ 根拠 飲食による悪心・嘔吐の誘発を予防する
➡ 根拠 吐物の臭いや不快感はさらなる嘔吐を誘発する
➡ 根拠 胃管は胃内容を減圧させるために挿入される．その効果(症状変化)と影響を把握する
➡ 根拠 冷罨法は胃の蠕動運動を抑制できる
➡ 根拠 大きな音や明るすぎる照明，不快な臭いなどによる悪心・嘔吐の誘発を予防する

➡ 支持的態度で接する 根拠 支持的態度が不安の表出を促す
➡ 不安の原因を除去する 根拠 原因を取り除くことにより，不安も軽減する
➡ 表情を見ながら，わかりやすく説明する
根拠 治療や処置の前に説明することで，不要な心配を抱くことのないようにする

EP 患者教育項目
- 飲食の禁止や胃管の必要性を説明し，注意点を指導する
- 制吐薬の効果を説明し，正しく服薬できるよう指導する

- わからないこと，心配なことがあれば質問するよう伝える

➡ 根拠 処置に対する理解を深め，協力してもらうとともに，余計な不安を与えない
➡ 根拠 薬物療法に対する理解を深め，正しく服薬してもらう．制吐薬の効果を判定し，副作用に注意する
➡ 質問を積極的に受け入れる 根拠 不安を軽減するための対処を促す

2 看護問題	看護診断	看護目標（看護成果）
#2 嘔吐と水分摂取困難により体液量が不足する	**体液量不足** **関連因子**：水分へのアクセス不足，水分摂取不足，水分の必要性についての知識不足 **診断指標** □のど・口内の渇き □乾燥皮膚（ドライスキン） □尿量減少 □尿中濃度の上昇	〈長期目標〉良好な体内水分状態となり，電解質が基準値内に維持される 〈短期目標〉1) 口渇が改善する．2) 皮膚乾燥が改善する．3) 尿量を維持する．4) 嘔吐の回数・量が減少する．5) 水分摂取ができる

看護計画	介入のポイントと根拠
OP 経過観察項目 ●口渇，舌の乾燥，皮膚の乾燥・緊張，尿の濃縮 ●体液喪失量：嘔吐の量，尿量，胃管からの排液量，その他の水分喪失 ●水分摂取量：輸液量，経口摂取量 ●水分出納：喪失と摂取のバランス，体重 ●血圧変動，頻脈，末梢血管の脈圧 ●血液データ：電解質（ナトリウム，カリウム），ヘマトクリット値 ●活気，精神症状	⇒ 根拠 体液量不足（脱水）の程度を判断する ⇒毎日同じ条件で体重を測定する 根拠 正確な体重は，体液バランスを反映する ⇒バイタルサインが安定していない場合は，頻回に測定する 根拠 バイタルサインは体液の変化を反映するため，症状の悪化を早期に発見できる ⇒脱水による活気のなさ，混乱，落ち着きのなさなど精神症状に注意する 根拠 脳内の水分の減少を示すことがある
TP 看護治療項目 ●医師に指示された輸液，薬物を投与する ●環境調整を行う ●皮膚・粘膜のケアを行う ●医師の指示のもと，経口水分摂取を促す	⇒正確に安全に行う 根拠 小児 体動により，ルートトラブルや自己抜去のリスクが高いので注意する ⇒室温や寝具，寝衣を調整する 根拠 過度の発汗，不感蒸泄による体液の喪失を防ぐ ⇒適切な湿度を保つ 根拠 脱水で乾燥した皮膚・粘膜は，損傷を受けやすい
EP 患者教育項目 ●輸液の必要性について説明する ●経口摂取が許可されたら，徐々に水分をとるよう促す	⇒患者・家族の理解を得る 根拠 説明することにより，点滴の苦痛を受け入れてもらえる ⇒少量ずつ摂取する 根拠 一度に大量に摂取すると嘔吐を誘発する

41 悪心・嘔吐

第6章　消化器系

3 看護問題	看護診断	看護目標（看護成果）
#3　食物摂取困難により栄養状態が低下する	**栄養摂取バランス異常：必要量以下** **関連因子**：食糧の供給不足 **診断指標** □体重が年齢・性別理想体重の範囲を下回る □食物摂取量が1日あたりの推奨量以下	〈**長期目標**〉栄養状態が改善する 〈**短期目標**〉1)許可された範囲で食物を摂取することができる．2)血清総蛋白，アルブミンが基準値内になる．3)理想体重を下回らない

看護計画	介入のポイントと根拠
OP 経過観察項目 ●栄養状態：血清総蛋白，アルブミン，窒素平衡（蛋白質代謝の指標），％標準体重 ●経口栄養・非経口栄養の摂取量，内容 ●悪心・嘔吐，腹部症状，食欲 ●悪心・嘔吐の原因や経過に対する認識 ●栄養補給に関する認識，処置や指導に対する反応 **TP** 看護治療項目 ●非経口栄養の場合は，指示された量を投与する ●経口栄養が可能であれば，許可された範囲で，消化によい食べ物を少量ずつ開始する ●食べ物の選択は，患者の好みも加味して決める ●症状なく食べられたら，徐々に量や種類を増やしていく **EP** 患者教育項目 ●無理をして食べないよう指導する ●食事内容について患者・家族に指導する	⇨ 根拠 栄養状態を評価する ⇨ 根拠 必要な栄養が摂取または補給されているかを評価する ⇨ 根拠 これらの症状は食事摂取に影響を及ぼす ⇨悪心・嘔吐をどのように捉えているか把握する ⇨栄養補給，処置，指導などをどのように捉えているか把握する　根拠 適切な看護計画につなげる ⇨ 根拠 長期に経口摂取できない場合は，経静脈栄養が開始される ⇨ 高齢者 消化機能が弱くなっている高齢者では，特に気をつける ⇨刺激物など，悪心・嘔吐を誘発する食べ物は避ける．嗜好もふまえて，プリンやゼリー，お粥などの選択肢から選ぶ　根拠 患者は悪心がなくても，嫌いなものでは食が進まないことがある ⇨食事は徐々に進めていく　根拠 急な食事量の増加は，悪心・嘔吐を誘発する

4 看護問題	看護診断	看護目標（看護成果）
#4　誤嚥の危険がある	**誤嚥リスク状態** **危険因子**：上半身挙上を阻む障壁，胃腸（消化管）運動の低下	〈**長期目標**〉誤嚥しない 〈**短期目標**〉誤嚥の予防法が説明できる

看護計画	介入のポイントと根拠
誤嚥時の緊急対応 **OP** 経過観察項目 ●呼吸状態，咳嗽反射 ●呼吸困難，チアノーゼ，副雑音，喘鳴の有無	⇨ 根拠 咳嗽の出現は誤嚥の徴候であることが多い ⇨ 高齢者 発熱や声の変化にも注意する　根拠 高齢者は気道の知覚低下のために無症状の場合が

718

●無気肺，肺炎の徴候	ある ➡消化液の誤嚥による肺炎は，重篤な病態を引き起こすことがある　**根拠**　消化液を含む吐物による嚥下性肺炎は重篤で治りにくい．予防が重要である
TP 看護治療項目 ●誤嚥による窒息に対しては**異物除去**を行う ●患者が咳嗽できずに窒息している場合，異物が目視できれば指を患者ののどに挿入して嘔吐物を掻き出すか，**吸引器による吸引**を行う	➡患者の咳嗽が治まるまで待つ　**根拠**　患者自身の咳嗽によって，気道内の吐物を吐き出させる ➡窒息が疑われる場合は，まず，気道を確保する
OP 経過観察項目 ●嘔吐の有無・量，咳嗽の有無，嘔吐時の体位，口腔内の異物 ●咽頭の喘鳴，呼吸音，呼吸数，呼吸困難，咳嗽，チアノーゼ，発熱，バイタルサイン ●嚥下反射，咳嗽反射の有無 ●意識レベル	➡嘔吐時の誤嚥の有無と危険性を観察する **根拠**　咳嗽の出現は誤嚥の徴候であることが多い．仰臥位では誤嚥のリスクが高い ➡誤嚥による呼吸状態の変化，無気肺，肺炎の徴候を観察する ➡誤嚥のリスクを把握する　**根拠**　嚥下反射や咳嗽反射の低下が誤嚥の原因となる　**高齢者**　嚥下反射，咳嗽反射は加齢によって低下する ➡意識レベルの低い患者は，咳嗽反射が弱く，嚥下能力の低いことが多いため，咽頭の貯留物を誤嚥しやすい
TP 看護治療項目 ●気道に異物が入りにくい座位，側臥位または腹臥位で，頭部を横に向ける体位にする ●経口摂取開始時は，嚥下時の嚥下反射と甲状軟骨が上下に触れて嚥下することを確認する ●食後は上半身を 30 度以上挙上しておく ●食後は口腔内を清潔にする ●誤嚥のリスクの高い患者には吸引の準備をしておく	➡**根拠**　吐物が咽頭へ垂れ込むのを防ぐ ➡誤嚥を予防する　**根拠**　胃に食物をため，嘔吐を予防する ➡口腔清拭やうがいをしても，食物残渣がある場合は，吸引によって口腔内の食物残渣を除去する **根拠**　口腔内の汚染が誤嚥性肺炎の原因になることもある
EP 患者教育項目 ●嘔吐時の誤嚥予防法を説明する ●安全な経口摂取の方法を説明する ●誤嚥時の徴候を説明し，徴候がみられた場合には報告するよう伝える	➡患者・家族の理解を得る　**根拠**　誤嚥の予防法を患者・家族が学び，予防できるようにする ➡患者・家族の理解を得る　**根拠**　誤嚥による徴候を速やかに伝えてもらうことで，重症化を防ぐ

41

悪心・嘔吐

STEP **①** アセスメント　STEP **②** 看護課題の明確化　STEP **③** 計画　STEP **④** 実施　STEP **⑤** 評価

病期・病態・重症度に応じたケアのポイント

【急性期】悪心・嘔吐の原因は様々である．早期にその原因が特定され，適切な治療が行われることが重要となる．急性期の対処として，飲食を禁止し安静をとることが必要となるが，悪心・嘔吐以外にも全身状態を把握し，看護ケアにつなげていく．

【回復期】全身状態の改善に伴い，経口摂取を少しずつ再開していく．この時期には自宅に帰ることを視野に入れ，患者自身による観察，ケアが行えるよう指導を行う必要がある．

719

第6章　消化器系

看護活動（看護介入）のポイント

診察・治療の介助
- 悪心・嘔吐などの症状や経過から，原因・誘因を把握する．
- 悪心・嘔吐の軽減のために飲食を禁止し，必要時，胃管の管理を行う．
- 指示された輸液，薬物を正確に投与する．

悪心・嘔吐に対する援助
- 安静にできるよう環境を整える．
- 安楽な体位をとる．
- 吐物で汚れた衣類や寝具を交換し清潔に努める．
- 指示された輸液を正確に行い，水分出納を評価する．

栄養摂取の援助
- 経口摂取が開始されたら，許可された食べ物を少量から始め，徐々に種類や量を増やしていく．
- 悪心や嘔吐が再発しないか，観察を行う．

退院指導・療養指導

- 水分や電解質を摂取する必要性を説明する．
- 食事摂取方法を説明し，無理せずに摂取することを指導する．
- 悪心・嘔吐の症状が再び出現するようであれば，再度受診するよう説明する．

STEP❶ アセスメント　STEP❷ 看護課題の明確化　STEP❸ 計画　STEP❹ 実施　STEP❺ 評価

評価のポイント

看護目標に対する達成度
- 悪心が軽減しているか．
- 嘔吐の回数，性状や量が減少しているか．
- 適切な水分摂取ができているか．
- 栄養状態が改善しているか．
- 治療の効果はあるか．
- 誤嚥と誤飲のリスクが回避できているか．
- 患者・家族が心理的・身体的苦痛が軽減したことを表現できているか．

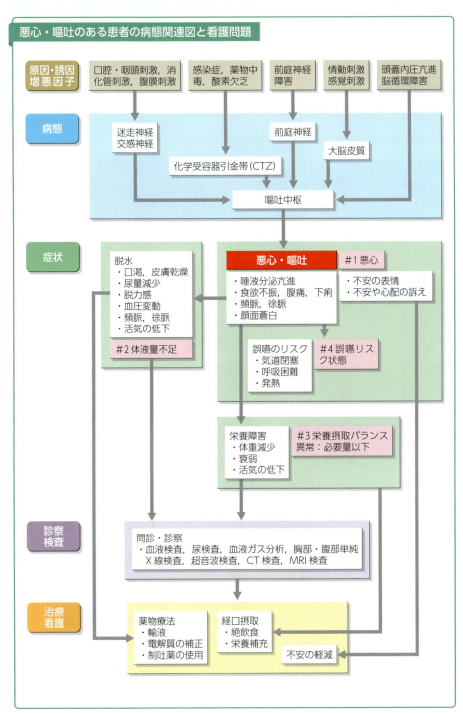

42 口渇

柿沼 晴

目でみる症状

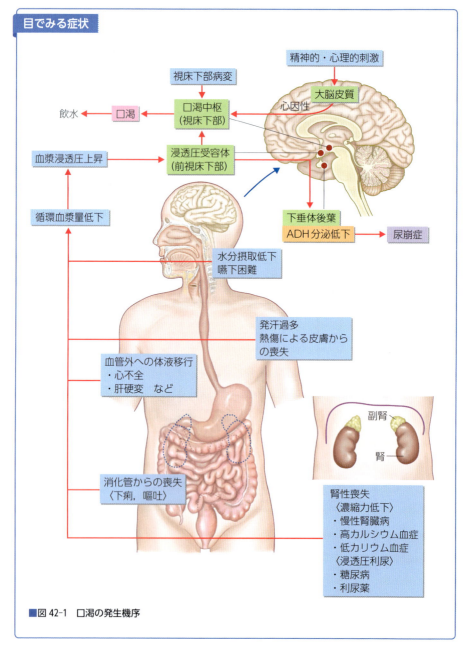

■図 42-1 口渇の発生機序

病態生理

口渇は，血漿浸透圧の上昇などを脳内の浸透圧受容器が感知して，水分補給を要求し，脱水を予防するための防御機構である．

- 皮膚や粘膜，肺などから自覚することのなく水分が蒸発する「不感蒸泄」がある．そのため脱水になることを予防するには，適切な水分補給を行う必要がある．このタイミングを口渇という機構で感知している．
- 口渇は視床下部に存在する浸透圧受容器によって制御され，血漿中のわずかな浸透圧の変化を感知して，口渇を感じることができる．
- 口渇を感じるということは血漿浸透圧，循環血漿量に異常を伴う病態が背景にあると推測される．
- 一方で，血漿浸透圧，循環血漿量には異常がない，口腔内の乾燥や心理的な問題による口渇感もあり，診断と治療の方向性が異なるので注意が必要である．

患者の訴え方

- **主症状の訴え**
- 口渇，口腔内の乾燥感に共通した訴え：水が飲みたい，何か飲みたい．

■**表 42-1　口渇の原因となりうる疾患**（赤字は緊急対応が必要な疾患）

口渇	口腔内の乾燥感
●**水分摂取不足による脱水** ・嘔気による摂取困難 ・終末期疾患 ・慢性消耗性疾患 ・嚥下困難を伴う疾患（食道狭窄，誤嚥を伴う咽喉頭疾患など） ・神経筋疾患 ・加齢 ●**体液喪失による脱水** ●消化管からの喪失 ・下痢・嘔吐を伴う各種消化器疾患 ●腎からの喪失 〈濃縮力低下〉 ・慢性腎臓病，尿崩症，高カルシウム血症，低カリウム血症 〈浸透圧利尿〉 ・糖尿病（ケトアシドーシス，高血糖高浸透圧症候群），高張液輸液（D-マンニトール投与，高カロリー輸液など） 〈その他〉 ・利尿薬の過剰投与 ●その他の喪失 ・熱中症（発汗過多），熱傷 ●**血管外への体液移行** ・うっ血性心不全，肝硬変，ネフローゼ症候群 ●**口渇中枢の異常** ●器質的異常 ・視床下部（浸透圧受容器）の腫瘍，外傷など ●機能的異常 ・心因性多飲症	●**鼻閉** ●**唾液分泌量の低下** ・シェーグレン症候群 ・薬物性：抗ヒスタミン薬，抗パーキンソン病薬，抗コリン薬，降圧薬など ・加齢 ●**心理的要因**

42

口渇

723

第6章　消化器系

- ●口渇：喉が渇く.
- ●口腔内の乾燥感：口が渇く, 食べ物を飲み込みにくい, 味がおかしい.
- ●**随伴症状**(表 42-2)
- ●口渇の原疾患に伴って, 様々な症状が出現する. 電解質異常が進むと意識障害など, 重篤なものも含めて多彩な症状が出現する.
- ●口腔内乾燥感の場合も原疾患に伴い, 様々な症状が出現する.

■**表 42-2　随伴症状と関連疾患**(赤字は緊急対応が必要な疾患)

分類			背景疾患	随伴症状
口渇 体液調節 異常あり	水分摂取 不足によ る脱水	嚥下困難 なし	消化器疾患による嘔気	嘔吐, 下痢, 腹痛
			頭蓋内病変による嘔気	頭痛
			終末期疾患, 慢性消耗性疾患, 加齢(老衰)	食思不振, 体重減少, ADL 低下
		嚥下困難 あり	咽頭, 喉頭, 食道の器質的狭窄(がん, 術後狭窄, アカラシアなど)	嗄声, 嚥下痛, 嚥下時の違和感, 誤嚥性肺炎の合併
			神経筋疾患	構語障害, 四肢麻痺
	体液喪失 による脱 水	消化管か らの喪失	感染性胃腸炎, その他の持続性下痢, 嘔吐	嘔吐, 下痢, 腹痛
			イレウス	腹部膨満感, 腹痛
		腎からの 喪失	糖尿病(ケトアシドーシス, 高血糖高浸透圧症候群)	多飲, 多尿, 体重減少, 意識障害
			尿崩症	多飲, 冷水を欲しがる, 著しい多尿(夜間尿), 発熱, 意識障害
			高カルシウム血症	倦怠感, 食思不振, 多飲, 多尿, 悪心・嘔吐
			低カリウム血症	脱力感, こわばり, 筋肉痛, 呼吸困難感, 動悸(不整脈)
		その他の 喪失	熱中症	脱力感, こむら返り, ショック, 意識障害
			熱傷	皮膚浸出液
			甲状腺クリーゼ	発熱, 発汗, 頻脈, ショック, 意識障害, 下痢, 嘔吐
		血管外へ の体液移 行	うっ血性心不全	体重増加, 息切れ, 浮腫, 頸静脈怒張, 呼吸困難(胸水)
			肝硬変	体重増加, 腹部膨満(腹水), 呼吸困難, 浮腫, 腹壁静脈怒張, 黄疸
			ネフローゼ症候群	体重増加, 浮腫
	口渇中枢 の異常	器質的異 常	視床下部(浸透圧受容器)の異常	炎症反応を伴わない発熱, 発汗異常, 構語障害, 四肢麻痺, 頭痛
		機能的異 常	心因性多飲症	口渇と多尿以外に明確な所見に乏しい
口腔内の乾燥感 体液調節異常なし			鼻閉	起床時に悪化し咽頭痛を伴う乾燥感
			シェーグレン症候群	ドライアイ, う歯, 耳下腺腫脹, 筋痛, 皮膚症状など(合併する膠原病による)
			薬物の投与によるもの	明確な随伴症状がない
			心理的な要因	明確な随伴症状がない

724

診断

「口渇感」の訴えが，体液調節異常を伴うことが予測される病態か，口腔内の乾燥感なのかを鑑別する．前者の場合には緊急性を伴う病態もあることから，血液・尿による臨床検査を進めつつ，緊急疾患を除外することが必要である．

●原因・考えられる疾患
●表42-1，表42-2で示した疾患が考えられる．

〈体液調節異常による病態〉
●水分摂取不足による脱水：熱中症，慢性消耗性疾患(終末期，悪性疾患など)，神経筋疾患などによる摂食障害．
●体液喪失による脱水：消化管疾患(下痢・嘔吐などによる体液喪失)，腎性喪失(糖尿病，利尿薬過剰投与，尿崩症，慢性腎臓病，電解質異常)．
●血管外への体液移行：心不全，肝硬変，ネフローゼ症候群など．
●熱傷による皮膚からの体液喪失．
●口渇中枢の異常(器質的異常，機能的異常)．

〈口腔内の乾燥感〉
●多くの場合，緊急性はない病態が考えられる．ただし，心理的な要因と決めつけずに，原因となりうる鼻閉，シェーグレン症候群の合併，口渇感が出やすい薬物の投与(抗ヒスタミン薬，抗パーキンソン病薬，抗コリン薬)などを問診し，臨床検査で丁寧に確認することが必要である．

●鑑別診断のポイント
●体液調節異常による病態の場合，正確な問診により原因が明らかな場合(例えば熱中症，下痢，熱傷など)もあるが，原因が問診のみで不明瞭なときは，各種検査を並行して進め，鑑別する．
●糖尿病性ケトアシドーシス，高血糖高浸透圧症候群，高カルシウム血症などの意識障害を伴う病態では，問診や病歴聴取で原因が不明瞭なこともあり，緊急検査でも確認可能な検査結果を随時確認しながら診断が必要となる．
●脱水所見の有無を確認する．問診，血液，尿検査とともに，起立性の低血圧と脈拍増加，皮膚の張り感(ツルゴール)の低下，などが参考になる．
●明確な脱水，電解質異常はないが，口渇が強い場合は，口腔内の乾燥感との差異を意識しつつ，尿崩症などの疾患頻度は高くなくとも重篤な疾患の可能性を除外してゆく．この場合，循環血漿量のわずかな低下を検査のみで確定することは困難であり，総合的な鑑別診断が必要である．
●口渇感が出やすい薬物(抗ヒスタミン薬，抗パーキンソン病薬，抗コリン薬)の投与がないか，問診で丁寧に確認することが必要である．

治療法・対症療法

●治療方針
●口渇を訴えるので水分を補給する，と盲目的に判断しないで，前述の背景疾患の有無について判断しつつ，対応する．
●特に嚥下困難を伴う水分補給低下，血管外への体液移行，の2つの病態に関しては，飲水の励行により症状の増悪につながる可能性もある点に留意が必要である．
●緊急性のある背景疾患が同定されれば，ただちに原疾患の治療を行う．
●緊急性はないが，背景疾患の存在が疑われた場合は，各種の臨床検査による鑑別診断を進め，背景疾患の改善を検討する．
●飲水が許容される場合は経口で，飲水不可の場合も背景の病態が溢水(血管外への体液移行)でなければ，経静脈的に補液を行って治療を進める．
●口腔内の乾燥感の場合，原疾患があればその治療や，原因薬剤を中止する．シェーグレン症候群では人工唾液などが使用される．

●薬物療法
●背景疾患がある場合は，原因疾患の治療が重要になる．
●以下に示す薬剤を大量・急速投与することで脳浮腫，肺水腫，末梢の浮腫などがあらわれる可能性がある．
●カリウムを含む製剤では大量・急速投与することで高カリウム血症があらわれる可能性があるため，

42

口渇

第6章　消化器系

■表 42-3　補液に用いる電解質輸液

分類	商品名	一般名	主な用途
経口補水液	オーエスワン（OS-1）		軽度から中等度の脱水で，経口摂取が十分に可能なとき
電解質輸液	ラクテック	乳酸リンゲル液	循環血液量および組織間液の減少時
	ヴィーンF	酢酸リンゲル液	循環血液量および組織間液の減少時
	生理食塩液	生理食塩液	
	5% ブドウ糖液	ブドウ糖液	ナトリウムの負荷を避けたいとき
	ソリタ-T1 号	開始液	カリウム非含有，開始輸液
	ソリタ-T2 号	脱水補給液	カリウム含有，カリウム喪失性の脱水時
	ソリタ-T3 号	維持液	カリウム含有，維持輸液
	ソリタ-T4 号	術後回復液	カリウム含有，カリウム貯留の恐れがあるとき（術後回復期など）

■表 42-4　口渇時に使われる主な薬

分類	一般名	商品名	薬の効くメカニズム	主な副作用
インスリン製剤（速効型インスリン）	インスリン　ヒト（遺伝子組換え）	ヒューマリンR	細胞への糖の取り込みを促進し，血糖を降下させる	低血糖
下垂体後葉ホルモン製剤	デスモプレシン酢酸塩水和物	デスモプレシン	抗利尿作用	悪心，頭痛
		ミニリンメルト	水の再吸収を促進する	水中毒，低ナトリウム血症
利尿薬	フロセミド	ラシックス	腎尿細管全域における Na^+，Cl^- の再吸収を抑制する	ショック，不整脈
	スピロノラクトン	アルダクトンA	遠位尿細管において，Na^+，水の排泄を促進する	倦怠感，けいれん，不整脈
	トルバプタン	サムスカ	腎集合管での水再吸収を阻害し，選択的に水を排泄する	高ナトリウム血症，口渇，頻尿，頭痛
人工唾液	（合剤）リン酸二カリウム・無機塩類配合剤	サリベート	乾燥した口腔咽頭粘膜を湿潤させる	嘔気
唾液分泌促進薬	セビメリン塩酸塩水和物	エボザック	唾液分泌促進	悪心・嘔吐
抗不安薬	クロチアゼパム	リーゼ	大脳のベンゾジアゼピン受容体に作用して，不安などを改善	依存性，肝機能障害

726

輸液濃度，投与速度，投与量など慎重に検討する

Px 処方例 水分摂取不足，または消化管からの体液喪失による脱水の場合（嚥下障害なし）
- オーエスワン（OS-1）　内服　←経口補水液
- ラクテック注またはソリタ-T1号輸液　点滴静注　←開始輸液

Px 処方例 水分摂取不足による脱水の場合（嚥下障害あり）
- ラクテック注またはソリタ-T1号輸液　点滴静注　←開始輸液
  ※脱水補正が進めば，ソリタ-T3号またはソリタ-T3G号輸液を点滴静注（維持輸液）へ変更

Px 処方例 糖尿病による脱水の場合　糖尿病性ケトアシドーシス，高血糖高浸透圧症候群
- 生理食塩液　点滴静注（治療開始初期）　←カリウム非含有電解質輸液
- ヒューマリンR　持続静注（経静脈的）　←速効型インスリン

Px 処方例 中枢性尿崩症による脱水の場合
- デスモプレシン点鼻スプレー（2.5 µg）　1回5〜10 µg（2〜4噴霧）　1日1〜2回鼻腔内噴霧　←下垂体後葉ホルモン剤
- ミニリンメルトOD錠（60 µg）　1回60〜120 µg　1日1〜3回　←下垂体後葉ホルモン製剤
  ※投与量は患者の飲水量，尿量，尿比重，尿浸透圧により適宜増減する．なお，1回投与量は240 µgまでとし，1日投与量は720 µgを超えない．

Px 処方例 中枢性尿崩症で高ナトリウム血症を伴う場合
- 5% ブドウ糖液　点滴静注　←糖質輸液用製剤（低張液輸液）

Px 処方例 血管外への体液移行の場合（心不全，肝硬変，腎疾患など）
- ラシックス錠（20 mg）　1回1錠　1日1回　朝食後　←ループ利尿剤
- アルダクトンA錠（25 mg）　1回1錠　1日1回　朝食後　←カリウム保持性利尿剤
  ※他の利尿薬で効果不十分な心不全・肝硬変における体液貯留の場合
- サムスカ錠（7.5 mg）　1回1錠　1日1回　朝食後　←バソプレシンV₂受容体拮抗剤

Px 処方例 シェーグレン症候群の場合
- サリベートエアゾール　1回1〜2秒間　1日4〜5回口腔内噴霧　症状により適宜増減　←人工唾液
- エボザックカプセル（30 mg）　1回1カプセル　1日3回　朝昼夕食後　←唾液分泌促進薬

Px 処方例 心因性の要因が強いと考えられる場合
- リーゼ錠（5 mg）　1回1錠　1日3回　朝昼夕食後　←抗不安薬

● 参考文献
1) 矢崎 義雄，小室 一成編：内科学第12版. 朝倉書店，2022
2) 福井 次矢，黒川 清編：ハリソン内科学第5版. MEDSi，2017
3) 福井 次矢，奈良 信雄集：内科診断学第3版. 医学書院，2016

第6章 消化器系

口渇の病期・病態・重症度別にみた治療フローチャート

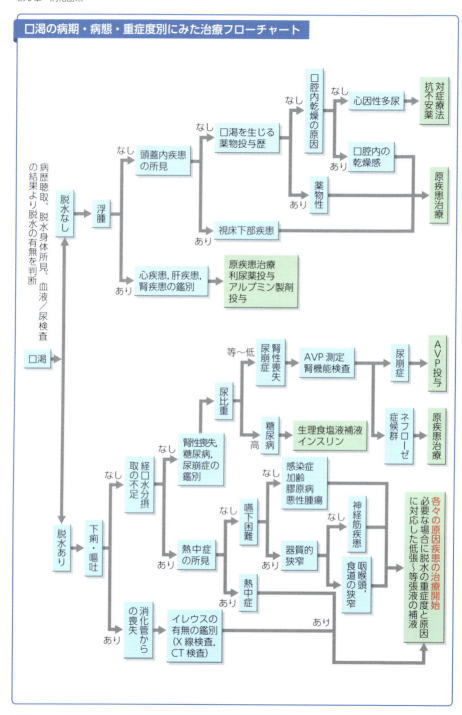

口渇のある患者の看護

庄村 雅子

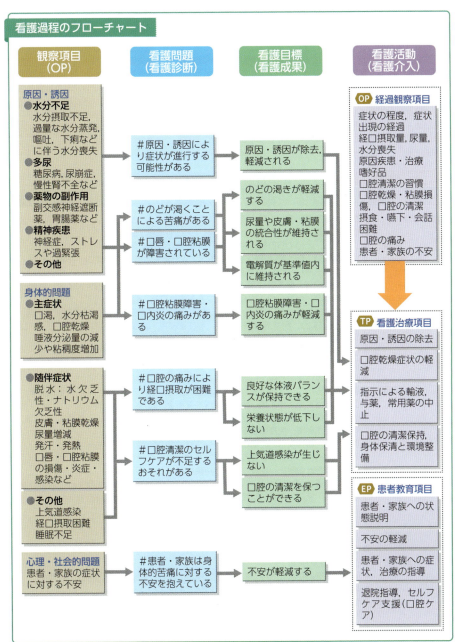

第6章　消化器系

基本的な考え方

- 口渇とは，一般に口腔や咽喉の乾燥により「のどが渇く」「水が飲みたい」という生理的な感覚の総称で，主観的であり，個人差が大きい．しかし，その原因は様々であり，原因を把握し見分けることが大切である．
- 口渇は，水分欠乏によるものと，口腔粘膜や咽喉部の乾燥と唾液分泌低下による口腔乾燥によるもの，精神的なものに大別できる．口渇の性質や程度，随伴症状とその影響も観察し，病状に応じた症状緩和や安楽の援助を行わなければならない．

緊急 高張性（水欠乏性）脱水による重篤な口渇は，生命に危機的な水分欠乏を示しうるため，迅速な処置が必要である．高齢者，小児は，水分欠乏に陥りやすく重篤な脱水をきたしやすいが，口渇を訴えることが難しいため全身状態の観察が重要である．口腔乾燥は，唾液減少から口腔・咽喉粘膜の損傷や自浄能力の低下により，感染のリスクが高く，経口摂取低下や嚥下困難になると衰弱や重症感染をきたすため早急な対応を要する．高齢者は，口腔乾燥の自覚に乏しく，皮膚粘膜や感染の抵抗力が低下しているため，軽度の口腔乾燥にも注意が必要である．口渇の原因のうち，中〜高度の水分・電解質異常や内分泌・代謝異常に対しては異常を疑わせるサインを十分に観察し，迅速な対応が必要である．

STEP ① アセスメント ▶ STEP ② 看護課題の明確化 ▶ STEP ③ 計画 ▶ STEP ④ 実施 ▶ STEP ⑤ 評価

情報収集	アセスメントの視点と根拠・起こりうる看護問題
病歴の把握	患者・家族から症状出現の経過，症状の変化を聞くことで，原因・誘因の特定や全身状態の把握につながり，治療や看護ケアにも重要な情報を得ることができる．

- **経過**
  - いつから，どのくらい続いているか，前駆症状があったか．
  - 急激な口渇　**原因・誘因** 水分摂取不足，水分喪失過剰（発汗，嘔吐，下痢，熱傷，出血，滲出液），浮腫，胸腹水貯留，塩分の過剰摂取
  - 慢性的な口渇　**原因・誘因** 糖尿病，尿崩症，心因性多飲症，慢性腎不全，副腎皮質機能不全，低カリウム血症（カリウム喪失性腎炎，腎尿細管性アシドーシス，アルドステロン症など），高カルシウム血症（副甲状腺機能亢進症，ビタミンD中毒，悪性腫瘍など），甲状腺機能亢進症，脳血管障害，唾液腺の炎症によるシェーグレン症候群，口内炎など
  - 口腔の乾燥の有無と程度：口腔の湿潤状況，炎症や亀裂，唾液分泌の状況など
  - 症状の変動の有無：水分を補給しても改善しないか，持続的か．
  - 口渇による苦痛の程度：口渇を訴える回数，表情など
- **誘因**
  - 水分の摂取状況，水分喪失，症状出現前の水分摂取状況および水分摂取量の把握
  - 多尿を伴う疾患：糖尿病，尿崩症，慢性腎不全，低カリウム血症など
  - 服薬との関係　**原因・誘因** 副交感神経遮断薬，胃腸薬，降圧薬，向精神薬，利尿薬，中枢神経作動薬，免疫抑制薬など
  - 精神状態・精神疾患との関係：ストレスや過度の緊張，心因性多飲症など
  - その他の病状：甲状腺機能亢進症など
  - 周囲の環境との関係：乾燥，気温，空調など
- **随伴症状**
  - 脱水：等張性（水欠乏性）・低張性（ナトリウム欠乏性），皮膚・粘膜乾燥，尿量の増減，発汗・発熱，口唇・口腔粘膜の損傷・炎症・感染などの随伴症状はないか．
  - 随伴症状と口渇との時間的関係：内分泌検査（血中ホルモン測定など）
  - その他：経口摂取状況，睡眠状況
- **生活歴**
  - ストレス，緊張の有無，性格テスト
  - 仕事上の問題の有無
- **既往歴**
  - 口渇の経験の有無
  - 口渇の治療の有無と内容：輸液療法，経口による水分投与，原因疾患の治療など
  - 高血圧，心疾患，腎疾患，糖尿病，内分泌疾患などの既往
  - 手術　**原因・誘因** 唾液腺の損傷や切除
  - 放射線照射歴　**原因・誘因** 唾液腺の損傷
- **嗜好品**
  - アルコール摂取や喫煙習慣の有無と頻度や量

730

職業歴その他	●高温，乾燥など特殊環境下での仕事 ●口渇および原因疾患を含む患者の病態，検査，治療に関する知識や理解 ●月経との関係　**原因・誘因** 過剰な経血や浮腫 ●水分制限，水分摂取に対する過度の嫌悪感 ●長期間の絶飲食

主要症状の出現状況，程度，性状の把握

> 症状の出現状況や口渇の性質を把握することで，原因疾患の特定につながる情報が得られる．

前駆症状

●明らかな脱水を伴う（「7 脱水」参照）　**原因・誘因** 高張性（水欠乏性）脱水，等張性（混合性）脱水（水分とナトリウム双方の喪失を伴う）．ただし，低張性（ナトリウム欠乏性）脱水の場合は，口渇は起きないことが多い．

・水分摂取不足（気温が高く乾燥した生活環境）　**緊急** 意識障害や昏睡，口渇中枢の障害（脳血管障害や脳腫瘍など）　**小児・高齢者・意識障害・精神疾患患者** 口渇がうまく訴えられず，自ら水分をとることも難しいため，極度の脱水に注意する．

・腎外での水分喪失：過剰発汗，開放性の傷や熱傷による血漿成分の滲出や出血，嘔吐，下痢　**緊急** 嘔吐・下痢併発，経口摂取不能　**小児** 体液量が少なく，水分代謝が早いため水分喪失リスクが高い　**高齢者** 感覚機能鈍化により口渇を自覚しにくく，成人に比べ細胞内液比率が低いことや循環機能低下などで水分喪失しやすいため極度の脱水に注意する　**緊急** 消化管瘻（ろう）

・腎からの水分喪失：浸透圧利尿（糖尿病，高カロリー輸液，急性腎不全利尿期など），尿崩症，ループ利尿薬やサイアザイド系利尿薬の過剰投与，副腎機能不全によるアルドステロンの不足，自由水（電解質を含まない水）の過剰投与，過剰輸液

●口腔の乾燥感

・口腔乾燥　**原因・誘因** 口呼吸（鼻閉など），心理的要因（ノイローゼ，極度の怒り，興奮，恐怖など）で口腔内の乾燥を訴えることがある．

・唾液分泌の低下　**原因・誘因** シェーグレン症候群，薬物，手術，放射線治療，加齢，禁飲食など

口渇の出現状況

●服薬後　**原因・誘因** 副交感神経遮断薬，胃腸薬，制吐薬，降圧薬，向精神薬，利尿薬，オピオイドなど　**緊急** 薬物による重篤な脱水

●術後　**原因・誘因** 唾液腺摘出

●化学（抗がん剤）療法　**原因・誘因** 抗がん剤の作用による口腔粘膜障害

●放射線治療　**原因・誘因** 唾液腺への照射により腺萎縮による唾液分泌障害，口腔内や頭頸部照射による口腔乾燥，照射による経口摂取低下

●骨髄移植療法　**原因・誘因** 慢性 GVHD（移植片対宿主病）による唾液腺炎

●酸素療法　**原因・誘因** 酸素吸入，口呼吸

●全身状態不良

口渇の性状

●口腔の乾燥感，ねばつき感　**原因・誘因** 唾液分泌量減少や粘稠（ねんちゅう）度増加，水分喪失を伴う高張性脱水，等張性脱水

●水分枯渇感　**原因・誘因** 体液浸透圧の上昇する高張性脱水，等張性脱水で強く，低張性脱水では弱いか感じない．

口渇による苦痛

●倦怠感や脱力感，めまい，立ちくらみ，悪心・嘔吐，頭痛の有無

●口腔・咽喉粘膜の疼痛や熱感　**緊急** 口腔内のびらんと痛みにより経口摂取不能

●嚥下しにくい，飲み込みにくい　**原因・誘因** 唾液分泌量減少や粘稠度増加

●食べ物の味がしない　**原因・誘因** 唾液分泌量減少や粘稠度増加

●口の中がねばねばして話しにくい　**原因・誘因** 唾液分泌量減少や粘稠度増加

●義歯が外れやすい，当たって痛い，舌が歯がすれて痛い　**原因・誘因** 唾液分泌量減少

●う歯が増える　**原因・誘因** 唾液分泌量減少による口腔自浄作用低下

●口唇が切れやすい　**原因・誘因** 口唇の乾燥

42

口渇

第6章 消化器系

- ●口が開きにくい 　原因・誘因 　唾液分泌量減少や粘稠度増加
- ●口の中がザラザラする 　原因・誘因 　唾液分泌量減少や粘稠度増加
- ●食欲不振，食べるのがつらく感じる 　原因・誘因 　口の痛み，味覚の変化

口渇への緊急対応

- ●体内水分量の不足による激しい口渇の場合は，一般に水分欠乏による中等度以上の脱水が考えられる．重篤な高度脱水では，意識障害や全身状態の悪化がみられるため，循環や呼吸を保持して安静を保ち，全身状態と水分・電解質を確認しながら輸液管理を行う．
- ●水分補給を十分かつ頻繁に行っても，口腔乾燥や水分枯渇感が持続する場合は，背後に脱水とは別の疾患が隠れていないか検討する．
- ●口渇により，口腔内あるいは嚥下が障害され，経口摂取が不可能な場合には，経口以外の方法で，点滴，経管栄養（経鼻・経腸），水分・電解質や栄養を補う．経口摂取ができなくなると唾液分泌はいっそう低下し，う歯や口腔・咽喉への感染リスクが高まる．このため，口腔の清潔保持に注意する．口腔乾燥により誤嚥しやすくなることがあり，誤嚥による気道閉塞や呼吸器感染症に注意する必要がある（誤嚥予防）．

全身状態，随伴症状の把握 **バイタルサイン**	症状出現の経過の把握とともに，脱水や他の症状の有無，随伴症状を観察し，治療，看護計画の立案に有効に反映する． ● 高齢者 　小児 　口渇をうまく訴えられないので他覚的所見が重要 ● 緊急 　意識障害の有無を確認する ⟲ショックなど急変への早期対応 ●体温 ⟲感染症や内分泌疾患を鑑別する． ●血圧，脈拍・リズム ⟲循環器疾患を鑑別する 　緊急 心悸亢進，心不全 ●呼吸状態を観察する．必要に応じ動脈血ガス分析を行う 　緊急 クスマウル呼吸
全身状態	●水分出納の把握：IN（水分・食事摂取量，輸液量），OUT（尿量，便量，嘔吐，下痢，出血量，発汗，不感蒸泄，排液量） 　原因・誘因 糖尿病性ケトアシドーシス ●尿量の変化 ●尿検査（比重，浸透圧，タンパク，糖，ケトン体，尿中ナトリウム，カリウム，クロール，沈渣，24時間尿量計測） ●血液検査（赤血球，ヘモグロビン，ヘマトクリット），生化学検査（総タンパク，アルブミン，BUN，クレアチニン，ナトリウム，カリウム，クロール，カルシウム，浸透圧，血糖，肝機能，タンパク分画，pHなど） ●摂食・嚥下の低下や経口摂取量の減少 　原因・誘因 　刺激時唾液量の減少 ●栄養摂取方法：経口，経管（経鼻，胃瘻，腸瘻），中心静脈栄養 ●全身状態（performance status：PS）あるいはADL ●発語・会話のしにくさ 　原因・誘因 　刺激時唾液量の減少 ●使用薬剤の確認 ●体格，体重の変化 ⟲体液量の減少による体重減少から脱水の程度を把握する．
頭頸部	●皮膚 ⟲乾燥，損傷の確認，皮膚の弾力性（ツルゴール）を観察する． ●頭部 ⟲ 小児 　乳児では大泉門陥没の有無を確認する．脱水の程度の把握 ●唾液粘稠度増大により口腔内で唾液を攪拌するのが困難であったり泡状の唾液がみられるか 　原因・誘因 　安静時唾液分泌量の減少，涙腺・唾液腺障害の検査 ●口腔，舌 ⟲舌乳頭の萎縮，舌の保水能力，舌炎の有無をみる 　原因・誘因 口腔乾燥の重症化 ●甲状腺 　原因・誘因 甲状腺腫，リンパ節腫脹を確認する 　緊急 甲状腺クリーゼ ●頸部 ⟲頸静脈の虚脱状態から脱水の程度を把握する．
胸部	●打診，聴診 ⟲上気道感染の有無，他の心肺疾患を鑑別する． ●胸腹部X線検査 ⟲胸腹水の有無，他の胸腹部疾患を鑑別する． ●心電図検査，心エコー検査，CVP（中心静脈圧）測定 ⟲循環・心機能を把握する．

	Q **起こりうる看護問題**：のどが渇くことによる苦痛がある／口唇・口腔粘膜が障害されている／口腔粘膜障害・口内炎の痛みがある／口腔清潔のセルフケアが不足するおそれがある／患者・家族は身体的苦痛に対する不安を抱えている
患者・家族の心理・社会的側面の把握	▌ **患者は，口渇による苦痛と，対応の困難さにとまどっている.** ● 口渇の理解　➡ 口渇に対する情報不足や誤解がないか捉え，不安の有無を確認する. ● 口渇に対する療養計画の受け止め　➡ 本人と家族が口渇を予防したり軽減する適切な自己管理行動をとれるよう，治療の意義や必要性を認識できているか，および自己管理における困難や負担がないか確かめる. ● 混乱や動揺，抑うつの有無と程度　➡ 口渇による強度の不安は，自信や積極性の欠如につながり，セルフケアやサポートの獲得力を低下させるため，心理状態を査定することは重要である. ● 小児 高齢者 苦痛や感情を言葉にできないおそれを考慮し，非言語的反応からも不安を捉える必要がある. Q **起こりうる看護問題**：口腔清潔のセルフケアが不足するおそれがある／患者・家族は身体的苦痛に対する不安を抱えている

STEP ❶ アセスメント　STEP ❷ 看護課題の明確化　STEP ❸ 計画　STEP ❹ 実施　STEP ❺ 評価

42
口渇

看護問題リスト

#1　のどが渇くことによる苦痛がある (認知-知覚パターン)
#2　口唇・口腔粘膜が障害されている (栄養-代謝パターン)
#3　口腔粘膜障害・口内炎の痛みがある (認知-知覚パターン)
#4　口腔清潔のセルフケアが不足するおそれがある (健康知覚-健康管理パターン)
#5　患者・家族は身体的苦痛に対する不安を抱えている (自己知覚パターン)

看護問題の優先度の指針

● 原因が早急に改善できないと症状が持続し，苦痛が強いため，口腔乾燥を軽減させる.
● 口渇が原因で生じている口唇・口腔粘膜障害，口内炎への対処を並行して行う. 口腔粘膜障害は痛みを伴うと，経口摂取の低下から脱水や栄養低下をきたし，口渇および随伴症状を招く悪循環を生むため，痛みの緩和を図る必要がある.
● 口腔粘膜障害がある場合は，炎症が咽頭から上気道へ波及しないよう，口腔清潔のセルフケア支援が重要である.
● 口腔内に障害をきたすほどの口腔乾燥は，身体的苦痛が強く経過も長いことが多いため，不安は避けがたい問題となる.

STEP ❶ アセスメント　STEP ❷ 看護課題の明確化　STEP ❸ 計画　STEP ❹ 実施　STEP ❺ 評価

1 看護問題	看護診断	看護目標（看護成果）
#1　のどが渇くことによる苦痛がある	**安楽障害** **関連する状態**：病気に関連した症状(脱水，唾液分泌の減少)，治療計画(薬物) **診断指標** □不快感を示す □睡眠覚醒サイクルの変化	〈**長期目標**〉のどの渇きがなくなる 〈**短期目標**〉のどの渇きが軽減し，飲水回数，量が減少する

733

第6章　消化器系

看護計画	介入のポイントと根拠

急性期の緊急対応

OP 経過観察項目
- 口渇の程度，経過，苦痛を把握する
- 緊急性の高い明らかな脱水症状がある場合は迅速な対応が求められる（「7 脱水」参照）．**意識障害**（昏睡，興奮，頭蓋内圧亢進），**けいれん**（頭蓋内圧亢進），**発熱，項部硬直**（髄膜炎，脳炎）といった症状に注意する

➡ 体重の 2% の水分欠乏で口渇を感じる
➡ 脱水症状が明らかな場合，まず脱水を改善する
➡ 体重の 5〜7% の水分欠乏は中等度の脱水で激しい口渇を訴え，全身的に衰弱するため急変に備える
➡ 体重の 7% 以上の高度脱水は，意識障害など急変のため口渇を訴えることが困難になる

TP 看護治療項目
- 水分欠乏による口渇患者には，**水・電解質を補給**することが先決である．経口摂取時は水分の**誤嚥防止**のために体位や投与方法を工夫する
- 指示された輸液の確実な管理と，全身状態および検査データの観察による補液の適切性を評価する
- ガーゼやスポンジスワブ，綿棒で口を湿らす

➡ 脱水があり経口摂取できなければ，経腸あるいは静脈内投与する．心不全や浮腫などで水分制限のある場合は，適正水分量に注意する

➡ **根拠** 口渇が強い場合は，口を湿らせ症状を和らげる．救急時は誤嚥に注意し，飲水ではなく口を湿らす程度にする

EP 患者教育項目
- 症状や治療について患者・家族に説明する．理解を得て，患者が抱えている**不安を解消**する

➡ **根拠** 症状や治療を説明することにより，不安を軽減し，点滴の苦痛を受け入れるよう後押しする

OP 経過観察項目
- 糖尿病や腎疾患などに関連した脱水や体内水分量の不足から口渇が生じている場合
  - 体重減少，尿量，尿比重の継続的な観察を怠らない
  - その他の症状：唾液減少，口腔・舌乾燥，眼球陥没，乏尿，めまい，悪心・嘔吐，皮膚ツルゴール（緊張感）低下，意識レベルの変化の有無も観察する
  - ヘマトクリット，血清ナトリウム，血糖，血漿浸透圧などの検査データも並行して把握する

➡ **根拠** 乏尿を伴う口渇の原因は水分摂取不足，嘔吐や下痢による水分喪失である．多尿を伴う口渇の原因は糖尿病，尿崩症などである．尿比重が高い場合の口渇の原因は，体内水分量不足や糖尿病による脱水，尿比重が低い場合は，尿崩症，慢性腎不全，低カリウム血症による脱水などである

➡ **根拠** 血清ナトリウムと血漿浸透圧，ヘマトクリットは脱水の種類や程度を見分けるのに必要である

➡ **根拠** 口渇から背後にある糖尿病や腎疾患を確定できる　**高齢者** 特に高齢者や意識レベルの低下，全身衰弱のある患者は水分欠乏をきたす可能性が高い

- 唾液腺障害などにより口渇が生じている場合
  - 脱水症状がない
  - その他の症状：唾液・涙液分泌障害，乾燥性角膜炎，口腔乾燥，口内炎など
  - 唾液腺障害の原因となる疾患や治療

➡ **根拠** 高張性脱水の症状がみられない場合，唾液腺障害か心因性の口渇を考える
➡ 唾液分泌障害とその随伴症状から，ケアを検討する
➡ 唾液腺障害は，炎症，シェーグレン症候群，腫瘍，脳炎，脳腫瘍，脳外傷，薬物，手術，化学療法，放射線治療などにより生じる

- 全身的な脱水症状や口腔内異常のない口渇
  - 飲水で口渇が解消されるか確かめる

➡ **根拠** 口渇が飲水で解消されれば生理的な脱水

734

・普段の飲水習慣

・日常生活への影響：活気がない，不眠など

である
⇒ 根拠 飲水習慣を把握し，必要に応じ教育支援を検討する
⇒ 根拠 慢性的な唾液分泌不足により咀しゃく・嚥下機能障害や，舌苔，口臭を生じていないか把握しケアを検討する

TP 看護治療項目
- 口を湿らす：含嗽を勧める．水分や氷片，かき氷，シャーベットなどを頻回にとる
- 唾液分泌を促す：レモン水や酸味のある飴，果実の小片を口に含む，ガムなど何かを口に入れる，あごをマッサージする
- 口腔内の保湿：口腔保湿ジェル，口腔保湿含嗽液，人工唾液を使用する
- 生活環境の調整：室温と湿度，寝衣，寝具を調整する
- 口唇・口腔粘膜保護：リップクリーム，白色ワセリン，白ゴマ油，オリーブ油を塗布する
- 口腔乾燥，口内炎の防止のセルフケア支援，口腔ケアによる清潔保持，口腔カンジダ症予防
- 口渇の原因治療：輸液，薬物調整
- 口渇を緩和する薬物療法の検討（コリン作動薬）

⇒ 口渇の原因・誘因によりケアが異なる

⇒ 唾液減少から嚥下困難をきたしやすく，水分摂取時は誤嚥に注意する

⇒ 根拠 口腔乾燥は，放置すると損傷や感染を起こしやすくなるため，口腔を潤すよう，様々なケアを工夫する

EP 患者教育項目
- 口腔乾燥や口内炎を防止するためのセルフケアを指導する
- 患者・家族に飲水の必要性を説明する

⇒ 根拠 口腔乾燥防止の必要性とセルフケア方法を理解することで，合併症やセルフケアに対する不安が軽減される

42 口渇

2

看護問題	看護診断	看護目標（看護成果）
#2 口唇・口腔粘膜が障害されている	口腔粘膜統合性障害 **関連因子**：脱水症，唾液分泌減少 **関連する状態**：口腔異常 **診断指標** □口唇炎 □口内炎 □舌苔 □口内乾燥症	〈長期目標〉口腔粘膜が健康に保たれる 〈短期目標〉1) 口腔内の清潔が保持されている．2) 口腔粘膜に感染がない．3) 口腔粘膜損傷が軽減する

看護計画

OP 経過観察項目
- 口唇，口腔，舌の乾燥
- 口唇・口腔粘膜損傷：びらん，発赤，炎症，潰瘍，萎縮
- 口腔汚染：口臭，舌苔，白いプラーク
- 口腔の不快感，痛み
- 歯・歯肉：炎症，う歯，腫脹，充血，出血，変色
- 摂食・嚥下困難
- 義歯使用困難

介入のポイントと根拠

⇒ 口腔乾燥の程度を把握し，ケアを検討する
⇒ 口腔粘膜障害の状態や程度を把握し，悪化防止や改善を検討する
⇒ 口腔粘膜損傷がある場合は，口腔内の汚染や不快感，歯や歯肉，舌，摂食，会話の問題を予測してみる 根拠 口腔障害，飲食・会話困難などの随伴症状は，口腔粘膜障害の重症度や苦痛の程度を反映するため，症状の悪化を早期に発見することができる

第6章 消化器系

- ●味覚異常
- ●会話困難
- ●感染：発疹，化膿性滲出液，排液
- ●病原体の存在：細菌培養，カンジダなどの有無

⊃口腔粘膜の感染は，周辺への感染拡大，上気道感染へのリスクになるため感染防止に注意する
根拠 口腔感染は，全身状態の低下を示すことがある **高齢者** 高齢者は加齢により口腔自浄作用が低下するため感染リスクが高いので注意する

TP 看護治療項目
- ●医師に指示された輸液，薬物を投与する
- ●含嗽を勧める．水分や氷片，かき氷，シャーベットなどを頻回にとる．ガーゼやスポンジスワブ，綿棒で口唇，口腔内を湿らす
- ●唾液の分泌を促す：レモン水や酸味のある飴，果実の小片を口に含む，ガムなど何かを口に入れる，あごをマッサージする
- ●口腔内を保湿する：口腔保湿ジェル，口腔保湿含嗽液，人工唾液を使用する

⊃口を湿らす，体温を調整する **根拠** 不感蒸泄による体液の喪失を防ぐ

⊃少量ずつ勧める **根拠** 粘膜損傷のある時は酸味がしみて，苦痛を誘発することがある

⊃口腔の保湿と清潔 **根拠** 乾燥した口腔粘膜は損傷を受けやすいため，保湿と清潔を徹底する
⊃嚥下障害がある場合は，保湿剤を誤嚥しないよう注意する

- ●生活環境を調整する：室温と湿度，寝衣，寝具を調整する
- ●口唇・口腔粘膜を保護する：リップクリーム，白色ワセリン，白ゴマ油，オリーブ油を塗布する
- ●口腔乾燥，口内炎の防止のセルフケアを支援する
- ●口腔ケアによる清潔保持，感染（カンジダなど）を予防する

EP 患者教育項目
- ●口腔ケアの必要性について説明する
- ●口腔乾燥防止，口腔ケア，粘膜損傷のセルフケアを指導する

⊃理解することによって取り組める **根拠** 口腔粘膜障害の受け止めや通常の口腔ケア習慣を尊重しつつ，障害に適した自己管理方法を一緒に考える

3 看護問題	看護診断	看護目標（看護成果）
#3 口腔粘膜障害・口内炎の痛みがある	**急性疼痛** **関連因子**：物理的損傷要因（口腔粘膜の損傷） **診断指標** □表現行動（口が痛いという訴え） □食欲の変化（口腔の痛みにより固形物の摂取ができない）	〈**長期目標**〉疼痛が緩和し，食事を摂取できる 〈**短期目標**〉1) 疼痛が軽減したと言える．2) 食事が摂取できるようになる

看護計画	介入のポイントと根拠
OP 経過観察項目 ●口腔の痛みの部位，程度，きっかけ ●口腔損傷の部位と程度 ●食事摂取量，食欲の変化	⊃ **根拠** 痛みによる苦痛の状態を把握する ⊃損傷と痛みとの関連を観察する **根拠** 食事を勧めてよいかの評価を行う

- 血圧，心拍数，呼吸数，発汗の変化
- 活気，機嫌，表情
- 睡眠，休息状況

TP 看護治療項目
- 口腔の痛みと，痛みを増強あるいは緩和する事象と理由についてよく話し合う
- 口腔の痛みを増強しない食べ物を提供する
- 痛みの和らいでいる時に十分な休息をとる機会を提供する
- 気晴らしやリラクセーションなど非薬理学的に痛みを和らげる方法を提案する
- 指示された鎮痛薬を使用し，十分に疼痛を和らげる

EP 患者教育項目
- 口腔の痛みを誘発しやすい食物について指導する
- 非薬理学的および鎮痛薬による疼痛緩和の方法を説明する
- 口腔乾燥防止と清潔保持の必要性を説明する
- 口腔ケアの方法を指導する

- ➲ **根拠** 痛みによる身体や生活全般への影響を評価する

- ➲ 口腔の痛みに伴う患者の反応を積極的に受容する．痛みを誘発しない方法を一緒に考える
- ➲ 食事による口腔の痛みを和らげる
- ➲ 中断されないよう日中の休息と夜間の睡眠を確保する
- ➲ 副交感神経刺激により非侵襲的に痛みを和らげる
- ➲ 鎮痛薬による疼痛緩和の効果を評価する．薬物に対し誤解のないよう適切な合意のもとで用いる

- ➲ 食事に伴う疼痛の緩和を自己管理できるよう促す
- ➲ **根拠** 患者や家族が痛みに対処するための方法を身につける
- ➲ **根拠** 痛みの原因となる口腔損傷の悪化を防ぐため，口腔ケアの必要性の理解と取り組みを促進する

42
口渇

4	看護問題	看護診断	看護目標（看護成果）
	#4　口腔清潔のセルフケアが不足するおそれがある	**非効果的健康自主管理** **関連因子**：治療計画に障壁を感じている（口腔清潔の困難さの訴え），ヘルスリテラシーの不足（口腔ケアの必要性の認識がない） **診断指標** □疾患症状（口腔乾燥，口腔粘膜障害，口腔の痛み）の悪化	〈**長期目標**〉口腔の清潔を保持できる 〈**短期目標**〉1）口腔ケアの必要性が述べられる，2）口腔ケアの方法を説明・実施できる

看護計画	介入のポイントと根拠
OP 経過観察項目 ● 唾液分泌量，口腔内の清潔 ● 口腔乾燥の自覚の有無，程度 ● 口腔乾燥に伴う摂食・会話などへの支障 ● 口腔粘膜障害の程度，痛みや不快の有無 ● 口腔の清潔保持の習慣 ● 認知機能，理解力 ● 口渇やその他の治療，症状に対する受け止め **TP 看護治療項目** ● 口腔ケアに対する困難さをよく聞く ● 口腔清潔や必要性に関する適切な情報を提供する	➲ 口腔乾燥の徴候を観察する　**根拠** 舌苔の出現は唾液分泌低下と関連していることが多い ➲ 口腔乾燥は，口腔運動を伴うあらゆる生活行動の障害や口腔粘膜の障害をきたす ➲ 口腔の清潔習慣になじむ口腔ケア方法を検討する ➲ セルフケア困難の可能性を把握する　**高齢者** 慢性的な口渇は高齢者に多く，認知や理解に障害があればセルフケアを助ける支援が必要になる ➲ **根拠** 困難さを受容しつつ，できているところを支持し，自信を高める ➲ **根拠** 口腔清潔の必要性を認識するよう促す

737

第6章　消化器系

- ●実行可能な口腔清潔のセルフケア方法を一緒に考える

⮕ 根拠 成功した継続可能な方法をともに探し，口腔ケアに対する自信を強化する．患者と家族の積極的なケアへの参加を動機づける

- ●口腔ケアの継続に必要な生活様式の変更や支援について話し合う
- ●口腔ケアの継続に必要な生活環境の調整を実施する

⮕ 根拠 セルフケアの実行に向けて，具体的な疑問や心配の表出を促す

⮕ 根拠 生活環境の調整はセルフケアを助ける

EP 患者教育項目

- ●家族の同席のもとで説明や指導を行う
- ●口腔の保湿と清潔の方法と必要性を説明する
- ●口腔粘膜障害の徴候と観察方法を説明し，徴候がみられた場合には報告し，受診するよう伝える
- ●好みや習慣に合った口腔ケアの方法を説明する

⮕家族の理解を得る 根拠 口渇の予防と口腔ケアの方法を家族とともに学び，継続支援の体制を整えておくことが大切である

---

5 看護問題 ／ 看護診断 ／ 看護目標（看護成果）

看護問題	看護診断	看護目標（看護成果）
#5 患者・家族は身体的苦痛に対する不安を抱えている	不安 関連因子：ストレス要因（口渇による苦痛，口腔清潔の困難さ） 診断指標 □不安な表情 □どうすることもできない無力感 □不安定な気持ち	〈長期目標〉患者・家族は不安が軽減し，心理的・身体的安楽が増大したことを表現できる 〈短期目標〉1) 不安を言葉に出して表現できる．2) 表情や行動が不安の軽減を反映している

看護計画 ／ 介入のポイントと根拠

OP 経過観察項目

- ●口渇や治療に対する理解と受け止め
- ●深刻な表情，自信のない様子
- ●不安や心配の訴え，とまどいや怒り
- ●身体的反応：心拍数，血圧，呼吸数，体温，発汗

⮕ 根拠 口渇や治療に対する受け止めを知り，不安の背景を十分に捉える

⮕ 根拠 患者と家族の不安や抑うつの有無と程度をあらゆる身体反応を含めて査定する

TP 看護治療項目

- ●安心と安楽を提供する

⮕そばに付き添い，穏やかに優しく接する
根拠 安心の提供は直接的に不安を軽減する

- ●不安や口渇を悪化させる交感神経刺激を減らす

⮕静かで落ち着ける場を提供する 根拠 刺激を減らすと，緊張が和らぐ

- ●口渇やその治療などに関する気がかりや疑問に対して説明を十分に行い，質問があれば丁寧に答える
- ●不安を緩和する活動や，対処方法を提案する

⮕ 根拠 口渇の治療で大切な口腔ケアに困難感を抱いているため，反応に注意して，わかりやすく説明し，気がかりを解消する

⮕深呼吸やストレッチ，運動や音楽など不安の緩和方法の選択肢を提供する 根拠 自分で不安に対処する方法がわかり，コントロールできる

EP 患者教育項目

- ●不安を和らげるために気がかりなことや疑問，心配事があれば質問してほしいことを伝える

⮕ 根拠 感情を積極的に表出し，不安を軽減するための対処を促す

| STEP ❶ アセスメント | STEP ❷ 看護課題の明確化 | STEP ❸ 計画 | **STEP ❹ 実施** | STEP ❺ 評価 |

病期・病態・重症度に応じたケアのポイント

【急性期】激しい口渇は中度の高張性脱水の主症状である．脱水がある場合はまず脱水を治療しつつ，潜在している疾患を確認する．急性期の対処として，水・電解質を補給し安静をとる必要がある．疾患が特定された場合は，口渇への適切な治療・看護ケアにつなげていく．
【回復期】患者・家族に口渇の原因となる疾患・病態の理解を促し，自宅で患者自身による観察，ケアが行えるよう教育支援を行う必要がある．

看護活動（看護介入）のポイント

診察・治療の介助
- 口渇などの症状や経過から，原因・誘因を把握する．
- 高張性脱水が明らかな場合は，水・電解質の補給と安静保持および全身管理を行う．
- 指示された輸液，薬物を正確に投与する．

口渇に対する援助
- 口腔内の湿潤を保持できるよう環境を調整する．
- 口腔粘膜の保護と清潔保持に努める．
- 口腔乾燥による粘膜，摂食・嚥下，会話などの障害の有無を把握する．
- 原因となる疾患の治療，生活習慣の改善，薬物の正確な服薬ができるよう援助する．

口腔粘膜障害の援助
- 口腔粘膜が障害されている場合は，摂食・嚥下障害と痛みの程度を観察し，保湿と清潔の口腔ケアを行う．
- 口腔粘膜障害により，摂食や栄養にも問題が生じる場合は，栄養管理の方法を検討する．

42

口渇

退院指導・療養指導
- 水・電解質バランスの保持，原因となる疾患の継続治療の必要性を説明する．
- 口腔内の湿潤と清潔を保つ方法を説明し，生活習慣に取り入れるよう指導する．
- 口渇の症状が出現してくるようであれば，再度受診するよう説明する．

| STEP ❶ アセスメント | STEP ❷ 看護課題の明確化 | STEP ❸ 計画 | STEP ❹ 実施 | **STEP ❺ 評価** |

評価のポイント

看護目標に対する達成度
- 口渇が軽減したという言葉が聞かれているか．
- 適切な水・電解質が摂取できているか．
- 口腔粘膜障害が改善しているか．
- 口腔粘膜の感染や誤嚥のリスクが回避できているか．
- 口腔内の痛みや不快感が減少し，食事が摂取できているか．
- 口腔内の湿潤と清潔を保つためのセルフケアを適切に行うことができているか．
- 患者・家族は心理的・身体的安楽が増大したことを表現できているか．

● 参考文献
1) 阿部喬樹，福島梅野編：口渇，症状別看護アセスメント，JJNブックス，pp.12-15，医学書院，1993
2) 村山由起子（小田正枝編著）：症状別アセスメント・看護計画ガイド，pp.76-88，照林社，2008
3) 菅原聡美（井上智子編）：症状からみた看護過程の展開，pp.62-65，医学書院，2007
4) 岩田英信ほか：脱水・口渇，クリニカルスタディ 23(10)：889-895，2002
5) 西川央江：口腔乾燥（口渇），がん看護増刊号 13(2)：98-101，2008
6) 宮下光令：「口が渇いて仕方がない」という患者さんに出会ったら，緩和ケア 17(3)：208-210，2007
7) 日本口腔ケア学会学術委員会編：口腔ケアガイド，pp.132，文光堂，2012

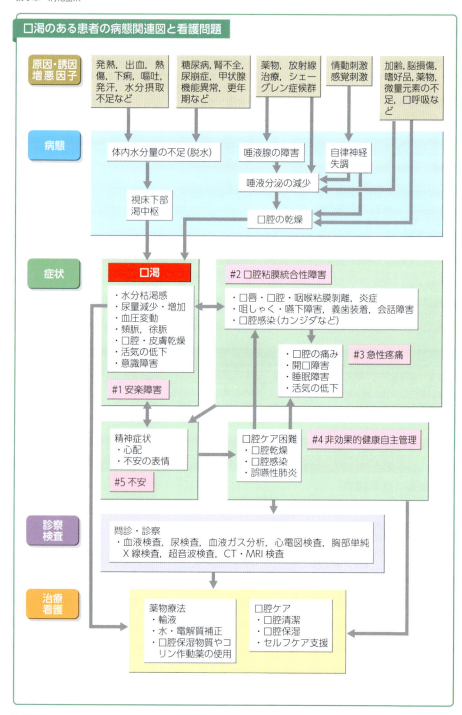

43 腹部膨満（感）

松沢　優・柿沼　晴

目でみる症状

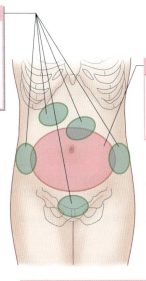
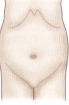

限局性の腹部膨隆
実質臓器の腫大
消化管閉塞や腫瘍性疾患
胃, 小腸, 大腸などの拡張
肝, 脾, 腎, 子宮などの腫大

腹部全体の膨隆
鼓腸※1
腹水※2
妊娠（胎児）
便秘（宿便）
肥満（脂肪）

※1　腸性鼓腸と腹膜性鼓腸（表 43-2）
器質性・閉塞性イレウスや消化管穿孔など緊急疾患を鑑別
※2　漏出性腹水と滲出性腹水（表 43-3）
腹部大動脈瘤破裂や化膿性腹膜炎, 異所性妊娠などの緊急疾患を鑑別

膨隆なし, あるいは腹部緊満
↑
消化管運動機能低下
消化管内ガス貯留, 慢性便秘
精神的要因

■図 43-1　腹部膨満感の発生機序

病態生理

- 腹部膨満感とは，「腹が張る」「腹が苦しい」と患者が自覚する主観的な症状のことである.
- 実際に腹部が部分的もしくは全体的に張ること（腹部膨隆）によって生じる場合と，客観的には腹部膨隆がないにも関わらず消化管機能の変調や心因性などが原因となり生じる場合がある.

患者の訴え方

- **主症状の訴え**
- 「おなかが張る」という膨満感，「おなかが苦しい」という圧迫感として訴えられる.
- 「ズボンのベルトが窮屈になる」など，腹囲の増加による症状を訴えることもある.
- **随伴症状**
- 主症状以外に嘔気, げっぷ, 便秘, 体重増加, 尿量減少, 息切れ, 限局性疼痛, 背部痛など, 腹部膨満をきたす原因により様々な訴えが見られることもある.
- 一方で，他覚的に腹部膨隆を認めるのに患者の訴えがないこともあり，注意を要する.

第6章　消化器系

診断

緊急処置を必要とするか否か，良性疾患か悪性疾患か，の鑑別を念頭に置いて診断を進める．適切な医療面接と身体診察により，腹部膨満（感）の原因となる疾患の絞り込みがかなり可能である．

●原因・考えられる疾患

●腹部膨隆は腹部への気体や液体，時として脂肪の貯留によって起こることが多いが（表43-1），腹腔内・後腹膜臓器の腫瘤や異所性妊娠など見逃すことのできない重要な疾患によっても生じるため，これらの鑑別が重要である．

●診断のポイント

●医療面接
　・症状が現れたのは急速か緩徐か
　・症状の経時的変化はあるか（改善傾向か増悪傾向か）
　・膨満感のある部位は限局的か腹部全体か
　・発熱や腹痛，悪心・嘔吐など随伴症状を伴うか
　・誘因（発症前の食事摂取，外傷の有無など）はあったか
　・腹部手術歴や肝疾患，心疾患などの既往はあるか
　・妊娠や不正性器出血の有無
　・服薬歴，薬剤使用歴など
●身体診察（①から④の順に行う）
　①視診
　・一般に腹部の視診は仰臥位で行うが，立位のほうが限局性の膨隆が目立つことがある．また，正面からだけでなく，頭部あるいは側面，足部からなど，いろいろな角度から眺めると腹部膨隆を発見しやすい．
　・視診ではまず腹部の輪郭，左右差，臍の形，腹壁瘢痕の有無，皮膚線条，色素沈着，腹壁静脈の怒張について観察する．
　②聴診
　・聴診では蠕動音，血管音，静脈音，摩擦音の4種類の音を聞くが，腹部膨隆の診断には蠕動音が重要である．
　・腸管に刺激が加わると腸蠕動が亢進するので，聴診は必ず打診の前に行う．
　③打診
　・打診は腹部膨隆の原因を鑑別するのに優れた診察法である．膨隆した腹部の大部分で鼓音を呈すれば，胃，小腸，結腸の拡張をきたす原因（閉塞）がある．
　・腹腔内液体貯留あるいは鼓音がわずかで，その他の異常所見を伴わない場合は肥満によるものが多い．
　④触診
　・触診により臓器腫大の有無，腫瘤，圧痛の部位およびヘルニアを診断できる．
　・症状や疑わしい疾患により，それぞれ半座位，左側臥位（盲腸，上行結腸，胆嚢疾患），あるいは右側臥位（脾臓，下行結腸の疾患）での触診を行う．
●診断の確定
　診断を確定するために以下のような検査を考慮する．
　・血液検査

■表43-1　腹部膨隆をきたす機序とその主な疾患

腹部膨隆をきたす機序	代表的な疾患
消化管内の異常ガス集積	―
腹腔内の液体・気体の集積	―
腹腔内臓器，後腹膜臓器の異常腫大	良性・悪性腫瘍，妊娠子宮
腹壁の異常	腹壁内腫瘍，皮下脂肪，腸間膜脂肪沈着
精神的要因の関与	発作性腹部膨満症，神経性腹部緊張症など

- ・尿検査
- ・糞便検査
- ・妊娠検査(疑われる場合)
- ・腹部X線検査：仰臥位正面像が基本であるが，イレウスや消化管穿孔が疑われるときは立位正面像で評価する．立位がとれない重症患者の場合は，側臥位正面像を撮影すると，腹腔内遊離ガスや水平面形成について立位正面像と同じ情報が得られる．消化管穿孔，開腹手術後，気腹術後には腹腔内遊離ガス(free air)を認め，イレウスの際には腸管内ガスは水平面を形成する．腹部X線検査で遊離ガスが検出できなくても，消化管穿孔が疑わしい場合には緊急CT検査を行う．
- ・腹部超音波(エコー)検査：腹部膨満をきたす消化管疾患の診断に極めて重要である．CTやMRIに比べて簡便で低侵襲であり，被曝の心配もない点が優れている．腹水の有無や腫瘤の存在部位・性状の診断に有用であり，使用可能であれば積極的に活用することが望ましい．
- ●上記の検査でも診断がつかない場合，より高侵襲・高コストの検査に進む．
- ・単純・造影CT検査
- ・消化管造影検査(大腸閉塞を疑う時には禁忌)
- ・内視鏡検査
- ・血管造影検査
- ・MRI検査
- ●腹部膨隆の主因である鼓腸と腹水の原因疾患を表43-2，表43-3に示す．
- ●上記検査を行っても診断がつかない場合は心因性疾患の可能性を考え，抗不安薬などの処方にて経過観察を行う(処方例を参照)．

治療法・対症療法

- ●治療方針
- ●原疾患が存在する場合，第一にその治療を行う．特に，外科的緊急処置が必要な疾患(消化管閉塞や穿孔など)が疑われる場合，ただちに外科医にコンサルトする．
- ●一方，器質的疾患が否定されれば，対症療法により経過観察する．
- ●薬物療法
- ●対症療法として処方例に示すような消化管運動調節薬やガス除去薬，緩下剤などで症状の改善を図る．
- ●効果が認められない場合や症状の増悪が認められる場合は漫然と処方を継続せず，改めて検査と再診断を検討する．
- ●また心因性の要因が大きいと考えられる場合は，抗不安薬などの併用を考慮する．

Px 処方例 消化管運動機能異常が考えられる場合，消化管機能調節薬・プロバイオティクスなどを投与する
- ●セレキノン錠　1回200 mg　1日3回　毎食後　←消化管機能調整薬
- ●ミヤBM錠または細粒　1回1g(成分量として)　1日3回　毎食後　←整腸薬

Px 処方例 消化管運動機能低下が考えられる場合，消化管運動促進薬を投与する
- ●ナウゼリンOD錠(10 mg)　1回1錠　1日3回　毎食前　←消化管運動促進薬
- ●プリンペラン錠(5 mg)　1回1錠　1日3回　毎食前　←消化管運動促進薬
- ●ガスモチン錠(5 mg)　1回1錠　1日3回　毎食前　←消化管運動促進薬
- ●アコファイド錠(100 mg)　1回1錠　1日3回　毎食前　←消化管運動促進薬

Px 処方例 鼓腸が考えられる場合，消化管内ガス除去薬や漢方薬を投与する
- ●ガスコン錠(100 mg)　1回2～4錠　1日3回　毎食後　←消化管内ガス除去薬
- ●ツムラ大建中湯エキス顆粒(2.5 g/包)　1回5g　1日3回　毎食前　←漢方薬

Px 処方例 慢性便秘症が考えられる場合，各種下剤を投与する
- ●マグミット錠(330 mg)　1回1錠または1回3錠　1日1回　就寝前　←緩下剤
- ●リンゼス錠(0.25 mg)　1回2錠　1日1回　朝食前　←緩下剤
- ●アミティーザカプセル(24 μg)　1回1カプセル　1日2回　朝夕食後　←その他の下剤
- ●グーフィス錠(5 mg)　1回1錠　1日1回　朝食前　←その他の下剤
- ●モビコール配合内用剤　1回1包　1日1～3回　←浸透圧性下剤

43

腹部膨満(感)

第6章　消化器系

■表 43-2　鼓腸をきたす疾患

分類		原因疾患
腸性鼓腸	嚥下空気量の増大	胃泡症候群，脾彎曲症候群
	腸内ガスの通過排泄障害	器質性狭窄・閉塞（イレウス，腫瘍，結核，癒着など）
		機能性障害（麻痺性イレウス，感染症，低カリウム血症，巨大結腸症など）
	腸内ガスの吸収障害	心不全，門脈圧亢進症
	ガスの発生増加	膵外分泌障害，閉塞性黄疸
腹膜性鼓腸 （気腹）	消化管穿孔	消化性潰瘍，悪性腫瘍，憩室炎
	人工的気腹	腹腔鏡検査後，開腹手術後

■表 43-3　腹水をきたす疾患

分類		原因疾患
漏出性 （蛋白濃度 2.5 g/dL 以下）	循環障害	門脈圧亢進（肝硬変，特発性門脈圧亢進症など）
		うっ血心
		収縮性心膜炎
		下大静脈・肝静脈閉塞：バッド-キアリ症候群
	低蛋白血症	ネフローゼ症候群
		蛋白漏出性胃腸症
		栄養不良
滲出性 （蛋白濃度 4.0 g/dL 以上）	腹膜炎	がん性，炎症性，結核性
	その他	血性腹水：がん性腹膜炎，異所性妊娠，腹部大動脈瘤破裂
		膿性腹水：化膿性腹膜炎
		胆汁性腹水：急性胆汁性腹膜炎，胆道外科術後
		粘液性腹水：偽粘液腫
		乳び腹水：悪性腫瘍，炎症性腹水，外傷性，奇形，フィラリア症など
		尿性腹水：術後尿管腹腔瘻形成による
		人工透析に伴う腹水：慢性透析患者
		粘液水腫

Px 処方例 消化不良・軟便が考えられる場合，消化酵素薬やプロバイオティクスを投与する
● ベリチーム配合顆粒（1.0 g）　1回1包　1日3回　毎食後　←消化酵素薬
● ビオフェルミン配合散　1回1～2 g(製剤量として)　1日3回　毎食後　←整腸薬
● ミヤ BM 錠（20 mg）　1回1～2錠　1日3回　毎食後　←整腸薬
● ビオスリー配合錠　1回1～2錠　1日3回　毎食後　←整腸薬
Px 処方例 心因性の要因が強いと考えられる場合，抗不安薬を投与する
● セルシン錠（2・5 mg）　1回1錠　1日3回　毎食後　←抗不安薬

744

■表 43-4　腹部膨満に使われる主な治療薬

分類	一般名	主な商品名	薬の効くメカニズム	主な副作用
消化管機能調整薬	トリメブチンマレイン酸塩	セレキノン	消化管の平滑筋にあるオピオイド受容体に作用し，消化管運動の機能を調整する	まれに下痢，便秘など
消化管運動促進薬	ドンペリドン	ナウゼリン	抗ドパミン作用による消化管運動促進	めまい，眠気
	メトクロプラミド	プリンペラン	抗ドパミン作用による消化管運動促進	眠気
	モサプリドクエン酸塩水和物	ガスモチン	セロトニン受容体を刺激してアセチルコリン放出を促し，消化管運動を促進	まれに腹痛，下痢
	アコチアミド塩酸塩水和物	アコファイド	アセチルコリンエステラーゼを阻害して，消化管運動を促進	まれに腹痛，便秘
	ジメチコン	ガスコン	ガス気泡の表面張力の低下・破裂させ，消泡する	軟便，胃部不快感
整腸薬	酪酸菌	ミヤ BM	腸管病原菌の発育を抑制し，ビフィズス菌の発育を促進する	―
	ラクトミン	ビオフェルミン，アタバニン	腸内細菌叢を正常化し，整腸作用を現す	下痢
	(合剤)酪酸菌配合剤	ビオスリー		―
漢方薬	大建中湯	ツムラ大建中湯エキス顆粒	モチリン(消化管ホルモンの1つ)分泌促進による腸管運動促進，血流改善作用	食欲不振，胃部不快感
緩下剤(塩類下剤)	酸化マグネシウム	マグミット，酸化マグネシウム	腸壁から水分を奪って腸の内容物を軟化させて排泄を促す	高齢者や腎機能低下例では高マグネシウム血症
浸透圧性下剤	(合剤)マクロゴール4000・塩化ナトリウム・炭酸水素ナトリウム・塩化カリウム	モビコール	消化管内に水分を保持することで，用量依存的に便の排出を促進する	下痢，腹痛
その他の下剤	リナクロチド	リンゼス	腸管分泌促進，小腸輸送促進，大腸知覚過敏改善	下痢
	ルビプロストン	アミティーザ	腸内の水分分泌を促進して便を軟らかくし，腸管内の輸送を高めて排便を促す	下痢，悪心
	エロビキシバット水和物	グーフィス	大腸管腔内に水分・電解質を分泌させ，消化管運動を亢進させる胆汁酸の大腸管内流入量を増加させる	腹痛，下痢など
消化酵素薬	(合剤)膵臓性消化酵素配合剤	ベリチーム	食事中の脂肪，蛋白質，デンプン，線維素を分解，消化・吸収を促進	過敏症
抗不安薬	ジアゼパム	セルシン，ホリゾン	大脳辺縁系に作用	眠気，依存

43

腹部膨満（感）

745

第6章 消化器系

腹部膨満(感)の病期・病態・重症度別にみた治療フローチャート

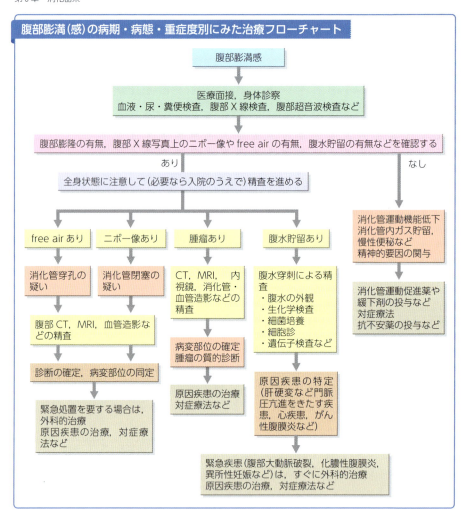

● 参考文献
1) 福井次矢, 奈良信雄編:内科診断学第3版, 医学書院, 2016
2) 林紀夫, 日比紀文, 坪内博仁編:標準消化器病学, 医学書院, 2003
3) 福井次矢, 高木誠, 小室一成総編:今日の治療指針2022年版, 医学書院, 2022

腹部膨満のある患者の看護

庄村　雅子

看護過程のフローチャート

観察項目（OP）	看護問題（看護診断）	看護目標（看護成果）	看護活動（看護介入）

観察項目（OP）

原因・誘因
- **腹水**
  腹膜炎，肝不全，循環・腎機能障害，低タンパクによる血漿膠質浸透圧低下など
- **鼓腸**
  消化管穿孔，腸管内・外ガス貯留，腸管内ガス排泄低下，ガス産生過剰，呼吸器・循環器障害など
- **イレウス（腸閉塞）**
- **腹部腫瘤**
- **その他**
  便秘，肥満，妊娠，機能性消化管障害など

身体的問題
- **主症状**
  腹部膨満，心窩部不快感など

- **随伴症状**
  食欲不振，悪心・嘔吐，胸やけ，腹痛，便通異常，呼吸困難，動悸，脱水，浮腫，発熱，倦怠感，抑うつなど

心理・社会的問題
腹部のふくらみが気になる
患者・家族の症状に対する不安

看護問題（看護診断）
- #原因・誘因により症状が進行する可能性がある
- #腹部が張って苦しい
- #腹部膨満により経口摂取が困難である
- #腹部膨満による呼吸困難がある
- #腹部膨満により歩行・移動が困難である
- #清潔セルフケアが不足するおそれがある
- #腹部膨満に対するボディイメージの障害がある
- #患者・家族が症状に対する不安を抱えている

看護目標（看護成果）
- 症状が改善する
- 腹部の張りが減少する
- 尿量や皮膚・粘膜の統合性が維持される
- 良好な体液バランスの状態となる
- 栄養状態が改善する，悪化しない
- 安楽な呼吸を保つことができる
- 日常生活動作が保持される，転倒しない
- 身体の清潔を保つことができる
- 腹部膨満と自己像との折り合いがつけられる
- 患者・家族の腹部膨満への不安が軽減される

看護活動（看護介入）

OP 経過観察項目
症状の程度，経過
経口摂取量
尿量
腹痛，排便異常
悪心・嘔吐
苦痛の程度
患者・家族の不安

TP 看護治療項目
- 原因・誘因の除去
- 腹部膨満に対する安楽
- 指示による酸素療法，輸液，与薬，飲食の制限・中止
- 移動の介助と転倒要因の除去
- 清拭や衣服の交換，シーツ交換

EP 患者教育項目
- 患者・家族への状態説明，受容の促し，不安の軽減
- 患者・家族への症状，治療の指導
- 退院指導

43 腹部膨満（感）

747

第6章　消化器系

基本的な考え方

- 腹部膨満は，腸管内ガス，腹水，腹部腫瘤など様々な器質的・機能的疾患により生じるほか，肥満や妊娠などでもみられる症状で，外観の腹部のふくらみや張りが自覚される状態である．このため症状の特徴と原因を把握するとともに，症状緩和や安楽の援助を行うことが必要である．
- 腹水，鼓腸，腹部腫瘤などの原因により，腹部膨満の随伴症状も異なる．随伴症状を含めて観察し，その影響にも注意する必要がある．

緊急 循環器・呼吸器疾患，肝不全や絞扼性イレウス，消化管穿孔，急性腹膜炎に対しては迅速な対応が必要である．これらの疾患を疑わせるサインや情報を見逃さないよう十分な観察を行う．特に肺うっ血，胸水を伴う腹水では心原性ショックに注意する．筋性防御を伴う腹痛では腹膜炎によるショックに要注意である．

STEP❶ アセスメント	STEP❷ 看護課題の明確化	STEP❸ 計画	STEP❹ 実施	STEP❺ 評価

情報収集	アセスメントの視点と根拠・起こりうる看護問題
病歴の把握	**患者・家族から症状出現の経過，症状の変化を聞くことで，原因・誘因の特定や全身状態の把握につながり，治療や看護ケアに重要な情報を得ることができる．**
経過	●いつから，どのくらい続いているか． ●急激に始まったか，前駆症状があったか． ●症状の変動の有無：腹部膨満，心窩部不快感
誘因	●食べ物との関係 **原因・誘因** 過剰摂取，発酵食品の摂取など ●服薬との関係 **原因・誘因** 抗コリン薬，抗炎症薬，降圧薬，ジギタリス製剤，抗菌薬，中枢神経作動薬，モルヒネ，抗がん剤，免疫抑制薬など ●アルコール摂取との関係 ●周囲の環境との関係 **原因・誘因** ストレス，緊張による空気嚥下の増加
随伴症状	●食欲不振，腹痛，悪心・嘔吐，便通障害，発熱，呼吸困難，動悸，倦怠感，抑うつなどの随伴症状はないか **原因・誘因** **緊急** 感染性腸炎，腹膜炎 ●機能性消化管障害（FGIDs）：食事により腹部膨満感が増悪し，強さが変動する，夕刻に悪化し，夜間には消失するなど **原因・誘因** 機能性胃十二指腸障害，機能性腸障害
生活歴	●食習慣 ●睡眠状況 ●ストレスの有無 ●仕事上の問題の有無
既往歴	●心疾患，肝胆膵疾患，腎疾患，消化管疾患，機能性胃腸症などの既往 ●手術歴 **原因・誘因** **緊急** 術後の癒着によるイレウスに注意 ●放射線照射などの治療歴：放射線腸炎 **原因・誘因** **緊急** 消化管穿孔，消化管瘻 ●精神疾患：うつ状態，不安神経症，ヒステリーなど
嗜好品，常用薬その他	●アルコール，薬物の服用 ●月経，妊娠との関係 **妊婦** 妊娠可能な女性では妊娠の可能性を考える．疑わしい場合は妊娠反応のチェックを行う． ●過食，食物に対する過度の関心 ●長期間の慢性便秘，運動不足
主要症状の出現状況，程度，性状の把握	**症状の出現状況や腹部膨満の性状を把握することで，原因疾患の特定につながる情報が得られる．**
前駆症状	●心肥大，肺うっ血，浮腫 **原因・誘因** **緊急** うっ血性心不全 ●激しい腹痛，筋性防御 **原因・誘因** **緊急** 消化管穿孔，急性腹膜炎 ●食直後の嘔吐 **原因・誘因** 上部消化管狭窄 ●食後1〜4時間の嘔吐 **原因・誘因** **緊急** イレウス **原因・誘因** 胃・十二指腸疾患

腹部膨満の特徴	● 食後12～48時間の嘔吐　原因・誘因　緊急　幽門・十二指腸閉塞	
	● 腹水を伴うか(触診で波動を認める，仰臥位で両側方に移動し立位で前下方に移動する)　原因・誘因　漏出性腹水(肝疾患，心・腎不全など)，滲出性腹水(がん性腹膜炎など)．	
	● 鼓腸を伴うか(軽くたたくとポンポンという)． ・金属音の聴診　原因・誘因　機械的イレウス ・腸蠕動音をほとんど聴診できない　原因・誘因　麻痺性イレウス	
	● 腹部腫瘤がある．部位や形により腹部の張り方が異なり限局的なことが多く，体位によって変化しない　原因・誘因　子宮筋腫，子宮内膜症，卵巣嚢腫など	
	● 機能性消化管障害：器質的疾患のない食後愁訴症候群　原因・誘因　胃・腸の知覚過敏と運動障害など[1]	
	● 生理的膨満：肥満の腹壁脂肪増加，妊娠，月経，便秘など	
	● 局所性膨満 ・上腹部　原因・誘因　肝脾腫，腎腫大，イレウスによる腸管拡張，炎症性腫瘤，腹壁ヘルニア，大動脈瘤，膵嚢胞・腫瘍 ・下腹部　原因・誘因　子宮増大，卵巣嚢腫・腫瘍，膀胱拡張，大腸がん，腹壁瘢痕ヘルニア，炎症性腫瘤	
	● 腹部全体の膨満　原因・誘因　腹水，イレウス，巨大腹腔内嚢腫，汎発性腹膜炎，便秘，巨大後腹膜腫瘍，機能性消化管障害　小児　ヒルシュスプルング病	
腹部膨満への緊急対応	● 激しい嘔吐を伴うイレウスでは，誤嚥により気道閉塞や呼吸器感染症を起こさないよう，嘔吐時はすぐに顔を横に向け，口腔内の吐物を除去する必要がある(誤嚥予防)．イレウス管を挿入し，胃内容物を除去し，消化管の通過を改善することで胃の内圧を下げる．	
	● 急性腹症，消化管穿孔，消化管瘻を認める場合には，緊急手術の適応となる．手術へ向け，患者と家族の心身の準備を迅速に整える．	
	● 心・腎・肝不全などによる難治性腹水は，食欲不振から体液量不足や低栄養をきたし，それらがさらに増悪させる可能性が高く，注意が必要である．	
全身状態，随伴症状の把握 バイタルサイン	症状出現の経過の把握とともに，腹部膨満や他の症状の有無，随伴症状を観察し，治療，看護計画の立案に有効に反映する．	
	● 体温　⊃消化管感染症や腹腔内炎症などを鑑別する．	
	● 血圧，脈拍・リズム　⊃循環器疾患を鑑別する．	
	● 呼吸状態　緊急　強い呼吸困難　原因・誘因　肺うっ血，肺水腫，胸水	
	● 腹水などによる脱水状態を同時に把握する．	
	● 意識レベル　緊急　意識障害　原因・誘因　肝性脳症，循環・呼吸不全	
全身状態	● 体格　⊃慢性疾患などによる体重減少，体重増加，肥満の有無を確認する．	
	● 皮膚　⊃黄疸，発疹の確認，皮膚の緊張度(ツルゴール)を観察する．	
	● 黄疸，呼気アンモニア臭の有無　⊃肝疾患を鑑別する　緊急　閉塞性黄疸	
	● 緊急　呼気アセトン臭　原因・誘因　糖尿病性ケトアシドーシス	
頭頸部	● 頭部　⊃外傷，打撲の有無を確認する　原因・誘因　転倒・転落	
	● 顔貌，表情　⊃神経痛，うつ病などの精神疾患では特徴的表情を認めることがある．	
	● 結膜　⊃貧血，黄疸の有無をみる．	
胸部 腹部	● 打診，聴診　⊃心肺疾患の有無を鑑別する．	
	● 腹部の圧痛の有無　⊃部位と程度によって消化器疾患を鑑別する．	
	● 腹部の触診　⊃肝脾腫の有無，腹部膨満や波動(腹水)，腹腔内腫瘍，表在リンパ節，腹壁瘢痕の有無，腹部の輪郭，側腹部膨満，腹部の拍動の程度をみる　緊急　腹部大動脈瘤破裂	
	● 腹部の聴診　⊃腸蠕動音によって消化管，腹膜疾患を鑑別する．	
	● 腹部の視診　⊃腹壁静脈怒張，腹部腫瘤を鑑別する．	

43 腹部膨満(感)

第6章 消化器系

四肢	● 下腿浮腫の有無 ⮕循環器・腎・肝疾患を鑑別する. ● チアノーゼの有無 ⮕呼吸器・循環器疾患を鑑別する. 🔍 **起こりうる看護問題**：腹部が張って苦しい／腹部膨満により経口摂取が困難である／腹部膨満による呼吸困難がある／腹部膨満により歩行・移動が困難である／腹部膨満に対するボディイメージの障害がある
患者・家族の心理・社会的側面の把握	▌ 患者は腹部膨満により，苦痛と外観の変化に困惑している. ● 腹部膨満の理解と受け止め ⮕腹部膨満に対する誤った理解や情報不足がないか把握する．腹部のふくらみによる羞恥と自尊心の低下，孤立や孤独，抑うつなどの有無を確認する. ● 腹部膨満に対する治療計画の捉え方 ⮕本人と家族が腹部膨満を軽減する適切な療養行動をとれるよう後押しするため，治療の意義や必要性の認識を確かめる. ● 誤解，混乱，動揺，抑うつ，家庭や職場および地域における人との関わりの変化の有無と程度 ⮕腹部膨満による外観の変化は，心理的影響が大きいだけでなく，対人関係や社会生活においても妨げとなりうるため，周囲のサポートが得られにくい状況がないか把握することが重要である. ● 🟠小児 🟧高齢者 苦痛や困惑を言葉で伝えられない，あるいは自覚が弱い可能性に配慮し，表情や行動から不安を察する必要がある 🔍 **起こりうる看護問題**：腹部膨満に対するボディイメージの障害がある

STEP ① アセスメント ▶ **STEP ② 看護課題の明確化** ▶ STEP ③ 計画 ▶ STEP ④ 実施 ▶ STEP ⑤ 評価

看護問題リスト

#1　腹部が張って苦しい（認知-知覚パターン）
#2　腹部膨満により経口摂取が困難である（栄養-代謝パターン）
#3　腹部膨満による呼吸困難がある（活動-運動パターン）
#4　腹部膨満により歩行・移動が困難である（活動-運動パターン）
#5　腹部膨満に対するボディイメージの障害がある（自己知覚パターン）

看護問題の優先度の指針

● 器質的疾患による腹部膨満は，徐々に悪化していくため，第一に苦痛の強い腹部の張りを軽減させる．経口摂取が困難な場合は，腹部膨満を悪化させるため，並行して早期に対処する.
● 腹部膨満により，呼吸や歩行・移動の困難を伴う場合は，換気低下や転倒を起こし，病態が重篤となるため，これらの対応を早急に行う.
● 外見上明らかな腹部膨満に患者・家族は動揺し，変容した身体に対する不安を抱えるため，軽減に努めることが必要である.

STEP ① アセスメント ▶ STEP ② 看護課題の明確化 ▶ **STEP ③ 計画** ▶ STEP ④ 実施 ▶ STEP ⑤ 評価

1 看護問題	看護診断	看護目標（看護成果）
#1　腹部が張って苦しい	**安楽障害** **関連する状態**：病気に関連した症状（腹部膨満） **診断指標** □苦しみうめく □（腹部）不快感を示す □リラックスすることが困難	〈**長期目標**〉腹部膨満による苦痛がなくなる 〈**短期目標**〉腹部の張りが軽減し，安楽に過ごすことができる

750

看護計画	介入のポイントと根拠

イレウスへの緊急対応

OP 経過観察項目
- 腹部全体の視診と触診
- 激しい腹痛，悪心・嘔吐を伴うイレウスでは，吐物の誤嚥防止と同時に，悪心を軽減するよう薬物療法を行う
- 悪心・嘔吐，腹痛などの自覚症状，排ガス・排便の状況，既往歴，手術歴の聴取
- バイタルサイン：ショック状態や意識障害など
- 苦悶様顔貌，蒼白・顔面紅潮，口唇チアノーゼ
- 継続的な観察を怠らない

➡急激に生じた腹部膨満と全身状態の悪化を認めたら，緊急処置のためドクターコールを行う
➡全身状態の悪化をみる腹部膨満は，腸捻転や筋性防御を伴う絞扼性イレウス，筋性防御を伴う急性腹症などが疑われ緊急手術となることがある

➡時間の経過とともに症状が悪化する場合がある

TP 看護治療項目
- イレウス患者には，イレウスのタイプに応じた迅速な対応が優先される
- 胃腸内容物の除去のため，迅速にイレウス管を留置する
- 指示された輸液の開始と管理，絶飲食とする
- 胃管あるいはイレウス管の管理，排液の観察を行う
- 患者にとって安楽な体位をとる
- 悪心・嘔吐を伴う場合は，誤嚥防止のために体位変換を行う．仰臥位は避け，側臥位または腹臥位をとる
- 頻回の嘔吐，消化液の排液過剰などにより脱水症状に陥っている場合は，補液のための静脈ルートの確保を行う
- 必要に応じ，酸素療法あるいは人工呼吸器管理を検討する

➡胃管あるいはイレウス管が事故抜去しないよう注意する　**根拠** 排液の性状により原因が推測できる
➡顔を横に向ける　**根拠** 吐物による気道閉塞を防止する　**高齢者** 特に高齢者や意識レベルの低下，全身衰弱のある患者が嘔吐すると，誤嚥を起こす可能性が高い

EP 患者教育項目
- 激しい症状や緊急処置による苦痛のなかで患者や家族が抱えている不安を解消する

OP 経過観察項目
- 腹囲，体重測定：毎朝食前，同じ条件で測る
- 腹部膨満の視診・触診，腹痛，悪心・嘔吐の有無と程度など
- 排ガス，排便の状況，腸蠕動音など
- 既往歴，手術歴の把握
- 服薬，食事摂取の有無と時間
- 腹部打診：鼓腸，腹水の有無，肝脾腫の大きさ
- 苦痛の程度
- 検査所見：血液検査，尿便検査，胸腹部X線検査，CT・MRI検査，超音波検査など

➡腹部膨満による変動がないか把握する
➡触診は腸管への刺激を避けるため最後に行う．施行者の手は温めておき，痛みのない部位から開始する

➡鼓腸，腹水の有無，肝脾腫の大きさの変化をみる

TP 看護治療項目
- 腹部膨満の経過観察をし，評価する
- 指示薬を確実に投与する
- 水分出納の管理，胃管・イレウス管挿入後はその管理を行う
- 安静を図り（特に食後），医師の指示により飲食

➡ **根拠** 腹部膨満は再発リスクがあり，症状に応じた治療変更を検討する必要がある

43

腹部膨満（感）

751

第6章　消化器系

を禁止する
- 鼓腸に対しては，温罨法，メントール湿布，肛門ブジーによる排ガスを行う　⟳ 根拠 ガス貯留を軽減する
- 腹水による腸蠕動低下には，温罨法，マッサージ，緩下剤などで腸の蠕動を促す．利尿薬，アルブミン製剤を投与管理する　⟳ 根拠 腸蠕動運動を促進できる
- 減塩，水分制限する
- 腹水穿刺は，感染予防のため無菌操作で行われる．急激な体液喪失によるショックに注意する　⟳ 免疫能力の低下している患者は感染しやすい．また，穿刺による苦痛緩和を図る 根拠 全身状態の悪い患者に行うことが多く，より慎重な診療介助を要する

EP 患者教育項目
- 飲食の禁止や胃管・イレウス管などの治療・処置の必要性を説明する　⟳ 根拠 理解不足による不安が強いと，治療や処置に協力が得られない
- 回復期には，摂取してよい食べ物を説明する　⟳ 刺激物を避け，消化しやすい食べ物を選択する

---

2 看護問題	看護診断	看護目標（看護成果）
#2　腹部膨満により経口摂取が困難である	**栄養摂取バランス異常：必要量以下** **関連因子**：不正確な情報（食事摂取による症状悪化の心配），食物を摂取する能力についての誤った認識（食物を摂取できないという自覚） **関連する状態**：消化器系疾患（腹部膨満と悪心により食物が摂取できない，食物摂取しはじめた直後の腹部膨満の出現，消化管の障害や圧迫） **診断指標** □食物摂取量が1日あたりの推奨量以下	〈長期目標〉適切な栄養必要量を経口摂取できる 〈短期目標〉1)許可された範囲で食事を摂取できる．2)十分栄養を摂取することの大切さを言う．3)食事摂取を増やす方法を述べる．

看護計画	介入のポイントと根拠

OP 経過観察項目
- 腹囲，体重測定：毎朝食前，同じ条件で測る
- 食欲，食事摂取量
- 腹部膨満，腹痛，悪心・嘔吐，腸蠕動の変化
- 活気，機嫌，表情

⟳ 腹部膨満の変化と苦痛を把握し，食事への影響を査定する　根拠 食事を勧めてよいか判断する　高齢者 小児 症状を十分に訴えられない可能性があるため，特に活気などを含め注意深く観察する

- 血清総タンパク，アルブミン，ヘモグロビン

⟳ 根拠 低栄養は活動意欲を減らし，食欲低下につながる

TP 看護治療項目
- 腹部の張りや苦痛を和らげる体位や環境を整える
- 消化のよい食物を少量に分けて提供する

⟳ 根拠 セミファウラー位などに姿勢を整え，食事に備えて環境を調整し，腹部の張りを和らげる
⟳ 一度に多量の食物をとると症状が悪化する

- 食欲を増進するため，味，形態，温度を工夫する
- 症状の悪化や随伴症状なく食べられたら，徐々に量や種類を増やしていく
- 食物繊維の多い食物，刺激物，炭酸飲料は，腹部膨満を強める可能性があるため避ける．食べ物の選択は，患者の好みも加味して決める
- 必要時には，指示された経静脈栄養剤を確実に投与する

EP 患者教育項目
- 消化のよい食物を，少量ずつ，ゆっくり食べると腹部膨満が緩和することを患者・家族に指導する
- 腹部膨満を強める可能性のある飲食物を患者・家族に伝える

- 高齢者 小児 消化機能が弱いため摂取量を慎重に調整する
- ⮕食欲のない時は冷たくあっさりした味が好まれる
- ⮕腹部膨満を誘発する飲食物は避ける．プリンやゼリーなど，嗜好もふまえて選ぶ 根拠 腹部膨満を回避できても，嫌いな食物では患者は食が進まない
- ⮕ 根拠 経口摂取不足が長引く場合は，経静脈栄養が開始される

- ⮕食事量を徐々に増やす方法を身につける
  根拠 腹部膨満を誘発することなく，摂取量を増やせる
- ⮕腹部膨満を強める飲食物を避けるよう促す

3 看護問題	看護診断	看護目標（看護成果）
#3 腹部膨満による呼吸困難がある	非効果的呼吸パターン **関連する状態**：腹部膨満による横隔膜運動の制約，呼吸運動への耐性の低下 **診断指標** □頻(多)呼吸 □呼吸困難	〈長期目標〉呼吸困難がなくなる 〈短期目標〉1)安静時の呼吸困難が軽減する．2)安楽に呼吸できるようになる

43 腹部膨満（感）

看護計画	介入のポイントと根拠
OP 経過観察項目 ● 呼吸状態，呼吸数，酸素飽和度，胸部X線所見など ● 呼吸困難の程度 ● 活気，機嫌，表情 ● 衣類，寝具	⮕換気や呼吸障害を観察する 根拠 歩行を勧めてよいか，酸素療法などの治療の検討の評価を行う ⮕衣服のしめつけ，寝具などが誘因となっていないか
TP 看護治療項目 ● 指示された薬物療法，酸素療法を確実に行う ● 呼吸の安楽な体位を整える ● 腹部を圧迫しない衣服，寝具を使用する ● 換気を障害する腹水がある場合は，腹水穿刺の指示をあおぐ ● 換気低下が重篤な場合は，気管挿管による人工呼吸管理の準備をする	⮕低換気が持続する場合は，酸素療法など医師の指示に従い開始する ⮕ 根拠 呼吸面積を拡張し，呼吸運動がしやすいセミファウラー位とし，膝下に安楽枕を入れるなど工夫する ⮕腹部を圧迫する誘因はすべて取り除く
EP 患者教育項目 ● 呼吸困難を我慢することなく看護師に伝えるよう話す	⮕ 根拠 呼吸困難は低換気による急変の徴候であるため，症状の把握に協力してもらう

第6章　消化器系

● 呼吸困難を和らげる方法について患者・家族に指導する

⮕ 根拠 腹部症状との関連をふまえ，適切な安楽な呼吸方法を患者・家族に伝える

4 看護問題	看護診断	看護目標（看護成果）
#4　腹部膨満により歩行・移動が困難である	**身体可動性障害** **関連因子**：活動耐性低下 **診断指標** □（腹部）不快感を示す □反応時間の延長 □（労作性の呼吸困難による）粗大運動技能の低下 □姿勢が不安定	〈長期目標〉歩行・移動に支障をきたさない 〈短期目標〉1）歩行・移動がスムーズにできる．2）転倒しない

看護計画

OP 経過観察項目
● 日常生活動作（ADL）の障害の有無と程度
● ADLに伴う症状：息切れ，呼吸困難，チアノーゼ，疲れやすさ，動悸，めまい，ふらつき，発熱，バイタルサインの変化など
● 歩行・移動困難の程度
● 歩行補助具の必要性の査定

● 療養環境
● 認知機能，注意力など

TP 看護治療項目
● 歩行障害がみられるときは，程度に応じて付き添い，歩行補助具を活用し，移動しやすくする
● 適切なADLへの援助を行う

● 適切な履き物を選択し，履いてもらう

● 療養環境を整える

● 転倒リスクの高い患者（小児・高齢者）で歩行時に看護師を呼ぶことが難しい場合は，ベッド柵，監視マットやモニターを活用し，安全を確保する

EP 患者教育項目
● 安全・安楽な歩行・移動の方法を説明する
● 歩行障害や転倒・転落あるいはそのリスクがあった場合には報告するよう伝える
● 適宜，歩行時の安全を守り，転倒・転落を防ぐための道具の使用を説明し，協力するよう依頼する

介入のポイントと根拠

⮕ ADLに関する情報を収集する 根拠 ADLの障害は患者が自覚していないこともあるため全身を観察し，同時に家族や医療チームから情報を得ることが重要である

⮕ 根拠 歩行・移動が低下すれば腸蠕動が弱まり，腹部膨満の悪化要因になるため注意が必要である

⮕ 転倒・転落のリスクを把握する 根拠 足元が見えない，移動中疲れて注意が散漫になることで，短時間は歩行ができても転倒・転落しやすい

⮕ 歩行の援助は，患者に窮屈さをもたらすこともあり，患者の自立心を尊重しながら行う

⮕ 根拠 移動困難がある場合はADLの障害も起こりやすい．患者の体調や苦痛に配慮して，不足しているADLの工夫や支援が必要である

⮕ 根拠 スリッパは脱げやすく歩きにくいので，適度なゆとりのある着脱しやすい室内履きに替えるとよい

⮕ 転倒リスクを除去する 根拠 よく使うものは手の届く位置に置く．歩行の障害になるものは片づけることが大切である

⮕ 高齢者 小児 転倒リスクが高いが，危険回避行動を自分でとれない患者は，安全管理の道具や手段を工夫し，迅速に対応できるよう医療チームで協力する

⮕ 根拠 転倒・転落のリスクと弊害を理解し，患者・家族が予防に協力するよう依頼する

⮕ 根拠 歩行障害や転倒・転落予防に用いる道具は，拘束感をもたらすので，理解を得たうえで使用する

754

5	看護問題	看護診断	看護目標（看護成果）

#5 腹部膨満に対するボディイメージの障害がある

ボディイメージ混乱
関連因子：腹部のふくれ
診断指標
□自分の体を見ない
□社会（社交）不安
□変化（腹部のふくれ）に心を奪われている

〈**長期目標**〉患者は身体的な変容を受容できたと表現できる
〈**短期目標**〉1）変容を言葉に出して表現できる．2）表情や身振りが変容を受け入れつつあることを反映している

看護計画	介入のポイントと根拠

OP 経過観察項目
●不満，不快，不安の訴え，怒り
●身体的反応：不眠，食欲低下
●周囲の人々との関わりの変化
●腹部のふくれなどの症状や治療に対する受け止め方，質問の有無，内容

➡腹部のふくれに対する否定的な感情や反応を，患者だけでなく家族も含めて捉える　根拠
小児 高齢者 身体の変化に伴う感情表現が十分できない小児や高齢者の場合は，腹部のふくれに伴う感情や考えを示す表情や行動など，言葉以外の反応を見逃さないよう注意する

TP 看護治療項目
●不満や不安を表出できるよう，話を聞く時間を確保し，親しみやすい態度で接する
●患者の症状や予後の理解を助け，健康状態の変化など，不安を促進しているものを取り除く
●治療や処置・検査の前に説明を十分に行い，心配や質問がないか確認する
●身体の外観の変化に執着が強く，不眠などの抑うつ症状が出現する場合には，精神科へ紹介を依頼する

➡根拠 症状が審美的欲求や外見に与える影響に混乱している場合は，落ち込んで前向きになれない．患者や家族の気持ちを吐露しやすいよう環境を整えることが必要である
➡根拠 症状に対する理解は，変容を受け入れやすくする
➡根拠 治療や処置の前に不要な心配を抱くことのないよう，相手の表情を見ながら，資料を活用しわかりやすく説明する
➡根拠 精神症状は腹部膨満を悪化させるため，早期に専門家の紹介を検討することが必要である

EP 患者教育項目
●腹部膨満自体や原因，治療，予後について患者と家族に気がかりなことがあれば伝えるよう説明する

➡身体の変化による違和感や感情を分かち合う機会をもつ　根拠 腹部膨満に伴う気持ちの整理を促す

43

腹部膨満（感）

STEP❶ アセスメント	STEP❷ 看護課題の明確化	STEP❸ 計画	STEP❹ 実施	STEP❺ 評価

病期・病態・重症度に応じたケアのポイント

【**急性期**】腹部膨満の原因は様々である．早期に原因が特定され，適切な治療が行われることが重要となる．急性期の対応としては，広く症状を把握し，イレウスや消化管穿孔では緊急手術となることも念頭においたうえで，心身の安静を保ち，全身管理を行うことが重要となる．
【**回復期**】この時期には自宅に帰ることを視野に入れ，適切な栄養摂取ができ，患者自身による観察，ケアが行えるよう指導を行う必要がある．

看護活動（看護介入）のポイント

診察・治療の介助
●腹部膨満などの症状や経過および全身状態から原因を把握する．
●腹部膨満の軽減のため，医師の指示の下，食事を変更あるいは禁止し，必要時，胃管あるいはイレウス管の管理を行う．

755

第6章　消化器系

- ●指示された輸液，薬物を正確に投与する.

腹部膨満に対する援助
- ●安楽な体位を工夫する.
- ●腹部の安静を保ち，腹部を圧迫しない衣類，寝具などを用意するとともに環境を整える.
- ●腹部への温罨法，マッサージを行う（ガス貯留時）.
- ●指示された輸液・薬物などの治療管理を的確に行い，栄養状態，水分出納を評価する.

二次障害予防に対する援助
- ●原因疾患の増悪の早期対応と予防に努める.
- ●転倒・転落などの事故を起こさない.
- ●腹部膨満による体動制限に伴う褥瘡などの皮膚・粘膜損傷を予防する.

退院指導・療養指導

- ●適切な水分・電解質摂取の必要性を説明する.
- ●腹部膨満を予防する方法を説明する.
- ●食事摂取，排便コントロールの方法を説明し，無理せずに進めていくことを指導する.
- ●腹部膨満の症状が再燃してくるようであれば，受診するよう説明する.
- ●緊急時の連絡先と受診方法について説明する.

STEP❶ アセスメント　STEP❷ 看護課題の明確化　STEP❸ 計画　STEP❹ 実施　STEP❺ 評価

評価のポイント

看護目標に対する達成度
- ●腹部の張りによる苦痛が軽減しているか.
- ●経口摂取ができ，栄養状態の悪化がないか.
- ●適切な水分・電解質が保持できているか.
- ●安楽に呼吸ができているか.
- ●歩行・移動障害は改善しているか.
- ●転倒・転落のリスクが回避できているか.
- ●患者・家族が心理的・身体的安楽が増大したことを表現できているか.

●参考文献
1) 小長谷敏浩ほか：消化管機能からみた腹部膨満感，上腹部痛の解釈，日本心身医学会誌 49：799-806，2009
2) 矢郷祐三ほか：腹部膨満感，産科と婦人科 75(6)：714-721，2008
3) 加藤恵：腸閉塞・腹部膨満，がん看護 13(2)：157-160，2008
4) 西崎久純：腹部膨満感，エキスパートナース 22(1)：90-94，2006
5) 青木涼子：腹部膨満感，クリニカルスタディ 22(6)：530-535，2001

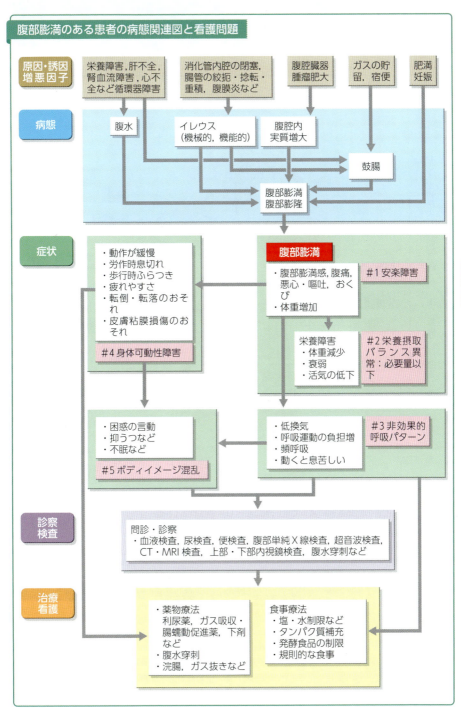

44 吐血

金子　俊・柿沼　晴

目でみる症状

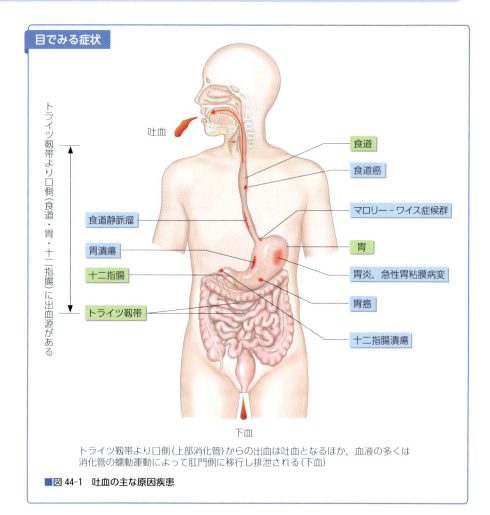

トライツ靱帯より口側（上部消化管）からの出血は吐血となるほか，血液の多くは消化管の蠕動運動によって肛門側に移行し排泄される（下血）．

■図44-1　吐血の主な原因疾患

病態生理

吐血は血性成分の嘔吐で，急激な循環血液量の減少を伴い，ショック状態をきたすこともあり，消化器疾患の中でも迅速な診断と対応が必要な緊急症候である．吐血の多くは出血源が上部消化管（食道，胃，十二指腸）にある場合に生じる．ただし，消化管内で出血した血液は蠕動運動に伴い腸管から肛門側に移動し，黒色便としても排泄（下血）される．

- 歩行可能な状態からショック状態や意識を消失するような状態まで，その重症度は様々である．
- 同一の症例でも状態が急に変化することはあるため，慎重な対応と注意深い観察が必要である．特に経時的な出血の程度と全身状態の把握が重要である．

患者の訴え方

- **主症状の訴え**
- 患者からは「真っ赤な血を急に吐いた」「吐いているものが赤い血になった」「黒っぽいコーヒーかすみたいなものを吐いた」などの訴えがある.
- 患者の意識がなく聴取が困難で,家族から「朝起こしに行ったら,意識がなくて布団が血まみれだった.口から吐いたような跡があった」などと聴取することもある.
- 患者,家族からの問診の際には
  - ①吐血の程度:回数,量(コップ1杯分,洗面器一杯分など)
  - ②発症様式:急性,慢性を把握するため,いつから吐いているか
  - ③基礎疾患の有無や既往:特に肝硬変,消化器がん,ピロリ菌感染症,消化管潰瘍の既往
  - ④内服している薬剤の有無と種類:特に非ステロイド性抗炎症薬(NSAIDs:Non-Steroidal Anti-Inflammatory Drugs),抗凝固薬,抗血小板薬
  - を確認する.
- **随伴症状**
- 心窩部痛:消化性潰瘍が原因の場合は症状を伴うことがある.
- ショック:顔面蒼白,冷汗,頻脈などの症状,意識障害を起こすこともある.

診断

静脈瘤性出血と非静脈瘤性出血では患者の背景,治療方法,予後などがそれぞれ異なるため,内視鏡検査の前に出血の原因がいずれなのかを予測することが重要である.

- **原因・考えられる疾患**(表44-1)
- 上部消化管出血の原因疾患として最も多いのが,胃潰瘍や十二指腸潰瘍といった消化性潰瘍で,特に高齢者では重篤な併存疾患を有する者が多く,非ステロイド性抗炎症薬や抗血栓薬の併用による薬剤起因性潰瘍が重要である.

■表44-1 吐血の原因として考えられる疾患

非静脈瘤性上部消化管出血	
消化性潰瘍	
食道炎	
腫瘍性出血(ポリープ,がん,粘膜下腫瘍)	
急性胃粘膜病変(AGML)	
マロリー-ワイス(Mallory-Weiss)症候群	
内視鏡処置後出血	生検後出血
	内視鏡的粘膜切除術(EMR)/内視鏡的粘膜下層剝離術(ESD)による術中・術後出血
	術後吻合部出血
毛細血管形成異常(Angiodysplasia)	胃前庭部毛細血管拡張症(GAVE:gastric antral vascular ectasia)
	びまん性胃前庭部毛細血管拡張症(DAVE:diffuse antral vascular ectasia)
	動静脈奇形(AVM:arteriovenous malformation)
	遺伝性出血性末梢血管拡張症(HHT:hereditary hemorrhagic telangiectasia)
	門脈圧亢進性胃症(PHG:portal hypertensive gastropathy)
静脈瘤性上部消化管出血	
食道静脈瘤	
胃静脈瘤	
その他(十二指腸静脈瘤など)	

第6章　消化器系

- 嘔吐を繰り返した後の吐血は，マロリー–ワイス症候群の可能性がある．
- 肝硬変などの肝疾患やアルコールの多飲も上部消化管出血のリスクとなる．
- 内視鏡検査を実施する前に，病歴，身体所見，臨床検査所見，造影 CT などの画像検査の結果から静脈瘤性出血と非静脈瘤出血のいずれであるか，予測がされていることが望ましい．

●鑑別診断のポイント

- 基礎疾患の把握は特に重要であり，特に肝硬変があるか否かは重要である．肝硬変症が背景にある場合は静脈瘤性出血や門脈圧亢進胃症を疑う必要がある．
- 過去の上部消化管出血の既往，ピロリ検査・除菌歴を確認することで消化性潰瘍の可能性を考える．
- 検診または精査としての上部消化管内視鏡検査歴を確認し，長年ない場合には胃がんなどの悪性腫瘍も鑑別に挙げられる．消化器がんの化学療法中など治療中であれば原発巣からの出血も考慮する．

治療法・対症療法

▌ 大量に出血すればショック状態に陥る可能性もあるため，迅速な出血源の診断と止血処置を行う．

●治療方針

- 初期対応後，止血処置を行う．ショックの離脱ができなければ止血術を行うことは困難である．
- 初期対応として①〜⑤を行う．
  - ①バイタルサインのチェック，モニター装着
  - ②体位を整える：血圧が低い場合は足をあげてショック体位，吐血が激しい症例では誤嚥予防のため側臥位あるいは顔を横に向ける
  - ③血管確保および血液検査(ショック状態では 2 か所の点滴ルート確保が必要)
  - ④酸素投与
  - ⑤輸液・輸血(細胞外液を中心に点滴，バイタルサイン，血液検査の結果では輸血を行うことも多い)
- 緊急内視鏡検査および止血処置を行う前には原則として，バイタルサインの評価を行い，ショック状態の有無を見分ける．全身状態が極めて不良で，内視鏡検査の有用性より危険性が上回る場合には，内視鏡検査は禁忌になる．
- 表 44-2 のような止血処置を行った後には絶食，補液，酸分泌抑制薬の投与など保存的治療を行う．治療中は再吐血，黒色便の再増悪など再出血の症候の出現に注意する．

●薬物療法

- 消化性潰瘍では，内視鏡的止血後，内視鏡的止血後の再出血予防にプロトンポンプ阻害薬(PPI)や H_2 受容体拮抗薬(H₂RA)を使用する．なお，Second-look 内視鏡は初回内視鏡後，24 時間以内の内視鏡検査を指し，再出血の危険性が高い患者に行われることが多い．
- 止血後経口摂取が開始された場合には点滴から内服薬に切り替える．

Px 処方例
- オメプラゾール　1 回 20 mg　1 日 2 回　緩徐に静注/点滴静注　←プロトンポンプ阻害薬

Px 処方例
- ランソプラゾール　1 回 30 mg　1 日 2 回　緩徐に静注/点滴静注　←プロトンポンプ阻害薬

Px 処方例
- ファモチジン　ファモチジンとして 1 回 20 mg　1 日 2 回　緩徐に静注/点滴静注　← H_2 受容体拮抗薬

●基礎疾患の治療

- 基礎疾患，原因疾患によっては引き続き原疾患の治療を行う．例えば胃がんによる吐血の場合，一時的に内視鏡的止血を行った後に外科的手術を行う．
- 肝硬変症の症例の場合，消化管出血後または止血後に，肝性脳症や肝不全へ至ることがあるため，肝性脳症薬などを使用し，肝疾患管理をする必要がある．

■ 表44-2　上部消化管出血に対する内視鏡的止血術

非静脈瘤性上部消化管出血		
機械的止血法	クリップ止血法	
	内視鏡的結紮法	
熱凝固法	高周波止血鉗子	
	アルゴンプラズマ凝固法	
	ヒータープローブ法	
薬剤散布法		
局注法	純エタノール局注法	
	高張食塩水エピネフリン局注法（HSE：hypertonic saline epinephrine solution）	
静脈瘤性上部消化管出血		
内視鏡的食道静脈瘤結紮術（EVL：Endoscopic variceal ligation）		
内視鏡的食道静脈瘤硬化療法（EIS：Endoscopic injection sclerotherapy）		
シアノアクリレート系薬剤注入による内視鏡的硬化療法		

■ 表44-3　吐血に使われる主な治療薬

分類	一般名	主な商品	薬の効くメカニズム	主な副作用
プロトンポンプ阻害薬	オメプラゾール	オメプラール，オメプラゾール	プロトンポンプと呼ばれる酵素の働きを阻害して，胃酸の分泌を抑制する	発疹，肝機能異常，白血球減少，血小板減少
	ランソプラゾール	タケプロン，ランソプラゾール		
H_2受容体拮抗薬	ファモチジン	ガスター，ファモチジン	胃粘膜壁細胞にあるヒスタミン H_2 受容体を遮断して胃酸の分泌を抑制する	まれに不整脈

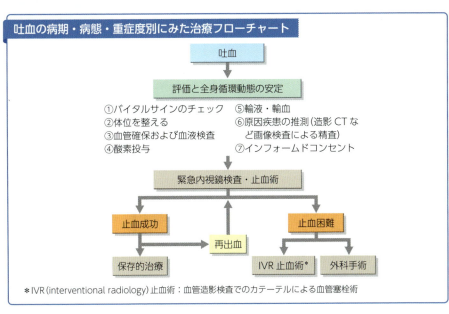

吐血の病期・病態・重症度別にみた治療フローチャート

＊IVR（interventional radiology）止血術：血管造影検査でのカテーテルによる血管塞栓術

第6章 消化器系

吐血のある患者の看護

中神　克之

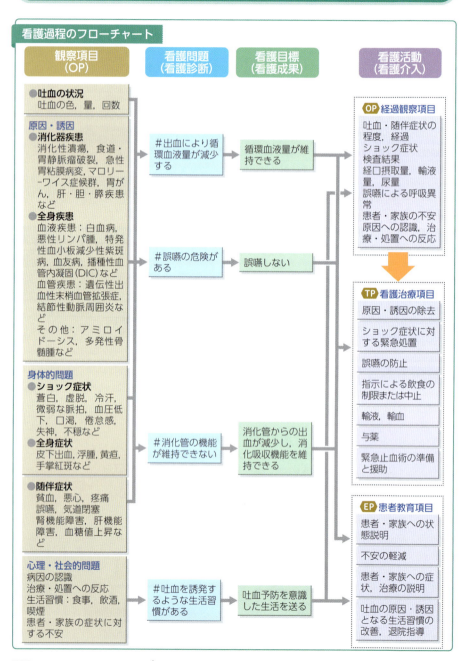

基本的な考え方

- 吐血による出血性ショックに基づく病態と，吐血の原因となる基礎疾患による病態が混在している．
- 吐血に対する緊急処置，症状緩和，安楽の援助とともに，症状や病歴などから出血原因を推測する．
- 治療の原則は，原因疾患の治療である．
- **緊急** 大量吐血の原因はほとんどが上部消化管出血である．
- **緊急** 顔面蒼白，末梢の冷感，冷汗，頻脈，血圧低下などは出血性ショックのサインである．
- **緊急** 吐血が著しい場合は誤嚥による気道閉塞に注意する．

STEP ❶ アセスメント	STEP ❷ 看護課題の明確化	STEP ❸ 計画	STEP ❹ 実施	STEP ❺ 評価

情報収集	アセスメントの視点と根拠・起こりうる看護問題
病歴の把握	患者・家族から症状出現の経過や症状の変化，既往歴や服薬歴を聞くことで，全身状態の把握や原因・誘因の特定につながり，治療や看護ケアに重要な情報を得ることができる．
経過	●いつから始まったか，どのくらい続いているか． ●急激に始まったか，前駆症状があったか． ●症状の変動の有無
誘因	●アルコール摂取との関係　**原因・誘因** マロリー-ワイス症候群 ●服薬との関係　**原因・誘因** 非ステロイド性抗炎症薬(NSAID)，副腎皮質ステロイド薬，抗凝固薬など　**高齢者** 患者は自分が使用している薬物名を知らない場合があり，特に高齢者はその傾向が強いため「関節リウマチの薬」「腰痛の薬」「解熱薬」など病名や症状を示すと聴取しやすい．
生活歴	●飲酒歴 ●喫煙歴 ●ストレスの有無
既往歴	●消化器疾患：消化性潰瘍(胃潰瘍，十二指腸潰瘍)，急性胃粘膜病変，食道・胃静脈瘤，マロリー-ワイス症候群，胃がんなど ●出血傾向をきたす疾患：白血病，特発性血小板減少性紫斑病，悪性リンパ腫，血友病など ●最近受けた治療：熱傷，頭部外傷，消化管手術，放射線照射など
家族歴	●肝疾患，血液疾患など
その他	●喀血(呼吸困難や胸内苦悶を伴い，咳嗽とともに排出され泡沫状である)，鼻出血，口腔・咽頭からの出血などとの鑑別
主要症状の出現状況，程度，性状の把握	症状の出現状況や吐血の性状を把握することで，原因疾患の特定につながる情報が得られる．
前駆症状 随伴症状	●悪心，腹部不快感，腹痛など ●顔面蒼白，末梢の冷感，冷汗，頻脈，血圧低下などのショック症状 ●消化管内の血液貯留による悪心，原因疾患による疼痛，貧血など ●意識障害　**原因・誘因** 肝硬変を伴う食道・胃静脈瘤破裂の場合は，高アンモニア血症，肝性昏睡
吐血の性状	●鮮紅色　**原因・誘因** 食道静脈瘤破裂，胃・十二指腸潰瘍の露出血管による動脈性出血，マロリー-ワイス症候群 ●コーヒー残渣様(血液中のヘモグロビンが胃液の作用により塩酸ヘマチンに変化する)　**原因・誘因** 胃・十二指腸潰瘍，急性胃粘膜病変，食道がん，胃がん
出血部位	●食道　**原因・誘因** 食道がん，逆流性食道炎，食道・胃静脈瘤破裂 ●胃噴門部　**原因・誘因** マロリー-ワイス症候群 ●胃　**原因・誘因** 胃潰瘍，出血性胃炎，胃がん，胃悪性リンパ腫，胃平滑筋腫 ●十二指腸　**原因・誘因** 十二指腸潰瘍

44

吐血

763

第6章 消化器系

吐血への緊急対応

- 吐血は出血全体の一部にすぎないため，出血の多少にかかわらず**ショック状態**に注意する必要がある.
- ショックの重症度を血圧，脈拍，意識状態，尿量などから判断する.
- ショック時は，患者を水平仰臥位にし，必要であれば下肢を挙上する.
- **静脈路確保**を行い，輸液・輸血，救急薬品を投与する．大量輸液の場合は，体温低下を招くことがあるので，温めた輸液を準備する.
- **気管挿管**の準備をしておく.
- 吐血により，誤嚥を起こすことがある．誤嚥により気道閉塞や呼吸器感染症にならないよう，吐血時はすぐに顔を横に向け，口腔内の吐物を除去する必要がある（**誤嚥予防**）．高齢者や小児は咳嗽反射の低下により誤嚥の危険が高いので注意する.
- 患者が自分で喀出できない時は吸引を行う.
- 吐血による口腔内の不快感が悪心を誘発することもあるので，口腔を清潔に保つ.
- 吐血による衣服や寝具の汚れ，臭いは安楽を妨げるので，すぐに片づける.

〈検査・治療〉

- 出血量の観察，胃内容物除去，誤嚥防止のために**胃管**を挿入して**胃内容物を吸引**し，**胃洗浄**を行う.
- 吐血の原因疾患や出血部位の確定のために上部消化管内視鏡検査が行われることが多い.
- 内視鏡検査で出血部位が確認できれば，内視鏡的止血術（薬物散布法，局注法，凝固法，クリップ法）が行われる.
- 食道静脈瘤破裂では，内視鏡的静脈瘤結紮(さつ)術，食道静脈瘤硬化療法が行われる．止血困難な場合は，ゼングスターケン-ブレークモアチューブ（S-Bチューブ）が挿入され，静脈瘤の圧迫による一時止血が行われる.
- 内視鏡検査が困難な場合や止血できない場合は，血管造影検査や緊急手術が行われることもある.

全身状態，随伴症状の把握	症状出現の経過，吐血や他の症状の有無とその変化，検査結果などを治療，看護計画の立案に反映させる.
バイタルサイン	● 体温 ➡ 出血量が多いと血圧が下がり，末梢血管が収縮するため寒さを訴える. ● 血圧，脈拍・リズム ➡ **ショック指数**（脈拍数/収縮期血圧）を計算し，1.0は軽度，1.5は中等度〜重症，2.0は危篤と判断する. ● 呼吸回数・深さ ➡ 呼吸状態への影響を判断する 〔緊急〕**呼吸困難**，**チアノーゼ**，**副雑音** 〔原因・誘因〕誤嚥性肺炎
全身状態	● 急性の大量出血 ➡ 〔緊急〕**循環不全**，**呼吸不全**，**腎不全**など ● ショックの徴候 ➡ **蒼白，虚脱，冷汗，微弱な脈拍**など ● 皮下出血，浮腫，関節腫脹，黄疸，手掌紅斑，皮膚粘膜の血管拡張などの有無 〔原因・誘因〕肝疾患，血液疾患，血管疾患
頭頸部	● 鼻，口腔内 ➡ 出血の有無，鼻出血，口腔内出血との鑑別 ● 結膜 ➡ 貧血，黄疸の有無 〔原因・誘因〕肝疾患，血液疾患 ● 表在リンパ節腫脹の有無 〔原因・誘因〕悪性リンパ腫
胸部	● 打診・聴診 ➡ 心疾患，肺疾患の有無，誤嚥による副雑音の有無
腹部	● 視診・触診 ➡ 肝脾腫，腹水，腹壁静脈瘤，表在リンパ節腫脹，腹腔内腫瘤，圧痛，腹膜刺激症状などの有無 〔原因・誘因〕消化管疾患，消化管穿孔，肝疾患，悪性リンパ腫
血液検査	● 赤血球数，ヘマトクリット，ヘモグロビン ➡ 貧血の程度，出血量の推測 ● 血小板数，プロトロンビン時間，活性化部分トロンボプラスチン時間 ➡ 血液凝固障害の有無 ● 血清トランスアミナーゼ，乳酸脱水素酵素，コリンエステラーゼ，ビリルビン ➡ 肝疾患の有無 ● 血液尿素窒素（BUN），クレアチニン ➡ 出血量，腎障害の指標

画像検査	●上部消化管内視鏡検査 ➡出血部位の確認
	●胸部・腹部単純X線検査 ➡誤嚥性肺炎，消化管穿孔，腹水などの有無
	🔍 **起こりうる看護問題：出血により循環血液量が減少する／消化管の機能が維持でき** **ない／吐血を誘発するような生活習慣がある／誤嚥の危険がある**
患者・家族の心理・社会的側面の把握	**患者は吐血による苦痛とともに不安を感じている．それを見た家族にも不安が生じ** **る．また，生活習慣が吐血を誘発する場合もあるので，全身状態の改善とともに，** **退院後の注意事項を指導する必要がある．**
	●症状出現の経過などを聞きながら，同時に患者や家族が症状や疾患をどのように感じているか，どのようなことに不安を感じているかを確認する 〔小児〕年齢に合った言葉で声をかけ，不安が増強しないようにする．
	●吐血の原因・誘因をどのように考えているかを確認する．
	●吐血の予防方法について，どのように考えているのか，どのように対処しようとしているのかを確認する 〔高齢者〕健康に対する価値観が形成されており，長年の生活習慣を変更するのは困難である．患者がどのように考えているのかを受け止める．
	🔍 **起こりうる看護問題：吐血を誘発するような生活習慣がある**

STEP❶ アセスメント **STEP❷ 看護課題の明確化** **STEP❸ 計画** **STEP❹ 実施** **STEP❺ 評価**

44
吐血

看護問題リスト

#1 出血により循環血液量が減少する（栄養–代謝パターン）
#2 誤嚥の危険がある（認知–知覚パターン）
#3 消化管の機能が維持できない（活動–運動パターン）
#4 吐血を誘発するような生活習慣がある（健康知覚–健康管理パターン）

看護問題の優先度の指針

●吐血の状況，経過，原因・誘因，苦痛の強さ，全身状態，心身への影響などによって優先順位が異なる．これらの情報から緊急度と重症度を判断して優先度を決定する．
●ショック状態を呈している場合は，緊急度・重症度がともに高く，緊急処置が必要である．
●吐血の際に誤嚥を起こすと気道閉塞を起こすため，並行して誤嚥予防を行う．
●患者・家族の不安の程度は，病態の緊急度や重症度に関係しないこともある．患者・家族の心理状態に応じた対応に努める．

STEP❶ アセスメント **STEP❷ 看護課題の明確化** **STEP❸ 計画** **STEP❹ 実施** **STEP❺ 評価**

1 看護問題	看護診断	看護目標（看護成果）
#1 出血により循環血液量が減少する	**体液量不足** **関連因子**：水分へのアクセス不足，水分摂取不足 **診断指標** □血圧低下 □脈圧低下 □心拍数増加 □尿量減少	〈**長期目標**〉循環血液量が維持される 〈**短期目標**〉1）収縮期血圧が基準範囲内にある．2）脈拍が基準範囲内にある．3）尿量を維持する．4）吐血の回数・量が減少する

765

第6章 消化器系

看護計画	介入のポイントと根拠

ショック状態の緊急対応

ショック状態にある患者の全身的な管理

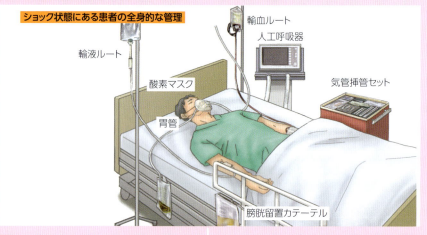

OP 経過観察項目 ● ショック状態の程度：ショック指数 ● ショックの徴候：蒼白，虚脱，冷汗，微弱な脈拍など ● 出血量・体液喪失量：吐血の量，尿量，胃管からの排液量，その他の水分喪失 ● 水分摂取量：輸液量，輸血量 ● 水分の喪失と摂取のバランス ● 血圧変動，頻脈，末梢血管の脈圧 ● 口渇，舌の乾燥，皮膚の乾燥・緊張，尿の濃縮 ● 血液データ：赤血球数，ヘマトクリット，ヘモグロビン，血小板数，プロトロンビン時間，活性化部分トロンボプラスチン時間，血清トランスアミナーゼ，乳酸脱水素酵素，コリンエステラーゼ，ビリルビン，BUN，クレアチニン ● 活気，精神症状	➲ ショック状態が進行している場合は要注意である ➲ 出血の状況，血液凝固機能，肝機能障害，腎機能障害などを把握する
TP 看護治療項目 ● 患者を水平仰臥位にし，必要であれば下肢を挙上する ● 酸素投与を行う ● 静脈路確保を行い，医師に指示された輸液・輸血，救急薬品の投与を行う ● 大量輸液の場合は，温めた輸液を準備する ● 気管挿管と人工呼吸器の準備をしておく ● 患者に挿入されたルート類の固定を確実に行う ● ショック状態による不安を受け止める	➲ 根拠 末梢の循環血液を心臓に戻りやすくし，重要な臓器への血流を維持する ➲ 根拠 重要な臓器への酸素供給を維持する ➲ 正確に投与する．水分出納に注意する．輸液・輸血，救急薬品の効果を確認する 根拠 重要な臓器への血流を維持する ➲ 根拠 大量輸液が体温低下をまねかないよう温めておく ➲ 根拠 ショック状態から意識障害に陥る危険があり，その場合は誤嚥の危険性も高まる ➲ ルート類の事故抜去を予防する 根拠 ショック状態は不穏を伴うことがある 高齢者 小児 病状を理解できず，抜去の危険が高まる ➲ 患者が抱えている不安を軽減する

EP 患者教育項目	
●緊急処置の必要性について説明する	⮕患者・家族の理解状況に応じて説明し，理解を得る　**根拠** 理解することにより，苦痛を受け入れてもらえる

2 看護問題	看護診断	看護目標（看護成果）
#2　誤嚥の危険がある	誤嚥リスク状態 **危険因子**：上半身挙上を阻む障壁	〈長期目標〉誤嚥しない 〈短期目標〉1) 誤嚥の予防法が説明できる． 2) 誤嚥の予防法を実施できる

看護計画	介入のポイントと根拠
OP 経過観察項目 ●吐血の有無・量，咳嗽の有無，吐血時の体位，口腔内の異物 ●咽頭の喘鳴，呼吸音，呼吸数，呼吸困難，咳嗽，チアノーゼ，発熱，バイタルサイン ●嚥下反射，咳嗽反射の有無 ●意識レベル	⮕吐血時の誤嚥の有無と危険性を観察する **根拠** 咳嗽の出現は誤嚥の徴候であることが多い．仰臥位では誤嚥のリスクが高い ⮕誤嚥による呼吸状態の変化，無気肺，肺炎の徴候を観察する ⮕誤嚥のリスクを把握する　**根拠** 嚥下反射や咳嗽反射の低下が誤嚥の原因となる　**高齢者** 嚥下反射，咳嗽反射は加齢によって低下する ⮕意識レベルの低い患者は，咳嗽反射が弱く，嚥下能力の低下をみることが多いため，吐血時に誤嚥しやすい
TP 看護治療項目 ●側臥位または腹臥位で，頭部を横に向ける体位にする ●吐血後は口腔内を清潔にする ●誤嚥のリスクの高い患者には吸引の準備をしておく	⮕**根拠** 血液が咽頭へ垂れ込むのを防ぐ
EP 患者教育項目 ●吐血時の誤嚥予防法を説明する ●誤嚥時の徴候を説明し，徴候がみられた場合には報告するよう伝える	⮕患者・家族の理解を得る　**根拠** 誤嚥の予防方法を患者・家族が学び，予防できるようにする ⮕患者・家族の理解を得る　**根拠** 誤嚥による徴候を速やかに伝えてもらうことで，重症化を防ぐ

3 看護問題	看護診断	看護目標（看護成果）
#3　消化管の機能が維持できない	消化管運動機能障害リスク状態 **危険因子**：食習慣の変化，ストレッサー（ストレス要因）	〈長期目標〉消化管からの出血が減少し，消化吸収機能を維持できる 〈短期目標〉1) 吐血が減少する．2) 緊急止血術を安全に受ける．3) 原因疾患に対する治療を受ける

44
吐血

第6章　消化器系

看護計画	介入のポイントと根拠

吐血に対する緊急止血術

OP 経過観察項目
- 吐血の状況
- 症状，検査結果
- 病状や病態，緊急止血術に対する患者・家族の理解の程度，受け止め

⮕止血術に対する効果を判定する

⮕緊急処置に対する患者・家族の理解を得る
根拠 止血術に対する患者・家族の同意が必要である

TP 看護治療項目
- 胃管が挿入される場合は，その管理を行う

- 胃内容の吸引と胃洗浄の準備を行い，医師の処置を補助する

- 上部消化管内視鏡検査が行われる場合は，その準備をする

- 内視鏡検査で出血部位が確認できれば，内視鏡的止血術（薬物散布法，局注法，凝固法，クリップ法，食道静脈瘤破裂時は内視鏡的静脈瘤結紮術，食道静脈瘤硬化療法）が行われるので，その準備と医師の処置を補助する
- 食道静脈瘤破裂で止血が困難な場合は，S-Bチューブが挿入されるので，その管理を行う
- 内視鏡検査が困難な場合や止血できない場合は，血管造影検査や緊急手術が行われることもあるので，その準備を行う
- 治療に伴う苦痛と不安を受け止める

⮕出血の観察，胃内容物除去，誤嚥防止のために挿入される
⮕胃洗浄には生理食塩液を使用する **根拠** 生理食塩液を冷却して使用すると血管収縮による止血が期待できるが，逆に血小板の活性を阻害して凝固反応を抑制するという考えから微温湯を使用することもある
⮕吐血の原因疾患や出血部位の確定のために行われる **根拠** 上部消化管内視鏡検査によって，90％以上が診断できるとされている
⮕全身状態が不良の状況で苦痛の強い検査，治療が行われるため，患者の苦痛を最小限にできるよう工夫する **根拠** 内視鏡的止血術によって95％以上が止血できるといわれている

⮕静脈瘤の圧迫による止血である．太いチューブを鼻腔から挿入し，バルーン内に空気を入れ，おもりでチューブを引っ張ることで止血するため，患者の苦痛は強く，食道粘膜や胃粘膜の壊死を生じることがある
⮕心身の苦痛緩和に努める

EP 患者教育項目
- 治療計画の必要性や注意点を患者・家族に説明する

⮕患者の病態，患者・家族の理解状況に応じて説明する．医師の説明を補足する **根拠** 治療への協力を得る **高齢者** **小児** 年齢に応じてわかりやすく伝える工夫をする

OP 経過観察項目
- 吐血の状況：回数，量，性状など
- 随伴症状の有無・程度
- 検査結果
- 病状や病態，緊急止血術に対する患者・家族の理解度，受け止め

⮕吐血の状況，経過などを把握して原因除去，悪化防止，再発予防を行う **根拠** 関連を把握することで，適切な看護計画につなげることができる

TP 看護治療項目
- 安静を図り，医師の指示により飲食を禁止する
- 吐血時は，うがいや口腔清拭を行う
- 汚れた衣服や寝具を交換し，清潔を保つ
- 胃管の管理，排液の観察を行う
- 安楽な体位，血液を吐き出しやすい体位を工夫する
- 前胸部から心窩部の冷罨法を行う

⮕ **根拠** 飲食による吐血の誘発を予防する
⮕ **根拠** 血液の臭いや不快感はさらなる吐血を誘発する
⮕ **根拠** 胃管は出血の観察と胃内容を減圧させるために挿入される．その効果（症状変化）と影響を把握する
⮕ **根拠** 血管収縮による止血を図り，患者の鎮静

にも効果があるとされている

EP 患者教育項目

● 飲食の禁止や胃管の必要性を説明し，注意点を指導する

➡ 根拠 処置に対する理解を深め，協力してもらうとともに，余計な不安を与えない 高齢者 小児 年齢に応じてわかりやすく伝える工夫をする

● 経口摂取が許可されたら，徐々に水分をとるように促す

➡ 少量ずつ摂取するよう促す

● 水分摂取で問題がなければ，流動食，三分粥，五分粥，七分粥，全粥と食事内容が変更されるので，これらの食事療法を守るよう説明する

➡ 消化管への負担が少ない食事から始める

● 規則正しい食事を心がけ，よくかみ，食後はゆっくりと休むよう説明する

➡ 消化管に負担をかけないようにする

● 原因疾患に対する薬物療法や食事療法を説明し，生活指導を行う（「看護問題 #4」参照）

➡ 患者が理解し，自分でコントロールできるようにする 根拠 吐血は消化器疾患だけでなく，血液疾患，血管疾患でも起こるため，それぞれの病態に応じた治療と生活指導が必要である 高齢者 小児 年齢に応じてわかりやすく伝える工夫をする

44

吐血

4 看護問題	看護診断	看護目標（看護成果）
#4　吐血を誘発するような生活習慣がある	**非効果的健康自主管理** **関連因子**：行動開始の合図不足，治療計画についての知識不足，ソーシャルサポートの不足 **診断指標** □治療計画を日常生活に組み込めない □危険因子を減らす行動がとれない □健康目標の達成に向け，日常生活における選択が無効	〈**長期目標**〉吐血を再発させないような生活を送る 〈**短期目標**〉1) 好ましい食生活を維持する．2) 吐血の原因・誘因を説明する．3) 吐血の原因・誘因となる生活習慣を改善する．4) 指示された薬剤を確実に内服する

看護計画	介入のポイントと根拠
### OP 経過観察項目 ● 吐血の誘因や原因疾患に関する患者・家族の知識，認識 ● 入院前の生活習慣，特に飲酒歴，喫煙歴，ストレスのかかる出来事 ● 退院後の患者・家族の認識，考え ● 退院後の生活調整に対する意欲 ● キーパーソン，協力者 ### TP 看護治療項目 ● 日常生活を振り返ってもらい，生活上の改善点	➡ 患者・家族の病識を把握する 根拠 吐血の再発を予防するためには家族を含めた生活指導が必要である ➡ 症状を悪化させる要因を把握する 根拠 入院前の生活習慣をもとに改善点を検討し，自己管理の目標を設定する ➡ 患者・家族の知識と意欲を把握する 根拠 患者・家族が継続して実施できるよう，知識や意欲に応じた教育計画を立案する必要がある ➡ 患者に対するサポート体制を把握する 根拠 退院後の生活調整には，家族をはじめとした人的なサポート体制が必要である ➡ 患者の行動変容を促す 根拠 消化性潰瘍の場

769

第6章　消化器系

を一緒に考える

●吐血に伴う不安を表出できるように関わる

合は，ストレスの多い生活が症状を悪化させるが，生活習慣の改善は容易ではない．飲酒や喫煙が吐血の誘因と考えられる場合の禁酒や禁煙も容易ではない．患者のアドヒアランスを高められるようにする

➲支持的態度で接する　根拠　支持的態度が不安の表出を促す

EP 患者教育項目

●暴飲暴食，熱すぎるもの，冷たすぎるもの，硬いもの，食物繊維の多いもの，刺激物などを避けるよう食事に関する注意事項を説明する

●吐血の状態や原因疾患に応じた食事指導を医師，栄養士と協力して行う

●患者の食習慣に応じた食事指導を行う

●禁煙，禁酒の必要性を説明する

●患者の抱えているストレスを明らかにし，ストレス対処方法を指導する

●薬の作用・副作用を説明し，正確に服用するよう指導する

●定期受診の必要性を説明する

➲消化管への負担の少ない食品の選択や食べ方によって再出血を予防する

➲消化管への負担の少ない食品の選択によって原因疾患の悪化を予防する　根拠　原因疾患によって蛋白質，脂質，糖質の適切な摂取量が異なる

➲患者自身の食習慣や嗜好を考慮する．家庭で食事をつくる人の情報も得る　根拠　長年の食習慣を変更することは容易ではないため，少しでも好ましい食生活を患者とともに考える

➲根拠　喫煙，飲酒は，粘膜の防御機能を低下させる

➲患者が自分のストレスに気づき，十分な睡眠と休息，気分転換などのストレスコントロール法を見つけられるよう援助する．周囲の人の協力も得る　根拠　患者自身がストレスを自覚していないことも多い．飲酒や暴飲暴食がストレス解消手段となっていることがある

➲吐血の原因疾患の治療に必要な薬物療法についての認識を高め，自己管理を促す　根拠　薬についての理解は服薬アドヒアランスを高める．症状が軽減すると服薬を怠ることがあり，再発の原因となる

STEP❶ アセスメント ▶ STEP❷ 看護課題の明確化 ▶ STEP❸ 計画 ▶ **STEP❹ 実施** ▶ STEP❺ 評価

病期・病態・重症度に応じたケアのポイント

【急性期】吐血の原因は様々である．早期にその原因が特定され，適切な治療が行われることが重要となる．急性期の緊急対応は，ショック状態の早期発見とその改善，誤嚥の防止，緊急止血術の準備と援助である．

【回復期】全身状態の改善に伴い，経口摂取を少しずつ再開する．そして，吐血の原因・誘因に応じた生活指導を行う．

看護活動（看護介入）のポイント

診察・治療の介助

●吐血の症状や経過から，原因・誘因を把握する．
●吐血によるショック状態にあるときは，酸素投与，静脈路確保，輸液・輸血，救急薬品の投与，気管挿管・人工呼吸器などの準備を素早く的確に行う．
●吐血による誤嚥を予防するために，患者の頭部を横に向ける．吸引の準備をしておく．
●経鼻胃管を挿入する場合は，その準備と援助，胃管と排液の管理を行う．
●緊急検査，緊急止血術が行われる場合は，その準備を行うとともに患者・家族に説明する．

吐血に対する援助
- 安静にできるよう環境を整え，患者が安楽な体位をとる．
- うがいや口腔清拭によって口腔内を清潔に保つ．
- 血液で汚れた衣類や寝具を交換して清潔に努める．
- 経口摂取が開始されたら，許可された食べ物を少量から始め，徐々に種類や量を増やしていく．
- 吐血が再発しないか，観察する．

生活習慣の改善
- 吐血の原因・誘因について患者・家族と話し合う．
- 吐血の再発につながるような生活習慣を明らかにし，改善方法を患者・家族とともに考える．

退院指導・療養指導
- 吐血の原因・誘因に応じた服薬指導，食事指導，生活指導を行う．
- 定期受診の必要性を説明する．
- 吐血が再び出現するようであれば，受診するよう説明する．

STEP ① アセスメント ▶ **STEP ② 看護課題の明確化** ▶ **STEP ③ 計画** ▶ **STEP ④ 実施** ▶ **STEP ⑤ 評価**

評価のポイント

看護目標に対する達成度
- 吐血の回数，性状や量が減少しているか．
- 適切な体液バランスが維持できているか．
- 誤嚥と誤嚥のリスクが回避できているか．
- 貧血が改善しているか．
- 消化吸収機能が維持できているか．
- 吐血の原因・誘因となる生活習慣を説明し，それを改善できているか．

44
吐血

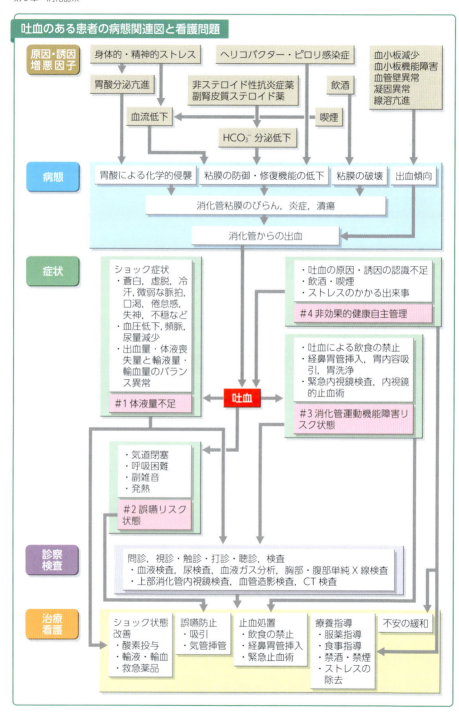

45 下血

三好 正人・柿沼 晴

目でみる症状

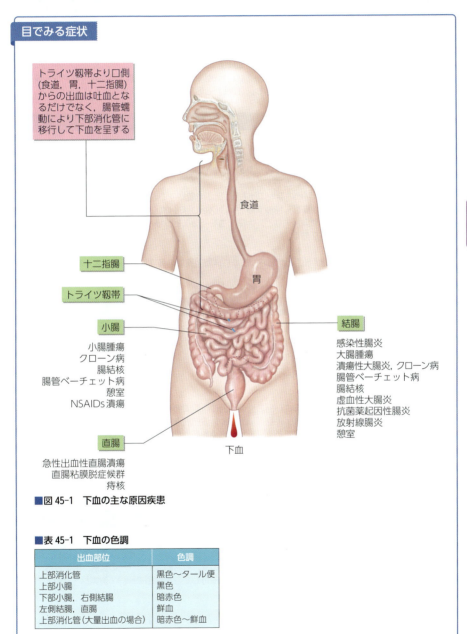

■図 45-1 下血の主な原因疾患

トライツ靱帯より口側（食道，胃，十二指腸）からの出血は吐血となるだけでなく，腸管蠕動により下部消化管に移行して下血を呈する

小腸
- 小腸腫瘍
- クローン病
- 腸結核
- 腸管ベーチェット病
- 憩室
- NSAIDs 潰瘍

結腸
- 感染性腸炎
- 大腸腫瘍
- 潰瘍性大腸炎，クローン病
- 腸管ベーチェット病
- 腸結核
- 虚血性大腸炎
- 抗菌薬起因性腸炎
- 放射線腸炎
- 憩室

直腸
- 急性出血性直腸潰瘍
- 直腸粘膜脱症候群
- 痔核

■表 45-1 下血の色調

出血部位	色調
上部消化管	黒色〜タール便
上部小腸	黒色
下部小腸，右側結腸	暗赤色
左側結腸，直腸	鮮血
上部消化管（大量出血の場合）	暗赤色〜鮮血

第6章　消化器系

病態生理

下血とは，血液が肛門から排出された状況を指す．急激な循環血液量の減少を伴い，ショック状態をきたすこともあり，吐血とともに，消化器疾患の中でも迅速な診断と対応が必要な緊急症候である．

- 便の性状は出血部位と腸管内に留まった時間により，タール便や黒色便から，暗赤色，鮮血便まで変化するため，下血の鑑別にとって重要である．
- 出血量に応じて重症度は様々である．しかし出血性ショックをきたし，緊急処置を必要とする例もあることから，全身状態，バイタル，出血量などを把握し慎重な経過観察を要する．
- 下血は下部消化管出血に限らず，上部消化管出血によっても生じる．

※本項では，広義の下血「血液が肛門から排出された状況」を概説する．狭義の下血は「黒色便・タール便（多くは上部消化管出血による）」を指し，「血便」と区別して使う医療者もいるので留意する．

患者の訴え方

●主症状
- 「黒い・赤黒い・ワイン色の便が出た」「便器が真っ赤だった」「便に血が混じっている」「紙で拭くと血が付く」など，患者によって表現は様々である．時に大腸がん検診で行った便潜血検査が陽性であったため，それを血便と訴えることもある．
- 出血性状，量や時間経過などの症状の発現の仕方を，問診で聴取することが診断のために重要である．昨今では，患者自ら便の性状を撮影し持参するという例をしばしば経験する．
- 出血に伴って頻脈，冷や汗，意識消失など，大量出血を疑うエピソードがある場合は，概して緊急性が高く，速やかな対応が必要である．

●随伴症状
- 腹痛や発熱，嘔吐，下痢など伴うことがあり，これらは原因疾患の特定に重要な要素である．その他，基礎疾患や薬剤内服歴は必ず確認する．

診断

急性の場合は，緊急処置を必要とするかどうか，出血量や血圧などの循環動態に気を配りつつ，診断を行う．特に大量の上部消化管出血は時として血便を呈するため，便の性状のみにとらわれないよう考慮すべきである．

●原因・考えられる疾患
- 考えられる疾患を表45-2に示す．

●鑑別診断のポイント
- 病歴聴取，身体所見は，鑑別診断および緊急性の判断に重要である．
- 発熱を伴う感染性腸炎を疑う場合は，食物摂取歴や海外渡航歴を問診する．
- 便の性状は，出血部位の推定に重要である．また，感染を疑う場合は便培養検査も起因菌同定に有用となる．
- 緊急性や臨床検査所見（貧血の程度）などから，造影CTや内視鏡検査などを行う．
- 出血源の同定が困難な際には，カプセル内視鏡・小腸内視鏡や出血シンチグラフィーといった特殊な検査を要する場合がある．

治療法・対症療法

急性の出血に対しては，初期対応としてバイタルのチェックから必ず行う．ショック状態であれば，その治療から行い，循環動態を安定化させる必要がある．当初ショックをきたしていなくとも，来院後に，経時的な出血によりショック状態に至ることもあり，経時的なモニターの装着，酸素投与，静脈確保および輸液（状況によっては輸血）などを行う．並行して，出血源を問診・直腸診・造影CT検査などにより検索する．

＊上部消化管出血への対応は「44. 吐血」を参照
- 緊急性が高い場合は止血を目的として，緊急内視鏡や血管造影下止血術（interventional radiology：IVR）が必要となる．止血が得られない場合は，外科的手術も検討される．

■表45-2 下血の原因または考えられる疾患

上部消化管出血	小腸	大腸	直腸
「44.吐血」を参照 ＊トライツ靱帯以遠に流れ込んだ出血は，蠕動運動によって下血となりえる	クローン病 小腸腫瘍 腸管ベーチェット病 腸結核 小腸憩室 NSAIDs潰瘍 非特異性多発性小腸潰瘍 など	大腸腫瘍 潰瘍性大腸炎，クローン病 腸管ベーチェット病 腸結核 単純性潰瘍 大腸憩室 虚血性腸炎 感染性腸炎 抗生物質起因性出血性腸炎 放射線性腸炎 血管奇形（angiodysplasiaなど） など	痔核 直腸潰瘍 直腸粘膜脱症候群 など

- 緊急処置が必要でない場合は，絶食・輸液（必要に応じて抗菌薬投与）などの保存的加療を行う．下部消化管出血は，保存的に経過観察をすることで止血が得られることも多い．
- 慢性の出血や発症直後に緊急処置を要さない程度の急性出血でも，待機的な下部消化管内視鏡検査をはじめとした出血源検索を行うことがほとんどである．それにより判明した原疾患に対して適切な治療を行う必要がある．
- 薬剤起因性（出血性腸炎やNSAIDs潰瘍）を疑う場合は被疑薬の投与を中止する．出血時における抗凝固薬，抗血小板薬の中止の可否については，循環器内科，神経内科などの専門医と相談し，リスク・ベネフィットの評価を行うことが重要である．

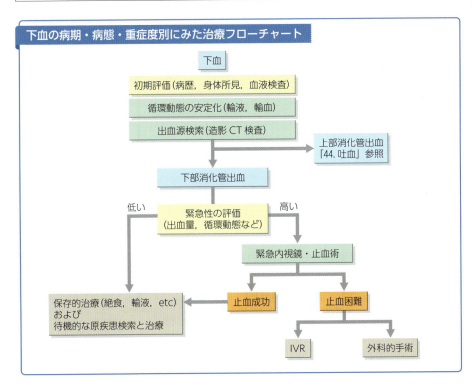

第6章 消化器系

下血のある患者の看護

中神 克之

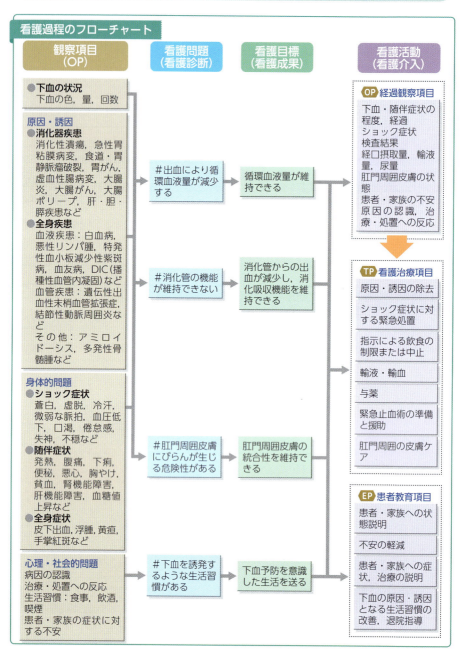

基本的な考え方

- 下血による出血性ショックに基づく病態と，下血の原因となる基礎疾患に基づく病態が混在している．
- 下血に対する緊急処置，症状緩和，安楽の援助とともに，症状や病歴などから出血原因を推測する．
- 治療の原則は，原因疾患の治療である．

緊急 下血の原因は上部消化管出血であることが多いが，下部消化管出血によっても生じる．顔面蒼白，末梢の冷感，冷汗，頻脈，血圧低下などは出血性ショックのサインである．
※下血の定義については，医学解説の病態生理の項を参照のこと．

STEP ❶ アセスメント	STEP ❷ 看護課題の明確化	STEP ❸ 計画	STEP ❹ 実施	STEP ❺ 評価

情報収集	アセスメントの視点と根拠・起こりうる看護問題
病歴の把握	患者・家族から症状出現の経過や症状の変化，既往歴や服薬歴を聞くことで，全身状態の把握や原因・誘因の特定につながり，治療や看護ケアに重要な情報を得ることができる．
経過	●いつから始まったか，どのくらい続いているか，以前にも下血の経験があるか. ●急激に始まったか，前駆症状があったか，吐血もあったか. ●症状の変動の有無
誘因	●服薬との関係 **原因・誘因** 非ステロイド性抗炎症薬(NSAIDs)，副腎皮質ステロイド薬，アスピリン ➡消化性潰瘍．抗菌薬 ➡薬物性腸炎など **高齢者** 薬物名を知らない場合があるため「関節リウマチの薬」「腰痛の薬」「解熱薬」など病名や症状を示すと聴取しやすい.
生活歴	●飲酒歴 ●ストレスの有無 ●海外渡航歴 **原因・誘因** コレラ，腸チフス，アメーバ赤痢などの感染 ●生魚，生肉，生焼けの肉の摂取 **原因・誘因** 病原性大腸菌感染
既往歴	●消化器疾患：消化性潰瘍(胃潰瘍，十二指腸潰瘍)，急性胃粘膜病変，食道・胃静脈瘤，胃がん，肝疾患，クローン病，潰瘍性大腸炎など ●出血傾向をきたす疾患：白血病，特発性血小板減少性紫斑病，悪性リンパ腫，血友病など
治療歴	●弁膜疾患や心房細動，心筋梗塞，高血圧などの心疾患，脳梗塞など ➡抗血小板療法，抗凝固療法の有無 ●放射線療法 **原因・誘因** 放射線腸炎 ●医原性：内視鏡検査，ポリペクトミー，食道・胃静脈瘤の硬化療法，腹部血管造影など ➡検査後に消化管出血が起こることもある.
家族歴	●家族性ポリポーシス ●肝疾患，血液疾患など
主要症状の出現状況，程度，性状の把握	症状の出現状況や下血の性状を把握することで，原因疾患の特定につながる情報が得られる．
前駆症状 随伴症状	●発熱，下痢，腹痛，裏急後重(しぶり腹)，腹部膨満感など ●悪心，胸やけ，貧血，腎機能障害，肝機能障害，血糖値上昇など ●顔面蒼白，末梢の冷感，冷汗，頻脈，血圧低下などのショック症状 ●意識障害 **原因・誘因** 肝硬変を伴う食道・胃静脈瘤破裂の場合は，高アンモニア血症，肝性昏睡
下血の性状	●タール便，黒色便 **原因・誘因** 食道～上部小腸からの出血 ●暗赤褐色便 **原因・誘因** 上部小腸～結腸からの出血 ●鮮血便 **原因・誘因** 左側結腸～肛門からの出血 ●粘血便 **原因・誘因** 潰瘍性大腸炎，大腸憩室炎，細菌性赤痢，腸結核
出血部位	●食道 **原因・誘因** 食道静脈瘤破裂，食道がん，食道炎，マロリー-ワイス症候群

45
下血

777

第6章　消化器系

- 胃　**原因・誘因** 胃潰瘍，急性胃粘膜病変，胃静脈瘤破裂，胃がん
- 十二指腸　**原因・誘因** 十二指腸潰瘍，乳頭部がん
- 肝・胆・膵　**原因・誘因** 肝がん，胆道腫瘍，膵炎，膵がん
- 小腸　**原因・誘因** クローン病，メッケル憩室，腸間膜動静脈血栓症，腸重積，感染性腸炎，結核
- 結腸　**原因・誘因** 結腸がん，潰瘍性大腸炎，虚血性腸炎，ポリープ，憩室炎，薬物性腸炎，放射線腸炎
- 直腸・肛門　**原因・誘因** 直腸がん，ポリープ，裂肛，痔核

下血への緊急対応

- 下血は出血の一部にすぎないため，出血の多少にかかわらず**ショック状態**に注意する必要がある．大量の下痢を伴う場合も，水分喪失によってショック状態に陥ることがある．
- ショックの重症度を血圧，脈拍，意識状態，尿量などから判断する．
- ショック時は，患者を水平仰臥位にし，必要であれば下肢を挙上する．
- **静脈路確保**を行い，輸液・輸血，救急薬品の投与を行う．大量輸液の場合は，体温低下を招くことがあるので，温めた輸液を準備する．
- **気管挿管**の準備をしておく．
- 下血の原因は上部消化管出血であることが多い．出血量の観察，胃内容物除去，誤嚥防止のために**胃管**を挿入して**胃内容物を吸引**し，**胃洗浄**を行う．
- 下血の原因疾患や出血部位の確定のために行われる内視鏡的止血術，血管造影検査，消化管内視鏡検査や緊急手術が行われる際は迅速に準備し処置を介助する．
- 下血の原因が炎症性腸疾患で重症の場合は，まず，脱水，電解質異常，貧血，栄養障害などに対する治療が行われる．ステロイド療法が行われることもある．
- 下血の原因が感染の場合は，感染源が特定され，抗菌薬が投与される．

全身状態，随伴症状の把握	症状出現の経過，下血や他の症状の有無とその変化，検査結果などを治療，看護計画の立案に反映させる．
バイタルサイン	● 体温　○出血量が多いと血圧が下がり，末梢血管が収縮するため寒さを訴える．
	● 血圧，脈拍・リズム　○ショック指数（脈拍数/収縮期血圧）を計算し，1.0は軽度，1.5は中等度〜重症，2.0は危篤と判断する　**高齢者** 大量出血であっても，内因性カテコールアミンに対する感受性が低下しているため頻脈にならない．β遮断薬，カルシウム拮抗薬，ジギタリスなどを内服している高齢者は，特に注意する．
	● 呼吸回数・深さ　○呼吸状態への影響を判断する．
全身状態	● 急性の大量出血　**緊急** 循環不全，呼吸不全，腎不全など
	● ショックの徴候　○蒼白，虚脱，冷汗，微弱な脈拍など
	● 皮下出血，浮腫，関節腫脹，黄疸，手掌紅斑，皮膚・粘膜の血管拡張などの有無　**原因・誘因** 肝疾患，血液疾患，血管疾患
頭頸部	● 結膜　○貧血，黄疸の有無　**原因・誘因** 肝疾患，血液疾患
	● 表在リンパ節腫脹の有無　**原因・誘因** 悪性リンパ腫
胸部	● 打診・聴診　○心疾患，肺疾患の有無
腹部	● 視診・触診　○肝脾腫，腹水，腹壁静脈瘤，表在リンパ節腫脹，腹腔内腫瘤，圧痛，腹膜刺激症状などの有無　**原因・誘因** 消化管疾患，消化管穿孔，肝疾患，悪性リンパ腫
直腸診	● 腫瘤，痔核の有無　**原因・誘因** 直腸がん，痔核
便検査	● 便潜血検査
肛門周囲皮膚の状態	● びらん，発赤，潰瘍の有無，程度
	● 滲出液・出血の有無，性状，程度
血液検査	● 赤血球数，ヘマトクリット，ヘモグロビン　○貧血の程度，出血量の推測
	● 血小板数，プロトロンビン時間，活性化部分トロンボプラスチン時間　○血液凝固障害の有無

778

画像検査	●血清トランスアミナーゼ，乳酸脱水素酵素，コリンエステラーゼ，ビリルビン ➡ 肝疾患の有無 ●CRP（C反応性蛋白）➡感染症で上昇 ●血液尿素窒素，クレアチニン ➡出血量，腎障害の指標 ●消化管内視鏡検査（上部消化管，大腸，直腸，肛門）➡出血部位の確認．小腸の出血が疑われる場合は，カプセル内視鏡，ダブルバルーン内視鏡（小腸内視鏡の1つ）が使用されることもある． ●腹部単純X線検査 ➡消化管穿孔，腹水などの有無 ●胸部単純X線検査 ➡心疾患の有無 ●血管造影検査 ➡内視鏡検査で診断できない，または内視鏡検査ができない場合の出血部位の確認 ●腹部エコー検査，CT検査 ➡肝・胆・膵疾患が疑われる場合の確定診断
細菌学的検査	●感染が疑われる場合は，便培養を行う. 🔍**起こりうる看護問題：出血により循環血液量が減少する／消化管の機能が維持できない／肛門周囲皮膚にびらんが生じる危険性がある**
患者・家族の心理・社会的側面の把握	患者は下血による苦痛とともに不安を感じる．それを見た家族にも不安が生じる．また，生活習慣が下血を誘発する場合もあるので，全身状態の改善とともに，退院後の注意事項を指導する必要がある． ●症状出現の経過などを聞きながら，同時に患者・家族が症状をどのようにとらえているか，どのようなことに不安を感じているかを確認する　小児 年齢に合った言葉で声をかけ，不安が増強しないようにする. ●下血の原因・誘因をどのように考えているかを確認する. ●下血を予防するための方法について，どのように考えているのか，どのように対処しようとしているのかを確認する　高齢者 健康に対する価値観が形成されており，長年の生活習慣を変更するのは困難である．患者がどのように考えているのかを受け止める. 🔍**起こりうる看護問題：下血を誘発するような生活習慣がある**

45
下血

STEP ① アセスメント　**STEP ② 看護課題の明確化**　STEP ③ 計画　STEP ④ 実施　STEP ⑤ 評価

看護問題リスト

#1　出血により循環血液量が減少する（栄養-代謝パターン）
#2　消化管の機能が維持できない（活動-運動パターン）
#3　肛門周囲皮膚にびらんが生じる危険性がある（栄養-代謝パターン）
#4　下血を誘発するような生活習慣がある（健康知覚-健康管理パターン）

看護問題の優先度の指針

●下血の状況，経過，原因・誘因，苦痛の強さ，全身状態，心身への影響などによって優先順位が異なる．これらの情報から緊急度と重症度を判断して優先度を決定する.
●ショック状態は，緊急度・重症度ともに高く，緊急処置が必要である.
●患者・家族の不安の程度は，病態の緊急度や重症度に関係しないこともある．患者・家族の心理状態に応じた対応に努める.

779

第6章　消化器系

| STEP ❶ アセスメント | STEP ❷ 看護課題の明確化 | STEP ❸ 計画 | STEP ❹ 実施 | STEP ❺ 評価 |

1 看護問題

#1　出血により循環血液量が減少する

看護診断

体液量不足
関連因子：水分へのアクセス不足，水分摂取不足
診断指標
□血圧低下
□脈圧低下
□心拍数増加
□尿量減少

看護目標（看護成果）

〈長期目標〉循環血液量が維持される
〈短期目標〉1) 収縮期血圧が基準範囲内にある．2) 脈拍が基準範囲内にある．3) 尿量を維持する．4) 下血の回数・量が減少する

看護計画

OP 経過観察項目
● ショック状態の程度：ショック指数
● ショックの徴候：蒼白，虚脱，冷汗，微弱な脈拍など
● 出血量，体液喪失量：下血の量，尿量，胃管からの排液量，その他の水分喪失
● 水分摂取量：輸液量，輸血量
● 水分の喪失と摂取のバランス
● 血圧変動，頻脈，末梢血管の脈圧
● 口渇，舌の乾燥，皮膚の乾燥・緊張，尿の濃縮
● 血液データ：赤血球数，ヘマトクリット，ヘモグロビン，血小板数，プロトロンビン時間，活性化部分トロンボプラスチン時間，血清トランスアミナーゼ，乳酸脱水素酵素，コリンエステラーゼ，ビリルビン，血液尿素窒素，クレアチニン
● 活気，精神症状

TP 看護治療項目
● 患者を水平仰臥位にし，必要であれば下肢を挙上する
● 酸素投与を行う
● 静脈路確保を行い，医師に指示された輸液・輸血，救急薬品の投与を行う

● 大量輸液を行う際は，温めた輸液を準備する
● 気管挿管と人工呼吸器の準備をしておく

● 患者に挿入されたルート類の固定を確実に行う

● ショック状態による不安を受け止める

EP 患者教育項目
● 緊急処置の必要性について説明する

介入のポイントと根拠

➡ ショック状態が進行している場合は要注意である

➡ 出血の状況，血液凝固機能，肝機能障害，腎機能障害などを把握する

➡ **根拠** 末梢の循環血液を心臓に戻りやすくし，重要な臓器への血流を維持する
➡ **根拠** 重要な臓器への酸素供給を維持する
➡ 正確に投与する．水分出納に注意する．輸液・輸血，緊急薬品の効果を確認する **根拠** 重要な臓器への血流を維持する
➡ **根拠** 大量の室温の輸液は体温低下を招く
➡ **根拠** ショック状態から意識障害に陥る危険があり，誤嚥の危険性も高まる
➡ ルート類の事故抜去を予防する **根拠** ショック状態では不穏を伴うことがある **高齢者**
小児 病状を理解できず，抜去の危険が高まる
➡ 患者が抱えている不安を軽減する

➡ 患者・家族の理解度に応じて説明し，理解を得る **根拠** 説明することにより，苦痛を受け入れてもらえる

2	看護問題	看護診断	看護目標（看護成果）
	#2 消化管の機能が維持できない	消化管運動機能障害リスク状態 危険因子：食習慣の変化，ストレッサー（ストレス要因）	〈長期目標〉消化管からの出血が減少し，消化吸収機能を維持できる 〈短期目標〉1）下血が減少する．2）緊急止血術を安全に受ける．3）原因疾患に対する治療を受ける

看護計画	介入のポイントと根拠
OP 経過観察項目 ●下血の状況 ●症状，検査結果 ●随伴症状の有無・程度 ●検査結果 ●病状や病態，緊急止血術に対する患者・家族の理解状況，受け止め	●下血の状況，経過などを把握して原因除去，悪化防止，再発予防を行う．止血術が行われた場合は，その効果を判定する　根拠　関連を把握することで，適切な看護計画につなげることができる ●緊急処置の理解を得る　根拠　止血術に対する患者・家族の同意が必要である
TP 看護治療項目 ●安静を図り，医師の指示により飲食を禁止する ●胃管が挿入される場合は，その管理と排液の観察を行う ●胃洗浄が行われる場合は準備を行い，医師の処置を補助する	●根拠　腸管の安静を図り，再出血を予防する ●胃管は出血の観察，胃内容物除去のために挿入される ●胃洗浄には生理食塩液を使用する．生理食塩液を冷却して使用すると血管収縮による止血が期待できるが，逆に，血小板の活性を阻害して凝固反応を抑制するという考えから微温湯を使用することもある
●消化管内視鏡検査が行われる場合は準備する ●内視鏡検査で出血部位が確認できれば，内視鏡的止血術が行われるので準備し，医師の処置を補助する ●内視鏡検査が困難な場合や止血できない場合は，血管造影検査や緊急手術が行われることもあるので準備する ●指示された薬物を正確に投与する ●治療に伴う苦痛と不安を受け止める	●下血の原因疾患や出血部位の確定のために行われる ●全身状態がよくない状況で苦痛の強い検査・治療が行われるため，患者の苦痛を最小限にできるよう工夫する ●炎症性腸疾患にはステロイド療法，感染性疾患には抗菌薬が指示される ●心身の苦痛緩和に努める
EP 患者教育項目 ●飲食の禁止や胃管の必要性を説明し，注意点を指導する ●経口摂取が許可されたら，徐々に水分をとるように促す ●水分摂取に問題がなければ，流動食，三分粥，五分粥，七分粥，全粥と食事内容が変更されるので，これらの食事療法を守るよう説明する ●規則正しい食事を心がけ，よくかみ，食後はゆっくりと休むよう説明する ●原因疾患に対する薬物療法や食事療法を説明し，生活指導を行う（「看護問題#4」参照）	●患者の病態，患者・家族の理解状況に応じて説明する．医師の説明を補足する　根拠　治療への協力を得る　高齢者　小児　年齢に応じてわかりやすく伝える工夫をする ●少量ずつ勧める ●消化管への負担が少ない食事から始める ●消化管に負担をかけないようにする ●患者が理解し，自分でコントロールできるようにする　根拠　下血は消化器疾患だけでなく，血液疾患，血管疾患でも起こるため，それぞれの病

45 下血

第6章　消化器系

態に応じた治療と生活指導が必要である
　高齢者　小児　年齢に応じてわかりやすく伝える工夫をする

3 看護問題	看護診断	看護目標（看護成果）
#3　肛門周囲皮膚にびらんが生じる危険性がある	**皮膚統合性障害リスク状態** **危険因子**：排泄物，湿度	〈**長期目標**〉肛門周囲皮膚の統合性を維持できる 〈**短期目標**〉1) 排便後，肛門周囲皮膚を清潔に保つ．2) 肛門周囲皮膚を保護する方法を述べる

看護計画	介入のポイントと根拠
OP 経過観察項目 ●下血・下痢の有無・量 ●肛門周囲皮膚の汚染，湿潤，発赤，びらん，痛みなどの有無と程度 ●排便後や清拭時の摩擦，紙おむつの使用 ●セルフケアのレベル ●不眠，不安，イライラなど **TP 看護治療項目** ●排便後は肛門周囲皮膚を清潔にする ●肛門周囲の皮膚への刺激を最小限にする **EP 患者教育項目** ●肛門周囲皮膚の清潔の必要性，皮膚の清潔や保護の方法を説明する ●肛門周囲皮膚の自覚症状が出現したら報告するよう伝える	⮕ 根拠 下血や下痢が続くと，肛門周囲の皮膚が湿潤し，皮膚の透過性が増して化学的刺激を受けやすくなる．また，便は時間がたつとアルカリ性となり，細菌やウイルスが繁殖しやすくなる ⮕ 根拠 機械的刺激によって炎症を起こす ⮕倦怠感や疲労，清潔に関する知識不足などによって，肛門周囲皮膚の保清が不十分になっていないか確認する　高齢者　清潔への関心が低下していることがある ⮕肛門周囲皮膚の症状が精神的な苦痛をもたらしていないか観察する ⮕排便ごとに洗浄や清拭，温水洗浄便座などで肛門周囲を清潔にする．必要であれば，はっ水クリームや潤滑油などを塗る　根拠 下血や下痢によって皮膚が汚染される時間を極力短くする ⮕皮膚を洗浄する場合は刺激の少ない石けんを使用する．洗浄後は，乾いたガーゼで押さえるようにして水分をとる　根拠 摩擦を避ける ⮕患者の理解を得る

4 看護問題	看護診断	看護目標（看護成果）
#4　下血を誘発するような生活習慣がある	**非効果的健康自主管理** **関連因子**：行動開始の合図不足，治療計画についての知識不足，ソーシャルサポートの不足 **診断指標** □治療計画を日常生活に組み込めない	〈**長期目標**〉下血を再発させないような生活を送る 〈**短期目標**〉1) 好ましい食生活を維持する．2) 下血の原因・誘因を説明する．3) 下血の原因・誘因となる生活習慣を改善する．4) 指示された薬剤を確実に内服する

□危険因子を減らす行動がとれない
□健康目標の達成に向け，日常生活における選択が無効

看護計画	介入のポイントと根拠
OP 経過観察項目 ●下血の誘因や原因疾患についての患者・家族の知識，認識 ●入院前の生活習慣，特に飲酒歴，喫煙歴，ストレスのかかる出来事 ●退院後の患者・家族の認識，考え ●退院後の生活調整に対する意欲 ●キーパーソン，協力者	●患者・家族の病識を把握する 根拠 下血の再発予防には家族を含めた生活指導が必要である ●症状を悪化させる要因を把握する 根拠 入院前の生活習慣をもとに改善点を検討し，自己管理の目標を設定する ●患者・家族の知識と意欲を把握する 根拠 患者・家族が継続して実施できるよう，知識や意欲に応じた教育計画を立案する必要がある ●患者に対するサポート体制を把握する 根拠 退院後の生活調整には，家族をはじめ人的なサポート体制が必要である
TP 看護治療項目 ●日常生活を振り返ってもらい，生活上の改善点を一緒に考える ●下血に伴う不安を表出できるように関わる	●患者の行動変容を促す 根拠 消化性潰瘍の場合，ストレスの多い生活が症状を悪化させるが，生活習慣の改善は容易ではない．飲酒や喫煙が下血の誘因と考えられる場合の禁酒や禁煙も容易ではない．患者のアドヒアランスを高められるようにする ●支持的態度で接する 根拠 支持的態度が不安の表出を促す
EP 患者教育項目 ●暴飲暴食，熱すぎる食品，冷たすぎる食品，硬い食品，食物繊維の多い食品，刺激物などを避けるよう説明する ●下血の状態や原因疾患に応じた食事指導を医師，栄養士と協力して行う ●患者の食習慣に応じた食事指導を行う ●禁煙，禁酒の必要性を説明する ●患者の抱えているストレスを明らかにし，ストレス対処方法を指導する ●薬の作用・副作用を説明し，正確に服用するよう指導する ●定期受診の必要性を説明する	●消化管への負担の少ない食品の選択，食べ方によって再出血を予防する ●消化管への負担の少ない食品を選択し原因疾患の悪化を予防する 根拠 原因疾患によって蛋白質，脂質，炭水化物の摂取量が異なる ●患者自身の食習慣や嗜好を考慮する．家庭で食事をつくる人の情報も得る 根拠 長年の食習慣を変更することは容易ではないため，少しでも好ましい食生活を患者とともに考える ● 根拠 喫煙，飲酒は粘膜の防御機能を低下させる ●自分のストレスに気づき，十分な睡眠と休息，気分転換などのストレスコントロール法をみつけられるよう援助する．周囲の人の協力も得る 根拠 患者がストレスを自覚していないことも多い．飲酒や暴飲暴食がストレス解消手段となっていることがある ●下血の原因疾患の治療に必要な薬物療法の認識を高め，自己管理を促す 根拠 薬を理解することは服薬アドヒアランスを高める．症状が軽減した時に服薬を怠ると再発の原因となる

45 下血

第6章　消化器系

STEP ❶ アセスメント　STEP ❷ 看護課題の明確化　STEP ❸ 計画　STEP ❹ 実施　STEP ❺ 評価

病期・病態・重症度に応じたケアのポイント

【急性期】下血の原因は様々である．早期にその原因が特定され，適切な治療が行われることが重要となる．急性期の緊急対応は，ショック状態の早期発見とその改善，緊急止血術の準備と援助である．
【回復期】全身状態の改善に伴い，経口摂取を少しずつ再開する．また，下血の原因・誘因に応じた生活指導を行う．

看護活動（看護介入）のポイント

診察・治療の介助
- 下血の症状や経過から，原因・誘因を把握する．
- 下血によるショック状態にあるときは，酸素投与，静脈路確保，輸液・輸血，救急薬品の投与，気管挿管・人工呼吸器などの準備を素早く的確に行う．
- 経鼻胃管を挿入する場合は，その準備と援助，胃管と排液の管理を行う．
- 緊急検査・緊急止血術が行われる場合は，その準備を行うとともに，患者・家族に説明する．

下血に対する援助
- 安静にできるよう環境を整え，患者が安楽な体位をとる．
- 下血によってびらんを生じないように，肛門周囲皮膚の清潔に留意する．
- 経口摂取が開始されたら，許可された食べ物を少量から始め，徐々に種類や量を増やしていく．
- 下血が再発しないか，観察する．

生活習慣の改善
- 下血の原因・誘因について患者・家族と話し合う．
- 下血の再発につながるような生活習慣を明らかにし，その改善方法を患者・家族とともに考える．

退院指導・療養指導

- 下血の原因・誘因に応じた服薬指導，食事指導，生活指導を行う．
- 定期受診の必要性を説明する．
- 下血が再び出現するようであれば，受診するよう説明する．

STEP ❶ アセスメント　STEP ❷ 看護課題の明確化　STEP ❸ 計画　STEP ❹ 実施　STEP ❺ 評価

評価のポイント

看護目標に対する達成度
- 下血の回数，性状や量が減少しているか．
- 適切な体液バランスが維持できているか．
- 肛門周囲皮膚の統合性が維持できているか．
- 貧血が改善しているか．
- 消化吸収機能が維持できているか．
- 下血の原因・誘因となる生活習慣を理解し，それを改善できているか．

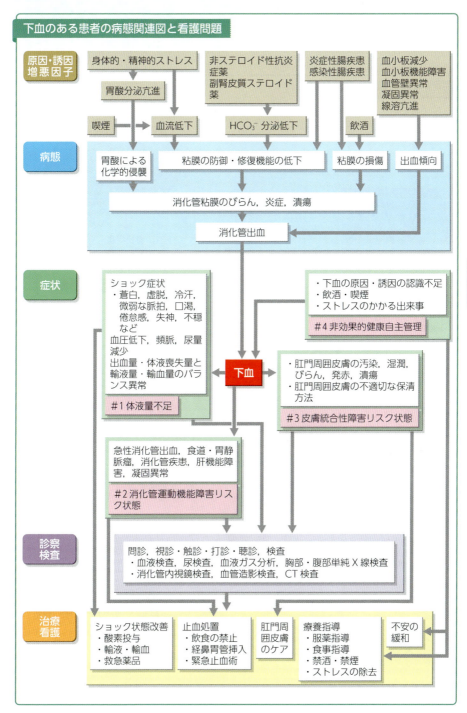

46 下痢

岡田 英理子・渡邉 守

目でみる症状

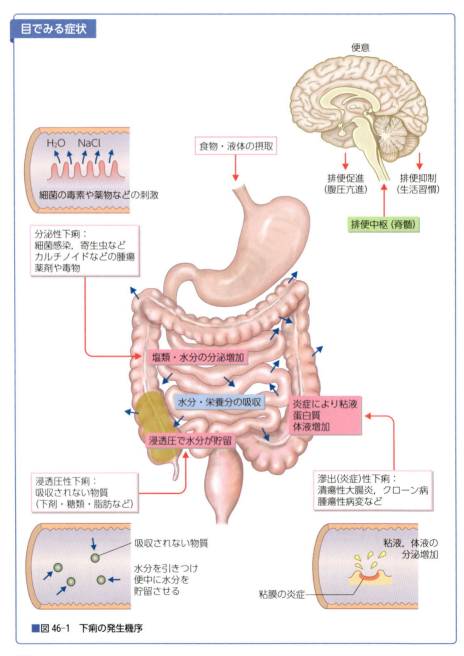

■図 46-1 下痢の発生機序

病態生理

> 下痢とは糞便中の水分量の割合が増加して排出される状態である．1日の便回数は関係なく，1日1回でも下痢と定義するが，一般的には回数は増加を伴うことが多い[1]．

- 経口摂取される水分は約2Lで，排便される水分量は約0.1〜0.2Lである[1]．消化管内には食物，分泌された腸液なども含め，1日約10Lの液体が入ってくる．そのうち8割以上が小腸で吸収され，最終的には小腸と結腸で99%が吸収される．この水分の吸収が少ないと下痢をきたす（図46-1）．
- 下痢の持続期間がおおよそ2週間以内であれば急性，4週間を超えると慢性と分類される[2]．
- 健常成人の急性下痢の9割がウイルス性や細菌性の感染性腸炎であると考えられている．非感染としては一部の下剤や抗がん剤といった薬剤性，牛乳などの食事性，虚血性，膵障害による脂肪性などが挙げられる．
- 下痢を発症機序から分類すると，①浸透圧性（吸収不良性），②分泌性，③滲出（炎症）性，④腸管運動異常，その他に分類される（表46-1）[2]．
  - ①浸透圧性：消化管から血中に吸収されない物質が，便中に過剰に水分を貯留させるために起きる下痢．
  - ②分泌性：小腸と大腸で塩類（特にNaCl）と水分を消化管に分泌するために起きる下痢．細菌感染やホルモン産生腫瘍など．
  - ③滲出（炎症）性：消化管粘膜が炎症を起こし，潰瘍形成や充血などにより，蛋白質，血液，粘液，その他の体液を分泌することにより便と水分量が増加するために起きる．炎症性は分泌と浸透圧の両者の変化が関係する場合も多い．
  - ④腸管運動異常：過敏性腸症候群など
- これらの下痢の大部分は，複数のメカニズムによって生じる．

患者の訴え方

- **主症状**
- 水様便，軟便，便回数が増える，腹痛，脱水，口渇感など．
- **随伴症状**
- 原因疾患により，様々な症状を訴える（表46-2）．感染性腸炎では腹痛，発熱，嘔吐，冷汗など．炎

46
下痢

■表46-1　発症機序別にみた急性と慢性下痢の主な原因（赤字は緊急対応を要する疾患）

	浸透圧性（吸収不良性）	分泌性	
		狭義の分泌性	滲出（炎症）性
急性下痢	●下剤（マグネシウム塩，リン酸塩，硫酸塩などを含むもの）	●感染性腸炎（腸炎ビブリオ，病原性大腸菌などの細菌の毒素，ノロウイルス，ロタウイルスなどのウイルス性，原虫，真菌，寄生虫など）	●虚血性腸炎
	●飲食物 　冷たい飲料水 ●アルコール，緊張などのストレス	●薬剤，化学物質	
慢性下痢	●吸収不良症候群（分解酵素の欠損，腸管内での消化不良，粘膜での吸収不良，消化管粘膜障害，短腸症候群など） ●腸管切除（回腸末端切除，小腸広範囲切除など）	●ホルモン産生腫瘍（ガストリノーマ，カルチノイド症候群など） ●蛋白漏出性胃腸症	●炎症性腸疾患（潰瘍性大腸炎，クローン病など） ●感染（サイトメガロウイルス，腸結核，赤痢アメーバなど）
	●肝不全，甲状腺機能亢進症，低栄養状態	●下剤投与（非浸透圧性下痢）	●好酸球性胃腸炎，放射線性腸炎，アミロイドーシス
	●消化不良（慢性膵炎などの膵外分泌不全，胆汁酸の欠乏など）	●長期のアルコール摂取 ●薬剤と毒物	●食物アレルギー

その他：大腸がん，大腸狭窄
＊実際には分泌性と浸透圧性の混在した病態も多い．

787

第6章　消化器系

症性では，血便，腹痛，発熱，腸管外合併症を発症することもある．慢性下痢症状のある炎症性や，腫瘍性病変などの下痢の場合，体重減少や低栄養・貧血などの二次的症状を訴えることがある．

診断

▌問診が重要である.
- 急性でも慢性でも問診では，①発症時期，②食事の内容，③下痢の経過，④随伴する全身症状，⑤血便・血液付着の有無，⑥基礎疾患・放射線照射の既往など，⑦常用薬，⑧同居家族や周囲に同様の症状の人がいないか，海外渡航歴などについて確認する．

● 原因・考えられる疾患
- 先進国での健常人の急性下痢では多くが感染性であり，自然治癒するものである．

● 鑑別診断のポイント
- 急性下痢のほとんどは，細菌・ウイルス，真菌や原虫などによる感染性の下痢が占める[3]．特にウイルス性腸炎が最も頻度は多く，流行状況が参考になる．細菌性腸炎の中では腸管出血性大腸菌（O157:H7 など）が重症化しやすく，検査では便培養検査が重要である．また，薬剤投与による下痢も重要で，薬剤歴の聴取や抗菌薬使用の状況を確認する（表 46-3）．抗菌薬使用後はクロストリジオイデス・ディフィシル（*Clostridioides difficile*）による偽膜性腸炎など，院内感染の原因となる場合もあり，重要である．

■表 46-2　下痢の随伴症状と考えられる疾患（赤字は緊急対応を要する疾患）

	随伴症状	考えられる疾患
急性下痢	腹痛，発熱，嘔吐	感染性腸炎
	腹痛，下血，血便など	虚血性腸炎
慢性下痢	腹痛，粘血便，体重減少，貧血，皮膚症状など	炎症性腸疾患（潰瘍性大腸炎，クローン病など）
	体重減少，貧血，低栄養など	腫瘍性病変（大腸がん，膵臓がんなど）
	体重減少，口渇，高血糖	糖尿病
	体重減少，動悸，甲状腺腫大など	甲状腺機能亢進症

■表 46-3　下痢の原因となる代表的な薬剤

種類	代表的な薬剤（商品名）
下剤	一部の下剤
抗菌薬	すべて
制酸薬	タケプロンなどのプロトンポンプインヒビター
抗不整脈薬	リスモダン，シンビット
高血圧治療薬	アムロジン，ペルジピン
抗がん剤	メソトレキセート，5-FU
抗うつ薬・睡眠薬	ベンザリン
強心薬	ジゴキシン，ネオフィリン
気管支拡張薬	テオフィリン
痛風治療薬	コルヒチン，ユリノーム
抗リウマチ薬	オーラノフィン，アラバ
肝不全治療薬	ラクツロース，ポルトラック
経腸栄養剤	すべて

788

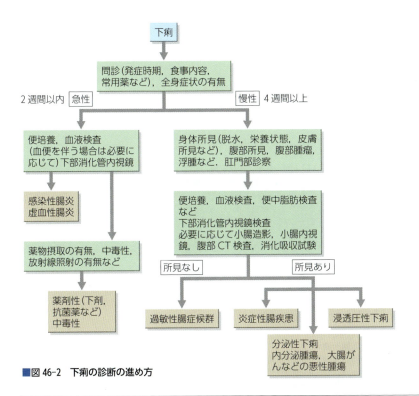

■図46-2 下痢の診断の進め方

- 慢性下痢では，下痢の経過，腹痛，発熱などの身体症状，所見が診断では重要である．培養検査のほか，便中脂肪，浸透圧などの測定検査，内視鏡検査，腹部CT検査，小腸検査などの画像検査によって，炎症性腸疾患や悪性腫瘍などの鑑別も必要である（図46-2）．
- 器質的原因が認められない場合は，過敏性腸症候群（下痢型）が疑われ，薬剤治療が行われる．
- また多くの薬剤が下痢の原因となりうるが，代表的なものを表46-3に挙げる．

治療法・対症療法

まず緊急性の有無と，重症かどうかを適切に判断する．

●治療方針
- 急性下痢症では，水・電解質の補給が重要である．脱水の著しい患者，特に小児・高齢者では生命に関わる可能性もあり，経口摂取が不可能な場合は経静脈的に十分な補液が必要である．
- 血便を伴う時や全身状態の悪い時は絶食とする．安易な止痢薬の使用は除菌作用を遅延させ，腹膜炎やHUS（溶血性尿毒症症候群）などを併発する危険を伴うため控える．
- 慢性下痢症では，原因により治療内容が異なるため，安易な止痢薬の使用は控え，確定診断をつけることが重要である．そのうえで適切な治療を開始する．

●薬物療法
- 急性下痢：経口摂取が可能であれば十分な水分摂取を勧める．経口摂取ができない場合は補液を行う．

Px 処方例　急性下痢　下記のいずれか，または併用して用いる．

経口補水液
- OS-1　←経口補水液
- ソリタ-T 顆粒 3 号 (4 g/包)　1 日 1 包を 100 mL の水に溶解して 1 日数回，口渇に応じて経口投与
  ←内服用電解質剤

第6章 消化器系

> **止痢薬**：直接下痢止め作用をもつ.
> - タンニン酸アルブミン末　1回1g　1日3～4回　またはロペミンカプセル(1mg), 1回1カプセル
>   1日2回　←止痢薬
> **整腸薬**：腸内細菌叢の正常化を図る.
> - ミヤBM細粒　1回1g　1日3回　朝昼夕食後　←整腸薬
> - ビオフェルミン錠(12mg)1回1錠　1日3回　朝昼夕食後　←整腸薬
> **抗菌薬**：原則として抗生物質は不要だが, 症状が重い場合, 基礎疾患, 重症感染症の場合は投与を行う
>   (表46-4).
> **Px 処方例** 慢性下痢　下記のいずれか, または併用して用いる.
> **過敏性腸症候群(下痢型)**：もっとも頻度が高い.
> - イリボー錠(5μg)　1回1錠　1日1回　食後　←止痢薬
> - ロペミンカプセル(1mg)　1回1カプセル　1日1～2回　食後　←止痢薬
> - コロネル錠(500mg)　1回1～2錠　1日3回　朝昼夕食後　←消化管機能改善薬
>   ほか, 抗うつ薬, 整腸薬などが効果を示す場合もあり, 適宜使用することもある.
> **炎症性腸疾患**：潰瘍性大腸炎, クローン病.
> 〈軽症〉
> - 5-ASA製剤(ペンタサ, アサコールなど)　炎症に合わせて適量を投与　←炎症性腸疾患治療薬
> 〈中等症から重症〉
> - プレドニン錠(5mg)　1日1～12回　1日1～4回　食後(短期に投与)　←副腎皮質ステロイド薬
> - レミケード点滴静注用100　またはヒュミラ皮下注　← TNFα阻害薬
> - イムラン錠(50mg)　1日1～2mg/kg　←免疫調節薬
>   など病勢に応じて投与する場合がある.

■表46-4　感染性腸炎と薬物治療

感染性腸炎	薬物治療
病原性大腸菌(血便, 腎障害など重篤な場合)	アジスロマイシンなどのマクロライド系抗菌薬かニューキノロン系
偽膜性腸炎(抗菌薬長期投与)	バンコマイシン塩酸塩経口投与
赤痢・コレラ(海外渡航者)	ニューキノロン薬など(隔離と十分な補液), アジスロマイシンなど
ボツリヌス中毒(食中毒, 神経症状)	抗毒素血清の投与
アメーバ赤痢(いちごゼリー状粘血便)	メトロニダゾール〔フラジール錠(250mg), 1回1錠, 1日3～4回10日間　朝昼夕食後(＋就寝前)〕

日本感染症学会, 日本化学療法学会 JAID/JSC 感染症治療ガイド・ガイドライン作成委員会 腸管感染症ワーキンググループ：JAID/JSC 感染症治療ガイドライン2015—腸管感染症—を参考に作成

■表46-5　下痢の主な治療薬(抗菌薬, 生物製剤は除く)

分類	一般名	主な商品名	薬の効くメカニズム	主な副作用
止痢薬	タンニン酸アルブミン	タンニン酸アルブミン	タンニン酸が腸粘膜に緩和な収斂作用を起こす	アレルギーなど
	ロペラミド塩酸塩	ロペミン	腸管蠕動運動を抑制する	腸閉塞様症状など
整腸薬	ビフィズス菌	ビオフェルミン	腸内細菌叢の正常化	過敏症
	酪酸菌	ミヤBM		
炎症性腸疾患治療薬	サラゾスルファピリジン	サラゾピリン	粘膜に抗炎症作用をもたらす	再生不良性貧血, 間質性肺炎, 過敏症状など
	メサラジン	ペンタサ	消化管粘膜において抗炎症作用あり	過敏性は胃障害, 心筋炎など
過敏性腸症候群治療薬	ラモセトロン塩酸塩	イリボー	5-HT₃受容体拮抗薬　下痢型過敏性腸症候群に用いる	便秘, 硬便, 腹痛, 虚血性大腸炎など

790

分泌性下痢：感染では原虫，ウイルス，寄生虫など原因疾患の治療．腫瘍性や薬剤性など，原因疾患への治療が必要．

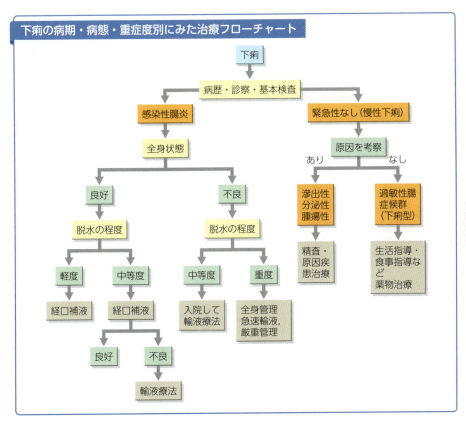

● 参考文献
1) 矢﨑義雄総編集：内科学　第11版，pp83-84，朝倉書店，2017
2) Schiller, L.R., Chronic diarrhea. Gastroenterology127 (1): 287-293, 2004
3) Musher DM, Musher BL: Contagious acute gastrointestinal infections. N Engl J Med. 351 (23): 2417, 2004
4) 日本感染症学会，日本化学療法学会 JAID/JSC 感染症治療ガイド・ガイドライン作成委員会 腸管感染症ワーキンググループ：JAID/JSC 感染症治療ガイドライン2015—腸管感染症—

第6章 消化器系

下痢のある患者の看護

竹内 佐智恵

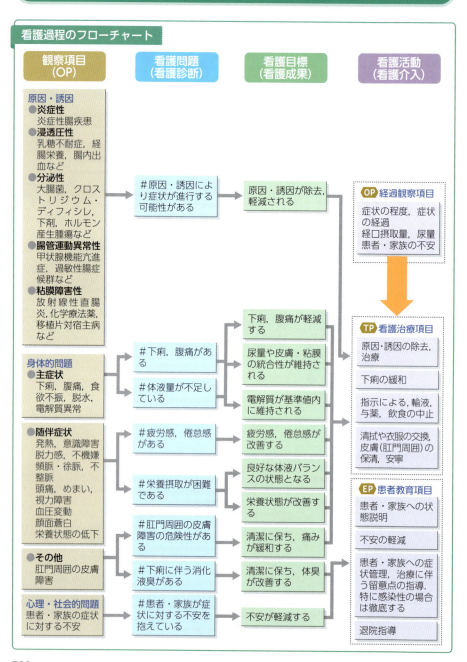

基本的な考え方

- 多様な原因を把握するとともに，症状緩和や安楽の援助を行わなければならない．原則は原因疾患の治療であり，安易な対症療法はすべきではない．
- 下痢の程度，随伴症状を観察し，その影響にも注意する．

緊急 脱水により意識障害，電解質異常による循環器系への変調がみられる場合は，迅速な対処が必要である．

STEP❶ アセスメント	STEP❷ 看護課題の明確化	STEP❸ 計画	STEP❹ 実施	STEP❺ 評価

情報収集	アセスメントの視点と根拠・起こりうる看護問題
病歴の把握	患者・家族から症状出現の経過，症状の変化を聞くことで，原因・誘因の特定や全身状態の把握につながり，治療や看護ケアにも重要な情報を得ることができる．
経過	●いつから，どのくらい続いているか． ●急激に始まったか，前駆症状(下記，随伴症状参照)があったか． ●症状の変動の有無(排泄物の性状や量の変化)
誘因	●食べ物との関係 ●服薬との関係　**原因・誘因** 抗癌剤，抗炎症薬，ジギタリス製剤，利尿薬，抗菌薬，喘息治療薬，免疫抑制薬など ●アルコール摂取との関係 ●周囲の環境との関係(有機溶剤，化学薬品などの存在，新築建物への転居の有無，水質汚染の有無)
随伴症状	●発熱，悪寒戦慄，腹痛，頭痛，めまい，視力障害などの随伴症状はないか **原因・誘因** 頭痛，めまい，視力障害などはボツリヌス菌による食中毒が疑われる ●随伴症状と下痢との時間的関係
生活歴	●睡眠状況 ●ストレスの有無 ●仕事上の問題の有無
既往歴	●炎症性腸疾患の既往 ●腸管の腫瘍の既往 ●高血圧，肝疾患，心疾患，腎疾患，糖尿病，内分泌疾患などの既往 ●放射線療法，化学療法などの治療歴 ●移植術歴
嗜好品，常用薬 職業歴 その他	●アルコール，薬物の服用 ●肉類や魚介類を扱う調理師，有機溶剤，化学薬品などを扱う特殊環境下での仕事 ●水質汚染地域への旅行歴 ●汚染，細菌増殖の可能性のある食物摂取 ●月経，妊娠との関係　**妊婦** 妊娠可能な女性では，まず妊娠の可能性を考える．疑わしい場合は妊娠反応のチェックを行う． ●食物摂取の偏り(脂肪分過多，繊維質過多，高濃度栄養剤，飲水過多) ●長期間の絶食，飢餓状態後の経口摂取
主要症状の出現状況，程度，性状の把握	症状の出現状況や下痢の性状を把握することで，原因疾患の特定につながる情報が得られる． ●鮮血便(血性下痢)，下腹部痛，しぶり腹(残便感)，発熱などを伴う．排便は頻回にあるが1回あたりの量は必ずしも多くない　**原因・誘因** 炎症性下痢 ●下痢の前に高浸透圧物質の経口的摂取というエピソードがあり，水様便が比較的大量に静かに排泄される　**原因・誘因** 浸透圧性下痢 ●ホルモン，細菌が産生する毒素や腸内で変成した物質(胆汁酸，脂肪酸など)による分泌刺激により腹痛，発熱などを伴う大量の水様便　**原因・誘因** 分泌性下痢 **緊急** 主な原因菌別細菌性食中毒(表46-6)

46

下痢

793

第6章 消化器系

■表46-6 主な原因菌別細菌性食中毒

発症メカニズム	菌名	主な原因物質	潜伏期	症状
毒素型	黄色ブドウ球菌	調理者を介在．米飯類	約3時間	嘔吐＞下痢，腹痛
	ボツリヌス菌	肉類の缶詰，瓶詰，真空パック，蜂蜜	10〜40時間	複視→発声障害，嚥下障害→呼吸障害→死亡
感染侵入型	腸管組織侵入性大腸菌	加工食肉製品，水耕野菜	10〜72時間	下痢(粘血便)，発熱＞腹痛
	サルモネラ菌属	鶏卵，肉類	10〜72時間	発熱，粘血便＞腹痛
	エルシニア	経口感染	16〜48時間	腹痛，下痢，発熱，結節性紅斑，関節炎
	ノロウイルス	二枚貝	1〜2日	下痢，嘔吐，腹痛
感染毒素型	腸炎ビブリオ	生食魚介類	5〜20時間	下痢，腹痛，嘔吐．発熱は少ない
	NAGビブリオ，ビブリオ・ミミクス，ビブリオ・フルビアリス	生食魚介類	8〜10数時間	下痢，腹痛，嘔吐，発熱
	ウェルシュ菌	大量調理で食前不加熱	8〜22時間	下痢，腹痛
	セレウス菌	米などの穀類や香辛料	10〜20時間	嘔吐型と下痢型あり
	腸管出血性大腸菌(O157など)	加工食肉製品，水耕野菜	約3〜5日	血便，腹痛
	その他の病原性大腸菌(腸管病原性大腸菌，毒素原性大腸菌，腸管凝集付着性大腸菌)	加工食肉製品，水耕野菜	1〜数日	下痢，腹痛，発熱，悪心
	カンピロバクター	肉類(特に鶏肉)	1〜10日(平均3〜5日)	下痢，発熱
	エロモナス	経口感染	8〜10時間	下痢，腹痛，発熱
	プレシオモナス	経口感染	12時間〜4日	下痢，腹痛，微熱

飯沼由嗣，一山智(福井次矢ほか編)：内科診断学 第2版，p.1103，医学書院，2008より一部抜粋

下痢への緊急対応

- 激しい下痢には，その原因に応じて対処することが重要である．
- 炎症性下痢，浸透圧性下痢は適切な止痢薬を用いて下痢を終息させる必要がある．
- 分泌性下痢，特に細菌性やウイルスによる感染性の下痢は止痢薬を使用してはならない．
- 下痢症状が落ちつくまで，水分，電解質，栄養を補給しながら患者の治癒力維持を優先する．下痢による侵襲に対し患者の回復力を高めるよう支援する．
- 下痢による皮膚障害に迅速に対処する．

全身状態，随伴症状の把握 バイタルサイン	症状出現の経過の把握とともに，他の症状の有無，随伴症状を観察し，治療，看護計画の立案に有効に反映する．
	●体温 ⟹感染症や内分泌疾患を鑑別する．
	●血圧，脈拍・リズム ⟹脱水の程度を鑑別する．
	●筋の脱力感やけいれんを伴う呼吸状態を確認する　緊急 呼吸の微弱化
	原因・誘因 下痢による低カリウム血症
	●下痢による脱水状態を同時に把握する．
全身状態	●体格 ⟹慢性疾患，悪性腫瘍による体重減少がないかを確認する．
	●皮膚 ⟹皮膚のツルゴール turgor(緊張)を観察する．
	●貧血の有無を確認する．

794

頭頸部 胸部 腹部 四肢	●疲労感 ●眼窩 ➡脱水による眼窩の陥没がある. ●胸郭の動きの低減 ➡下痢による低カリウム血症が増悪した場合，呼吸筋の収縮力も低減し，胸郭の動きが小さくなる. ●腹部の陥没 ➡腸管弛緩 ●筋の脱力感，けいれん ➡下痢に伴う低カリウム血症を鑑別する. 🔍 **起こりうる看護問題**：下痢がある／体液量が不足している／栄養摂取が困難である／下痢による肛門周囲の皮膚障害の危険性がある／症状に対する不安を抱えている
患者・家族の心理・社会的側面の把握	●症状の認識を把握する. 　・症状の原因および今後の見通しに関する理解の内容とその適切さを把握する(患者・家族). 　・症状緩和に対する対処法，予防法の理解と実行への意志，意欲を把握する(患者). 　・症状緩和に対する対処法，予防法の実行への支援の状況を把握する. ●症状に伴う心理・社会的変化を把握する 　・下痢に伴う消化液臭に対する思いを聞く(患者・家族). 　・気分の変調，睡眠の変化などうつ症状の有無を把握する(患者・家族). 　・症状による家族との関係，社会的関係の変化とそれに対する思いを聞く(患者・家族). 🔍 **起こりうる看護問題**：患者・家族が症状に対して不安を抱えている

46
下痢

STEP ❶ アセスメント　**STEP ❷ 看護課題の明確化**　STEP ❸ 計画　STEP ❹ 実施　STEP ❺ 評価

看護問題リスト

- #1　下痢がある(排泄パターン)
- #2　下痢により水分摂取が困難となり体液量が不足している(栄養-代謝パターン)
- #3　下痢により栄養摂取が困難である(栄養-代謝パターン)
- #4　下痢による肛門周囲の皮膚障害の危険性がある(栄養-代謝パターン)
- #5　患者・家族が症状に対する不安を抱えている(自己知覚パターン)

看護問題の優先度の指針

- ●急性期に最も症状が強い．第一に苦痛の強い下痢を軽減させる．次に身体への影響として脱水や，栄養の低下も起こりやすいため，これらへの対処を早期に行う.
- ●極度の下痢で，特に感染による分泌性下痢では肛門周囲の皮膚障害が伴う．並行して皮膚障害の予防を行う.
- ●患者・家族の不安の解消に努める．特に感染に起因する下痢の場合，感染拡大予防のための指導と実践の促進に努める.

STEP ❶ アセスメント　STEP ❷ 看護課題の明確化　**STEP ❸ 計画**　STEP ❹ 実施　STEP ❺ 評価

1 看護問題	看護診断	看護目標(看護成果)
#1　下痢がある	**下痢** **関連する状態**：胃腸(消化管)疾患，感染，医薬品(副作用)，治療計画(放射線照射の有害事象) **ハイリスク群**：毒素に曝露した人 **診断指標**	〈**長期目標**〉下痢が解消し，正常な排便パターンになる 〈**短期目標**〉下痢が軽快する

795

第6章　消化器系

□腹部疝痛
□腹痛
□腸音の亢進

看護計画	介入のポイントと根拠

分泌性下痢への緊急対応

OP 経過観察項目
- 水分出納の推移
- 血液検査値から捉えた脱水や栄養状態の程度
- 腎・循環器系障害や意識障害の有無
- 分泌性下痢を起こすような感染源との接触の有無
- 継続的な観察を怠らない

➡止痢薬を使用できない下痢の場合，脱水，電解質のバランスが崩れる．同時に，経口摂取が制限され，下痢により栄養の大半が喪失するため低栄養状態に陥りやすい．疑われる症状がみられたらドクターコールを行う
➡ **根拠** 時間の経過とともに症状が悪化する場合もある

TP 看護治療項目
- 便の量を計測する．皮膚障害を予防するために，肛門周囲の皮膚を清潔にし，皮膚保護のために必要に応じて排便貯留バッグを装着する
- 大量に喪失する水分を急速に補給すると心肺機能に負荷をかける．モニタリングをしながら慎重に輸液管理をする
- 分泌性下痢の原因となっている病原菌を管理する

➡ **高齢者** 特に高齢者や全身衰弱の患者への輸液管理は慎重に行う必要がある

EP 患者教育項目
- 下痢に伴う苦痛のなかで患者が抱えている不安を解消する

OP 経過観察項目
- 下痢の回数，性状，量
- 腹痛の有無とその種類や程度
- 腸音の程度と変化の様子
- 腹部X線所見

➡下痢の程度を把握する　**根拠** 下痢は原因によって治療が異なる．治療前の状態として下痢の程度や症状から原因を推測することは重要であり，また治療開始後にも観察を続けることが必要である．下痢の程度を把握することにより，治療効果を予測しながら適切な看護計画につなげることができる

- 血液検査（白血球，CRP）

➡下痢の原因となる炎症性腸疾患のうち虚血性大腸炎の場合には，血便を伴い腹部X線で母指圧痕像（thumb-printing sign）といわれる粘膜の浮腫による変化の所見がみられ，血液検査において炎症の所見が認められる．この所見を把握することで，下痢症状への対処のみならず症状改善後に原因疾患に対する指導に関する看護計画につなげることができる

- 下痢の原因であることが明らかであるが，継続しなければならない治療と治療後の症状
- 下痢の原因であることが明らかであるために中止した治療と，その後の原因疾患の症状の変化

➡下痢の主要な原因であることが明らかであっても，治療の強度をゆるめながらも継続されることがある．この場合は治療後に下痢が起こることが予測されるため，あらかじめ苦痛を予防する看護計画につなげる必要がある．また下痢のために治療薬を中断する場合もある．この場合は服薬など

の治療を中止した後の下痢の変化を観察するとともに原因疾患の症状も把握し，看護計画につなげる必要がある

TP 看護治療項目

- 炎症性，浸透圧性，粘膜障害性の下痢であることが明らかな場合は，指示された止痢薬の投与，輸液の管理を行う
- 嘔吐を伴う場合は誤嚥を予防するために気道確保をする
- 嘔吐時は，うがいや口腔清拭を行う

- 頭痛，倦怠感，めまいがある場合はトイレに近い病室にするか，ポータブルトイレを設置する

- 発熱を伴う場合は患者の不快感の程度に応じてケアする

- 回復期には少量ずつ経口摂取を増やしていく

➲ 分泌性の下痢の場合は止痢薬を使用すると症状が重篤化する．下痢の原因によって治療が違うことを理解し，止痢薬の副作用である便秘に留意しながら管理を進める

➲ 症状が再度出現しないか確認しながら，経口摂取を勧める

➲ 脱水，電解質異常の随伴症状であることが多いため，安静にするより，水・電解質バランスを是正しながら日常生活動作を維持する必要がある．病室の配置や環境の調整によって転倒の危険を防ぐことが重要である．特に発熱を伴う場合は危険性が増す．解熱のためのケアを併用しながら倦怠感の増悪を防ぐことも重要である

➲ 発熱が下痢の原因となっている炎症や感染による場合は患者の不快が伴いやすい．この場合は医師の指示による解熱薬の使用のほか，室温の調節や冷罨法を行う．一方，脱水による発熱の場合は患者の不快が少ない．十分な水分の補正を図りながら，不感蒸泄を促進するために温罨法により発汗を促すことが望ましい

➲ 症状が再度出現しないか確認しながら，経口摂取を勧める．濃度が高いものを摂取すると浸透圧性の下痢を誘発するため，経口摂取の開始時は温かく濃度の低い食品を摂取する

EP 患者教育項目

- 飲食の禁止や止痢薬の使用について説明する
- 下痢の要因となっている治療や薬剤が変更される場合は，その理由を説明する
- 回復期には，摂取してよい食べ物を説明する

➲ **根拠** 理解不足による不安を軽減させる

➲ 消化・吸収しやすいものから摂取する

2 看護問題	看護診断	看護目標（看護成果）
#2 下痢により水分摂取が困難となり体液量が不足している	**体液量不足** **関連する状態**：水分放出・水分吸収に影響する（水分調節機構）異常，通常経路からの過剰な水分喪失（下痢による水分喪失） **診断指標** □脈容量低下 □血圧低下 □脈圧低下 □心拍数増加 □乾燥皮膚 □皮膚緊張の変化 □体温上昇 □舌の弾力性低下	〈長期目標〉尿量が維持され，電解質が基準値内にあり脱水が改善する 〈短期目標〉適切な水分補給ができる

46
下痢

第6章　消化器系

□のど・口内の渇き
□尿量減少
□尿中濃度の上昇
□突然の体重減少
□脱力
□精神状態の変化

看護計画	介入のポイントと根拠

OP 経過観察項目
- 血圧変動，頻脈，末梢血管の脈圧
- 口渇，皮膚の乾燥・緊張の低下
- 体温
- 尿量，尿の色，比重
- 体重
- 水分出納
- 血液データ：電解質，ヘマトクリット，クレアチニン
- 呼吸数，呼吸リズム
- 筋の緊張や筋力の変化
- 心電図波形の変化
- 活気，精神症状の変化

➡脱水により心臓，腎臓，肺への影響がある

➡ **根拠** 腎臓機能の総合的評価が必要である
➡毎日同じ条件で体重を測定する　**根拠** 正確な体重は体液のバランスを反映する

➡通常アルカリ性である便が下痢により頻繁に排泄されると代謝性アシドーシスになり代償性に過呼吸となることがある
➡下痢により低カリウム血症になりやすい．分泌性下痢により嘔吐を伴う場合は，血清ナトリウムも低下している

TP 看護治療項目
- 医師に指示された輸液，薬物を投与する

➡下痢による脱水は電解質の補正も行う．特にカリウムの補正を要する場合，急激な輸液は心筋への危険を伴う
➡輸液のために末梢静脈に注射針を持続留置するが，ふらつきのある状態で頻繁のトイレ歩行をする際に抜去の危険性がある．点滴ルートを十分に管理する必要がある

- 皮膚・口腔ケア，体温の調整を行う

➡脱水時には皮膚や口腔内が乾燥する．これは患者にとって不快をもたらすだけでなく不感蒸泄の低下のために体温の上昇にもつながる．この場合の体温調整は水分補給が重要であり，同時に口腔ケアや皮膚の清拭により皮膚粘膜の表面を湿潤させることで体温の安定化につなげたり，温罨法によって発汗を促すことで体温の安定化を図ったりする

- 医師の指示のもと，経口水分摂取を促す
- 医師の指示のもと，消化吸収しやすい食べ物から経口摂取を促す
- 医師の指示のもと，筋力回復のための歩行を促す

➡少量ずつ促す

➡電解質異常による筋緊張低下，下痢による栄養状態の悪化に伴う筋力低下がみられるため，急激な活動は転倒や疲労をもたらす

EP 患者教育項目
- 輸液の必要性について説明する
- 皮膚や粘膜の乾燥により防御機能が低下していることを説明し，皮膚や粘膜の損傷を防ぐケアの必要性を説明する

➡患者・家族の理解を得る　**根拠** 説明することにより，点滴の苦痛を受け入れてもらえる

- 経口摂取が許可されたら，徐々に水分をとるよう促す
- 下痢に伴う筋力低下があることとそれに伴う危険性について説明し，回復期にゆっくりと活動レベルを高めることの重要性を説明する

3

看護問題	看護診断	看護目標（看護成果）
#3 下痢により栄養摂取が困難である	**栄養摂取バランス異常：必要量以下** **関連する状態**：消化器系疾患（消化・吸収ができない） **診断指標** □食物摂取量が1日あたりの推奨量以下 □下痢 □（摂食に対する）不安	〈長期目標〉栄養状態が改善し，栄養データや電解質の値が安定する 〈短期目標〉許可された範囲で水分や食物を摂取でき，栄養データや電解質が基準値内になる

46 下痢

看護計画	介入のポイントと根拠
OP 経過観察項目 ● 体重の変化 ● 疲労感，倦怠感，筋肉のれん縮やめまい，イライラ感の有無 ● 血液検査データ（血清タンパク，アルブミン）の変化 ● 食事開始後の摂取内容と摂取量の変化 **TP 看護治療項目** ● 輸液から栄養補充する場合は，指示された量を投与する ● 許可された範囲で，消化によいものを少量ずつ開始する ● 食べ物の選択は，患者の好みも加味して決める ● 症状なく食べられたら，徐々に量や種類を増やしていく **EP 患者教育項目** ● 無理して食べないよう指導する ● 食事内容について家族に指導する	⇒下痢により吸収障害が起こるほか，治療のため経口摂取の制限が続くと栄養素のほかマグネシウムなどの喪失による低マグネシウム血症の症状が現れることがある ⇒経口摂取開始後も下痢への不安のため，十分に摂取量が増えない場合がある ⇒ 根拠 長期に経口摂取できない場合は，経静脈栄養が開始される ⇒ 高齢者 消化機能が弱くなっている高齢者では，特に気をつける ⇒濃度の濃いものなど下痢を誘発する食べ物は避ける．プリンやゼリー，おかゆなど嗜好もふまえて，選択肢から選ぶ 根拠 嫌いなものでは患者に，食べることへの意欲や期待があるにもかかわらず，摂取に抵抗感を抱くことがある ⇒食事は徐々に促していく 根拠 急な食事量の増加は，吸収機能の許容を超えることによって起こる粘膜障害に似たメカニズムの下痢を誘発する

4

看護問題	看護診断	看護目標（看護成果）
#4 下痢による肛門周囲の皮膚障害の危険性がある	**皮膚統合性障害リスク状態** **ハイリスク群**：放射線照射を受けている人	〈長期目標〉皮膚の清潔と統合性が保たれる 〈短期目標〉原因と予防法が説明できる

799

第6章　消化器系

危険因子：排泄物，湿度，骨突出
部上の圧迫，表面摩擦，栄養不良

看護計画	介入のポイントと根拠

肛門周囲の皮膚障害への緊急対応

OP 経過観察項目
- 照射部位の皮膚，粘膜の様子，発赤，水疱，びらん，潰瘍の徴候

- 皮膚障害の程度，痛み

➡ **根拠** 放射線照射により毛細血管への侵襲および皮膚再生に不可欠な基底層への侵襲があるため，皮膚の防御機構および再生機能が著しく低下している．その皮膚に弱アルカリ性の消化液を含んだ排泄物が付着すると皮膚炎が増悪する
➡ 肛門周囲，会陰部への放射線照射は皮膚粘膜の脆弱化をまねく．下痢によって肛門周囲の皮膚障害は悪化しやすく難治性になりやすい

EP 看護治療項目
- 排泄物が皮膚に付着してもこすらず，微温湯と石けんで優しく異物を洗い流す．その後，十分に乾燥させる
- トイレに肛門洗浄機能が備わっている場合は活用し，セルフケアを促す．ただし，感染による下痢の場合は洗浄時の水勢を弱めに設定し，洗浄した水が便座，蓋，床に飛散しないように指導する
- 皮膚の乾燥後に皮膚保護材を使用し，下痢による排泄物を貯留バッグに誘導する
- 殿部や肛門周囲の湿潤や摩擦を最小限にする寝具を使用する
- 栄養状態を整える

➡ **根拠** 湿潤環境では，乾燥時の数倍の摩擦力が皮膚に加わる

➡ **根拠** 感染による下痢の場合，肛門周囲に付着したウイルスが水勢の強い洗浄で飛散することがある．湿潤環境内でのウイルスは次使用者が便座，蓋に接触することで拡散しやすい

➡ **根拠** 滲出液がある場合は，親水性のある皮膚保護材を選択する

OP 経過観察項目
- 皮膚への排泄物の付着状況，湿潤の程度
- 皮膚の変化，痛み
- 排泄後のケアの実際（殿部の拭き方）
- 使用している下着や寝具
- 全身状態（performance status；PS）の程度

➡ 硬い紙で殿部を拭いたり，こするように拭く癖があると，摩擦がかかり，悪化しやすい
➡ PS が低いと殿部のケアを怠りがちで湿潤環境になりやすい．また臥床がちになると圧迫がかかりやすく皮膚にとって悪循環をもたらす

TP 看護治療項目
- 必要に応じて殿部の洗浄，乾燥を援助する
- 発赤がみられたら皮膚保護材を使用する
- PS が低い場合には，定期的に体位を変換する．肛門周囲，殿部の圧迫を避けるよう体位を整える

- 栄養状態を整える

➡ **根拠** 肛門周囲，殿部の同一部位の圧迫を避け，易損傷性の皮膚の循環を維持する．持続的な便の排泄を貯留バッグに誘導している場合は，同一体位により特定の流路に偏り，保護材が剥離したり，貯留バッグが破損したりして，便の漏出が起こりやすい
➡ タンパク質，ビタミンを補給する **根拠** タンパク質は皮膚の再生に，ビタミンB，ビタミンKは出血傾向を防ぐために不可欠である

EP 患者教育項目
- 皮膚障害の徴候と予防方法を説明し，徴候がみられた場合には報告するよう伝える
- 適切な殿部の拭き方，洗浄を優先するケアを指導する
- 栄養摂取の必要性と方法を説明する
- 殿部の圧迫を最小限にする下着や寝具を指導する

5 看護問題	看護診断	看護目標（看護成果）
#5 患者・家族が症状に対する不安を抱えている	**不安** **関連する状態**：健康状態の変化 **診断指標** □緊張感 □イライラした気分 □不安定な気持ち	〈長期目標〉患者・家族が下痢の発症に対して正しく理解し，繰り返す可能性がある場合にも適切に対応する冷静さを備えることができる 〈短期目標〉症状に対する不安や質問を表現することができる

看護計画	介入のポイントと根拠
OP 経過観察項目 ● 下痢の原因に関する認識の程度 ● 下痢症状や治療に対する質問の有無，内容 ● 対人関係，自尊心に関する発言の有無，内容 ● 周囲の人（家族，同室者）の対応の様子 ● 他者との関わり方の変化の有無	⬦対人関係の変化を捉える　根拠 下痢に関して本人，周囲の人が感染を恐れている場合，他者との関わりが過剰に疎遠になることがある
TP 看護治療項目 ● 身体変化に対する感覚や知覚が表出できるような態度で接する ● 下痢による消化液臭を緩和させるために身体の清潔（可能であればシャワーか入浴）を勧め，衣類が汚染されたら交換を促す ● 治療や処置をする場合は，十分に説明し，心配や質問がないかを聞き，丁寧に答える ● 気分転換を勧める	⬦支援的態度で接する　根拠 原因疾患の治療により症状は改善することを伝え，治療への意欲を維持させながら支援的に関わることで患者の不安や苦悩の表出を促す ⬦面会や談話は狭い部屋で行うより，換気がよい広い空間で行うことを勧める．プライバシーの確保が必要な場合も換気設備のある環境を考慮して部屋を選定する　根拠 広い空間での対応は気分転換になり，臭気を適度に緩衝する効果がある
EP 患者教育項目 ● わからないこと，心配なことがあれば質問するよう伝える ● 再発の可能性のある下痢の場合，予防法，対処法について患者・家族にもわかりやすく説明する	⬦質問を積極的に受け入れる　根拠 不安を軽減するための対処を促す ⬦一過性の下痢の場合は症状の早期回復のための自己管理が必要であり，慢性的な下痢の場合は症状の再燃予防または対処のための適切な自己管理を習得する必要がある．患者に質問や不安を表出することを促しながら徐々に主体性を高めるような働きかけが必要である

46
下痢

801

第6章　消化器系

STEP ① アセスメント　STEP ② 看護課題の明確化　STEP ③ 計画　STEP ④ 実施　STEP ⑤ 評価

病期・病態・重症度に応じたケアのポイント

【急性期】下痢の原因は様々である．早期にその原因が特定され，適切な治療が行われることが重要となる．急性期の対処として，飲食を禁止し安静を図ることが必要となるが，下痢以外にも全身状態を把握し，看護ケアにつなげていく．

【回復期】下痢症状の改善に伴い，経口摂取を少しずつ再開していく．この時期には指示に従った経口摂取を慎重かつ主体的に進めることができるよう，症状の自己観察法や自己管理法を説明する必要がある．原因によっては下痢症状が再発することもある．この場合は退院後の症状予防および症状発現時の対処についても指導していくことが重要である．この指導は必要に応じて家族など患者を支援する人にも行う．

看護活動（看護介入）のポイント

診察・治療の介助
- 下痢の症状や経過から，原因を把握する．
- 下痢の改善のために飲食を禁止し，必要時，止痢薬の管理を行う．
- 指示された輸液，薬物を正確に投与する．

脱水，電解質バランスの異常，栄養補助に対する援助
- 指示された輸液を正確に行い，水分出納を評価する．
- 経口摂取が開始されたら，許可された食べ物を少量から始め，徐々に種類や量を増やしていく．
- 下痢が再燃しないか，観察する．

肛門周囲の皮膚の援助
- 肛門周囲の皮膚のびらんの悪化を予防するケアを実施する．
- 必要に応じて皮膚の清潔，保護を援助する．

不安の援助
- 安静にできるよう環境を整える．
- 排泄物や汚れた衣類・寝具は交換し，清潔に努める．
- 安楽な体位をとる．

退院指導・療養指導

- 水分や電解質を摂取する必要性を説明する．
- 食事摂取方法を説明し，無理せずに進めていくことを指導する．
- 肛門周囲の皮膚のケアを継続するよう指導する．
- 下痢が再燃するようであれば，再度受診するよう説明する．

STEP ① アセスメント　STEP ② 看護課題の明確化　STEP ③ 計画　STEP ④ 実施　STEP ⑤ 評価

評価のポイント

看護目標に対する達成度
- 下痢の回数，性状や量が減少しているか．
- 適切な水分補給ができ，脱水および電解質異常が改善しているか．
- 栄養状態が改善しているか．
- 肛門周囲の皮膚損傷のリスクが回避できているか．
- 患者・家族が心理的・身体的安楽が増大したことを表現できているか．

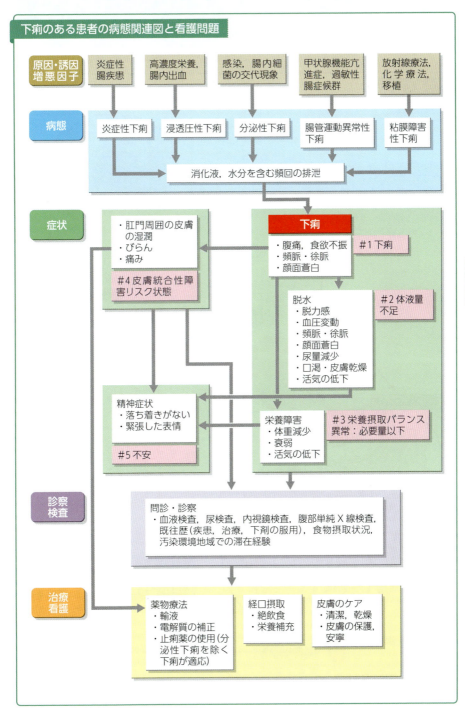

47 便秘

岡田 英理子・渡邉 守

> **目でみる症状**

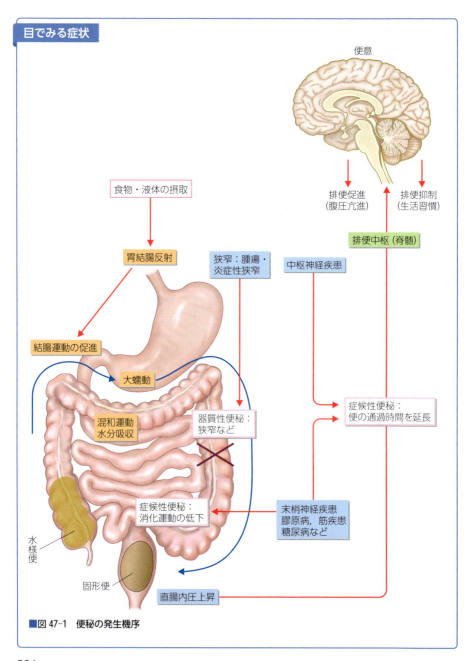

■図 47-1　便秘の発生機序

病態生理

> 便秘とは何らかの原因によって，排便に困難を生じ，身体症状に苦痛を感じることをいう．慢性便秘症診療ガイドライン 2017 によると，医学的に便秘とは，「本来体外に排出すべき糞便を十分量かつ快適に排出できない状態」[1] と定義されている．排便習慣は個人差が大きく，単に排便回数が少ないだけの場合や，排便困難感や残便感を訴えるからといってすぐに「便秘」とは言い切れない．便秘とは体外に排出するべき糞便が大腸に残っている状態であり，経口摂取量が少なくて糞便が少ない場合や精神的な疾患で残便感を訴える場合は「便秘症」とは言えないので注意が必要である．

- 口から摂取された食物は小腸で消化吸収され，残った食物残渣が結腸を移動するに伴い水分が吸収されて便塊となって S 状結腸に貯留される．結腸の蠕動によって直腸に便塊が送られると，直腸壁の伸展によって脊髄を介して排便反射が起こる．排便しようとする刺激の一方で，大脳からは中枢性に排便抑制と排便促進の指示を出すことによって，日常生活に支障をきたさないよう排便がコントロールされる[2]（図 47-1）．
- 便秘は急性便秘と慢性便秘に分けられる．慢性便秘症の分類では，近年，国際的に用いられている排便回数減少が主症状の大腸通過遅延型と，排便困難を主症状とする便排出障害による分類が一般的である（表 47-1）．
- 腫瘍性狭窄や炎症性狭窄による器質性の便秘，また神経疾患，内分泌疾患による消化管運動機能低下や排便調節神経の機能低下による症候性便秘などに分けられる（図 47-1）．

患者の訴え方

- **主症状の訴え**
- 排便回数が少ない，排便量が少ない，残便感がある，便が硬いために苦痛があるなど．
- **随伴症状**
- お腹が張る（腹部膨満感），悪心・嘔吐，お腹が痛いなど（表 47-2）．

47
便秘

■**表 47-1　便秘の原因または考えられる疾患**（赤字は緊急対応を要する疾患）

急性便秘	慢性便秘
●機能性便秘 ●一過性便秘（環境の変化など） ●急性偽性腸閉塞 ●機能的イレウス（腹腔内急性炎症など） ●器質性便秘 ●機械的イレウス（大腸がん，腸管癒着，内ヘルニアなど） ●腸軸捻転	●器質性便秘 ●狭窄型：瘢痕性狭窄（クローン病など），大腸がんなど腫瘍性狭窄 ●非狭窄型：巨大結腸，直腸瘤，巨大直腸など ●機能性便秘 ●排便回数減少型 　〈症候性便秘〉 　　●神経疾患：中枢神経疾患（多発性硬化症，脊髄疾患，パーキンソン病，脳血管障害，頭部外傷など），神経原性疾患（末梢神経疾患，Hirschsprung 病，Chagas 病など） 　　●代謝・内分泌疾患：糖尿病，甲状腺機能低下症，高カルシウム血症，低カリウム血症，妊娠など 　　●膠原病・筋疾患：全身性硬化症，アミロイドーシス，多発性筋炎・皮膚筋炎，筋ジストロフィーなど 　　●精神疾患：うつ病，心気症 　〈薬剤性便秘〉 　　●麻酔薬 　　●抗コリン作用をもつ薬剤（抗うつ薬，鎮痙薬，向精神薬，抗パーキンソン薬など） 　　●その他〔オピオイド系薬剤，降圧薬（カルシウムブロッカーなど）〕 　〈経口摂取での食事量が減った場合〉 ●排便困難型 　硬便による排便困難，機能性排出障害，骨盤底筋協調運動障害，腹圧の低下など

日本消化器病学会関連研究会　慢性便秘の診断・治療研究会編：慢性便秘症診療ガイドライン 2017．南江堂，2017 を参考に作成

805

第6章　消化器系

■表47-2　便秘の随伴症状と考えられる疾患（赤字は緊急対応を要する疾患）

<table>
<tr><th colspan="2">随伴症状</th><th>考えられる疾患</th></tr>
<tr><td rowspan="3">急性便秘</td><td>腹痛，排ガス排便なし，嘔吐</td><td>急性偽性腸閉塞</td></tr>
<tr><td>腹痛，嘔吐，発熱，意識障害など</td><td>腹腔内急性炎症（虫垂炎，急性胆嚢炎など）</td></tr>
<tr><td>腹痛，嘔吐，脱水など</td><td>大腸がん，癒着性腸閉塞，内ヘルニア，鼠径ヘルニアなどによる腸閉塞</td></tr>
<tr><td rowspan="2">慢性便秘</td><td>腹部膨満感，残便感，硬便，腹痛など</td><td>過敏性腸症候群（便秘型）
症候性便秘
薬剤性便秘
硬便による直腸糞便塞栓</td></tr>
<tr><td>腹部膨満感，腹痛，悪心・嘔吐</td><td>器質性便秘
　クローン病などの瘢痕性狭窄
　術後狭窄
　腫瘍性狭窄（大腸がんなど）</td></tr>
</table>

診断

●原因・考えられる疾患
- 急性便秘で腹痛，悪心・嘔吐症状がある場合は，何らかの原因で消化管狭窄をきたし腸閉塞（イレウス）などを発症していることが高率にあり，腹部X線検査などで早期診断・治療が必要となる．
- 慢性の経過による時は，まずは食事や日常生活習慣の聴取，現病歴，既往歴，常用薬剤の聴取などにより，鑑別を行う（図47-2）．
- 慢性便秘症の診断にはRomeⅣ[4]でも診断基準が示されているが，日常診療においては体外に排出する便があるにもかかわらず，十分量に排便ができておらず日常生活に支障を来たす場合は，治療を開始するべきである．

●鑑別診断のポイント
- 年齢，症状の時間的経過，既往歴などを考えて鑑別する．
- 腹痛，発熱，腹膜刺激症状などの症状の有無も重要である．
- クリニックや訪問診療では近年ポケットエコー（携帯型超音波診断装置）が普及しており，直腸の硬便の有無を診断することが可能[5]である．多職種連携の観点からも重要視されている．

治療法・対症療法

緊急性があるのかどうか，重症かどうかを適切に判断し，腸閉塞などの恐れのある場合はイレウス管の挿入，診断・治療を開始する．

●治療方針
- 原因疾患のある便秘に対しては，原因疾患の治療を行う．また薬剤などによる便秘に対しては，原因疾患に合わせて内服薬の再検討を行う．
- 慢性機能性便秘に対しては，生活習慣に問題のあることも多く，生活指導や食事療法などの非薬物治療と，薬物治療を効果的に組み合わせて行うことが大事である．
- 薬物治療については，近年，新規治療薬が多数登場している．病態に合った治療を検討することが重要である．
- 硬便が原因の場合は，摘便の処置のほか，排便習慣の指導などが重要である．

●非薬物治療
- エビデンスは多くはないが，水分摂取や食事，軽い運動など生活習慣で改善されることが日常では経験される．
- 生活指導と期待される効果（表47-3）[3]：排便習慣の確立（毎日一定の時間に排便する習慣をつける），便意を逃さない，適切な運動，ストレスの発散．
- 食事療法：規則正しい食事，十分な水分の摂取（1日2L程度目標），食物繊維の摂取（1日25〜30g）による便量の増加，ビフィズス菌やオリゴ糖などのプロバイオティクスの摂取により腸管内上皮細胞の機能強化と，腸蠕動運動の改善を期待．

806

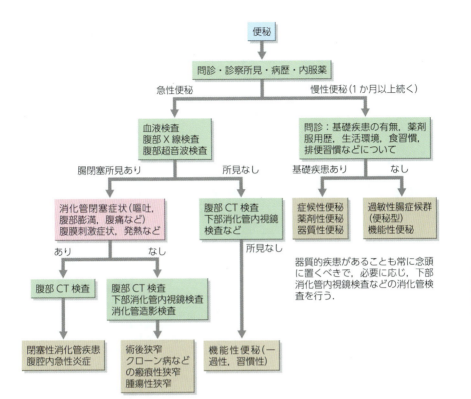

■図 47-2 便秘の診断の進め方

■表 47-3 便秘治療における生活指導のポイント

生活習慣改善のポイント	期待される効果
規則正しい食事と排便習慣の確立	周期的便意の習慣
便意を逃さない	直腸・結腸反射機能の改善
十分な水分摂取	便の軟化，排便の容易化
食物繊維の摂取	便量の増大，排便の促進
適切な運動	腸管運動亢進，腹筋強化
ストレス発散	自律神経系の改善

第6章 消化器系

■表47-4 機能性便秘に対する主な治療薬

分類	一般名	主な商品名	薬の効くメカニズム	主な副作用
浸透圧性下剤	酸化マグネシウム（略称：カマ，カマグ）	マグラックス	腸管内で水分再吸収を抑制し，便を膨張・軟化させる	重篤な腎・心疾患では高マグネシウム血症，不整脈など
	ラクツロース	ラグノス NF ゼリー		ガラクトース血症は禁忌
	（合剤）マクロゴール 4000・塩化ナトリウム・炭酸水素ナトリウム・塩化カリウム	モビコール LD/HD		アレルギー反応
上皮機能変容薬（クロライドイオン分泌刺激薬）	ルビプロストン	アミティーザ	小腸上皮のクロライドチャネルに作用し，腸管内の水分分泌を増加させ便を軟らかくする	悪心・下痢 注）妊婦は禁忌（ルビプロストン）
	リナクロチド	リンゼス		
刺激性下剤	センノシド	プルゼニド	大腸粘膜およびアウエルバッハ神経叢に作用し，大腸蠕動運動を亢進させ水分吸収を抑制する	耐性，習慣性の問題あり，長期常用により必要量が増える．頓用で使用することが望ましい 腹痛，悪心・嘔吐
	（合剤）センナ・センナ実	アローゼン		
	ピコスルファートナトリウム水和物	ラキソベロン		
膨張性下剤	ポリカルボフィルカルシウム	コロネル，ポリフル	水分を吸収し膨潤，ゲル化し便の水分バランスを調整，過敏性腸症候群などで用いられる	術後イレウス，高カルシウム血症，腎結石
消化管運動改善薬	モサプリドクエン酸塩水和物	ガスモチン	5-HT$_4$ 受容体刺激による消化管運動機能改善薬	便秘は適用外，肝障害
胆汁酸トランスポーター阻害薬	エロビキシバット水和物	グーフィス	回腸末端での胆汁酸の再吸収を阻害し，大腸の蠕動運動を亢進させる	腹痛，下痢

●**薬物療法**
● それぞれの下剤の特徴を把握して病態や特徴に応じた使い分けが必要．
● 主に使用される薬剤をまとめた（表47-4）．刺激性下剤は常用すると耐性により効果が減弱するため，頓用での使用が推奨される．
　①浸透圧性下剤
　②上皮機能変容薬，分泌性下剤
　③刺激性下剤
　④その他（胆汁酸トランスポーター阻害薬，漢方薬など）
　⑤外用薬による治療：直腸内を直接刺激して排便を促す．頓用での使用．
Px 処方例 下記のいずれかを用いる．
● マグラックス錠（330 mg）　1回1～2錠　1日3回　朝昼夕食前または食後　←浸透圧性下剤
　＊定期的な血清マグネシウム値の測定を推奨
● モビコール LD　1回2包　1日1回　LD1包あたりコップ1/3程度（約60 mL）の水に溶かして内服．この量から開始し，2日ごとに内服量を調整し，最大6包/日まで　←浸透圧性下剤（ポリエチレングリコール）
● アミティーザカプセル（24 µg）　1回1カプセル　1日2回　夕食後　←上皮機能変容薬（分泌性下剤）
　＊効果が強い時には1日1回に減量か，半量12 µgのカプセルを用いる．妊婦には禁忌であり注意．
● プルゼニド錠（12 mg）　1回1～2錠　1日1回　就寝前　←刺激性下剤
● ラキソベロン液0.75％　1回10～15滴　1日1回　就寝前　経口　←刺激性下剤

808

- リンゼス錠 (0.25 mg)　1回2錠　1日1回　食前　←上皮機能変容薬
  ＊食後に服用すると下痢が起こりやすいため，食前に服用する．
- 外用薬による治療(頓用使用)：新レシカルボン坐剤，グリセリン浣腸，微温湯浣腸など

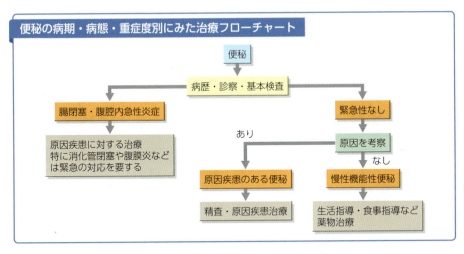

便秘の病期・病態・重症度別にみた治療フローチャート

●参考文献
1) 日本消化器病学会関連研究会　慢性便秘の診断・治療研究会編：慢性便秘症診療ガイドライン2017．南江堂，2017
2) 北洞哲治ほか：便秘症　総論．新領域別症候群シリーズNo.12　消化管症候群第2版(下)―その他の消化管疾患を含めて．別冊日本臨牀，pp.422-427，日本臨牀社，2009
3) 上野文昭：便秘の治療．日比紀文，吉岡政洋編，便秘の薬物療法．pp.9-15，協和企画，2007
4) Lacy BE, Mearin F, Chang Lin, et al.：Bowel disorders. Gastroenterology 150：1393-1407, 2016
5) 日本創傷・オストミー・失禁管理学会，看護理工学会編：エコーによる直腸便貯留観察ベストプラクティス．照林社，2021

便秘のある患者の看護

竹内　佐智恵

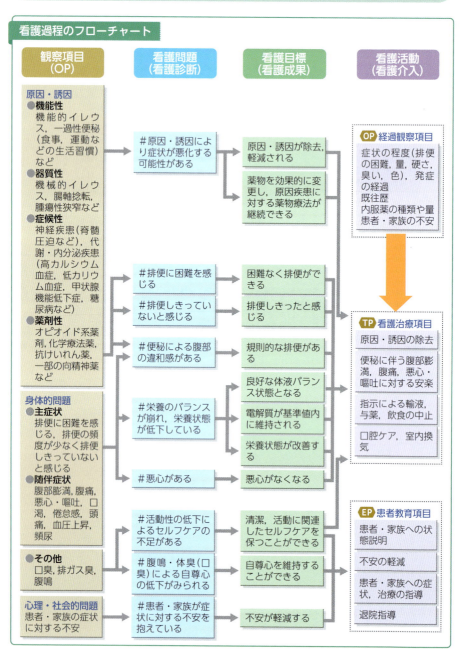

基本的な考え方

- 多様な原因を把握するとともに，症状緩和や安楽の援助を行う．原則は原因疾患の治療であり，安易な対症療法はすべきではない．
- 腹部膨満の程度，嘔吐の程度などの随伴症状を観察し，その影響にも注意する．

緊急 糞便臭を伴う嘔吐があり，機械的イレウスの可能性がある場合は迅速に減圧処置を行い，水分・電解質を確認したのち，徐々に補正する必要がある．これらの疾患を疑わせるサインや情報を見逃さないよう十分な観察を行う．

- 便秘が薬剤の影響による可能性があるとしても，薬剤を安易に中止すると原因疾患を悪化させ，その影響で便秘が遷延することもある．

緊急 副作用として便秘が出現している場合は，他の副作用症状の有無を確認しながら医師に相談することが重要である．単なる便秘として捉えるのではなく，便秘による二次的な脱水のために他の副作用も出現しやすくなる．

STEP①アセスメント	STEP②看護課題の明確化	STEP③計画	STEP④実施	STEP⑤評価

情報収集	アセスメントの視点と根拠・起こりうる看護問題
病歴の把握	患者・家族から症状出現の経過，症状の変化を聞くことで，原因・誘因の特定や全身状態の把握につながり，治療や看護ケアにも重要な情報を得ることができる．
経過	● いつから，どのくらい続いているか． ● 急激に始まったか，慢性的な症状か． ● 症状の変動の有無（下痢と便秘の繰り返し，便意と腹痛の関連，悪心・嘔吐の状態） ● 下剤投与や排便処置をしたか．その効果はどうか．
誘因	● 腫瘍，腸管の絞扼や軸捻転の既往 ● 腹腔内，骨盤腔内の手術の既往，原因疾患の既往の有無　**原因・誘因** 手術に伴う癒着に起因する閉塞（癒着性イレウス）や過敏性腸症候群の可能性 ● 過敏性腸症候群の症状の有無 ● 心機能，腎機能低下の既往　**原因・誘因** 腸管の浮腫，虚血の可能性 ● 浮腫をきたすような心機能，腎機能低下や内分泌機能の異常 ● 低カリウム血症をきたすような利尿薬の服用の有無 ● 便秘をもたらすような薬剤の服用の有無
随伴症状	● 腹部膨満，腹痛　**原因・誘因** 腹部全体の膨満では麻痺性の腸蠕動障害，左下腹部の膨満や腹鳴では直腸の排泄機能の低下の可能性 ● 悪心・嘔吐，口渇，倦怠感，頭痛，血圧上昇，頻尿などの随伴症状はないか　**原因・誘因** 浮腫，虚血の可能性 ● 随伴症状と便秘との時間的関係 ● 排便努力に伴う強いいきみによる血圧の上昇
生活歴	● 生活環境の変化やストレスの有無 ● 睡眠状況 ● 食事，水分摂取量の減少や偏り，運動不足 ● 生活の規則性の変化，排便を我慢する機会の有無 ● 主観的なストレスの程度，睡眠状況，精神安定薬または睡眠薬の使用の有無
既往歴	● 貧血，血便など狭窄や閉塞をもたらす機械的変化の原因となっている疾患（腫瘍，炎症，腸管を圧迫する周辺臓器の腫瘍）の症状 ● 腫瘍，腸管の絞扼や軸捻転の既往，腹腔・骨盤内臓器の手術の既往 ● 過敏性腸症候群の既往 ● 神経・筋疾患の既往 ● 腰椎麻酔の有無 ● 肛門括約筋けいれんの既往 ● 高血圧，肝疾患，心疾患，腎疾患，糖尿病，内分泌疾患などの既往 ● 手術歴　**原因・誘因**　**緊急** 術後の癒着によるイレウス

47
便秘

第6章　消化器系

常用薬 **職業歴** **その他**	●放射線照射などの治療歴 ●最近のバリウム内服の有無 ●服薬との関係　**原因・誘因** モルヒネ，カルシウム拮抗薬，抗うつ薬，大腸刺激性の下剤の常用 ●排便を我慢しなければならないような環境での作業 ●デスクワークなど運動不足になりがちな職業 ●月経，妊娠との関係　**妊婦** 妊娠可能な女性では，まず妊娠の可能性を考える．疑わしい場合は妊娠反応のチェックを行う　**更年期前の女性** 子宮筋腫の可能性を考える． ●ダイエット，食物に対する過度の嫌悪感 ●長期間の絶食，飢餓

主要症状の出現 状況，程度，性 状の把握 　**前駆症状** 　**便意との関連** 　**嘔吐物の性状**	❘ 症状の出現状況，嘔吐がある場合は，吐物の性状を把握することで，原因疾患の特定につながる情報が得られる． ●腰痛，腹痛，腹水などに関連する症状を伴うか． ●悪心・嘔吐を伴うか　**原因・誘因** 腸管の軸捻転や絞扼による急激な狭窄の可能性 ●女性の場合，貧血，月経異常があるか　**原因・誘因** 子宮筋腫の圧迫による狭窄の可能性 ●電解質異常に関連する症状を伴うか． ●便意がない　**原因・誘因** 麻痺性の蠕動運動の低下，脊髄圧迫や骨盤神経叢の損傷の可能性 ●便意に伴う局所的な腹痛があり，便がすっきりと出ない　**原因・誘因** 結腸の狭窄の可能性 ●糞便臭　**原因・誘因** **緊急** イレウス

便秘への緊急対応

●一般的に，便秘に対する緊急性はないが，ここでは手術適応の症状について触れる．
●便秘に悪心・嘔吐を伴う場合は，イレウスによる糞便の停滞がある．脱水や電解質の補正をしながらイレウス管を用いて閉塞部位より口側の糞便をドレナージする必要がある．腸管内圧を下げるとともにドレーン先端のおもりが重力で進むことにより狭窄部位の拡張を試み，閉塞の改善を図る．
●イレウス管の効果がなく狭窄部位の改善が図られない場合は，手術による狭窄部位の切除が必要となる．
●腸管の軸捻転や絞扼による粘膜壊死が起こっていれば，緊急手術による壊死組織の除去と，その後の腸管粘膜の安寧のために，一時的な人工肛門を造設する．人工肛門は腸管の浮腫がとれ，機能回復が見込める時期に閉鎖する．
●直腸の排泄機能障害の原因が腫瘍による場合は，部位によっては永久人工肛門を造設する．
●神経疾患（脊髄損傷や脊髄転移）による便秘には，永久人工肛門造設により，患者の排泄ケアの利便性を図る．

全身状態，随伴 症状の把握 　**バイタルサイン** 　**全身状態**	❘ 症状出現の経過の把握とともに，便秘症状の程度，随伴症状を観察し，治療，看護計画の立案に効果的に反映させる． ●体温 ➡腫瘍では微熱がみられ，炎症を伴うと発熱がみられる． ●血圧，脈拍・リズム ➡腸内に便塊が停滞することで腹大動脈の抵抗が高まり，循環器系のサインに変化がみられる． ●嘔吐や腸管内の便塊の停滞により脱水の可能性がある．脱水状態を同時に把握する． ●体重 ➡麻痺性イレウスでは，毎日，漸増する． ●**緊急** 腹痛と嘔吐の有無を確認する　**原因・誘因** 腸管の絞扼，軸捻転 ●体格 ➡腹部の膨隆

812

腹部 四肢	● 皮膚 ➡便秘に脱水を伴う場合のツルゴール(皮膚の緊張)低下 ● 貧血の有無 ➡腸管内の腫瘍を鑑別する. ● 呼気臭 〔緊急〕〔黄便臭〕〔原因・誘因〕イレウス ● 排ガスがない ➡腸蠕動の機能が停止している 〔原因・誘因〕麻痺性イレウス ● 血糖 ➡便秘の要因として,糖尿病を前提に鑑別する. ● 腹部の圧痛の有無 ➡部位と程度によって消化器疾患を鑑別する. ● 腹部の触診 ➡腹部膨隆や腹腔内腫瘍の有無を鑑別する 〔原因・誘因〕腹水がみられる場合は腫瘍を疑う. ● 腹部の聴診 ➡腸蠕動音によって腹膜疾患を鑑別する 〔原因・誘因〕無音では麻痺性イレウス,金属音では機械的イレウスを疑う. ● 浮腫の有無 ➡甲状腺機能低下症を鑑別する. 🔍 **起こりうる看護問題**:便秘による腹部の違和感がある／栄養のバランスが崩れ,栄養状態が低下している／悪心がある／身体的苦痛による不安がある／腹鳴・体臭(口臭)による自尊心の低下がみられる
患者・家族の心理・社会的側面の把握	● 症状の認識を把握する. 　・症状の原因および今後の見通しに関する理解の内容とその適切さを把握する(患者・家族). 　・症状緩和に対する対処法,予防法の理解と実行への意志,意欲を把握する(患者). 　・症状緩和に対する対処法,予防法の実行への支援の状況を把握する. ● 症状に伴う心理・社会的変化を把握する. 　・腹鳴,体臭(口臭)に対する思いを聞く(患者・家族). 　・気分の変調,睡眠の変化などうつ症状の有無を把握する(患者・家族). 　・症状による家族との関係,社会的関係の変化とそれに対する思いを聞く(患者・家族). 🔍 **起こりうる看護問題**:身体的苦痛による不安がある／腹鳴・体臭(口臭)による自尊心の低下がみられる

47
便秘

STEP ❶ アセスメント ▶ **STEP ❷ 看護課題の明確化** ▶ STEP ❸ 計画 ▶ STEP ❹ 実施 ▶ STEP ❺ 評価

看護問題リスト

#1 便秘による腹部の違和感がある(排泄パターン)
#2 栄養のバランスが崩れ,栄養状態が低下している(栄養-代謝パターン)
#3 悪心がある(認知-知覚パターン)
#4 腹鳴・体臭(口臭)による自尊心の低下がみられる(自己知覚パターン)

看護問題の優先度の指針

● 生命の危機に関連する急性期の便秘症状がある場合は,その症状を看護問題として対応する.
● 便秘による腹部の違和感など,患者の苦痛症状をモニタリングし,排便のための対処をしながら,症状の悪化を予防する.
● 患者・家族の不安の解消に努める.

STEP ❶ アセスメント ▶ STEP ❷ 看護課題の明確化 ▶ **STEP ❸ 計画** ▶ STEP ❹ 実施 ▶ STEP ❺ 評価

1 看護問題	看護診断	看護目標(看護成果)
#1 便秘による腹部の違和感がある	**便秘** **関連する状態**:結腸の閉塞,直腸の閉塞,消化器系疾患,医薬品,	〈**長期目標**〉規則的な排便がある 〈**短期目標**〉1) 規則正しい排便習慣の必要性が理解できる.2) 排便時間を一定にする

813

放射線治療
ハイリスク群：妊婦
診断指標
□標準的診断基準の症状がある
□週3回未満の排便
□肛門直腸の閉塞感
□排便時にいきむ
□残便感

看護計画

イレウスへの緊急対応

絞扼性，軸捻転性のイレウスは緊急手術の対応になることがある．術前に腸管内の減圧と捻転の修復への試みとしてイレウス管を挿入する．ここでは，緊急時の対応として実施されるイレウス管の管理方法について述べる．

1. 固定
- チューブは軽くゆとりをもたせ，鼻部と同側の頬部の2か所を固定する
- イレウス管が接触する鼻孔には，潰瘍形成を防ぐために皮膚保護材を貼る

2. 持続吸引
- 胸腔ドレーンの吸引バッグか排尿バッグに接続する
- 間欠吸引の場合は吸引器を用いるかまたは用手的に行う．持続吸引する場合（胸腔ドレーンバッグに接続する）は，指示圧（－10～－25 cmH₂O ＝－7.35～－18.38 mmHg）に従う

3. イレウス管の進行
- 約8時間ごとに約10 cmの速度でイレウス管が進行するのを目安としてモニタリングする
- 閉塞が解除されるまで，またはイレウス管の最後の部分まで挿入していく

介入のポイントと根拠

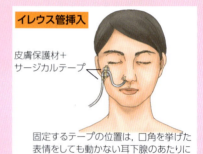

イレウス管挿入
皮膚保護材＋サージカルテープ
固定するテープの位置は，口角を挙げた表情をしても動かない耳下腺のあたりに

→イレウス管はX線透視下で鼻道から胃内に挿入する．胃内ではイレウス管は蠕動運動によって進んでいく．チューブの進行を妨げないように，鼻孔付近で固定しない．ただし，自己抜去や悪心による逆蠕動の可能性がある場合は，胃内でイレウス管をたわませたのち，鼻付近で固定する

→イレウス管は直径4.7～6.0 mm（14～18 Fr）が主流であり，持続吸引に耐えることができる程度の硬度をもっている．減圧のための挿入時間は48～72時間から数日に及ぶことがあり，挿入中，蠕動運動による進行による摩擦が加わる．薄い層の鼻孔は，圧迫や摩擦による潰瘍ができやすい．そのため，圧迫性潰瘍の予防として皮膚保護材の使用が効果的である

→毛細血管の動脈圧は32～35 mmHg，静脈圧は16 mmHgである．このことから低圧持続吸引をする場合，粘膜表面に吸引口が接触しても毛細血管圧よりも低い設定であれば損傷を最小限にできる

→腸管内で膨らませたバルーンは蠕動運動によって運ばれていく．蠕動運動を促進するために，歩行可能な状況であれば歩行を促す

- 1日の排液量，性状を観察する
- イレウス管とドレーンバッグの接続を適宜確認し，連結部のゆるみや外れがないようにする
- 排液によってイレウス管が詰まりやすいため，適宜ミルキングしたり，吸入口から空気を注入したり，洗浄したりする

4. 環境整備（臭気）
- 腸管からの便汁様の排液の臭気を最小限にするために消臭効果のある壁紙，シート，消臭剤を設置し，適宜換気する
- 清涼感のある洗浄液（レモン水，茶）で口腔ケアを実施し，口腔内の乾燥，口臭を最小限にする

5. 異常時の対処
- イレウス管に抜去の徴候がみられた場合は，盲目的な挿入をしてはならない．速やかに医師に報告し，適切に対処する

⮕イレウス管の全長は3mである．イレウス管についている目盛りをもとに進行の程度を確認する．バルーンが膨らんだ状態で盲目的に挿入すると粘膜損傷，出血，穿孔の危険性がある

OP 経過観察項目
- 緊急性の高いイレウスに対しては迅速な対応が求められる．腸音が全くなく著しい鼓腸を示す場合は麻痺性イレウスを意味し，また，金属様の腸音や糞便臭を伴う嘔吐は機械的イレウスを示し，要注意である．また意識障害や脱水の症状が併発することもあり，早急に対応すべき症状として留意する必要がある
- 観察を継続的に実施すべきである

⮕疑われる症状がみられたらドクターコールを行う

⮕**根拠** 時間の経過とともに症状が悪化する場合もある

TP 看護治療項目
- 嘔吐がある場合は気道を確保し，腸管内の減圧を図る処置を支援することが先決である
- 誤嚥防止のために体位変換を行う．仰臥位は避け，側臥位または腹臥位で，誤嚥しないように顔は横を向かせる
- 嘔吐が頻回にわたり脱水症状になっている場合，補液のための静脈ルートの確保を行う
- 緊急の症状を伴わない便秘の場合，浣腸により腸管内の減圧を図る．その後は腸蠕動の回復をみながら水分補給から始め，徐々に固形の食事に移行していく．浣腸後には腹痛を感じるが，初期の便意は一定時間我慢しなければならない．排泄後にも頻繁に便意を感じることがある．トイレへの歩行が負担になる場合や危険を伴う場合は，ベッドサイドへのポータブルトイレの設置も検討する．この場合，部屋の環境への配慮を十分に行う．腹痛に対しては下腹部の温罨法を行い様子をみる

⮕**根拠** 吐物による気道閉塞を防止する

⮕**高齢者** 特に高齢者や意識レベルが低下し，全身衰弱のある患者が嘔吐すると，誤嚥を起こす可能性が高い

⮕**根拠** 浣腸液を注入した後に強い便意を感じる．これは浣腸液による腸粘膜の刺激によるものであり，この時点では浸透圧の変化による便塊の容積の増加には至っていない．そのため，初期の便意は我慢しなければならない．この時，便器に座って，またはしゃがんだ状態で待機すると肛門への圧力がかかりやすいために十分な我慢ができない．我慢する際にはベッドに横になった状態で待機するのが望ましい

⮕**根拠** 高濃度の浣腸液を腸内へ注入すると，浸透圧によって大腸を刺激し蠕動運動を促進させるとともに，便を溶かし軟らかくする．容積の増した便塊が直腸へ押し出される際に排泄するのが望ましいが，1回の排泄で完全に排泄できず腸管内に浣腸液が残った場合は刺激により排便後にも便意が持続する

47
便秘

815

第6章　消化器系

> ⚫ **根拠** 腸管内に浣腸液が流入した後に浸透圧の変化が起こり血管内の水分が腸管内に移行するため一過性の脱水が起こりやすい．高齢者や食欲の低下している患者の場合，脱水による血圧の低下からふらつきや転倒が起こることがある

EP 患者教育項目
- 嘔吐に伴う苦痛のなかで患者が抱えている**不安を解消**する

OP 経過観察項目
- 前回の排便の時期，性状，量
- その後の便意の様子や排便時の苦痛感の様子

- いきみを妨げる要因の有無（腹筋の損傷，足の骨折のため足底を着けた安定した座位をとれないなど）
- 便意を我慢する要因の有無（排便時間確保の困難，プライバシー確保の困難）
- 便秘をもたらすような薬剤の使用の有無と種類
- 尿量，尿意，体重の変化，腹部膨満の様子
- 排ガスの有無，臭気
- 口臭の様子
- 下剤の服用の有無と効果，常用している下剤の有無と種類
- 嘔吐，腹痛の有無，食事との関連性
- 腸蠕動音，腹部の打診によるガス充満部位や程度
- 触診によるS状結腸の便の停滞の有無
- 頭痛，倦怠感の有無と程度

TP 看護治療項目
- 便秘の原因を確認し，腸の絞扼や捻転，腫瘍が否定された際に次の介入をする
  - 水分摂取，腹部の保温やマッサージ，歩行を促す
  - S状結腸に便が停滞していれば，浣腸，坐薬により排便を促す
  - 排便に際してプライバシーを確保した環境を整える
  - 十分ないきみができない，またはいきんでも十分な腹圧をかけることができない場合は摘便を行う
  - 嘔吐時は，うがいや口腔清拭を行う
  - 肛門に近い側にガスの充満がある場合，ブジーにより排ガスを促す

  - 口臭がある場合は，レモン水でのうがいを勧める

⚫ 便秘の原因を把握し，原因の除去に努める
> **根拠** 関連する症状から原因を推測し，適切な看護計画につなげることができる

⚫ 食事による幽門部の刺激によって腸の蠕動が起こり，便塊が直腸に移動し便意を感じる．しかし，便意を我慢することで腸管内への便塊の停滞時間が長くなり，やがて硬くなって排泄が困難になる．また，便意を我慢していると神経の働きが衰え直腸・結腸反射が低下して，便意が生じなくなることがある（直腸性便秘）

⚫ 腸内細菌が，摂取した食物中の炭水化物，脂肪，タンパク質などを腐敗（発酵）させて悪臭ガスを発生させる．便秘で腸内に便が長くとどまることによって悪臭ガスが腸壁から吸収され，血液内を巡ってやがては肺にたどり着いて口臭となって出ていくメカニズムにより，便秘と口臭が関連している．麻痺性便秘の場合は口臭のみならず便臭のする嘔吐物がみられることがある．またこのガスが関連して頭痛をもたらすともいわれる

⚫ 腸管内腔が閉塞するように便塊が停滞すると，口側腸管に内容物やガスが充満する．その影響で蠕動運動が亢進すると内容物の逆流による悪心・嘔吐が出現することがある．ブジーは直腸周辺で排泄を妨げている便塊を通過してガスを排出することで，一時的に腸内圧を下げる効果がある
⚫ レモンは，口臭の原因成分を分解し殺菌効果もあるとされている．この効果を便秘時の口臭の対

816

・頭痛や倦怠感が強い場合は，安楽な姿勢を勧める

EP 患者教育項目
- 排便のための効果的ないきみを指導する
- 便意を我慢しないですむような生活習慣，環境整備を指導する
- 医師の指示に基づく下剤の使用方法を指導する
- 副作用として便秘になるような内服薬は，医師に相談し，指示された薬剤に変更する
- 腹部のマッサージ，水分補給，歩行の重要性を指導し，実施を促す
- 排便を促すような食事の種類や摂取方法を指導する
- 便秘による口臭がみられる場合は予防を指導し，実施を促す

策に利用する．ただし，口臭の原因が便秘である場合はレモン水の効果は一時的なものにすぎない

➡ 腸管は交感神経と副交感神経の二重支配によって機能しており，交感神経によって抑制的に，副交感神経によって亢進的に働く．排便時に強くいきむと交感神経の興奮をもたらすため，リラックスすることにより副交感神経の影響を高める排便法が必要となる

---

2 看護問題 / 看護診断 / 看護目標（看護成果）

#2 栄養のバランスが崩れ，栄養状態が低下している

栄養摂取バランス異常：必要量以下
- 関連因子：早期満腹感，咀嚼に使う筋肉の弱まり，嚥下に使う筋肉の弱まり
- 関連する状態：消化器系疾患，吸収不良症候群，食欲不振，悪心
- 診断指標
  - □食物摂取量が1日あたりの推奨量以下
  - □毛細血管の脆弱性
  - □蒼白の粘膜
  - □便秘

〈長期目標〉栄養状態が改善する
〈短期目標〉1) 許可された範囲で食物を摂取することができる．2) 血清総タンパク，アルブミンが基準値内になる

看護計画 / 介入のポイントと根拠

OP 経過観察項目
- 体重
- 悪心・嘔吐の有無
- 食欲，食事水分摂取量の程度
- 食事後の満腹感の出現のタイミング
- 粘膜の色調，出血しやすさ
- 浮腫の有無
- 活気，機嫌，表情
- 血清総タンパク，アルブミン，電解質

➡ 便秘に栄養低下が伴う場合は，代謝機能の低下をもたらす他の疾患が関与していることもある．腹部の状態のみならず，浮腫，腹水，胸水，貧血の状態も観察をする必要がある

➡ 腸蠕動の開始に伴い経口摂取が開始される．腹部症状の観察は日々の身体診察のみならず経口摂取後にも実施する

TP 看護治療項目
- 輸液から栄養補充する場合は，指示された量を投与する
- 許可された範囲で，消化しやすい食べ物を少量ずつ開始する
- 粘膜，毛細血管のぜい弱がみられる場合は，刺

➡ 心不全によるうっ血が原因の便秘もある．この場合，水分の過剰投与は心不全の症状を悪化させることもあるため，輸液管理は常に正確に行う

➡ 腹部症状の観察は日々の身体診察のみならず経口摂取後にも実施する．食物の胃内停滞時間を考慮し，1～2時間後の腸蠕動音を確かめるとよい．

第6章　消化器系

激の強い食べ物を避け，食後の口腔ケアを丁寧に実施する

EP 患者教育項目
- 無理して食べないよう指導する
- 栄養摂取と排便を促進するための食事内容について患者・家族に指導する
- 粘膜のケア，口腔ケアの方法と実施の重要性を指導する

腸蠕動音の回復状況に応じて栄養素の高い食事形態に移行することを医師と相談する

---

3 看護問題	看護診断	看護目標（看護成果）
#3　悪心がある	**悪心** **関連因子**：不快な感覚刺激（臭い） **関連する状態**：胃の拡張，胃腸（消化管）刺激 **診断指標** □食物嫌悪 □嚥下回数増加 □のどの絞扼感 □唾液分泌量増加 □口の中が酸っぱい	〈長期目標〉悪心による食事への不快感や苦痛の遷延がない 〈短期目標〉悪心・嘔吐，誤嚥がない

看護計画

OP 経過観察項目
- 発熱
- 胸部X線所見，血液検査結果

- 悪心の推移，嘔吐の有無，量，嘔吐時の体位
- チアノーゼ，発熱，バイタルサイン
- 意識レベル

TP 看護治療項目
- 悪心・嘔吐の症状がみられたら，側臥位にする
- 腸管内の減圧を促すためにイレウス管か胃管を挿入している場合は，ミルキングまたは吸引をする
- 口腔内を清潔にする
- 誤嚥リスクの高い患者には吸引の準備をする

EP 患者教育項目
- イレウス管が挿入されている場合は，悪心予防として，腸管内の減圧を促進するため歩行が効果的であることを説明し，歩行を促す
- 安全な栄養摂取方法を説明する

介入のポイントと根拠

➡ **高齢者** 高齢者では発熱や声の変化にも注意する **根拠** 高齢者は気道の知覚低下のために無症状のことがある
➡ 仰臥位では誤嚥のリスクが高い

➡ 誤嚥のリスクを把握する **根拠** 意識レベルの低い患者は，咳嗽反射が弱く，嚥下能力が低くなるため，咽頭に貯留しやすく誤嚥しやすい

➡ 速やかに対処する **根拠** 吐物が咽頭へ垂れ込むのを防ぐ

➡ 口腔清拭やうがいを行う．食物残渣がある場合は吸引で除去する **根拠** 清潔にして，誤嚥を予防する

818

4 看護問題	看護診断	看護目標（看護成果）

#4 腹鳴・体臭（口臭）による自尊心の低下がみられる

自尊感情状況的低下
関連する状態：機能障害
診断指標
□自己否定的発言
□状況への対処能力を過小評価する
□優柔不断な態度
□孤独（感）を示す

〈**長期目標**〉患者は将来に対する肯定的な見通しを表明し，以前の機能レベルに回復する
〈**短期目標**〉自己尊重を脅かす原因を見つけ，その問題に対処できる

看護計画	介入のポイントと根拠

OP 経過観察項目
●腹鳴・体臭（口臭）の認識程度
●症状に対する質問の有無，内容
●対人関係，自尊心に関する発言の有無，内容
●周囲の人（家族，同室者）の対応の様子
●他者との関わり方の変化の有無

➡**非言語的表現を捉える** 【根拠】患者は自尊心に関連する症状に対処しようと，音楽を流したり消臭剤や芳香剤を置いたり換気をすることがある．こうした対処行動が過剰になる場合は不安や苦悩が強まっていることが考えられる 【高齢者】高齢者では感覚機能の低下などにより腹鳴，体臭の認識が周囲の人に比べて鈍麻していることがあり，音や臭いに対する反応よりも，周囲の人が示す居心地の悪そうな反応をみて不安がもたらされる．対人関係に関する言動に注意する必要がある

TP 看護治療項目
●身体変化に対する感覚や知覚が表出できるような支援的態度で接する
●腹鳴が減少するよう，腸管内の減圧チューブが挿入されている場合は十分な減圧の管理をする
●減圧チューブが挿入されていない場合は，ガスの排出を促進するために腹部の保温やマッサージまたは歩行を促す
●体臭（口臭）を緩和させるために飲水が可能であればレモン水の服用を勧め，飲水が許可されていない場合はレモン水でのうがいを勧める

●体臭（口臭）が室内にこもるのを防ぐために防臭シートを使用したり，適宜，換気をしたりする．この場合は説明を十分に行い，心配や質問がないか聞き，丁寧に答える
●治療や処置をする場合は，十分に説明し，心配や質問がないか聞き，丁寧に答える

●気分転換を勧める

➡【根拠】腹鳴や体臭（口臭）の発生は疾患の影響であり，原因疾患の治療により症状は改善することを伝え，治療への意欲を維持させながら支援的に関わることで患者の不安や苦悩の表出を促す
➡**ガスの充満が腹鳴の原因であり，ガスの排出を促すことは腹鳴の減少につながる** 【根拠】腸内細菌によって発生したガスは腸壁から吸収される．全身の血流の促進効果がある保温法（下半身浴，入浴など）と脱水の予防は腸壁の血流促進につながり，その結果，ガスの吸収の促進効果をもたらす
➡**相手の不安の表情をみながらわかりやすく説明する** 【根拠】防臭シートの使用や換気は患者が自分自身を否定されているというネガティブなイメージを抱くこともあるため，慎重に行う．また防臭剤は設置する形態よりも壁紙式の目立たない形態にしたり，消臭機能のある空気清浄機を環境整備の一環として設置したりする
➡**面会や談話は狭い部屋で行うより換気が十分できる広い空間で行うことを勧める．プライバシーの確保が必要な場合も換気設備のある環境を考慮して部屋を選ぶ** 【根拠】広い空間での対応は気分転換になり，臭気や音を適度に緩衝する効果がある

EP 患者教育項目
●身体機能の変化に伴う症状（臭い，腹鳴など）を調整する方法を指導し，自己管理を促す

47
便秘

819

第6章　消化器系

| STEP **1** アセスメント | STEP **2** 看護課題の明確化 | STEP **3** 計画 | STEP **4** 実施 | STEP **5** 評価 |

病期・病態・重症度に応じたケアのポイント

【急性期】便秘の原因は様々である．特にイレウスを伴っている場合は早期に原因が特定され，適切な治療が行われることが重要となる．急性期の対処として，飲食を禁止し安静にすることが必要となるが，水・電解質の崩れによる全身状態の変化を把握し，看護ケアにつなげていく．イレウス管などの治療開始後は，治療効果が十分に発揮されるように適切な管理を行うことが重要である．

【慢性期】便秘が慢性化している場合は，食事，運動，排泄の習慣，下剤の服用方法など生活習慣に着目し，症状への対応のみならず生活習慣の見直しと改善に向けて指導を行う必要がある．

【回復期】全身状態の改善に伴い，経口摂取を少しずつ再開していく．この時期には自宅に帰ることを視野に入れ，患者自身による観察，ケアが行えるよう指導を行う必要がある．

看護活動（看護介入）のポイント

診察・治療の介助
- 排便の状況，腹痛，悪心・嘔吐などの症状や経過から原因を把握する．
- 悪心・嘔吐がある場合は飲食を禁止し，必要時，イレウス管の管理を行う．
- 指示された輸液，薬物を正確に投与する．
- 便秘の原因に応じて排便促進のための下剤，浣腸などの処置を行う．
- 生活習慣を見直し，再発を予防するための指導を行う．

便秘に対する援助
- 便秘の改善のために歩行を促し，腸蠕動の促進，またはイレウス管による腸管内の減圧を促す．
- 吐物などで汚れた衣類・寝具は交換し清潔に努める．
- 腹痛や悪心がある場合は安楽な体位をとる．
- 指示された輸液を正確に行い，水分出納を評価する．

腹鳴・体臭（口臭）に伴う自尊心低下への援助
- 便秘に伴う排ガス臭，口臭，また，イレウス管での治療による排液の臭気など，自尊心に影響する要因を取り除くための管理，指導を行う．
- 症状，治療に伴う臭気の除去のための指導を行い，セルフケアを促す．
- 便秘が再発しないように，身体観察方法を指導する．
- 生活習慣を見直し，改善に向けて自主的な努力をするように促す．

退院指導・療養指導

- 便秘予防に効果的な水分や食物摂取の必要性を説明する．
- 食事摂取方法を説明し，無理せずに進めていくことを指導する．
- 便秘の症状に関する身体観察方法を指導し，症状が出現してくれば，再度受診するよう説明する．

| STEP **1** アセスメント | STEP **2** 看護課題の明確化 | STEP **3** 計画 | STEP **4** 実施 | STEP **5** 評価 |

評価のポイント

看護目標に対する達成度
- 排便に関する違和感（すっきりしない，排便時の腹痛，悪心・嘔吐）が軽減しているか．
- 排便の回数，性状や量が安定しているか．
- 栄養状態が改善しているか．
- 患者・家族が生活習慣に関する適切な情報を理解し，実施できているか．
- 心理的・身体的安楽が増大したことを表現できているか．

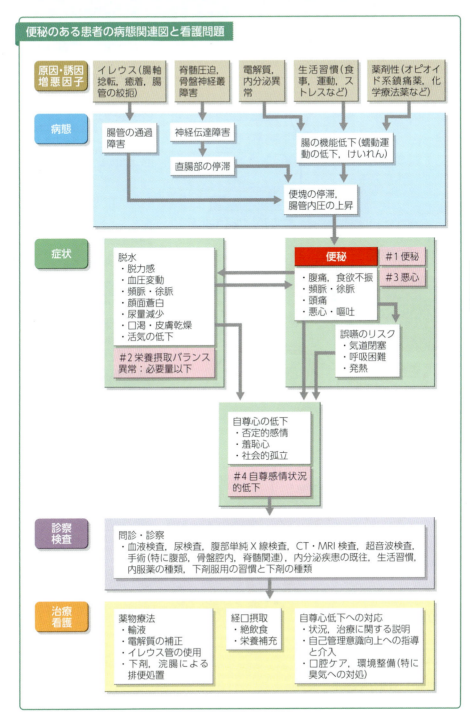

48 黄疸

安井 豊・泉 並木

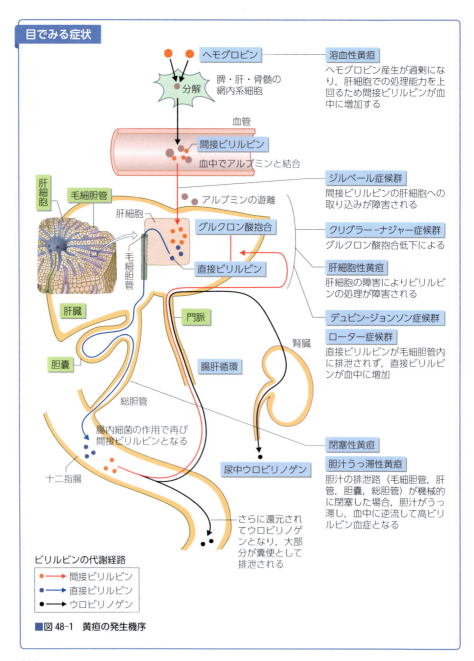

図48-1 黄疸の発生機序

病態生理

黄疸とはビリルビンという血液中の色素が何らかの原因で増加し，全身の皮膚や粘膜に過剰に沈着した結果，これらの部位が黄染した状態を意味する．ビリルビンが増加する原因には，ビリルビン生成の増加や，肝臓・胆道の疾患がある．ビリルビンの基準値は総ビリルビン 1.0 mg/dL 以下，直接ビリルビン 0.3 mg/dL 以下，間接ビリルビン 0.8 mg/dL 以下であり，目で見て黄疸を認識できるのは総ビリルビンが 2.0 mg/dL 以上からである．

- 肝臓や胆道の疾患による黄疸は，肝細胞の機能不全または胆汁うっ滞により生じる．
- 胆汁うっ滞には肝内性と肝外性(閉塞性黄疸)がある．
- ビリルビン生成量の増加および肝臓への取り込みを障害するような疾患や，グルクロン酸抱合の低下では間接ビリルビンが高値になる．
- 体質性黄疸：先天性ビリルビン代謝異常により生じる黄疸．
  - ビリルビン生成増加による間接ビリルビン優位の高ビリルビン血症は溶血性疾患でみられることがある．ジルベール症候群(酵素活性の低下が原因で，軽症にとどまる)およびクリグラー-ナジャー症候群(酵素欠損が原因で重症例もある)は，グルクロン酸抱合低下が原因となる．
  - 胆汁への分泌障害による直接ビリルビン優位の高ビリルビン血症は，デュビン-ジョンソン症候群で生じる場合がある．
- 肝細胞性に生じる直接ビリルビン優位の高ビリルビン血症は，肝炎，肝硬変，薬物毒性，およびアルコール性肝疾患などが原因となる．まれな原因として，妊娠，肝がん(肝細胞がん，転移性肝がん)に伴う黄疸などがある．
- 肝外胆汁うっ滞(閉塞性黄疸)による抱合型高ビリルビン血症は，総胆管結石または膵がん・胆管がんなどの悪性疾患が原因となる．このほか，良性の総胆管狭窄(通常，過去に行われた手術に関連)，胆管がん，膵炎や膵仮性嚢胞，および硬化性胆管炎がある．先天性の疾患である先天性胆道閉鎖症や胆道拡張症も原因となる．

患者の訴え方

黄疸はどのような随伴症状を伴うかによって原因を推測することができるため，主症状以外の症状にも注意が必要である．

- **主症状の訴え**
- 皮膚や白眼(眼球結膜)が黄色になることを自覚．
- **随伴症状**
- 過剰なビリルビンが腎臓を通して排泄されるため，尿の色はしばしば濃くなる．血尿を訴えることもある．
- その他の自覚症状としては，全身の倦怠感，疲労感，皮膚のかゆみ(瘙痒)がある．
- 原因が感染や急性肝炎の場合，感冒様症状や発熱などを伴うことがある．
- 体質性黄疸では黄疸以外の症状はほとんどみられない．
- ※ミカンやニンジンなどを連日過剰に摂取すると手のひらが黄色くなることがある．これは柑皮症(かんぴしょう)といい，黄疸とは異なり病的な状態ではない．眼球結膜黄染が柑皮症ではみられることが少ないため，これにより区別が可能である．

48
黄疸

■表 48-1 　黄疸の原因に基づく考えられる疾患(赤字は緊急対応を要する疾患)

直接ビリルビン優位		間接ビリルビン優位
●肝細胞性黄疸	●閉塞性黄疸(表 48-2 参照)	●溶血性黄疸
●急性肝炎(ウイルス性，自己免疫性，アルコール性，薬剤性肝障害)	●悪性腫瘍(胆管がん，膵がん)	●体質性黄疸
	●自己免疫性膵炎	●ジルベール症候群
	●総胆管結石	●クリグラー-ナジャー症候群
●劇症肝炎	●急性閉塞性化膿性胆管炎	●新生児黄疸
●肝不全(肝硬変)	●先天性胆道閉鎖症	●生理的黄疸
●体質性黄疸	●肝内胆汁うっ滞	●母乳黄疸
●デュビン-ジョンソン症候群	●原発性胆汁性胆管炎	●血液型不適合
●ローター症候群	●原発性硬化性胆管炎	

823

第6章　消化器系

■表48-2　閉塞性黄疸の原因疾患

良性疾患	悪性疾患
総胆管結石 肝内結石 ミリッツィ症候群 急性膵炎 慢性膵炎 自己免疫性膵炎 乳頭機能不全 傍乳頭憩室(レンメル症候群) 原発性硬化性胆管炎 術後胆管狭窄	胆管がん 胆嚢がん 膵がん 乳頭部がん 肝細胞がん 転移性肝がん 他臓器がんリンパ節転移

■表48-3　黄疸の随伴症状 (赤字は緊急対応を要する疾患)

随伴症状	考えられる疾患
全身倦怠感，悪心・嘔吐，食欲不振，発熱，肝腫大	急性肝炎
発熱，発疹	薬剤性肝障害
全身倦怠感，意識障害，羽ばたき振戦	劇症肝炎
腹水，浮腫，出血傾向，クモ状血管腫，肝性脳症，肝性口臭，手掌紅斑	肝硬変
肝腫大，上腹部痛	肝細胞がん
皮膚瘙痒感，皮膚黄色腫	原発性胆汁性肝硬変
灰白色便，脂肪の消化吸収障害による下痢，脂溶性ビタミンの吸収障害による出血傾向	閉塞性黄疸
無痛性の胆嚢腫大	下部胆管閉塞(悪性腫瘍など)
発熱・腹痛・黄疸(以上をシャルコーの三徴)，ショック・意識障害(以上をレイノルズの五徴)	胆管炎，急性閉塞性化膿性胆管炎
発熱，腹痛，悪心・嘔吐	膵炎

診断

黄疸の診断は，まず肝胆道系疾患の存在の有無を確認する．肝胆道系の疾患は胆汁うっ滞と肝細胞機能不全に分けられ，肝外での胆汁うっ滞の有無に有用でかつ最も簡便な検査は腹部超音波検査である．その他，様々な画像診断，血液検査所見に基づいて診断を進めていく(図48-2)．
- 特殊な黄疸として体質性黄疸があり，クリグラー–ナジャー症候群以外は予後良好で，成人になるまで発見されないことも多い疾患群である(表48-4)．

治療法・対症療法

黄疸の治療は原因となる疾患の治療が原則であるため，症状と各種検査所見により判断した診断結果に基づいて治療を行う．
- 各診断に基づく治療方針

〈肝細胞性黄疸〉
- 急性肝炎：最重症型は劇症肝炎〔プロトロンビン活性の高度低下(40％以下)，意識障害〕である．この際には原因疾患の治療に加え，血漿交換，肝移植などの集中的な治療が行われる．
  - ウイルス性肝炎：保存的加療(安静，栄養補給)で改善することも多い．B型肝炎の場合，抗ウイルス薬を使用することがある．
  - 自己免疫性肝炎：急性期にはステロイドを使用する．
  - 薬剤性肝障害：ステロイドを使用する場合がある．近年使用が増えている免疫チェックポイント阻

824

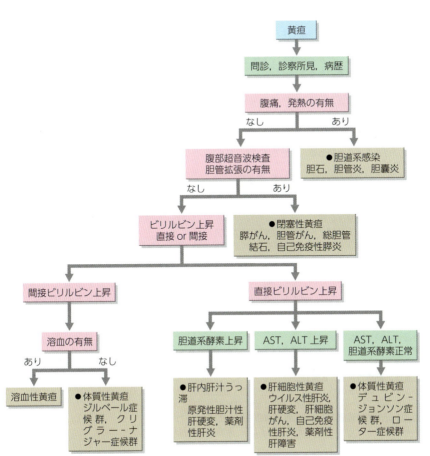

■図 48-2 黄疸の診断の進め方

■表 48-4 体質性黄疸の比較

	クリグラー-ナジャー症候群		ジルベール症候群	デュビン-ジョンソン症候群	ローター症候群
	Ⅰ型	Ⅱ型			
発症時期	生後すぐ	生後数日	青年期以降	10歳代が多い	幼少期から
血中 Bil	間接 Bil 上昇	間接 Bil 上昇	間接 Bil 上昇	直接 Bil 上昇	直接 Bil 上昇
血中 Bil 値	20 mg/dL 以上	20 mg/dL 以下	3 mg/dL 以下	2〜5 mg/dL	2〜5 mg/dL
特徴	出生後の便が灰白色	便には異常がない	過労，絶食などで増悪	肝は腹腔鏡で黒色肝を示す	ICG15分値が60〜80%
治療	光線療法や血漿交換など	フェノバルビタール投与	不要	不要	不要
予後	脳症など予後不良な例も	ほとんど良好	良好	良好	良好

Bil：ビリルビン
ICG：インドシアニングリーン

第6章　消化器系

　害薬による免疫関連有害事象 (irAE) でも発症しうる.
- 肝不全
  - ・肝硬変：原因疾患に対する治療を行うが, 黄疸が出現するほどの肝硬変は非代償期の肝硬変であり, 根本的な治療は困難である.
  - ・肝細胞がん：肝硬変と同様, 高度黄疸出現時は治療困難な場合もあるが, 一般的には外科的切除, 経皮的治療, 肝動脈塞栓術, 化学療法, 肝移植などが行われる.

〈体質性黄疸〉
- クリグラー–ナジャー症候群：Ⅰ型では速やかに光線療法や交換輸血などの治療が必要. 適切な治療が行われない場合には核黄疸となり, 死亡に至る場合や生存しても重篤な神経障害を残す場合が多い. 肝移植が行われることもある. Ⅱ型ではフェノバルビタール経口投与 (適応外使用) が行われ, 予後は良好である.
- デュビン–ジョンソン症候群, ローター症候群, ジルベール症候群：いずれも特に治療を要さない予後良好な疾患である.

〈閉塞性黄疸〉
- 悪性疾患：根本治療が必要.
- 自己免疫性膵炎：ステロイドの全身投与が行われる.
- 総胆管結石：内視鏡的結石除去術 (図 48-3) ＋胆嚢摘出術, もしくは胆嚢摘出・総胆管切開切石術が行われる.
- 急性閉塞性化膿性胆管炎：緊急でのドレナージ術 (内視鏡的, 経皮的).

〈肝内胆汁うっ滞〉
- 原発性胆汁性胆管炎：ウルソデオキシコール酸, 瘙痒感に対してナルフラフィン, コレスチラミンを使用する.
- 原発性硬化性胆管炎：ウルソデオキシコール酸やステロイドが投与されることが多いが, 予後改善効果は証明されていない.
- 先天性胆道閉鎖症：外科的治療が行われる.
- ●薬物療法
- **Px 処方例** 肝細胞性黄疸：B 型肝炎の場合
- バラクルード錠 (0.5 mg)　1 回 1 錠　1 日 1 回　就眠前　←抗ウイルス薬
- ベムリディ錠 (25 mg)　1 回 1 錠　1 日 1 回　就眠前　←抗ウイルス薬
- **Px 処方例** 肝細胞性黄疸：自己免疫性肝炎急性期の場合
- プレドニン錠 (5 mg)　1 回 6〜8 錠　1 日 1 回　朝食後　←副腎皮質ホルモン製剤
  ※適宜漸減していく.
- **Px 処方例** 閉塞性黄疸：自己免疫性膵炎の場合
- プレドニン錠 (5 mg)　1 回 6〜8 錠　1 日 1 回　朝食後　←副腎皮質ホルモン製剤
- **Px 処方例** 閉塞性黄疸：急性閉塞性化膿性胆管炎の場合
- セフメタゾン注　1 回 1 g ＋生理食塩液 100 mL　1 日 3 回　点滴静注　←抗菌薬
- **Px 処方例** 肝内胆汁うっ滞：原発性胆汁性胆管炎の場合
- ウルソ錠 (100 mg)　1 回 1 錠もしくは 2 錠　1 日 3 回　朝昼夕食後　←利胆薬

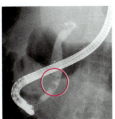
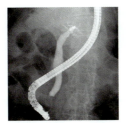
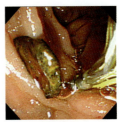

2か所の結石を胆道造影で確認　結石除去術後　結石除去術時の内視鏡所見

■図48-3　内視鏡的総胆管結石除去術の例

■表48-5　黄疸の主な治療薬

分類	一般名	主な商品名	薬の効くメカニズム	主な副作用
抗ウイルス薬	エンテカビル水和物	バラクルード	B型肝炎ウイルスのDNAポリメラーゼ阻害	肝機能障害，下痢，頭痛，倦怠感
	テノホビル アラフェナミドフマル酸塩	ベムリディ	B型肝炎ウイルスの増殖抑制	悪心，疲労，頭痛，下痢など
副腎皮質ホルモン製剤	プレドニゾロン	プレドニン	炎症の改善	易感染性，消化管潰瘍，精神症状，骨粗鬆症，緑内障，白内障，不眠，抑うつ，多毛，痤瘡，高血圧
抗菌薬	セフメタゾールナトリウム	セフメタゾン	細菌細胞壁の合成阻害	アレルギー，腎不全，肝機能障害，偽膜性大腸炎，ビタミン欠乏症（ビタミンB，ビタミンK）
利胆薬	ウルソデオキシコール酸	ウルソ	胆汁うっ滞の改善，利胆作用	下痢，瘙痒，腹痛，悪心，発疹，便秘
イオン交換薬	コレスチラミン	クエストラン	腸管内で胆汁酸と結合し排出	腸閉塞，便秘，肝機能障害，腎機能障害

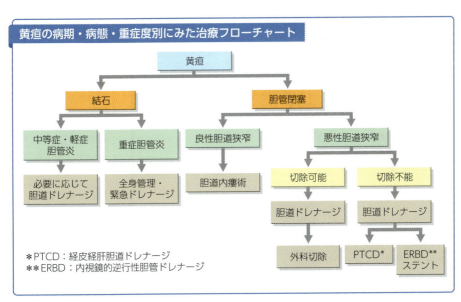

第6章　消化器系

黄疸のある患者の看護

滝島　紀子

看護過程のフローチャート

観察項目（OP）	看護問題（看護診断）	看護目標（看護成果）	看護活動（看護介入）

原因・誘因
- **肝前性（溶血性）**
  溶血性貧血，シャント高ビリルビン血症など
- **肝性（肝細胞性）**
  肝炎，肝臓がん，肝硬変，アルコール性肝障害，薬剤性肝障害など
- **肝後性（閉塞性）**
  胆嚢炎，胆管炎，総胆管結石，肝管腫瘍，膵頭部腫瘍，十二指腸乳頭部腫瘍など

#原因・誘因により症状・徴候が増悪する可能性がある

→ 症状・徴候を管理し，最小限にする

OP 経過観察項目
黄疸の程度
主な随伴症状の有無，程度・持続期間
体重の変化の有無・程度
掻破痕の有無・程度
食事摂取量
睡眠状況
不安のレベル
身体外観の受け入れ困難感の有無・程度，など

身体的問題
- **主症状（徴候）**
  黄疸（皮膚，粘膜，眼球結膜などの黄染）
- **主な随伴症状**
  食欲不振，悪心，全身倦怠感，易疲労感，動悸・息切れ，発熱，悪寒
  腹痛（右季肋部痛），腹部膨満感，腹水，浮腫
  皮膚の瘙痒，色素沈着
  尿や便の色調の変化（茶褐色尿，灰白色便），便秘
  意識障害，手掌紅斑，クモ状血管腫，静脈怒張，肝腫，脾腫，出血傾向など

#黄疸に関連した全身倦怠感がある
→ 全身倦怠感が軽減する

#黄疸に伴う食欲不振，悪心に関連した食事摂取量低下がある
→ 適切な食事摂取ができる

#黄疸に伴う皮膚の瘙痒に関連した不眠がある
→ 十分な睡眠をとることができる

#黄疸に伴う皮膚掻破に関連した皮膚感染症の可能性がある
→ 皮膚感染症が生じない

TP 看護治療項目
全身倦怠感に対する援助
適切な食事摂取（栄養摂取）に対する援助
睡眠に対する援助
皮膚の瘙痒に対する援助（皮膚感染症予防の援助）
ADL の援助
患者・家族への心理的援助

心理・社会的問題
不安
ストレス

#黄疸に伴う症状・徴候に関連した不安がある
→ 不安が軽減する

#黄疸に関連した身体外観変化の受け入れ困難感がある
→ 身体外観の受け入れ困難感が軽減する

EP 患者教育項目
症状・徴候の関係についての説明
黄疸に伴う皮膚の瘙痒への対処法についての説明

基本的な考え方

- 黄疸は肝臓の障害によって生じるほか，ビリルビンの生成過程や排出過程の異常によっても生じるため，黄疸の原因が重要になる．原因を考慮したうえで，以下のような治療が行われる．黄疸のある患者に対しては，治療方針を十分に理解したうえで，治療効果が最大となるよう関わっていく．
- 安静療法：臥床することで肝臓の血流量を増やし，障害されている肝細胞の修復を促進する．
- 食事療法：栄養代謝障害による身体への影響を最小限にする．
- 薬物療法：肝細胞の障害の進行を阻止したり，肝細胞の障害を改善する．
- 手術療法：肝性黄疸における肝腫瘍や肝後性黄疸における通過障害に対しては，可能であれば手術によって原因を除去する．
- 身体的側面に関しては，症状や徴候を観察するとともに症状や徴候の緩和を図る．また，症状・徴候や治療によって生じている生活行動上の問題の解決を図る．
- 心理・社会的側面に関しては，不安やストレスの軽減を図る．

緊急 劇症肝炎に対しては迅速な対応が必要になるため，劇症肝炎を疑わせる症状や徴候を見逃さないよう十分に観察する（肝炎発症後8週間以内は，黄疸，全身倦怠感，悪心，発熱，食欲不振，腹痛，腹部膨満感などの症状・徴候の有無，程度，持続期間を観察するとともに，高度な肝機能障害による意識障害出現の徴候を早期に発見できるよう意識レベルの観察も十分に行う）．

| STEP❶ アセスメント | STEP❷ 看護課題の明確化 | STEP❸ 計画 | STEP❹ 実施 | STEP❺ 評価 |

情報収集	アセスメントの視点と根拠・起こりうる看護問題
病歴の把握	患者・家族から黄疸の出現状況や黄疸に関連する事柄を聞くことによって，原因・誘因や全身状態を把握するうえでの重要な情報，治療や看護を行ううえでの有用な情報を得ることができる．
経過	● 出現したのはいつか． ● 急激に出現したのか，徐々に出現したのか，以前から出現していたのか． ● 前駆症状の有無，症状や徴候・程度・経時的変化 ● 随伴症状の有無，症状や徴候・程度・経時的変化
誘因	● 遺伝との関係：ジルベール症候群，デュビン-ジョンソン症候群，ローター症候群など遺伝的な原因による黄疸を体質性黄疸という．体質性黄疸は，治療を必要としない黄疸がほとんどである． ● 手術との関係 ● 輸血との関係 ● 飲酒との関係 ● 薬剤との関係
随伴症状	● 肝前性：全身倦怠感，易疲労感，動悸，息切れ，発熱，腹部膨満感，脾腫など ● 肝性：食欲不振，悪心，全身倦怠感，発熱，悪寒，腹痛（右季肋部痛），腹部膨満感，腹水，浮腫，皮膚の瘙痒，色素沈着，便や尿の色調の変化，便秘，意識障害，手掌紅斑，クモ状血管腫，静脈怒張，肝腫，脾腫，出血傾向など ● 肝後性：腹痛（右季肋部痛），発熱，全身倦怠感，皮膚の瘙痒，食欲不振，悪心，便秘など ● **小児** 生理的黄疸（新生児黄疸）：生後2〜3日頃からみられ，2週間ぐらいで消失する．黄疸は新生児の肝機能（ビリルビン処理機能）の未熟さによって生じ，ビリルビン値が15 mg/dLを超えることはない．生後2週間以上黄疸が持続する場合を遷延性黄疸という．間接ビリルビン値が高い場合は母乳性黄疸や症候性溶血性黄疸などが推測され，直接ビリルビン値が高い場合は肝炎や胆道閉鎖などが推測される．
生活歴	● 海外渡航歴（肝炎に罹患しやすい地域への渡航の有無） ● 性的関係歴（不特定多数との性的関係の有無） ● 注射歴（不特定多数での注射針の使い回しの有無） ● アルコール歴（アルコール摂取状況） ● 輸血歴（輸血の有無）

第6章　消化器系

既往歴	●薬剤内服歴(薬剤名,内服期間) ●肝疾患,胆管系疾患,膵疾患,溶血性疾患などの既往 ●貧血の既往 ●黄疸の既往
嗜好品,常用薬	●嗜好品の有無,種類 ●普段内服している薬の有無,薬剤名,内服頻度
職業歴	●職種と就業期間 ●海外出張の有無,海外出張先と出張の頻度
その他	●体重の変化の有無,変化の状態 ●家族の健康歴(家族内での肝炎罹患者の有無)

随伴症状の出現 状況の把握	黄疸以外に下記のような症状・徴候の出現状況を把握することで,原因疾患の特定につながる有益な情報を得ることが可能になる. ●全身倦怠感,発熱,悪寒,頭痛,食欲不振,腹痛(右季肋部痛),褐色尿,灰白色便など　**原因・誘因**　急性肝炎 ●易疲労感,全身倦怠感,食欲不振,腹水など　**原因・誘因**　慢性肝炎(自覚症状のないことが多いが,増悪すると症状・徴候が出現) ●腹部膨満感,腹痛(上腹部圧痛),全身倦怠感,発熱,体重減少,肝腫,腹水,浮腫,クモ状血管腫,静脈怒張など　**原因・誘因**　肝がん ●全身倦怠感,食欲不振,腹水,浮腫,腹部膨満感,静脈怒張,皮膚の瘙痒,色素沈着,手掌紅斑,クモ状血管腫,静脈怒張など　**原因・誘因**　肝硬変 ●発熱,悪心,腹痛(右上方への放散痛)など　**原因・誘因**　急性胆管炎 ●腹痛(上腹部痛),全身倦怠感,食欲不振,体重減少,皮膚の瘙痒など　**原因・誘因**　胆嚢(のう)がん,胆管がん ●全身倦怠感,悪心,発熱,食欲不振,腹痛,腹部膨満感,意識レベルの低下など(悪心や全身倦怠感の増強がみられる時は要注意)　**原因・誘因**　**緊急**　劇症肝炎 ●肝硬変末期や劇症肝炎などで生じる睡眠・覚醒リズムの逆転,傾眠傾向,意識レベルの低下,興奮状態,せん妄状態,羽ばたき振戦など　**原因・誘因**　**緊急**　肝性脳症(肝性昏睡) 🔍 **起こりうる看護問題**:黄疸に関連した全身倦怠感がある/黄疸に伴う食欲不振,悪心に関連した食事摂取量低下がある/黄疸に伴う皮膚の瘙痒に関連した不眠がある/黄疸に伴う皮膚搔破に関連した皮膚感染症の可能性がある/黄疸に関連した身体外観変化の受け入れ困難感がある

全身状態の把握	他の症状・徴候の有無,程度,持続期間を把握することで身体状態の把握が可能になり,身体状態に応じた有効な治療や看護援助が可能になる.
バイタルサイン	●体温の異常の有無,程度・熱型・持続期間 ●脈拍の異常の有無,状態・程度 ●呼吸の異常の有無,状態・程度 ●血圧の異常の有無,程度 ●意識レベルの異常の有無,程度・持続期間　**緊急**　意識障害の出現　**原因・誘因**　肝性脳症(肝性昏睡),劇症肝炎
全身状態	●尿の色調変化の有無,尿の色調変化が出現した時期・程度 ●便の色調変化の有無,便の色調変化が出現した時期・程度.便秘の有無,出現した時期・現在の排便状況 ●食欲の有無,食欲不振が出現した時期,現在の食事摂取状況 ●体重の変化の有無,変化が出現した時期・程度.腹水貯留初期は腹水に気づかないことが多い.したがって,体重の変化には注意が必要である.体重の増加があれば,腹水や浮腫の有無を確認する. ●睡眠パターンの変化の有無,変化の出現時期,現在の睡眠状況,睡眠の変化に影響を及ぼしている要因

		●全身倦怠感の有無，出現した時期・程度
		●易疲労感の有無，出現した時期・程度
		●悪心の有無，出現した時期・程度
		●皮膚黄染の程度，掻破痕，手掌紅斑，クモ状血管腫，静脈怒張，色素沈着などの有無，徴候・程度，出現した時期
		●瘙痒の有無，出現した時期，瘙痒が増強する状況・程度
		●貧血の有無，出現した時期・程度
		●浮腫の有無，出現した時期，身体部位，程度
頭頸部		●眼球結膜黄染の有無，出現した時期・程度
		●頸静脈怒張の有無，出現した時期・程度
		●頸部リンパ節腫大の有無，程度
胸部		●静脈怒張の有無，出現した時期・程度
腹部		●腹痛の有無，出現した時期，腹痛の性質・部位・程度
		●静脈怒張の有無，出現した時期・程度
		●肝腫大の有無，程度
		●脾腫の有無，程度
		●腹水の有無，出現した時期・程度
		●腹部膨満の有無，出現した時期・程度
四肢		●浮腫の有無，出現した時期・部位・程度
神経系		●精神神経症状の有無，出現した時期，出現している症状・程度
		●失見当識の有無，出現した時期・程度　**緊急**　見当識障害の出現　**原因・誘因**　肝性脳症 (肝性昏睡)，劇症肝炎
		●羽ばたき振戦の有無，出現時期・程度　**緊急**　羽ばたき振戦の出現　**原因・誘因**　肝性脳症 (肝性昏睡)，劇症肝炎
		🔍 **起こりうる看護問題**：黄疸に関連した全身倦怠感がある／黄疸に伴う食欲不振，悪心に関連した食事摂取量低下がある／黄疸に伴う皮膚の瘙痒に関連した不眠がある／黄疸に伴う皮膚掻破に関連した皮膚感染症の可能性がある／黄疸に関連した身体外観変化の受け入れ困難感がある
患者・家族の心理・社会的側面の把握		●黄疸に伴う不安の有無・程度
		●黄疸に伴う身体外観変化の受け入れの程度
		🔍 **起こりうる看護問題**：黄疸に伴う症状・徴候に関連した不安がある／黄疸に関連した身体外観変化の受け入れ困難感がある

STEP① アセスメント　**STEP② 看護課題の明確化**　**STEP③** 計画　**STEP④** 実施　**STEP⑤** 評価

看護問題リスト

#1　黄疸に関連した全身倦怠感がある (活動-運動パターン)
#2　黄疸に伴う食欲不振，悪心に関連した食事摂取量低下がある (栄養-代謝パターン)
#3　黄疸に伴う皮膚の瘙痒に関連した不眠がある (睡眠-休息パターン)
#4　黄疸に伴う皮膚掻破に関連した皮膚感染症の可能性がある (栄養-代謝パターン)
#5　黄疸に伴う症状・徴候に関連した不安がある (自己知覚パターン)
#6　黄疸に関連した身体外観変化の受け入れ困難感がある (自己知覚パターン)

看護問題の優先度の指針

●黄疸の随伴症状の程度によって看護問題の優先度は異なる．したがって，全身状態を十分に把握し，最も身体的苦痛となっていることや身体状態の悪化に最も影響を及ぼすと判断されることを優先する．
●身体的な症状・徴候が落ち着いており，身体的苦痛や身体状態の悪化に影響を及ぼすことがない場合は，精神的なケアを優先する．

48
黄疸

第6章　消化器系

STEP ❶ アセスメント	STEP ❷ 看護課題の明確化	STEP ❸ 計画	STEP ❹ 実施	STEP ❺ 評価

1 看護問題 ｜ 看護診断 ｜ 看護目標（看護成果）

看護問題	看護診断	看護目標（看護成果）
#1　黄疸に関連した全身倦怠感がある	**倦怠感** **関連因子**：不安, ストレッサー（ストレス要因） **診断指標** □注意力の変化 □周囲に関心を持たない □眠気 □日常的な身体活動の継続困難 □いつもの日課の継続困難 □身体症状の増加 □休憩の必要性が増す □エネルギーの欠乏 □嗜眠傾向 □疲労感	〈**長期目標**〉全身倦怠感が軽減する 〈**短期目標**〉1) 全身倦怠感を軽減するための方法がわかる. 2) 身体状態に応じた活動レベルの範囲内で過ごすことができる

看護計画 ｜ 介入のポイント

OP 経過観察項目

- 全身倦怠感の程度
- 意識レベル
- 体温
- 脈拍
- 呼吸
- 血圧
- 身体活動のレベル
- 黄疸の程度
- 悪心の有無・程度
- 腹部症状の有無・程度

➡全身倦怠感の程度と現在の身体状態を把握する　根拠 現在の身体状態を全体的に把握する必要がある. 劇症肝炎を疑わせる症状・徴候として, 全身倦怠感や悪心の増強がある

TP 看護治療項目

- 休息や睡眠をとりやすい環境を整える
- 活動と休息のバランスがとれた過ごし方ができるようにする
- 必要時, ADL（日常生活動作）に関する援助を行う

- 背部の温罨法を行う
- 足浴によって血液循環を促進する
- 四肢や背部のマッサージを行う
- 気分転換が図れるようにする
- 適時, 患者の思いを聞く

➡十分な休息がとれるようにする　根拠 全身倦怠感の増悪要因を除去し, 全身倦怠感の軽減を図る

➡全身倦怠感によって ADL に支障がないようにする　根拠 倦怠感が著しい場合は, 自力でのADL に困難をきたすことがある

➡全身倦怠感を緩和する　根拠 全身倦怠感による身体的・精神的な不快感を軽減する

➡　根拠 可能な限り, 患者の思いに沿った方法で全身倦怠感の軽減を図る

EP 患者教育項目

- 活動と休息のバランスがとれた過ごし方を指導する

➡全身倦怠感を緩和するための方法がわかるようにする　根拠 全身倦怠感を最小限にする

2 看護問題	看護診断	看護目標（看護成果）
#2　黄疸に伴う食欲不振，悪心に関連した食事摂取量低下がある	**栄養摂取バランス異常：必要量以下** **関連因子**：食糧の供給不足，食物への関心不足，食物嫌悪 **関連する状態**：消化器系疾患 **診断指標** □食物摂取量が1日あたりの推奨量以下	〈**長期目標**〉適切な栄養必要量を摂取できる 〈**短期目標**〉1)適切な食事摂取の必要性がわかる．2)適切な食事摂取ができる

看護計画	介入のポイント
OP 経過観察項目 ●食物の摂取量と摂取した食物の種類 ●水分の摂取量 ●食欲の有無・程度 ●悪心の有無・程度 ●体重の変化の有無・程度	➲食事摂取量に影響を及ぼす要因の有無と程度を把握する **根拠** 食事摂取量の適否を判断し，否の場合は，食事摂取を阻害する要因への対策を立てる ➲ **根拠** 適切な食事摂取ができているか否かの目安とする
TP 看護治療項目 ●可能な範囲で好みに合った食物を提供する ●可能であれば，食物が摂取可能な時に食事摂取時間を調整する ●安楽な体位で食事摂取ができるよう体位を調整する	➲適切な食事摂取ができるようにする **根拠** 肝細胞が障害されている場合は，栄養代謝障害による身体への影響を最小限にする必要がある
EP 患者教育項目 ●食事摂取の必要性を理解し，適切に摂取できるよう指導する	➲適切な食事摂取ができるようにする **根拠** 肝細胞障害によって生じる栄養代謝障害による身体への影響を最小限にする

48 黄疸

3 看護問題	看護診断	看護目標（看護成果）
#3　黄疸に伴う皮膚の瘙痒に関連した不眠がある	**不眠** **関連因子**：環境外乱，不快感，ストレッサー(ストレス要因) **診断指標** □感情の変化 □注意力の変化 □気分の変化 □睡眠に対する不満 □早期覚醒	〈**長期目標**〉十分な睡眠をとることができる 〈**短期目標**〉1)瘙痒の軽減方法がわかる．2)瘙痒に対処できる

看護計画	介入のポイントと根拠
OP 経過観察項目 ●睡眠状況(入眠のスムーズさ，夜間睡眠の持続状況，熟睡感の有無) ●瘙痒の程度 ●搔破痕の有無・程度 ●感情の変化の有無・程度	➲睡眠状況と睡眠に影響を及ぼしている瘙痒の程度を把握する **根拠** 睡眠の良否を判断し，否の場合は，睡眠を阻害する瘙痒への対策を立てる ➲ **根拠** 瘙痒による精神状態への影響を明らかに

833

第6章　消化器系

TP 看護治療項目	する
●1～2% 重曹清拭やヨモギ水による清拭を行う	⊃瘙痒を軽減し，睡眠が十分とれるようにする **根拠** 重曹やヨモギ水は瘙痒の緩和に効果がある とされている
●清拭後に抗ヒスタミン系軟膏を塗布する（就眠 前にも軟膏を塗布する） ●適時，冷罨法を行う ●室内の温度や湿度を調節する ●気分転換が図れるようにする ●適宜，患者の思いを聞く	⊃ **根拠** 精神的なことが瘙痒を増強させる ⊃ **根拠** 可能な限り，患者の思いに沿った方法で 瘙痒の軽減を図る
EP 患者教育項目	
●瘙痒への対処法を指導する ●瘙痒の増強因子がわかるように指導する	⊃瘙痒を軽減するための方法がわかるようにする **根拠** 自分で瘙痒に対処することによって睡眠を 十分にとれるようにする

4 看護問題　看護診断　看護目標（看護成果）

看護問題	看護診断	看護目標（看護成果）
#4　黄疸に伴う皮膚掻破に関連した皮膚感染症の可能性がある	**感染リスク状態** **危険因子**：皮膚統合性障害，病原体との接触回避についての知識不足	〈長期目標〉皮膚感染症が生じない 〈短期目標〉1) 瘙痒の増強因子がわかる. 2) 瘙痒を軽減する方法がわかる．3) 瘙痒に対処できる

看護計画　介入のポイントと根拠

看護計画	介入のポイントと根拠
OP 経過観察項目	
●掻破痕の有無・程度	⊃皮膚感染症発症の可能性を把握する **根拠** 皮膚感染症を起こす可能性があるか明らかにする
●皮膚感染徴候の有無・程度	⊃ **根拠** 皮膚感染症を早期に発見する
TP 看護治療項目	
●皮膚を清潔に保つ	
●1～2% 重曹清拭やヨモギ水による清拭を行う ●清拭後に抗ヒスタミン系軟膏を塗布する（就眠 前にも軟膏を塗布する）	⊃瘙痒を軽減する **根拠** 軽減することによって 掻破を防ぎ，皮膚感染症を予防する
●室内の温度や湿度を調整する ●適時，冷罨法を行う ●気分転換が図れるようにする ●適宜，患者の思いを聞く	⊃ **根拠** 精神的なことが瘙痒を増強させる ⊃ **根拠** 可能な限り，患者の思いに沿った方法で 瘙痒の軽減を図る
●適時，排便を促す ●夜間，無意識に掻いてしまう場合は，手袋をして寝るようにする	⊃ **根拠** 便秘は瘙痒を増強させる ⊃掻破しないようにする **根拠** 掻破を防ぎ，皮膚感染症を予防する
EP 患者教育項目	
●瘙痒への対処法を指導する ●瘙痒の増強因子がわかるように指導する ●排便コントロールの必要性を説明する ●必要時，爪を短く切るよう指導する	⊃瘙痒を軽減するための方法がわかるようにする **根拠** 自分で瘙痒に対処することによって，掻破を防ぎ，皮膚感染症が予防できるようにする
●皮膚の感染徴候がわかるように指導する	⊃ **根拠** 皮膚感染症が生じた場合，患者が自分で早期に発見でき，早期対処が可能になる

834

●感染予防のため適切な食事摂取の必要性を説明する	➡適切な食事摂取ができるようにする 根拠 感染に対する抵抗力をつけるため

5 看護問題	看護診断	看護目標（看護成果）
#5 黄疸に伴う症状・徴候に関連した不安がある	**不安** **関連因子**：ストレッサー（ストレス要因），満たされないニーズ **ハイリスク群**：状況的な危機状態にある人 **診断指標** □不眠 □イライラした気分 □苦悩（苦痛） □不安定な気持ち □どうすることもできない無力感 □混乱 □心を奪われている様子 □激しく怯える気持ち □注意力の変化	〈長期目標〉不安が軽減する 〈短期目標〉1）症状・徴候が生じている理由がわかる．2）症状・徴候の今後の見通しがわかる

看護計画	介入のポイントと根拠
OP 経過観察項目 ●不安の程度	➡不安の程度を把握する 根拠 不安の程度に応じた関わりをする
TP 看護治療項目 ●不安に思っていることについて話し合う ●心配なこと，気がかりなことに対する情報を提供する ●必要時，病態を説明する ●症状の経過についての情報を提供する	➡不安の要因がわかるようにする 根拠 不安になっている要因を除去するため知識を提供する ➡ 根拠 不安に対処する知識をもつことによって不安は軽減する
EP 患者教育項目 ●症状悪化を防ぐ方法を指導する（症状のコントロール方法や症状の発現を最小に抑える方法について指導する） ●身体状態が悪化した場合の症状・徴候がわかるよう指導する	➡ 根拠 患者自身が症状の悪化を予防することによって不安の軽減が可能になる ➡患者が自分で早期に気づくことができるようにする 根拠 症状の悪化の症状・徴候が自分でわかることによって不安の軽減が可能になる

48 黄疸

6 看護問題	看護診断	看護目標（看護成果）
#6 黄疸に関連した身体外観変化の受け入れ困難感がある	**ボディイメージ混乱** **関連因子**：身体意識（体の意識） **診断指標** □社会参加の変化 □他者の反応を恐れる □抑うつ症状 □体の変化に対する非言語的反応	〈長期目標〉身体外観変化の受容を言葉に出して表す 〈短期目標〉1）身体外観の変化が生じている理由がわかる．2）身体外観の変化の今後の見通しがわかる

835

第6章　消化器系

□感じている体の変化に対する非
　言語的反応
□変化に心を奪われている

看護計画

OP 経過観察項目
● 身体外観の変化に対する発言内容・程度
● 他人との接触の程度

TP 看護治療項目
● 身体外観の変化に対する思いを話し合う

● 必要時，病態を説明する
● 症状の経過についての情報を提供する
● 病状がよくなると黄疸は軽減することを話す

EP 患者教育項目
● 必要時，化粧による身体外観変化への対処法を
　指導する(特に女性の場合)
● 必要時，衣服による身体外観変化への対処法を
　指導する

介入のポイントと根拠

⮕ 身体外観の変化をどのように受け止めているか
　を把握する　**根拠** 身体外観に対する受け入れ状
　況に応じた関わりを可能にする

⮕ 身体外観の変化に対する思いを知る　**根拠** 患
者の思いに沿った関わりができるようにする
⮕ 身体外観の変化が生じている理由や身体外観の
変化の今後の見通しがわかるようにする　**根拠**
現在，生じている身体外観の変化についての知識
をもつことによって現状が受け入れやすくなるた
め

⮕ 身体外観の変化への対処法がわかるようにする
根拠 身体外観の変化に対する受け入れが可能に
なる

STEP ❶ アセスメント ▷ **STEP ❷ 看護課題の明確化** ▷ **STEP ❸ 計画** ▷ **STEP ❹ 実施** ▷ **STEP ❺ 評価**

病期・病態・重症度に応じたケアのポイント

【急性期】安静を図れるようにし，症状・徴候を十分に観察していく．また，症状・徴候や治療によっ
　て生じている生活行動上の問題や精神的な問題(不安，ストレス)の解決を図っていく．
【回復期】全身の改善状況に応じて活動レベルを上げ，退院後，自宅で生活をするうえでの留意事項，
　注意事項がわかるようにする．

看護活動(看護介入)のポイント

診察・治療の介助
● 症状や徴候の経過から原因を把握する．
● 治療方針を受けて，治療が効果的に行われるようにする．
　・安静療法：安静が図れるようにする．
　・食事療法：適切な食事摂取ができるようにする．
　・薬物療法：指示された輸液，薬剤を正確に投与する．
　・手術療法：術前は手術に対する身体的・精神的な準備ができるようにする．また，術後は順調に回
　　復できるようにする．
● 検査や治療を受ける際には，身体的・精神的な準備を整える．また，検査後は検査による生体侵襲に
　よって生じる可能性のある症状・徴候の管理を十分に行う．
黄疸に対する援助
● 皮膚の瘙痒の軽減を図る．
● 排便の調整を図る．
● 身体外観の変化を受け入れられるようにする．
全身倦怠感に対する援助
● 全身倦怠感の軽減を図る．

- ●全身倦怠感によって遂行できない ADL の援助を行う.
- ●活動と休息のバランスのとれた過ごし方ができるようにする.

栄養摂取の援助
- ●適切な食事摂取ができるようにする.

心理面に対する援助
- ●黄疸に伴う不安の軽減を図る.

退院指導・療養指導

- ●身体状態に応じた活動ができるよう指導する.
- ●適切な食事摂取の必要性を理解し,適切な食事摂取ができるよう指導する.
- ●瘙痒の増強因子がわかり,対処できるよう指導する.
- ●症状の悪化を防ぐ方法を指導する.
- ●身体状態が悪化した場合の症状や徴候がわかるように指導する.
- ●服薬の必要性を理解し,確実に服薬ができるよう指導する.

STEP ❶ アセスメント ▸ STEP ❷ 看護課題の明確化 ▸ STEP ❸ 計画 ▸ STEP ❹ 実施 ▸ STEP ❺ 評価

評価のポイント

48
黄疸

看護目標に対する達成度
- ●全身倦怠感が軽減しているか.
- ●適切な食事摂取はできているか.
- ●十分な睡眠をとることができているか.
- ●皮膚感染症が生じていないか.
- ●瘙痒への対処法は理解しているか.
- ●黄疸に伴う不安が軽減しているか.
- ●黄疸による身体外観変化に対する受け入れ困難感は軽減しているか.

●参考文献
1) 中野昭一編:図解生理学 第2版,医学書院,2000
2) 中野昭一編:図説からだの仕組みと働き 第2版, 医歯薬出版,1994
3) 中野昭一編:図説病気の成立ちとからだ(Ⅰ) 第2版,医歯薬出版,1999
4) 井上泰訳:これだけは知っておきたい疾病のなりたち,医学書院,2000
5) 関口恵子編:根拠がわかる症状別看護過程 改訂第3版,南江堂,2016
6) 塩見文俊,能川ケイ編:看護のための症候学,学習研究社,2001
7) 奈良信雄:看護アセスメントに役立つ検査値のみかた・読み方,南江堂,2000
8) 高木永子監:看護過程に沿った対症看護 第5版,学研メディカル秀潤社,2018
9) 福井次矢,奈良信雄編:内科診断学 第3版,医学書院,2016
10) 川島みどりほか編著:内科系実践的看護マニュアル,看護の科学社,1995
11) 日野原重明ほか監:肝・胆・膵疾患,看護のための最新医学講座5 第2版,中山書店,2005
12) 日野原重明監:消化器,図説・臨床看護医学3,同朋舎,2000

837

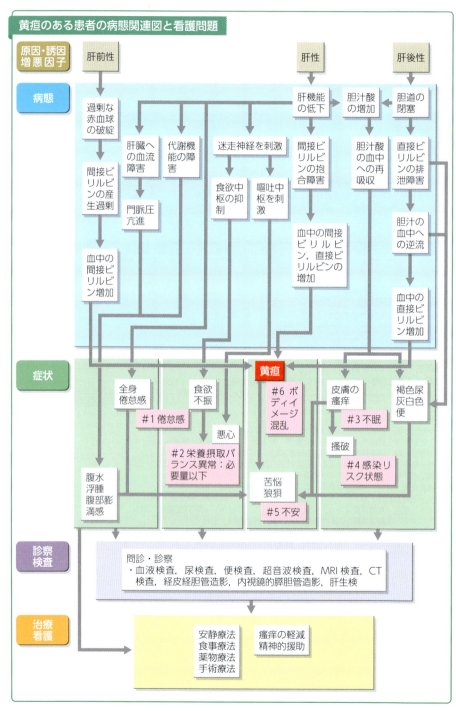

第7章

腎・泌尿器系

49 排尿痛

北原　聡史

目でみる症状

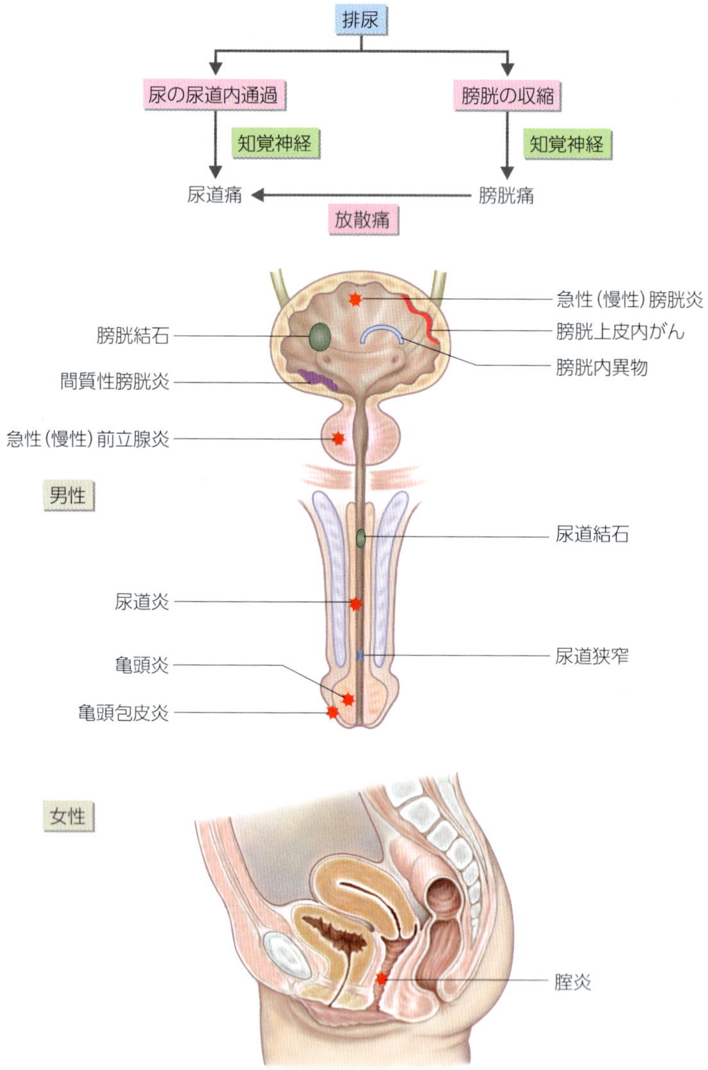

■図49-1　排尿痛の発生機序と主な原因疾患

病態生理

> 排尿痛は排尿時に下腹部から尿道にかけて感じられる痛みで，膀胱の疾患であっても放散痛として尿道の先端に響く痛みとして訴えることがある．ほとんどが感染によるものであるが，他の疾患の鑑別も重要である．

- 多くは膀胱や尿道，さらに男性の場合は前立腺の炎症(感染)が原因である．
- 女性の性的活動期の単純性膀胱炎はしばしばみられるが，男性の場合は基礎疾患のない膀胱炎はない．
- 結石や異物(自ら入れて取り出せなくなったコードなど)による物理的刺激によることもある．
- 膀胱がんのなかで，上皮内がんは排尿痛を初期症状とすることがある．
- 間質性膀胱炎(最近では骨盤痛症候群とも呼ばれる)は原因不明の非感染性疾患であり，中年の女性に多く，頻尿と排尿痛(終末時排尿痛または排尿後痛)を示す．
- 痛みのために排尿ができずに(反射的に排尿を止めてしまう)，尿閉になることが小児でみられる．
- 原因が不明で心身症と思われる病態もある．
- 痛みが排尿中のどの時期に強いかで初期排尿痛と終末時排尿痛あるいは排尿後痛に分類される．
  - ①初期排尿痛：排尿の初めに痛みが特に強い場合を初期排尿痛という．急性前立腺炎にしばしばみられ，初めに前立腺部尿道に尿が通過して痛みを感じる．また，急性尿道炎，特に淋病などの前部尿道炎にみられ，排尿を続けると痛みが緩和する．尿道結石や尿道狭窄でも同様の症状がみられることがある．
  - ②終末時排尿痛あるいは排尿後痛：排尿の最後からその後にかけて痛みが感じられることで，膀胱炎にみられることが多く，間質性膀胱炎(骨盤痛症候群)や膀胱結核などでも認められる．

患者の訴え方

- **主症状の訴え**
- 「排尿する時，痛い」「尿の出る時，下腹部が痛い」「尿をする時に尿道の先がしみる」「排尿時ペニスが痛い」など．
- **随伴症状**
- 尿が濁る，血尿，頻尿，残尿感，尿が間に合わなくて漏れる(切迫性尿失禁)：これらは膀胱や尿道の炎症，結石や異物による刺激によるものである．
- 発熱：急性前立腺炎や膀胱周囲膿瘍などではみられるが，一般の尿道炎や膀胱炎ではみられない．
- 排尿困難あるいは尿閉：前立腺肥大症に急性前立腺炎が合併した場合や，尿道への結石や異物の嵌頓(かんとん)，痛みがひどく反射的に排尿を我慢してしまう小児などにみられる．
- 下着が膿で汚れる：尿道炎，亀頭包皮炎(包茎)の場合に外尿道口からの排膿で下着が汚れるが，腟炎の場合は下着の汚れが後方になる．

診断

> 原因疾患のほとんどが感染症であるので，まず検尿を行い，膿尿(尿に白血球が混入した状態：尿沈渣を400倍で検鏡して1視野に5個以上の白血球を認める)であれば，尿中の菌の培養を行って原因菌(クラミジアやトリコモナスのように細菌でないこともある)を確定する．

- 女性の場合は腟から帯下(おりもの)により，正常でも膿尿と間違われることがある．この時，尿中には腟上皮がたくさんみられる．よって，正確に検査するにはカテーテルで導尿する．
- 慢性前立腺炎では膿尿でないこともある．これを疑う場合は，(経直腸的に)前立腺マッサージをしたのちに，初期尿を検尿するとよい(膿尿がみられる)．
- 腟炎，亀頭包皮炎，尿道カルンクルなどは視診により判断できるので，恥ずかしいとか面倒だと思わずに局所をみること，あるいは患者に病状をよく聞くことが大切である．
- **原因・考えられる疾患**
- 代表的な疾患を図49-1および表49-1にまとめた．
- **鑑別診断のポイント**(図49-2)
- 性別，年齢，症状の経過，随伴症状(表49-2)を考えて鑑別する．
- 第一に検尿を行い，膿尿がないか確認する．
- 検尿ができない場合は，水分を摂取してもらい少し待ってから採尿してもらうか，導尿を行う．

49

排尿痛

841

■表 49-1　排尿痛の原因または考えられる疾患(赤字は緊急対応を要する疾患)

感染性疾患による排尿痛	非感染性疾患による排尿痛
●男性 ●尿道炎（淋病，非淋菌性尿道炎） ●急性前立腺炎 ●慢性前立腺炎 ●亀頭包皮炎 ●女性 ●急性膀胱炎 ●慢性膀胱炎 ●腟炎	●結石・異物 ●膀胱結石 ●尿道結石 ●膀胱異物 ●尿道異物 ●腫瘍 ●膀胱の上皮内がん ●その他 ●間質性膀胱炎(骨盤痛症候群) ●尿道狭窄 ●尿道カルンクル ●心身症

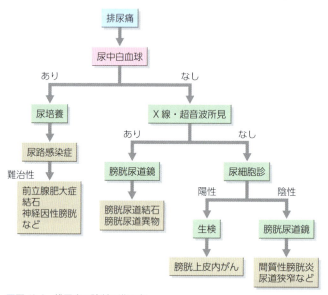

■図 49-2　排尿痛の診断の進め方

■表 49-2　随伴症状から考えられる排尿痛の原因疾患と病態(赤字は緊急対応を要する疾患とその随伴症状)

	随伴症状	考えられる疾患と病態
感染性疾患による排尿痛	発熱 排尿困難 下着が膿で汚れる 会陰部痛 頻尿，残尿感，血尿	急性前立腺炎，膀胱炎に合併した腎盂腎炎 前立腺肥大症に併発した急性前立腺炎 尿道炎，腟炎 慢性前立腺炎 急性膀胱炎など
非感染性疾患による排尿痛	排尿困難 痛みの移動 頻尿 血尿	尿道結石(結石の尿道嵌頓)，尿道異物 心身症の疑い 膀胱上皮内がん，間質性膀胱炎(骨盤痛症候群)，尿管下端の結石 膀胱結石，膀胱異物

- 発熱や尿閉(著明な排尿困難)の場合，あるいは著明な血尿の場合は緊急性があるが，それらがない場合には基本的に緊急性はない．
- 発熱や排尿障害がない場合には基本的に血液検査の必要はない．
- 女性の単純性膀胱炎以外では，尿の細菌培養を行い，原因菌の確認と薬物に対する菌の感受性をみる．難治性や再発の場合は，必ず尿の培養を行うとともに膀胱尿道鏡などの検査を行う．尿の培養が陰性の時は結核も考える．

治療法・対症療法

■ 感染症であれば基礎疾患(前立腺肥大症や糖尿病など)を含めて治療する．

●治療方針
- 感染の場合は，排尿困難あるいは残尿がなければ水分の摂取を指導し，アルコールなどの刺激物は禁止する．
- 尿閉あるいは著明な排尿困難時には尿道カテーテルを留置する．
- 38℃以上の発熱時(特に高齢者の場合)には，入院させて注射剤の抗菌薬を使用するとともに補液する．
- 感染症でなければ，その疾患に適した生活指導や検査・治療を始める．
- 尿路結石や異物に対しては内視鏡的に摘出する．
- 膀胱がん(上皮内がん)は内視鏡的に切除(生検)し，病理組織学的に確認したあと治療・経過観察を続ける．
- 間質性膀胱炎(骨盤痛症候群)は生活指導に加え，膀胱拡張術，ジムソ膀胱内注入などを行う．

●薬物療法
- 症状や所見から原因の病原体を予想し，これに有効と思われる抗菌薬などを使用する．細菌では耐性菌もしばしばみられるので，薬が無効な場合に尿培養に出し，原因菌や感受性を確認する．
- 痛みが強い場合は鎮痛薬を併用する．
- 膀胱がん(上皮内がん)にはBCGの週1回膀胱内注入を6〜8回行う．ただし，BCG注入が排尿痛を起こすことがある．

Px 処方例 膀胱炎　下記のいずれかを用いる．
- クラビット錠(500 mg)　1回1錠　1日1回　食後　←抗菌薬
- オーグメンチン錠(250 mg)　1回1錠　1日3回　朝昼夕食後　←抗菌薬
※いずれも4日間処方して評価する．

Px 処方例 淋菌尿道炎　下記のいずれかを用いる．
- セフスパンカプセル(100 mg)　1回1カプセル　1日2回　朝夕食後　3日間　←抗菌薬
- トロビシン注　1回2g　1日1回　筋注　単回投与　←抗菌薬
- ロセフィン注　1回1g　1日1回　静注　単回投与　←抗菌薬

Px 処方例 前立腺肥大症に伴う急性前立腺炎　下記の3剤あるいは上から順に2剤を併用する．
- ロセフィン注　1回1g　1日1回または1日2回(朝・夕)　点滴静注　←抗菌薬
- ハルナールD錠(0.2 mg)　1回1錠　1日1回　食後　←前立腺肥大治療薬
- ロキソニン錠(60 mg)　1回1錠　1日3回　朝昼夕食後　←解熱鎮痛薬

Px 処方例 腟炎：原因病原体に対応して処方　下記の2剤を併用する．
- フラジール内服錠(250 mg)　1回1錠　1日2回　朝夕食後　←トリコモナス腟炎治療薬
- フロリード腟坐薬(100 mg)　1回100 mg　1日1回　腟深部挿入　←カンジダ腟炎に対する抗真菌薬

Px 処方例 上皮内がん(膀胱がん)
- イムノブラダー膀注用(80 mg/バイアル)　1回80 mgを生理食塩液40 mLで希釈　膀胱内注入後2時間我慢して後に排出　週1回　標準で8週間繰り返す　←抗腫瘍薬(BCG)

Px 処方例 間質性膀胱炎(ハンナ型)の諸症状
- ジムソ膀胱内注入液50%(50 mL/バイアル)　1回あたり1バイアルを2週間間隔で6回，膀胱内に注入．可能な限り15分以上膀胱内に保持する　←間質膀胱炎治療薬

■表49-3 排尿痛の主な治療薬

分類	一般名	主な商品名	薬の効くメカニズム	主な副作用
抗菌薬 (尿路性器感染症治療薬)	レボフロキサシン水和物	クラビット	細菌のDNA複製阻害	アナフィラキシー，発疹，けいれん，肝障害，血液障害，嘔吐，下痢，頭痛
	(合剤)アモキシシリン水和物・クラブラン酸カリウム	オーグメンチン	細菌の細胞壁合成を阻害することで殺菌的に作用	アナフィラキシー，発疹，腎障害，下痢，胃痛，血液障害，肝障害
	セフィキシム水和物	セフスパン		
	セフトリアキソンナトリウム水和物	ロセフィン		
	スペクチノマイシン塩酸塩水和物	トロビシン	細菌の30Sリボゾームに結合し，最近の蛋白合成を阻害する	ショック，注射部痛(筋注のため)
前立腺肥大治療薬 (α-ブロッカー)	タムスロシン塩酸塩	ハルナール	前立腺部の尿道内圧を低下させる	起立性低血圧 逆行性射精
トリコモナス治療薬	メトロニダゾール	フラジール	抗原虫作用	末梢神経障害
抗真菌薬	ミコナゾール硝酸塩	フロリード	抗真菌作用	過敏症
非ステロイド性抗炎症薬 (鎮痛薬)	ロキソプロフェンナトリウム水和物	ロキソニン	プロスタグランジン生合成抑制	アナフィラキシー，消化性潰瘍，腎障害，ニューキノロン系抗菌薬との相互作用でけいれん
外用抗がん剤	乾燥BCG膀胱内用(日本株)	イムノブラダー	免疫担当細胞の活性化	アナフィラキシー，結核，発熱，萎縮膀胱，間質性肺炎
抗不安薬 (心身症など)	ジアゼパム	セルシン	大脳辺縁系に作用して鎮静作用を現す	薬物依存，呼吸抑制，眠気，発疹，口渇
間質性膀胱炎治療薬	ジメチルスルホキシド	ジムソ	炎症抑制，鎮痛，コラーゲンの分解などの作用がある	膀胱痛，呼気のニンニク臭など

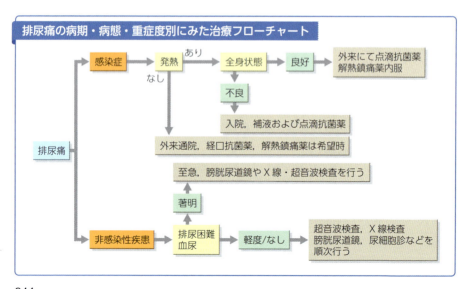

排尿痛のある患者の看護

江本　厚子

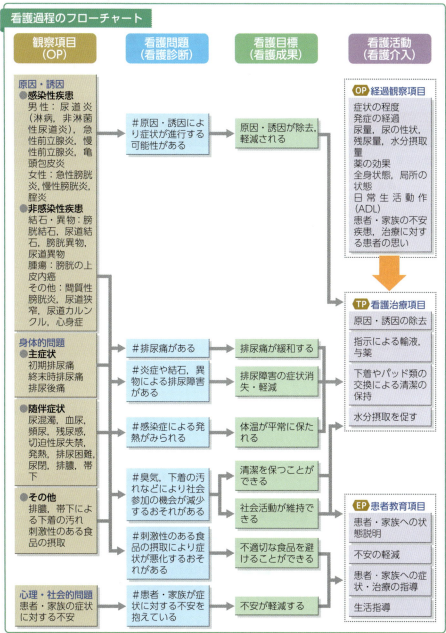

第7章　腎・泌尿器系

基本的な考え方

- 痛みの種類や部位，随伴症状などから原因を把握し，症状の緩和や安楽の援助を行う.
- 排尿痛の原因疾患のほとんどが感染症であり，原因菌を確定してから治療を開始する.
- 腟や陰茎など生殖器の疾患が原因の場合もあるので，患者の羞恥心に配慮しながら，問診や患部の観察を行う必要がある.
- 再発予防や症状の増悪を防ぐために生活指導を行う.

緊急 尿路結石や異物による尿閉や排尿困難がある時は，速やかに結石・異物の除去を行う必要がある. また，残尿が多量にある時は尿道留置カテーテルの挿入など迅速な処置が必要であるため，これらの症状を疑わせる情報やサインを見逃さないように十分な観察を行う. 肉眼的な血尿がみられたら出血部位を特定し，止血処置を行う.

STEP❶ アセスメント ▶ STEP❷ 看護課題の明確化 ▶ STEP❸ 計画 ▶ STEP❹ 実施 ▶ STEP❺ 評価

情報収集	アセスメントの視点と根拠・起こりうる看護問題
病歴の把握	患者・家族から症状出現の経過，症状の変化を聞くことで，原因・誘因の特定や全身症状の把握につながり，治療や看護ケアにも重要な情報を得ることができる.
経過	●いつから，どのくらい続いているか. ●急激に始まったか，前駆症状があったか. ●痛みが起こる時期（排尿の初期か，排尿終末時から排尿後にかけてか） ●疼痛部位の移動の有無，痛みはどんな時に移動するか.
誘因	●失禁の有無 ●尿道留置カテーテルの使用の有無 ●寝たきりになっていないか. ●食べ物との関係はないか. ●服薬との関係　**原因・誘因** 抗癌剤，ステロイド薬など
随伴症状	●発熱，尿混濁，血尿，頻尿，残尿感，切迫性尿失禁，排尿困難，尿閉，排膿，帯下 ●全身倦怠感 ●悪心・嘔吐
生活歴	●排尿習慣 ●飲酒の習慣 ●水分摂取量 ●ストレスの有無 ●排泄後の清潔行動
既往歴	●前立腺肥大症，神経因性膀胱，尿路結石症，泌尿器系癌の手術，糖尿病，痛風，放射線治療など
その他	●年齢・性別 ●性感染症者との性交の有無
主要症状の出現状況，程度，性状の把握	症状の出現状況や尿の性状を把握することで，原因疾患の特定につながる情報が得られる.
疼痛の出現状況	●排尿初期　**原因・誘因** 急性前立腺炎，急性尿道炎，淋菌性尿道炎，尿道結石，尿道狭窄 ●排尿終末時または排尿後　**原因・誘因** 膀胱炎，間質性膀胱炎 ●射精中または射精後　**原因・誘因** 前立腺炎 ●尿貯留時（膀胱痛）　**原因・誘因** 間質性膀胱炎
疼痛の部位 膀胱刺激症状	●膀胱（下腹部），尿道，尿道口，鼠（そ）径部，陰茎，会陰部，肛門周囲 ●頻尿，下腹部痛，下腹部不快感，尿意切迫感，残尿感の有無と程度

846

全身状態，随伴症状の把握	症状の経過の把握とともに，随伴症状を観察し，治療，看護計画の立案に有効に反映する．
バイタルサイン 脱水状態 尿の性状	●発熱 ➡感染症を鑑別する． ●水分摂取量の減少や発熱による脱水状態を把握する． ●尿混濁の程度 ●血尿 **緊急** 肉眼的血尿には止血などの処置を行う． ●膿尿，細菌尿
泌尿器・生殖器からの分泌物	●尿道分泌物 ●帯下（おりもの）：液状帯下，血性帯下，膿性帯下，白色帯下など ●臭気
尿量 排尿困難	●1回排尿量 ●頻尿 **原因・誘因** 膀胱炎，尿道炎，結石，異物，腫瘍など ●残尿感 ➡残尿量の測定を行う． ●溢（いつ）流性尿失禁 **原因・誘因** 尿道狭窄，神経因性膀胱，薬剤など ●尿意切迫感 **原因・誘因** 膀胱炎，前立腺炎，腫瘍など ●尿意を感じてからトイレで排尿するまで間に合わない（切迫性尿失禁） **原因・誘因** 膀胱炎，結石など ●尿流低下（尿流量は膀胱の収縮力と尿道抵抗に左右される） ●排尿開始遅延 **原因・誘因** 前立腺肥大症，神経因性膀胱など ●排尿中に尿の流出が途切れる（尿線中断）**原因・誘因** 結石，尿道狭窄，腫瘍など ●尿閉 **原因・誘因** 前立腺肥大症，神経因性膀胱，腫瘍，薬剤など ●膀胱膨満 🔍 **起こりうる看護問題**：排尿痛がある／炎症や結石，異物による排尿障害がある／感染症による発熱がある／水分摂取量の不足がある／性感染症をパートナーへ罹患させる危険性がある／臭気，下着の汚れなどにより社会参加の機会が減少する／症状に関する知識不足がある
患者・家族の心理・社会的側面の把握	排尿痛や排尿障害などの症状に対する苦痛と不安を感じる．また，症状に対する不安から外出を控えるなど社会活動が縮小したり，羞恥心から人に症状のつらさを話せず孤立感を覚えることがある． ●症状出現の経緯などを聞きながら，患者・家族が症状をどのように感じているか，どのようなことに不安や困難を感じているか聞き出す． ●**小児** それぞれの年齢にあった言葉がけを行い，苦痛や症状を把握し，不安の軽減に努める． ●原因疾患の治療による苦痛や全身状態の改善とともに，退院に向けて，今後の生活指導や療養上の注意事項を指導する． 🔍 **起こりうる看護問題**：患者・家族が症状に対する不安を抱えている／臭気，下着の汚れなどにより社会参加の機会が減少する

49 排尿痛

| STEP❶ アセスメント | STEP❷ 看護課題の明確化 | STEP❸ 計画 | STEP❹ 実施 | STEP❺ 評価 |

看護問題リスト

#1 排尿痛がある（認知-知覚パターン）

#2 炎症や結石，異物による排尿障害がある（排泄パターン）

#3 感染症による発熱がみられる（栄養-代謝パターン）

#4 臭気，下着の汚れなどにより社会参加の機会が減少するおそれがある（自己知覚パターン）

#5 患者・家族が症状に対する不安を抱えている（自己知覚パターン）

847

第7章　腎・泌尿器系

看護問題の優先度の指針

- 排尿痛の原因疾患のほとんどが感染症であるため，尿検査を行い原因菌を確定したり，原因疾患を特定してから治療を始める．しかし，尿閉や重度の排尿困難がある場合は，緊急に尿を排出させる必要がある．血尿が明らかな場合，止血などの処置が必要である．検査や治療に伴う苦痛の緩和に努める．
- 排尿は通常1日平均5〜8回行われる生理的現象である．排尿時の痛みは苦痛が強く，排尿障害や発熱などの随伴症状も苦痛が強いため，苦痛の緩和や心身の安楽を図るケアが必要である．
- 膀胱上皮内癌のように再発率が高い疾患や間質性膀胱炎のように難治性で，治療法が確立していない疾患は心身の苦痛が強く，治療におそれを抱くことが考えられ，患者・家族の不安の解消に努める．

| STEP❶ アセスメント | STEP❷ 看護課題の明確化 | STEP❸ 計画 | STEP❹ 実施 | STEP❺ 評価 |

1 看護問題	看護診断	看護目標（看護成果）
#1　排尿痛がある	**急性疼痛，慢性疼痛** **関連因子**：感染症，泌尿器・生殖器疾患 **診断指標** □言葉による疼痛の訴え □表現行動 □痛みの顔貌	〈長期目標〉排尿痛を緩和する方法を言うことができる 〈短期目標〉1) 排尿痛が軽減する．2) 排尿痛の原因や処置，痛みの増強要因を言える

看護計画	介入のポイントと根拠
OP 経過観察項目 ● 症状の部位，出現状況，程度 ● 尿検査データ **TP 看護治療項目** ● 抗菌薬および鎮痛薬の薬物管理をする ● 疼痛に関する訴えを聞く **EP 患者教育項目** ● 排尿痛の原因や誘因，その後の予測される経過を説明する	⭕排尿痛の時期（排尿初期，排尿終末時，排尿後，尿貯留時）によって原因が異なる ⭕痛みが強い場合は，指示された鎮痛薬を投与して痛みを緩和する ⭕痛みの訴えと反応をよく聞く　**根拠** 時間の経過とともに症状が悪化する場合もある ⭕痛みの原因や誘因と，検査や治療により予測される苦痛・感覚を患者に説明する　**根拠** 痛みの予期的な提示により，ストレスを軽減できる ⭕ **小児** 言葉で訴えられない小児には，痛みの訴え方を教えたり，表情で表す尺度を用いる

2 看護問題	看護診断	看護目標（看護成果）
#2　炎症や結石，異物による排尿障害がある	**排尿障害** **関連する状態**：尿路感染症，解剖学的閉塞 **診断指標** □尿閉 □頻回の排尿 □遅延性排尿 □尿意切迫 □尿失禁	〈長期目標〉1) 排尿障害の原因が取り除かれる．2) 排尿障害が消失もしくは軽減したと言える 〈短期目標〉1) 排尿障害の原因を言える．2) 尿が排出できる．3) 尿回数が減る．4) 残尿がなくなる．5) 失禁がなくなる

848

看護計画	介入のポイントと根拠
OP 経過観察項目 ●排尿障害の症状と程度：尿閉，排尿困難，膀胱の膨満，頻尿，遅延性排尿，尿意切迫，尿失禁，残尿感 ●排尿回数，1回尿量，尿の性状 ●結石，異物の大きさ ●活気，疲労感 ●不安，不眠，焦燥感などの精神症状	➡排尿障害の種類と重症度を客観的指標を用いて特定する ➡ 小児 小児では，痛みに対して反射的に排尿を止めてしまうことがある ➡排尿困難によるによる疲労感，活力の低下などに注意する
TP 看護治療項目 ●医師に指示された輸液剤，薬物を投与する ●定期的な残尿測定と間欠導尿を行う ●排尿環境を整備する ●失禁時は適切なケア用品を選択し，使用する ●十分な睡眠がとれるように援助する ●一般的に尿路結石や異物に対しては内視鏡下で摘出されるので，その準備を行う	➡残尿測定は，導尿して行う場合と，超音波残尿測定装置を用いて残尿の有無や量を確認してから導尿する場合がある 根拠 残尿が多いと膀胱から尿管，腎臓へと逆流して，腎盂腎炎や尿路感染症による敗血症を起こすことがある．特に溢流性尿失禁では，多量の残尿を認めることが多いので，定期的にチェックする ➡個室以外では，トイレの近くの病室にする．排尿動作が緩慢な高齢者は，ベッドサイドにポータブルトイレを設置する 根拠 頻尿や遅延性排尿などの症状がある場合，排尿行為による疲労を防ぐ
EP 患者教育項目 ●排尿障害の原因と治療を説明する ●水分摂取の必要性を説明する	➡頻尿や失禁，排尿痛がある場合など，患者が水分摂取を控えていることがあるので確認する 根拠 水分摂取量の減少は，脱水や局所の感染を悪化させる

3 看護問題	看護診断	看護目標（看護成果）
#3 感染症による発熱がみられる	**高体温** **関連する状態**：健康状態の悪化 **診断指標** □触ると温かい皮膚	〈長期目標〉患者は正常な体温を維持する 〈短期目標〉1)平熱になる．2)随伴症状が消失する

看護計画	介入のポイントと根拠
OP 経過観察項目 ●熱型 ●水分出納 ●随伴症状：悪寒，発汗，倦怠感，食欲不振，脱水など ●尿の性状：混濁尿，膿尿，血尿 ●電解質データ ●細菌検査データ	➡熱の日内変動を観察する 根拠 重篤な合併症である腎盂腎炎や敗血症を疑う熱型(弛張熱)の早期発見となる
TP 看護治療項目 ●高熱時は冷罨法を行う	➡悪寒があるときには温める

49

排尿痛

849

第7章　腎・泌尿器系

- ●確実に薬物を投与する
- ●室温や湿度，寝具類など，病室環境を整備する
- ●水分補給を行う

⮕抗菌薬の投与とともに，水分・電解質の補正のため，点滴による補液が行われる
⮕排尿痛や頻尿，倦怠感からトイレの回数を増やしたくないため水分を補給したがらない場合がある　高齢者 体液量が減少している高齢者では，発熱による脱水に特に気をつける

- ●食欲不振がある場合は，栄養補給を行う

⮕アイスクリームやゼリー，スープなど口当たりのよいものを，患者の好みにあわせて選ぶ

- ●清潔を保持する

⮕皮膚，陰部，口腔内の清潔を保つ　根拠 発汗や尿失禁によって皮膚，陰部や寝衣・下着が汚染されやすい

EP 患者教育項目
- ●水分摂取の必要性を説明する
- ●皮膚，特に陰部の清潔の保持を説明する

⮕根拠 水分摂取の必要性を正しく理解することで治療への協力が得られる

4 看護問題	看護診断	看護目標（看護成果）
#4　臭気，下着の汚れなどにより社会参加の機会が減少するおそれがある	自尊感情状況的低下リスク状態 **関連する状態**：機能障害 **ハイリスク群**：失敗を繰り返し経験している人 **危険因子**：社会的役割の変化を受け入れることが困難，否定的な諦め	〈長期目標〉1）患者が自分の症状に適切に対処できる．2）発症以前と同様に社会活動が維持できる 〈短期目標〉1）適切な方法で，臭気や下着の汚染を防ぐことができる．2）発症以前に行っていた社会参加ができる

看護計画	介入のポイントと根拠
OP 経過観察項目 ●患者の困難の受け止め方，対処方法 ●臭気，下着の汚れの程度 ●陰部の皮膚の状態 ●抑うつ的な言動や表情 ●状態や治療に対する質問の有無，内容 ●買い物やイベントなどの社会活動への参加状況 ●羞恥心などから症状を人に言えずに，患者が自分を卑下していないか，患者の言動に注意する	⮕患者が症状をどのくらい困難と感じているか，どのように対処しているかを聞き取ったり，観察したりする ⮕非言語的表現をとらえる　根拠 高齢者 活動性の低下している高齢者には，表情や態度などの表出を見逃さないようにする ⮕患者は羞恥心や周囲への遠慮から，外出や社会活動を避けていることがある
TP 看護治療項目 ●患者にとって何が苦痛で，何が困難かを十分聞き，対処方法を一緒に考える ●必要時，自己導尿ができるよう指導する ●臭気や下着の汚れなどを軽減・解消する製品を紹介し，試してみる ●皮膚ケアを行う ●治療や処置を行う場合は説明を十分に行う．心配や質問がないかを聞き，丁寧に答える	⮕患者にとって実現可能な，希望に合った方法を考える ⮕残尿がある場合は自己導尿を指導する　根拠 外出時間の長さによって，外出先で尿を排出させる必要がある ⮕多種多様な製品があるので，扱いやすさや価格，付け心地など，患者に合ったものを試しながら選んでいく ⮕清潔に保つ　根拠 陰部の清潔を保つことによって感染の増悪を予防する

850

EP 患者教育項目
- 臭気や下着の汚れなどを軽減できるよう製品の使い方を一緒に検討する
- 自己導尿を行う場合は外出先でも適切にできるよう方法を指導する
- 難治性の間質性膀胱炎などでは患者会を紹介し，意見や情報交換ができるように勧める

⮕ 清潔に自己導尿できるように，手技や異常時の対処の方法を指導する

5 看護問題	看護診断	看護目標（看護成果）
#5　患者・家族が症状に対する不安を抱えている	**不安** **関連因子**：ストレッサー，満たされないニーズ **診断指標** □緊張感 □イライラした気分 □不安定な気持ち	〈**長期目標**〉患者・家族が心理的・身体的安楽が増大したことを表現できる 〈**短期目標**〉1) 不安を言葉に出して表現できる．2) 表情や身振りが苦痛を軽減していることを反映している

看護計画	介入のポイントと根拠
OP 経過観察項目 ● 不安や恐れの訴え，攻撃的な口調 ● 不安の表情，落ち着きがない様子 ● 生理的反応：ふるえ，または手指の振戦，頻脈，頻呼吸，泣く ● 状態や治療に対する質問の有無，内容	⮕ 表情や口調など非言語的表現をとらえる 小児 高齢者 言語表現が十分ではない小児や活動性の低下している高齢者には，言葉以外の訴えの表出を見逃さないよう注意する．また家族に対しても配慮する
TP 看護治療項目 ● 患者が不安を表出しやすいような態度で接する ● 不安を緩和，除去する ● 治療や処置を行う場合は説明を十分に行い，心配や質問がないか尋ねる．質問に対しては患者が理解できるように答える	⮕ 支援的態度で接する 根拠 支援的態度が不安の表出を促す ⮕ 不安の原因を除去する 根拠 原因を取り除くことで不安も消失する ⮕ 患者の不安の表情を見ながら，わかりやすく説明する．必要時には医師から説明してもらう 根拠 事前に説明することで，不要な心配を払拭する
EP 患者教育項目 ● 不安なことやわからないことがあれば，なんでも医療者に尋ねるように説明する	⮕ 患者の表情や様子をみて，看護師から患者に気になっていることがないか聞く

49
排尿痛

STEP ❶ アセスメント　STEP ❷ 看護課題の明確化　STEP ❸ 計画　STEP ❹ 実施　STEP ❺ 評価

病期・病態・重症度に応じたケアのポイント

【急性期】排尿痛の原因のほとんどは感染によるが，結石や尿道狭窄などの非感染症が原因のこともある．早期に原因疾患や原因が特定され，適切な治療が行われることが重要となる．感染症では，抗菌薬を使用し，原因菌の除去を行う．緊急性の対処が必要になるのは尿閉や重度の排尿困難であり，尿道カテーテルを留置する．結石や異物が尿閉の原因の場合は内視鏡的除去が行われる．肉眼的血尿がみられる場合は，止血が必要となる．38℃以上の高熱には，入院して抗菌薬の投与と補液を行う．痛みを緩和し，排尿障害による問題を把握し，看護ケアにつなげていく．

【回復期】原因疾患の治療が継続される．疾患の改善に伴い，症状に関する知識を提供し，再発予防のセルフケア行動がとれるように生活指導を行う．間質性膀胱炎は，膀胱訓練や食事療法の指導を行う．

851

第7章　腎・泌尿器系

看護活動（看護介入）のポイント

診察・治療の介助
- 排尿痛の出現時期や持続時間，痛みを感じる部位，随伴症状から，原因・誘因を把握する．
- 尿閉や重度の排尿困難がある場合は，尿道カテーテルを留置する．
- 38℃以上の発熱がみられる場合は，入院加療（抗菌薬の投与，補液）を行うので，指示された輸液剤，薬物を正確に投与する．
- 尿路結石や異物の摘出は通常，内視鏡的に行われるので，その準備と介助を行う．
- 膀胱癌の場合は，生検し病理組織学的に確認したのち，治療を行うことになるので介助する．
- 間質性膀胱炎は膀胱鏡検査，生検を行ったのち，薬物療法，手術療法，膀胱訓練，食事療法などの治療が行われるので介助する．

排尿痛に対する援助
- 痛みが強い場合は，医師の指示による鎮痛薬を投与する．
- 安楽な体位をとる．
- 指示された薬物投与を正確に行う．

排尿障害の援助
- 頻尿や遅延性排尿がある場合は，トイレに近い病室を割り当てたり，夜間はポータブルトイレをベッドサイドに置いたり，体力の消耗を最小にできるよう環境を整える．
- 発熱や失禁などがある場合は，皮膚の清潔を保持する．
- 水分摂取を勧める．
- 残尿が多い場合は，間欠的導尿を行う．

退院指導・療養指導

- 抗菌薬の正しい服薬行動を指導する．
- 感染症の場合は，再発予防のために十分な水分摂取の必要性を説明する．
- 尿路感染症予防のための清潔ケア方法（排泄後の清拭，清潔な下着類の着用，自己導尿など）を指導する．
- 症状が再発しやすい場合は，定期的な受診や検査を指導する．
- 間質性膀胱炎の場合は，刺激性のある食品（グレープフルーツなどの柑橘系果物，香辛料など）の制限など生活指導を行う．また，患者会などを紹介する．

STEP❶ アセスメント　STEP❷ 看護課題の明確化　STEP❸ 計画　STEP❹ 実施　STEP❺ 評価

評価のポイント

看護目標に対する達成度
- 排尿痛が消失もしくは軽減しているか．
- 感染症が原因の場合は，発熱などの炎症症状が消失しているか．
- 十分な水分摂取ができているか．
- 頻尿や排尿困難などの排尿障害が軽減しているか．
- 皮膚の清潔状態が保持できているか．
- 原因疾患の根治ができない場合や排尿障害を抱えたまま退院する場合の生活指導が理解できているか．
- 患者・家族が心理的・身体的安楽が増大したことを表現できているか．

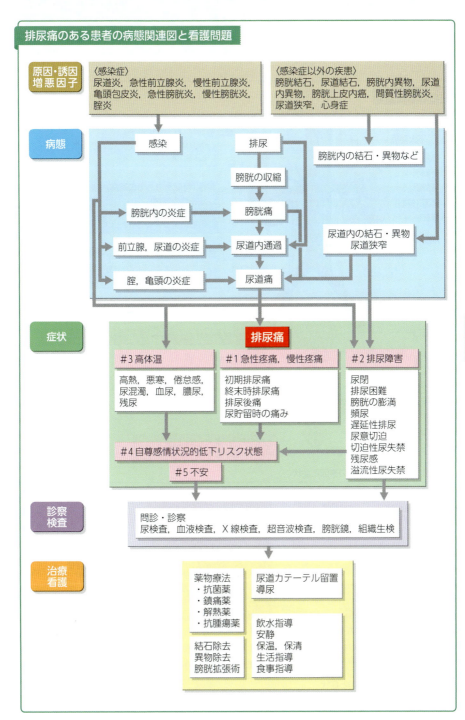

50 乏尿・無尿・尿閉

川上 理

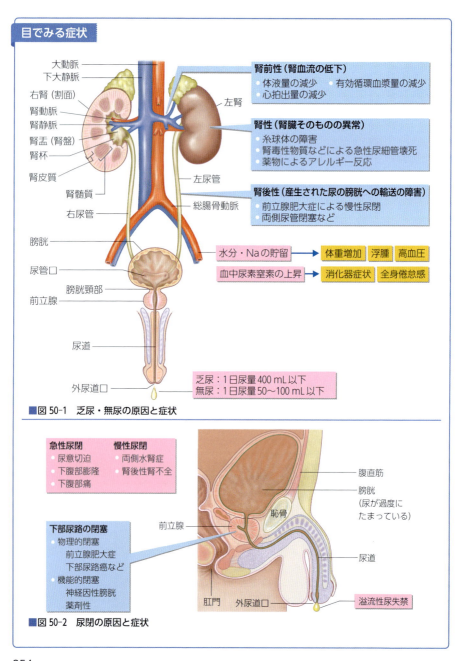

■図 50-1 乏尿・無尿の原因と症状

■図 50-2 尿閉の原因と症状

病態生理

乏尿・無尿とは何らかの原因で腎機能が低下し（急性腎障害），尿量が減少している病態．尿閉とは尿の腎における生成と上部尿路の通過には障害がなく，膀胱に蓄尿されるが，膀胱から尿道を経由して体外への排尿が困難である病態（図 50-1, 2）．

● 乏尿・無尿の定義：1 日尿量が 400 mL 以下を乏尿，1 日尿量が 50〜100 mL 以下を無尿と定義する．

患者の訴え方

乏尿・無尿も尿閉も「尿が出ない」あるいは「尿量が少ない」ことが主症状・所見として共通するが，その病態生理は全く異なり，随伴症状も異なる．

● **主症状の訴え**
● 乏尿・無尿：急性腎不全に伴う尿の生成量が減少している．したがって，膀胱への蓄尿がないため，尿意がなく，たとえ排尿を試みても尿が出ないという訴えとなる．尿道カテーテル留置状態では，単純に尿量の減少として観察されうる．
● 尿閉：排尿したくても排尿できないとの訴えである．完全尿閉では全く排尿できないが，不完全尿閉では少量排尿が可能であり，1 回排尿量の減少を伴う高度の頻尿を「尿が出すぎる」「尿が多すぎる」と表現する場合があるため，問診には注意が必要である．

● **随伴症状**
● 乏尿・無尿：急性腎不全により，全身倦怠感，食欲不振，悪心，浮腫，呼吸困難，昏睡，筋けいれんなどの尿毒症症状が随伴しうる．
● 尿閉：急性尿閉では 1 回排尿量の減少を伴う高度の頻尿，過度の膀胱拡張による尿意切迫，下腹部痛，下腹部膨隆，溢（いつ）流性尿失禁を伴う．一方，慢性尿閉では強い尿意，疼痛などの急性期症状を欠くことが多く，腎不全に至るまで訴えのない場合もある．尿閉に尿路感染症を合併した場合には，しばしば重症感染症に発展する．

診断

乏尿・無尿と尿閉の鑑別診断が最も重要．この鑑別の後，さらにそれぞれの原因疾患の鑑別診断を進める．

● 問診：既往歴，服薬内容，尿量の減少の時間的経過，排尿状態の変化，随伴症状について詳細に聴取する．
● 身体所見：下腹部膨隆，溢流性尿失禁，体重増加，浮腫，高血圧，肺うっ血の有無などを調べる．
● 臨床検査：血液生化学，検尿
● 腹部超音波検査：排尿直後の残尿を超音波検査で確認することが，この鑑別の決め手となる．

● **原因・考えられる疾患**
● 乏尿・無尿・尿閉をきたす代表的な疾患を表 50-1 に示す．

● **鑑別診断のポイント**
● 乏尿・無尿の鑑別診断：急性腎不全の発症か，慢性腎不全が急性増悪したか，の鑑別が必要である．前者では既往歴がなく，画像で腎に特に異常所見を認めないが，後者ではタンパク尿，高血圧，糖尿病などの既往があり，慢性腎臓病の場合には腎の萎縮が認められる．
急性腎不全を呈する疾患は，その障害部位により，腎前性，腎性，腎後性の 3 つに大別される．腎前性腎不全は腎血流量の低下が，腎性腎不全は腎実質（糸球体あるいは尿細管）の機能低下が，腎後性腎不全は尿路の閉塞が原因となる病態であり，これらの鑑別を進める．腎後性腎不全は腎部超音波検査あるいは単純 CT により両側性の腎盂・腎杯・尿管の拡張（両側水腎症）を確認することが診断のポイントである．腎前性と腎性の急性腎不全の鑑別のポイントを表 50-2 に示す．
● 尿閉の鑑別診断：急性尿閉と慢性尿閉，物理的閉塞と機能的閉塞を鑑別し，表 50-1 に示すような原因を同定する．急性尿閉と慢性尿閉とは，随伴症状，病歴，症状の推移により多くの場合は容易に鑑別可能である．

第7章　腎・泌尿器系

■表50-1　乏尿・無尿と尿閉の原因または考えられる疾患と随伴症状（赤字は緊急対応を要する疾患）

乏尿・無尿
●腎前性腎不全
●循環血漿量の減少（出血，脱水，熱中症，重症熱傷，ネフローゼ，肝硬変など）
●心拍出量の減少（心不全，心筋梗塞など）
●血圧の低下（各種のショック）
●腎性腎不全
●糸球体の障害（糸球体腎炎，糖尿病性腎症，DIC，TTP，溶血性尿毒症症候群など）
●尿細管の障害（腎虚血，造影剤・NSAIDs などによる尿細管障害，腫瘍崩壊症候群による尿細管閉塞など）
●腎後性腎不全
●両側性の上部尿路閉塞（後腹膜・骨盤内腫瘍による両側尿管閉塞，両側尿管結石など）
尿閉*
●物理的閉塞
●前立腺肥大症
●下部尿路癌（膀胱癌，尿道癌，前立腺癌など）
●急性細菌性前立腺炎
●尿道狭窄，尿道異物，尿道外傷，尿路結石の尿道嵌頓（かんとん）
●凝血塊による内尿道口閉塞
●機能的閉塞
●中枢神経障害（脳血管障害，脊髄障害，ウイルス性末梢神経障害などによる神経因性膀胱）
●末梢神経障害（糖尿病，帯状疱疹，骨盤内臓器手術の後遺症などによる神経因性膀胱）
●薬物性（抗うつ薬，感冒薬，抗精神病薬，アルコールなど）
＊すべての急性尿閉は緊急対応を要する

DIC：播種性血管内凝固症候群，TTP：血栓性血小板減少性紫斑病，NSAIDs：非ステロイド性抗炎症薬

■表50-2　腎前性と腎性急性腎不全の鑑別診断

項目		腎前性	腎性
病歴		体液量減少，有効循環血漿量減少，心拍出量低下を起こす病態	全身性エリテマトーデスなどの全身性疾患を示唆する所見，外傷，手術，薬剤投与など
身体所見		血圧低下，頻脈，浮腫，胸痛など	発熱，皮疹など
検査所見	検尿所見 尿浸透圧 (mOsm/kg H_2O) 尿中ナトリウム (mEq/L) 尿/血清クレアチニン比	高度の異常所見はない ＞500 ＜20 ＞40	尿タンパク，血尿，円柱など ＜350 ＞40 ＜20

治療法・対症療法

診断・治療の原則は原因疾患を突きとめることである．安易な対症療法を行うべきではない．特に，乏尿・無尿と尿閉では全く治療方針が異なることに注意する．

●治療方針
●乏尿・無尿：腎不全の管理と原因の除去を即座に開始する．速やかな腎機能回復が望めないと判断した場合には透析療法も考慮する．次いで，病態に応じた腎不全の治療を開始する（表50-3）．
・腎前性腎不全：脱水に対しては補液，出血に対しては止血・輸血，ショックの是正，心不全治療．
・腎性腎不全：腎炎などの治療，透析療法．
・腎後性腎不全：上部尿路通過障害の解除（経尿道的尿管ステント留置，経皮的腎瘻（ろう）造設など）
●尿閉：尿閉の解除（尿排出路の確保：導尿あるいは尿道カテーテル留置，尿道狭窄・尿道断裂では膀胱穿刺を要する場合がある），尿閉の原因疾患（物理的閉塞，機能的閉塞）の治療を行う．
・物理的閉塞：①閉塞の解除（異物，凝血塊，結石などの場合はその除去），②前立腺肥大症の治療．

856

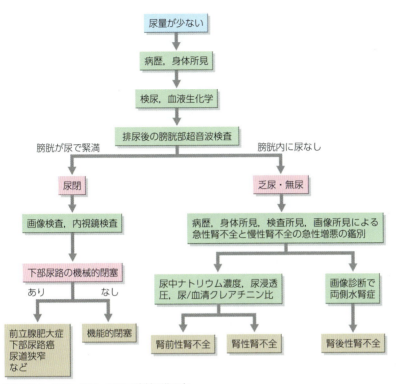

■図50-3 乏尿・無尿・尿閉の診断の進め方

前立腺肥大症重症度判定では重症に相当する．内服治療（表50-4）を開始するが，内服治療に抵抗性の場合，あるいは尿閉を繰り返す場合，尿路感染，尿閉あるいは膀胱憩室，膀胱結石，腎後性腎不全を合併する場合には手術療法の適応となる．手術治療の標準は経尿道的前立腺切除術（TURP）であるが，ホルミウムレーザーによる内視鏡手術，尿道ステント留置も選択される．内服治療に抵抗性で，観血的治療が望ましくない症例では保存的治療（清潔間欠自己導尿，膀胱瘻造設，尿道カテーテル留置）を検討する．

・機能的閉塞：①排尿困難の原因となりうる薬剤は可能な限り中止，②可能であれば内服治療．

● **薬物療法**
Px 処方例 **前立腺肥大症による尿閉** 以下のいずれか，あるいは併用を行う．
● ハルナールD錠（0.2 mg） 1回1錠 1日1回 朝食後 ←α遮断薬
● アボルブカプセル（0.5 mg） 1回1カプセル 1日1回 朝食後 ←5α還元酵素阻害薬

Px 処方例 **女性の神経因性膀胱による尿閉** 以下のいずれかを用いる．
● エブランチルカプセル（15 mg） 1回1〜2カプセル 1日2回 朝夕食後 ←α遮断薬
● ウブレチド錠（5 mg） 1回1錠 1日1〜4回 ←コリン作動薬

第7章 腎・泌尿器系

■表50-3　急性腎不全の合併症の主な治療薬

分類	一般名	主な商品名	薬の効くメカニズム	主な副作用
ループ利尿薬	フロセミド	ラシックス	尿細管からのナトリウム, クロール, カリウムの再吸収の抑制	低ナトリウム血症, 低カリウム血症, 高尿酸血症
アシドーシス治療薬	炭酸水素ナトリウム	メイロン	アシドーシスを補正しカリウムの細胞内移行を促す	アルカローシス 高ナトリウム血症
血清カリウム抑制剤	ポリスチレンスルホン酸カルシウム	カリメート	腸管内にてカリウムを吸着して糞便中に排泄	便秘, 腸閉塞, 腸管穿孔
カルシウム補給剤	グルコン酸カルシウム水和物	カルチコール	心筋毒性の軽減	高カルシウム血症

■表50-4　前立腺肥大症の主な治療薬

分類	一般名	主な商品名	薬の効くメカニズム	主な副作用
α遮断薬	タムスロシン塩酸塩	ハルナール	尿路平滑筋弛緩	起立性低血圧, 眼科手術の術中虹彩緊張低下症候群
	ナフトピジル	フリバス		
	シロドシン	ユリーフ		
	ウラピジル	エブランチル		
5α還元酵素阻害薬	デュタステリド	アボルブ	前立腺細胞内のジヒドロテストステロン濃度を下げ, 前立腺を縮小させる	勃起障害など
ホスホジエステラーゼ5阻害薬*	タダラフィル	ザルティア	下部尿路平滑筋の弛緩, 血管平滑筋の弛緩による血流改善	消化不良, 頭痛など
植物製剤	(合剤)オオウメガサソウエキス・ハコヤナギエキス配合剤	エビプロスタット	抗炎症作用, 排尿促進作用	過敏症状など
抗アンドロゲン薬(黄体ホルモン)	クロルマジノン酢酸エステル	プロスタールL	前立腺の肥大抑制	劇症肝炎, 肝機能障害, 血栓症, 性欲減退

＊禁忌：硝酸薬あるいは一酸化窒素供与薬との併用, 不安定狭心症, 心不全など

乏尿・無尿・尿閉の病期・病態・重症度別にみた治療フローチャート

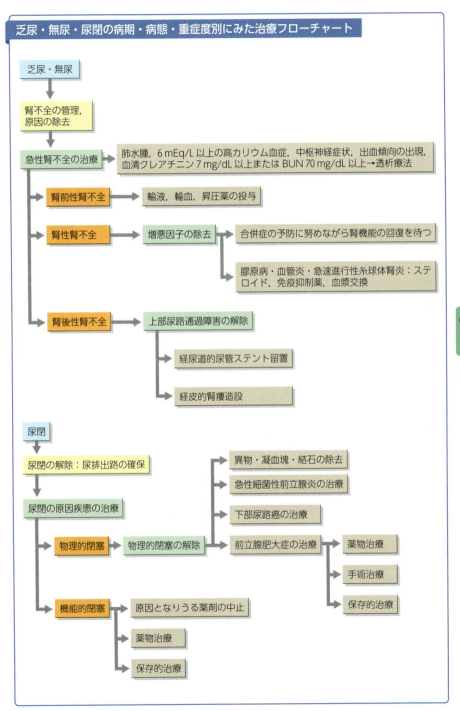

乏尿・無尿・尿閉のある患者の看護

那須　佳津美

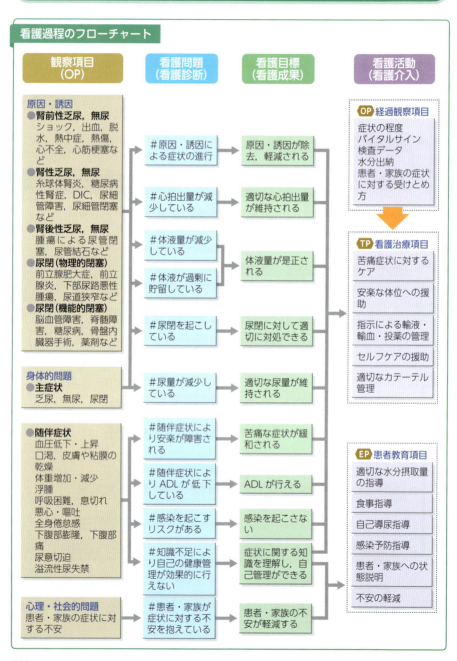

基本的な考え方

- 乏尿, 無尿と尿閉は, 尿が出ないことでは共通しているが, その病態は全く異なっており, 患者の自覚症状を十分に聞き, 全身状態の観察とアセスメントを行うことが重要である.
- 尿に関する問題は患者からは訴えにくいため, 患者の気持ちに十分配慮したうえで必要な情報を意図的に聞き出すことが重要である. また処置を行う際も, 患者の羞恥心やプライバシーに配慮する.

緊急 ショックや出血などで腎前性乏尿, 無尿が起こっている場合は, 迅速に循環・呼吸管理を行う. 尿量だけでなく, 血圧, 呼吸状態に十分注意し, 全身状態の観察を怠らないことが重要である.

STEP ❶ アセスメント ▶ STEP ❷ 看護課題の明確化 ▶ STEP ❸ 計画 ▶ STEP ❹ 実施 ▶ STEP ❺ 評価

情報収集	アセスメントの視点と根拠・起こりうる看護問題
病歴の把握	患者・家族から症状の経過, 変化を聞くことで, 原因・誘因の特定や全身状態の把握につながり, 治療や看護ケアにも重要な情報を得ることができる.
経過	●いつから, どのくらい続いているか. ●症状の変動の有無
誘因	●手術, 外傷, 熱傷 ●猛暑, 乾燥, 炎天下での作業など ●造影剤, 薬物によるアレルギー反応 ●飲酒
随伴症状	●血圧低下・上昇 ●口渇, 皮膚や粘膜の乾燥 ●体重増加・減少 ●浮腫 ●呼吸困難, 息切れ ●悪心・嘔吐 ●全身倦怠感 ●下腹部膨隆, 下腹部痛 ●尿意切迫, 溢(いっ)流性尿失禁
生活歴	●水分摂取量 ●塩分摂取量 ●偏食, 絶食 ●経管栄養
既往歴	●乏尿, 無尿の経験の有無 ●心疾患, 腎疾患, 尿路疾患, 前立腺疾患などの既往 ●手術歴 **原因・誘因** 術後の尿路閉塞の可能性 ●放射線照射などの治療歴 ●嚥下障害, 口腔疾患 ●抑うつ, 見当識障害
嗜好品, 常用薬	●飲酒, カフェインを含んだ飲み物 ●非ステロイド性抗炎症薬(NSAIDs), 抗菌薬など腎毒性のある薬剤 ●感冒薬, 向精神薬 ●緩下剤, 浣腸 ●利尿薬
主要症状の出現状況, 程度, 性状の把握	症状の出現状況や尿の量, 性状を把握することで, 原因疾患の特定につながる情報が得られる.
排尿状況	●量, 回数, 性状, 比重, 臭気, 色調 ●蛋白尿 **原因・誘因** 浮腫性疾患 ●残尿量

50 乏尿・無尿・尿閉

第7章　腎・泌尿器系

	●失禁の程度
全身状態，随伴症状の把握 **バイタルサイン**	症状の経過の把握とともに，随伴症状の有無，全身状態を観察し，治療，看護計画の立案に有効に反映する． ●体温 ➡感染症の有無 ●血圧，脈拍・リズム ●呼吸状態 ●意識レベル
全身状態	●皮膚の乾燥，湿潤 ●全身倦怠感 ●水分出納 ●中心静脈圧 ●血清電解質値(ナトリウム，カリウム) ●血液生化学検査(血中尿素窒素，血清クレアチニン) ●血液一般検査(ヘモグロビン，ヘマトクリット) ●酸塩基平衡〔動脈血 pH，血漿 HCO_3^- 濃度，BE(塩基過剰)〕
頭頸部	●顔貌，表情 ➡膀胱緊満による苦痛など ●顔色，結膜 ➡チアノーゼの有無
胸部 **腹部**	●打診，聴診 ➡心肺疾患の有無 ●腹部の触診 ➡浮腫の有無 ●食欲不振，悪心・嘔吐などの消化器症状 ●腹部の仙痛 原因・誘因 尿路結石 ●下腹部の触診 ➡膀胱内の残尿の有無
腰背部 **四肢**	●腰背部の叩打痛 原因・誘因 腎盂腎炎 ●下腿の触診 ➡浮腫の有無 ●チアノーゼの有無 ➡貧血の有無を確認する 🔍 起こりうる看護問題：尿量の減少がある／尿液量が減少している／体液が過剰に貯留している／尿閉を起こしている／尿路感染を起こすリスクがある／悪心・嘔吐がある／随伴症状により ADL が低下している／腰背部痛がある
患者・家族の心理・社会的側面の把握	症状による心理的苦痛を理解し，社会生活上の役割遂行の困難を把握する．医師からの説明をどのように受けとめているか，また，どのような治療参加の方法が可能か情報収集する． ●症状による不安を理解する． ●症状により困難となっている社会的役割について把握する． ●医師からの説明内容と，それをどのように受けとめているか把握する． ●誰にどのような情報提供を行うのがよいのか把握する． ●家族も含め，どの程度治療への参加が可能か把握する． 🔍 起こりうる看護問題：自己の健康管理が効果的に行えない／患者・家族が症状に対する不安を抱えている

STEP❶ アセスメント　　STEP❷ 看護課題の明確化　　STEP❸ 計画　　STEP❹ 実施　　STEP❺ 評価

看護問題リスト

RC：腎機能障害の合併症リスク状態
#1　心拍出量が減少している(活動-運動パターン)
#2　体液量が減少している(栄養-代謝パターン)
#3　体液が過剰に貯留している(栄養-代謝パターン)
#4　尿閉を起こしている(排泄パターン)
#5　随伴症状により ADL が低下している(活動-運動パターン)

862

#6　患者・家族が症状に対する不安を抱えている（自己知覚パターン）

看護問題の優先度の指針

- ●尿量減少の原因によりケアの方向性が異なるため，まずは，十分な観察とアセスメントが重要である．
- ●心拍出量の減少による腎前性乏尿，無尿においては，異常の早期発見と迅速な対応が必要である．
- ●体液量の平衡異常による乏尿，無尿は，生命の維持に関わる問題である．
- ●下部尿路の閉塞による尿閉は，患者の苦痛が強く，また，放置すれば腎不全に至る危険性がある．
- ●随伴症状により ADL が低下しているため，症状のコントロールと不足しているセルフケアを補う．
- ●いずれの場合でも身体症状に対する患者・家族の不安は強く，不安の軽減に努めることが重要である．

STEP❶ アセスメント　STEP❷ 看護課題の明確化　STEP❸ 計画　STEP❹ 実施　STEP❺ 評価

共同問題	看護目標（看護成果）
RC：腎機能障害の合併症リスク状態	〈長期目標〉腎機能が改善し，合併症が出現しない 〈短期目標〉腎機能障害の合併症が早期発見され，対処される

看護計画	介入のポイントと根拠
OP 経過観察項目 ●尿量，尿比重，尿中ナトリウム，尿蛋白 ●血中尿素窒素 ●血清クレアチニン，カリウム，ナトリウム，カルシウム，リン，マグネシウム ●クレアチニンクリアランス，eGFR（推算糸球体ろ過量） ●バイタルサイン，体重の変化 ●浮腫，呼吸困難，悪心・嘔吐，全身倦怠感，昏睡，筋けいれん	➡ **根拠** 腎機能低下により，電解質，酸塩基平衡が破綻し，高窒素血症，尿毒症状，心不全，肺水腫，高カリウム血症，代謝性アシドーシスを起こす危険がある
TP 看護治療項目 ●異常を早期発見する ●医師の指示により，体液・電解質異常に対する薬剤の投与，酸素療法，呼吸管理などを行う ●症状や治療による苦痛を軽減する	
EP 患者教育項目 ●自覚症状が出現したときは報告するように説明する ●状態に応じた薬物療法，食事療法について説明する	

1 看護問題	看護診断	看護目標（看護成果）
#1 心拍出量が減少している	**心拍出量減少** **関連する状態**：前負荷の変化，後負荷の変化，収縮性の変化 **診断指標** □乏尿 □血圧の変化	〈長期目標〉適切な心拍出量が維持される 〈短期目標〉1）異常が早期に発見される．2）随伴症状による苦痛が緩和される

50

乏尿・無尿・尿閉

863

第7章　腎・泌尿器系

□呼吸困難

看護計画	介入のポイントと根拠
OP 経過観察項目 ●バイタルサイン ●意識レベル ●心電図モニタリング ●心音，呼吸音 ●尿量，比重，性状 ●水分出納 ●中心静脈圧 ●酸素飽和度 ●呼吸困難 ●末梢冷感，チアノーゼ ●精神機能の変化 ●血清電解質，酸塩基平衡	➡ **根拠** 全身状態の観察により，心拍出量減少の原因を推測する
TP 看護治療項目 ●医師の指示により輸液管理，電解質補正，輸血管理，強心薬や利尿薬などの薬剤の投与，酸素投与，呼吸管理などを行う ●低体温，呼吸困難などの身体症状，チューブ類や体位の制限による苦痛を緩和する ●環境を調整する	➡医師と協働し，迅速な治療を開始する ➡随伴症状による苦痛，治療により引き起こされる苦痛を緩和し，患者が必要な治療が受けられるように援助する
EP 患者教育項目 ●自覚症状の出現時には，報告するよう説明する ●患者・家族に現在の身体状況，治療の必要性を丁寧に説明する	➡ **根拠** 患者・家族は身体状況に対し強い不安を抱く．納得して治療が受けられるよう，可能な範囲で患者・家族が治療に参加できるよう援助する

2 看護問題	看護診断	看護目標（看護成果）
#2　体液量が減少している	**体液量不足** **関連因子**：水分摂取不足 **関連する状態**：進行する体液量の喪失，水分摂取に影響する異常 **ハイリスク群**：乳幼児および高齢者 **診断指標** □尿量の減少 □乾燥皮膚 □のど・口内の渇き □ヘマトクリット値上昇 □血圧低下 □突然の体重減少	〈長期目標〉体液量不足が改善される 〈短期目標〉1）最低尿量が維持できる．2）血圧が正常範囲を維持できる

看護計画	介入のポイントと根拠
OP 経過観察項目 ●バイタルサイン ●尿の量，性状，比重，臭気，色調	➡ **根拠** 尿比重は腎臓の尿濃縮能を反映している

864

- 下痢，嘔吐，発汗，浮腫などによる水分喪失
- 口渇
- 皮膚，粘膜の乾燥
- 水分出納
- 体重の変動
- 血清電解質，尿素窒素，浸透圧，クレアチニン，ヘモグロビン，ヘマトクリット
- 利尿作用のある薬剤や食物の摂取の有無

➡ **高齢者** 口渇感は加齢に伴って低下するため，高齢者は口渇を訴えないこともある

➡ 体重は，毎日同じ体重計で同じ時刻に測定する

TP 看護治療項目
- 脱水など体液量の減少を早期発見する
- 医師の指示による輸液管理，電解質補正を行う
- 尿量モニタリングのための尿道カテーテル挿入による疼痛，不快症状を緩和する
- 乾燥による皮膚障害を予防するため，皮膚や口腔の清潔・保湿を保つ
- 環境を調整する
- 水分摂取を援助する

- 栄養摂取を援助する

➡ **小児** 小児の身体は水分の占める比率が高いこと，細胞外スペースに比較的多くの体液が存在すること，代謝により入れ代わる水分が多いこと，腎機能など調節機能が未熟であること，また，体格に対して体表面積が大きいことから，体液喪失が起こりやすい

➡ **高齢者** 体液量の低下，腎血流量の減少と糸球体濾過率の低下，尿濃縮力の低下，体温調節機能の障害，口渇感の低下，失禁を恐れて飲水を制限する，身体機能・認知機能の低下により飲水できない，などの理由により水分喪失を起こしやすい

➡ **根拠** 正常な浸透圧を維持するために，蛋白質を十分に摂取する必要がある

EP 患者教育項目
- 必要な水分摂取量について説明する
- 水分とともに電解質を補給する必要性を説明する
- 運動時や発熱時，気温が高い時は，飲水量を増やす必要があることを説明する
- カフェインを含む飲料の利尿作用を説明する
- 蛋白質摂取の必要性を説明する
- 摂取しやすい飲み物，飲み物に代わるものを患者とともに考える
- 脱水の観察方法と対処方法について説明する

➡ **小児** 食欲をそそる飲み物や目新しい食器，ゲームなどを取り入れて，水分摂取をしやすいように工夫する

➡ **高齢者** 飲水の記録をつける，薬物を内服するときに多めに水を飲むなど，口渇の有無にかかわらず水分摂取できる方法を指導する

3	看護問題	看護診断	看護目標（看護成果）
	#3 体液が過剰に貯留している	**体液量過剰** **関連因子**：過剰な水分摂取 **関連する状態**：腎機能低下 **診断指標** □乏尿 □浮腫 □摂取量が排出量よりも多い □呼吸副雑音 □肺うっ血 □短期間での体重増加 □中心静脈圧（CVP）上昇 □血圧の変化	〈**長期目標**〉体液過剰が改善される 〈**短期目標**〉体液過剰による苦痛が軽減される

50

乏尿・無尿・尿閉

865

第7章　腎・泌尿器系

看護計画

OP 経過観察項目
- バイタルサイン
- 尿の量，性状，比重，臭気，色調
- 水分出納

- 体重の変動
- 浮腫の程度
- 呼吸音，呼吸困難，息切れ
- 心電図モニタリング

- 血清電解質，尿素窒素，浸透圧，クレアチニン，ヘモグロビン，ヘマトクリット
- 食欲不振，悪心・嘔吐
- しびれ，知覚異常，筋けいれん
- 全身倦怠感，気分不快

TP 看護治療項目
- 医師の指示により利尿薬などの薬剤を投与し，その効果を観察する
- 必要時，血液浄化療法が安全・安楽に行われるよう援助する
- 医師の指示により酸素投与を行う
- 安楽な体位への援助を行う
- 安静，保温に努める
- 尿量モニタリングのための尿道カテーテル挿入による疼痛，不快症状を緩和する
- 皮膚の清潔・保湿を保つ

EP 患者教育項目
- 体液過剰による身体症状について説明する

- 水分制限，食事療法について説明する
- 治療の必要性，方法などを説明する
- 不満やストレスを表現するよう促す

介入のポイントと根拠

- ⊃ **根拠** 尿比重は腎臓の尿濃縮能を反映している
- ⊃ **根拠** 水分，ナトリウム蓄積により体重増加する
- ⊃体重は，毎日同じ体重計で同じ時刻に測定する
- ⊃皮膚を圧迫して陥没の程度を観察する

- ⊃高カリウム血症では不整脈や筋緊張の低下などが起こるため，心電図によるモニタリングを行う
- ⊃ **根拠** 腎機能低下による水分，電解質の蓄積，酸塩基平衡の破綻は，尿毒症症状，肺水腫，高カリウム血症，高窒素血症，代謝性アシドーシスなどを引き起こすため，これらの症状の出現に十分注意する

- ⊃患者の症状の変化，バイタルサインの変動に十分に注意する
- ⊃食事療法や薬物療法を行っても，代謝性アシドーシスや肺水腫，高窒素血症，高カリウム血症が改善されない場合は，血液浄化療法が行われる

- ⊃ **根拠** 腎血流を確保し，組織の回復を促すよう安静と保温に努める．また，腎への負荷を避けるために食事療法が必要になる
- ⊃ **根拠** 浮腫がある皮膚の損傷を予防する

- ⊃患者・家族が納得して治療を受けることができるよう援助する
- ⊃水分や食事の制限は，患者にとって強いストレスになる．必要性を十分に説明し，患者の不満やストレスを傾聴する

---

4 看護問題	看護診断	看護目標（看護成果）
#4　尿閉を起こしている	**尿閉** **診断指標** □排尿の欠如 □溢流性尿失禁 □膀胱拡張 □残尿感の訴え	〈**長期目標**〉尿閉に対して適切に対処できる 〈**短期目標**〉1) 尿閉の症状を理解できる．2) 尿閉による苦痛が軽減する

看護計画

OP 経過観察項目
- バイタルサイン
- 尿の量，性状，比重，臭気，色調
- 残尿の量
- 下腹部痛，下腹部膨隆

介入のポイントと根拠

- ⊃ **根拠** 膀胱内に残尿があることにより，尿路感染症を起こしやすく，また，重症化しやすい．発熱や尿の異常，血液検査データなどから尿路感染症の徴候を把握する　**高齢者** 高齢者では，発熱

- 尿意切迫，少量の頻回の排尿
- 溢流性尿失禁
- 排尿困難，排尿痛，残尿感
- 前回の排尿からの時間
- 水分摂取量，水分出納
- 血清クレアチニン，尿素窒素，白血球，CRP

しないことも多いため，自覚症状に十分注意する

➡ 根拠 慢性尿閉では，強い尿意や下腹部痛などの症状に乏しいため，腎機能低下に注意する

TP 看護治療項目

- トイレに近いベッド配置やポータブルトイレ設置など患者がトイレに行きやすい環境を整える
- プライバシーを保護し，排尿しやすいよう配慮する
- 水の音を聞かせる，外陰部に微温湯をかける，下腹部を圧迫するなど排尿を促す援助を行う
- 下腹部の膨隆があり，尿閉の徴候がみられる場合は，必要に応じて導尿を検討する
- 導尿や尿道留置カテーテル挿入時は無菌操作で行う
- 尿道留置カテーテルを適切に管理する
- 導尿や尿道留置カテーテルによる疼痛，不快感を緩和する
- 外陰部の皮膚の清潔を保つ

➡ 根拠 排尿に関する不安や不快感による排尿筋機能不全が起こっている可能性がある場合は，できる限り自然な排尿が行えるよう環境を整える

➡ 根拠 尿路感染を予防する

➡ 根拠 尿道留置カテーテル挿入中は，尿の逆流による逆行性感染や蓄尿バッグからの交差感染を予防する

➡ 根拠 溢流性尿失禁による外陰部の皮膚障害，尿路への逆行性感染を防ぐ

EP 患者教育項目

- 尿閉の症状について説明する
- 用手圧迫排尿の方法について指導する
- 清潔操作による間欠的自己導尿の方法を指導する
- 尿道留置カテーテルの必要性や扱い方を説明する
- 尿路感染予防の必要性と方法について説明する

- 適度な水分摂取を促す

➡ 根拠 尿閉の原因により，また，患者・家族が管理可能な方法により，残尿を減らす方法を検討する

➡ 感染が上部尿路に達すると，腎機能低下を招く可能性もあることを説明する

➡ 根拠 尿流確保により自浄作用を促す

50

乏尿・無尿・尿閉

5 看護問題	看護診断	看護目標（看護成果）
#5　随伴症状により ADL が低下している	**活動耐性低下** **関連因子**：体調の悪化，筋力の低下 **診断指標** □労作性（時）呼吸困難 □倦怠感を示す □労作性（時）不快感	〈長期目標〉ADL が行える 〈短期目標〉1）随伴症状がコントロールされる．2）援助を得て ADL を行うことができる

看護計画	介入のポイントと根拠
OP 経過観察項目 ●バイタルサイン（安静時，活動時） ●呼吸困難 ●全身倦怠感 ●活動時の表情，様子	➡活動の前後でバイタルサインを比較し，評価する

第7章　腎・泌尿器系

- ADL
- 血液検査データ
- 酸素飽和度

TP 看護治療項目
- 安静を保ちながら，できる範囲で動けるように援助する
- 床上でのリハビリテーションを行う
- 患者が必要なものを手の届く位置に置くなど，環境を整える
- 不足しているセルフケアを援助する
- 十分な休息がとれるよう援助する

EP 患者教育項目
- 随伴症状の出現時は伝えるよう促す
- 安静の必要性と ADL 低下を予防するための対策について説明する
- 安静度の範囲内で無理せず，少しずつ ADL を拡大していくよう説明する

⮕ **根拠** 随伴症状が ADL にどのような影響を与えているのか把握する

⮕ **根拠** 腎血流量の確保のために安静が必要になる．安静度を医師に確認する

⮕ **根拠** 安静による弊害を最小限にする

⮕ **根拠** 活動と休息のバランスを考え，無理なく ADL が行えるよう援助する

6 看護問題	看護診断	看護目標（看護成果）
#6　患者・家族が症状に対する不安を抱えている	**不安** **関連因子**：ストレッサー（乏尿，無尿，尿閉） **診断指標** □緊張感 □不安定な気持ち □イライラした気分	〈長期目標〉患者・家族が不安が軽減したことを表現できる 〈短期目標〉不安を表出できる

看護計画	介入のポイントと根拠
OP 経過観察項目 - 不安や心配の訴え - 表情，顔色 - 動悸，呼吸困難，口渇，悪心，発汗などの身体症状 - 現在の対処行動 - 症状や治療に対する思い	⮕乏尿，無尿，尿閉とそれに伴う身体症状，また，治療，処置に対して，患者・家族がどのような思いをもっているのか常に気にかけ，不安をアセスメントする
TP 看護治療項目 - 不安が表出できるような態度で接する - 不安に感じていることを話すよう促す - 治療，処置を行う際は，患者・家族の理解に合わせ，丁寧に説明する	⮕共感的態度で接する ⮕プライバシーに配慮し，安心して話したり泣いたりできるような環境を調整する ⮕患者・家族にとっては予測外の治療や処置が行われることがある．そのつど丁寧な説明を行い，不要な不安や心配を取り除く
EP 患者教育項目 - わからないことはなんでも質問してよいことを伝える	

STEP ❶ アセスメント　STEP ❷ 看護課題の明確化　STEP ❸ 計画　STEP ❹ 実施　STEP ❺ 評価

病期・病態・重症度に応じたケアのポイント

【乏尿，無尿】原因を特定するために，循環動態の観察とアセスメントが重要である．医師の指示による治療が迅速に，かつ適切に行えるよう援助する．また，乏尿，無尿に伴って現れる随伴症状の緩和に努め，患者の安静，安楽を保つ．家族に対しても一つひとつの症状について説明し，患者の症状と治療に対する理解を促す．

【尿閉】急性尿閉の場合，苦痛が強いこともあるため，患者がパニックにならないよう丁寧に説明しながら，適切な処置が行えるよう援助する．慢性尿閉の場合は，特に，尿路感染予防を含む自己管理が重要になる．患者・家族の ADL やライフスタイルに合わせて，実施可能な手技をアセスメントし指導する．排尿困難は患者にとって非常に精神的苦痛を伴うことである．患者の気持ちに寄り添い，プライバシーの保護にも十分配慮する．

看護活動（看護介入）のポイント

診察・治療の介助
● 乏尿・無尿・尿閉の状況や随伴症状から，原因・誘因を把握する．
● 残尿測定や尿量モニタリングのために，導尿や尿道留置カテーテルの挿入・管理を行う．
● 指示された輸液や輸血，薬剤を正確に投与する．
● 循環動態，水分出納のモニタリングを行う．

乏尿，無尿，尿閉に対する援助
● 安静を促し，環境を整える．
● 安楽な体位への援助を行う．
● 随伴症状や治療，処置による苦痛を緩和できるよう援助する．
● 患者・家族の不安を傾聴し，症状や治療，処置についての丁寧な説明を行う．

尿路感染予防対策
● 適切な尿道留置カテーテル管理と，処置時の清潔操作を徹底する．
● 患者が自己管理し，予防できるような指導が重要である．

退院指導・療養指導

● 病態に合わせて適切な水分摂取量や食事療法について指導する．
● 適切な尿量と注意すべき身体症状や徴候について説明し，症状が出現した際の対策や再受診の目安を指導する．
● 尿路感染予防の方法について指導する．

50
乏尿・無尿・尿閉

STEP ❶ アセスメント　STEP ❷ 看護課題の明確化　STEP ❸ 計画　STEP ❹ 実施　STEP ❺ 評価

評価のポイント

看護目標に対する達成度
● 腎機能が改善され，合併症が出現していないか．
● 体液量不足が改善されているか．
● 体液量過剰が改善されているか．
● 尿閉に対して適切に対処されているか．
● 随伴症状がコントロールされ，ADL が行えているか．
● 患者・家族が不安が軽減したことを表現できているか．

869

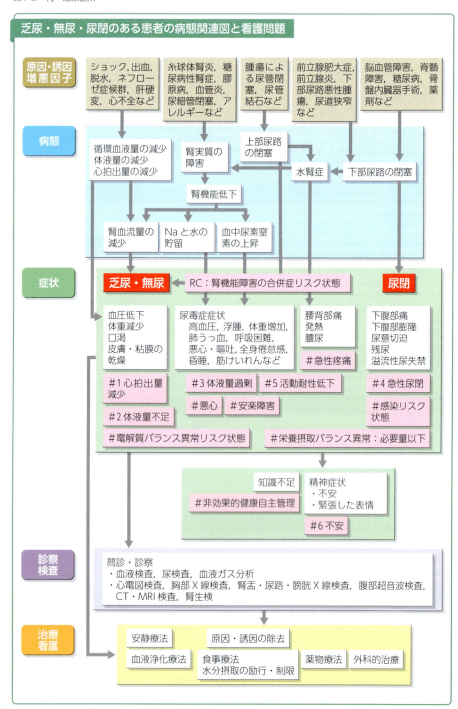

51 多尿・頻尿

増田 均

目でみる症状

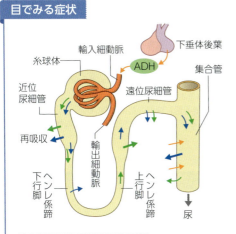

腎における水，NaCl再吸収のメカニズム

- ← NaCl (Na$^+$, Cl$^-$)
- ← 水 (H$_2$O)
- ← 抗利尿ホルモン (ADH)

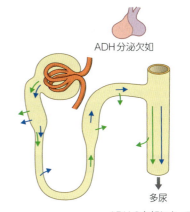

水利尿による多尿

- ← NaCl (Na$^+$, Cl$^-$)
- ← 水 (H$_2$O)

ADHの欠如によって遠位尿細管，集合管での水の透過性が低くなり，水分の再吸収はほとんどないため多尿となる

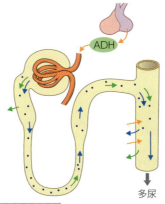

浸透圧利尿による多尿

- ← NaCl (Na$^+$, Cl$^-$)
- ← 水 (H$_2$O)
- ← 抗利尿ホルモン (ADH)
- ⋯ 再吸収されない物質

再吸収されないマンニトールなどの物質が尿細管内に濾過されるため，溶質負荷の状態となって，水は近位尿細管で再吸収されず，大量の尿が排泄される

■図 51-1　多尿の発生機序

第 7 章　腎・泌尿器系

病態生理

▌1 日の尿量の多い状態を多尿といい，排尿の回数の多い状態を頻尿という.

- 多尿：1 日尿量 40 mL/kg 以上，2.8 L/日以上（目安）.
- 夜間多尿：夜間尿が 1 日の尿量の 33% 以上（65 歳以上での目安）.
- 頻尿：昼間頻尿と夜間頻尿がある．2002 年の国際禁制学会（International Continence Society；ICS）の定義によれば，昼間頻尿とは「日中の排尿回数が多すぎるという患者の愁訴」であり，夜間頻尿とは「夜間排尿のために 1 回以上起きなければならないという訴え」である．病態は 1 回排尿量の減少あるいは尿量の増加であるが，後者は既述した「多尿」「夜間多尿」参照.

患者の訴え方

- 夜間頻尿が最も QOL に影響を与える．困っているという本人の愁訴が基本であるが，臨床的には 2 回以上を問題としている．「夜中に何度も起きるために寝不足」などの訴えが多い.
- 昼間頻尿，尿意切迫感に関しては，実際の回数が多いことを訴えるより，「仕事に支障をきたす」「バス旅行に行けない」などの訴えも多い.
- 多尿を直接の主訴とすることはめったにない.

診断

- ●原因・考えられる疾患
- ●多尿，夜間多尿，頻尿をきたす疾患は多岐にわたる（表 51-1〜4）.
- ●鑑別診断のポイント
- ●問診：十分な問診が必要であり，問診票を使用すると便利である．国際前立腺症状スコア（IPSS），過活動膀胱質問票（OABSS），失禁質問票（ICIQ-SF）などが一般的である.
  - ①既往歴，合併症：まず中枢性疾患（脳血管障害，脊髄疾患）に注意する．下部尿路症状から脊髄疾患がみつかることもある．前立腺手術，骨盤内手術（主に直腸がんと子宮がん）の既往は十分把握する.
  - ②薬剤歴：多くの自律神経作動薬は排尿に影響を与える．特に頻尿改善目的で出された抗コリン薬で口内が乾燥し，飲水することで夜間多尿になっていることもある.

■表 51-1　多尿の原因または考えられる疾患

- ●糖尿病
- ●1 型（インスリン依存性）
- ●2 型（インスリン非依存性）
- ●尿崩症
- ●中枢性尿崩症
- ●腎性尿崩症
- ●妊娠に合併する尿崩症
- ●多飲症（心因性，薬剤性，あるいは医原性）

（注意）頻尿の治療に処方された抗コリン薬のため口渇をきたし，多飲多尿となり，かえって尿回数が増加することがある.

■表 51-2　夜間多尿の原因または考えられる疾患

- ●水利尿
- ●抗利尿ホルモン（ADH）の分泌あるいは作用の概日変化の消失
  - ・原発性（特発性）
  - ・続発性（夕刻以降の水分，カフェイン，アルコールの過剰摂取）
- ●電解質／水利尿
- ●うっ血性心不全
- ●自律神経機能障害
- ●睡眠時無呼吸症候群
- ●腎機能障害
- ●エストロゲン欠乏状態
- ●加齢による尿濃縮力の低下，筋ポンプ作用の低下
- ●夜間の心房性ナトリウム利尿ペプチド（ANP）の分泌亢進*

＊日中に細胞外腔にプールされた水分が夜間に血管内に戻ってくることによる

872

③心血管系疾患の合併は，尿量自体に大きな影響を与えるばかりでなく，下部尿路への血流低下に伴う膀胱組織の虚血に関係している．

- 症状の定量化（排尿日誌）：尿量を測定できるコップを渡し，日常生活の中で最低 24 時間（できれば 3 日間）にわたって，毎回の排尿時間と排尿量，尿失禁の回数，パッド類の枚数およびその他のできごとを患者に記載させるものである．排尿回数，昼間頻尿，夜間頻尿，24 時間尿量，最大 1 回排尿量（機能的膀胱容量）が把握できる．夜間頻尿で受診された場合，多尿の有無を確認し，膀胱蓄尿障害が主体の場合は泌尿器科対応となる．
- 採血：腎機能および脳性ナトリウム利尿ペプチド（BNP）の測定が内科的要因のチェックに重要．無症状の心不全の発見につながる場合もある．
- 検尿：膿尿では尿路感染を除外．血尿では膀胱腫瘍，膀胱結石などを除外．
- 超音波による残尿測定：排尿後，下腹部からの超音波検査で残尿量を測定する．尿失禁，頻尿を主訴とする患者で多量の残尿があれば溢（いつ）流性尿失禁の可能性がある．

治療法・対症療法

- **治療方針**
- 頻尿の病態・原因に応じて対処する．特に脳梗塞，心筋梗塞，狭心症といった虚血性心疾患の予防としての水分過剰摂取が多いので，排尿日誌で患者本人に自覚してもらうことはきわめて重要である．詳細は「夜間頻尿診療ガイドライン」，「過活動膀胱診療ガイドライン」を参照．
- 生活指導：カフェイン，炭酸飲料，ニコチンの摂取を避け，水分摂取の管理を行う．1 日の水分摂取量を体重の 2〜2.5%（1,200〜1,500 mL）で維持し，夜間水分摂取の制限を行う．
- **薬物療法**
- 多尿では糖尿病，尿崩症などの基礎疾患の治療を行う．

■表 51-3 頻尿の原因または考えられる疾患

- **膀胱への機械的刺激または炎症による刺激**
- 膀胱結石，膀胱異物，急性前立腺炎
- **膀胱容量の減少**
- 過活動膀胱，間質性膀胱炎（尿がたまると痛むのが主症状）
- 放射線性膀胱炎による膀胱の萎縮，妊娠子宮による圧迫
- 残尿の増加による減少（前立腺肥大症など）
- **神経因性膀胱**
- 脳血管障害，脊椎疾患など
- **心因性**
- 心理的原因による
- **睡眠障害**
- 不眠のためにトイレにいく夜間頻尿（表 51-4 参照）

■表 51-4 夜間頻尿をきたす睡眠障害

- 不眠症
- 閉塞性・中枢性無呼吸症候群
- 周期性下肢運動症候群
- むずむず脚症候群
- 睡眠随伴症
- 内科的疾患に伴う睡眠障害（例：慢性閉塞性肺疾患，心疾患など）
- 神経科的疾患に伴う睡眠障害（例：アルツハイマー病，パーキンソン病，夜間てんかん発作）

（参考）高齢者の 15% 以上に長期不眠が認められる．寝つきが悪いタイプよりも中途覚醒型や熟眠不全型が多い．

（参考）夜間排尿を訴えても必ずしも排尿のために覚醒したとは限らない．睡眠障害と 1 回以上の夜尿を訴える男女を終夜睡眠ポリグラフィで詳しく検討した成績によれば，起きた回数の 80% は睡眠時無呼吸やいびき，下肢運動などによる睡眠障害によるもので，患者の 5% しかそのことに気づいておらず，65% は排尿のために目が覚めたと言う．

> **Px 処方例** 夜間多尿
> - デスモプレシン点鼻液またはスプレー　2.5〜5 μg（スプレーは1〜2回）　就寝前鼻腔内投与　←下垂体ホルモン製剤
>   ※デスモプレシン投与により夜間の抗利尿ホルモン（ADH）を補充する．副作用のうち，水中毒は特に高齢者では要注意である．
>   ※夜間多尿の高度な症例（夜間尿量率45%以上）や潜在性心不全（BNP 100 pg/mL以上）の症例では，デスモプレシン投与は危険である．このような場合には利尿薬（フロセミド20〜40 mg）を就寝の6時間前に服用．
> - ミニリンメルトOD錠（25・50 μg）　1回1錠　就寝前　←下垂体ホルモン製剤
>   ※適応は成人男性のみ．
>
> **Px 処方例** 睡眠障害　下記のいずれかを用いる．
> - エバミール錠（1 mg）　1回1〜2錠　1日1回　就寝前　←ベンゾジアゼピン系睡眠薬
> - マイスリー錠（5・10 mg）　1回5〜10 mg　1日1回　就寝前　←非ベンゾジアゼピン系睡眠薬
> - アモバン錠（7.5・10 mg）　1回7.5〜10 mg　1日1回　就寝前　←非ベンゾジアゼピン系睡眠薬
>
> **Px 処方例** 夜間頻尿を合併した過活動膀胱：前立腺肥大症が要因と考えられる場合　下記のα₁遮断薬1)〜3)のいずれか1剤を主体として，抗コリン薬4)〜7)のいずれか1剤を併用する．
> 1) ユリーフ錠（2・4 mg）　1回2 mgもしくは4 mg　1日2回　朝夕食後　←α₁遮断薬
> 2) フリバス錠（25・50 mg）　1回25〜75 mg　1日1回　食後　←α₁遮断薬
> 3) ハルナールD錠（0.1・0.2 mg）　1回0.1〜0.2 mg　1日1回　食後　←α₁遮断薬
> 4) トビエース錠（4 mg）　1回1〜2錠　1日1回　食後　←抗コリン薬
> 5) ベシケア錠（5 mg）　1回1〜2錠　1日1回　食後　←抗コリン薬
> 6) ウリトス錠（0.1 mg）　1回1〜2錠　1日2回　朝夕食後　←抗コリン薬
> 7) バップフォー錠（10・20 mg）　1回20 mg　1日1回ないし2回　食後　←抗コリン薬
>   ※女性または前立腺肥大症の合併のない男性は抗コリン薬を主体とする．

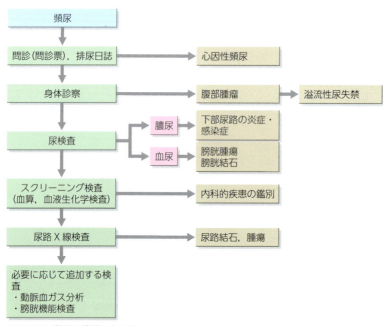

■図51-2　頻尿の診断の進め方

Px 処方例 夜間頻尿を合併した過活動膀胱：抗コリン薬抵抗性の場合　下記の処方も試してよい（単独でも併用でもよい）.

- ●ブラダロン錠 (200 mg)　1回1錠　1日3回　朝昼夕食後　←神経因性膀胱治療薬
- ●牛車腎気丸 (ごしゃじんきがん)　1回3,750 mg　1日2回　朝夕食前または食間　もしくは1回2,500 mg　1日3回　朝昼夕食前または食間　←漢方薬
- ●トフラニール錠 (25 mg)　1回1錠　1日1回　夕食後または就寝前　←三環系抗うつ薬
- ●トリプタノール錠 (25 mg)　1回1錠　1日1回　就寝前　←三環系抗うつ薬
- ●アナフラニール錠 (25 mg)　1回1錠　1日1回　夕食後または就寝前　←三環系抗うつ薬
- ●ベタニス錠 (25・50 mg)　1回50 mg　1日1回　食後　←選択的 β_3 アドレナリン受容体作動薬
- ●ベオーバ錠 (50 mg)　1回50 mg　1日1回　食後　←選択的 β_3 アドレナリン受容体作動薬

※便秘, 口内乾燥に関しては, 抗コリン薬に比較して有意に少なく, 同薬剤の副作用例に対して有効. また, 緑内障の禁忌もない.

●非薬物療法
- ●上記の薬物療法の対象例以外は専門的評価と治療が必要である. 電気刺激療法, 磁気刺激療法, 保険はまだ適用が認められていないが, レジニフェラトキシンまたはカプサイシンの膀胱内注入療法, ボツリヌス毒の膀胱平滑筋注入療法, 腸管利用の膀胱拡大術などがある.

■表 51-5　頻尿の主な治療薬

分類	一般名	主な商品名	薬の効くメカニズム	主な副作用
下垂体ホルモン製剤	デスモプレシン酢酸塩水和物	デスモプレシン	腎の尿細管における水分再吸収促進	水中毒, 浮腫, 頭痛, めまい
		ミニリンメルト		
ベンゾジアゼピン系睡眠薬	ロルメタゼパム	エバミール, ロラメット	夜間頻尿の原因としての不眠, 中途覚醒改善	健忘, 脱力
	ゾルピデム酒石酸塩	マイスリー		
	ゾピクロン	アモバン		
α_1 遮断薬	シロドシン	ユリーフ	下部尿路組織平滑筋の緊張緩和, 尿道内圧の低下	ふらつき, めまい, 射精障害, 鼻閉感
	ナフトピジル	フリバス		
	タムスロシン塩酸塩	ハルナール		
抗コリン薬	フェソテロジンフマル酸塩	トビエース	膀胱平滑筋の収縮抑制	口内乾燥, 口渇, 便秘
	コハク酸ソリフェナシン	ベシケア		
	イミダフェナシン	ウリトス, ステーブラ		
	プロピベリン塩酸塩	バップフォー		
神経因性膀胱治療薬	フラボキサート塩酸塩	ブラダロン	カルシウム拮抗作用, 排尿反射の中枢抑制作用	―
漢方薬	牛車腎気丸		排尿反射の中枢抑制作用	―
三環系抗うつ薬	イミプラミン塩酸塩	トフラニール	弱い抗コリン作用, 中枢作用	眠気, 脱力
	アミトリプチリン塩酸塩	トリプタノール		
	クロミプラミン塩酸塩	アナフラニール		
選択的 β_3 アドレナリン受容体作動薬	ミラベグロン	ベタニス	膀胱平滑筋の収縮抑制	便秘, 口内乾燥, 発疹, 蕁麻疹など
	ビベグロン	ベオーバ		

51

多尿・頻尿

875

第7章 腎・泌尿器系

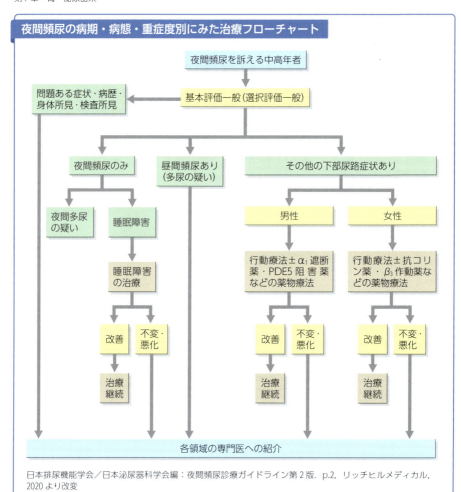

日本排尿機能学会／日本泌尿器科学会編：夜間頻尿診療ガイドライン第2版. p.2, リッチヒルメディカル, 2020 より改変

多尿・頻尿のある患者の看護

茂田 玲子

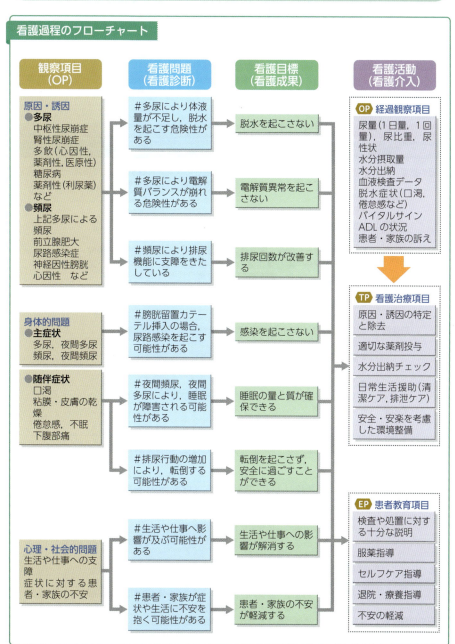

第7章 腎・泌尿器系

基本的な考え方

- 多尿とは1日の尿量が多い状態のことであり，頻尿は1日の排尿回数が多い状態のことである．
- 多尿であるから頻尿である，頻尿であるから多尿であるとは限らない．それぞれを鑑別するために水分の摂取量，排泄量を測定し，状態を見極める必要がある．
- 多尿では，脱水や電解質バランスの崩れにより，危篤な状態に陥ることがある．よって，十分に観察を行い，異常の早期発見に努める．
- 多尿・頻尿の原因は，腎性以外にも中枢性疾患や心因性，薬剤性によるものなど多様である．その原因を把握し，的確な治療や対処によって症状や苦痛を緩和していく．
- 特に頻尿を訴える患者の場合，日常生活への影響が大きく，精神的負担感を抱えていることがある．訴えを傾聴し，精神面に関わることも大切である．

STEP ❶ アセスメント	STEP ❷ 看護課題の明確化	STEP ❸ 計画	STEP ❹ 実施	STEP ❺ 評価

情報収集	アセスメントの視点と根拠・起こりうる看護問題
病歴の把握	**患者・家族から症状の出現の経緯，現在の状況を聴取することで原因・誘因の特定と的確なアセスメントをすることができ，有用な治療や看護に生かすことができる．**
経過	● 発症時期 ● 発症は突然か緩徐か
誘因	● 食べ物との関係 ● 経管栄養，輸液の有無，その内容 ● 水分摂取量との関係 【原因・誘因】カフェイン，アルコールの摂取 ● 薬剤との関係 【原因・誘因】利尿薬，抗コリン薬，頭蓋内圧降下薬などの服用 ● 高血糖症状の有無 【原因・誘因】糖尿病
随伴症状	● 口渇，粘膜・皮膚の乾燥 ● 倦怠感，不眠 ● 下腹部痛
既往歴	● 中枢性疾患(血管障害，脊椎疾患，胚細胞腫，頭蓋咽頭腫など) ● 糖尿病 ● 腎疾患(多発性嚢胞腎，腎盂腎炎など) ● 下部尿路閉塞疾患(尿路閉塞改善後の利尿期) ● 心因性疾患 ● 手術歴〔前立腺手術，骨盤内手術(子宮，直腸)〕
その他	● 年齢，性別 ● 妊娠との関係 【妊婦】妊娠尿崩症
主要症状の出現状況，程度，性状の観察	**主要症状を正確かつ詳細に把握することで，原因疾患の特定につながる情報が得られる．**
1日の尿量	● 多尿：1日尿量3L以上．排尿日誌をつけてもらい，尿量を把握する． ● 多尿をきたす疾患 　①尿崩症 　　・中枢性尿崩症：抗利尿ホルモン(ADH)分泌低下 　　・腎性尿崩症：抗利尿ホルモン(ADH)に対して腎臓が反応しない状態 　　・妊婦に合併する尿崩症 　②糖尿病：高血糖による浸透圧利尿 　③多飲：心因性，薬剤性，医原性 　④薬剤性：利尿薬，頭蓋内圧降下薬，抗コリン薬(口渇による多飲) 　⑤腎機能障害：慢性腎不全の初期，糸球体腎炎など
1日の排尿回数 日中の排尿回数	● 昼間頻尿：排尿回数が多過ぎるという患者の愁訴 ● 夜間頻尿：排尿のため夜間1回以上起きなければならないという訴え

878

夜間の排尿回数		●排尿日誌をつけてもらい，排尿回数を把握する． ●頻尿の原因 　①上述の多尿による頻尿 　②膀胱，尿道への機械的刺激や炎症：膀胱炎，前立腺炎，前立腺肥大，尿路結石 　③膀胱容量の減少：過活動膀胱，間質性膀胱炎 　④神経因性膀胱：脳血管障害，脊椎疾患 　⑤心因性：膀胱，尿道に異常なし 　⑥加齢
尿の性状		●尿比重，pH，色 🔍 **起こりうる看護問題**：多尿により体液量が不足し，脱水を起こす危険性がある／多尿により電解質バランスが崩れる危険性がある／頻尿により排尿機能に支障をきたしている 🔍 **共同問題**：多尿，夜間多尿，頻尿，夜間頻尿
全身状態，随伴症状の把握		全身症状，随伴症状の観察を行い，日常生活への影響をアセスメントして，治療・看護計画の立案，ケアに役立てる．
	バイタルサイン	●体温　➡感染徴候の指標 ●血圧，脈拍・リズム　➡脱水の徴候 ● **緊急** 意識障害の有無　**原因・誘因** 高度脱水，電解質異常
	水分出納	●飲水量，食事量 ●輸液量，経管栄養の投与量 ●ドレーンからの排液量
	全身状態	●口渇　➡脱水の徴候 ●粘膜，皮膚の乾燥 ●倦怠感，脱力感 ●日常生活行動（ADL）の状況 ●体重の変化 ●不眠の訴え
	検査	●下腹部痛　**原因・誘因** 腎疾患，尿路系疾患 ●血液検査 ●尿検査（尿比重，潜血，糖，pH） ●腎機能検査 ●腹部超音波検査 ●残尿量，膀胱内圧の測定 🔍 **起こりうる看護問題**：膀胱留置カテーテル挿入の場合，尿路感染を起こす可能性がある／夜間頻尿，夜間多尿により，睡眠が障害される可能性がある／排尿行動の増加により転倒する可能性がある
患者・家族の心理・社会的側面の把握		日常生活をする上で制限や苦痛がある場合，それは具体的にどのような内容であるか，そのために不安を抱えていないかを把握して，安全・安楽に過ごせるように介入する． ●患者・家族が多尿，頻尿をどのように捉えているのか，またこれらの症状や随伴症状により不安を感じているかを聴取する． 🔍 **起こりうる看護問題**：生活や仕事へ影響が出る可能性がある／患者・家族が症状や生活に不安を抱く可能性がある

51 多尿・頻尿

第7章　腎・泌尿器系

| STEP ❶ アセスメント | STEP ❷ 看護課題の明確化 | STEP ❸ 計画 | STEP ❹ 実施 | STEP ❺ 評価 |

看護問題リスト

#1　多尿により体液量が不足し，脱水を起こす危険性がある (栄養-代謝パターン)
#2　多尿により電解質バランスが崩れる危険性がある (栄養-代謝パターン)
#3　頻尿により排尿機能に支障をきたしている (排尿パターン)
#4　膀胱留置カテーテル挿入の場合，尿路感染を起こす可能性がある (栄養-代謝パターン)
#5　夜間頻尿，夜間多尿により，睡眠が障害される可能性がある (睡眠-休息パターン)
#6　排尿行動の増加により，転倒する可能性がある (健康知覚-健康管理パターン)
#7　生活や仕事へ影響が及ぶ可能性がある (役割-関係パターン)
#8　患者・家族が症状や生活に不安を抱く可能性がある (自己知覚パターン)

看護問題の優先度の指針

● 多尿の場合，口渇を感じにくい高齢者，渇中枢に障害のある患者や腎疾患のある患者では，脱水や電解質異常，意識障害といった危篤な状態に陥る可能性があり，脱水や電解質異常の有無と程度を優先してみていく．
● 多尿に対する治療や処置により，身体に及ぶ二次的問題が発生する可能性を考える．
● 頻尿を訴える場合，日常生活の安楽が阻害され，社会生活に影響が及ぶおそれがあり，それによって患者が不安を抱く可能性がある．

| STEP ❶ アセスメント | STEP ❷ 看護課題の明確化 | STEP ❸ 計画 | STEP ❹ 実施 | STEP ❺ 評価 |

1　看護問題

#1　多尿により体液量が不足し，脱水を起こす危険性がある

看護診断

体液量不足リスク状態
危険因子：増えた必要水分量を満たすことが困難，水分の必要性についての知識不足
関連する状態：進行する体液量の喪失，通常経路からの過剰な水分喪失
ハイリスク群：水分の必要性に影響する内的条件のある人

看護目標 (看護成果)

〈長期目標〉脱水を起こさない
〈短期目標〉必要な水分摂取量を理解し，摂取できる

看護計画

OP 経過観察項目
● 1日尿量，尿比重
● 水分摂取量，水分出納 (IN・OUT)
● バイタルサインの変化 (血圧低下，頻脈) および意識状態
● 脱力の有無
● 口渇や倦怠感の有無と程度
● 粘膜・皮膚の乾燥の有無と程度
● 抗利尿ホルモン試験の結果

● 投与している薬剤の種類と量

介入のポイントと根拠

➡ 嗜好品の摂取内容についても把握する 　根拠
アルコールやカフェインには利尿作用がある

➡ 多尿の原因が，抗利尿ホルモンに由来しているかどうかの指標になる
➡ 原因が薬剤性かどうか確認する 　根拠 基礎疾患に心疾患などがある場合に利尿薬を使用していることが多く，予備力が少ないため脱水が重症化しやすい

880

TP 看護治療項目
- 医師の指示を受け，水分補給(経口，輸液，経管栄養)を行う
- 水分出納をチェックする　⟹ IN には食事に含まれる水分量，OUT にはドレーンからの排液量や嘔吐量なども含めてチェックする
- 医師の指示を受け，確実な薬剤投与を行う(抗利尿ホルモン，インスリンなど)
- 身体症状に対する安楽への援助をする

EP 患者教育項目
- 尿量測定の必要性を説明する　⟹ 排尿日誌を活用する
- 必要な水分摂取量，食事内容について指導する　⟹ 利尿作用のある飲食物(カフェイン，アルコール，カリウムを多く含むもの)は控える
- 服薬指導を行う

---

2 看護問題	看護診断	看護目標(看護成果)
#2　多尿により電解質バランスが崩れる危険性がある	**電解質バランス異常リスク状態** **危険因子**：体液量の不足 **関連する状態**：調節機能の悪化，腎機能障害	〈長期目標〉電解質バランス異常が起こらない 〈短期目標〉1)身体症状に異常を自覚したとき，速やかに報告できる．2)適切な水分量を摂取できる

看護計画	介入のポイントと根拠
OP 経過観察項目 ● 尿量，水分摂取量，水分出納 ● 脱力，けいれん，倦怠感の有無と程度 ● 血液検査：赤血球数，ヘモグロビン，アルブミン，総蛋白，ヘマトクリット，尿素窒素，尿酸，クレアチニン，ナトリウム，カリウム，クロール ● 心電図 ● 尿中 pH **TP 看護治療項目** ● 医師の指示を受け，治療上必要な薬剤や輸液の管理を行う **EP 患者教育項目** ● 必要な水分摂取量，食事内容について説明する ● 電解質異常の徴候と考えられる身体症状を説明し，症状がみられたらすぐに報告するよう促す	⟹ **根拠** 電解質バランスの異常は，脱水によって起こることが多い ⟹ 電解質バランスをモニタリングする **根拠** 高カリウム血症になると生命に危険があるため，速やかな対処が必要である ⟹ カリウムやカルシウムの電解質異常がある場合，心電図に変化が見られるため，モニタリングを行う ⟹ 尿中 pH は電解質バランスが崩れると変化し，他のデータと併せて見ることで脱水の指標となる ⟹ 家族にも説明し，異常を早期発見できるようにする

---

3 看護問題	看護診断	看護目標(看護成果)
#3　頻尿により排尿機能に支障をきたしている	**排尿障害** **関連因子**：アルコール摂取，環境上の制約，カフェイン摂取，膀胱筋の弱まり，骨盤内支持構造の弱まり	〈長期目標〉排尿回数が減少し，改善したと自覚できる 〈短期目標〉1)自己の排尿パターンを自覚できる．2)原因に対して適切な対処ができる

51

多尿・頻尿

881

第7章　腎・泌尿器系

関連する状態：感覚運動障害
ハイリスク群：高齢者，女性
診断指標
□頻回の排尿
□夜間頻尿

看護計画

OP 経過観察項目
- 1日の排尿回数と状況
- 尿意，残尿感，腹部膨満感の有無と程度

- 水分摂取量
- 尿失禁の有無

TP 看護治療項目
- 医師の指示を受け，適切な薬物投与を行う

- 膀胱留置カテーテルを挿入している場合は，その管理を適切に行う
- 陰部の皮膚ケアを行う

- 排尿行動が円滑に行えるように，環境を整える

EP 患者教育項目
- 余裕のある排尿行動がとれるように説明する

- 薬物療法や処置の必要性について説明する

介入のポイントと根拠

- ➡どのような状況で排尿回数が多いのか，経時的な変化などを把握する　**根拠** 患者が頻尿であると自覚している原因を把握する
- ➡ **根拠** 水分の過剰摂取がないか確認する
- ➡ **根拠** 頻尿のために尿失禁が起こる可能性がある

- ➡薬物投与が水分出納に影響することがあるため注意する
- ➡ **根拠** カテーテル関連尿路感染症を起こさないようにする
- ➡自尊感情に配慮する　**根拠** おむつを使用している患者では，特に皮膚トラブルが起きないようにケアをする
- ➡病室とトイレの位置を考慮し，ポータブルトイレの使用などを検討する

- ➡安全・安楽な排尿行動により，尿失禁の予防につなげる
- ➡必要な治療について理解を促し，協力を得る

---

4 看護問題	看護診断	看護目標（看護成果）
#4　膀胱留置カテーテル挿入の場合，尿路感染を起こす可能性がある	**感染リスク状態** **危険因子**：侵襲的な器具の長期管理が困難，皮膚統合性障害，体液のうっ滞，不十分な環境衛生 **関連する状態**：観血的処置（侵襲的処置）	〈長期目標〉尿路感染を起こさない 〈短期目標〉1）適切な膀胱留置カテーテル管理ができる．2）感染徴候が見られない

看護計画

OP 経過観察項目
- バイタルサイン：体温，脈拍
- 尿の性状：色，混濁の有無
- 尿中細菌の有無
- 血液検査：CRP，白血球数
- 排尿痛，残尿感，下腹部痛の有無と程度
- 尿道口の発赤，排膿の有無と程度

TP 看護治療項目
- 膀胱留置カテーテルを適切に管理する
  - カテーテル挿入時は無菌操作を徹底する

介入のポイントと根拠

- ➡発熱，頻脈は感染の徴候である
- ➡異常の早期発見のため，的確な観察を行い，異常を認めたらならば，医師に速やかに報告する

- ➡ **根拠** 尿の逆流を防止し，逆行性感染を防止する

・カテーテル留置中は畜尿バックを膀胱より下に留置する
●陰部洗浄
●清潔保持のための環境を整える

　⊃セルフケアが難しい場合には援助する

EP 患者教育項目
●尿路感染の予防行動と感染徴候について説明する

　⊃着恥心に配慮した説明を行う

●膀胱留置カテーテルを長期的に留置する場合，患者・家族へ管理方法を説明・指導する

　⊃前立腺肥大などによる頻尿の場合，膀胱留置カテーテルを挿入したまま退院となることがある
　高齢者 患者のセルフケア能力をアセスメントし，家族の協力も得られるようにする

5　看護問題	看護診断	看護目標（看護成果）
#5　夜間頻尿，夜間多尿により，睡眠が障害される可能性がある	**睡眠パターン混乱** **関連因子**：環境外乱 **診断指標** □疲労感 □体力が回復しない睡眠覚醒サイクル □睡眠状態の継続が困難 □意図しない覚醒	〈長期目標〉睡眠の質と量が確保できる 〈短期目標〉1）睡眠状態の中断が減少する． 2）疲労感が減少する

看護計画	介入のポイントと根拠
OP 経過観察項目 ●睡眠時間，睡眠の状況 ●夜間の排尿回数 ●昼間の疲労感，倦怠感，眠気の有無と程度 ●睡眠に対する訴え	⊃患者の主観的内容を把握する　根拠 睡眠の質は患者の主観が影響する．睡眠時間が短いからといって，質が保たれていないとは限らない
TP 看護治療項目 ●夜間の排尿行動が安全・安楽に行えるように，環境を整える	⊃尿器やポータブルトイレの使用を検討する．また，寝室とトイレの動線を確認する　根拠 排尿行動がスムーズに行えると，睡眠の中断が最小限に抑えられる
●必要時，膀胱留置カテーテル挿入の適応について医師と相談する	⊃不眠によるリスクと膀胱留置カテーテル挿入によるリスクを検討し，最適な方法を選択する
●必要時，薬剤の使用や薬剤の投与時間の調整を医師と相談する	⊃睡眠状態を確保するために，可能な調整を試みる
EP 患者教育項目 ●夜間の飲水は控えめにし，必要な水分は日中に摂取するように指導する	⊃多尿がある場合，水分摂取が必要となることがあるが，摂取する時間帯を睡眠に支障がないように調整する
●活動と休息のバランスをとるように説明する	⊃疲労感がある場合には，日中に休息が取れるように調整する

51
多尿・頻尿

883

第7章　腎・泌尿器系

6	看護問題	看護診断	看護目標（看護成果）

#6　排尿行動の増加により，転倒する可能性がある

成人転倒転落リスク状態
危険因子：失禁，睡眠障害，不適切な便座の高さ，日常生活行動（ADL）が困難
関連する状態：起立性低血圧
ハイリスク群：60歳以上の人，転倒転落歴のある人

〈長期目標〉転倒転落を起こさず，安全に過ごすことができる
〈短期目標〉1)危険を予知して予防行動をとることができる．2)転倒転落の危険性があることがわかる

看護計画	介入のポイントと根拠

OP 経過観察項目
- 排尿回数（日中・夜間）

　➡ **根拠** 排尿行動の回数が多いほど転倒のリスクは高くなる

- ベッド周囲の状況，トイレまでの動線などの環境

　➡ 排尿行動の際，障害となるものがないか，履物は適切か，手すりはあるかなど詳細に確認する
　根拠 減らすことができる転倒のリスクをアセスメントするため

- 身体状態：倦怠感などの症状，筋力低下の有無など
- 日常生活行動（ADL）の状況
- 活動に対する意識

　➡ **根拠** 多尿・頻尿以外の身体症状や筋力低下があると，転倒のリスクが高くなる
　➡ 転倒のリスクの有無を確認する
　➡ 活動時の転倒リスクに対する危機感が少ないと，転倒に対して対処が難しくなる

TP 看護治療項目
- 患者の排尿行動の状況に合わせて援助を行う
- 環境整備を行う
  - ・ナースコールの位置やベッドの高さを調整する
  - ・ベッド周囲やトイレまでの動線にある危険物を除去する
- 適切な寝衣や履き物を用意する

　➡ 患者のできる力を損なわないようにしながら，必要な援助を行う

　➡ 排尿行動に支障がないものを身に着ける

EP 患者教育項目
- 必要時，ナースコールを使用するよう説明する
- 安全な排尿行動について，患者・家族と話し合い，改善点を確認する

　➡ **根拠** 自宅での転倒も視野に入れて，家族にも指導する

7	看護問題	看護診断	看護目標（看護成果）

#7　生活や仕事へ影響が及ぶ可能性がある

安楽障害
関連因子：環境のコントロールが不十分，状況管理が不十分
関連する状態：病気に関連した症状
診断指標
□不安
□心理的苦痛を示す
□睡眠覚醒サイクルの変化
□状況に不安（落ち着かない）

〈長期目標〉生活や仕事に影響が出ない
〈短期目標〉生活や仕事への影響を最小限に調整できる

884

看護計画	介入のポイントと根拠
OP 経過観察項目 ● 日中の排尿回数 ● 生活や仕事において困難と感じている内容	➡ 具体的な影響について詳細な情報を得て，解決への手がかりとする
TP 看護治療項目 ● 医師やソーシャルワーカーなど，活用できる他職種と相談をする ● 生活や仕事への影響を最小限にできる方法を考え，提案する	➡ **根拠** 看護職だけでは解決できない内容がある場合は，他職種との協力が必要である ➡ 個別性が高い内容のため，詳細に情報を収集し対処する
EP 患者教育項目 ● 生活や仕事などに支障がある内容について，具体策を話し合う ● 解決策や折り合いをつける方法があることを説明する	➡ 患者・家族が実施できる内容を話し合う必要がある ➡ 不安を増強させず，前向きにとらえられるように説明する

8 看護問題	看護診断	看護目標（看護成果）
#8 患者・家族が症状や生活に不安を抱く可能性がある	**不安** **関連因子**：ストレッサー **ハイリスク群**：状況的な危機状態にある人，不安の家族歴がある人 **診断指標** □不眠 □不安定な気持ち □どうすることもできない無力感 □口渇 □頻尿 □尿意切迫	〈**長期目標**〉不安が軽減する 〈**短期目標**〉1) 不安を表出できる．2) 不安の原因に対して対処できる

51 多尿・頻尿

看護計画	介入のポイントと根拠
OP 経過観察項目 ● バイタルサインの変化：頻脈，頻呼吸の有無 ● 全身状態：震え ● 表情・落ち着きがない様子 ● 睡眠状態 ● 食欲と食事摂取量 ● 不安や心配の訴え ● 患者・家族の言動 ● 患者と家族の関係性	➡ 不安が頻脈や頻呼吸などといった身体症状として出ている場合は，対処が必要である ➡ 不安の内容と程度を具体的に把握する **根拠** 個人の主観，生活環境によって内容は様々であるため，詳細に聴取する
TP 看護治療項目 ● 不安を表出できる環境を作る ● 不安が強い場合は，医師の指示のもと薬を投与する ● 休息と活動のバランスを調整する ● 不安を増強させている要因のなかで，可能なものは取り除く	 ➡ 身体の状態が整うように援助する **根拠** 夜間頻尿などで睡眠が十分にとれていない場合がある

885

第7章　腎・泌尿器系

EP 患者教育項目

● 心配事や不安は表出してよいことを説明する　　●**根拠** 言葉にして表出することで，不安の軽減につながることもある

STEP **①** アセスメント　STEP **②** 看護課題の明確化　STEP **③** 計画　STEP **④** 実施　STEP **⑤** 評価

病期・病態・重症度に応じたケアのポイント

【脱水・電解質異常がみられる場合】血圧低下，意識障害，脱力，しびれなど身体症状がみられる場合，これらがさらに進行すれば生命を脅かす危険性がある．医師の指示による水・電解質の補給を行い，全身状態の観察，水分出納の管理を行う．また，安全・安楽を保つことができるように援助する．

【脱水・電解質異常が見られない場合】原因が特定されたら，それに対する確実な治療が行われるように援助する．また，頻尿による二次的障害（不眠，転倒，抑うつ，感染など）を起こさないように日常生活援助などのケアを行う．

看護活動（看護介入）のポイント

診療・治療の介助
● 患者からの情報収集や観察を適切に行い，原因の特定，症状や経過の変化を把握する．
● 患者が原因に対する治療を，確実に安全・安楽に受けることができるように支援する．そのためには，必要な観察を的確に行い，アセスメントし，異常の早期発見に努める．

日常生活に対する援助
● 排尿障害は日常生活行動（ADL）に支障をきたす可能性があるため，患者に合わせた必要な援助を行う．
● 夜間の睡眠に支障が出ている場合は，日中に休息を確保するなど，活動と休息のバランスをとれるように援助する．
● 排泄に関する問題は，患者の自尊感情を損なう可能性もあるため，十分に配慮したかかわりをする．

退院指導・療養指導

● 患者の理解度や自己管理能力，家族など他者からの協力の有無を把握して指導を行う．
● 患者のアドヒアランスなどをアセスメントし，適切な服薬指導を行う．
● 水分出納を自己管理できるように，必要水分量，摂取方法，尿量・排尿回数，体重の管理について指導する．
● 必要に応じて，膀胱留置カテーテル管理のセルフケア指導を行う．

STEP **①** アセスメント　STEP **②** 看護課題の明確化　STEP **③** 計画　STEP **④** 実施　STEP **⑤** 評価

評価のポイント

看護目標に対する達成度
● 脱水や電解質異常がみられていないか．
● 尿量，排尿回数が正常化または改善しているか．
● 睡眠が十分にとれているか．
● 尿路感染の徴候はみられていないか．
● 転倒することなく，安全・安楽に入院や療養生活を送ることができているか．
● 日常生活が支障なく送れているか．
● 患者・家族の不安が軽減しているか．

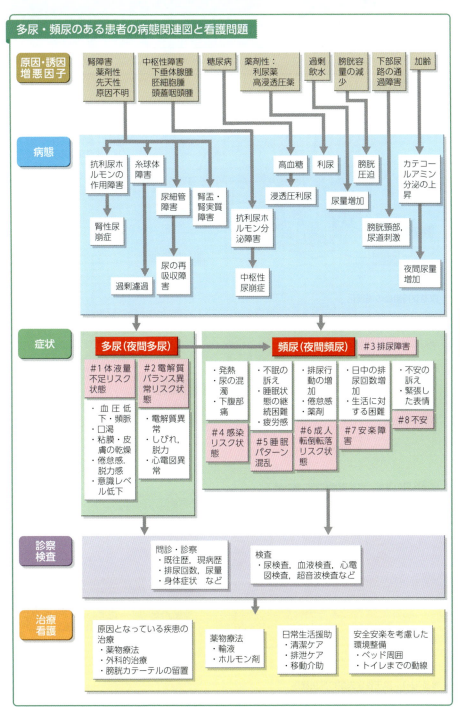

52 尿失禁

増田　均

目でみる症状

尿道支持組織

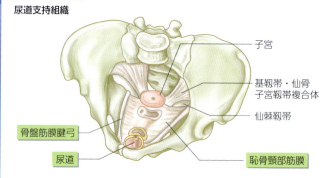

尿道支持組織
筋膜・腱がハンモック状に尿道を支えている．腹圧がかかって尿道が圧迫されても尿は漏れない

尿道支持組織の脆弱化

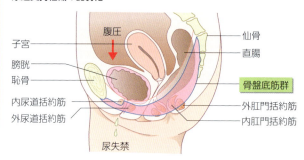

出産や加齢などで尿道支持組織が弱くなると，わずかな腹圧（咳やくしゃみ）でも失禁する

尿道粘膜の萎縮，外尿道括約筋の機能低下

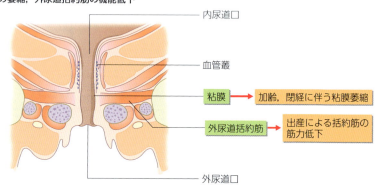

■図 52-1　腹圧性尿失禁の発生機序

病態生理

尿失禁はすべての不随意な尿の漏れである．病態により，腹圧性，切迫性，混合性(両者の合併)，溢(いっ)流性，機能性に分けられる．

- 腹圧性尿失禁：咳やくしゃみをする，重いものを持ち上げる，小走りで走るなど，急に腹圧が加えられた時に膀胱収縮を伴わずに尿が漏れる状態．
  - 女性では膀胱尿道の支持組織の脆弱や，骨盤底筋群が分娩時の外傷や陰部神経の損傷により収縮不全となったり，閉経や加齢に伴う尿道粘膜などの萎縮により尿道の閉鎖機構が損なわれるために起こる．男性での前立腺手術(前立腺肥大症や前立腺がん)後の括約筋障害の場合にも起こることがある．
- 切迫性尿失禁：急に強い尿意をもよおし(尿意切迫感)，トイレに行って排尿するのが間に合わず失禁してしまう状態である．尿意切迫感や頻尿，切迫性尿失禁を伴う症候群を過活動膀胱という．
  - 脳血管障害(多発性脳梗塞)，脊髄障害(頸椎症，脊髄損傷)など神経因性の排尿筋過活動が原因となる．前立腺肥大症の 40〜60％ に排尿筋過活動が合併する．除神経，虚血による神経の興奮などが指摘されているが，明確にはなっていない．
- 溢流性尿失禁：下部尿路閉塞や膀胱収縮障害による尿排出障害のため，多量の残尿により常に尿が少しずつあふれ，漏れる状態である．
  - 下部尿路閉塞の原因は前立腺肥大症など，膀胱収縮障害の原因は，糖尿病，二分脊椎症，子宮がんや直腸がん術後による末梢神経型の神経因性膀胱が有名である．
- 機能性尿失禁：排尿機能の障害以外の理由で起こる尿失禁をいう．身体運動障害と認知症によるものに大きく分かれる．正常なトイレ移動や動作ができないために，トイレ以外の場所で尿を漏らす状態である．

患者の訴え方

- 腹圧性尿失禁：座っている姿勢から立ち上がる時や，咳，くしゃみ，大笑いをする，重いものを持つ，歩く，走るなどで腹圧が加わった時のみに尿失禁が生じれば腹圧性尿失禁と診断され，必ずしも尿意を伴わない．腹圧性尿失禁は，喘息や風邪，花粉症などの生じやすい季節に重症化する．夏季は尿量が減少するため尿失禁は少なくなるが，多量の発汗が誤認されることもある．
- 切迫性尿失禁：尿失禁時に尿意切迫感を伴っていることを確認．尿意切迫感とは，急に起こる抑えられないような強い尿意で，我慢することが困難な愁訴である．
- 溢流性尿失禁：尿意が乏しい場合が多く，通常疼痛はほとんどない．尿が少し出にくい，漏れる，腹部腫瘤などでみつかるが，自覚症状が乏しい場合が多い．

52
尿失禁

■表 52-1　尿失禁の原因または考えられる疾患

●腹圧性尿失禁	●溢流性尿失禁
●加齢	●前立腺肥大症
●分娩	●尿道狭窄
●骨盤内手術	●糖尿病性ニューロパチー
●先天性骨盤底形成異常	●骨盤内手術(直腸がん，子宮がん)
●放射線治療	●腰部椎間板ヘルニアなど
●尿失禁手術	●機能性尿失禁
●婦人科手術	●認知症
●萎縮性尿道炎(エストロゲン低下)	●ADL 障害
●特発性	●寝たきり
●切迫性尿失禁	
●脳血管障害	
●パーキンソン病	
●多発性硬化症	
●加齢	
●尿路感染	
●特発性	

889

診断

- 問診：十分な問診が必要であり，問診票を使用すると便利である．「患者の訴え方」の項で述べたように，問診のみで尿失禁のタイプを判別できる症例も多い．腹圧性と切迫性の混合型の場合は，どちらがより困る症状なのか確認する．
  1. 既往歴，合併症：中枢性疾患(脳血管障害，脊髄疾患)，末梢神経に影響を与える糖尿病，前立腺手術，骨盤内手術(主に直腸がんと子宮がん)の既往は十分把握する．
  2. 薬剤歴：多くの自律神経作動薬は排尿に影響を与える．抗ヒスタミン薬，向精神薬などは要注意．
- 症状の定量化
  1. 排尿日誌：尿量を測定できるコップを渡し，日常生活の中で最低24時間(できれば3日間)にわたって，毎回の排尿時間と排尿量，尿失禁の回数，パッド類の枚数およびその他のできごとを患者に記載させるものである．これにより全体像が把握できる．
  2. 症状，QOLスコア：失禁質問票(ICIQ-SF)，過活動膀胱質問票(OABSS)，キング健康質問票(KHQ)．
- 検尿：膿尿では尿路感染を除外．血尿では膀胱腫瘍，膀胱結石などを除外．
- 超音波による残尿測定：排尿後，下腹部からの超音波検査で残尿量を測定する．尿失禁，頻尿を主訴とする患者で，多量の残尿があれば溢流性尿失禁の可能性がある．
- 二次評価として，ストレステスト，パッドテスト，尿流動態検査，画像検査は専門医が行う．
  - ストレステスト：重要な検査で，膀胱充満時に咳，またはいきみを行わせた際，腹圧と同時に尿失禁

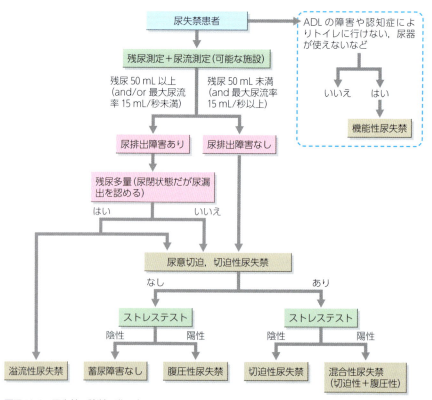

■図 52-2　尿失禁の診断の進め方

泌尿器科領域の治療標準化に関する研究班編：EBM に基づく尿失禁診療ガイドライン，p.32, 図1，じほう，2004 より一部改変

を認めれば腹圧性尿失禁と判断できる．腹圧時に時間をおいて反射的に尿失禁を認めた場合は，切迫性尿失禁である場合が多い．

- ・パッドテスト（尿失禁定量テスト）：尿失禁の重症度を判断する客観的な目安となる．1時間パッドテストと24時間の失禁量を求める24時間パッドテストがある．
- ・尿流動態検査：膀胱内圧測定は有効である．切迫性尿失禁に対しては，蓄尿相で無抑制収縮の存在，最大膀胱容量やコンプライアンス（膀胱の伸展性）の低下が確認できれば，診断は確実である．腹圧性尿失禁に対しては，蓄尿相で咳・いきみを行わせ，尿失禁が誘発されるかを確認する．腹圧の上昇に伴って排尿筋の収縮なしに尿の漏出が確認されれば腹圧性尿失禁と診断できる．

治療法・対症療法

●治療方針

●腹圧性尿失禁：下部尿路リハビリテーション，薬物療法，外科的治療に分かれる．
- ・一般的に，軽症～中等症例にはまず，下部尿路リハビリテーションを行う．骨盤底筋訓練，干渉低周波電気刺激療法，危険因子である肥満・便秘・喫煙・飲水過多などの改善を目的とした生活指導があり，単独あるいは複数の手法を組み合わせる．上記無効例あるいは重症例に対しては手術療法を行う．
- ・手術治療としては尿道中部スリング手術（TVT，TOT）が標準治療である．
- ・薬物療法としてはβ_2アドレナリン受容体刺激薬のクレンブテロール塩酸塩〔スピロペント錠（10 µg）1回2錠，1日2回〕が使用されているが，一般的ではない．理学療法，手術療法が標準である．
- ・尿失禁手術：混合性尿失禁にも有効という報告もあるが，その反面，切迫性尿失禁が悪化あるいは新たに出現する可能性もあるので注意する．

●切迫性尿失禁：下部尿路リハビリテーションと薬物療法がある．
- ・尿意を我慢して，排尿間隔を徐々に延ばしていく膀胱訓練，水分摂取調節，トイレ環境の整備などの生活指導も重要である．骨盤底筋訓練による理学療法，あるいは干渉低周波電気刺激療法の有効性も報告されている．
- ・薬物療法として最も一般的に使われているのが抗コリン薬である．最近では，新規治療薬として選択的β_3アドレナリン受容体作動薬も頻用されている．抗コリン薬は男性において尿排出障害を起こすことがあるので，超音波で残尿を定期的にみることが重要である．

●溢流性尿失禁：尿路感染，腎機能障害の原因となるので，速やかな尿排出障害の解除が必須である．
- ・薬物療法は副次的であり，前立腺肥大症などの明らかな下部尿路閉塞の治療，神経因性膀胱による膀胱収縮障害に対する自己導尿などによる排尿管理をまず行う．専門医の治療が必要である．

●機能性尿失禁：身体運動障害，認知症，介護上の問題，生活環境など要因は多岐にわたる．医師，看護・介護系専門職を含めた多職種連携による対処が必要である．

●薬物療法

●切迫性尿失禁に対しては，臨床現場では薬物療法が主体である．以前は，抗コリン薬が主体であったが，その副作用から長期継続率は30％と低く，選択的β_3アドレナリン受容体作動薬が第一選択薬として増えている．また，効果不十分例に対しては，両薬物の併用療法も施行されている．薬物療法と

52
尿失禁

■表52-2　尿失禁の主な治療薬

分類	一般名	主な商品名	薬の効くメカニズム	主な副作用
抗コリン薬	フェソテロジンフマル酸塩	トビエース	膀胱平滑筋の収縮抑制	残尿の増加，口内乾燥，口渇，便秘，霧視など
	コハク酸ソリフェナシン	ベシケア		
	イミダフェナシン	ウリトス，ステーブラ		
	プロピベリン塩酸塩	バップフォー		
選択的β_3アドレナリン受容体作動薬	ミラベグロン	ベタニス	膀胱平滑筋の収縮抑制	便秘，口内乾燥，発疹，蕁麻疹など
	ビベグロン	ベオーバ		

891

行動療法を組み合わせることで，より長期的な効果が期待できる．抗コリン薬抵抗性の場合には，間質性膀胱炎の存在も考慮する．

Px 処方例 切迫性尿失禁　下記のいずれかを用いる．
- バップフォー錠(10・20 mg)　1回 20 mg　1日1回　朝食後　もしくは1回 20 mg　1日2回　朝夕食後　←抗コリン薬
- トビエース(4 mg)　1回 4 mg　1日1〜2錠　1日1回　朝食後または夕食後　←抗コリン薬
- ベシケア錠(2.5・5 mg)　1回 5〜10 mg　1日1回　朝食後または夕食後(高齢者では 2.5 mg から開始)　←抗コリン薬
- ステーブラ錠またはウリトス錠(0.1 mg)　1回 0.1 mg もしくは 0.2 mg　1日2回　朝夕食後　←抗コリン薬

　※抗コリン薬の副作用には残尿の増加，口内乾燥，便秘，霧視などがあり，眼圧が高い緑内障では禁忌．
- ベタニス錠(25・50 mg)　1回 50 mg　1日1回　食後　←選択的 $β_3$ アドレナリン受容体作動薬
- ベオーバ錠(50 mg)　1日 50 mg　1日1回　食後　←選択的 $β_3$ アドレナリン受容体作動薬

　※便秘，口内乾燥に関しては，抗コリン薬に比較して有意に少なく，同薬剤の副作用例に対して有効．また，緑内障の禁忌もない．

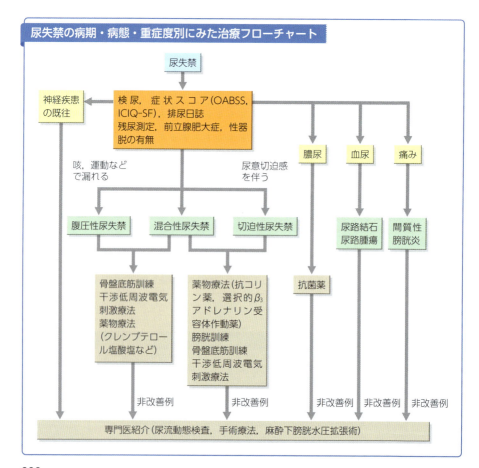

尿失禁の病期・病態・重症度別にみた治療フローチャート

尿失禁のある患者の看護

江本　厚子

看護過程のフローチャート

観察項目（OP）	看護問題（看護診断）	看護目標（看護成果）	看護活動（看護介入）

原因・誘因
- **腹圧性尿失禁**
  膀胱・尿道支持組織の脆弱などにより，咳や運動による腹圧負荷時に膀胱が収縮しない
- **切迫性尿失禁**
  膀胱の不随意収縮など
- **溢流性尿失禁**
  下部尿路閉塞や膀胱収縮障害による尿排出障害など
- **反射性尿失禁**
  中枢神経疾患，脊髄損傷
- **機能性尿失禁**
  認知症，身体運動障害など

身体的問題
- **主症状**
  不随意に尿が漏れる
- **随伴症状**
  頻尿，残尿，排尿痛
  骨盤臓器脱（子宮脱，膀胱瘤，直腸瘤）
  夜間頻尿
  皮膚障害
  睡眠障害

心理・社会的問題
  自尊心の低下
  精神的ストレスの増強
  介護負担の増大
  経済的負担

#原因・誘因により症状が進行する可能性がある
→ 原因・誘因が除去，軽減される

#くしゃみや咳で急に腹圧がかかるために，または強い尿意のため我慢できずに尿が漏れる

#膀胱内の尿が少しずつ漏れる，または尿意がなく不随意に尿が漏れる
→ 尿失禁が消失もしくは軽減する

#身体運動障害や認知症により，トイレ移動や動作が間に合わず尿が漏れる

#尿失禁により皮膚に損傷をきたすおそれがある
→ 皮膚・粘膜の統合性が維持される
→ 清潔を保つことができる

#慢性的な排尿困難による尿失禁や長期にわたる尿道カテーテル留置で，尿路感染症のリスクがある
→ 残尿を減らすことができる

#尿失禁により活動性が低下し，役割が遂行できない
→ 生活リズムを整えることができる
→ 生活機能を維持・拡大できる

#患者・家族が失禁に対するストレスに適切に対処できない
→ ストレスが軽減する

OP　経過観察項目
症状の程度，排尿回数
失禁回数
1回失禁量
誘発動作
水分摂取量
骨盤臓器脱の程度
尿路感染症の有無
残尿の有無，残尿量
ADLの程度
身体運動障害の有無と程度
認知機能の程度
薬の副作用

TP　看護治療項目
原因・誘因の除去
指示による与薬，間欠導尿など
適切な排尿ケア用品の使用
清潔の保持
生活指導
膀胱訓練，骨盤底筋訓練

EP　患者教育項目
患者・家族への状態説明
患者・家族への症状，治療の指導
不安の軽減

52

尿失禁

893

第7章　腎・泌尿器系

基本的な考え方

- 尿失禁のタイプとその原因を把握する．十分な問診が必要であり，尿禁制（尿が漏れないよう膀胱内で保持すること）に向けてのケアの提供が必要である．失禁の治療ができない場合は，失禁による二次障害の予防的ケアを行う．
- 機能性尿失禁では，患者の一連の排尿動作のどこが障害されているか，環境的な要因は何かなど，尿失禁の状態の綿密な観察によって，適切な看護方法を決定しなければならない．
- 尿失禁の治療は，手術療法，薬物療法，理学療法，行動療法と様々であるが，それぞれのメリット，デメリットを患者が理解したうえで行う必要がある．手術以外の治療法は，成果が現れるまである程度時間がかかり，尿失禁改善後も継続していく必要性がある．患者・家族が，排尿自立へ向けてセルフケアを行えるよう，自己コントロールを強化していく．
- 排尿は生理現象で，1日5〜8回であるが，尿失禁を有することで生活の質（QOL）の低下につながる．尿失禁は患者の自尊心の低下や精神的ストレスの増強，身体・認知機能の低下を招き，社会活動にも影響する．家族にとっても，排泄ケアは身体的・心理的介護負担のみならず，経済的負担も大きい．患者と家族の双方から，どのように排泄したいか，希望を聞き，患者にとっても家族にとっても納得できる治療やケア方法を見つけていくことが重要である．

STEP① アセスメント　STEP② 看護課題の明確化　STEP③ 計画　STEP④ 実施　STEP⑤ 評価

情報収集	アセスメントの視点と根拠・起こりうる看護問題
病歴の把握	**患者・家族から，既往歴や薬剤歴，症状の程度，症状出現時の状況を聞くことは，尿失禁のタイプの特定につながり，治療や看護ケアにも重要な情報を得ることができる．排尿日誌や症状の程度，QOL質問票などを用いて症状を定量化することが有用である．**
主訴 **経過**	● 尿失禁でいちばん困っていることは何か． ● いつから始まったか． ● 失禁は改善，不変，悪化しているか． ● どのくらいの頻度で起こるか． ● どんな時に漏れるか． ● どのくらい漏れるか（例：下着にしみがつく，下着が濡れる，下着から滴り落ちるなど）． ● 何か手当てをしているか（例：失禁パッド，おむつなどの使用）
随伴症状	● 頻尿，残尿感，排尿痛，骨盤臓器脱（子宮脱，膀胱瘤，直腸瘤），夜間頻尿など ● 発熱，悪寒，尿混濁など
生活歴	● 職種（仕事の内容）：具体的にどのような作業をしているのか． ● 学校や職場でのストレスの有無と程度 ● 女性患者：出産歴（経腟分娩回数），月経歴など
既往歴	● 脊髄排尿中枢（第2〜4仙髄）以上に病変がある中枢神経疾患，脊髄損傷，代謝性疾患の既往，骨盤内臓器の手術歴など ➡切迫性尿失禁，反射性尿失禁，腹圧性尿失禁 ● 下部尿路閉塞（前立腺肥大症，尿道狭窄など），神経因性膀胱 ➡溢（いつ）流性尿失禁 ● 認知症，脳血管疾患などの後遺症による運動機能障害，視力障害の有無 ➡機能性尿失禁
内服中の薬剤	● 排尿筋の収縮力低下を起こす薬剤を内服していないか ➡コリン作動薬，抗コリン薬，前立腺肥大症治療薬，認知症治療薬，向精神薬，抗ヒスタミン薬，筋弛緩薬など ● 利尿薬などの服薬状況
嗜好品	● アルコール類，コーヒーなどのカフェイン含有飲料の摂取状況 ● 水分摂取量
運動能力	● 排泄動作に問題はあるか． ● 補助具を使っているか．

894

その他	●介助の必要はあるか（具体的にどの動作に介助が必要か）. ●肥満 ●普段着用している下着の数と種類（何枚も重ねて着用していたり，ガードルのように締め付けが強い下着を着用していないか） ●部屋からトイレまでの距離 ●自分が使いたい時にトイレが使えるか. ●尿意の有無と尿意を訴えることができるか. ●寝たきり

主要症状の出現状況，程度の把握	症状の出現状況や誘因を把握することで，失禁のタイプの特定につながる情報が得られる．尿失禁質問票や過活動膀胱症状質問票，QOL質問票を活用すると便利である.
症状	●排尿間隔：排尿回数，排尿時間 ●夜間排尿回数 ●失禁回数 ●パッド交換枚数と失禁量 ●残尿の有無と量
失禁の誘発動作	●咳やくしゃみ，立ち上がったり，走った時などに急に腹圧がかかり尿が漏れる 　原因・誘因　腹圧性尿失禁 ●強い尿意とともに尿が漏れ出る 　原因・誘因　切迫性尿失禁 ●排尿障害のため膀胱内の尿が少しずつ漏れる 　原因・誘因　溢流性尿失禁 ●排尿動作がうまくできない，トイレや排尿動作が認識できない 　原因・誘因　機能性尿失禁 ●尿意はなく，不随意に尿が漏れる 　原因・誘因　反射性尿失禁
ストレステスト	●咳をさせて尿道口からの漏れを確認する.
尿失禁症状の定量化	●**排尿日誌**：患者の排尿状態を客観的に評価するツールである．24時間経時的に排尿時間，1回排尿量，失禁の有無と量，水分摂取量などを記録する．患者にとっては自身の排尿状態の理解に役立つ．医療者にとってはアセスメントや診断だけでなく，治療やケアの効果の判断にも有用である．記録方法は，特別な行事のない日常生活での1日の排尿状態を記録する．尿量を測定できる検尿用カップを用いて1回排尿量を測定する．失禁量は未使用のパッド類の重さをあらかじめ測っておき，失禁後の重さから引いて算出する．1週間記録するのが望ましいが，外出頻度が少ない在宅療養者などは，3日間の記録で判断する. ●**症状・QOL質問票**：尿失禁質問票は症状や尿失禁のタイプをアセスメントするものと，QOLを問うものとに大別される．症状質問票の意義は患者が意識していない症状を客観的に聞き漏らしなく把握できることである．代表的な質問票には，わが国で開発され，妥当性が確認されている「尿失禁質問票」がある．QOLは主観的なものであるが，尿失禁の治療やケアの評価に必要である．尿失禁に対するQOL質問票には，身体的機能，社会的活動，対人関係，健康感，社会満足度，性生活，活力など多領域にわたる．代表的なものとしては，I-QOL（incontinence QOL）などがある. ●**残尿測定**：導尿による測定が最も正確である．しかし，この方法は患者への身体的・心理的負担が少なくないため，現在は，超音波による測定が汎用されている．精度はばらつきがあるが，最近はハンディタイプや携帯式の測定器が販売されており，看護師や介護士も簡便に使用できる．得られたデータをもとに，間欠的導尿や自己導尿，排尿誘導などの治療やケアを行う. ●**尿検査**：尿一般定性，尿沈渣，尿培養，尿細胞診などがある．感染症から生じている切迫性尿失禁や，尿排出障害による溢流性尿失禁，残尿量の多い反射性尿失禁の原因や二次障害の判定に有用である.

52

尿失禁

895

第7章　腎・泌尿器系

全身状態，随伴症状の把握	**尿失禁では，骨盤底や外陰部のフィジカルアセスメントを行い，ADL，認知機能を観察・把握し，看護計画の立案に有効に反映する.**
腹部	●膀胱の膨隆，腹水の有無
外陰部の状態	●外陰部の奇形 ⊃尿道口や尿道の異常を鑑別する.
	●骨盤底の観察 ⊃骨盤底の知覚，収縮力などを鑑別する.
	●骨盤臓器脱の観察 ⊃子宮脱，膀胱瘤，直腸瘤の有無. これらは腹圧をかけた時に出現する場合もある.
腟の観察	●腟の萎縮や伸展，分泌物の量と性状を観察する.
直腸診，腟内診	●男性は直腸診で知覚や肛門の収縮を確認，女性は腟の知覚や収縮力を確認し，骨盤底筋訓練の実施の判断基準にする.
皮膚の状態	●発赤，びらん，疼痛，瘙痒，悪臭の有無
運動機能	●日常生活動作（ADL）⊃ベッドからの起き上がり，立位保持，車椅子移乗，歩行，トイレ移動などに加えて，下着の上げ下ろし，排尿後の後始末，手洗いなど，一連の排尿動作を観察する.
感覚機能	●視力 ⊃加齢による老視，白内障や緑内障などによる視力低下の有無をみる.
	●視野 ⊃加齢によるもの，脳血管障害の後遺症である高次脳機能障害による視野欠損，半側空間無視などの有無をみる.
	●聴覚
認知機能	●認知症 ⊃尿意の有無，尿意を言葉で伝えることが可能か，排泄場所の認知の有無，排泄動作が可能かなどを鑑別する.
その他	●体格，肥満度 ⊃BMI，体重増加
	●睡眠状況，疲労感
	●排便 ⊃便秘や便失禁の有無と程度
	●理解力
	🔍 **起こりうる看護問題**：くしゃみや咳で急に腹圧がかかるために，または強い尿意のため我慢できずに尿が漏れる／膀胱内の尿が少しずつ漏れる，または尿意がなく不随意に尿が漏れる／身体運動障害や認知症により，トイレ移動や動作が間に合わず尿が漏れる／尿失禁により皮膚に損傷をきたすおそれがある／慢性的な排尿困難による尿失禁や長期にわたる尿道カテーテル留置で尿路感染症のリスクがある／尿失禁により活動性が低下し役割が遂行できない
患者・家族の心理・社会的側面の把握	**患者や家族は，尿失禁に対して，不安や抑うつ，介護負担が増大している. 不安やつらい気持ちを十分聞き，患者が困っていることは何か，どのように排尿したいか，どのような生活をしたいか，家族が望む患者の排泄方法，介護方法などをよく理解し，患者・家族の双方が納得できる方法でケアをしていく必要がある.**
生活状況	●家族構成，家族役割，家族の関係性
	●住居周辺の利便性
	●社会的活動参加の種類と頻度 ⊃買い物や，趣味，社会的交流など
生活環境	●住居環境，トイレ環境，手すりや段差，照明の明るさなど
QOL	●健康観，抑うつ，心配事，不安，自尊感情
介護状況	●介護のキーパーソンと協力してくれる他の家族メンバー
	●家族の介護力 ⊃体力，患者との関係性，介護にかける時間，理解力，実行力
	●介護の負担 ⊃身体的，心理的，社会的，経済的負担の状況
社会資源の活用状況	●介護支援 ⊃介護保険の申請とケア利用の有無
	●住宅改造 ⊃手すりやスロープなど住環境の改造状況
	●排泄ケア用品の使用状況 ⊃ポータブルトイレ，集尿器，おむつなど
	●福祉制度の利用
	🔍 **起こりうる看護問題**：患者・家族が尿失禁に対するストレスに適切に対処できない

896

| STEP ① アセスメント | STEP ② 看護課題の明確化 | STEP ③ 計画 | STEP ④ 実施 | STEP ⑤ 評価 |

看護問題リスト

- #1 くしゃみや咳で急に腹圧がかかるために，または強い尿意のため我慢できずに尿が漏れる (排泄パターン)
- #2 膀胱内の尿が少しずつ漏れる，または尿意がなく不随意に尿が漏れる (排泄パターン)
- #3 身体運動障害や認知症により，トイレ移動や動作が間に合わず尿が漏れる (排泄パターン)
- #4 尿失禁により皮膚に損傷をきたすおそれがある (栄養-代謝パターン)
- #5 慢性的な排尿困難による尿失禁や長期にわたる尿道カテーテル留置で，尿路感染症のリスクがある (栄養-代謝パターン)
- #6 尿失禁により活動性が低下し，役割が遂行できない (役割-関係パターン)
- #7 患者・家族が失禁に対するストレスに適切に対処できない (コーピング-ストレス耐性パターン)

看護問題の優先度の指針

- ●失禁のタイプに合った治療を行い，失禁を消失もしくは軽減させる．手術療法以外での治療法は改善に時間を要するので，適切な失禁ケア用品を使用し，生活機能や社会活動が制限されることのないようにする．
- ●溢流性尿失禁や反射性尿失禁で残尿が多い場合は，清潔間欠導尿や時間排尿を行う．患者や家族に自己導尿の指導を行う．
- ●腹圧性尿失禁や切迫性尿失禁の治療法で，骨盤底筋訓練や膀胱訓練，排尿習慣訓練などの行動療法を行う場合は，正確な実施方法を指導するだけでなく，継続して行えるよう動機づけや意欲，自己効力感を高めるような支援が必要である．
- ●排尿感覚や尿意がない患者，排尿があったことを訴えられない患者には，皮膚トラブル予防のためのケアを行う．
- ●機能性尿失禁では，排尿動作・行動のどこに問題があるのか明らかにし，排尿誘導や機能訓練，トイレや居室の環境調整，衣類の工夫，補助器具の使用を考える．
- ●治療を行っても失禁が改善しない場合は，尿失禁という障害を抱えて今後の人生に適応できるように支援する．患者や家族の望む排泄方法を考え，適切な補助器具を使用したり，社会資源を活用したりして，学業や仕事，趣味や社会活動など社会生活が制限されることのないようにする．

52
尿失禁

| STEP ① アセスメント | STEP ② 看護課題の明確化 | STEP ③ 計画 | STEP ④ 実施 | STEP ⑤ 評価 |

1 看護問題	看護診断	看護目標 (看護成果)
#1 くしゃみや咳で急に腹圧がかかるために，または強い尿意のため我慢できずに尿が漏れる	**腹圧性尿失禁** **関連する状態**：骨盤筋の退行性変化，内尿道括約筋の機能不全 **診断指標** □くしゃみによる意図しない尿もれ □咳き込みによる意図しない尿もれ □笑うことによる意図しない尿もれ □排尿筋の収縮がない意図しない尿もれ □過度の膀胱拡張のない意図しない尿もれ **切迫性尿失禁** **関連因子**：不随意の膀胱括約筋弛緩	〈**長期目標**〉尿失禁が消失もしくは改善する 〈**短期目標**〉1) 尿失禁の原因が理解できる．2) 腹圧性尿失禁では膀胱を刺激するものを言える．3) 治療の必要性を説明できる

897

第7章　腎・泌尿器系

関連する状態：泌尿器疾患（膀胱炎，尿道炎），医薬品（利尿薬）

診断指標
□誘発刺激による切迫感
□トイレにたどり着く前の意図しない尿もれ
□排尿と排尿の間に起こる切迫感を伴った，さまざまな量の意図しない尿もれ

看護計画

OP 経過観察項目
- 排尿回数，失禁回数，1回失禁量
- 残尿感の有無，残尿量
- 水分摂取量
- 発症の誘発動作
- 内服薬の副作用の有無と程度
- 骨盤臓器脱の有無と程度
- ADL の程度
- 閉経，更年期障害

- 出産経験

- 肥満
- 夜間頻尿の有無

- 脳血管障害，パーキンソン病などの中枢神経疾患の有無

TP 看護治療項目
- 尿失禁のタイプを見極め，適切な治療法を選択する

- 一般的に，軽症から中等症の腹圧性尿失禁には骨盤底筋訓練法が行われる
- 中等症から重症例の腹圧性尿失禁には外科的治療が行われる

- 切迫性尿失禁では薬物療法が中心となるが，膀胱訓練法も有効である
- 中等症から重症例の切迫性尿失禁には，薬物療法，外科的治療が行われる

介入のポイントと根拠

⮕排尿日誌，排尿チェック表を活用する

⮕ **高齢者** 尿失禁を恐れるあまり，水分摂取量を控えていることがある

⮕ **根拠** 精神科治療薬や神経疾患治療薬などの副作用によって尿失禁，頻尿などの排尿障害をきたすリスクがある

⮕閉経後は尿失禁の頻度が高い　**根拠** 閉経後は，エストロゲンの低下により，尿道粘膜萎縮，腹圧性尿失禁などがみられる

⮕出産を契機に腹圧性尿失禁が出現することがある

⮕肥満と尿失禁の関係が指摘されている

⮕前立腺肥大症では夜間頻尿を訴え，切迫性尿失禁がみられる

⮕ **根拠** 中枢神経疾患に基づく膀胱機能障害（神経因性膀胱）によって，蓄尿期に不随意の膀胱排尿筋収縮が起こる（切迫性尿失禁）

⮕腹圧性尿失禁と切迫性尿失禁が合併するものを混合性尿失禁というが，それぞれに治療法が異なる　**根拠** 尿失禁は QOL を左右する疾患である．治療の選択にあたっては，各治療のメリット，デメリットを十分に説明し，患者が納得したうえで選択できるようサポートする

⮕骨盤底筋の収縮が良好な場合や収縮感を実感できる場合は骨盤底筋訓練を行う．収縮力が弱く収縮感を得られにくい場合は筋電図バイオフィードバック機器を用いてトレーニングを行う．骨盤底筋訓練が正しく行えないと，腹圧をかけて逆に尿失禁を悪化させることがあるので注意する

⮕切迫性尿失禁の薬物療法では，抗コリン薬が第一選択薬となるが，副作用の排尿困難，残尿増加，口渇，便秘などの出現に注意する．また，切迫性尿失禁では，膀胱訓練や排尿習慣訓練などを行う．膀胱訓練法は膀胱容量を増やす訓練で，尿意を我慢してトイレに行く間隔を少しずつ延ばし，尿意切迫感をコントロールできるようにする

- 尿失禁のパターンや量，回数，ADL，ライフスタイルに適した排泄ケア用品を，患者と一緒に選び，使用するよう勧める

EP 患者教育項目
- 症状の変化や治療の効果をセルフモニタリングできるように指導する
- 理学療法を行っている場合は，動機づけや意欲が低下しないように患者の自己効力感を高める

- 切迫性尿失禁では，生活習慣における危険因子（肥満，飲水過多など），トイレ環境の改善を指導する
- パンツタイプのおむつを活用し，きつい下着の着用を避ける

- 患者がどこを目標とするかをともに考えていく
- 尿失禁外来などを通して継続的に関わる．同じ治療をしている人たちと一緒に訓練する場を提供することで治療に対して意欲的になれる

2 看護問題	看護診断	看護目標（看護成果）
#2 膀胱内の尿が少しずつ漏れる，または尿意がなく不随意に尿が漏れる	**混合性尿失禁** **関連因子**：膀胱頸部の機能不全，尿道括約筋の機能不全 **関連する状態**：尿道括約筋損傷，骨盤底障害 **ハイリスク群**：いずれかの種類の尿失禁がある人 **診断指標** □残尿感 □夜間頻尿 **尿閉** **関連する状態**：神経系疾患（橋排尿中枢よりも上位の神経障害，仙髄排尿中枢よりも上位の神経障害），医薬品（抗コリン薬，カルシウム拮抗薬，充血除去薬），前立腺肥大症，尿路閉塞症 **診断指標** □排尿の欠如 □膀胱拡張 □溢流性尿失禁 □残尿感の訴え □膀胱充満感	〈**長期目標**〉1）尿失禁が消失もしくは改善する．2）残尿感が解消される．3）排尿をコントロールできる 〈**短期目標**〉1）尿失禁の原因が理解できる．2）患者は排尿によって爽快感が得られ，尿道部が清潔に保てる．3）治療の必要性を説明できる

52 尿失禁

看護計画	介入のポイントと根拠
OP 経過観察項目 - 排尿回数，失禁回数，1回失禁量 - 尿意，膀胱充満感の有無 - 残尿感の有無，残尿量，膀胱充満の程度 - 水分摂取量 - 内服薬の副作用の有無と程度 - 骨盤臓器脱の有無と程度 - 高度な前立腺肥大症や尿道狭窄，末梢神経障害による神経因性膀胱の有無 - 脊髄損傷の有無，部位，程度 - 糖尿病性末梢神経障害，腰部脊柱管狭窄症，椎	- 排尿日誌，排尿チェック表を活用する **根拠** 下部尿路閉塞や神経因性膀胱による尿排出障害のため膀胱内に残尿があり，常に膀胱が充満した状態となるため，膀胱内の尿があふれて少しずつ漏れる溢流性尿失禁がみられる **根拠** 反射性尿失禁は仙髄排尿中枢よりも上位の脊髄損傷による反射性神経因性膀胱でみられる

第7章　腎・泌尿器系

間板ヘルニア，直腸癌・子宮癌術後における末梢神経障害などの基礎疾患の有無
● 発熱，悪寒，尿混濁
● ADL の程度

TP 看護治療項目
● 尿排出障害を速やかに解除する

● 溢流性尿失禁や反射性尿失禁で，残尿量が100 mL 以上ある場合は導尿する
● 反射性尿失禁では，膀胱の再訓練・再条件づけプログラムを実施する
● 清潔間欠導尿を指導する

● 尿失禁のため陰部の皮膚に損傷がみられる場合は留置カテーテルを考慮する

● 尿失禁のパターンや量，回数，ADL，ライフスタイルに応じた尿吸収性製品（パッド類やおむつなど）を一緒に選ぶ

EP 患者教育項目
● 患者・家族に清潔間欠導尿法を指導する
● 症状の変化や治療の効果をセルフモニタリングできるように指導する

⇨ **根拠** 溢流性尿失禁や反射性尿失禁を放置すると尿路感染症，水腎症や腎盂腎炎など重篤な合併症をきたすおそれがある

⇨ 膀胱出口閉塞に対しては，外科的治療（経尿道的前立腺切除術など）が行われる
⇨ 超音波残尿測定器を活用して，膀胱内に尿がたまったら排尿誘導を行う
⇨ 自己主導型かケア提供者主導型のいずれかの排尿自立訓練プログラムを行う
⇨ 100 mL 以上の残尿を伴うような場合は清潔間欠導尿を行う．患者が自己導尿できるように指導するが，困難な場合は家族が行う．免疫能が低下している患者や高齢者では尿路感染症に注意する
⇨ 夜間頻尿の場合は，腎機能保護と睡眠のため夜間のみカテーテル留置（ナイトバルーン）を行う
⇨ 長期的な尿道カテーテル留置は尿路性器感染症や膀胱結石などが生じるため，できるかぎり短期間の使用とする
⇨ 様々な治療にもかかわらず排尿が自立できない場合は，パッド類やおむつの使用を検討する
⇨ きつい下着の着用を避ける

⇨ 患者がどこを目標とするかをともに考えていく
⇨ 尿失禁外来などを通して継続的に関わる．同じ治療をしている人たちと一緒に訓練する場を提供することで治療に対して意欲的になれる

3 看護問題	看護診断	看護目標（看護成果）
#3　身体運動障害や認知症により，トイレ移動や動作が間に合わず尿が漏れる	**機能障害性尿失禁** **関連因子**：骨盤底障害，認知機能障害，身体可動性障害，トイレを見つけることが困難，トイレ歩行にタイムリーな支援を得ることが困難 **関連する状態**：神経筋疾患，視覚障害，心理的障害 **診断指標** □尿意を感じてからトイレに着くまでの時間が長い □トイレに着く前の排尿 □排尿を抑えるテクニックを使う	〈**長期目標**〉尿失禁が消失もしくは改善する 〈**短期目標**〉1) 尿失禁の原因が理解できる. 2) トイレへの動線，環境が整備される

看護計画	介入のポイントと根拠
OP 経過観察項目 ● 排尿回数，失禁回数，1 回失禁量 ● 尿失禁誘発因子の観察	⇨ 排尿日誌，排尿チェック表から把握する ⇨ **高齢者** 腹圧性尿失禁や切迫性尿失禁，尿閉な

900

●残尿感の有無，残尿量の程度 ●水分摂取量 ●骨盤臓器脱の程度	どが併存していることがある ➡高齢者 尿失禁をおそれるあまり，水分摂取量を控えていることがある
●内服薬の副作用	➡薬剤の副作用の程度 高齢者 高齢者は基礎疾患の治療薬を常用していることが多い
●患者のしぐさ，表情 ●認知機能，視覚障害の程度	➡高齢者 尿意や排尿場所がわからない認知症高齢者では，しぐさや表情から尿意を判断したり，いつもどこで排尿(遺尿)しているかを観察する
●ADL の程度(患者の更衣時の着脱能力の程度)	➡手指巧緻性の低下によってトイレが間に合わないことがある
TP 看護治療項目	
●尿意や排尿場所がわからない患者に対しては，排尿誘導を行う	➡排尿日誌や排尿チェック表を活用する 根拠 排尿間隔や1日の排尿パターンを把握し，尿失禁が起こる前に，適切な時間にトイレ誘導を行う
●トイレ動作を行いやすい衣服や下着，パッドやおむつの着用を勧める	➡根拠 着脱に手間がかかるような服装では，トイレに間に合わないことがある
●ナースコールを患者の手もとに置く	➡介助が必要な患者にはナースコールを手の届く場所に置き，呼ばれた時はすぐに対応する 根拠 わずかな時間の差でトイレに間に合わないことがある
●環境整備を行う	➡トイレに近い病室にする．自宅では，居室からトイレまでの環境を整備する 根拠 トイレへの動線上の障害物の除去，距離，暗い照明を改善することでトイレに間に合うこともある
●おむつの使用を検討する	➡様々な治療にもかかわらず排尿が自立できない場合は，おむつの使用を検討する．介護者の負担が軽減されるが，おむつの使用によってトイレでの排泄習慣が消失し，寝たきりになることがあるので，慎重に考慮する
EP 患者教育項目	
●トイレや家庭内の環境を整備する	➡正しい排尿姿勢(便座に座った時に足底が床につく)をとることができるように，便座の高さを調整する．また，患者の安全が確保できるよう，手すりを設置したり段差を解消するなど環境を整える．夜間のトイレに備えて，明確なトイレの表示，障害物の除去，ポータブル便器，尿器の使用も検討する
●水分摂取の必要性を患者・家族に説明する	➡高齢者 水分摂取量を控えて脱水を起こさない
●患者・家族に尿路感染症の徴候を説明する	➡高齢者 免疫能が低下していると感染症に罹患しやすい．尿路感染症の予防法を指導する

4 看護問題	看護診断	看護目標(看護成果)
#4 尿失禁により皮膚に損傷をきたすおそれがある	**皮膚統合性障害リスク状態** **危険因子**：排泄物，湿気，表面摩擦(おむつの圧迫など)，ずれ力	**〈長期目標〉** 皮膚の統合性が保たれる **〈短期目標〉** 1) 皮膚の損傷や炎症が起こらない．2) リスク要因を理解し，除去できる

看護計画	介入のポイントと根拠
OP 経過観察項目	
●皮膚の状態(湿潤，乾燥)	➡皮膚損傷リスクが高い場合は，おむつ交換のた

第7章　腎・泌尿器系

- 皮膚損傷の有無と程度（発赤，湿疹，水疱，びらん，潰瘍など）
- 皮膚損傷の部位と大きさ
- 自覚症状（疼痛，瘙痒，熱感など）

- 肥満，るいそう，発汗，出血傾向など
- 栄養状態

- 機械的刺激の有無

TP 看護治療項目
- 予防的スキンケアを行う

- 皮膚トラブル発生時は，医師の指示による皮膚保護剤や軟膏を塗布する
- 室温・湿度の調整を行う
- 換気を行う
- 寝具，寝衣の調整を行う
- 適切な排泄ケア用品を使用する

EP 患者教育項目
- 陰部の皮膚の清潔保持方法について指導する
- 適切なスキンケアの方法について指導する
- 栄養補給方法について指導する

びに観察する

- ⮑殿部，会陰部，陰嚢(のう)，ペニス先端などの好発部位を観察する．特に溢流性尿失禁では，膀胱内の尿が少しずつ漏れているので注意する
- ⮑ **根拠** るいそうがあると，仙骨部，尾骨部の褥瘡発生のリスクが高まる．肥満や浮腫がある場合は，皮膚と皮膚が接触する部位や寝具，寝衣，おむつとの接触や圧迫で，皮膚が損傷されやすい
- ⮑寝衣やおむつによる圧迫，体位変換時のずれや摩擦，寝具のしわなどがリスクとなる

- ⮑洗浄と保湿を行い，排泄物の皮膚への浸潤を防ぐ　**根拠** 皮脂や角質水分量などが減少すると，皮膚の防御機能が低下する
- ⮑洗浄剤や保湿剤を効果的に用いる

- ⮑通気性や吸収性，失禁量，ADL，家族の介護力に合わせたものを選ぶ

- ⮑低刺激性の石けんを用い，洗浄後は石けん成分を十分除去する

---

5 看護問題	看護診断	看護目標（看護成果）
#5　慢性的な排尿困難による尿失禁や長期にわたる尿道カテーテル留置で，尿路感染症のリスクがある	**感染リスク状態** **危険因子**：皮膚統合性障害，侵襲的な器具の長期管理が困難，不十分な衛生状態 **関連する状態**：侵襲的処置（尿道カテーテル留置），免疫抑制	〈長期目標〉尿路感染症を起こさない 〈短期目標〉1)感染経路を理解する．2)尿混濁，膿尿がみられない．3)尿道カテーテルの清潔操作が行える．4)感染予防法を実施できる

看護計画	介入のポイントと根拠
OP 経過観察項目 - 発熱，悪寒など - 随伴症状（頻尿，排尿痛，尿混濁，残尿感，尿道結石，尿道損傷，尿道皮膚瘻(ろう)，尿道狭窄など）の有無と程度 - 尿量と尿の性状 - 活気，機嫌，表情 - 血清総タンパク，アルブミン **TP 看護治療項目** - 高熱時は冷罨法を行う - 指示された薬物を正確に投与する - 室温や湿度，寝具類など，病室環境を整備する - 水分補給を行う	⮑熱型の日内変動を観察する　**根拠** 重篤な合併症である腎盂腎炎や尿路性敗血症を疑う熱型の早期発見となる ⮑抗菌薬の投与とともに，水分・電解質の補正のため，点滴による補液が行われる ⮑ **高齢者** 脱水予防のために，十分な水分補給を

902

	行う
●留置カテーテルの抜去を検討する	➡留置カテーテルを抜去して清潔間欠導尿に変える 根拠 長期にカテーテル留置している場合は感染のリスクが高い
●カテーテル操作を清潔に行う	➡留置カテーテル法を用いる場合は，閉鎖式システム（カテーテルと導尿管，蓄尿バッグが一体化したもの）を用いるのが望ましい 根拠 留置カテーテルを長期に挿入している場合の感染ルートは，①外尿道口，②カテーテルと導尿管の接続部，③蓄尿バッグの排出口である
EP 患者教育項目 ●十分な水分摂取の必要性を指導する ●陰部の清潔保持方法について指導する ●清潔操作で清潔間欠導尿を行うよう指導する	➡清潔間欠導尿は清潔操作を行うのが望ましいが，無菌操作で行う必要はない．定期的に膀胱内を空にして，残尿をためないことが重要である

6 看護問題	看護診断	看護目標（看護成果）
#6 尿失禁により活動性が低下し，役割が遂行できない	**非効果的役割遂行** **関連因子**：役割モデルの不足，役割の準備不足，ボディイメージの変化，自尊感情が低い，健康資源（リソース）の不足，ストレッサー（ストレス要因） **診断指標** □自信がない □無効なコーピング方法 □不安 □役割実現に必要な機会が十分にない □自主管理が不十分 □スキル（能力）不足 □役割のアンビバレンス（複雑な心情） □役割不満 □役割否認 □悲観的な見方	〈長期目標〉人間関係や社会活動が維持・改善できる 〈短期目標〉1）失禁量や回数を軽減することができる．2）適切な失禁ケアを行うことができる．3）外出ができる．4）他者との交流ができる

看護計画	介入のポイントと根拠
OP 経過観察項目 ●尿失禁の程度 ●随伴症状（尿臭，骨盤臓器脱），誘発原因（縄跳びやエアロビクスなどのスポーツ，重い荷物の運搬などの作業，花粉症やアレルギー性鼻炎，風邪症状によるくしゃみや咳など）の有無と程度 ●失禁ケアの適切性と実施状況 ●日常生活動作（ADL），手段的日常生活動作（IADL）の程度	➡尿失禁が完治しなくても，適切な失禁ケアができる 根拠 適切なケア用品を使用することで，生活機能を維持できる ➡仕事，趣味，生きがいのための活動が維持できているか ➡日常生活動作や簡単な家事ができているか 根拠 おむつ着用による自尊感情の低下，ADL

第7章　腎・泌尿器系

- 社会活動参加状況

- QOL

TP 看護治療項目
- 尿失禁を改善もしくは悪化させないための生活習慣の見直しをする

- 排尿動作，排尿行動への支援を行う

- これまで患者が果たしてきた役割や社会的活動が維持できるための支援を行う

EP 患者教育項目
- 適切な失禁ケアの方法を指導する
- 外出時のトイレの場所の確認など，失禁や自己導尿に対応できる方法を指導する

レベルの低下は寝たきりや認知機能低下をきたしやすい
➡尿失禁が完治しなくても，患者が自分の生活について満足しているか

➡肥満の解消，アルコール，カフェイン含有飲料の摂りすぎの見直しなど，尿失禁を増悪させないために，日常生活の見直しをする
➡立位保持，車椅子操作，歩行，排尿動作などができるように自立支援訓練を行う．おむつ着用の場合は，介護者がおむつ交換をしやすいように，患者の関節拘縮予防のケアや訓練を行う
➡尿失禁が完治しない場合，患者や家族がどのように生活していきたいか，ニーズを把握しソーシャルサポートの情報などを提供しながら，社会活動を低下させないようにすることが重要である

➡患者は尿失禁は加齢によるものと思い込み，治療をあきらめていることがある．尿失禁のタイプに応じた，様々な治療法があることを理解してもらうことで，治療に意欲的になれる

7 看護問題	看護診断	看護目標（看護成果）
#7　患者・家族が尿失禁に対するストレスに適切に対処できない	**非効果的コーピング** **関連因子**：状況に対処する能力に十分な自信がない，健康資源（リソース）の不足，コントロール感が十分にない **診断指標** □助けを求めることができない □情報に注意を向けることができない □問題解決不足 □十分なコントロール感がないと訴える	〈長期目標〉患者・家族はストレスに適切に対処できる 〈短期目標〉1）ストレスを言葉に出して表現できる．2）ストレスコーピングの方策を見つけ出す

看護計画	介入のポイントと根拠
OP 経過観察項目 ● 患者の表情，しぐさ ● 身体的不快感，皮膚のトラブル ● 自尊感情の低下（抑うつ，無表情，孤立） ● 状態や治療に対する質問の有無，内容 ● 患者と介護者の関係性の変化 ● 患者のコーピング状態 **TP 看護治療項目** ● 尿失禁に対する思いが表出できるような態度で	➡非言語的表現をとらえる　**根拠** 患者は羞恥心から思っていることを話せないことがある **高齢者** 高齢者の言葉以外の訴えの表出を見逃さないよう注意する．特に認知症の患者はトイレを正しく使えないこともあるので注意する．また家族もストレスを抱えていることがある ➡ **根拠** 尿失禁の介護に対する介護者の負担や，介護されることへの申し訳なさから，患者と介護者の関係性がぎくしゃくする危険性もある ➡支援的態度で接する　**根拠** 支援的態度が尿失

接する
- 患者の尿失禁による不快感が少しでも軽減するよう工夫する
- 治療や処置を行う場合は，説明を十分に行い心配や質問がないか聞き，丁寧に答える
- 自尊心や羞恥心に配慮してケアを行う

禁に対するストレスや不安の表出を促す

→ **根拠** 不快感が軽減することでストレス緩和につながる

→ **根拠** 排尿ケアは陰部や自分の排泄物を見られることに対する羞恥心を増大する．今まで自立していた排泄行為が人の手を借りなければできなくなることで，自尊感情を低下させる危険性がある

EP 患者教育項目
- わからないこと，心配なことがあれば質問するよう伝える

→ 質問を積極的に受け入れる **根拠** 質問をすることでストレス緩和への対処を促す

| STEP❶ アセスメント | STEP❷ 看護課題の明確化 | STEP❸ 計画 | STEP❹ 実施 | STEP❺ 評価 |

病期・病態・重症度に応じたケアのポイント

【予防的ケア】女性では，妊娠期に尿失禁や頻尿が起こりやすい．また，肥満，アルコールやコーヒーの多飲などのように，生活習慣が尿失禁の原因や誘因になっているものもある．これらは，生活習慣を見直すことで解消されたり，予防的に骨盤底筋訓練をすることで尿失禁の出現や悪化を回避できる場合もある．昨今，新聞やテレビなどのメディアでも骨盤底筋訓練についてとりあげられるようになり，自治体の保健センターで予防教室が開かれるようになってきた．しかし，尿失禁のタイプを見極めたうえで，適切な予防行動をとることができるよう教育・指導していく必要がある．

【尿失禁の治療とケア】尿失禁の治療としては，外科的治療，薬物療法，理学療法がある．外科的治療のケアでは，術後合併症の予防と早期発見が重要である．薬物療法では，副作用により頻尿や閉尿などの排尿障害が出現する危険性があるため，継続的な観察が必要である．理学療法は，骨盤底筋訓練や膀胱訓練，排尿習慣訓練などがある．即効性はないため，患者の意欲や自己効力感を高めるアプローチが必要である．在宅療養高齢者や施設入所高齢者では，尿失禁は加齢現象とあきらめ，専門医に受診しない場合が多い．適切な治療によって，完治，軽減する場合もあるので，症状のアセスメントを行い，受診につなげることが必要である．

【尿失禁とともに生きるためのケア】治療を受けて尿失禁が完治しない場合もある．尿失禁があってもこれまでの生活ができるだけ維持できるように，適切なケア用品の選択や社会資源の活用を勧める．患者だけでなく家族の介護負担も考慮し，どのような方法でケアを行っていくかをともに考えていく．

看護活動（看護介入）のポイント

診察・治療の介助
- 症状や原因・誘因などから尿失禁のタイプを把握する．
- 選択された検査や治療が安全かつ円滑に進められるように介助する．
- 服用している薬物の副作用の出現に注意する．
- 残尿の有無を確認し，必要時には清潔間欠導尿を行う．
- 排尿行動の維持・改善のためのリハビリテーションを行う．

尿失禁に対する援助
- 清潔の保持に努め，皮膚トラブルの発生を予防する．
- 感染リスクの軽減に努める．
- 骨盤底筋訓練，膀胱訓練，排尿習慣訓練，膀胱再条件づけプログラムを指導する．
- 機能性尿失禁や反射性尿失禁患者には，時間排尿誘導を行う．
- 適切な排尿ケア用品を使用する．

生活機能維持に対する援助
- 居室やトイレ環境の整備を行い，社会資源を導入することで排尿が自立できるよう援助する．
- 尿失禁があることで社会活動や社会参加が縮小してしまわないよう支援する．

52

尿失禁

第7章　腎・泌尿器系

退院指導・療養指導

- 尿失禁および生じている随伴症状とリスクについて説明する.
- 薬物療法では，症状の変化や副作用が出現した場合に医師や看護師に速やかに伝えるよう説明する.
- バイオフィードバック法などの理学療法を行っている場合は，継続して訓練が行えるよう，外来などで継続的に支援していく.
- 尿失禁が完治しない場合は，ケアの方法やおむつ，パッド類などの尿吸収性製品を適切に選択できるように指導する.
- セルフケアが困難な患者には，患者・家族や介護者のニーズや希望を把握して双方が納得できるケアの方法を考えていく.

STEP❶ アセスメント　STEP❷ 看護課題の明確化　STEP❸ 計画　STEP❹ 実施　STEP❺ 評価

評価のポイント

看護目標に対する達成度

- 尿失禁が消失，改善しているか.
- 尿失禁の回数や1回失禁量が減少しているか.
- 残尿量が減少しているか.
- 陰部の皮膚の清潔状態が維持できているか.
- 感染のリスクが回避できているか.
- 患者のADLや認知機能障害に配慮したトイレ環境，住環境に改善されているか.
- 適切な排尿ケア用品が選択，使用されているか.
- 尿失禁および随伴症状予防のための自己管理行動が継続されているか.
- 患者の社会活動参加が維持・拡大しているか.
- 社会資源が適切に活用されているか.
- 患者・家族がストレスに適切に対処していることを表現できているか.

906

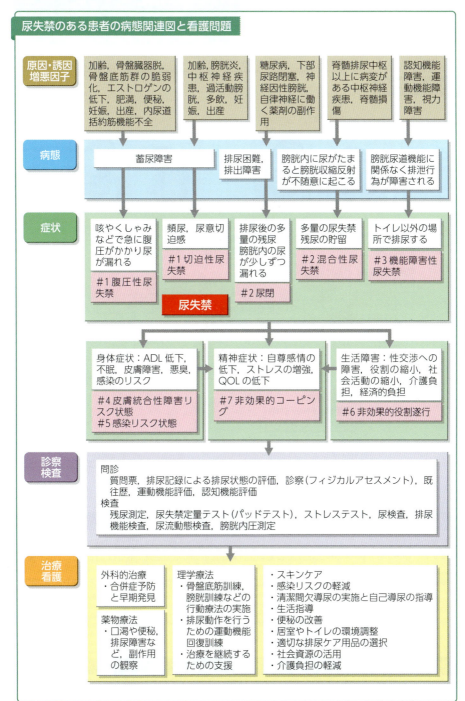

53 膿尿・細菌尿

影山　幸雄

目でみる症状

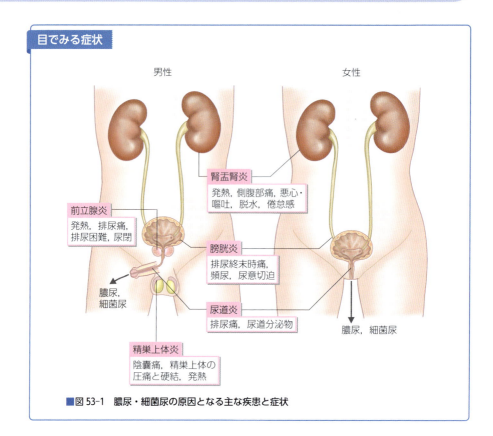

■図 53-1　膿尿・細菌尿の原因となる主な疾患と症状

病態生理

| 尿中に白血球が多数混入した状態を膿尿といい，尿中に細菌が多数存在している状態を細菌尿という．
- 定義：膿尿は尿 1 μL 中の白血球数が 10 個以上，細菌尿は尿の定量培養で得られた細菌のコロニー数が 10 万 cfu/mL 以上．
- 尿検査時の留意点：中間尿を採取するように指導する．女性では陰唇をよく広げ，清浄綿で尿道周辺の汚れを除去してから採取するようにさせる．男性では包皮をよく翻転して，外尿道口を十分露出してから採尿させる．
- 異常所見がみられた時の解釈：膿尿と細菌尿の所見を総合して判定する（表 53-1）．膿尿・細菌尿を呈する主な尿路感染症とその症状を図 53-1 に示す．

患者の訴え方

- 感染病巣がどこにあるかによって特有の症状を呈する（表 53-2）．

■表 53-1　膿尿・細菌尿の解釈

膿尿	細菌尿	考えられる病態
あり	あり	尿路の感染症(図 53-1)
あり	なし	尿路結核 尿路結石 膀胱がん 尿路感染症ですでに抗菌薬が投与されている場合
なし	あり	採尿時の尿検体の汚染

■表 53-2　膿尿・細菌尿の随伴症状と考えられる病態・疾患

随伴症状	病態	急性腎盂腎炎	急性膀胱炎	急性前立腺炎	急性精巣上体炎	男性尿道炎
発熱	実質臓器感染による全身反応	(++)		(++)	(+)	
頻尿,尿意切迫,切迫性尿失禁	膀胱粘膜の炎症による知覚過敏	(+)	(++)			
排尿終末時痛,恥骨上部痛	膀胱粘膜の炎症による疼痛	(+)	(++)	(+)		
尿勢低下,尿閉	尿道の圧迫,通過障害			(++)		
側腹部痛,悪心・嘔吐	腎臓の炎症,腎盂の腫大(水腎症)	(+)				
血尿	血管の破綻(炎症,がん,結石,異物)	(+)	(+)	(+)		
陰嚢痛,精巣上体腫大・圧痛	陰嚢内容の炎症性変化				(++)	
尿道分泌物,排尿時尿道痛	尿道の炎症性変化					(++)

■表 53-3　膿尿・細菌尿の症状・検査・診断のポイント

疾患	主症状	随伴症状	必要な検査(尿検査,尿細菌培養以外)	診断のポイント
急性腎盂腎炎	発熱,側腹部痛,悪心・嘔吐,全身倦怠感,脱水	頻尿,尿意切迫,排尿痛	腹部超音波画像,腹部X線写真,(腹部 CT),血球計算(血算),血液像,血液生化学,赤血球沈降速度(赤沈),CRP	重症度判定,合併症(結石,糖尿病など)の検索が重要
急性前立腺炎	発熱,尿勢低下,尿閉	頻尿,尿意切迫,排尿痛	腹部超音波画像,腹部X線写真,血算,血液像,血液生化学,赤沈,CRP,前立腺触診	重症度判定,合併症(前立腺肥大症,糖尿病など)の検索が重要
急性膀胱炎	頻尿,尿意切迫,排尿痛(排尿終末時),切迫性尿失禁	血尿	(腹部超音波画像)	発熱はみられない
急性精巣上体炎	発熱,陰嚢痛,精巣・精巣上体腫大・圧痛・硬結	痛みによる歩行障害	血算,血液像,血液生化学,赤沈,CRP,前立腺触診	精索捻転,精巣がんとの鑑別に注意
尿道炎	排尿時痛(排尿開始時,尿道部),尿道分泌物	尿勢低下(感染を反復し尿道狭窄となっている場合)	尿道分泌物の塗抹染色,PCRなどによる病原体の直接検出,必要に応じて AIDS,梅毒などの検索	発熱はみられない.性感染症の1つ.他の性感染症を合併している可能性がある

診断

- 主な尿路感染症の診断のポイントを表 53-3 に示す.
- 特殊な病態として尿路結核,膀胱がん,尿路結石,膿腎症がある(表 53-4).

第7章　腎・泌尿器系

■表53-4　特殊な病態（赤字は緊急対応を要する疾患）

疾患	特徴	必要な検査	診断のポイント
尿路結核	膿尿のみで尿細菌培養陰性（無菌性膿尿）	尿塗抹染色，尿結核菌培養，PCRなどによる結核菌の直接検出，胸腹部X線写真，胸腹部CT	肺結核の既往，結核患者との濃厚接触の有無を確認
膀胱がん	膀胱上皮内がん，浸潤がんが膀胱炎症状でみつかることがある	膀胱鏡，尿細胞診，腹部超音波検査など	高齢者で膀胱炎症状が頑固に続く場合は要注意
尿路結石	血尿，膿尿．尿細菌培養は陰性のことが多い	腹部超音波画像，腹部X線写真，腹部CT	結石の既往を確認
結石性膿腎症	結石による通過障害がある場合に発生する腎盂腎炎．重症となりやすく緊急対応が必要	腹部超音波画像，腹部X線写真，腹部CT，血尿，血液像，血液生化学，赤沈，CRP	結石の既往を確認．疑いがあれば積極的に精査する

治療法・対症療法

● 治療方針
● 尿道カテーテル長期留置例では感染症の徴候がなくても膿尿，細菌尿をみることがあるが，無症状であれば抗菌薬は不要である．
● 結石など尿路通過障害がある場合に腎盂腎炎を起こすと膿腎症となり，重症化する場合がある．重症感の強い腎盂腎炎では全身評価を十分に行い，膿腎症が疑われたら緊急疾患として取り扱う．尿路通過障害がある場合は速やかに経皮的腎瘻(ろう)や尿管ステントによりドレナージを図る．
● 薬物療法
● 表53-5に尿路・性器感染症に使用される主な抗菌薬を示す．抗菌薬の使用にあたっては副作用を考慮し，また併用薬剤を十分確認し，有害事象を未然に防ぐようにする．
● 膿尿，細菌尿の原因となる主な尿路・性器感染症の抗菌療法：治療開始時は想定される起因菌に合わせた経験的な処方を行い，その後，原因菌に感受性のある薬剤に切り替えるのが原則である．
● 尿路結核は通常，肺結核後の二次結核として発症する．近年増加傾向にあり，耐性菌の増加が問題となっている．学会の指針に従って適切な薬剤の使用に努める（表53-6）．

Px 処方例 **軽症～中等症の急性腎盂腎炎**　下記のいずれかを用いる．
● クラビット錠(500 mg)　1回1錠　1日1回　食後　7～14日間　←ニューキノロン系抗菌薬
● シプロキサン(200 mg)　1回1錠　1日3回　食後　7～14日間　←ニューキノロン系抗菌薬
● オゼックスまたはトスキサシン(150 mg)　1回1錠　1日3回　食後　7～14日間　←ニューキノロン系抗菌薬
● グレースビット(100 mg)　1回1錠　1日2回　食後　7～14日間　←ニューキノロン系抗菌薬
　※補助的治療：安静，水分摂取励行．

Px 処方例 **妊婦の軽～中等症の急性腎盂腎炎**　下記のいずれかを用いる．
● セフゾン(100 mg)　1回1カプセル　1日3回　食後　7～14日間　←第3世代セフェム系抗菌薬
● パセトシン錠(250 mg)　1回1錠　1日3～4回　7～14日間　←ペニシリン系抗菌薬

Px 処方例 **重症の急性腎盂腎炎**　下記のいずれかを用いる．
● パンスポリン注　1回1～2 g＋生理食塩液100 mL　点滴静注　1日3～4回　←第2世代セフェム系抗菌薬
● ロセフィン注　1回1～2 g＋生理食塩液100 mL　点滴静注　1日1～2回　←第3世代セフェム系抗菌薬
● モダシン注　1回1～2 g＋生理食塩液100 mL　点滴静注　1日2回　←第3世代セフェム系抗菌薬
● ユナシン-S注　1回3 g＋生理食塩液100 mL　点滴静注　1日2回＋アミカシン硫酸塩1回100 mg＋生理食塩液100 mL　点滴静注　1日1回　←βラクタマーゼ阻害薬配合ペニシリン，アミノグリコシド系抗菌薬
　※全身症状改善後は経口抗菌薬（軽症例～中等症例と同じ）に切り替えて7～14日間投与．
　※補助的治療：安静，補液，膿腎症になっている場合は経皮的なドレナージも考慮．

Px 処方例 **軽症～中等症の急性前立腺炎（重症感なし，症状比較的軽微）**　下記のいずれかを用いる．

910

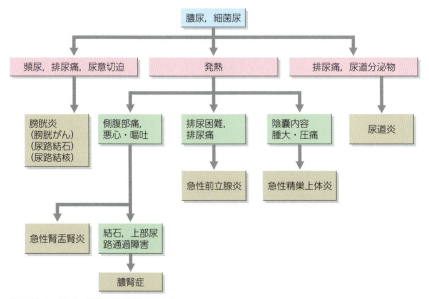

■ 図 53-2　膿尿・細菌尿の診断の進め方

- クラビット錠(500 mg)　1回1錠　1日1回　食後　14日間　←ニューキノロン系抗菌薬
- シプロキサン(200 mg)　1回1錠　1日3回　食後　14日間　←ニューキノロン系抗菌薬
- オゼックスまたはトスキサシン(150 mg)　1回1錠　1日3回　食後　14日間　←ニューキノロン系抗菌薬
- グレースビット(100 mg)　1回1錠　1日2回　食後　14日間　←ニューキノロン系抗菌薬
  ※補助的治療：安静，水分摂取励行．

Px 処方例 重症の急性前立腺炎(38℃以上の発熱，強い排尿症状)　下記のいずれかを用いる．
- モダシン注　1回1g+生理食塩液100 mL　点滴静注　1日2〜4回　3〜7日間　←第3世代セフェム系抗菌薬
- フルマリン注　1回1g+生理食塩液100 mL　点滴静注　1日2〜4回　3〜7日間　←オキサセフェム系抗菌薬
  ※上記投与後，感受性試験の結果に合わせて薬剤を変更し，症状改善後は経口抗菌薬(軽症〜中等症例と同じ)に切り替える．治療期間は合計2〜3週間とする．
  ※補助的治療：安静，補液，排尿管理(導尿，恥骨上膀胱瘻造設など)．

Px 処方例 急性膀胱炎　下記のいずれかを用いる．
- クラビット錠(500 mg)　1回1錠　1日1回　食後　3日間　←ニューキノロン系抗菌薬
- シプロキサン(200 mg)　1回1錠　1日2〜3回　食後　3日間　←ニューキノロン系抗菌薬
- オゼックスまたはトスキサシン(150 mg)　1回1錠　1日2回　食後　3日間　←ニューキノロン系抗菌薬
  ※糖尿病合併例，65歳を超える高齢者，症状が1週間以上続いている症例では投与期間を7日間にする．
  ※補助的治療：水分摂取の励行．

Px 処方例 妊婦の急性膀胱炎　下記のいずれかを用いる．
- セフゾン(100 mg)　1回1カプセル　1日3回　食後　7日間　←第3世代セフェム系抗菌薬
- パセトシン錠(250 mg)　1回1錠　1日3〜4回　7日間　←ペニシリン系抗菌薬

Px 処方例 軽症〜中等症の急性精巣上体炎(平熱〜微熱，腫大が限局)　下記のいずれかを用いる．

第7章 腎・泌尿器系

■表53-5 膿尿・細菌尿の原因となる尿路・性器感染症の主な抗菌薬

投与経路	分類	一般名	主な商品名	薬の効くメカニズム
経口薬	ニューキノロン系*	レボフロキサシン水和物	クラビット	DNA 合成阻害
		シプロフロキサシン塩酸塩	シプロキサン	
		トスフロキサシントシル酸塩水和物	オゼックス，トスキサシン	
		シタフロキサシン水和物	グレースビット	
	第3世代セフェム系	セフジニル	セフゾン	ペプチドグリカン架橋酵素阻害
		セフィキシム水和物	セフスパン	
		セフカペンピボキシル塩酸塩水和物	フロモックス	
		セフジトレン ピボキシル	メイアクト MS	
	ペニシリン系	アモキシシリン水和物	パセトシン	
		スルタミシリントシル酸塩水和物	ユナシン	
	テトラサイクリン系	ミノサイクリン塩酸塩	ミノマイシン	蛋白合成阻害
		ドキシサイクリン塩酸塩水和物	ビブラマイシン	
	マクロライド系	アジスロマイシン水和物	ジスロマック，ジスロマック SR	蛋白合成阻害 (静菌的)
		クラリスロマイシン	クラリス，クラリシッド	
注射薬	第2世代セフェム系	セフォチアム塩酸塩	パンスポリン	ペプチドグリカン架橋酵素阻害
	第3世代セフェム系	セフトリアキソンナトリウム水和物	ロセフィン	
		セフタジジム水和物	モダシン	
	第4世代セフェム系	セフォゾプラン塩酸塩	ファーストシン	
	オキサセフェム系	フロモキセフナトリウム	フルマリン	
	βラクタマーゼ阻害薬配合ペニシリン	(合剤)アンピシリンナトリウム・スルバクタムナトリウム	ユナシン-S	
	アミノグリコシド系	アミカシン硫酸塩	アミカシン硫酸塩	蛋白合成阻害 (殺菌的)
		スペクチノマイシン塩酸塩水和物	トロビシン	
	カルバペネム系	(合剤)パニペネム・ベタミプロン	カルベニン	ペプチドグリカン架橋酵素阻害

＊ニューキノロン系は妊婦には禁忌とされている.

注意すべき併用薬(赤字は併用禁忌)	主な副作用
ェニル酢酸系非ステロイド性抗炎症薬，プロピオン酸系非ステロイド性抗炎症薬，アルミニウムまたはグネシウムを含有する薬剤(水酸化アルミニウム，水酸化マグネシウム，スクラルファート)，鉄剤，カシウム含有製剤，テオフィリン，アミノフィリン，クマリン系抗凝固薬(ワルファリンなど)，シクロスリン	胃腸障害，中枢神経障害
トプロフェン，チザニジン塩酸塩，ロミタピドメシル酸塩	発疹，胃腸障害
ェニル酢酸系非ステロイド性抗炎症薬，プロピオン酸系非ステロイド性抗炎症薬，アルミニウムまたはグネシウムを含有する薬剤(水酸化アルミニウム，水酸化マグネシウム，スクラルファート)，鉄剤，カシウム含有製剤，テオフィリン，アミノフィリン	
	頭痛，胃腸障害
剤，ワルファリン，制酸薬(アルミニウムまたはマグネシウム含有)	アレルギー反応，胃腸障害
ルファリン	
	発疹，胃腸障害
	アレルギー反応，胃腸障害
ルファリン，経口避妊薬	
凝血薬，アロプリノール，プロベネシド，メトトレキサート，経口避妊薬	
体・卵胞ホルモン配合剤(経口避妊薬)，スルホニル尿素系血糖降下薬，抗凝固薬(ワルファリンなど)，ルシウム，アルミニウム，マグネシウムまたは鉄剤，メトトレキサート，ジゴキシン，ポルフィマーナリウム	胃腸障害，膵炎，偽膜性腸炎，光線過敏症
体・卵胞ホルモン配合剤(経口避妊薬)，スルホニル尿素系血糖降下薬，抗凝固薬(ワルファリンなど)，ルシウム，アルミニウム，マグネシウムまたは鉄剤，カルバマゼピン，フェニトイン，リファンピシン，ルビツール酸誘導体	
ルフィナビル，水酸化アルミニウム，水酸化マグネシウム，ワルファリン，シクロスポリン	アレルギー反応，胃腸障害
モジド，エルゴタミン含有物(ジヒドロエルゴタミン)，ジゴキシン，イトラコナゾール，リファンピシ，ジソピラミド，トリアゾラム，カルバマゼピン，タクロリムス，クマリン系抗凝固薬(ワルファリンど)，ミダゾラム，テオフィリン	
尿薬	アレルギー反応，胃腸障害
尿薬	
尿薬，経口避妊薬	肝機能障害，発疹
尿薬	アレルギー反応，胃腸障害
凝血薬，アロプリノール，プロベネシド，メトトレキサート，経口避妊薬	
ープ利尿薬(フロセミド，アゾセミド)，デキストラン，シクロスポリン，アムホテリシンB，バンコマシン，エンビオマイシン，シスプラチン，カルボプラチン，ネダプラチン，麻酔薬，筋弛緩薬	腎障害，耳障害，神経・筋障害，アレルギー反応
	アレルギー反応
バルプロ酸ナトリウム	アレルギー反応

53

膿尿・細菌尿

913

第7章 腎・泌尿器系

■表53-6 結核の抗菌療法

使用される薬剤			
一般名	商品名	投与量	主な合併症
イソニアジド(INH)	イスコチン	200～500 mg/日を連日(通常1回400 mgを1日1回,朝食前)	末梢神経炎,肝機能障害
リファンピシン(RFP)	リファジン	450 mg/日を連日(1日1回,朝食前)	インフルエンザ様症状,肝機能障害,胃腸障害,血小板減少
ピラジナミド(PZA)	ピラマイド	1.5～2.0 g/日を連日,1日1回ないし2回	肝障害,胃腸障害,関節痛
ストレプトマイシン硫酸塩(SM)	硫酸ストレプトマイシン	1 g/日を週2回筋注,または0.5～0.75 g/日を連日	平衡障害,聴力障害
エタンブトール塩酸塩(EB)	エサンブトール	0.75～1.0 g/日を連日,1日1回ないし2回	視力障害
使用法			
PZAが使える場合	最初の2か月(①または②)	①イソニアジド+リファンピシン+ピラジナミド+ストレプトマイシン硫酸塩	
		②イソニアジド+リファンピシン+ピラジナミド+エタンブトール塩酸塩	
	その後4か月	イソニアジド+リファンピシン	
肝障害があるなどPZAが使えない場合	最初の6か月(①または②)	①イソニアジド+リファンピシン+ストレプトマイシン硫酸塩	
		②イソニアジド+リファンピシン+エタンブトール塩酸塩	
	その後3か月	イソニアジド+リファンピシン(+エタンブトール塩酸塩)	

- クラビット錠(500 mg) 1回1錠 1日1回 食後 14日間 ←ニューキノロン系抗菌薬
- シプロキサン(200 mg) 1回1錠 1日3回 食後 14日間 ←ニューキノロン系抗菌薬
- オゼックスまたはトスキサシン(150 mg) 1回1錠 1日3回 食後 14日間 ←ニューキノロン系抗菌薬
- グレースビット(100 mg) 1回1錠 1日2回 食後 14日間 ←ニューキノロン系抗菌薬
  ※補助的治療:安静.
  Px **処方例** 重症の急性精巣上体炎(38℃以上の発熱,疼痛・腫大が高度) 下記のいずれかを用いる.
- ロセフィン注 1回1～2g+生理食塩液100 mL 点滴静注 1日1～2回 3～7日間 ←第3世代セフェム系抗菌薬
- ファーストシン注 1回1g+生理食塩液100 mL 点滴静注 1日2～3回 3～7日間 ←第3世代セフェム系抗菌薬
  ※補助的治療:安静,陰嚢サポーターの装着など.
  Px **処方例** 尿道炎(淋菌感染) 下記のいずれかを用いる.
- ロセフィン注 1回1g+生理食塩液100 mL 点滴静注 1回のみ ←第3世代セフェム系抗菌薬
- トロビシン注 1回2g 筋注 1回のみ ←アミノグリコシド系抗菌薬
  Px **処方例** 尿道炎(クラミジア感染) 下記のいずれかを用いる.
- ジスロマック錠(250 mg) 1回4錠 1日1回 朝食後 1回のみ ←マクロライド系抗菌薬
- ジスロマックSRドライシロップ(2 g) 1回2g 1日1回 空腹時 1回のみ ←マクロライド系抗菌薬
- クラリス錠(200 mg)またはクラリシッド錠(200 mg) 1回1錠 1日2回 朝夕食後 7日間 ←マクロライド系抗菌薬
- ミノマイシン錠(100 mg) 1回1錠 1日2回 朝夕食後 7日間 ←テトラサイクリン系抗菌薬
- ビブラマイシン錠(100 mg) 1回1錠 1日2回 朝夕食後 7日間 ←テトラサイクリン系抗菌薬
- クラビット錠(500 mg) 1回1錠 1日1回 食後 7日間 ←ニューキノロン系抗菌薬

914

- オゼックスまたはトスキサシン錠(150 mg)　1回1錠　1日2回　朝夕食後　7日間　←ニューキノロン系抗菌薬
- グレースビット(100 mg)　1回1錠　1日2回　食後　7日間　←ニューキノロン系抗菌薬

Px 処方例 尿道炎(マイコプラズマ・ゲニタリウム感染)
- ジスロマック錠(250 mg)　1回4錠　1日1回　朝食後　1回のみ　←マクロライド系抗菌薬

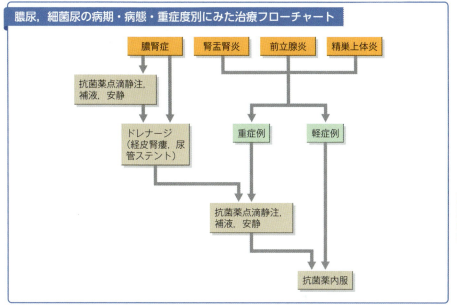

膿尿，細菌尿の病期・病態・重症度別にみた治療フローチャート

膿尿のある患者の看護

那須　佳津美

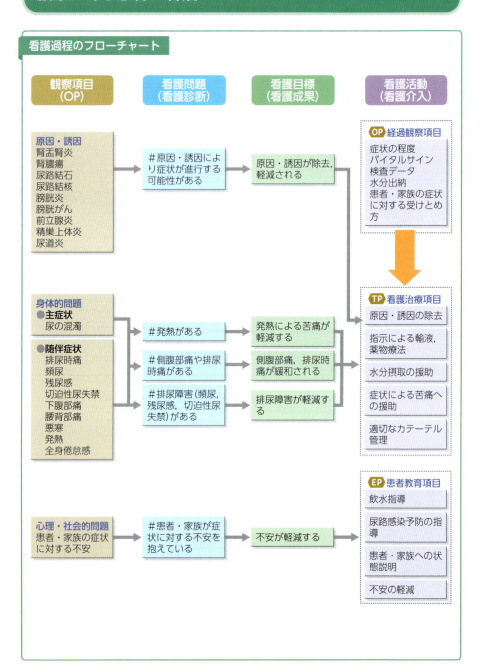

基本的な考え方

- 膿尿は，尿中に多数の白血球が混入している状態であり，腎・尿路・生殖器に感染またはがん，結石などが存在することを示している．大腸菌をはじめとするグラム陰性桿菌の上行感染や，尿流停滞や異物（留置カテーテルなど）の存在，また，糖尿病をはじめとする易感染状態を引き起こす基礎疾患が存在することも多く，その原因や病態により適切な看護援助が必要である．
- 処置やカテーテル挿入の際の医療従事者の手指を介した感染の拡大を防止し，また，患者が再発予防行動をとれるようセルフケア行動を支援することが重要である．

STEP ① アセスメント ▶ STEP ② 看護課題の明確化 ▶ STEP ③ 計画 ▶ STEP ④ 実施 ▶ STEP ⑤ 評価

情報収集	アセスメントの視点と根拠・起こりうる看護問題
病歴の把握	患者・家族から症状出現の経過，症状の変化を聞くことで，原因・誘因の特定や全身状態の把握につながり，治療や看護ケアにも重要な情報を得ることができる．
経過	● いつから，どのくらい続いているか． ● 症状の変動の有無
誘因	● 不動，寝たきり ● 尿流異常 ● 失禁 ● 尿路に留置されたカテーテルやステント ● 疲労，ストレス
随伴症状	● 排尿時痛，頻尿，残尿感，切迫性尿失禁，下腹部痛などの膀胱刺激症状 ● 血尿 ● 腰背部痛，側腹部痛 ● 発熱，発汗，悪寒，全身倦怠感，食欲不振 ● 随伴症状と膿尿との関係
生活歴	● 排尿習慣や排泄後の清潔行動 ● 水分摂取量 ● 性交後の排尿 ● 睡眠状況 ● ストレスの有無 ● 仕事上の問題の有無
既往歴	● 膿尿の経験の有無 ● 尿路感染症の既往 ● 神経因性膀胱，尿路狭窄，尿路結石，前立腺肥大症，前立腺がんなど尿流が停滞する疾患の有無 ● 泌尿器がんの手術歴 ● 糖尿病，痛風，免疫グロブリン血症など易感染状態を引き起こす疾患の有無
常用薬	● 抗がん剤投与，ステロイド投与など易感染状態を引き起こす薬物療法
その他	● 便秘，妊娠，月経など骨盤内のうっ血を引き起こす状態の有無
主要症状の出現状況，程度，性状の把握	症状の出現状況や膿尿の性状を把握することで，原因疾患の特定につながる情報が得られる．
尿の所見	● 量，性状，比重 ● 色調，臭気，凝血の有無と程度 ● 中間尿培養で尿中の細菌のコロニー数 10 万 cfu/mL 以上で，原因菌と同定する． ● 白色の混濁尿（米のとぎ汁様）　【原因・誘因】尿路結核 ● 乳白色の混濁尿　【原因・誘因】リンパ管の閉塞によるリンパ液の混入（乳び尿），外傷や腫瘍，フィラリア症などでみられる． ● 長時間放置したことによる尿の混濁　【原因・誘因】塩類の結晶析出

53 膿尿・細菌尿

第7章 腎・泌尿器系

	●**女性** 腟炎などにより腟分泌物が増加している状態での採尿時に腟分泌物が混入することもある.
全身状態，随伴症状の把握 **バイタルサイン**	**症状出現の経過を把握するとともに，随伴症状の有無，全身状態を観察し，治療，看護計画の立案に有効に反映する.** ●体温，熱型，発熱の時期と持続時間 ●血圧，脈拍・リズム ●呼吸状態 ●意識レベル
全身状態	●水分出納 ●血清 CRP 値，白血球数，赤血球沈降速度(赤沈) **緊急 腎盂腎炎** では，血清 CRP増加，白血球数増加，赤沈亢進などがみられ，**菌血症** を起こしやすい. **敗血症** が致命的となることもある.
腰背部 **腹部**	●腰背部痛，腰背部の叩打痛 **原因・誘因** 腎盂腎炎，尿路結石 ●側腹部痛 **原因・誘因** 腎盂腎炎 ●側腹部の仙痛 **原因・誘因** 尿路結石 ●悪心・嘔吐の有無 ●下腹部痛 **原因・誘因** 膀胱炎 ●腹部の聴診 ◐排便状況を確認する
排尿状態	●排尿回数，1回尿量 ●排尿時痛，残尿感，頻尿，切迫性尿失禁 **原因・誘因** 膀胱炎
四肢	●下腿浮腫の有無 ◐腎疾患を鑑別する 🔍 **起こりうる看護問題**：尿路感染を起こしている／発熱がある／腰背部痛がある／結石による痛みがある／悪心・嘔吐がある／排尿時痛がある／頻尿，残尿感，切迫性尿失禁がある
患者・家族の心理・社会的側面の把握	**症状による心理的苦痛を理解し，社会生活上の役割遂行の困難を把握する. 医師からの説明をどのように受け止めているか，また，どのような治療参加の方法が可能か情報収集する.** ●症状による不安を理解する. ●症状により困難となっている社会的役割について把握する. ●医師からの説明内容と，それをどのように受けとめているか把握する. ●誰にどのような情報提供を行うのがよいか把握する. ●家族も含め，どの程度治療への参加が可能か把握する. 🔍 **起こりうる看護問題**：患者・家族が症状に対する不安を抱えている

STEP ① アセスメント ▶ **STEP ② 看護課題の明確化** ▶ **STEP ③ 計画** ▶ **STEP ④ 実施** ▶ **STEP ⑤ 評価**

看護問題リスト

- #1 発熱がある(栄養-代謝パターン)
- #2 側腹部痛や排尿時痛がある(認知-知覚パターン)
- #3 排尿障害(頻尿，残尿感，切迫性尿失禁)がある(排泄パターン)
- #4 患者・家族が症状に対する不安を抱えている(自己知覚パターン)

看護問題の優先度の指針

- ●基礎疾患のない単純性尿路感染症と，尿路の基礎疾患に続発して生じる複雑性尿路感染症，また，急性か慢性かにより，その病態や症状は大きく異なるため，看護問題の優先度も変わってくる.
- ●腎盂腎炎では，悪寒戦慄を伴う発熱や腰背部痛が生じるため，不快症状の緩和とともに，全身状態の十分な観察が必要になる.

- 膀胱炎では，下腹部痛，排尿時痛，頻尿，残尿感，切迫性尿失禁などの膀胱刺激症状が現れ，これらの症状は身体的にも精神的にも不快であるため，症状の緩和が優先される．
- 患者・家族の不安の解消に努める．

| STEP ❶ アセスメント | STEP ❷ 看護課題の明確化 | STEP ❸ 計画 | STEP ❹ 実施 | STEP ❺ 評価 |

1 看護問題	看護診断	看護目標（看護成果）
#1　発熱がある	**高体温** **関連因子**：尿路感染症 **診断指標** □触れると温かい皮膚 □頻脈 □頻(多)呼吸	〈**長期目標**〉平熱になる 〈**短期目標**〉1) 発熱による苦痛が軽減する. 2) 発熱の随伴症状がコントロールできる

看護計画	介入のポイントと根拠
OP 経過観察項目 ●発熱の程度，時期，持続時間 ●悪寒，熱感，発汗 ●随伴症状の有無と程度 ●バイタルサイン ●水分出納 ●血清電解質値	➡熱型を観察する **根拠** 腎盂腎炎では，午後からの悪寒戦慄を伴う高熱が特徴である ➡脱水に気をつける **根拠** 発熱による不感蒸泄の増加により脱水を起こす可能性がある
TP 看護治療項目 ●体温の変化に応じて，寝具，室温などを調節する ●患者の希望に合わせて冷罨法を行う ●発汗が多い時は，更衣，清拭を介助する ●水分摂取，食事摂取を援助する ●医師の指示により輸液を行う ●医師と相談し，解熱薬の投与を検討する ●随伴症状に対するケアを行う	➡悪寒がある時は温め，熱感がある時は冷やす **根拠** 産熱時には体温調節のセットポイントに近づけ，悪寒を最小限にし，放熱時には冷罨法で放熱を助ける ➡冷罨法は頸部，腋窩，大腿動脈に沿って行う **根拠** 体表近くの動脈を冷やすと効果的である ➡ **根拠** 発汗により濡れた衣服は悪寒の原因となる ➡水・電解質の補給を行う **根拠** 脱水を予防する
EP 患者教育項目 ●水分摂取の必要性を説明する ●発熱に伴う苦痛を表現するよう促す ●解熱薬の効果と副作用について説明する	➡ **根拠** 自浄作用を促す（膀胱内の細菌を洗い流す）

2 看護問題	看護診断	看護目標（看護成果）
#2　側腹部痛や排尿時痛がある	**急性疼痛** **関連因子**：尿路感染症 **診断指標** □表現行動 □痛みの顔貌 □痛みを和らげる体位調整	〈**長期目標**〉側腹部痛や排尿時痛がなくなる 〈**短期目標**〉側腹部痛や排尿時痛が軽減する

53

膿尿・細菌尿

第7章　腎・泌尿器系

看護計画	介入のポイントと根拠
OP 経過観察項目 ●痛みの部位，出現状況，程度 ●排尿障害，その他の随伴症状 ●排尿の量，回数 ●水分摂取量 ●鎮痛薬の効果 ●バイタルサイン ●痛みにより制限されている ADL **TP 看護治療項目** ●医師の指示による抗菌薬の管理を行う ●尿路通過障害に対する処置の援助を行う ●適切な鎮痛薬を投与する ●痛みの訴えを聞く ●痛みにより制限されている ADL を援助する ●安楽な体位への援助を行う **EP 患者教育項目** ●水分摂取の必要性について説明する ●痛みの有無や程度について報告するよう説明する ●鎮痛薬の効果と副作用について説明する	➡痛みは主観的なものであり，客観的データと照らし合わせながらアセスメントする ➡鎮痛薬を予防的に使用することも効果的 **根拠** 排尿に対する恐怖感が軽減する ➡**根拠** 痛みにより排尿することへの恐怖感を理解しようとすることで，痛みによる不安が軽減する ➡**根拠** 自浄作用を促す(膀胱内の細菌を洗い流す)

3 看護問題	看護診断	看護目標(看護成果)
#3　排尿障害(頻尿，残尿感，切迫性尿失禁)がある	**排尿障害** **関連因子**：複合的原因 **関連する状態**：尿路感染症 **診断指標** □頻回の排尿 □尿失禁 □尿意切迫 □排尿痛	〈**長期目標**〉排尿障害がなくなる 〈**短期目標**〉排尿障害が軽減する

看護計画	介入のポイントと根拠
OP 経過観察項目 ●排尿回数，間隔，1 回尿量 ●尿失禁，尿意切迫感，残尿感，排尿痛の有無と程度 ●尿量，性状 ●水分摂取量 ●睡眠状況 ●心理状態(不安，イライラ，落ち着きのなさ) **TP 看護治療項目** ●医師に指示された薬物の管理を行う ●排尿しやすい環境を整備する ●失禁用パッドなど用具の使用方法を説明する ●陰部の清潔を保持する ●皮膚ケアを行う ●睡眠の援助を行う	➡患者の訴えと客観的事実とを把握する　**根拠** 患者の訴え方は様々なので，客観的事実と比較しながらアセスメントする ➡水分摂取量を確認する　**根拠** 排尿障害が苦痛なため排尿の回数を減らそうと水分摂取量を制限していることがある ➡排尿に関わることは羞恥心を伴うので，プライバシーに配慮する ➡夜間の頻尿は不眠の原因となる．日中に睡眠時

● 症状に対する訴えを聴く

EP 患者教育項目
● 水分摂取の必要性について説明する
● 排尿状態について報告するよう説明する

間を確保するなど，患者に合わせた睡眠への援助が必要である

⮕ **根拠** 自浄作用を促す（膀胱内の細菌を洗い流す）

4 看護問題	看護診断	看護目標（看護成果）
#4 患者・家族が症状に対する不安を抱えている	**不安** **関連因子**：ストレッサー（排尿時痛，頻尿） **診断指標** □緊張感 □不安定な気持ち □イライラした気分	〈**長期目標**〉患者・家族が心理的・身体的不安が軽減したことを表現できる 〈**短期目標**〉1）不安を言語表現できる．2）表情やしぐさが不安の軽減を反映している

看護計画	介入のポイントと根拠
OP 経過観察項目 ● 不安や緊張の表情，落ち着きがない，イライラしている様子 ● 不安や心配の訴え，怒り ● 身体的反応：ふるえ，または手指の振戦，頻脈，頻呼吸 ● 状態や治療に対する質問の有無，内容	⮕ 排尿時痛や頻尿など排尿に関わる症状は，不安やイライラを増大させ，落ち着きをなくさせる ⮕ **根拠 小児 高齢者** 言語表現がうまくできない小児や高齢者では，言語以外の訴えの表出を見逃さないようにする．また家族からの情報に注意するとともに，不安の訴えにも十分に対処する
TP 看護治療項目 ● 不安が表出できるような支援的態度で接する ● 尿は速やかに処理し，尿道カテーテル留置中は蓄尿バッグにカバーをかけるなどして，膿尿が人目に触れないようにする ● 治療や処置を行う場合は，そのつど十分に説明を行う．心配や質問がないか聞き，必要な情報を提供する ● 遊びやリラクセーションを図る	⮕ **根拠** 支援的態度が患者の不安表出を促す ⮕ **根拠** プライバシーに配慮し，膿尿による不安を増大させないようにする ⮕ 患者に合った説明をする **根拠 小児 高齢者** 理解度や状態に適した説明方法は，患者に不要な心配を抱かせない．家族へは同じ内容を別の方法で説明してもよい ⮕ 気分転換を図る **根拠** 患者・家族の不安を軽減する
EP 患者教育項目 ● わからないこと，心配なことがあれば質問するよう伝える	⮕ 情報の整理を手伝う **根拠** 不安を軽減するための対処を促す

STEP① アセスメント　STEP② 看護課題の明確化　STEP③ 計画　STEP④ 実施　STEP⑤ 評価

病期・病態・重症度に応じたケアのポイント

【急性期】発熱や痛み，排尿障害が強く現れ，不安も強い．医師の指示による抗菌薬を確実に投与し，身体症状のケアとともに精神的な援助も必要になる．重症化すると敗血症を引き起こす可能性もあるので，バイタルサインや水分出納など全身状態の観察を怠らない．

【回復期】再発予防も含め，患者自身がセルフケア行動をとれるよう，飲水や清潔行動，排泄行動の指導・援助が必要になる．神経因性膀胱，糖尿病などの基礎疾患がある場合は，基礎疾患の治療とセルフケア行動の援助を並行して行う．

53

膿尿・細菌尿

第7章　腎・泌尿器系

看護活動（看護介入）のポイント

診察・治療の介助
- 膿尿の状況や随伴症状から，原因・誘因を把握する.
- 中間尿採取のための導尿を援助する.
- 指示された輸液，薬物を正確に投与する.

膿尿，随伴症状に対する援助
- 訴えを十分に聞く.
- 随伴症状による苦痛を最小限にできるよう援助する.
- 安静，安楽に過ごせるよう環境を整える.
- プライバシーに配慮する.

尿路感染の再発予防対策
- 不要な尿道カテーテルは留置しない.
- 適切な尿道カテーテル管理と，処置時の清潔操作を徹底する.
- 患者自身が予防行動をとれるよう指導する.
- 基礎疾患の治療とケア，寝たきり，不動といった誘因に対するケアを行う.

退院指導・療養指導

- 抗菌薬の継続が必要な場合は，規則正しい内服を指導する.
- 適度な水分摂取を継続するよう説明する.
- 外陰部の清潔保持，排泄時の清潔行動，性生活の指導を行う.
- 基礎疾患がある場合は，治療，セルフケア行動を継続するよう指導する.
- 膿尿，随伴症状が出現してくるようであれば，再度受診するよう説明する.

STEP ❶ アセスメント　STEP ❷ 看護課題の明確化　STEP ❸ 計画　STEP ❹ 実施　STEP ❺ 評価

評価のポイント

看護目標に対する達成度
- 発熱による苦痛が軽減しているか.
- 側腹部痛や排尿時痛が軽減しているか.
- 排尿障害（頻尿，残尿感，切迫性尿失禁）が軽減しているか.
- 患者・家族が心理的・身体的安楽が増大したことを表現できているか.

922

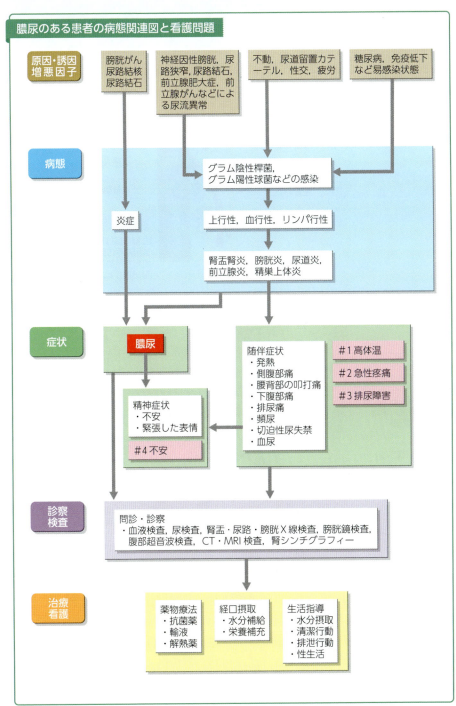

54 血尿

寺田 典生

目でみる症状

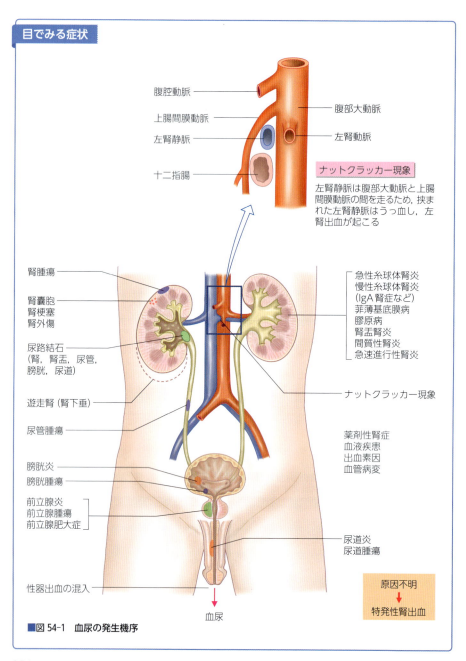

図 54-1 血尿の発生機序

病態生理

血尿とは尿に赤血球が混入した状態をいう．診断には通常，尿色調の観察，尿の定性・半定量検査である試験紙法による尿潜血反応，顕微鏡的検査である尿沈渣検査が行われる．血尿は腎から外尿道口まで，尿路のどこかに血液の流入を生じる原因があることを示しており，腎・泌尿器系疾患の診断・治療のために重要な症候である．

●検査法

- ●尿試験紙法：尿試験紙法は血尿のスクリーニング検査であり，（1＋）（ヘモグロビン濃度 0.06 mg/dL に相当）以上を陽性とする．
- ●尿沈渣検査法：①尿試験紙法で陽性の場合，確認検査が必要である．一般的には顕微鏡による尿沈渣検査が行われ，5 個/HPF（400 倍強拡大 1 視野）以上を血尿とする．無遠心尿でのフローサイトメトリー法の場合はおよそ 20 個/µL 以上を血尿とする．②血尿の尿沈渣検査では，尿中赤血球形態の観察と赤血球円柱や顆粒円柱など円柱の有無を確認する．上皮細胞の異型性についても注意し，必要な場合は尿細胞診を行って腫瘍細胞の有無を確認する．

●血尿の分類

- ●肉眼的血尿：色調により本人が気づく血尿．1 L の尿に 1 mL の血液が混入すると色調が血性となる．
- ●顕微鏡的血尿：尿潜血反応または顕微鏡によって初めて観察される血尿．
- ●無症候性血尿：何らの症状も伴わず偶然の機会に検尿で発見される血尿．
- ●症候性血尿：何らかの臨床症状を伴う血尿．

患者の訴え方

血尿には目で見て赤色ないし茶褐色を呈する肉眼的血尿と，顕微鏡による検査で初めてわかる顕微鏡的血尿がある．また，側腹部痛や排尿痛などを伴う症候性血尿と，何ら症状を伴わない無症候性血尿があり，これらは血尿の原因診断において大変有用な情報となる．

●主症状の訴え

- ●肉眼的血尿：尿が赤い，血液が混じっている，コーラ色など（尿路内の出血部位，尿の膀胱内停滞時間，尿の pH などの諸条件により，ピンクや褐色など様々な色調となりうる）．
- ●顕微鏡的血尿：無症候性が多く，偶然の機会に検尿で発見される（チャンス血尿）場合が多い．

●随伴症状

- ●原因疾患（表 54-1）により様々な症状を訴えることがある．腹痛，排尿時痛，排尿障害，皮膚症状（紫斑など），関節痛，浮腫，高血圧，乏尿など．

54
血
尿

■表 54-1　血尿をきたす疾患

糸球体疾患	糸球体腎炎（IgA 腎症，急性糸球体腎炎，半月体形成性腎炎）
間質性腎炎	薬物過敏症など
血液凝固異常	凝固線溶異常（DIC など），抗凝固療法中
尿路感染症	腎盂腎炎，膀胱炎，前立腺炎，尿道炎，尿路結核
尿路結石症	腎結石，尿管結石，膀胱結石
尿路性器腫瘍	腎細胞がん，腎盂腫瘍，尿管腫瘍，膀胱腫瘍，前立腺がん
尿路外傷	腎外傷，膀胱外傷
腎血管性病変	腎動静脈血栓症，腎梗塞，腎動静脈瘻，腎動脈瘤，ナットクラッカー現象
憩室症	腎憩室症，膀胱憩室症
その他	壊死性血管炎，紫斑病，多発性嚢胞腎，海綿腎，腎乳頭壊死，前立腺肥大症，出血性膀胱炎，特発性腎出血

血尿診断ガイドライン検討委員会（委員長東原英二）編：血尿診断ガイドライン，日腎会誌 48 (Suppl)：17，表 6，2006 および血尿診断ガイドライン編集委員会編：血尿診断ガイドライン 2013，p.26-27，ライフサイエンス出版，2013 を参考に作成

925

第7章　腎・泌尿器系

診断

尿の色調で血尿が疑われたら（表 54-2），まず尿潜血反応と尿沈渣で赤血球の存在を確認し，血尿であることを証明する必要がある．また，糸球体性血尿か，あるいは非糸球体性血尿かを鑑別する必要がある（表 54-3）．

- ①蛋白尿を伴う場合，②早朝尿でも随時尿でも血尿が認められ，複数回の検尿でも血尿が常に認められる持続性血尿で，かつ糸球体性血尿が示唆される場合には，腎臓内科専門医への紹介が望ましい．
- **原因・考えられる疾患**
- 内科的な血尿の原因疾患について検索する場合は，血算，血液生化学的検査，血清・免疫学的検査，凝固系検査などを行い，さらに必要に応じて画像検査，腎生検などを行う．
- 中年期以降で下部尿路からの出血が疑われた場合は，腎・尿路系の悪性腫瘍など泌尿器科疾患を疑わなければならない．特に膀胱がん，次いで前立腺がん，腎がんに注意が必要である．
- このような血尿の診断チャートを図 54-2, 3 に示す．
- **鑑別診断のポイント**
- 随伴症状（表 54-4），症状の経過，服薬歴などを考慮し，鑑別診断を行う．
- 画像診断の結果，症状の強さ，進行の速さなどから緊急性があるかどうか判断する．

■表 54-2　血尿と区別すべき尿色調異常とその原因

色調	原因	備考
赤～暗赤色	ヘモグロビン尿	溶血性貧血など．潜血反応陽性，尿沈渣陰性
	ミオグロビン尿	炎症性筋疾患，広範囲外傷など．潜血反応陽性，尿沈渣陰性
	薬剤性など	酸性尿：アンチピリン，サルファ剤など アルカリ尿：大黄，センナなど
赤～赤ぶどう酒様	ポルフィリン尿	ポルフィリン症など．紫外線照射にて赤紫色の蛍光を発する
黄色	薬剤性など	ビタミン B_2（蛍光），カルバゾクロムスルホン酸ナトリウム水和物など
黄褐色	ビリルビン尿 （ウロビリン尿）	肝障害，胆道閉塞など
暗赤褐色	濃縮尿	脱水，下痢，発熱など
褐色～黒色	メトヘモグロビン尿	溶血性貧血，異型輸血など．放置により黒色調増強
	薬剤性など	メチルドパ水和物，レボドパなど

■表 54-3　糸球体性血尿と非糸球体性血尿の鑑別

	糸球体性血尿	非糸球体性血尿
尿の色調	褐色～コーラ様，黒色	鮮紅色，ピンク
凝血塊	なし	ときに認める
変形赤血球	(+)	(-)
赤血球円柱	(+)	(-)
蛋白尿	ときに 500 mg/日以上	通常 500 mg/日以下
よく伴う随伴症状	先行感染症	腰背部痛，排尿痛

926

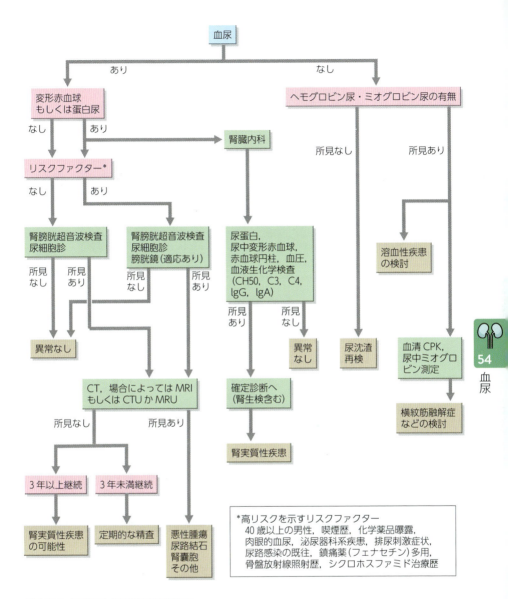

■図 54-2 顕微鏡的血尿の診察の進め方
CTU：CT 尿路造影，MRU：MR 静脈造影
血尿診断ガイドライン編集委員会編：血尿診断ガイドライン 2013，p.21，図 2，ライフサイエンス出版，2013

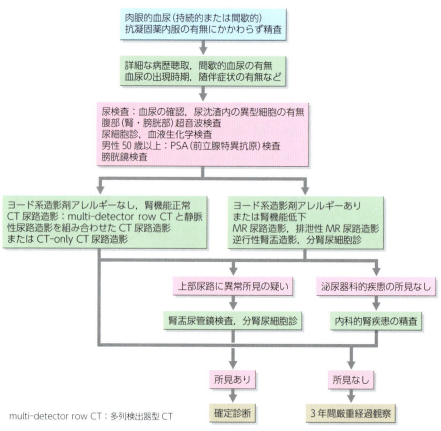

■図 54-3　肉眼的血尿の初期診察の進め方
血尿診断ガイドライン検討委員会（委員長 東原英二）編：血尿診断ガイドライン，日腎会誌 48（Suppl）：8，図 2，2006

治療法・対症療法

診断・治療に関しては原因疾患を明らかにすることが重要である．原因疾患に応じた治療を行う．

●治療方針
- 血尿自体が治療対象になるのは，凝血塊による閉塞や膀胱タンポナーデのように大量の出血を認めた場合のみであり，トリプルルーメン・ドレナージカテーテルを挿入して洗浄・灌流する．一般的にはそれ以外は原因疾患の治療を行えば，血尿自体に対する加療は必要としない．

●経過観察
- 顕微鏡的血尿の経過観察：無症候性顕微鏡的血尿では精査を行っても多くの場合，原因疾患は同定されない．しかし，無症候性顕微鏡的血尿の発見後，3年以内に悪性腫瘍が1〜3％に発見されることがある．そのため，原因疾患が明らかとならない場合は，悪性腫瘍については3年の経過観察を行い，また腎実質疾患の疑いのあるものについては腎臓内科専門医の経過観察を必要とする．
- 成人の肉眼的血尿の経過観察（図54-4）：血尿の発現から3年以内に処置の必要なほぼすべての疾患が出現，診断されるため，3年間は厳重経過観察（3〜6か月間隔）を行う．3年以降の経過観察は，年1〜2回の尿沈渣検査，尿細胞診検査，超音波検査などを行う．

■表 54-4 血尿の随伴症状と考えられる疾患(赤字は緊急対応を要する随伴症状)

血尿の随伴症状	考えられる疾患
急性感染症後の肉眼的血尿，扁桃腺腫大	IgA 腎症
浮腫，低蛋白血症	ネフローゼ症候群
浮腫，高血圧，乏尿	急性糸球体腎炎
側腹部痛(仙痛)	尿路結石
腹痛，下血，紫斑，関節痛	アレルギー性紫斑病
紅斑，関節痛，レイノー現象，低補体血症，抗 DNA 抗体陽性	ループス腎炎
間質性肺炎	膠原病，血管炎症候群
高血圧，腹部血管雑音	腎血管性高血圧
発熱，背部痛	感染症(腎盂腎炎など)
腎腫大，腎触知，家族性	多発性嚢胞腎
単独血尿，難聴，家族歴	アルポート症候群
単独血尿，家族性	菲薄基底膜病
急速進行性腎炎，血管炎症候，ANCA 陽性，高齢者	ANCA 関連腎炎
肥満，高血圧	腎硬化症，肥満腎症
排尿障害	前立腺疾患，膀胱炎

ANCA：抗好中球細胞質抗体

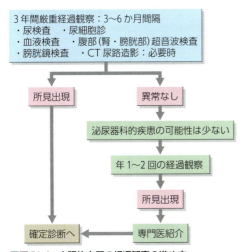

■図 54-4　肉眼的血尿の経過観察の進め方
血尿診断ガイドライン検討委員会(委員長 東原英二)編：血尿診断ガイドライン，日腎会誌 48(Suppl)：9, 図 3, 2006

●参考文献
1) 血尿診断ガイドライン検討委員会(委員長 東原英二)編：血尿診断ガイドライン，日腎会誌 48(Suppl)：1-34, 2006
2) 血尿診断ガイドライン編集委員会編：血尿診断ガイドライン 2013, p.21, ライフサイエンス出版, 2013

血尿のある患者の看護

那須　佳津美

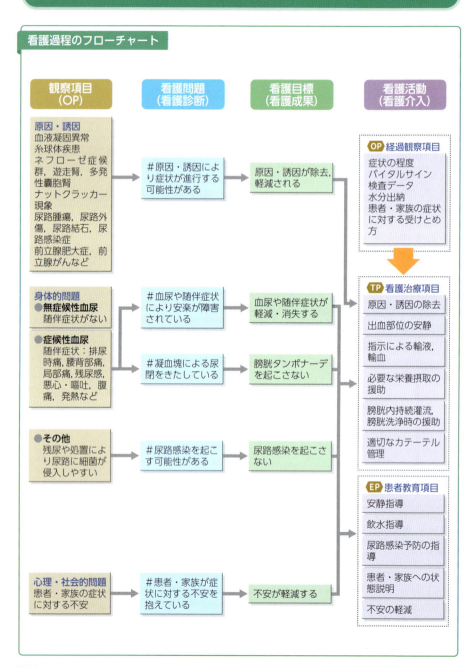

基本的な考え方

● 肉眼的血尿は，自分の目で見て確認できるため，患者・家族は症状に対する不安がつのりやすい．原因，治療，症状緩和の方法について十分に説明し，治療への参加をはたらきかける．また，尿性状の異常が人目に触れることがないよう，プライバシー保護への配慮が必要である．

● 顕微鏡的血尿は，無症候性であることも多く，患者・家族はとまどうこともある．必要な検査が安心して受けられるよう援助することが重要である．

● 高度な血尿による凝血塊は膀胱タンポナーデ(凝血塊により排尿困難，尿閉をきたした状態)を引き起こす．尿路閉塞により水腎症や腎機能低下などの合併症を起こす可能性があるため，尿流の確保に努め，指示による膀胱内持続灌流や膀胱洗浄の援助を行う．

緊急 腎外傷による腎茎血管(腎動脈，腎静脈)の損傷では，出血性ショックを起こす危険性があるので，迅速な対応が必要である．血尿の程度だけではなく，バイタルサインなど全身症状の観察を怠らないことが重要である．

STEP ❶ アセスメント	STEP ❷ 看護課題の明確化	STEP ❸ 計画	STEP ❹ 実施	STEP ❺ 評価

情報収集	アセスメントの視点と根拠・起こりうる看護問題
病歴の把握	患者・家族から症状出現の経過，症状の変化を聞くことで，原因・誘因の特定や全身状態の把握につながり，治療や看護ケアにも重要な情報を得ることができる．
経過	● いつから，どのくらい続いているか．
誘因	● 症状の変動の有無 ● 飲酒や刺激性食品 ● 努責 ● 激しい運動，強い咳嗽発作 ● 外傷
随伴症状	● 排尿時痛，腰背部痛，悪心・嘔吐，腹痛，発熱などの随伴症状はないか． ● 随伴症状と血尿との関係
生活歴	● 睡眠状況 ● ストレスの有無 ● 仕事上の問題の有無
既往歴	● 血尿の経験の有無 ● 腎疾患，尿路疾患，前立腺疾患などの既往 ● 手術歴 **原因・誘因** 術後の出血による血尿の可能性 ● 放射線照射などの治療歴 ● 血液疾患による血色素尿，筋組織の破壊によるミオグロビン尿との鑑別
嗜好品，常用薬	● アルコール，コーヒー，喫煙 ● 薬剤による赤色尿との鑑別
その他	● 月経との関係 **原因・誘因** 月経血の混入はないか． ● **小児** 腹部大動脈と上腸間膜動脈により左腎静脈が圧迫され，静脈圧が上昇し血尿となるナットクラッカー現象がある．
主要症状の出現状況，程度，性状の把握	症状の出現状況や血尿の量・性状を把握することで，原因疾患の特定につながる情報が得られる．
尿の所見	● 量，性状，比重 ● 尿潜血反応，尿沈渣 ● 臭気，色調，凝血の有無と程度 ● 蛋白尿 **原因・誘因** 腎炎，IgA 腎症
排尿との関係	● 排尿初期 **原因・誘因** 前部尿道からの出血 ● 排尿終末期 **原因・誘因** 膀胱頸部，後部尿道からの出血 ● 全血尿 **原因・誘因** 膀胱，上部尿路(腎，尿管)からの出血

54

血尿

931

第7章　腎・泌尿器系

全身状態，随伴症状の把握 バイタルサイン	症状出現の経過の把握とともに，随伴症状の有無，全身状態を観察し，治療，看護計画の立案に有効に反映する.
	●体温 ➡感染症の有無を確認する.
	●血圧，脈拍・リズム
	●呼吸状態
	●意識レベル
全身状態	●水分出納
	●発汗の有無
	●血清ヘモグロビン値，ヘマトクリット値
排尿状態	●回数
	●1回尿量
	●排尿時痛の有無
	●残尿感の有無
	●頻尿，尿意切迫感の有無
腰背部 腹部	●腰背部の叩打痛　原因・誘因 尿路結石
	●側腹部の仙痛　原因・誘因 尿路結石
	●悪心・嘔吐の有無
	●腹部の聴診 ➡排便状況を確認する.
	●下腹部緊満　原因・誘因 膀胱タンポナーデの可能性
四肢	●下腿浮腫の有無 ➡腎疾患を鑑別する.
	●チアノーゼの有無 ➡貧血の有無を確認する.
	🔍 起こりうる看護問題：尿路感染を起こす可能性がある／出血性ショックを起こす可能性がある／結石による痛みがある／悪心・嘔吐がある／膀胱タンポナーデを起こす可能性がある／貧血の可能性がある
患者・家族の心理・社会的側面の把握	症状による心理的苦痛を理解し，社会生活上の役割遂行の困難を把握する．医師からの説明をどのように受けとめているか，また，どのような治療参加の方法が可能か情報収集する.
	●症状による不安を理解する.
	●症状により困難となっている社会的役割について把握する.
	●医師からの説明内容と，それをどのように受けとめているか把握する.
	●誰にどのような情報提供を行うのがよいか把握する.
	●家族も含め，どの程度治療への参加が可能か把握する.
	🔍 起こりうる看護問題：患者・家族が症状に対する不安を抱えている

STEP❶ アセスメント　STEP❷ 看護課題の明確化　STEP❸ 計画　STEP❹ 実施　STEP❺ 評価

看護問題リスト

#1　血尿や随伴症状により安楽が障害されている（認知-知覚パターン）
#2　凝血塊による尿閉をきたしている（排泄パターン）
#3　尿路感染を起こす可能性がある（栄養-代謝パターン）
#4　患者・家族が症状に対する不安を抱えている（自己知覚パターン）

看護問題の優先度の指針

●まずは出血部位の安静を図り，止血を促す．出血により貧血になる可能性もあるため，自覚症状とともに血液データを確認し，必要な処置を行う.
●凝血が強いと膀胱タンポナーデを起こしやすいので，十分な観察と予防が必要である.
●残尿や，これらの処置・検査により尿路に細菌が侵入しやすい状態となるため，適切な尿路感染予防対策が重要である.

- 患者・家族の不安の解消に努める．

| STEP ❶ アセスメント | STEP ❷ 看護課題の明確化 | STEP ❸ 計画 | STEP ❹ 実施 | STEP ❺ 評価 |

1 看護問題	看護診断	看護目標（看護成果）
#1 血尿や随伴症状により安楽が障害されている	**安楽障害** **関連因子**：状況管理が不十分 **関連する状態**：血尿および随伴症状 **診断指標** □不快感を示す	〈長期目標〉血尿や随伴症状が軽減する 〈短期目標〉1) 苦痛な症状について表現できる．2) 血尿を悪化させない行動をとれる

看護計画 / 介入のポイントと根拠

OP 経過観察項目
- 尿の量，性状，比重
- 臭気，色調，凝血の有無と程度
- 血尿の出現状況，持続状態
- 随伴症状の有無

- 疲労感，めまい，頭痛，動悸，息切れ，立ちくらみなど貧血症状の有無
- 血清ヘモグロビン値，ヘマトクリット値
- バイタルサイン

TP 看護治療項目
- 出血部位の安静を促す
- 指示により止血薬などの輸液，輸血を行う
- 尿道カテーテルの挿入や洗浄・灌流による疼痛，不快症状を緩和する
- 安静時の体位の調整，安楽な体位への援助を行う
- 全身の保温と局所の冷罨法を行う
- 便通コントロールを行う
- 栄養摂取の援助を行う
- ふらつきがある時は，転倒の危険がないようADLを援助する

EP 患者教育項目
- 血尿，随伴症状の有無や程度について報告するよう説明する
- 安静の必要性，尿道カテーテル挿入や牽引の必要性を説明する
- 便通コントロールの必要性と便秘時の努責の禁止について説明する
- アルコールや刺激性食品の摂取の禁止について説明する
- 適度な水分摂取を促す

➡ 血尿との関連を把握し，原因を除去する
  根拠 関連を把握することで，原因疾患を推測しつつ適切な看護計画につなげることができる
➡ **根拠** 出血による貧血，さらには出血性ショックを起こした場合，異常の早期発見と迅速な対応が必要である

➡ **根拠** 腎出血では，腎が血管に富んでいるので特に厳重な安静が必要である
➡ 血尿のない場合より太い尿道カテーテルを使用するため，苦痛症状が強く出ることもある

➡ **根拠** 排便時の努責による出血を予防する
➡ **根拠** 貧血にならないよう高カロリーの食事を心がける

➡ **根拠** 異常の早期発見と，患者・家族の不安を解消し，治療への参加を促す
➡ **根拠** 理解不足によって苦痛が増大しないよう努める

➡ **根拠** 刺激物など，出血を誘発する飲食物は避ける
➡ **根拠** 尿流を確保する

54 血尿

第7章　腎・泌尿器系

2 看護問題	看護診断	看護目標（看護成果）
#2　凝血塊による尿閉をきたしている	**尿閉** **関連する状態**：尿路閉塞症 **診断指標** □排尿の欠如 □膀胱拡張 □溢流性尿失禁 □膀胱充満感	〈**長期目標**〉凝血塊による膀胱タンポナーデを起こさない 〈**短期目標**〉1) 定期的な排尿がある．2) カテーテル内に尿の流出がある

看護計画	介入のポイントと根拠
OP 経過観察項目 ●尿の量，凝血の有無と程度 ●排尿回数，1回尿量 ●残尿感，排尿困難感の有無 ●膀胱緊満感の有無 ●カテーテル挿入中の場合，尿の流出状況，膀胱刺激症状の有無 ●水分摂取量	⮕自覚症状を注意して聞く 根拠 プライベートなことを話したがらないこともある ⮕カテーテル挿入や牽引によっても膀胱刺激症状が出現することがあるため，尿の流出状況と合わせて総合的な判断が必要である
TP 看護治療項目 ●適切なカテーテル管理を行う（適宜，ミルキングする） ●指示により膀胱内持続灌流や膀胱洗浄の援助を行う ●カテーテル挿入や膀胱内持続灌流による苦痛を緩和する ●指示により輸液を行う	⮕カテーテル内の凝血塊が流出し，膀胱内が空になるよう管理する
EP 患者教育項目 ●自覚症状出現時は報告するよう説明する ●必要な処置について十分に説明する ●適度な水分摂取を促す	⮕ 根拠 尿流確保のため，可能な範囲で飲水を促す

3 看護問題	看護診断	看護目標（看護成果）
#3　尿路感染を起こす可能性がある	**感染リスク状態** **関連する状態**：残尿，観血的処置 **危険因子**：病原体との接触回避についての知識不足	〈**長期目標**〉尿路感染を起こさない 〈**短期目標**〉1) 尿路感染の徴候がない．2) 適切な尿路感染予防対策がとれる

看護計画	介入のポイントと根拠
OP 経過観察項目 ●尿の色，性状，残尿の量 ●排尿痛，頻尿，残尿感，切迫性尿失禁の有無 ●倦怠感などの全身症状の有無 ●体温，白血球数，CRP 値 ●水分摂取量	⮕ 高齢者 高齢者では，発熱しないことも多いため，自覚症状に十分注意する
TP 看護治療項目 ●陰部の清潔を保つ	⮕ 根拠 残尿や失禁による外陰部からの感染を防

934

- ● 適切なカテーテル管理を行う

ぐ．また，カテーテル挿入中は特に粘膜を傷つけないよう丁寧に陰部洗浄する
➡ **根拠** カテーテル挿入中は尿の逆流による逆行性感染や蓄尿バッグからの交差感染を予防する

EP 患者教育項目
- ● 尿路感染予防の必要性について説明する

➡感染が上部尿路に達すると，腎機能低下を招くこともあることを説明する

- ● カテーテルの必要性や扱い方について説明する

➡歩行時やシャワーなどの際は蓄尿バッグの位置がカテーテル挿入部より必ず低くなるよう指導する **根拠** 逆行性感染を予防する

- ● 適度な水分摂取を促す
- ● 自覚症状出現時，報告するよう説明する

➡ **根拠** 尿流確保により自浄作用を促す

---

4 看護問題 ／ 看護診断 ／ 看護目標（看護成果）

看護問題	看護診断	看護目標（看護成果）
#4 患者・家族が症状に対する不安を抱えている	**不安** **関連因子**：ストレッサー（血尿） **診断指標** □緊張感 □不安定な気持ち	〈**長期目標**〉患者・家族が心理的・身体的不安が軽減したことを表現できる 〈**短期目標**〉1）不安を言語表現できる．2）表情や仕草が不安の軽減を反映している

看護計画 ／ 介入のポイントと根拠

OP 経過観察項目
- ● 不安や緊張の表情，落ち着きがなく，イライラしている様子
- ● 不安や心配の訴え，怒り
- ● 身体的反応：ふるえ，または手指の振戦，頻脈，頻呼吸
- ● 症状や治療，処置に対する質問の有無，内容

➡肉眼的血尿は1Lの尿に1mL以上の血液の混入で尿が血性となり，不安を感じやすい

➡言語以外の表現を捉える **根拠** **小児** **高齢者** うまく言語表現できない小児や高齢者では言語以外の方法で不安などの感情を表出しているので，見逃さないようにする．また家族からの情報，不安の訴えにも十分に注意する

TP 看護治療項目
- ● 不安が表出できるような態度で接する

➡支援的態度で接する **根拠** 支援的態度が不安の表出を促す

- ● 尿は速やかに処理し，カテーテル留置中は蓄尿バッグにカバーをかけるなどして，血尿が人目に触れないようにする

➡ **根拠** プライバシーに配慮し，血尿による不安を増大させないようにする

- ● 治療や処置を行う場合は，説明を十分に行う．心配や質問がないか聞き，その都度必要な情報提供を行う

➡患者に合わせた方法で説明する **根拠** **小児** **高齢者** 患者の状態に適した説明方法は，患者に不要な心配を抱かせない．家族には同じ内容を別の方法で説明してもよい

- ● 遊びやリラクセーションを取り入れる

➡気分転換を図る **根拠** 患者・家族の不安を軽減する

EP 患者教育項目
- ● わからないこと，心配なことがあれば質問するよう伝える

➡情報の整理を手伝う **根拠** 不安を軽減するための対処を促す

54
血尿

第7章　腎・泌尿器系

`STEP ① アセスメント` ▸ `STEP ② 看護課題の明確化` ▸ `STEP ③ 計画` ▸ `STEP ④ 実施` ▸ `STEP ⑤ 評価`

病期・病態・重症度に応じたケアのポイント

【急性期】血尿の原因が特定されたら，まずは出血部位の安静を図ることが重要である．出血による貧血やショック症状に注意し，バイタルサインや全身症状の観察を怠らない．また，安静により制限される体位の工夫やセルフケアの不足を補う看護ケアが必要になる．

【回復期】血尿の改善に伴い安静が緩和され，活動範囲が増えてくる．体動による再出血や尿路感染などの合併症が起こらないよう十分な観察と予防が重要である．患者自身による尿の性状の観察や尿路感染予防対策がとれるよう指導を行う必要がある．

看護活動（看護介入）のポイント

診察・治療の介助
- 血尿の状況や随伴症状から，原因・誘因を把握する．
- 指示により尿道カテーテルの挿入や灌流，膀胱洗浄などの際の介助を行う．
- 指示された輸液や輸血，薬剤を正確に投与する．
- 尿の性状を観察し，必要な処置について医師の指示を確認する．

血尿に対する援助
- 出血部位の安静を図り，止血を促進する．
- 輸液や飲水により尿流を確保し，膀胱タンポナーデを起こさないようにする．
- 安静や処置による苦痛を緩和できるよう援助する．
- 血尿による過度の不安を抱かないよう十分に説明する．

尿路感染予防対策
- 適切なカテーテル管理と，処置時の清潔操作を徹底する．
- 患者自身が予防できるような指導が重要である．

退院指導・療養指導

- 適度な水分摂取を継続するよう説明する．
- 努責による再出血を起こさないよう，便通コントロールを継続するよう説明する．
- カテーテル挿入中の場合は，尿路感染の徴候と予防対策について指導する．
- 再出血した場合は，再度受診するよう説明する．

`STEP ① アセスメント` ▸ `STEP ② 看護課題の明確化` ▸ `STEP ③ 計画` ▸ `STEP ④ 実施` ▸ `STEP ⑤ 評価`

評価のポイント

看護目標に対する達成度
- 血尿が改善しているか．
- 貧血が起きていないか．
- 膀胱タンポナーデが起きていないか．
- 尿路感染の徴候がないか．
- 尿路感染予防対策がとれているか．
- 患者・家族は心理的・身体的安楽が増大したことを表現できているか．

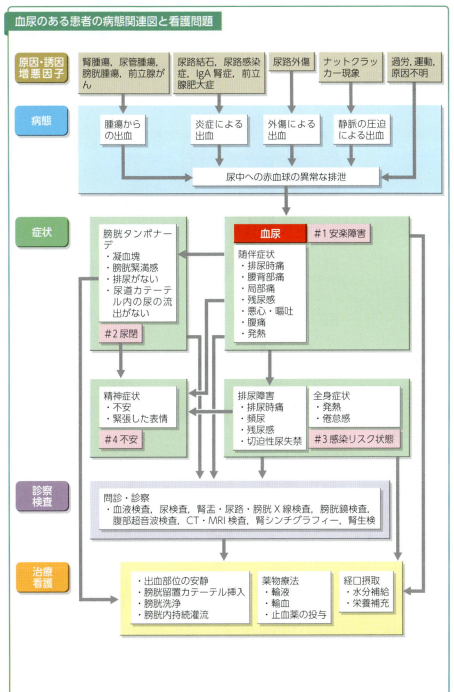

55 蛋白尿

横地　章生

目でみる症状

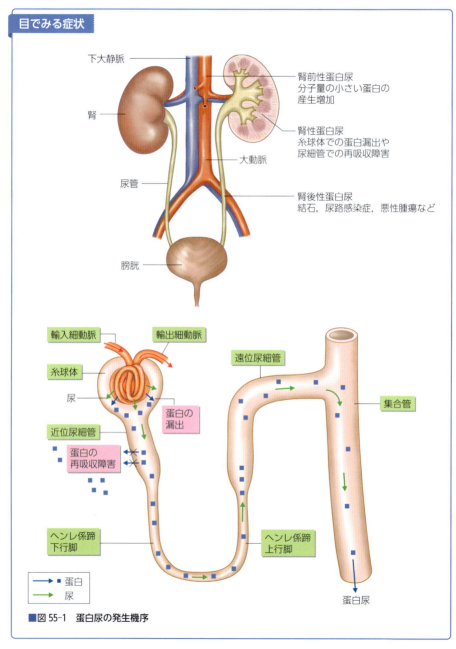

■図 55-1　蛋白尿の発生機序

病態生理

■ 本来は尿中にほとんどみられないはずの蛋白が検出されることをいう.

- 尿は腎臓の糸球体で血液から濾過され作られるが,その際,糸球体がフィルターとなり血液中の蛋白が尿に漏れないように働いている.分子量の小さい蛋白はフィルターを通過してしまうが,尿細管で再吸収されることにより尿中には排泄されない.
- 蛋白尿には,病的な意義がない生理的蛋白尿と,何らかの疾患が存在する病的蛋白尿とがある.
- 生理的蛋白尿は,運動やストレスなどで生じることがある.したがって,尿検査は早朝第一尿で行うのが原則である.
- 病的蛋白尿の原因は,次の3つに大きく分けられる.
  - ①腎前性蛋白尿:腎臓で尿が作られる前の異常.何らかの疾患で小さいサイズの蛋白の産生が異常に増加し,尿細管で再吸収しきれず尿中に漏れてしまう.
  - ②腎性蛋白尿:腎臓自体の異常.糸球体のフィルター機能異常による蛋白の漏出や,小さいサイズの蛋白の尿細管での再吸収障害.
  - ③腎後性蛋白尿:腎臓で尿が作られたあとの異常.結石,尿路感染症,悪性腫瘍など.

患者の訴え方

- 蛋白尿自体が身体症状に及ぼす影響は少ない.
- **主症状の訴え**
- 「尿が泡立つ」.
- 蛋白喪失による低蛋白血症を呈する状態では,「下肢がむくむ」「短期間で体重が増えた」「尿量が減った」「歩くと息切れがする」「息が苦しい」「血圧が下がった」など.

診断

- **原因・考えられる疾患**
- 蛋白尿をきたす主な疾患を表55-1に示す.
- **鑑別診断のポイント**(図55-2)
- 原則として早朝第一尿で判定する.試験紙法で尿蛋白の定性検査を行う.試験紙法では,偽陽性(尿中に蛋白の混入がないのに陽性となる)や偽陰性(尿中に蛋白が混入しているのに陰性となる)となりうる.
  - ・偽陽性となりうる場合:アルカリ尿(pH>8)
  - ・偽陰性となりうる場合:小さいサイズの尿蛋白
- 随時尿や蓄尿で尿蛋白の定量検査を行う.
- 蓄尿で0.5g/日以上の蛋白尿が持続する場合や,腎機能障害を伴いその原因がよくわからない場合,短期間で腎機能障害が進行する場合などは,腎生検で組織学的診断を行う必要がある.

■表55-1　蛋白尿の原因または考えられる疾患(赤字は緊急対応を要する疾患)

腎前性蛋白尿	腎性蛋白尿	腎後性蛋白尿
● 多発性骨髄腫	● 糸球体腎炎	● 尿路感染症
● アミロイドーシス	● 微小変化型ネフローゼ症候群	● 尿路結石
● マクログロブリン血症	● IgA腎症	● 腎臓がん
● H鎖病	● 巣状分節性糸球体硬化症	● 尿管がん
● L鎖病	● 膜性腎症	● 膀胱がん
	● 膜性増殖性糸球体腎炎	● 前立腺がん
	● 急速進行性糸球体腎炎	
	● 膠原病に伴う糸球体腎炎	
	● 尿細管間質性腎炎	
	● 糖尿病性腎症	
	● 良性腎硬化症	

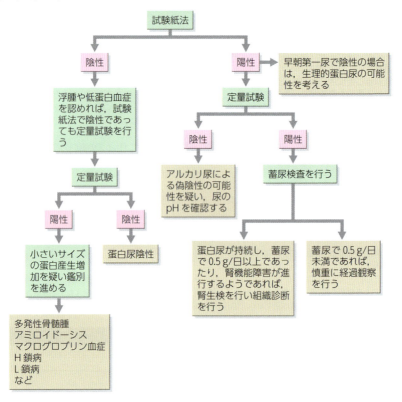

■図 55-2　蛋白尿の診断の進め方

- 病歴に長期間の糖尿病歴や高血圧歴があり，臨床的に糖尿病性腎症や良性腎硬化症を強く疑う場合には，前記の場合でも腎生検を行わないことがある．
- 血尿を認める場合，特に肉眼的血尿を認めた場合は泌尿器科的疾患（結石，尿路感染症，悪性腫瘍など）を必ず除外する．

治療法・対症療法

治療法は，原因により大きく異なる．
- ●治療方針
- 腎前性：原因疾患の治療．
- 腎性：糸球体腎炎や尿細管間質性腎炎などで免疫の異常が関与している疾患では，主に免疫抑制療法を行う．糸球体に由来する蛋白尿の場合，アンジオテンシン変換酵素（ACE）阻害薬やアンジオテンシンⅡ受容体拮抗薬（ARB）で，糸球体輸出細動脈を拡張し糸球体にかかる血圧を下げることにより蛋白尿が減少する．また，抗血小板薬（ジピリダモール）で尿蛋白の減少も期待できる．併せて，食事の塩分制限と過剰な蛋白摂取を行わないようにする．
- 腎後性：泌尿器科で主に外科的治療を行う．尿路感染症であれば必要に応じて抗菌薬治療を行う．

■表 55-2　蛋白尿の主な治療薬

分類	一般名	主な商品名	薬の効くメカニズム	主な副作用
副腎皮質ホルモン製剤	プレドニゾロン	プレドニン	炎症や免疫を抑える	感染症，糖尿病，骨粗鬆症，胃潰瘍，肥満，不眠など
	メチルプレドニゾロンコハク酸エステルナトリウム	ソル・メドロール		
免疫抑制薬	シクロスポリン	ネオーラル		感染症，腎機能障害，肝機能障害
アンジオテンシン変換酵素(ACE)阻害薬	テモカプリル塩酸塩	エースコール	糸球体にかかる圧を下げる	腎機能障害，高カリウム血症，低血圧
アンジオテンシンⅡ受容体拮抗薬(ARB)	テルミサルタン	ミカルディス		
抗血小板薬	ジピリダモール	ジピリダモール	血流障害の改善	頭痛，出血，動悸，狭心症
利尿薬	フロセミド	ラシックス	利尿を促進する	難聴，低カリウム血症

●**薬物療法**
●対症療法としては，浮腫や乏尿を認める場合は，塩分制限や利尿薬で浮腫の軽減を図る.
Px 処方例 免疫抑制療法
●プレドニン錠(5 mg)　0.5〜1.0 mg/kg/日　1日1〜2回　朝もしくは朝夕食後　←副腎皮質ホルモン製剤
●ネオーラルカプセル(50 mg)　1.5〜3.0 mg/kg/日　1日1〜2回　朝もしくは朝夕食後　←免疫抑制薬
Px 処方例 降圧薬　下記のいずれかを用いる.
●エースコール錠(1 mg)　1回1錠　1日1回　← ACE 阻害薬
●ミカルディス錠(20 mg)　1回1錠　1日1回　← ARB
Px 処方例 抗血小板薬
●ジピリダモール錠(100 mg)　1回1錠　1日3回　毎食後　←抗血小板薬
Px 処方例 対症療法：浮腫や乏尿を認める場合
●ラシックス錠(40 mg)　1回1錠　1日1回　朝食後　←利尿薬
Px 処方例 対症療法：低蛋白血症が著しく，血管内脱水による血圧低下や腎機能障害を認める場合
●赤十字アルブミン 25% 静注(50 mL)　2 時間以上かけてゆっくりと点滴静注　←アルブミン製剤

55
蛋白尿

941

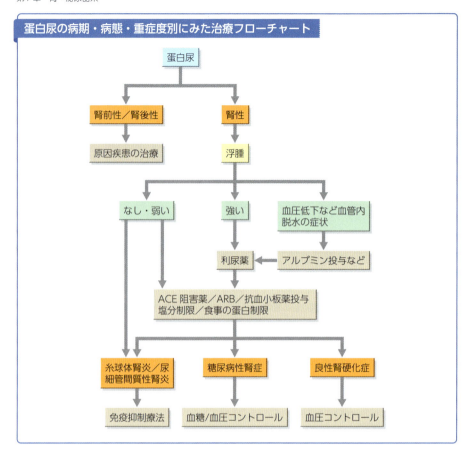

蛋白尿のある患者の看護

田村 由衣・多久和 善子

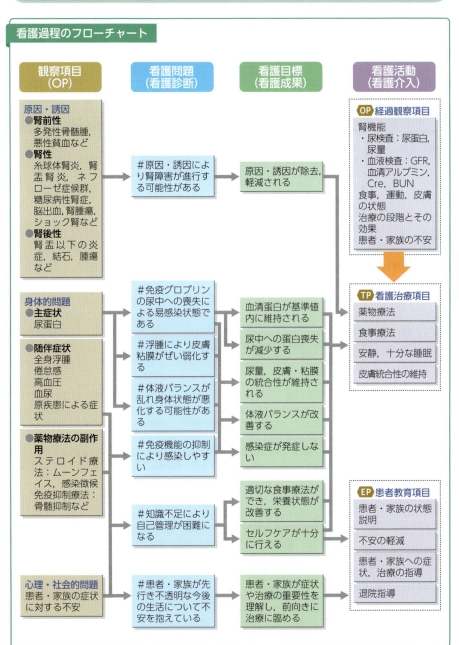

第7章　腎・泌尿器系

基本的な考え方

- 原疾患の治療の効果によって，蛋白尿は左右される．長期にわたって薬物療法，食事療法，運動療法を必要とすることがあり，自己管理できるよう支援が必要である．
- 自覚症状のない場合があり，先行きが不透明なこともあるため，蛋白尿がみられる身体の状態を説明し，患者・家族が治療の目的を理解できるよう支援していくことが必要である．

緊急 重度の低蛋白血症に至ると，血漿膠質浸透圧が低下し，有効循環血液量が減少するため，急性腎不全を呈する場合がある．したがって，循環動態の変動や症状を見逃さないよう観察する．電解質バランスの変動には要注意である．

STEP❶ アセスメント	STEP❷ 看護課題の明確化	STEP❸ 計画	STEP❹ 実施	STEP❺ 評価

情報収集	アセスメントの視点と根拠・起こりうる看護問題
病歴の把握	**患者・家族から自覚される身体症状の経過や変化を聞くことで，腎の状態と全身状態の把握につながり，治療や看護ケアにも重要な情報を得ることができる.**
経過	● いつから始まり，どのくらい続いているのか. ● どのような自覚症状か. ● 自覚症状の変化の有無
誘因	● 既往歴との関係 ● 使用している薬剤との関係 ● 運動との関係 ● 蛋白質摂取との関係
随伴症状	● 浮腫（下腿，顔面） ● 高血圧 ● 体重増加 ● 尿量減少 ● 倦怠感
既往歴	● 糖尿病 ● 上気道感染，溶血性連鎖球菌感染症 ● 尿路感染 ● 自己免疫疾患
その他	● 運動の習慣 ● 蛋白質の過剰摂取
症状の有無，程度の観察	**症状の出現状況，尿検査，血液検査を観察し，身体の内部環境の状態を把握し，ケアの優先度を決定する.**
尿検査 蛋白尿	● 量，蛋白，潜血，pH，比重，クレアチニンクリアランス，糸球体濾過値（GFR） ● 高度の蛋白尿（成人 3.5 g/日以上）の持続　**原因・誘因** 腎機能低下，ネフローゼ症候群 ● 血清総蛋白 6.0 g/dL 以下（低蛋白血症） ● 尿蛋白陽性 　・腎前性蛋白尿：ベンス＝ジョーンズ蛋白尿，ミオグロビン尿，ヘモグロビン尿　**原因・誘因** 多発性骨髄腫，横紋筋融解症，異型輸血 　・腎性蛋白尿　**原因・誘因** 糸球体腎炎，腎盂腎炎，ネフローゼ症候群，腎腫瘍，脳出血，ショック腎 　・腎後性蛋白尿　**原因・誘因** 尿路結石，下部尿路の炎症，腫瘍 ● 生理的蛋白尿 　・運動後にみられる運動性蛋白尿，臥位では尿蛋白陰性で起立時に陽性を認める起立性蛋白尿は，良性蛋白尿である. 　・高熱時に一過性に出現する蛋白尿（熱性蛋白尿） ● 入浴後，月経前蛋白尿など

944

血液検査 バイタルサイン	●総蛋白, アルブミン, BUN, クレアチニン, ヘモグロビン, CRP など ●水分出納, 体重変動, 血圧 ➡循環血液量の変動を監視する. ●体温 ➡感染症や炎症の有無を鑑別する. ●循環動態の変動(ショックによる腎虚血状態は腎不全を起こしやすい) **緊急** 　ショック腎
全身状態の把握	**低蛋白血症, 腎機能低下などにより, 身体の内部環境のバランスが乱れているため, 原因や身体状態を捉え, 整えていく必要がある.** ●原疾患や誘因の把握 ●手術歴 **原因・誘因** 術後のショック腎 ●体重の変化, 浮腫, 尿量減少によって, 余剰な体液が貯留していないかを把握する. ●浮腫は局所性か全身性か. ●妊娠との関係 **妊婦** 妊娠中の女性では, 妊娠高血圧症候群との関連を考える. 🔍 **起こりうる看護問題:体液量が過剰になる/浮腫による呼吸困難がある/皮膚障 害がある/腹水がある/易感染状態である**
患者・家族の心 理・社会的側面 の把握	**患者は腎障害の経過について, 先行き不透明な状況により不安を感じる.** ●既往疾患の治療をどのように理解しているか, 現状をどう理解しているかよく聞 く. ●症状出現に伴う心配や不安, 治療の見通しなどに対する思いを聴き取る. ●食事療法, 休息時間の確保などの自己管理方法を聞く. 🔍 **起こりうる看護問題:知識不足により自己管理が困難になる/患者・家族が今後 の生活に不安を抱えている**

STEP ❶ アセスメント　STEP ❷ 看護課題の明確化　STEP ❸ 計画　STEP ❹ 実施　STEP ❺ 評価

55
蛋白尿

看護問題リスト

#1　体蛋白成分の排出により体液バランスが乱れ, 身体状態が悪化する可能性がある (栄養-代謝パター
ン)

#2　疾患, 免疫グロブリンの喪失, ステロイド療法, 免疫抑制療法により易感染状態にある (栄養-代
謝パターン)

#3　身体状態をイメージすることができず自己管理が困難である (健康知覚-健康管理パターン)

#4　先行き不透明な今後の生活について不安を抱えている (自己知覚パターン)

看護問題の優先度の指針

●健常人でも微量の蛋白は尿中に存在するが, なんらかの理由により多量の蛋白成分が体外に排出され
ることが生体に与える影響を考え, 身体内部環境でのバランスの乱れの是正を優先する.

●自覚症状が乏しい場合があるので, 身体状態を患者なりにイメージでき, 前向きに自己管理に取り組
んでいけるように支援することが必要である. 看護師は患者がどのように身体状態をイメージしてい
るかに関心を向ける必要がある.

●喪失した体蛋白成分の多さにより, 呼吸不全や循環不全などが生じている状態では, 生命維持に関係
する問題の優先度が高くなる.

945

第 7 章　腎・泌尿器系

| STEP ❶ アセスメント | STEP ❷ 看護課題の明確化 | STEP ❸ 計画 | STEP ❹ 実施 | STEP ❺ 評価 |

1　看護問題

#1　体蛋白成分の排出により体液バランスが乱れ，身体状態が悪化する可能性がある

看護診断

体液量バランス異常リスク状態
危険因子：栄養不良（失調）
関連する状態：血管透過性に影響する異常

看護目標（看護成果）

〈**長期目標**〉蛋白喪失に伴う浮腫が軽減する
〈**短期目標**〉1）指示された安静度，食事療法，薬物療法が守られる．2）電解質が基準値以内にある

看護計画

OP　経過観察項目
● 蛋白尿，尿潜血，尿量，尿比重，pH，クレアチニンクリアランス，GFR
● 血液検査結果（総蛋白，アルブミン，BUN，クレアチニン，ヘモグロビン，CRP など）
● バイタルサイン（血圧，脈拍，体温など）
● 水分出納（体重，摂取量，排泄量など）

TP　看護治療項目
● 安静，保温に努め，体循環を促進する
● 食事療法の必要性を説明し，必要な栄養が摂取できるよう支援する
● 治療に必要な薬剤を確実に内服するよう支援する

EP　患者教育項目
● 治療の意図が理解でき，患者自身が腎臓を守るために必要な行動をとれるよう支援する

介入のポイントと根拠

➡ 日内変動があるので，測定は決まった時間に実施する
➡ **根拠** 腎臓機能の総合的評価が必要である

➡ バイタルサインに変動があった場合は，医師に報告する

➡ **根拠** 疲労や寒冷刺激は腎血流量を減少させる．腎血流量を保持する

➡ **根拠** **小児** **高齢者** 小児・高齢者では，飲み忘れなどが多いため，服薬管理は看護師が行う

➡ 自覚症状が乏しい場合は，客観的データを用いて現在の腎の状態についてイメージできるよう促す

2　看護問題

#2　疾患，免疫グロブリンの喪失，ステロイド療法，免疫抑制療法により易感染状態にある

看護診断

感染リスク状態
危険因子：公衆衛生推奨事項の順守が不十分，栄養不良（失調），体液のうっ滞，皮膚統合性障害
関連する状態：免疫抑制

看護目標（看護成果）

〈**長期目標**〉感染を起こさない
〈**短期目標**〉1）全身の清潔を保持する．2）適切に栄養を摂取できる

看護計画

OP　経過観察項目
● バイタルサイン（体温，血圧，脈拍など）
● 皮膚粘膜の状態
● 感冒様症状の有無
● 電解質，ヘマトクリット値
● 食事，栄養状態

TP　看護治療項目
● 室温・湿度を調整し，罨法を行う

● 清潔ケアを行う（特に口腔・粘膜）
● 人の多い場所でのマスク着用を促す

介入のポイントと根拠

➡ **根拠** バイタルサインは体液の変化を反映するため，症状の悪化を早期に発見することができる

➡ 体温を調整する **根拠** 不感蒸泄による体液の喪失を防ぐ，ウイルスの活性化を防ぐ
➡ 清潔に保つ **根拠** 浮腫などで薄くなった皮膚は，損傷を受けやすく，炎症を起こすと腎臓による

946

		り負荷がかかる
EP 患者教育項目		
●感染予防の必要性について説明する		➡ 根拠 免疫グロブリンの尿中への喪失，薬剤の副作用により免疫力が低下する

3 看護問題	看護診断	看護目標（看護成果）
#3 身体状態をイメージすることができず自己管理が困難である	**非効果的健康自主管理** **関連因子**：意思決定が困難，治療計画についての知識不足，病気の深刻さの非現実的な認識 **診断指標** □治療計画を日常生活に組み込めない □危険因子を減らす行動がとれない □疾患徴候の悪化 □疾患症状の悪化 □疾患徴候に注意を払わない □疾患症状に注意を払わない	〈**長期目標**〉身体状態をイメージでき，自己管理ができる 〈**短期目標**〉1) 尿検査，血液検査，体重の変動などと身体の状態との関連がわかる. 2) 指示された安静，食事摂取，内服ができる

看護計画	介入のポイントと根拠
OP 経過観察項目	
●患者・家族の疾患，症状に対する認識，感情 ●治療に関する医療者の意図に対する認識 ●患者の知識	➡ 妊婦 妊娠の継続に関する不安などを捉えていくことが必要である ➡ 根拠 患者が自分の状態をどのように理解しているかを把握し，その認識をもとに指導することが効果的である
●これまでの生活に関する思い，認識 ●今後の生活，職業，ライフスタイル	➡ 根拠 感情が揺らいでいると，理性が働くのは困難である
TP 看護治療項目	
●医療者の意図をわかりやすい言葉で伝える	➡治療内容を正しく理解することで治療への協力が得られやすい
●患者がわからない点を把握し，具体的に細かく図示するなど工夫して説明する ●行動化できた部分を認め，自信をもってもらう	➡ 小児 高齢者 専門用語を使わず，患者が使っている言葉を用いてわかりやすく説明する ➡できた部分をほめ，さらに増やしていくことで少しずつ生活を調整していく
EP 患者教育項目	
●検査結果など身体状態を表すデータを説明し，身体状態を伝える	➡定期受診を促す ➡患者がデータのもつ意味を理解し，身体状態に合わせて活動と休息のバランスをとることが必要である

55

蛋白尿

第7章　腎・泌尿器系

4 看護問題	看護診断	看護目標（看護成果）
#4　先行き不透明な今後の生活について不安を抱えている	**不安** **関連因子**：人生の目標への葛藤，満たされないニーズ **診断指標** □不眠 □苦悩（苦痛） □不安定な気持ち □血圧上昇 □深く考えすぎる	〈**長期目標**〉不安が解消され，今後の生活の自己管理について積極的に取り組める 〈**短期目標**〉今後の自己管理の具体的なイメージがもてる

看護計画	介入のポイントと根拠
OP 経過観察項目 ●言動および表情 ●社会面（職業の継続，経済的問題） ●家庭内の役割 ●生活の自己管理に関する知識 ●同じ疾患をもつほかの患者との関係	●患者からの質問や，何気ない言葉の中に含められた患者の思いを察知し，患者が困ることのないよう配慮する ●規則正しく栄養の偏りがない食生活，過労を避け十分な休息をとること，清潔の保持，手洗いなどの感染予防行動がとれること，清潔な環境づくりに向けて，適切な知識が必要である ● 根拠 同じ体験をしている患者から得る知識は生活に活用しやすく，支えあう力にもなる
TP 看護治療項目 ●質問に対して誠実に答える ●タッチングなどを通して，共感的姿勢を示す	●わからないことは調べてくることを伝え，確実に返答することが患者との信頼関係の構築には必要である．繰り返し同じ質問をする時は，患者の不安が軽減されていない証拠と捉え，納得できるよう支援する ● 根拠 不安の強い時には，皮膚感覚を通して支えられていることを示すことが安心につながる
EP 患者教育項目 ●わからないこと，心配事があるときは遠慮なく質問するよう伝える	●質問を積極的に受け入れる　根拠 不安の軽減に必要な対処を促す

STEP **1** アセスメント ▶ STEP **2** 看護課題の明確化 ▶ STEP **3** 計画 ▶ STEP **4** 実施 ▶ STEP **5** 評価

病期・病態・重症度に応じたケアのポイント

【急性期】原疾患の病態によって蛋白尿の程度，期間は多様である．原因が特定され，早期に適切な治療が実施されることが重要である．多量の蛋白尿がみられる場合は，安静，厳重な食事制限が必要となるので，全身状態，患者の精神状態などをよく観察し，看護ケアにつなげていくことが必要である．
【慢性期】腎障害が進行しないよう，治療が継続され，生活を自己管理できるよう支援が必要である．

看護活動（看護介入）のポイント

診察・治療の介助
●尿検査，血液検査の結果，身体状態などから原因を把握する．
●経時的にデータの推移，身体状態を観察し，異変があった場合は，速やかに医師に報告する．
●指示された輸液，薬物を正確に投与する．
●指示された輸液を正確に行い，水分出納を評価する．

●正確な検査結果が得られるよう, 患者へ早朝尿や24時間蓄尿など, 検体の採取目的と方法を説明する.

治療効果の確認

●薬物療法：ステロイド療法の投与量, 期間を把握し, 蛋白尿, 浮腫の状態と, 副作用の症状 (ムーンフェイス, 発汗, 皮膚症状, 食欲の変化, 情緒など) を確認する.
●食事療法の必要性について, 患者の認識を確認する.
●安静療法：腎血流量維持のため, 安静が必要であることを患者に説明し, 理解を得る. また尿蛋白や尿量などの改善したデータから現在の身体状態を説明し, 患者が安静を保持することが回復につながっていることを実感できるよう支援する.

セルフケアへの援助

●腎障害は自覚されにくいため, 患者が自分の身体状態に関心を向けられるように, 血圧や尿 (量, 性状), 体重などをモニタリングできるよう支援する.
●腎臓の炎症を抑えることが原疾患を再燃させないために必要であることを伝え, 患者が腎臓をいたわる生活ができるよう支援する.
●これまでの生活習慣を振り返り, 腎機能低下を助長させる要因について自覚できるよう支援する.
●妊婦の場合, 出産後に腎機能低下につながらないよう腎臓をいたわる生活について指導する.

患者・家族の心理・社会的問題への援助

●病態について患者・家族にわかりやすく説明し, 不安を解消するよう援助する.
●今後の見通しについて, 医師から説明がされ, 患者・家族に質問がないか確認し, 医師との橋渡しをする.

退院指導・療養指導

●患者・家族とも安定した家庭生活を送ることができるよう, 住環境の整備を援助する.
●規則正しい生活, 服薬管理ができるよう支援する.
●身体状態が変化した時にはすぐに連絡するよう指導する.
●食事療法は制限だけではなく, 必要な栄養をとるようバランスを考えることを伝える.
●自らの身体へ関心を向け, 自己管理ができるよう支援する.

STEP❶ アセスメント STEP❷ 看護課題の明確化 STEP❸ 計画 STEP❹ 実施 STEP❺ 評価

評価のポイント

看護目標に対する達成度

●蛋白尿が改善しているか.
●栄養状態が維持され, 感染が予防できているか.
●身体状態について理解が深まり, 治療が必要であることを理解し, 受診行動を継続できているか.
●適切な自己管理行動がとれているか.
●家族は患者を支える力が十分であるか.

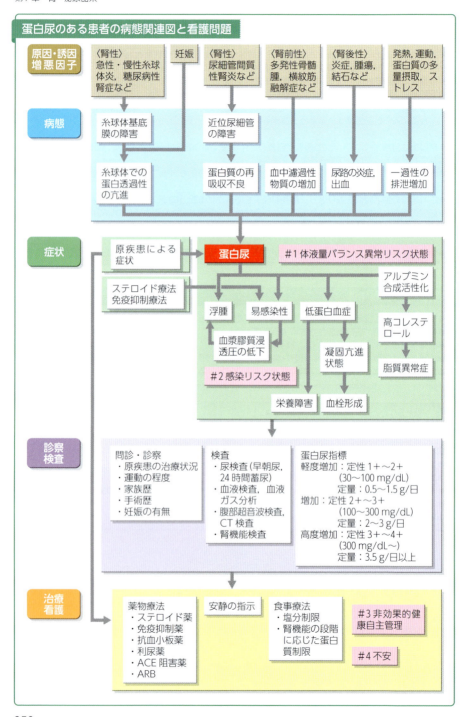

第 **8** 章

筋・骨格系

56 腰痛

富澤　將司・大川　淳

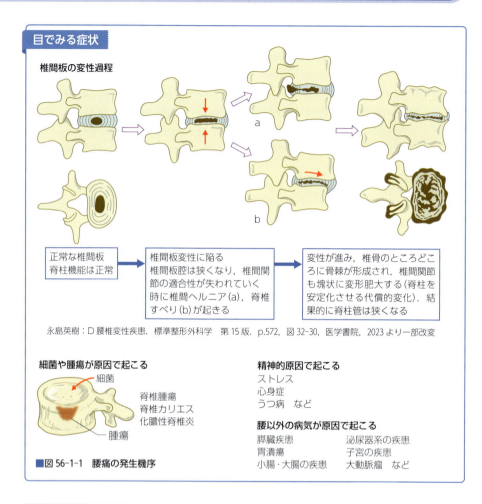

■図 56-1-1　腰痛の発生機序

病態生理

腰痛をきたす疾患は多彩であるが，その原因がわかるものは腰痛患者の半数に満たない．腰痛の大半は原因の特定しきれない慢性腰痛症あるいは急性腰痛症に診断される．腰痛の発生機序としては，筋骨格系の経年的な変性による椎間板性，椎間関節性，姿勢や脊柱不安定性による筋疲労などに由来すると考えられているが部位の特定が難しい．

- 腰痛の有病率は 40% 以上とされ，また 90% 以上の人が生涯のうちに腰痛をもつことがあるとされている．
- 痛みは脊柱周囲に散在する知覚終末と神経根への刺激により起こる．痛み刺激は後根を伝わり脊髄灰白質に入ったのち，Aδ線維（速い痛みを伝達）あるいは C 線維（遅い痛みを伝達）を伝わって脳幹網様体を経て視床に至り，大脳で痛みとして自覚される．

目でみる症状

痛みの刺激の伝わり方

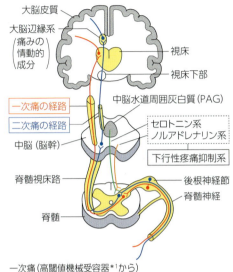

脊柱周辺の知覚終末

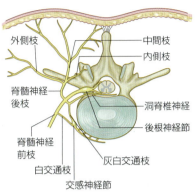

脊柱に複雑に入り組んでいる知覚終末と神経根への侵害刺激により疼痛が生じる

永島英樹：D 腰椎変性疾患．標準整形外科学　第15版，p.572，図32-29，医学書院，2023

*1　高閾値機械受容器：侵害性刺激に対する一次性痛覚受容器
*2　ポリモーダル受容器：全身に分布し，幅広い刺激強度に応じる感覚受容器

山下敏彦：C 痛みの生理学．標準整形外科学　第15版．p.86，図9-3，医学書院，2023

針で刺されたような鋭い痛みを一次痛と呼び，皮膚の高閾値機械受容器で受けて，少し太いAδ線維を上行する．それに対して，内臓痛，がん痛，歯痛のような鈍い痛みは，ポリモーダル受容器で受け，細いC線維をゆっくりと上行する．

■図56-1-2　腰痛の発生機序

患者の訴え方

一概に腰痛といっても原因，症状は様々であり，「いつから，何をして，どこが，どのように痛むのか」という訴えは診断を下す重要な材料になる．

- いつから痛むのか：急性の痛みであればいわゆるぎっくり腰や椎間板ヘルニア，骨折などによる外傷性の痛み，慢性的な痛みであればいわゆる慢性腰痛症，変性疾患，炎症性疾患などが鑑別に挙げられる．
- 何をして痛むのか：重量物を持ち上げたあとや転倒により痛みが発症したのであれば骨折や椎間板ヘルニアなどが疑われる．
- どこが痛むのか：腰痛と一概にいっても，患者の訴える腰痛は背中から骨盤付近や殿部まで幅広く，痛みの詳細な部位の情報は鑑別に役立つ．また，神経障害に由来する殿部の痛みも腰痛として訴えられることが多い．
- どのように痛むのか：安静時にも痛いのであれば炎症性疾患や腫瘍性疾患，動作時の痛みであれば椎間板や椎間関節に由来する痛み，靱帯や筋に由来する痛みなどが考えられる．また，下肢への放散痛を伴う痛みであれば，椎間板ヘルニアや変性疾患による神経根性の痛みが挙げられる．

第8章 筋・骨格系

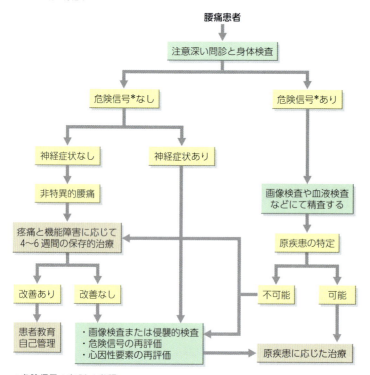

＊危険信号：表 56-1 参照

■図 56-2　腰痛の診断手順
日本整形外科学会，日本腰痛学会監：腰痛診療ガイドライン 2019　改訂第 2 版．p.23, 図 1, 南江堂，2019 より許諾を得て転載

■表 56-1　重篤な脊椎疾患（腫瘍，感染，骨折など）の合併を疑うべき red flags（危険信号）

- 発症年齢＜20 歳または＞55 歳
- 時間や活動性に関係のない腰痛
- 胸部痛
- がん，ステロイド治療，HIV 感染の既往
- 栄養不良
- 体重減少
- 広範囲に及ぶ神経症状
- 構築性脊柱変形
- 発熱

日本整形外科学会，日本腰痛学会監：腰痛診療ガイドライン 2019　改訂第 2 版．p.23, 表 1, 南江堂，2019 より許諾を得て転載

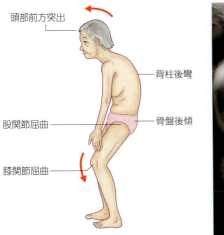

■図 56-3 脊柱後彎症の症状（左）と単純 X 線像（右）

骨粗鬆症性多発椎体骨折

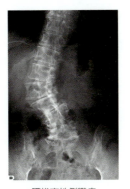

腰椎変性側彎症

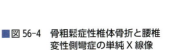

■図 56-4 骨粗鬆症性椎体骨折と腰椎変性側彎症の単純 X 線像

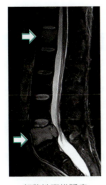

転移性脊椎腫瘍
椎体の輝度変化が顕著（矢印）

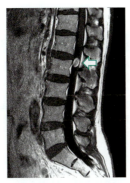

硬膜内髄外腫瘍（造影 MRI）

■図 56-5 転移性脊椎腫瘍と硬膜内髄外腫瘍の MRI 像

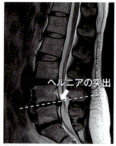
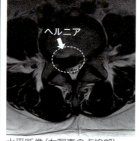

側面像　　　水平断像（左写真の点線部）

■図 56-6　腰椎椎間板ヘルニアの MRI 像

■表 56-2　疾患別の治療方針

治療方針	疾患〈治療法〉
早急に治療	転移性脊椎腫瘍〈化学療法，放射線治療，手術など〉 脊髄（馬尾）腫瘍〈手術など〉 化膿性椎間板炎・脊椎炎〈抗菌薬，手術など〉 脊椎カリエス〈化学療法，手術など〉 進行性の神経麻痺や排尿障害を伴う腰椎椎間板ヘルニア，腰部脊柱管狭窄症〈手術など〉 脊柱不安定性のある脊椎骨折〈ギプス，手術など〉
まず保存療法	骨粗鬆症性椎体骨折 脊柱不安定性のない脊椎骨折 腰椎変性すべり症 腰椎分離症 腰椎後彎症 腰部脊柱管狭窄症 腰椎椎間板ヘルニア 腰椎椎間板症
保存療法	急性腰痛症（ぎっくり腰） 慢性腰痛症 骨粗鬆症
原疾患の治療に準じる	内臓疾患 精神疾患

診断

患者の訴え方に基づいた詳細な問診は診断の大きな手助けになる．そのうえで，身体所見，神経学的所見，画像所見，各種検査所見をもとに診断をつける（表 56-1）．

- 身体所見：小児の側彎症や高齢者の変性側彎症・後彎症など，脊柱の配列障害では視診での評価が重要である（図 56-3）．最近では，腰曲がりなど側面からの姿勢評価も重要視されている．
- 神経学的所見：馬尾障害，神経根障害を有する患者の障害局在・程度を診断する．徒手筋力テスト，知覚検査，深部腱反射（膝蓋腱反射，アキレス腱反射），下肢伸展挙上テスト（SLR テスト），大腿神経伸展テスト（FNST）．
- 画像検査：単純 X 線写真，CT（骨の形態の変化には単純 X 線写真，CT が優れる）（図 56-4），MRI（腫瘍や炎症，椎間板ヘルニアなど軟部組織の疾患には MRI が優れる）（図 56-5, 6），その他，脊髄造影，シンチグラフィーなど，疾患により様々な画像検査が必要となる．
- その他：血液検査（炎症反応や腫瘍マーカーなど），骨密度検査（骨粗鬆（そしょう）症の評価），生検（腫瘍性病変の組織診断などに用いる）．

■表 56-3 腰痛の治療法

治療法			エビデンスレベル
保存療法	薬物療法	非ステロイド性抗炎症薬 アセトアミノフェン 筋弛緩薬 弱オピオイド セロトニン・ノルアドレナリン再取り込み阻害薬 ワクシニアウイルス接種家兎炎症皮膚抽出液含有製剤	急性腰痛 A 慢性腰痛 B D C 急性腰痛 C 慢性腰痛 A A C
	ブロック療法	仙骨裂孔ブロック 硬膜外ブロック 神経根ブロック 椎間板ブロック	C
	物理療法	温熱療法 牽引療法 低周波療法	C
	運動療法	ストレッチ 筋力トレーニング	B
手術療法	脊椎固定		B

エビデンス A（強）：効果の推定値に強く確信がある
エビデンス B（中）：効果の推定値に中等度の確信がある
エビデンス C（弱）：効果の推定値に対する確信は限定的である
エビデンス D（とても弱い）：効果の推定値がほとんど確信できない
日本整形外科学会，日本腰痛学会監：腰痛診療ガイドライン 2019 改訂第 2 版．南江堂，2019 を参考に作成

治療法・対症療法

●治療方針
- 診断に基づいて治療を進めていく．
- 先に述べたとおり，腰痛の大半は原因の特定しきれない慢性腰痛症あるいは急性腰痛症に診断され，基本的には保存療法で改善し，早急な加療を必要としないものである．しかし，なかには早急に治療を要する，見逃してはいけない疾患があることに注意する必要がある（表 56-2）．
  ① 早急な治療を要する疾患：進行性の神経麻痺や排尿障害を伴う腰椎疾患（腰椎椎間板ヘルニア，腰部脊柱管狭窄症など），感染性疾患（化膿性椎間板炎，化膿性脊椎炎など），腫瘍性疾患（転移性脊椎腫瘍，脊髄（馬尾）腫瘍など），脊柱の不安定性（骨折など）．
  ② まず保存療法を行い，必要となれば手術：骨粗鬆症性椎体骨折，脊柱不安定性のない脊椎骨折，変性疾患（腰椎椎間板ヘルニア，腰部脊柱管狭窄症，腰椎すべり症，腰椎後彎症など），特発性側彎症．
  ③ 保存療法：急性腰痛症（ぎっくり腰），慢性腰痛症，骨粗鬆症．
  ④ 原疾患の治療に準じる：内臓疾患，精神疾患．
- 治療法は保存療法と手術療法に大別される（表 56-3）．保存療法には安静，薬物療法，温熱療法や牽引を含めた物理療法，運動療法，装具療法，各種ブロック療法が含まれる．

●薬物療法
- 基本的に用いられる薬剤は湿布剤のほかに消炎鎮痛薬，筋弛緩薬であり，胃粘膜保護薬が併用されることが多い．痛みが経口薬でコントロールできないときには坐薬が使われる．

Px 処方例 急性腰痛症 下記のいずれか，あるいは組み合わせで用いる．
- ロキソニン錠（60 mg） 1回1錠 1日3回 朝昼夕食後 ←消炎鎮痛薬
- ミオナール錠（50 mg） 1回1錠 1日3回 朝昼夕食後 ←筋弛緩薬
- ボルタレン坐薬（25 mg，50 mg） 適宜頓用 ←消炎鎮痛坐薬

Px 処方例 慢性腰痛症 下記のいずれか，あるいは組み合わせで用いる．
- トラマール OD 錠（50 mg） 1回1～2錠 1日3回 朝昼夕食後 ←弱オピオイド
- サインバルタカプセル（30 mg） 1回2錠 1日1回朝食後 ←鎮痛補助薬
- ノイロトロピン錠 4 単位 1回2錠 1日2回朝夕食後 ←鎮痛補助薬

56
腰痛

第 8 章　筋・骨格系

■表 56-4　腰痛の主な治療薬

分類	一般名	主な商品名	薬の効くメカニズム	主な副作用
非ステロイド性抗炎症薬	ケトプロフェン	モーラス，ミルタックス	プロスタグランジンの合成阻害	接触皮膚炎，光線過敏症が発現する可能性
	ロキソプロフェンナトリウム水和物	ロキソニン		胃粘膜障害，むくみ，喘息発作の誘発
解熱鎮痛薬	アセトアミノフェン	カロナール	中枢神経系への作用による解熱鎮痛	発疹，嘔吐
オピオイド	トラマドール塩酸塩	ワントラム　トラマール	オピオイド受容体への結合	悪心，便秘，傾眠
SNRI	デュロキセチン塩酸塩	サインバルタ	中枢神経系の抑制による疼痛抑制	悪心，傾眠，便秘
疼痛治療薬	ワクシニアウイルス接種家兎炎症皮膚抽出液	ノイロトロピン	下行性疼痛抑制系賦活	発疹，悪心
筋弛緩薬	エペリゾン塩酸塩	ミオナール	脊髄反射を抑制し，骨格筋緊張を緩和	発疹
消炎・鎮痛坐薬	ジクロフェナクナトリウム	ボルタレン	プロスタグランジンの合成阻害	胃腸粘膜障害，浮腫，下痢，低体温，喘息発作の誘発

●運動療法
●発症から 4 週未満の急性腰痛には効果がない．4 週から 3 か月の亜急性腰痛に対する効果は限定的である．3 か月以上の慢性腰痛に対する有効性には高いエビデンスがある．最適な運動の種類，強度は不明であるが，週 1～3 回程度が推奨されている．

●物理療法
●局所循環を変化させることにより筋肉，神経組織の代謝の改善を意図する治療法であり，温熱・電磁波治療，低出力レーザー，電気刺激治療，牽引などに分けられる．安価で非侵襲的であることから日常診療で汎用されているが，作用機序や有効性に関する科学的な検証は不十分なので漫然と継続すべきではない．

●ブロック療法
●腰痛や神経症状を有する疾患に対して硬膜外に麻酔薬やステロイドを注射する硬膜外ブロックや仙骨裂孔ブロックが行われる．神経根痛には，神経根に直接針を刺す神経根ブロックが行われることがある．感染や血腫といった副作用の危険もあり，効果が得られなければ漫然と継続せずに手術療法など次の治療法を検討するべきである．

●手術療法
●腰椎の手術治療の目的は主に神経の圧迫除去か脊柱の安定，あるいはその両方にある．進行性の麻痺が認められるとき，脊柱の著しい破壊や不安定性が認められるときは早期の手術治療を要する．慢性疾患でも著しく日常生活に支障をきたしていたり，各種保存治療に抵抗性であれば手術治療の適応となることがある．

●参考文献
1) 日本整形外科学会，日本腰痛学会監：腰痛診療ガイドライン 2019，改訂第 2 版．南江堂，2019
2) 井樋栄二，津村弘監：標準整形外科学　第 15 版．医学書院，2023

腰痛のある患者の看護

嶌田 理佳

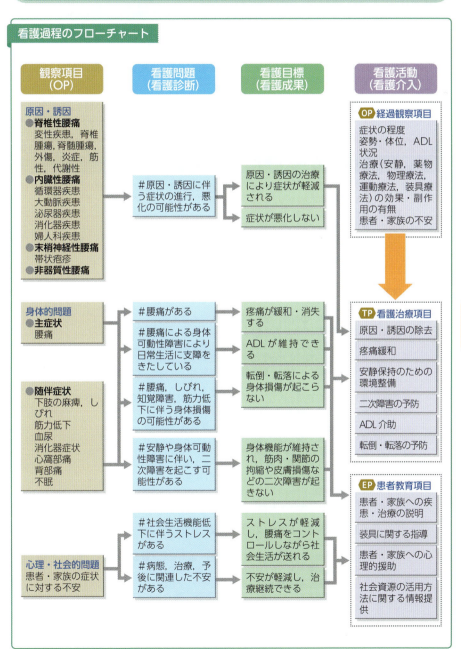

第8章 筋・骨格系

基本的な考え方

- 腰痛をきたす疾患は様々で，腰椎や腰仙椎部，股関節などの病変から，内臓疾患，大動脈疾患などが疑われることがある．原因疾患の治療を優先する．
- 原因不明の腰痛やストレスや不安などの心因性のものは，成因自体が腰痛の増悪因子ともなりうる．これらを考慮した援助が必要である．
- 腰痛による苦痛は大きく，また立位や歩行が困難になるなど，不安も大きいことを理解しておく．
- 腰痛では疼痛によってもたらされる様々な障害に目を向ける必要がある．特に慢性の経過をたどる場合は，ADLや社会生活上の問題をアセスメントする必要がある．治療の経過と現在の状態，随伴症状を観察し，社会的側面や精神的側面への影響も考えて援助していく．

緊急 緊急処置の必要な腹部大動脈瘤に対しては迅速な対応を要する．疾患を疑わせるサインを見逃さないよう十分な観察を行う．特に血圧の上昇もしくは下降をはじめとしたショック症状には要注意．

STEP ❶ アセスメント ▶ STEP ❷ 看護課題の明確化 ▶ STEP ❸ 計画 ▶ STEP ❹ 実施 ▶ STEP ❺ 評価

情報収集	アセスメントの視点と根拠・起こりうる看護問題
病歴の把握	患者・家族から腰痛の経過，症状の変化を聞くことで，原因・誘因の特定や全身状態の把握につながり，治療や看護ケアにも重要な情報を得ることができる．
経過	● 何をしている時に出現したか． ● いつから，どのくらい続いているか． ● 急速に出現したか，緩やかに出現したか． ● どのような痛みか． ● 増強しているか，軽快しているか． ● 随伴症状はあるか．
誘因	● 活動・動作との関係 ● 姿勢との関係 ● 外傷の有無 ➡腹腔内臓器損傷の可能性も考える．
随伴症状	● 血尿 ➡腎・尿路結石を鑑別する． ● 腹痛，悪心などの消化器症状 ➡消化器疾患を鑑別する． ● 心窩部から背部にかけての疼痛 ➡胃・十二指腸潰瘍を鑑別する． ● 下肢の麻痺，しびれ **原因・誘因** 椎間板ヘルニア，腰部脊柱管狭窄症，脊髄腫瘍 ● 不眠
生活歴	● スポーツの経験と内容 **小児** スポーツに関連して出現することが多い．
既往歴	● 高血圧 **原因・誘因** **緊急** 腹部大動脈瘤 ● マルファン症候群 **原因・誘因** **緊急** 腹部大動脈瘤 ● 糖尿病 **原因・誘因** 化膿性脊椎炎 ● 結核 **原因・誘因** 結核性脊椎炎 ● 悪性腫瘍 **原因・誘因** 腰椎，骨盤への骨転移 ● 骨盤内臓器(膀胱，生殖器，直腸など)疾患 ● 消化器疾患 ● 精神疾患(身体表現性障害，うつ病，不安障害，パーソナリティ障害，統合失調症など) ● 骨代謝に関連した薬剤(ステロイド薬，抗けいれん薬，免疫抑制薬など)の服用
職業歴	● ストレスの有無 ● 仕事・作業の内容 ➡建設業者，運輸・製造業など重量物の運搬に関わったり，不良な作業姿勢をとったりする職業に従事する者に多い．
その他	● **高齢者** **原因・誘因** 椎体骨折，骨粗鬆(そしょう)症 ● **妊婦** 妊娠もしくは分娩の経緯 **原因・誘因** 骨盤輪不安定症 ● 月経との関係 **原因・誘因** 子宮内膜症

主要症状の出現状況，程度の把握		腰痛が出現した時の動作や状況，疼痛を知覚する部位，疼痛の種類を把握することで，原因疾患の特定につながる情報が得られる．すなわち，「いつ」「どこで」「何をしている時に」「どのような痛みが」「どこに出現したか」を確認するとよい．
腰痛出現状況		●重量物挙上　原因・誘因　ぎっくり腰，椎間板ヘルニア
		●咳・くしゃみ　原因・誘因　椎間板ヘルニア
		●長時間の座位　原因・誘因　椎間板ヘルニア
		●運動時，運動後　原因・誘因　脊椎分離症，脊椎すべり症
		●安静時　原因・誘因　脊椎炎，脊椎腫瘍，内臓疾患(胃・十二指腸潰瘍，大腸がん，潰瘍性大腸炎など)
		●歩行　原因・誘因　腰部脊柱管狭窄症
		●転落・事故　原因・誘因　椎体外傷
		●夜間　原因・誘因　脊椎腫瘍
		●明らかな原因がない　原因・誘因　非特異的腰痛，内臓疾患
痛みの部位		●部位はどこか　⇒詳細に部位を確認し鑑別に役立てる．
		●片側の仙痛発作　⇒腎・尿路結石を鑑別する．
		●下肢痛　原因・誘因　椎間板ヘルニア，脊柱管狭窄症
		●心窩部から背部にかけての疼痛　⇒胃・十二指腸潰瘍を鑑別する．
		●部位は移動するか　⇒精神科・心療内科疾患を鑑別する．
痛みの種類		●放散痛　原因・誘因　殿部や足部への放散痛であれば椎間板ヘルニア，神経根性の腰痛症(坐骨神経痛)
		●鈍痛　原因・誘因　運動器系(変性すべり症，脊椎分離症，脊椎すべり症，脊柱管狭窄症，傍脊柱筋由来)，内臓系(運動不足，肥満，感冒・インフルエンザ，消化器疾患，腎・泌尿器疾患，婦人科疾患)
		●激痛　原因・誘因　悪性腫瘍の脊椎転移，腰椎骨折，尿路結石，ぎっくり腰
		●圧痛・叩打痛　原因・誘因　腎・尿路結石，腰椎圧迫骨折
		●他覚的所見が自覚症状と一致するか　⇒精神科・心療内科疾患を鑑別する．

腰痛への緊急対応

- 脊椎由来の腰痛では，股関節と膝関節を軽度屈曲した仰臥位もしくは腹臥位で安静を図る安楽な体位とする(後出図 56-6 参照)．
- 腹部大動脈瘤が疑われる場合は，CT 検査や超音波検査が必要なため，検査の準備および介助を行う．確定診断が出ればモルヒネ塩酸塩などによる鎮痛を図り，β遮断薬を使用して心収縮を抑制し，収縮期血圧を 100～120 mmHg にコントロールすることにより解離の進行を抑制して破裂のリスクを低下させる．
- 緊急手術が必要と判断された場合は，手術に向けて全身状態を管理するとともに，患者・家族に説明し不安を軽減する．大動脈瘤が破裂した場合は激痛と血圧低下を伴う出血性ショックを起こすため，速やかに救命処置を行う．

56 腰痛

全身状態，随伴症状の把握		症状の経過の把握とともに，随伴症状を観察し，治療，看護計画の立案に有効に反映する．
バイタルサイン		●血圧　緊急　大動脈瘤　⇒高血圧もしくは低血圧を確認する．
		●血圧，脈拍・リズム　⇒他の循環器疾患を鑑別する．
全身状態		●緊急　腹部大動脈瘤　⇒40％は腰背部痛のみを主訴とする．体位に左右されない激痛を訴える．
		●外傷の有無　⇒脊髄損傷の可能性がある．
		●体格　⇒体重を確認し肥満を判断する．
		●皮膚黄疸の有無　⇒消化器疾患を鑑別する．
		●殿部の皮膚病変の有無　原因・誘因　帯状疱疹
		●姿勢　⇒日常的な姿勢が原因となっていないか観察する．
		●側彎(わん)変形の有無　原因・誘因　側彎症，椎体骨折
		●円背の有無　⇒高齢者に多くみられる　原因・誘因　骨粗鬆症性腰椎圧迫骨折

第8章　筋・骨格系

頭頸部 胸部 腹部 四肢 神経系	●起立・座位が可能か ⬇不可能であれば腰椎の捻挫（ねんざ），骨折，脱臼を確認する． ●顔貌，表情 ⬇うつ病などの精神疾患では特徴的表情を認めることがある． ●骨密度，X線検査結果 ⬇骨粗鬆症による腰椎の圧迫骨折を診断できる． ●心窩部から背部にかけての疼痛 ⬇胃・十二指腸潰瘍を鑑別する． ●血尿 ⬇腎・尿路結石を鑑別する． ●腹痛，悪心などの消化器症状 ⬇消化器疾患を鑑別する． ●下腿浮腫の有無 ⬇循環器・腎・肝疾患を鑑別する． ●しびれ，筋力低下の有無 ●下肢痛の有無 **原因・誘因** 椎間板ヘルニア ⬇腰痛と下肢痛の両方を訴えることが多い． ●下肢のチアノーゼの有無 ⬇呼吸器・循環器疾患を鑑別する． ●間欠性跛行（はこう）のパターン ⬇歩行停止により下肢痛が改善するかどうかにより，下肢閉塞性動脈硬化症，バージャー病を鑑別する **原因・誘因** 脊柱管狭窄症 ●かかとでの歩行障害 ⬇足関節，足趾の底屈筋の筋力低下 **原因・誘因** 椎間板ヘルニア ●つま先での歩行障害 ⬇足関節・足趾の背屈筋の筋力低下 **原因・誘因** 椎間板ヘルニア ●尿意・便意，失禁の有無 ⬇膀胱直腸障害の有無を確認する． ●下肢の知覚鈍麻 ⬇腰髄が圧迫刺激を受けている可能性がある **原因・誘因** 椎間板ヘルニア ●麻痺の有無 ⬇頭蓋内病変を鑑別する． 🔍 **起こりうる看護問題**：生命の危機がある／身体可動性の障害がある／腰痛，しびれ，知覚障害，筋力低下に伴う身体損傷の可能性がある／安静や身体可動性障害に伴い二次障害を起こす可能性がある
患者・家族の心理・社会的側面の把握	腰痛による活動制限によって日常生活に支障をきたすと，家庭や社会での役割変化に伴う社会的機能の低下を招きやすい．腰痛は軽快と再発を繰り返し長期化することがあり，また，仕事上の作業姿勢などが原因の場合，職場の配置転換や転職が必要となることもあるため，職場復帰や経済的な問題を含む今後の生活についての不安が大きい．さらに，腰痛は主観的症状であるため，第三者には理解しにくく，患者は痛みを我慢していることもあることから，客観的に社会的機能や精神的機能への影響を考える必要がある． ●症状の有無・程度 ●家庭内・社会での役割 ●社会生活への影響の有無・程度 ●病態，治療，予後，日常生活，役割変化に対する患者・家族の思い ●自宅内の段差，居室の環境，トイレや浴室の様式 ●家族のサポート体制と介護能力 🔍 **起こりうる看護問題**：社会生活機能低下に伴うストレスがある／病態，治療，予後，社会復帰に関連した不安がある／活動制限による役割変化に伴う自己概念の混乱が起こる可能性がある

STEP❶ アセスメント ▶ **STEP❷ 看護課題の明確化** ▶ **STEP❸ 計画** ▶ **STEP❹ 実施** ▶ **STEP❺ 評価**

看護問題リスト

#1　腰痛がある（認知-知覚パターン）
#2　腰痛によって身体の可動性が障害されている（活動-運動パターン）
#3　腰痛，しびれ，知覚障害，筋力低下に伴う身体損傷の可能性がある（健康知覚-健康管理パターン）
#4　安静や身体可動性障害に伴い，二次障害を起こす可能性がある（活動-運動パターン）
#5　社会生活機能低下に伴うストレスがある（コーピング-ストレス耐性パターン）

#6 病態，治療，予後に関連した不安がある（自己知覚パターン）

看護問題の優先度の指針

- 腰痛の原因を突き止め，原因に応じた対処を行うとともに，鎮痛薬の投与や臥床安静への援助を行い，腰痛の緩和に努める．
- 腰痛により身体可動性障害が生じ，その結果，日常生活に支障をきたしてADLの低下，セルフケア不足となるため，日常生活援助を行う．また，腰痛や随伴症状により身体損傷の可能性があるほか，身体可動性の障害が長期化すれば身体への影響として褥瘡，筋力低下，関節拘縮などの二次障害が懸念される．このため，これらのリスクを低下させるための看護も重要となる．
- 腰痛が生活全般に与える影響も評価する必要がある．腰痛は身体的機能，社会的機能，精神的機能へ影響を及ぼしストレスをもたらすほか，不安の原因となるので，患者・家族の不安の解消に努める．

STEP① アセスメント　STEP② 看護課題の明確化　STEP③ 計画　STEP④ 実施　STEP⑤ 評価

1 看護問題	看護診断	看護目標（看護成果）
#1 腰痛がある	**急性疼痛** **関連因子**：筋・骨格・内臓疾患による刺激，物理的損傷要因，心理的ストレス **診断指標** □バイタルサイン □標準疼痛スケールで痛みの程度を訴える □標準疼痛ツールで痛みの性質を訴える □表現行動 □痛みの顔貌 □睡眠パターンの変化 □活動状況 □食欲の変化 □痛みを和らげる体位調整	〈長期目標〉痛みが消失する 〈短期目標〉1）痛みが生じない体位をとることができる．2）痛みを緩和することができる

56 腰痛

看護計画 | 介入のポイントと根拠

急性期の緊急対応

患者が最も楽で，腰部に負担のない体位をとらせる．腹臥位は腰部に負担がかかるため避ける．

■図56-7　腰痛に対する安楽な体位

第 8 章　筋・骨格系

OP 経過観察項目	
● 緊急性の高い**腹部大動脈瘤**に対しては迅速な対応が求められる．**血圧の変動（低下，上昇）**や**意識障害**は要注意である	⮕ ショックを起こしている可能性がある．疑われる症状がみられたらドクターコールを行う
● 鑑別診断，原因特定のため全身状態の観察を行う	
TP 看護治療項目	
● **臥床安静**のための療養環境の整備や ADL の援助を行う	⮕ **根拠** 急性期の腰痛では臥床安静が基本的な治療となる．臥床安静により腰痛は数日間で軽快することが多い
● **安楽**のために体位や寝具の工夫を行う	⮕ 臥床安静は 3 日以内が望ましい　**根拠** 長期臥床は廃用症候群のリスクがあり，また社会復帰に有害とされる
● 確実な投薬により疼痛を緩和する	⮕ 臥床安静や投薬でも腰痛がコントロールできない場合は，重篤な疾患の可能性を考え，精査を進める
EP 患者教育項目	
● 腰痛による**不安を解消**する	⮕ **根拠** 不安により疼痛が増強することもある
● 具体的な安静方法を指導する	⮕ **根拠** 安静の捉え方には個人差があるため，確実に臥床安静するように指導する

OP 経過観察項目	
● 腰痛の部位，程度，持続時間，増悪因子，軽減因子	⮕ 腰痛との関連を把握し，原因を除去する
	根拠 関連を把握することで，原因疾患を推測し適切な看護計画につなげることができる
● 随伴症状の有無と変化	
● 安楽な姿勢・体位	
● 薬剤使用状況	⮕ 薬剤の効果がなければ薬剤の変更を検討する
	根拠 効果的に使用し，疼痛を自覚する時間を短縮し消失させる
● 治療内容と効果，副作用	
● 神経学的所見，画像診断の結果	⮕ 適切な看護ケアにつなげるために把握する
TP 看護治療項目	
● 危機的状況による腰痛では救命処置を行う	⮕ 主に使用される薬物は，非ステロイド性抗炎症薬，筋弛緩薬，血流改善薬である
● 薬剤による疼痛緩和を図る	⮕ 心因性の原因であれば向精神薬が処方されることもある
● 安楽な体位を工夫し，臥床安静できるようにする	⮕ 安楽に思う体位がとれるように枕やクッションなども利用し工夫する
● 静かに休めるための環境整備を行う	⮕ 寝具は硬すぎるもの，軟らかいものは避ける
	根拠 できる限り脊柱の形が生理的彎曲を維持できるように臥床することが望ましい
	⮕ 心身の安静が必要である
● 疼痛が軽減している間に日常生活のケアを行うように調整する	⮕ **根拠** 腰痛増強時のケアは苦痛を増大させ，その後のケアの拒否につながることもある
● 他職種との連携を行う	⮕ リハビリテーションや退院支援が円滑に進むように調整を行う
EP 患者教育項目	
● 安静の必要性を説明する	⮕ 理解不足による不適切な活動を予防するとともに不安を軽減させる
● 服薬管理を指導する	
● 痛みを我慢しなくてよいことを説明する	⮕ 腰痛のセルフコントロールを図る　**根拠** セル

フコントロールが可能なことを知ることは，精神面によい影響をもたらす

⮕鎮痛薬の使用に抵抗感を示す患者もいるので，必要性を十分に説明する 根拠 適切な薬物治療により炎症の鎮静化も期待できる

- 自助具，補助具，装具の使用方法を説明する

⮕ 根拠 適切な使用により腰部への負担を軽減し，疼痛緩和を図る

- 腰痛の再発・増悪因子について説明する
- 肥満の解消や姿勢の矯正など腰痛の要因となっている因子の是正を指導する
- 腰痛体操の指導を行う

⮕再発や増悪を予防するために，自己管理について指導することが重要である 根拠 初発・再発に関わらず，効果的な保存療法につなげることができる

2 看護問題	看護診断	看護目標（看護成果）
#2　腰痛によって身体の可動性が障害されている	**身体可動性障害** **関連因子**：体動への不安，全身状態の悪化 **関連する状態**：筋骨格系（筋・骨格・神経）の障害，指示による運動制限 **診断指標** □歩き方の変化 □運動能力の低下 □体動困難 □姿勢が不安定 □緩慢な動き	〈**長期目標**〉身体の可動性が改善し，病態的に可能な範囲の日常生活動作（ADL）が可能となる 〈**短期目標**〉1) 援助によって ADL が維持できる．2) 補助具や装具の装着によって動作が容易となり ADL が拡大する

56
腰痛

看護計画	介入のポイントと根拠
OP 経過観察項目 - 腰痛の程度 - 治療内容 - 姿勢，体動時や移動時の様子 - 歩行状態，歩行距離 - セルフケア能力，活動の状況 - 身体可動性の向上に対する気持ち，意欲	⮕ 根拠 腰痛の程度によって可動域が変化する ⮕安静が必要な場合は看護援助によって ADL が維持できるようにする ⮕何がどこまでできるのか，できなくなっていることは何かを把握する 根拠 具体的な ADL 援助方法につなげることができる ⮕声かけや励ましの工夫につなげる 根拠 身体可動性の改善に向けた意欲を高め，自立を促すことができる
TP 看護治療項目 - ADL に対する自己決定を尊重する - ADL の援助では患者の自立を励まし，患者のできない範囲のみ介助する - 患者が ADL を行う時は安全対策により事故を予防する - 自助具，補助具，装具を適切に使用して，できることや活動範囲を増やす - 目標とする ADL が獲得できた時にはともに喜	⮕ ADL が阻害されていることに対する気持ちへ配慮する ⮕不必要な介入は患者の自立心を損ね，リハビリテーションの進行上，障害にもなる ⮕危険性を予測する 根拠 事故なく終了することは成功体験となり，さらなる ADL 拡大への自信につながる ⮕使用に慣れることで動作が容易となる ⮕支援的な態度を示すことで精神的なサポートに

965

第8章 筋・骨格系

び，次への自信となるような声かけを行う

EP 患者教育項目
- 許可された範囲で ADL を拡大することは可能であることを説明する
- 自身で ADL を行ううえでの注意点や工夫点を説明する
- 自助具，補助具，装具の使用方法を説明する

つなげる

⮕ ADL 拡大に対する前向きな気持ちを支えるとともに，不安を軽減させる
⮕ 正しく実施もしくは使用できるように指導する

⮕ **根拠** 腰部への負担軽減を図り，再発や増悪を予防する

---

3 看護問題	看護診断	看護目標（看護成果）
#3 腰痛，しびれ，知覚障害，筋力低下に伴う転倒転落の可能性がある	**成人転倒転落リスク状態** **関連する状態**：筋・骨格・神経の障害 **危険因子**：腰痛，下肢筋力低下，安全対策についての知識不足，危険のある生活環境，日常生活動作（ADL）が困難，手段的日常生活動作（IADL）が困難	〈**長期目標**〉身体を損傷せずに過ごすことができる 〈**短期目標**〉1）身体損傷の原因となる危険性を述べることができる．2）安全な手段をとりながら日常生活を送ることができる

看護計画	介入のポイントと根拠
OP 経過観察項目 - 腰痛の有無，部位，程度 - しびれの有無，部位，程度 - 知覚障害の有無，部位，程度 - 筋力 - ADL，活動の状況 - 薬剤の使用状況 - 貧血を示すデータ（RBC，Ht，Hb など） - 起立性低血圧の有無 - 自助具，補助具，装具の使用状況 - 転倒転落リスクに対する患者の認識，事故回避の行動の有無 - 生活環境	⮕ 安全な活動を阻害する因子を把握する **根拠** リスク因子が明らかになれば，リスク軽減のための予防策を講じることができる ⮕ ふらつきなどを招く貧血や心血管系の問題の有無についても確認する ⮕ 睡眠薬使用時の転倒事故など，薬剤の副作用によるふらつきや意識障害による事故を予防する ⮕ 患者に合ったものか，使用に耐えられるかのチェックも行う **根拠** 良好な状態の自助具などを適切に使用することにより，身体損傷のリスクを軽減することができる ⮕ リスクに対する自覚の有無を言語と行動から把握し，指導につなげる ⮕ 生活の場に危険性がないか，患者の活動状況を思い浮かべながら，患者の目線で周囲をチェックする **根拠** 車椅子利用時には立位時より目線は下方になる **小児** 身長が低いため成人とは異なる視界であることを意識する
TP 看護治療項目 - 必要な範囲の移動やセルフケアの介助を行う - 療養環境の整備：床面の整備，ベッドの高さ調整（端座位で足が床に届く高さ），ベッド柵の設置，夜間照明，ポータブルトイレの設置，障害物の除去など - 障害の内容や程度に応じて自助具，補助具，装具を準備する	⮕ 患者の自立心や自尊心を低下させないように配慮し，危険防止の視点で援助を行う ⮕ **根拠** 安全な療養環境にすることで身体損傷のリスクを軽減することができる ⮕ **高齢者** 生理的に感覚機能，認知機能，運動機能が低下しており，身体損傷のリスクが高い．ま

966

●リハビリテーションを進めるための援助を行う	た，転倒により骨折などの事故につながりやすいので特に注意する　小児　危険に対する認識が難しいので，年齢や理解力に応じて説明を行い，保護者にも指導を行う ⤷リハビリテーションにより症状と運動能力を改善させる　根拠　活動能力が向上すれば身体損傷のリスクを軽減することができる
EP 患者教育項目 ●転倒転落リスクの原因と今後の見通しを説明する ●事故の起こりやすい場所と場面を説明し，具体策（転倒防止のための手すりの設置やすべりにくい靴の使用など）を指導する ●許可された範囲の活動内容を説明する ●適切な自助具，補助具，装具の使用方法や管理方法について説明する ●不安があれば遠慮なく援助を求めてよいことを説明する	⤷日常生活上にどのような危険があるかを理解できるように説明する ⤷ 根拠　危険性を認識して行動することができればリスクを軽減させることができる ⤷患者の個別性（原因疾患，重症度，年齢など）と療養環境に合わせて指導する ⤷自己判断での離床や活動範囲の拡大は事故の原因となる ⤷安全な活動のため習得できるように指導する ⤷安心して活動できるように必要な援助を行う　根拠　事故により身体損傷を受けると治療期間が延びるだけでなく，恐怖心から活動範囲の縮小につながる

4 看護問題	看護診断	看護目標（看護成果）
#4　安静や身体可動性障害に伴い二次障害を起こす可能性がある	不使用性シンドロームリスク状態 関連する状態：指示による運動制限，（装具による）固定 危険因子：重度の疼痛	〈長期目標〉不活動よる二次障害に伴う健康問題が起こらない 〈短期目標〉1）筋力低下，関節の拘縮がみられない．2）皮膚損傷がみられない

56 腰痛

看護計画	介入のポイントと根拠
OP 経過観察項目 ●治療内容 ●運動制限の指示の内容 ●活動状況 ●筋力 ●神経障害の有無，程度 ●皮膚の状態 ●体格	⤷治療上，体動が難しい場合の除圧方法や関節運動を検討する ⤷許可された活動範囲を把握する　根拠　不必要な安静を避ける ⤷身体可動性障害の程度を把握し，二次障害予防のための援助につなげる ⤷皮下組織の状態から二次障害のリスクを把握する　根拠　やせのある患者では褥瘡を発症しやすい．肥満患者は運動の負荷が大きく，活動に対して消極的になりやすい
TP 看護治療項目 ●体位変換を頻回に行う ●皮膚の保護や清潔へのケアを行う ●関節可動域運動を行う	⤷同一部位への圧迫を避ける　根拠　褥瘡を予防する ⤷体位ドレナージの目的もある　根拠　呼吸器合併症を予防する ⤷　根拠　褥瘡を予防する ⤷ベッド上で可能な運動を行う　根拠　筋肉や関

967

第8章　筋・骨格系

- ●足趾や下肢の屈曲伸展運動を行う．もしくは間欠的空気圧迫装置を装着する
- ●水分摂取を促す

- ●急性期を過ぎたら積極的な離床を促す

EP 患者教育項目
- ●長期間の臥床安静の弊害について説明する
- ●正しく体を動かせば腰痛が悪化することはないことを説明する

節の拘縮を予防する
⮕深部静脈血栓症を予防する

⮕脱水を予防する　**根拠** 体液量不足による弊害を起こしやすい
⮕離床により二次障害のリスク軽減を図る

⮕離床への恐怖心を和らげ，活動量を増やすことへの理解を深める　**根拠** 体動による腰痛の再発や悪化に対する恐怖心がある

---

5 看護問題	看護診断	看護目標（看護成果）
#5　社会生活機能低下に伴うストレスがある	**非効果的コーピング** **関連因子**：健康状態の変化，情報不足，ソーシャルサポートの不足 **診断指標** □コミュニケーションパターンの変化 □慢性的な心配と不安 □状況に対処できない □情報整理が困難 □問題解決能力（スキル）の不足	〈**長期目標**〉腰痛をコントロールしながら社会生活を送ることができる 〈**短期目標**〉1）ストレスに関する言動がみられない．2）腰痛があっても社会生活を送ることができることがわかる

看護計画

OP 経過観察項目
- ●表情，行動，発言内容

- ●ストレスと感じる内容
- ●ストレスへの対処方法
- ●家庭や社会における役割
- ●職業，経済的状況
- ●日常生活や社会生活への影響の有無や程度
- ●現在の状態，症状，治療，予後に対する言動
- ●周囲のサポート状況

TP 看護治療項目
- ●社会生活への影響や，社会復帰の計画を話し合う
- ●理学療法士と連携し，社会生活を意識したリハビリテーション内容を検討する
- ●心身の負担とならないストレス解消方法を勧める

EP 患者教育項目
- ●腰痛コントロールの具体策について説明する
- ●腰痛をコントロールしながら社会生活を送ることができることを説明する
- ●腰痛対策に関する情報の提供を行う

介入のポイントと根拠

⮕ストレスの有無と内容を把握する　**根拠** ストレスの高まりとともにコミュニケーションパターンの変化がみられる
⮕ストレスの表出を促し，具体的な解決につなげる
⮕社会的な背景を理解し，腰痛が与える影響をアセスメントする

⮕非言語的表現も捉える　**根拠** 患者の自尊心に配慮して，言語のみでなく表情や言動も観察する
小児 友人らが症状を正しく理解することが困難なこともあり，交友関係への注意が必要である

⮕患者と積極的にコミュニケーションをとる
根拠 社会資源の活用の可能性を考えることができる．また，孤立感を抱くことなく，社会性が維持できるようにする
⮕気分転換を図る

⮕疼痛コントロールによりストレスの軽減を図る
⮕腰痛によるボディイメージの変化や社会生活への影響を最小限にする　**根拠** 社会生活上の苦痛を軽減させる

968

- ストレスとなっていることを表出するように伝える

6 看護問題	看護診断	看護目標（看護成果）
#6 病態，治療，予後に関連した不安がある	**不安** **関連因子**：腰痛の原因・誘因，腰痛に対するストレス，今後への影響，満たされないニーズ **診断指標** □緊張感 □イライラした気分 □不安定な気持ち □不眠	〈長期目標〉精神的に安定した状態で治療を継続できる 〈短期目標〉1) 不安の表出ができる．2) 不安の原因に気づき，対処ができる

看護計画

OP 経過観察項目
- 表情や言動
- 睡眠状況
- 食事摂取状況
- 症状，治療，状態に関する質問の有無，内容
- 満たしたいニーズの内容

TP 看護治療項目
- 訴えを傾聴し，共感的な態度で接する
- 充足可能なニーズを充足する
- 患者の健康状態の変化など，不安を促進している要因を取り除く
- 治療や処置を行う場合は，説明を十分に行い心配や質問がないか聞き，丁寧に答える
- 静かで落ち着いた療養環境を整備する

EP 患者教育項目
- わからないこと，心配なことがあればいつでも質問するよう伝える

介入のポイントと根拠

➡ **非言語的表現を捉える** 根拠 小児 高齢者
言語表現が十分ではない小児や活動性の低下している高齢者の場合には，言葉以外の訴えの表出を見逃さないよう注意する．また家族も言葉にならない不安を抱えていることがある

➡ **支援的態度で接する** 根拠 支援的態度が不安の表出を促す

➡ **不安の原因を除去する** 根拠 原因を取り除くことにより，不安も消失する

➡ **相手の不安の表情を見ながら，わかりやすく説明する** 根拠 治療や処置の前に説明することで，不要な心配を抱くことのないようにする

➡ **質問を積極的に受け入れる** 根拠 不安を軽減するための対処を促す

STEP① アセスメント　STEP② 看護課題の明確化　STEP③ 計画　**STEP④ 実施**　STEP⑤ 評価

病期・病態・重症度に応じたケアのポイント

【急性期】早期に原因が特定され，適切な治療が行われることが重要となる．全身状態を把握し，看護ケアにつなげるとともに，腰痛の緩和に努める．腹部大動脈瘤で緊急手術が必要な場合には，速やかに関係部署との調整を図り，術前看護を行う．急性の腰痛は患者・家族に大きな不安をもたらすため，検査や処置時には十分に説明を行い，治療の際も不安の軽減に努める．原因疾患・リスク管理に重点を置きつつ，安静に伴う廃用症候群や二次障害の予防に努める．

【回復期】運動器が原因の腰痛では腰痛発症後2～3日が経過し炎症が軽快したら，血液循環を促進して疼痛緩和を図る目的で腰部の筋肉や腱への温罨法を行う．リハビリテーションを行い，機能障害や能力障害を最大限に回復，改善させる．再発や症状悪化を予防するための自己管理方法を指導する．内臓疾患が原因の腰痛では原因疾患の治療を進め，生活習慣などが原因の場合は再発予防のための指導を行う．がんの骨転移に伴う腰痛ではペインコントロールをはじめとした緩和ケアを行う．

第8章 筋・骨格系

看護活動（看護介入）のポイント

診察・治療の介助
- 腰痛の部位，程度，経過から，原因・誘因を把握する．
- 内臓疾患による腰痛は，原因疾患の看護を行う．
- 腰痛の治療として安静，薬物療法，温熱療法，神経ブロックが行われるため，スムーズに進められるよう介助する．

腰痛に対する援助
- 症状緩和のためのケアを行う．
- 安静にできる体位の工夫や環境整備を行う．
- 身体損傷を予防するための環境整備を行う．
- 褥瘡，筋力低下，関節拘縮などの二次障害を予防するための援助を行う．
- 社会的機能や精神的機能への影響とそのストレスをアセスメントし，必要な支援を行う．
- 治療内容や日常生活上の注意点を説明し，患者・家族の不安の解消に努める．

ADL の援助
- 腰痛の状況や生活機能に合わせた ADL 援助を行う．
- 安全に留意し，補助具や装具を利用しながらセルフケア能力を高めていく．
- リハビリテーションを進め，自立を目指して励ます．

退院指導・療養指導

腰痛の再発や増悪を予防するための生活指導
- 体重管理：食事量・内容に注意し，適度な運動で適正体重を維持するように指導する．
- 腰痛体操：症状に応じて正しい体操を行うように説明する．
- 腰部の筋肉強化：背筋，腹筋，殿筋を適正に強化すると姿勢がよくなる．また，筋肉がコルセットの役割をして腰の骨にかかる負担も減り，腰痛が予防できることを説明する．
- 正しい姿勢：背筋をまっすぐ伸ばし正しい姿勢を保つこと，同じ姿勢を長時間続けないことを指導する．
- 作業姿勢・作業環境：重い物を持つ時は，しゃがんで荷物を身体の近くに引き寄せて持つようにする．運ぶ時は，カートなどを利用するように説明する．
- 靴，履き物，寝具の選択について助言する．
- 温罨法，冷罨法の効果と使い分けについて説明する．
- コルセット，杖，歩行器などをはじめとした自助具，補助具，装具の着用法や手入れ法を指導する．

腰痛時の動き方の指導
- 仰臥位からの起き上がり時は，まず体を横向きにして膝を曲げ，片方の肘に体重をかけて，ゆっくりと上体を起こすように説明する．
- 歩行時はやや前屈姿勢で歩くと楽であることを指導する．

STEP ❶ アセスメント　STEP ❷ 看護課題の明確化　STEP ❸ 計画　STEP ❹ 実施　STEP ❺ 評価

評価のポイント

看護目標に対する達成度
- 腰痛と随伴症状が緩和，軽減しているか．
- 腰痛を誘発，増悪させる因子について理解し，予防行動ができているか．
- 薬物や装具を適切に用いて症状をコントロールできているか．
- 腰痛の随伴症状や安静による二次障害は起きていないか．
- 活動と安静のバランスをとって生活を調整できているか．
- 腰痛があっても社会生活機能に障害は出ていないか．
- 患者・家族が心理的・身体的安楽が増大したことを表現できているか．

970

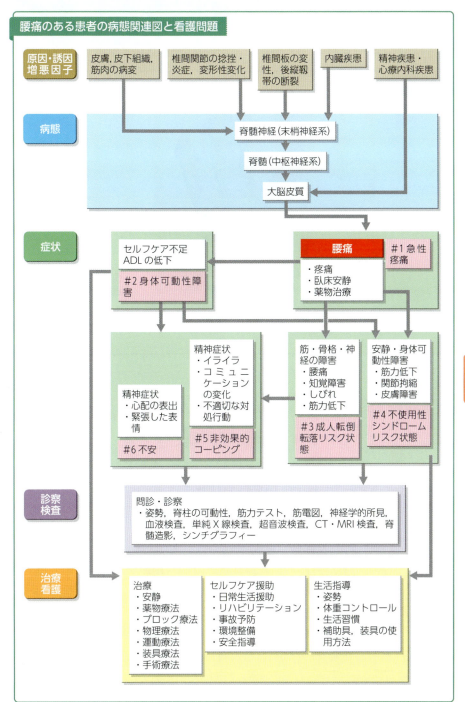

57 レイノー現象

神谷 麻理

目でみる症状

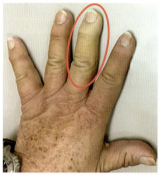

左第3指の近位指節骨間関節周囲以遠（○）が蒼白である

■図57-1 レイノー現象

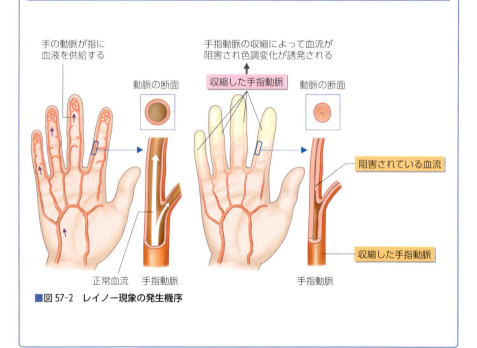

■図57-2 レイノー現象の発生機序

病態生理

> レイノー現象は，寒冷刺激や精神的ストレスに引き続いて，単一あるいは複数の手指に色調変化をきたすものである（図57-1）．

- レイノー現象は，寒冷やストレスなどの刺激に対する反応として指の小さな血管の一部がれん縮し，指先への血流が減少するために生じる症状である（図57-2）．
- 手指の色調は初めに蒼白となり，続いて青紫色に変化し，最後に代償性の充血を反映して紅潮する．このような3段階の変化を呈することが典型的であるが，2段階（蒼白と紅潮）の場合もある．
- 足先や耳介，鼻先などの他の先端部位でも起こることがある．
- 症状が頻繁で，虚血状態が長期に持続すると，潰瘍や壊死を生じることがある．
- 血管平滑筋が寒冷刺激などに対して過敏な状態となっているために起きる，血管運動性反応と考えられているが，機序の詳細は不明である．
- 明らかな原因や背景疾患を伴わない原発性レイノー現象と，膠原病を含む様々な疾患や病態に伴って出現する二次性レイノー現象との2つのタイプに分類される．
- 全人口におけるレイノー現象の有症率は3〜10％程度と報告されている．

患者の訴え方

- **主症状の訴え**
- 「指先が白くなる」などの色調変化のみならず，「手が冷たくなる」「指先がジンジンとしびれる」「針が刺さるように痛い」などの多彩な局所症状を伴うことが多い．
- 症状は発作的，間欠的，そして可逆的であることが特徴である．寒冷刺激や精神性ストレス，または振動への曝露を契機に出現する．寒冷刺激によって生じるレイノー現象は，冬季に出現頻度が高まるものの，夏季でも冷凍庫に手を入れる，冷房の効いた室内に入るなどの気温変化を契機に生じることがある．刺激を除去することで症状は回復する．手指を復温することで，色調変化や不快感などからの回復が早まる．
- **随伴症状**
- 原発性レイノー現象では，随伴症状はない．
- 二次性レイノー現象の場合には，基礎疾患によって随伴症状が異なるが，皮膚硬化（全身性強皮症），手指のソーセージ様腫脹（混合性結合組織病），頬部紅斑，脱毛，口腔内潰瘍，光線過敏（全身性エリテマトーデス），筋痛，筋力低下（炎症性筋疾患），関節痛（膠原病全般），ドライアイやドライマウスなどの乾燥症状（シェーグレン症候群）などを伴うことがある．

診断

> 手指の色調変化を視診で確認すれば十分である．

- レイノー現象を頻繁にあるいは強く生じる指においては，他指と比較して指腹の萎縮がみられる．
- 血流の評価を目的としたサーモグラフィーは有用である．
- レイノー現象を確認するために寒冷誘発試験（冷水に手指を浸す）が行われることがあるが，すでにレイノー現象が確認されている場合には避けるべきである．寒冷負荷によって手指に激しい疼痛をきたすのみならず，壊疽などを誘発するおそれがある．
- **原因・考えられる疾患**
- 原発性レイノー現象の原因は不明であるが，通常10代後半から20代前半の女性に発症することが多く，他の原因を示唆する既往歴や症状，身体所見，検査における異常所見がないことが重要である．原発性レイノー現象は続発性よりもはるかに頻度が高く，レイノー現象の8割程度を占める．
- 二次性レイノー現象は様々な疾患や病態に伴って出現する（表57-1）が，その背景疾患として全身性強皮症，混合性結合組織病，全身性エリテマトーデス，皮膚筋炎や多発性筋炎などの炎症性筋疾患，シェーグレン症候群などの膠原病が大半を占める．特に全身性強皮症や混合性結合組織病ではレイノー現象が初発症状であることが多い．
- **鑑別のポイント**（図57-3）
- 二次性レイノー現象の背景病態や疾患の検索に焦点を置いた，病歴聴取と身体診察，検査が重要である．

57 レイノー現象

第8章 筋・骨格系

■表57-1 二次性レイノー現象の原因または考えられる疾患

膠原病	全身性強皮症，混合性結合組織病，全身性エリテマトーデス，炎症性筋疾患（皮膚筋炎，多発性筋炎），シェーグレン症候群など
血液疾患	クリオグロブリン血症，クリオフィブリノゲン血症，マクログロブリン血症，寒冷凝集素症，真性多血症など
神経・血管圧迫	胸郭出口症候群，手根管症候群など
血管障害	閉塞性動脈硬化症，バージャー病
職業性	振動工具の使用，タイピスト，ピアニストなど
薬剤性	β遮断薬，エルゴタミン製剤，コカイン，交感神経刺激薬など
その他	悪性腫瘍，カルチノイド症候群，褐色細胞腫など

- 職業歴（振動工具使用の有無など），投薬歴，喫煙の有無などの聴取は必須である．
- 理学的には，手指の腫脹，皮膚硬化，爪郭部の血管構造の異常（梗塞や拡張），指尖の陥凹性瘢痕，皮膚潰瘍，壊疽の有無などを注意深く診察する．また，筋力低下，紫斑，紅斑，関節腫脹，耳下腺や顎下腺などの腫脹の有無を診察し，胸部聴診にて心音や呼吸音の異常がないか検索する．
  - 問診や理学所見で膠原病を含む全身性疾患の合併が疑われる場合，あるいは原発性レイノー現象に典型的でない症例においては，臨床検査を実施する．
  - 一般検尿に加え，血液検査においては，血算，腎機能，肝機能，筋原性酵素，C反応性蛋白を含む生化学検査，赤血球沈降速度，免疫グロブリン，補体などを評価する．
  - 診察所見から心病変や肺病変の合併が疑われる際には胸部単純X線検査を実施する．
  - 膠原病が疑われる場合には抗核抗体を提出し，必要に応じて抗SS-A抗体，抗SS-B抗体（シェーグレン症候群），抗ds-DNA抗体（全身性エリテマトーデス），抗Scl-70抗体，抗RNAポリメラーゼⅢ抗体，抗セントロメア抗体（全身性強皮症），抗U1-RNP抗体（混合性結合組織病），抗ARS抗体（炎症性筋疾患）などの各疾患の特異抗体をチェックする．
- 全身性疾患の診断に至った場合には，さらなる臓器障害の検索と評価を行う．

治療法・対症療法

誘因の除去と，増悪や潰瘍の形成を防ぐための生活指導を基本とし，必要に応じて薬物療法を併用する．

- 治療方針
- 保温を指導する．気温が下がってきたときには手袋やカイロの使用を推奨する．
- 禁煙を徹底し，また，精神的ストレスの軽減に努めるよう指導する．
- カフェインも血管をれん縮させるので，カフェインの入った飲料は控えさせる．
- β遮断薬やエルゴタミン製剤などのレイノー現象を悪化させる薬剤の中止，他剤への変更を検討する．
- 受傷を契機に潰瘍化をきたすことがあるため，手指の保護とこまめな観察を促す．潰瘍形成時には早期に医療機関を受診するよう指導する．
- 薬物治療抵抗性の場合には，星状神経節に対する交感神経節ブロックや低出力レーザー照射が行われることもある．
- 薬物療法
- 対症療法として血管拡張作用薬や抗血小板薬などを単剤，あるいは異なる作用機序の薬剤を併用して治療することが多い．

Px 処方例 軽症の場合
- アムロジピン錠（5 mg）　1回1錠　1日1回　朝食後　←血管拡張性カルシウム拮抗薬（適用外使用）
- アダラートCR錠（20 mg）　1回1錠　朝食後　←血管拡張性カルシウム拮抗薬（適用外使用）
- ユベラカプセル（100 mg）　1回1〜2錠　1日3回　毎食後　←ビタミンE製剤（適用外使用）

Px 処方例 中等症の場合　軽症の治療に下記を追加
- プロサイリン錠（20 μg）　1回1〜2錠　1日3回　毎食後　←プロスタグランジン製剤（適用外使用）
- オパルモン錠（5 μg）　1回1〜2錠　1日3回　毎食後　←抗血小板薬（適用外使用）

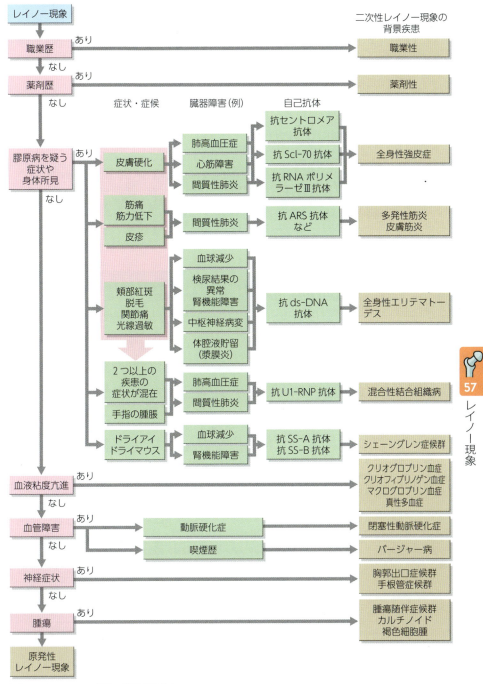

■図 57-3　レイノー現象の診断の進め方

第8章　筋・骨格系

- アンプラーグ錠(100 mg)　1回1錠　1日3回　毎食後　←抗血小板薬(適用外使用)
- **Px 処方例** 難治性潰瘍や壊疽を伴っている場合　中等症の治療に下記を追加
- リプル注(5 μg)　1回5〜10 μg　生理食塩水100 mLに溶解して1日1回点滴静注　←プロスタグランジン製剤
- トラクリア錠(62.5 mg)　1回1〜2錠　1日2回　朝夕食後　←エンドセリン受容体拮抗薬(血管拡張薬・肺動脈性肺高血圧症治療薬)
- レバチオ錠(20 mg)　1回1錠　1日3回　毎食後　←PDE-5阻害薬(血管拡張薬・肺動脈性肺高血圧症治療薬)(適用外使用)
- 上記の全身性の投薬治療に加えて，軟膏処置やデブリドマンなどの局所治療が併用される.
- **Px 処方例** 皮膚潰瘍や壊疽に対する軟膏治療
- プロスタンディン軟膏　1日2回　患部に塗布あるいはガーゼに伸ばして潰瘍部に貼付　←プロスタグランジン製剤(皮膚潰瘍治療薬)
- イソジンシュガーパスタ軟膏　1日1〜2回　患部に塗布あるいはガーゼに伸ばして潰瘍部に貼付　←白糖・ポビドンヨード配合軟膏(皮膚潰瘍治療薬)
- アクトシン軟膏　1日1〜2回　患部に塗布あるいはガーゼに伸ばして潰瘍部に貼付　←ブクラデシン軟膏(皮膚潰瘍治療薬)

■表57-2　レイノー現象に使われる主な薬剤

分類		一般名	主な商品名	薬の効くメカニズム	主な副作用
血管拡張薬	ビタミンE製剤	トコフェロール酢酸エステル	ユベラ	微小循環賦活，血小板凝集抑制	温感，紅潮，下痢，便秘など
	血管拡張性カルシウム拮抗薬	アムロジピンベシル酸塩	アムロジピン，ノルバスク	血管拡張	低血圧，浮腫，紅潮，頭痛，歯肉肥厚，肝障害など
		ニフェジピン	アダラート		
	肺動脈性肺高血圧症治療薬	ボセンタン水和物	トラクリア，ボセンタン		肝障害，低血圧，浮腫，息切れ，頭痛，顔面紅潮，悪心，下痢など
		シルデナフィルクエン酸塩	レバチオ		頭痛，紅潮，低血圧，浮腫，悪心，下痢，肝障害など
	プロスタグランジン製剤	ベラプロストナトリウム	プロサイリン，ドルナー	血管拡張，血小板凝集抑制	出血頭痛，潮紅，低血圧，肝障害など
		アルプロスタジル	リプル		
抗血小板薬		リマプロスト　アルファデクス	オパルモン		
		サルポグレラート塩酸塩	アンプラーグ	血小板凝集抑制，血管拡張	出血，肝障害，血液障害など
褥瘡・皮膚潰瘍治療薬(軟膏)		アルプロスタジル　アルファデクス	プロスタンディン	循環障害を改善し，肉芽形成・表皮形成を促す	疼痛，刺激感，発赤，瘙痒感，出血，滲出液増加など
		(合剤)精製白糖・ポビドンヨード	イソジンシュガーパスタ，ユーパスタ	肉芽形成・表皮形成を促す	疼痛，刺激感，発赤，瘙痒感，甲状腺機能異常など
		ブクラデシンナトリウム	アクトシン	局所血流障害を改善して，肉芽形成・表皮形成を促す	疼痛，刺激感，発赤，瘙痒感，水疱，滲出液増加など

976

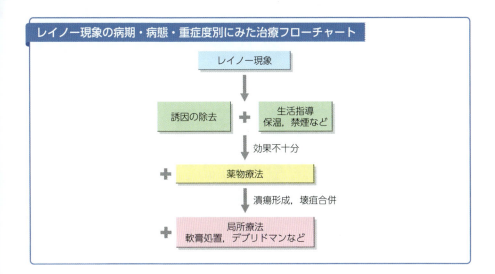

レイノー現象の病期・病態・重症度別にみた治療フローチャート

第8章　筋・骨格系

レイノー現象のある患者の看護

三浦　英恵

看護過程のフローチャート

観察項目 （OP）	看護問題 （看護診断）	看護目標 （看護成果）	看護活動 （看護介入）

原因・誘因
- **一次性（原発性）レイノー病**
  原因不明
- **二次性レイノー症候群**
  全身性エリテマトーデス，混合性結合組織病，強皮症などの膠原病，クリオグロブリン血症，多血症などの血液疾患，カルチノイド症候群，褐色細胞腫などの腫瘍性疾患，閉塞性動脈硬化症，バージャー病などの血管疾患，β遮断薬，エルゴタミン製剤などの薬物，凍傷，外傷，振動刺激など

身体的問題
- **主症状**
  指の蒼白色変化→紫青色変化→赤色変化，以上の三相もしくは二相変化
- **随伴症状**
  冷感，しびれ，痛み，爪上皮出血点，浮腫，潰瘍，壊疽，皮膚硬化，指尖陥凹性瘢痕，毛細血管拡張・蛇行

心理・社会的問題
症状の出現や皮膚変化への不安，恐怖感，原疾患，症状の誘因，必要なセルフケアに関する知識，コーピング様式，性格傾向

#原疾患や症状が進行する可能性がある

#冷感，疼痛，しびれを感じる

#血管れん縮が生じ末梢循環が障害される

#循環不全から皮膚潰瘍や壊疽が生じる，もしくは生じる可能性がある

#循環不全から皮膚が損傷を受けやすく，潰瘍・壊疽を生じる場合もあり感染を起こしやすい

#症状の出現に対する予期的不安を感じる

#皮膚の色調変化，潰瘍性変化に対して困惑や羞恥心を感じる

#原疾患や症状出現の危険因子，セルフケアについての知識が不足している

#ストレスに対処できないために症状を誘発している

症状や病状が重症化しない

痛み，冷感，しびれの不快症状が改善もしくは悪化がみられない

末梢循環が維持され，悪化しない

皮膚・粘膜の統合性が維持され，悪化しない

感染が生じない

症状に対する不安が軽減する

症状や皮膚変化を受け入れ，症状出現時に適切に処置・対処することができる

原疾患や症状の出現，増悪につながる誘因を正しく理解し，必要なセルフケア行動がとれる

ストレス源となっているものを表現し，ストレスを軽減する対処行動がとれる

OP 経過観察項目

皮膚の色調
冷感，痛み，しびれ，潰瘍の有無と程度
ストレスの有無と程度
症状の持続期間と出現頻度，誘発要因
気温・室温
喫煙の有無
服装・着衣
四肢末梢の保護，保清，保温状態
仕事の内容
内服薬の種類
原疾患・症状に対する理解状況

TP 看護治療項目

温浴，マッサージなど症状緩和ケア

感染予防

潰瘍の処置，外傷の予防，保清

医師の指示のもと，確実な与薬と服薬の援助

衣服・環境調整

患者・家族に対する心理的援助

EP 患者教育項目

患者・家族への原疾患，症状に関する情報提供

患者・家族への療養，生活上の留意事項の指導

基本的な考え方

- レイノー現象は強皮症に代表される膠原病など，症状を引き起こす疾患や原因が明確な二次性のものと，原因となる疾患が不明な原発性のものがある．二次性のレイノー現象では，原疾患の治療を重点に行いながら，レイノー現象の出現時は症状緩和や安楽の援助を行う．原発性のレイノー現象でも，症状緩和，安楽への援助，ストレス軽減のためのリラクセーションやカウンセリングなどの行動療法に加え，薬物治療が行われる．
- レイノー現象は，誘因となる寒冷刺激やストレスのコントロールなど，セルフケアが重要であり，日常生活で予防行動がとれるように，情報提供と教育を中心とした看護ケアが重要である．潰瘍や壊疽（えそ）を伴う場合は，強い疼痛と潰瘍からの感染を伴い，重症化することがあるため注意が必要である．

緊急 基本的にはレイノー現象の出現だけで緊急を要することはないが，不適切な対処やセルフケアにより潰瘍・壊疽を形成し，そこから感染を引き起こす可能性がある．したがって，日常生活や必要なセルフケアに関する指導が重要となる．

STEP❶ アセスメント　STEP❷ 看護課題の明確化　STEP❸ 計画　STEP❹ 実施　STEP❺ 評価

情報収集	アセスメントの視点と根拠・起こりうる看護問題
病歴の把握	**症状発現の原因となる疾患や背景を聞くことにより，原因・誘因の特定や全身状態の把握につながり，治療や看護ケアにも重要な情報を得ることができる.**
経過	●症状はいつからあるか，急激に始まったか，前駆症状があったか. ●症状発現の頻度と持続期間
誘因	●寒冷刺激との関係 ●精神的緊張の高まり，ストレスとの関係 ●喫煙との関係
随伴症状	●冷感 ●しびれ ●痛み ●潰瘍，壊疽
生活状況	●ストレスの有無 ●仕事上の問題，家庭の問題の有無 ●生活環境(冷房の過度な使用，寒冷地域での生活)
嗜好品	●喫煙の有無 ●カフェインを多く含むコーヒーなどの摂取の有無とその量
原因となる疾患や状況	●膠原病，自己免疫疾患：全身性エリテマトーデス(SLE)，強皮症，多発性筋炎・皮膚筋炎，関節リウマチ，シェーグレン症候群，混合性結合組織病(MCTD)など ●血液疾患：クリオグロブリン血症，寒冷凝集素症など ●内分泌疾患：甲状腺機能低下症など ●神経・血管障害：閉塞性動脈硬化症，バージャー病，胸郭出口症候群など ●腫瘍性疾患：カルチノイド症候群，褐色細胞腫など ●外傷，凍傷，手術に伴う血管損傷 ●指を酷使する仕事(チェーンソーなど振動工具の使用，ピアニスト，パソコンの長時間の使用など)　**原因・誘因** 振動障害に伴う二次性のレイノー現象の可能性 ●内服薬や原疾患に伴う使用薬剤(β遮断薬，クロニジン塩酸塩，エルゴタミン製剤，シスプラチン，ビンブラスチン硫酸塩，ブレオマイシン塩酸塩，インターフェロン，経口避妊薬など) ●塩化ビニルモノマーを扱う仕事(塩化ビニル製造工場など)への従事 ●鉛，ヒ素などの重金属中毒
症状の出現状況と部位，発現頻度・期間の把握	**症状の出現状況や頻度を把握することで，レイノー現象発現につながる誘因や原因についての情報が得られる.**

57

レイノー現象

979

第8章 筋・骨格系

症状発現時の状況	●気温が低い時，冷水の使用，夏季の冷房の使用時など **原因・誘因** 寒冷刺激 ●精神的緊張，ストレスの高まりによるものか **原因・誘因** 情動的ストレス ●喫煙時 **原因・誘因** ニコチンによる血管れん縮 ●ピアニスト，チェーンソーの使用，長時間のパソコンの使用 **原因・誘因** 指尖の酷使と刺激
症状発現状況とその部位，程度	●四肢の指趾，時に鼻，舌，耳介，口唇などの先端部 ●1本以上の指趾に発生する． ●第2〜4指の中手指節関節より遠位に発現することが多い．まれに母指に発現することもある． ●現象の発現が緩やかで痛みが少なく，左右対称で発現部位が限局している **原因・誘因** 一次性もしくは二次性の可能性 ●非対称性もしくは一側性で，強い痛みを伴う **原因・誘因** 二次性の可能性
症状の発現期間	●血管れん縮は数分〜数時間続くこともある． ●原因となる疾患がなく，最低2年間症状が持続している **原因・誘因** 一次性 ●強皮症患者は，レイノー現象がほかの症状に遅れて出現する場合も多いが，最終的には患者の90%がレイノー現象を伴う．
症状の軽減	●通常は症状発現の誘因となる寒冷，ストレスなどの刺激を除去し，手を温めることで色調，感覚が回復する． ●容易に回復せず，潰瘍や痛みが起こらない持続性のものはチアノーゼの場合もあり，鑑別が必要である．
全身状態，随伴症状の把握	**患者は必ずしもレイノー現象に伴う皮膚の色調変化を自覚しているとは限らず，しびれ，痛みを訴える場合も多い．症状発現状況の把握とともに随伴症状を観察することは，症状の発現となる原疾患を理解した個別性の高い看護計画の立案に有効である．**
バイタルサイン	●血圧 ●高血圧の場合は動脈硬化症による細動脈などの動脈内腔の狭窄や閉鎖に伴う循環障害が原因となり，レイノー現象が生じる可能性もある．甲状腺機能低下症の場合は，低血圧を示す可能性がある． ●**緊急** 突発的頭痛，悪心，視力低下，尿量減少などを伴う急激な血圧上昇 **原因・誘因** 強皮症に伴う強皮症腎クリーゼ ●体温 ●全身性エリテマトーデスや強皮症などの場合は，炎症反応から発熱を伴うことがある．甲状腺機能低下症の場合は，低体温を示すこともある． ●脈拍・リズム ●強皮症患者では刺激伝導系の線維化により不整脈や頻脈を生じることがある． ●脈拍触知 ●強皮症患者では皮膚硬化のため橈骨動脈の触知が難しくなる．バージャー病患者などでは末梢動脈の拍動の消失，減弱を認める． ●呼吸 ●強皮症や膠原病の場合は，肺線維症や間質性肺炎を伴うことがあり，呼吸パターンの変調が認められる．
皮膚と血管，血流の状態	●発汗 ●原発性レイノー病は神経質な若年者に多く，四肢に限局して著明な発汗がある．レイノー現象の反応充血期に発汗が生じる場合がある． ●指尖陥凹性瘢痕，爪上皮出血点 **原因・誘因** 強皮症 ●皮膚潰瘍，壊疽，痛み，感染徴候を確認する． ●バージャー病は，レイノー現象がなくても，指趾の安静時疼痛，潰瘍，壊疽がみられる． ●皮膚の温度差 ●触診によるレイノー現象が生じている部位とそれ以外の皮膚の温度差をサーモグラフィーを用いて評価し，チアノーゼと鑑別する． ●毛細血管拡張 ●膠原病，強皮症では，顔，手足，胸部などに小さな赤い斑点がみられる場合がある． ●爪圧迫テスト ●爪を母指と示指で挟み，10秒間強く圧迫後に爪の退色の戻り具合から血流の状況を確認する． ●色素沈着と色素脱失 ●膠原病，強皮症では，手指，手背，顔面，首，前胸部など

頭頸部	にびまん性の黒色変化や色素脱失を確認する.
	●石灰沈着 ➡強皮症では指先などにカルシウムの塊が沈着することがある.
	●頭痛の有無 ➡片頭痛患者にレイノー現象が生じることがある. 外傷の有無も確認する.
	●顔貌, 表情 ➡皮膚硬化に伴い強皮症では仮面様顔貌となる.
	●舌 ➡強皮症では, 皮膚硬化に伴い舌小帯短縮がみられる. 舌にレイノー現象が生じる場合もある.
	●中枢神経障害 ➡精神・神経病変をもつ全身性エリテマトーデス患者にレイノー現象が伴う場合は, 見当識, 記憶, 認知などの知的障害や, 統合失調症様症状, 抑うつ, けいれん, 不随意運動, 脊髄炎などの症状を伴う場合がある.
胸部	●聴診 ➡心肺疾患, 病変の有無を確認する.
	●呼吸苦, チアノーゼ, 乾性咳嗽, 胸痛, 動悸, 血痰 ➡強皮症では肺線維症, 肺高血圧症, 刺激伝導系の線維化による心筋炎や心膜炎から, これらの症状が生じる可能性がある.
腹部	●腹部の聴診 ➡腸蠕動音の減弱
	●消化器症状の確認 ➡嚥下困難, 便秘, 下痢, 腹部膨満感, 胸やけ, もたれ感. 強皮症患者の多くは消化管病変を伴い, 消化管の小血管病変の循環障害, 平滑筋の萎縮と線維症などにより, 食道下部, 小腸, 十二指腸, 大腸の蠕動運動が低下する
	原因・誘因 強皮症に伴うレイノー現象の出現は, 内臓にも血流障害を引き起こし, これらの症状が出現している.
四肢	●しびれを伴う場合は, 頸椎症や脊髄炎, 脊髄腫瘍などによる脊髄疾患, 脳血管障害や脳腫瘍などの脳疾患, 精神障害に伴うしびれと鑑別する.
	●持続性のチアノーゼでは, 他の呼吸器・循環器疾患の可能性も考えられる.
	●バージャー病では, レイノー現象の出現がない場合でも, 指趾の安静時疼痛, 潰瘍, 壊疽がみられ, 血行障害に伴う間欠性跛行がみられる.
	●強皮症では, 指先の浮腫性腫脹, 屈曲拘縮などの変化が生じる.
	●膠原病では, 多発関節痛を伴う場合がある.
	🔍 **起こりうる看護問題**:レイノー現象により冷感, 疼痛, しびれが生じる/レイノー現象の出現に伴い血管れん縮が生じ末梢循環が障害される/レイノー現象による循環不全から皮膚潰瘍が生じるもしくは生じる可能性がある/レイノー現象による循環不全から皮膚が損傷を受けやすく, 潰瘍・壊疽を生じる場合もあり感染を起こしやすい
患者・家族の心理・社会的側面の把握	レイノー現象は皮膚の色調変化とともにしびれ, 痛みを伴うため患者には不安や困惑が生じる. 膠原病を基礎としている場合は, 疾患に伴う身体的, 外見上の変化による苦痛も伴う. 緊張やストレスが症状の発現や誘因になることもあるため, 原疾患・症状に対する知識の程度, 心理・社会的側面を把握することが重要となる.
	●患者・家族の原疾患とその治療, レイノー現象に対する受け止め方
	●原疾患の病状, 進行度, 重症度
	●身体, 皮膚など, 外見上の変化に対する苦痛や困惑
	●患者の生活や社会的状況の把握, 家族関係, 対人関係
	●性格傾向, コーピング様式
	●レイノー現象の出現予防のためのセルフケアの実践状況
	●レイノー現象の誘因についての知識の程度
	●生活様式や状況, 環境の把握 ➡体温調節(衣服による保温方法, 暖房・冷房の使用状況など), 保清, 感染予防行動, 季節, 生活の場とその地域の温度・気候など
	🔍 **起こりうる看護問題**:レイノー現象の原疾患の進行や予後への不安がある/レイノー現象の出現に対する予期的不安や恐怖を感じる/レイノー現象や原疾患に伴うセルフケアについての知識が不足している/レイノー現象による皮膚の色調変化, 潰瘍性変化に対して困惑や着恥心を感じる

57

レイノー現象

981

第8章　筋・骨格系

| STEP ① アセスメント | STEP ② 看護課題の明確化 | STEP ③ 計画 | STEP ④ 実施 | STEP ⑤ 評価 |

看護問題リスト

#1　レイノー現象の出現により冷感，疼痛，しびれを感じる(認知–知覚パターン)
#2　レイノー現象の出現に伴い血管れん縮が生じ末梢循環が障害される(活動–運動パターン)
#3　レイノー現象による循環不全から皮膚潰瘍が生じる，もしくは生じる可能性がある(栄養–代謝パターン)
#4　レイノー現象による循環不全から皮膚が損傷を受けやすく，潰瘍・壊疽を生じる場合もあり感染を起こしやすい(栄養–代謝パターン)
#5　レイノー現象や疾患に伴うセルフケアについての知識が不足している(認知–知覚パターン)
#6　レイノー現象による皮膚の色調変化，潰瘍性変化に対して困惑や羞恥心を感じる(自己知覚パターン)

看護問題の優先度の指針

- レイノー症状出現時に，冷感，痛み，しびれを伴う場合は，第一にこれらの苦痛軽減が重要である．
- 循環不全に伴い皮膚の損傷を受けやすく，潰瘍，壊疽を生じる場合もある．皮膚の統合性を保ち，感染を起こさないように皮膚の状態についての観察を徹底し，早期に介入し対処する．
- 誘因の除去により症状発現を抑えられるため，寒冷刺激から身を守る方法や，ストレスコントロールなど，患者の原疾患や症状に対する知識の程度を把握し，セルフケアできるような情報と教育的関わりが重要である．

| STEP ① アセスメント | STEP ② 看護課題の明確化 | STEP ③ 計画 | STEP ④ 実施 | STEP ⑤ 評価 |

1

看護問題	看護診断	看護目標(看護成果)
#1　レイノー現象の出現により冷感，疼痛，しびれを感じる	**安楽障害** **関連因子**：環境のコントロールが不十分，不快な環境刺激，健康資源(リソース)の不足，状況管理が不十分 **診断指標** □冷感 □不快感を示す(痛み，しびれ) □心理的苦痛を示す □不安 □気分の落ち込み	〈長期目標〉冷感，痛み，しびれの症状が改善する，もしくは悪化がみられない 〈短期目標〉冷感，痛み，しびれなどの不快症状を軽減する方法を表現し，実践できる

看護計画

OP 経過観察項目
- 冷感，痛み，しびれのある部位と範囲，程度
- 冷感，痛み，しびれの発現頻度，持続性
- 不快症状に伴う日常生活，社会活動への影響
- 仕事の内容，指趾の酷使，振動刺激の有無
- 衣服，保温状況
- 生活状況，環境，冷暖房の使用状況
- 人間・社会関係，精神的状況，ストレスの有無
- 四肢末梢の皮膚状態，潰瘍・壊疽，損傷の有無
- レイノー現象の誘因や原疾患に対する知識の程度，必要なセルフケアの実践状況

介入のポイントと根拠

- 不快症状の種類と程度，生活や活動への影響をアセスメントすることが重要　**根拠** 原疾患の違い，進行度だけでなく，不快症状は個人差がある
- **根拠** レイノー現象は，寒冷刺激，ストレスなどの精神的緊張や興奮，指趾の酷使や振動刺激によって誘発され出現する．誘発要因をアセスメントすることで，症状の発現予防法が明確になる
- **根拠** 潰瘍・壊疽の存在は，痛みを増強させる
- **根拠** 知識，セルフケアの不足部分を知ることで，患者教育，看護ケアを具体化できる

TP 看護治療項目
- 全身の保温を行い，環境を整える
- 冷感，しびれがある部位を温水もしくは温風で温める
- マッサージを行う
- 医師の処方と指示のもと，服薬の援助，注射薬の投与を行う
- 医師の処方と指示のもと，外用薬を塗布する
- 不快症状，感覚異常のために日常生活動作が行えない場合は，適宜援助する

根拠 血流が促進され，不快症状が軽減する．局所が保温されていても，他の部位が寒冷にさらされることで症状が発現するため，全身の保温が大切である

根拠 末梢血管の血流を促すカルシウム（Ca）拮抗薬やプロスタグランジン製剤を確実に投薬することは血流の改善，維持につながる

根拠 感覚麻痺，鈍麻により，巧緻動作が難しくなり，足に症状がある場合は転倒の危険性もある　小児　高齢者　小児は発育途中であること，高齢者は認知・身体機能の低下により，セルフケア能力が十分ではない可能性がある

EP 患者教育項目
- 痛み，しびれ，冷感がある時は，温水に浸す，カイロなどで温める，手をこすり合わせマッサージをするように伝える
- 不快症状が保温やマッサージによっても改善せず，悪化する場合は，医療機関を受診するように伝える

根拠 保温，マッサージによる血流の改善により，不快症状が改善される

→ 痛みなどの不快症状に対して，性格傾向から我慢することもある．これらの症状を見逃すことで，血行障害が進行し，潰瘍形成につながる場合もある　小児　高齢者　高齢者はしびれ，痛み，冷感などの知覚が鈍麻している場合があり，小児は痛み，しびれなどの不快症状についての言語的表現が十分できない可能性があるため注意する

2 看護問題	看護診断	看護目標（看護成果）
#2 レイノー現象の出現に伴い血管れん縮が生じ，末梢循環が障害される	非効果的末梢組織灌流 **関連因子**：修正可能な因子についての知識不足（ストレス，冷感刺激），喫煙 **診断指標** □末梢の脈拍欠如・微弱化 □四肢の痛み □感覚異常（冷感，しびれ） □皮膚特性の変化（蒼白，チアノーゼ，反応性充血，皮膚温の低下） □毛細血管再充満時間，3秒以上	〈長期目標〉末梢循環が維持される 〈短期目標〉1）循環不全に伴う疼痛などの不快症状が軽減される．2）末梢循環を改善する方法を表現できる．3）末梢循環障害を引き起こす誘因を明確にし，予防行動がとれる

看護計画

OP 経過観察項目
- 末梢皮膚の色調とその変化
- 四肢動脈の触知と左右差
- 四肢末梢の皮膚温と左右差
- バイタルサイン

- 既往歴，原疾患，内服薬の種類

- 痛み，しびれ，冷感などの不快症状の有無と程度
- 運動機能，日常生活動作の状況と変化

介入のポイントと根拠

根拠 皮膚の色調や脈拍の触知，皮膚温は循環状態を反映している．色調や脈拍触知が不良の場合は，血流を改善，促進させる援助が必要である
　高齢者　加齢による変化に伴う血管硬化により循環機能が低下している

根拠 症状の原因となる疾患や状況をアセスメントする

根拠 血流障害を示唆する不快症状である

根拠 運動不足や不動状態は循環を低下させる

57　レイノー現象

第8章　筋・骨格系

- ●衣服，保温状況
- ●生活状況，環境，冷暖房の使用状況

- ●人間・社会関係，精神的状況，ストレスの有無
- ●潰瘍・壊疽，損傷の有無

⮞ 根拠 寒冷刺激や気温の低さは，低体温をもたらし，末梢血管が収縮する
⮞ 根拠 ストレスも末梢血管収縮の誘因である
⮞ 根拠 循環不全が重度かつ持続している状況を示す

TP 看護治療項目
- ●衣服，寝具，室温を調整し，保温に努める
- ●部分浴や温罨法，マッサージを行う

- ●四肢を下垂した状態に保つ
- ●医師の処方，指示のもと，服薬の援助，注射薬の投与を行う
- ●医師の処方，指示のもと，外用薬を塗布する
- ●ストレスや不安と感じているものを表現するように促す

⮞ 根拠 保温，マッサージにより，体温が上昇し，血管のれん縮，末梢血管の抵抗を和らげ，血流が促進される
⮞ 根拠 動脈血流は下垂で促進される
⮞ 根拠 末梢血管の血流を促す Ca 拮抗薬やプロスタグランジン製剤などが処方される．確実に投薬することは血流の改善，維持につながる
⮞ 根拠 ストレスはレイノー現象の誘因であり血管を収縮させ，血流障害につながる 小児 言語的表現が十分ではないため注意する

EP 患者教育項目
- ●皮膚の色調変化，疼痛，感覚鈍麻などの症状は循環不全の徴候であることを説明し，ただちに温浴やマッサージ，温風を当てるなど，保温するように指導する
- ●普段から手袋，靴下の着用，カイロを携帯すること，水仕事を行う際は温水を使用するかゴム手袋を使用すること，寒冷時の外出を控えることなど，保温に努めるように指導する
- ●禁煙するように指導する
- ●ストレスをためないように対処し，自己コントロールできるように努めることを説明する

⮞ 根拠 末梢循環不全の徴候や行うべき対処を具体的に説明することで，患者のセルフケア能力，自己統制力を高めることにつながる

⮞ 根拠 保温に努めることで，レイノー現象の誘因である寒冷刺激を予防し，末梢血流が維持される

⮞ 根拠 ニコチンは血管収縮作用がある
⮞ 根拠 ストレスもレイノー現象の誘因であり，ストレス対処，自己コントロールは重要である

---

3 看護問題	**看護診断**	**看護目標（看護成果）**
#3　レイノー現象による循環不全から皮膚潰瘍が生じている	皮膚統合性障害 **関連因子**：組織統合性の維持・保護についての知識不足，栄養不良，心因性因子，喫煙 **診断指標** □急性疼痛 □皮膚の色の変化 □皮膚の緊張の変化(硬化，乾燥，浮腫) □破壊された表皮(損傷，潰瘍，壊疽)	〈**長期目標**〉皮膚の統合性が保たれる 〈**短期目標**〉1) 皮膚に損傷がみられない． 2) 潰瘍を予防する方法について表現できる． 3) 潰瘍の悪化がなく，改善傾向がみられる

看護計画	**介入のポイントと根拠**
OP 経過観察項目 ●皮膚の色調，状態，潰瘍の有無と改善度 ●痛みなどの不快症状の有無と程度 ●既往歴，原疾患，内服薬の種類，薬物療法の効	⮞潰瘍部や皮膚の脆弱な部位を確認する 高齢者 皮下脂肪の減少，皮膚弾力性の低下から皮膚統合性が保たれなくなり，創治癒が遅くなる ⮞ 根拠 患者の原疾患や治療状況を理解すること

984

果
- 食事摂取量，栄養状態(血液データ：アルブミン，総蛋白など)
- 皮膚の状況，皮膚変化に対する患者の受け止め(表情・言動)

で，具体的な援助計画の立案が可能となる
⇒ 根拠 栄養不足は抵抗力を弱めるため，皮膚統合性の維持や潰瘍の治癒を妨げる
⇒ 根拠 皮膚変化はボディイメージの障害を生じやすい．否認，受容できていない状況は不適切なセルフケアから感染や潰瘍を形成する可能性もある

TP 看護治療項目
- 皮膚の損傷部位，潰瘍，壊死に対する処置(ガーゼ交換，消毒，軟膏塗布など)を医師の指示のもとに行う
- 全身の保清，保温ができるよう援助する

- 十分な栄養摂取ができるように，食事内容の工夫，栄養士への相談，食事摂取を援助する

⇒ 損傷部位，潰瘍の治癒状況を観察しながら処置を行う 根拠 壊死組織の除去は基本的には医師が行う
⇒ セルフケア能力に応じて実施 根拠 膠原病や強皮症が原疾患の場合は筋・関節症状から日常生活に支障をきたす場合もある 高齢者 筋力が低下し，日常生活動作に支障が生じている場合が多い
⇒ 食欲，嗜好，セルフケア能力，原疾患を考慮して援助する 根拠 強皮症患者は，病変に伴う食道，胃の蠕動運動低下から，胸やけ，げっぷ，嚥下障害，吸収機能の低下が生じ，低栄養状態になりやすい 小児 高齢者 セルフケア能力が十分ではない可能性がある

EP 患者教育項目
- 四肢末梢の皮膚を清潔に保ち，皮膚を保護するために靴下，手袋を着用するように説明する
- ローションやクリームを塗布し，皮膚の乾燥を防ぐように指導する
- 潰瘍がある場合は，軟膏塗布，ガーゼでの保護など処置方法を指導する
- 新たに潰瘍ができた場合は，放置せずにすぐに受診し，医師に相談するように伝える

⇒ 潰瘍や損傷がなくても皮膚を保護する習慣をつけるように指導する 根拠 原疾患に伴う皮膚変化(硬化，浮腫，乾燥など)などから，皮膚のバリア機能が低下している
⇒ 根拠 適切な処置方法の習得は，潰瘍の治癒促進，悪化防止につながる
⇒ 根拠 一度潰瘍が形成されると治癒しにくい．悪化を防ぐには早期の適切な処置が重要である

57 レイノー現象

4 看護問題	看護診断	看護目標(看護成果)
#4 レイノー現象による循環不全から皮膚が損傷を受けやすく，潰瘍・壊疽を生じる場合もあり感染を起こしやすい	感染リスク状態 危険因子：創傷ケアの管理が困難，皮膚統合性障害(硬化，潰瘍，壊疽)，ヘルスリテラシーの不足，栄養不良(失調)，喫煙	〈長期目標〉感染徴候がみられない 〈短期目標〉1) 皮膚の統合性が保たれ，潰瘍の悪化がみられない．2) 感染予防のセルフケア行動がとれる

看護計画

OP 経過観察項目
- 皮膚の発赤，腫脹，疼痛
- 皮膚の損傷部位，潰瘍の状態と程度，治癒状況

- 発熱の有無，血液データ値(白血球，炎症反応)
- 皮膚の損傷部位，潰瘍からの滲出液の有無と性状

- 原疾患，処方薬

介入のポイントと根拠

⇒ 皮膚の状態と感染徴候をアセスメントする
根拠 感染が生じた場合は，難治傾向となるため，早期介入が重要である
⇒ 発熱は感染徴候なのか，原疾患(強皮症，その他の膠原病)に伴うものなのかをアセスメントする 高齢者 発熱などの通常の感染徴候がみられないまま，重症化することもあるため注意する
⇒ 根拠 病態や内服薬(免疫抑制薬，ステロイド

985

第8章　筋・骨格系

● 食事摂取量，栄養状態（血液データ：アルブミン，総蛋白など）

TP 看護治療項目

● 皮膚の損傷部位，潰瘍，壊死に対する処置（ガーゼ交換，消毒，軟膏塗布など）を医師の指示のもとに行う

● 全身の保清，保温ができるよう援助する

● 十分な栄養摂取ができるように，食事内容の工夫，栄養士への相談，食事摂取を援助する

● 医師から処方，指示された薬を確実に投薬する

EP 患者教育項目

● 潰瘍の広がりや発赤，滲出液，発熱は感染徴候であることを説明し，すぐに医療機関を受診するように説明する
● 四肢末梢の皮膚を清潔に保ち，皮膚を保護するために靴下，手袋を着用するように説明する
● ローションやクリームを塗布し，皮膚の乾燥を防ぐように指導する
● 潰瘍がある場合は，軟膏塗布，ガーゼ保護などの処置方法を指導する

薬など）により感染リスクが高まるため，原疾患と処方薬を確認することは重要である
⮕ **根拠** 栄養不足は潰瘍の治療を妨げ，さらに抵抗力を弱めるため，感染のリスクを高める

⮕ 損傷部位，潰瘍の治癒状況を観察しながら処置を行う **根拠** 壊死組織除去は基本的に医師が行う治療であり，処置時に医師が処方したポビドンヨードによる消毒，抗菌薬軟膏を塗布することが多い

⮕ セルフケア能力に応じて実施する **根拠** 膠原病や強皮症を原疾患にもつ場合は，筋・関節症状から日常生活に支障をきたす場合もある
高齢者 筋力が低下し，日常生活動作に支障が生じている場合も多い

⮕ 食欲，嗜好，セルフケア能力，原疾患を考慮して援助する **根拠** 強皮症患者は，病変に伴う食道，胃の蠕動運動低下から，胸やけ，げっぷ，嚥下障害，吸収機能の低下が生じ，低栄養状態になりやすい **小児 高齢者** セルフケア能力が十分ではない可能性がある

⮕ 血流促進をもたらす重要な薬剤が処方されることがある

⮕ **根拠** 一度潰瘍が形成されると治癒しにくく，感染を生じやすい．患者が感染の徴候がわかることは，早期の適切な処置につながる
⮕ 皮膚の潰瘍や損傷がなくても皮膚を保護する習慣をつけるように指導する **根拠** 原疾患に伴う皮膚変化（硬化，浮腫，乾燥など）などから，皮膚のバリア機能が低下している

⮕ **根拠** 適切な処置方法の習得は，潰瘍の治癒促進，感染予防につながる

---

5 看護問題	**看護診断**	**看護目標（看護成果）**
#5　レイノー現象や原疾患に伴うセルフケア（症状発現予防，症状発現後の処置）に関する知識が不足している	**知識不足** **関連因子**：原疾患，症状に関する不安，情報不足 **診断指標** □症状や発現予防の知識が不足していることを表現する □不適切な行動（症状の発現予防，必要なセルフケアを正しく実施できない）	〈長期目標〉レイノー現象および必要なセルフケアに関する知識が習得でき，不安が軽減する 〈短期目標〉1）レイノー現象の誘因を理解し，表現できる．2）レイノー現象発現時の対処，および発現予防に必要な知識を習得できる

看護計画	**介入のポイントと根拠**
OP 経過観察項目 ● 原疾患やレイノー現象に関する知識の程度 ● 原疾患とレイノー現象に対する受け止め，反応	⮕ 原疾患に対する否定的な感情や否認が原因となり，知識不足につながっている場合もある

● 原疾患の病態と治療の状況

● 必要なセルフケア，自己管理に対する理解と実践状況
● 精神的状況(不安や困惑，恐怖，イライラ，落ち着きのなさなど)
● 家族背景，キーパーソンの有無

⮕ 根拠 背景となる原疾患の病態や治療が複雑な場合は，患者の理解を困難にすることがある
⮕ 根拠 理解はセルフケアの実践状況に反映される
⮕ 根拠 知識の習得には，精神的に落ち着ける状況を整える必要がある
⮕ 根拠 知識獲得には家族の役割が重要となる場合がある

TP 看護治療項目

● 不安や心配に感じていることを表出できるように働きかける，話しやすい場の雰囲気をつくる
● 患者の健康状態の変化など，不安を促進している原因を取り除く関わりをする
● 患者の状況に応じて，セルフケア，自己管理に関する指導を行う．説明時には家族にも参加，同席を促す

⮕ 支援的態度で接し患者に安心感を与え，不安の表出を促す
⮕ 根拠 原因を取り除くことにより，不安が消失し，知識習得のための精神的状況が整う
⮕ 根拠 患者の不安が強い場合など，知識の習得，それに基づくセルフケアの実施には家族が必要かつ重要な役割を果たす場合がある 高齢者 視力低下，聴力低下，集中力持続の低下などから知識の習得が困難な場合もあり，家族の支援が重要である 小児 発育途中の段階では理解力も十分ではないため，家族の協力は不可欠である

● 原疾患やレイノー現象に関する誤解や思い込みがある場合など，必要に応じて医師からの説明を受ける場をセッティングする

⮕ 根拠 治療計画を含め思い込みや誤解がある場合には，医師からの説明が有効かつ重要な場合もある

EP 患者教育項目

● 喫煙，過度の飲酒，コーヒーなどカフェインを多く摂取しないように説明する
● ストレスがレイノー現象の誘因となる場合もあり，自己コントロールできるように説明する
● 寒冷刺激を防ぎ，保温に努めるよう説明する(靴下，手袋，マスクの着用，特に冬季は防寒具を工夫し外出時間を短くする，炊事・洗濯時は温水の使用や手袋の着用，カイロを携帯するなど)
● レイノー現象出現時は，温水，温風などですぐに温めることで，皮膚の色調および血流が改善，維持できることを説明する
● レイノー現象発現時に適切な処置を行うことで，皮膚潰瘍形成を防げることを説明する
● 潰瘍がある場合は感染の可能性もあるため，常に保温と清潔を保ち，必要に応じてガーゼなどでの保護の必要性を説明し，医療者から指示された処置を実施するように説明する

⮕ 根拠 ニコチンや刺激物，ストレス，寒冷刺激は血管収縮作用がありレイノー現象の誘因となる．症状発現の誘因となるものを説明し，知識の習得と症状発現予防のための自己管理行動を促す
⮕ 患者の日常生活，社会生活状況を加味して，具体的な情報，知識を提供する 根拠 仕事の有無，屋内・屋外の仕事かどうかなど，患者の生活背景により寒冷刺激への曝露やその程度は異なる
⮕ レイノー現象発現時の対処法を指導する
根拠 早期に血流が維持，改善されることにより，潰瘍の形成を予防できる
⮕ 一度潰瘍を形成すると治癒しにくく，感染リスクを高めることも説明する
⮕ 根拠 適切な処置方法の習得は，潰瘍の治癒促進，感染予防につながる

57 レイノー現象

6 看護問題	看護診断	看護目標(看護成果)
#6 レイノー現象による皮膚の色調変化，潰瘍性変化に対して困惑や羞恥心を感じる	ボディイメージ混乱 **関連因子**：身体意識，自己効力感が低い，自尊感情が低い **診断指標** □皮膚の色調や外観の変化に対する言語的または非言語的な否定的反応	〈長期目標〉レイノー現象出現時の皮膚の色調変化や皮膚の潰瘍性変化に対し，受容できたことを言葉で表す 〈短期目標〉1)レイノー現象についての正しい知識をもち対処できる．2)レイノー現象に対する不安，困惑を相談でき，精神的不安が軽減する

第8章　筋・骨格系

□社会との関わりの変化（皮膚の
　露出を避けるために外出を控え
　るなど）
□皮膚の色調や外観の変化に対す
　る過度なとらわれ，拒絶感

看護計画

OP 経過観察項目
- 症状発現時の皮膚変化に対する言動，表情
- 皮膚の潰瘍性変化に対する言動，表情
- 原疾患の状態，治療に対する受け止め，医師と
  の会話の様子，質問している内容
- レイノー現象や原疾患に対する知識と程度

- 性格傾向，役割変化，家族関係，対人関係，社
  会生活状況，精神的ストレスの有無
- 内服薬の種類，副作用の状況

TP 看護治療項目
- 不安や心配に感じていることを表出できるよう
  に働きかける，話しやすい雰囲気をつくる
- レイノー現象出現時は，ただちにその部位を保
  温し，不快感や症状を緩和するように援助する
- 治療や処置は，目的や方法を丁寧に説明してか
  ら行い，処置中の患者の表情や様子にも注意す
  る

EP 患者教育項目
- 原疾患やレイノー現象について，不安に感じて
  いることに対し，時間をかけて説明し情報を提
  供する
- レイノー現象は，寒冷刺激の回避，禁煙，スト
  レスコントロールにより，症状の発現を防げる
  ことを説明する
- 一時的に症状は出現するが，適切な対処，処置
  により，日常生活は通常通り行えることを説明
  する

介入のポイントと根拠

- 非言語的情報も捉える　根拠　変化を受容でき
  ない状況や不安，困惑を必ずしも言語的表現とし
  ては示さない場合もあり，また，様々な問題や要
  因により生じている可能性がある
- 症状や原疾患への誤解がないかアセスメントす
  る
- 根拠　不安や困惑が強い場合は，対人関係，社
  会生活状況，食欲，睡眠にも影響を及ぼす
- 根拠　ステロイド薬など，薬の副作用からも外
  見的変化が生じている場合は問題が増大する

- 不安の原因を除去する　根拠　原因を取り除く
  ことにより，不安も消失する
- 根拠　早急かつ適切な対処により，患者の外見
  変化や症状に対する不安が軽減される
- 根拠　医療者の丁寧な説明や配慮，ケアによ
  り安心を感じ，不安や困惑が減少する　小児
  高齢者　理解力，環境適応能力も不十分なため，
  わかりやすい言葉での説明と配慮が必要である

- 根拠　時間をかけ丁寧に説明することで，患者
  の安心が増し，症状や疾患が受容できるようにな
  り対処を促進させる
- 根拠　正しい知識を与えることは，自己管理能
  力を促進させる．また，予防できること，症状が
  発現しても適切な処置により，症状は軽減する
  ことなど，具体的な情報を提供し患者に安心感を与
  える

STEP❶ アセスメント　STEP❷ 看護課題の明確化　STEP❸ 計画　STEP❹ 実施　STEP❺ 評価

病期・病態・重症度に応じたケアのポイント

【急性期】レイノー現象の原因は様々である．早期にその原因が特定され，適切な治療が行われること
が重要である．基本的にはレイノー現象だけで緊急を要することはないが，不適切な対処，セルフケ
ア，原疾患の状況により皮膚潰瘍や壊疽を形成し，そこから感染を引き起こすなど状態が重篤化する
場合もある．

【回復期】レイノー現象が出現していない状況でも，日常生活で保温を中心とした寒冷刺激を防ぐため
の工夫や心がけ，禁煙，ストレスコントロールなど，患者の日常生活での努力や心がけが重要となる．
症状の発現予防につながる行動や注意ができるように，必要な情報や知識を提供するなど患者教育が
重要となる．

看護活動（看護介入）のポイント

診察・治療の介助
- 原疾患や既往歴，レイノー現象の発現状況，発現頻度から原因，誘因となるものを把握する.
- 血流改善を促すための輸液，薬物を指示通り確実に投与する.
- 皮膚潰瘍，壊死がある場合は，医師の指示のもとに処置（ガーゼ交換，消毒，軟膏塗布など）を行う.

レイノー現象発現時の援助
- 全身の保温を行い，血流の改善を促す環境を整える.
- 冷感，しびれがある部位を温水や温風で温める，マッサージを行うなど，血流改善を促す援助を行う.
- 医師の処方，指示のもと，内服薬，注射薬の投与を適切に行う.
- レイノー現象に伴う不快症状，感覚異常のために日常生活動作が行えない場合は，適宜援助する.

患者・家族への心理面の援助
- 不安や心配に感じていることを患者が表出できるように働きかける，話しやすい場の雰囲気をつくる.
- 患者・家族が，原疾患やレイノー現象について不安に感じていることに対し，時間をかけて説明し情報を提供する.

退院指導・療養指導

- 手袋や靴下などを着用し，手足や体全体の保温に努めるように指導する.
- 原疾患に対する不安や人間関係，職場の悩みなどによるストレスもレイノー現象の発現につながることを説明する.
- レイノー現象出現時は，温水やカイロで温める，手をこすり合わせるなどしてマッサージするように指導を行う.
- 皮膚に潰瘍がある場合は，患部を清潔に保ち，医師から指示された軟膏塗布などの処置を行い，感染を防ぐように指導する.
- 症状が出現していない時でも，ローションやクリームを塗布し皮膚を保護するように指導する.
- レイノー現象は，寒冷刺激の回避，禁煙，ストレスコントロールにより，症状の発現を防げることを説明する.
- レイノー現象発現に関わる原疾患を有している場合は，その治療が大切であることを説明する.

STEP ① アセスメント　STEP ② 看護課題の明確化　STEP ③ 計画　STEP ④ 実施　**STEP ⑤ 評価**

評価のポイント

看護目標に対する達成度
- レイノー現象の出現に伴う血流障害が改善し，皮膚色調が正常化しているか.
- 冷感，しびれ，痛みなどの不快症状は減少もしくは消失しているか.
- 潰瘍，壊疽がある場合でも，感染徴候はみられていないか.
- 末梢循環が維持され，皮膚の統合性が維持されているか.
- 二次性の場合は，原疾患に対する治療効果が評価されているか.
- レイノー現象の誘発要因となる寒冷刺激，ストレス，喫煙に留意した生活行動，セルフケアが行えているか.
- 患者・家族がレイノー現象や原疾患に対する不安が減少したことを言葉で表現できているか.

● 参考文献
1) 竹原和彦，近藤啓文編：全身性強皮症，膠原病2，インフォームドコンセントのための図説シリーズ，医薬ジャーナル社，2004
2) 柏崎禎夫，宮坂信之：対話膠原病・リウマチーその理解の仕方・診方・生活指導，医学書院，1994
3) 東威：総合特集　主症状からみた臨床検査　15レイノー現象，臨牀看護14(7)：949-952，1988
4) 橋本博史：ともに生きる―リウマチ・膠原病，悠飛社，2008
5) 坂根剛編：自己免疫でおこる難治性疾患―実地医家のための最新情報，医薬ジャーナル社，1998

57
レイノー現象

989

レイノー現象のある患者の病態関連図と看護問題

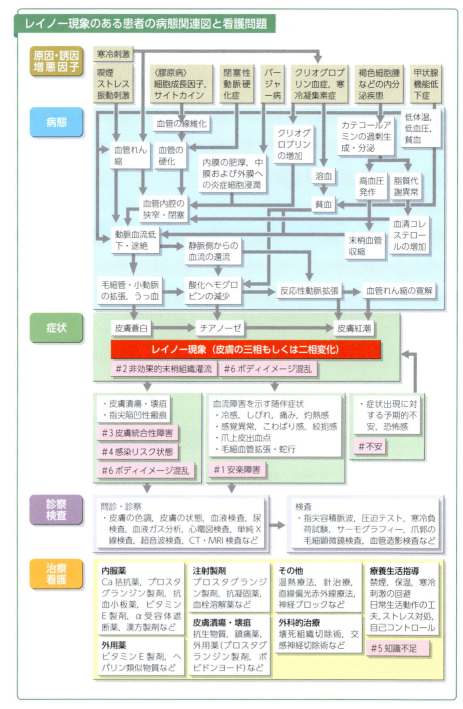

58 関節痛

保田 晋助

目でみる症状

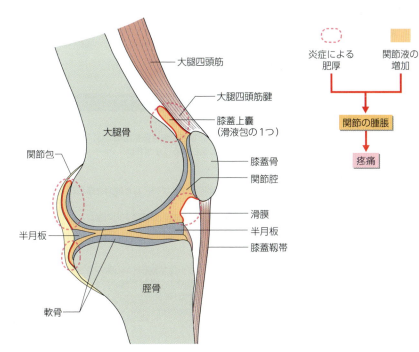

右膝関節の外側面を例に示す．
関節内では骨の表面は軟骨でおおわれている．関節腔の内面は滑膜または軟骨で囲まれ，中に関節液が貯留している．筋が骨に付着する部分が腱，骨と骨を結ぶ結合組織が靱帯である．
関節炎があると，滑膜が肥厚したり関節液が増加するため，関節が腫脹する．
また，手足の指など腱が長い場所では，滑液包がリング状になって腱を通すトンネルを形成している．これが腱鞘で，使いすぎや関節リウマチで炎症を起こす．

■図 58-1 **関節の基本構造と疼痛の発生機序**

第8章　筋・骨格系

病態生理

関節は骨と骨のつなぎ目を構成する部分で，骨，軟骨，筋，腱，靱帯，関節包などから成り立っている（図 58-1）．関節腔の内面は滑膜でおおわれ，少量の粘稠（ねんちゅう）な関節液が貯留して潤滑油の役割を果たしている．これらの構造物のいずれかに強い力が加わって損傷を受けたり，何らかの原因で炎症を起こしたりして痛みを感じるのが関節痛である．

- 関節痛は，①関節内部，②付着部，③関節周囲組織の障害によって生じる（表 58-1）．
  - ①関節炎・関節症：関節内部の炎症や変形によって疼痛をきたす．慢性に経過する場合は関節リウマチや他の膠原病を考慮する．
  - ②付着部炎・付着部症：腱や靱帯が骨に付着する部分（付着部）をエンテーシス（enthesis）と呼び，この部分の損傷や炎症はエンテソパチー（enthesopathy）と呼ばれる．運動で誘発されることがあるが，脊椎関節炎でもみられる．
  - ③関節周囲の疼痛：筋，腱，腱鞘などの異常（炎症）による疼痛．

患者の訴え方

●主症状の訴え

- 自発痛：じっとしていても痛む．関節リウマチ (RA) などの慢性多関節炎では，夜間から朝方，また安静時の痛みを認める．RA 初期では動かすと少し楽になることが多い．
- 圧痛：押さえると痛む．
- 運動痛：動かすと痛む．
- 関節の腫れ：RA では関節が紡錘状に腫れ，圧迫するとブヨブヨとした弾力を感じる．骨性に固ければ変形性関節症のことが多い．
- 日内変動：朝の手のこわばり，歩き始めの膝の疼痛，運動後の足関節痛の増強など．
- 急性：数日前から，あるいは日時が特定できる瞬間から痛む．
- 慢性：数週間前から，あるいは数か月前から痛む．

●随伴症状

- 局所：疼痛とともに，腫脹，発赤，熱感を伴っていれば炎症があるという徴候である．
- 全身：38℃ 以上の発熱があれば，全身性疾患に伴う関節痛の可能性が高い．
- 皮膚・粘膜：診断の手がかりになるので注意深く診察する（表 58-2）．

■表 58-1　関節痛の原因または考えられる疾患（赤字は緊急対応を要する疾患）

関節内部の病変	外傷性		骨折，脱臼，亜脱臼，骨・軟骨の損傷，離断性骨軟骨炎（野球肘）
	非外傷性	急性	感染性関節炎，骨髄炎，痛風，偽痛風，回帰性リウマチ，ベーチェット病，リウマチ熱，再発性多発軟骨炎，ウイルス感染症に伴う関節炎（風疹，パルボウイルス B19，B 型肝炎）
		慢性	関節リウマチ (RA)，RA 以外の膠原病（全身性エリテマトーデス，皮膚筋炎，多発性筋炎，強皮症，若年性特発性関節炎，成人スティル病など），変形性関節症，サルコイドーシス，乾癬性関節炎，強直性脊椎炎，反応性関節炎（クラミジア尿道炎，サルモネラ腸炎などに伴う），炎症性腸疾患（クローン病，潰瘍性大腸炎）に伴う関節炎，掌蹠膿疱症，ウイルス性肝炎（C 型肝炎），肥大性骨関節症，多中心性細網組織球症，無菌性骨壊死，骨腫瘍
関節周囲の病変	腱・靱帯の疼痛		腱・靱帯の損傷（捻挫），デュピュイトラン拘縮（手掌腱膜の肥厚）
	筋肉の疼痛		肩関節周囲炎（五十肩），リウマチ性多発筋痛症，線維筋痛症
	神経の疼痛		手根管症候群，反射性交感神経性ジストロフィー
	腱鞘の疼痛		腱鞘炎，ド・ケルヴァン腱鞘炎（短母指伸筋，長母指外転筋の腱鞘炎）
付着部の病変	エンテソパチー		上腕骨外側上顆炎（テニス肘），上腕骨内側上顆炎（ゴルフ肘），膝蓋靱帯炎，アキレス腱付着部症，足底腱膜炎，強直性脊椎炎，乾癬性関節炎，反応性関節炎などの脊椎関節炎

992

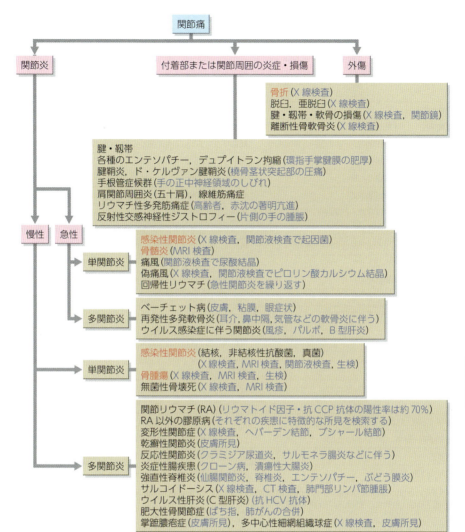

■図 58-2　関節痛の診断の進め方
緊急対応を要する疾患は赤字，重要な検査と特徴的所見は青字で示す．
年齢，症状，経過，部位，血液検査所見，画像所見などを含めて総合的に判断する．

診断

どの関節が痛いのか，痛む関節は1つか多数か，腫れの性状などについて把握する．急性発症か慢性発症か，症状の持続期間を問診する．
- 関節内の痛みか，関節周囲の構造物の痛みかを見極める．
- 随伴症状（表 58-2）を伴っているか，局所症状のみかの見極めも大切である．
- 図 58-2 に特徴的な所見などを示したが，特異的・絶対的なものではないことに注意してほしい．例えば，リウマトイド因子や抗 CCP 抗体が陰性の RA も比較的多く，近年むしろ増加傾向にある．

第8章 筋・骨格系

■表 58-2 関節痛の随伴症状と考えられる疾患（赤字は緊急対応を要する疾患とその随伴症状）

随伴症状		考えられる疾患
38℃ 以上の発熱		敗血症，菌血症に伴う感染性関節炎，ウイルス感染症，全身性エリテマトーデス，血管炎症候群，若年性特発性関節炎，成人スティル病
咳，息切れ		関節リウマチ，その他の膠原病にみられる間質性肺炎の増悪
胸痛（胸膜炎）		関節リウマチの関節外症状
皮膚所見	乾癬	乾癬性関節炎
	皮下結節	関節リウマチ，変形性関節症，多中心性細網組織球症
	皮膚潰瘍	関節リウマチ，血管炎症候群
	結節性紅斑	ベーチェット病
	掌蹠膿疱症	掌蹠膿疱症性関節炎
	蝶形紅斑，手掌紅斑，脱毛	全身性エリテマトーデス
	爪囲紅斑	皮膚筋炎，全身性エリテマトーデス
	爪下線状出血	敗血症，感染性心内膜炎
	ヘリオトロープ疹，ゴットロン徴候	皮膚筋炎
	輪状紅斑	リウマチ熱，シェーグレン症候群
	サーモンピンクの紅斑	成人スティル病
粘膜病変	口内炎，陰部潰瘍	ベーチェット病
眼所見	ぶどう膜炎	ベーチェット病，サルコイドーシス，強直性脊椎炎，反応性関節炎，若年性特発性関節炎
	視力障害	全身性エリテマトーデス，血管炎症候群，リウマチ性多発筋痛症（側頭動脈炎の合併）
	上強膜炎	関節リウマチ，血管炎症候群，再発性多発軟骨炎
	ドライアイ	シェーグレン症候群
腹痛，下痢，粘血便		クローン病，潰瘍性大腸炎
排尿時痛，腹痛		クラミジア感染症による尿道炎，腟炎，卵管炎
ばち指		肥大性骨関節症
四肢の浮腫		RS3PE*，関節リウマチ

＊RS3PE：remitting seronegative symmetrical synovitis with pitting edema（ステロイド反応性の，リウマトイド因子陰性，対称性，手背足背の圧痕浮腫を伴う滑膜炎）

治療法・対症療法

原因によって治療法は異なるので，ある程度鑑別診断が進むまでは，安易に副腎皮質ホルモン製剤などを投与しない．

●治療方針
- ●外傷性では局所の安静，冷湿布，手術，リハビリテーションなどが行われる．
- ●感染性関節炎は完治まで長期間を要するので，入院させて菌の同定，感受性検査などを実施しつつ，十分な化学療法を行う．ドレナージ，手術などの整形外科的処置を必要とすることもある．
- ●自然軽快が期待される急性関節痛に対しては，非ステロイド性抗炎症薬の内服などで経過をみる．炎症が高度の場合には副腎皮質ホルモン製剤の内服，静注，または局所注射も考慮される．
- ●慢性の関節痛は必要に応じて専門医にコンサルトし，それぞれの原因疾患に対する適切な治療を開始する．

■表 58-3 関節痛の主な治療薬

分類	一般名	主な商品名	薬の効くメカニズム	主な副作用
非ステロイド性抗炎症薬	ロキソプロフェンナトリウム水和物	ロキソニン	炎症を引き起こす化学物質の合成を阻害する	胃潰瘍,腎機能障害
	ジクロフェナクナトリウム	ボルタレン		
	セレコキシブ	セレコックス		
副腎皮質ホルモン製剤	プレドニゾロン	プレドニン		感染症,骨粗鬆症,胃潰瘍,糖尿病,脂質代謝異常,白内障,動脈硬化
	デキサメタゾンパルミチン酸エステル	リメタゾン(静注用)		
	トリアムシノロンアセトニド	ケナコルト-A(関節腔内注射用)		
痛風治療薬	コルヒチン	コルヒチン	好中球の遊走を抑制する	下痢,血球減少,肝障害
抗リウマチ薬(経口剤)	ブシラミン	リマチル	炎症・免疫に関わる細胞の機能を抑制する	血球減少,膜性腎症
	サラゾスルファピリジン	アザルフィジン EN		血球減少,皮疹
	メトトレキサート	リウマトレックスメトトレキサート		血球減少,肝障害,感染症の増悪,感染症の誘発,口内炎
	タクロリムス水和物	プログラフ		腎障害,糖尿病,振戦
抗リウマチ薬(生物学的製剤)	インフリキシマブ(遺伝子組換え)	レミケード(点滴静注用)	炎症性サイトカイン TNFαの作用を阻害する	感染症,投与時のアレルギー反応,心不全の増悪
	エタネルセプト(遺伝子組換え)	エンブレル(皮下注用)		
	アダリムマブ(遺伝子組換え)	ヒュミラ(皮下注用)		
	ゴリムマブ(遺伝子組換え)	シンポニー(皮下注用)		
	セルトリズマブ ペゴル(遺伝子組換え)	シムジア(皮下注用)		
	オゾラリズマブ(遺伝子組換え)	ナノゾラ(皮下注用)		
	トシリズマブ(遺伝子組換え)	アクテムラ(点滴静注用・皮下注用)	炎症性サイトカイン IL-6の作用を阻害する	感染症,投与時のアレルギー反応,脂質代謝異常
	サリルマブ(遺伝子組換え)	ケブザラ(皮下注用)		
	アバタセプト(遺伝子組換え)	オレンシア(点滴静注用・皮下注用)	炎症・免疫に関わる細胞の機能を抑制する	感染症,投与時のアレルギー反応
抗リウマチ薬(JAK阻害薬)	トファシチニブクエン酸	ゼルヤンツ	JAK 阻害により種々のサイトカインシグナルを抑制する	感染症(特に帯状疱疹),血栓症,悪性腫瘍
	バリシチニブ	オルミエント		感染症(特に帯状疱疹),血栓症
	ペフィシチニブ臭化水素酸塩	スマイラフ		感染症(特に帯状疱疹)
	ウパダシチニブ水和物	リンヴォック		感染症(特に帯状疱疹),肝障害
	フィルゴチニブマレイン酸塩	ジセレカ		感染症(特に帯状疱疹)

58
関節痛

995

●薬物療法
Px 処方例 急性関節痛：偽痛風，回帰性リウマチなどの場合
- ロキソニン錠(60 mg)　1回1錠　1日2〜3回　食後　←非ステロイド性抗炎症薬
  ※高齢者は胃潰瘍や腎機能障害をきたしやすいので少なめに投与する．

Px 処方例 急性関節痛：痛風の場合　下記のいずれかを用いる．
- コルヒチン錠(0.5 mg)　1回1錠　発作予感時3〜4時間ごとに2〜3回頓用　←痛風治療薬
  ※好中球の遊走を抑制．
- ロキソニン錠(60 mg)　1回1錠　発作時6時間ごとに2〜3日間服用　食後　←非ステロイド性抗炎症薬

Px 処方例 慢性関節痛：関節リウマチの場合　下記を併用する．
- リウマトレックスカプセル(2 mg)　1回1〜2カプセル　週3回　約12時間ごと服用(例：日曜9時，21時，月曜9時，5日間休薬)を1つの周期として毎週投与．通常6〜8 mg/週で開始し，効果と副作用をモニターしながら漸増する　←抗リウマチ薬
- ヒュミラ皮下注(40 mg)　40 mgを2週毎に皮下注投与．効果不充分例では80 mgに増量　←抗リウマチ薬(生物学的製剤)

関節痛の病期・病態・重症度別にみた治療フローチャート

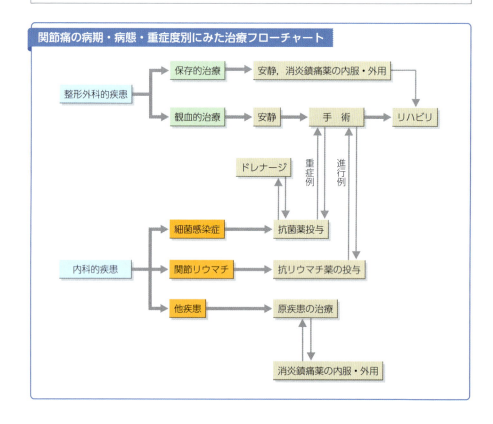

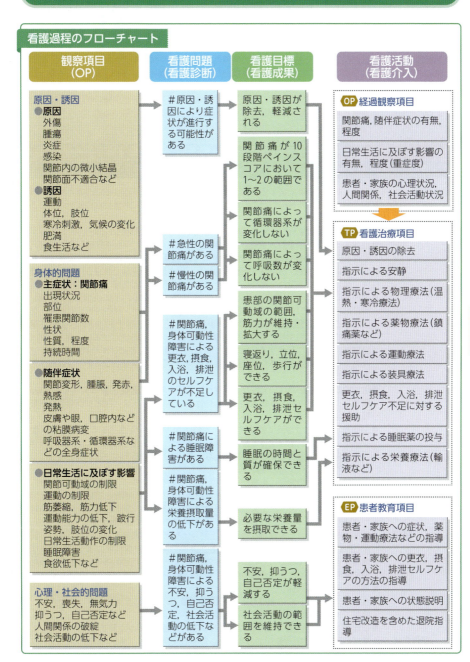

関節痛のある患者の看護

深田 順子

第8章　筋・骨格系

基本的な考え方

- 関節痛の多様な原因および誘因を把握するとともに，症状の緩和や安楽の援助を行う．原則は原因疾患の治療と誘因の除去であり，安易な対症療法はすべきではない．急性の関節痛と慢性の関節痛では原因およびその治療法も異なるため注意が必要である．
- 急性期には主に安静の保持，疼痛の緩和に対する援助，慢性期には主に疼痛の緩和と運動リハビリテーションに対する援助が必要である．
- 関節痛や随伴症状を観察し，日常生活への影響の有無と程度を明らかにすることが重要である．関節痛によって日常生活が妨げられなければ重症度は低いが，日常生活が困難になり，寝たきりになった場合は重症度が高い．

緊急 外傷(骨折，脱臼など)による関節痛は，迅速な緊急処置が必要である．外傷時の状況を詳細に問診するとともに，二次的な障害(神経障害など)を生じないようにすることが重要である．

STEP❶ アセスメント	STEP❷ 看護課題の明確化	STEP❸ 計画	STEP❹ 実施	STEP❺ 評価

情報収集	アセスメントの視点と根拠・起こりうる看護問題
病歴の把握	患者・家族から関節痛の出現状況と経過，症状の変化を聴取することで，原因・誘因の特定や全身状態の把握につながり，治療や看護ケアにも重要な情報を得ることができる．
経過	● 発現のきっかけは何か：外傷性か非外傷性であるかを確認する．
	● 症状の出現状況は急性か慢性か：数時間から2〜3日のピークで発症しているか，4〜6週間以上持続しているかを確認する　**原因・誘因** 関節痛が急性・突発性に発症した場合，外傷，感染性(化膿性)関節炎，出血性関節症などを疑う．関節痛が慢性に発症している場合，関節リウマチや変形性関節症などを疑う　**緊急** 外傷
	● 関節痛の部位：手指(遠位，近位)，上肢(肘関節，肩関節)，下肢(股関節，膝関節，母趾関節)のどこか．末梢型(小関節)か中枢型(大関節)か．対称性か非対称性かを確認する　**原因・誘因** 関節リウマチは手関節，近位指節間(PIP)関節に，変形性関節症は膝関節，股関節，遠位指節間(DIP)関節に発症することが多い．痛風は第1趾関節，足関節に発症することが多い．反応性関節炎，乾癬(かんせん)性関節炎では非対称性であることが多く，全身性エリテマトーデス，関節リウマチでは対称性であることが多い．
	● 罹患関節数：関節痛が単発性か多発性かを確認する　**原因・誘因** 単発性では外傷，腫瘍，炎症などを疑う．多発性では全身性エリテマトーデス，関節リウマチなどを疑う．
	● 関節痛がどのような時に強くなるか．安静時か運動時かを確認する　**原因・誘因** 安静時に関節痛が増強する場合は外傷などを疑う．運動時や運動後に関節痛が増強する場合は非炎症性の変形性膝関節症などを疑う．安静時および運動時に増強する場合は炎症性関節炎などを疑う．
	● 関節痛と時間との関係：持続性，間欠性，日内変動を確認する　**原因・誘因** 再発性，周期性に夜間に関節痛が出現する場合は痛風などを疑う．再発と寛解を繰り返す場合は全身性エリテマトーデス，関節リウマチなどを疑う．朝のこわばりの持続時間が30分以上だと炎症性関節炎などを，30分未満であれば変形性関節症などを疑う．
誘因	● 関節痛を増強させる運動(階段昇降，上肢挙上など)，関節痛を増強させる体位・肢位(正座，あぐらなど)，肥満　**原因・誘因** 関節運動，体重負荷によって関節痛が増強する場合は関節そのものによる疼痛を疑う．一方，特定の体位，姿勢をとった時に関節痛が強くなる場合は関節周囲組織の障害を疑う．
	● 寒冷刺激，気候(低気圧，湿度)の変化
	● 食生活：アルコールの過飲など　**原因・誘因** アルコールを過飲している場合は，痛風，特発性大腿骨頭壊死症などを疑う．
	● 喫煙歴　**原因・誘因** 喫煙により関節リウマチ発症の危険が上昇する．
随伴症状	● 関節変形　**原因・誘因** 関節の変形として手指尺側偏位，ボタン穴変形，スワンネッ

998

生活歴 既往歴 家族歴 その他		ク変形,膝外反変形があれば関節リウマチを疑う.手指 DIP 関節変形(ヘバーデン結節)・PIP 関節変形(ブシャール結節),膝内反変形があれば変形性関節症を疑う. ●腫脹 [原因・誘因] 軟らかい腫脹があれば関節液貯留,滑膜の肥厚,浮腫を疑う.硬い腫脹があれば骨の肥厚,変形,腫瘍などを疑う. ●発赤,熱感,発熱 [原因・誘因] 炎症を疑う. ●皮膚(色調,皮疹,皮下結節)の病変,眼・口腔内などの粘膜病変 [原因・誘因] リウマチ熱で皮下結節,反応性関節炎では結膜炎,乾癬性関節炎では皮膚乾癬,全身性エリテマトーデスでは皮膚病変やびまん性紅斑などを伴うことがある. ●呼吸器系・循環器系などの全身症状 [原因・誘因] リウマチ熱では心疾患,関節リウマチでは心膜炎,心筋炎,胸膜炎を伴うことがある. ●腎障害,尿路結石 [原因・誘因] 尿酸塩濃度が溶解度を超え,関節や腎臓などに沈着し臓器障害をもたらす場合は痛風を疑う. ●持続的に関節に体重の負荷がかかる姿勢,重労働やスポーツ歴 [原因・誘因] 変形性関節症を疑う. ●感染症 [原因・誘因] 2〜3 週間前に尿道炎,細菌性下痢などの先行感染がある場合は反応性関節炎を疑う.A 群 β 溶血性連鎖球菌による咽頭感染の先行感染がある場合はリウマチ熱を疑う. ●結核 [原因・誘因] 結核性関節炎を疑う. ●出血性疾患(血友病など) [原因・誘因] 出血性関節症を疑う. ●薬歴 [原因・誘因] 膠原病,ネフローゼ症候群などでステロイド薬を内服している場合は特発性大腿骨頭壊死症を疑う.利尿薬を内服している場合は痛風を疑う. ●遺伝性疾患 [原因・誘因] 先天性股関節脱臼,臼蓋形成不全,全身性エリテマトーデスなどを疑う. ●関節炎では原因疾患の好発年齢,性別などがある [原因・誘因] 全身性エリテマトーデス,関節リウマチ,変形性関節症は女性に多く,痛風は男性に多い.リウマチ熱,ペルテス病は小児に多く,化膿性関節炎は小児や高齢者に,変形性関節症は高齢者に多い.
主要症状の程度,持続時間,性状・性質の把握 関節痛の強さ	症状の程度,持続時間,性状,性質などを把握することで,原因疾患の特定につながる情報が得られる. ●主観的な疼痛の程度を客観的に評価できるように視覚的アナログ評価尺度(visual analogue scale;VAS),10 段階の数値評価尺度(numeric rating scale;NRS) などを用いて評価する [小児] フェイススケールを用いると小児でも評価することができる. 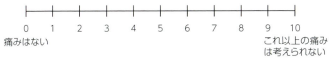 ■図 58-3 数値評価尺度(10 段階ペインスコア)	
重症度 持続時間 性状 性質	●関節痛が呼吸器系・循環器系に影響を及ぼしている程度や,日常生活動作(ADL),社会活動を妨げている程度から重症度を評価する. ●関節痛が一時的か,持続的かを把握する. ●自発痛,運動痛,圧痛の有無を把握する. ●激しい,鋭い,鈍い,焼けるような関節痛かを把握する.	
関節痛と随伴症状の日常生活への影響	関節痛と随伴症状について,その経過を把握するとともに,日常生活への影響を観察し,情報を得ることで治療,看護計画の立案に有効に反映させることができる.	

第8章 筋・骨格系

全身状態	●体温 ➡感染症，炎症性による発熱かどうかを鑑別する．
	●呼吸数，呼吸パターン，血圧，脈拍数，リズム ➡関節痛による呼吸器系・循環器系への影響を確認する．
関節可動域	●日本リハビリテーション医学会が定める測定法に基づき，関節可動域制限の有無と程度を把握する．
	●関節痛が生じない範囲の他動関節可動域および自動関節可動域を測定する．人工関節の設置，骨転移がある場合は留意する．
筋力	●筋萎縮の有無，程度を把握する．
	●徒手筋力テスト(MMT，筋に抵抗を6段階に分けて与えて評価する)や握力計を用いて行う 高齢者 関節痛を軽減するための安静療法によって，容易に全身の筋力低下や関節可動域の制限が生じる．
姿勢・肢位	●側彎(わん) 原因・誘因 脚長の差や股関節の拘縮を疑う．
	●腰椎の前彎の増強 原因・誘因 臼蓋形成不全を疑う．
歩行	●跛行(はこう)の有無，程度 ➡疼痛を回避するために患肢の立脚期が短縮しているか確認する．
日常生活動作	●日常生活動作を評価する．
	●機能的自立度評価法(FIM)を用いて評価する．
	●行動評価尺度(behavioral rating scale；BRS)，疼痛行動評価表(pain disability index；PDI)を用いて疼痛によるADLへの影響を評価する．
	●利き手を把握する．
睡眠	●睡眠時間
	●入眠困難の有無
	●中途覚醒の有無
	●睡眠薬の使用の有無
栄養状態	●食欲の有無，程度
	●食事摂取量，水分摂取量
	●栄養状態を示す検査データ：血清総蛋白値，血清アルブミン値
	●身長，体重
	🔍 **起こりうる看護問題：睡眠障害がある／栄養摂取量の低下がある／身体可動性の障害がある／更衣，摂食，入浴，排泄のセルフケア不足がある**
患者・家族の心理・社会的側面の把握	▌関節痛と随伴症状による心理的影響，社会的影響に関する情報を得ることで，看護計画の立案に有効に反映させることができる．
	●心理的影響
	・闘病意欲の低下
	・喪失，絶望感，無気力
	・不安，抑うつ，自己否定
	・抗不安薬や抗うつ薬の使用の有無
	●社会的影響
	・人間関係の破綻
	・社会活動の参加の程度
	・家族などの支援体制
	・住宅改造の必要性
	🔍 **起こりうる看護問題：不安，抑うつ，自己否定，社会活動の低下などで示される自己尊重の低下がある**

1000

STEP② 看護課題の明確化

看護問題リスト

- #1 関節痛(急性疼痛または慢性疼痛)がある(認知-知覚パターン)
- #2 関節痛による睡眠障害がある(睡眠-休息パターン)
- #3 関節痛,身体可動性障害による栄養摂取量の低下がある(栄養-代謝パターン)
- #4 関節痛,身体可動性障害による更衣,摂食,入浴,排泄のセルフケア不足がある(活動-運動パターン)
- #5 関節痛や身体可動性障害による不安,抑うつ,自己否定,社会活動の低下などで示される自己尊重の低下がある(自己知覚パターン)

看護問題の優先度の指針

- 生命の危険および患者の主観的苦痛に関する問題を優先させる.第一に関節痛を軽減させることが必要である.関節痛が軽減されれば,呼吸,循環,睡眠,食事,活動などの日常生活への影響を軽減できる.
- 次に関節痛が周囲に及ぼす影響の程度が大きい,基本的欲求である睡眠,食事の問題,すなわち睡眠パターン障害や栄養摂取量の低下を解決する必要がある.睡眠と食事は,活動するための必要なエネルギー源であるため,日常生活動作を促すには,これらへの対応を早期に行う必要がある.
- 自己実現するには身体可動性障害やそれに伴うセルフケア不足を解決する必要がある.
- 関節痛や身体可動性障害などにより引き起こされる患者・家族の心理・社会的問題の軽減に努める.

STEP③ 計画

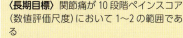

看護問題	看護診断	看護目標(看護成果)
#1 関節痛(急性疼痛または慢性疼痛)がある	**急性疼痛** **関連因子**:生物学的損傷要因,物理的損傷要因など **診断指標** □標準疼痛スケールで痛みの程度や性質を訴える □痛みの顔貌 □痛みを和らげる体位調整 □生理的パラメータの変化 □食欲の変化 □絶望感 **慢性疼痛** **関連因子**:体格指数(BMI)が年齢・性別基準より高い,損傷物質,栄養不良(失調),心理的苦痛など **関連する状態**:慢性的な筋骨格疾患,代謝障害など **診断指標** □標準疼痛スケールで痛みの程度や性質を訴える □痛みの顔貌 □活動を続ける能力の変化 □食欲不振 □睡眠覚醒サイクルの変化	〈長期目標〉関節痛が10段階ペインスコア(数値評価尺度)において1～2の範囲である 〈短期目標〉1)合図,言葉による関節痛の訴えが軽減する.2)痛みの顔貌がなくなる.3)疼痛によって呼吸数が変化しない.4)疼痛によって血圧,心拍数が変化しない

58 関節痛

第8章 筋・骨格系

看護計画	介入のポイントと根拠

急性期の緊急対応

OP 経過観察項目
- 意識レベル，血圧，脈拍，呼吸，体温などの全身状態
- 関節痛の性状：自発痛，圧痛，運動痛の有無
- 関節痛の性質：激しい，鋭い，鈍い，焼けるようななど
- 関節痛の程度，持続時間
- 炎症による随伴症状（腫脹，発赤，発熱，関節可動域の制限）の有無，程度
- 安静療法，寒冷療法，薬物療法などによる疼痛軽減の有無，程度
- 継続的な観察を怠らない

→ 関節痛，随伴症状など局所症状以外に，全身状態を観察し，緊急性の高い外傷性，炎症性の関節炎が疑われる症状がみられたらドクターコールする

→ **根拠** 治療による疼痛緩和の効果を評価する

→ **根拠** 時間の経過とともに症状が悪化する場合もある

- 骨折などの外傷による関節痛がある場合，医師による処置がなされるまでの応急処置（副子による固定）を行う．

アルミ副子による指の固定

肘や肩関節骨折の三角巾固定

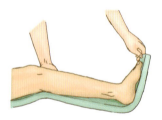
下肢の骨折のソフトシーネ固定

大腿骨骨折時の固定

■図58-4 外傷を伴う関節痛の応急処置

TP 看護治療項目
- 骨折，捻挫，脱臼などの外傷による関節痛では患部の固定を行う．牽引やギプスなどで固定される場合は，医師の介助を行う

→ 骨折部の上下の関節を含めて固定できる長さと十分な硬さ，幅のある副子などを用いて，包帯などで固定する．ただし，変形している場合には無理に整復しない．固定によって神経障害などの二次的障害をきたさないようにする **根拠** 患部の

- 炎症性の関節痛では，指示された安静療法を実施したり，寒冷療法として冷凍ゲルパックなどを患部に使用して冷やす

- 化膿性関節炎で，原因を除去するため関節穿刺，切開排膿がなされる場合は，その介助を無菌的に行う
- 原因を除去するため関節に対して手術療法が施行される場合は，術前・術後の感染予防に努める
- 指示された鎮痛薬(内服薬，湿布剤など)を投与する

安静の保持によって関節の負担を少なくし，疼痛緩和を図る
➡ 根拠 患部の安静は，関節の負担を少なくし炎症の増悪を予防する。寒冷刺激は血管収縮や疼痛の感受性を下げるとともに，炎症の増悪を予防する
➡ 穿刺・切開部など観血的処置後は感染予防に努める 根拠 関節軟骨は血管がなく，出血がない。したがって創治癒に必要な細胞の遊離や成長因子の動員が起こらないため，感染が生じるとなかなか治癒しない
➡ 鎮痛効果のみならず内服薬による胃腸障害，湿布薬によるかぶれなどの副作用に留意する
根拠 副作用を早期発見し，苦痛の要因を増加させない

EP 患者教育項目
- 患部の安静，寒冷療法，薬物療法の目的，方法について説明する
- 観血的処置の目的，方法，経過について説明する
- 緊急性の高い外傷などによる関節痛は心理的影響を与えるため精神的安定を確保する

➡ 根拠 関節痛に対して治療の目的，方法，経過などを説明することで，今後の見通しを伝え，心理的動揺を軽減する

➡ 先入観をもたず，患者に訴えや要求が多くても，症状によるものとして受け止め，共感的に接する

OP 経過観察項目
- 関節痛の性状：圧痛，自発痛，運動痛の有無
- 関節痛の性質：激しい，鋭い，鈍い，焼けるようななど
- 関節痛の程度，持続時間，日内変動
- 随伴症状の有無，程度：関節変形，腫脹，発赤，熱感，発熱，皮膚・粘膜所見など

- 関節痛の増悪要因：運動，体位・肢位，寒冷刺激，気候の変化(低気圧，湿度)，肥満，食生活など
- 関節痛の緩和要因：体位・肢位，安静療法，寒冷療法，薬物療法，運動療法による疼痛軽減の有無，程度

➡ 視覚的アナログ評価尺度など疼痛スケールを使用する 根拠 スケールを使用することで，患者が疼痛を自覚・理解し，疼痛にどのように取り組めばよいかを見出せる
➡ 根拠 関節痛の増悪要因を除去し，緩和要因を用いて援助する計画を立案する

➡ 根拠 治療による疼痛緩和の効果を評価する

TP 看護治療項目
- 急性期には保存的療法として，指示された安静療法を実施する

- 慢性期には保存的療法として，指示された運動療法(関節可動域訓練，筋力増強訓練)を援助する

➡ 関節痛があると内転位，屈曲位になりやすいので伸展位をとるなど良肢位を保つ 根拠 増悪要因である不良体位・肢位での安静保持は，さらなる関節屈曲・拘縮を招き，機能障害をもたらす
➡ 運動する際は動きを制限しない衣類を着用する。運動を継続的に実行するために，運動によって関節痛を増強させないとともに，運動後に心拍数が120/分以上にならず，疲労が残らないように留意する 根拠 運動を継続的に実施することによって，安静による筋および関節，靭帯の拘縮およびそれに伴う疼痛を予防し，機能を回復させる

58
関節痛

第8章 筋・骨格系

- ●急性期には保存的療法として，指示された寒冷療法を実施する．冷凍ゲルパックなどを患部に使用して冷やす

- ●慢性期には保存的療法として，指示された温熱療法を実施する．温浴，湯たんぽ，ソフトアンカ，電気毛布などを利用し保温する

- ●処方された鎮痛薬を定期的に投与する．関節痛が緩和されない場合は，投与時間や薬物の変更などを医師・患者と相談する
  - ・鎮痛薬として非ステロイド性抗炎症薬（NSAIDs）を投与する

  - ・外用剤としてパップ剤（水分を多く含む）やプラスター剤（水分を多く含まない）などの湿布剤を患部に貼用する

- ●疼痛緩和のため副腎皮質ステロイド，局所麻酔薬，ヒアルロン酸ナトリウムなどを関節内に注射する際，感染予防に努める
- ●原因疾患に対する治療として，処方された薬物（抗リウマチ薬，副腎皮質ステロイド，免疫抑制薬，抗菌薬など）を投与する
- ●装具療法としてコルセット，サポーターなどを使用して関節を固定，支持することで不安定性を軽減し，患部の負担を少なくする
- ●Ｏ脚による膝関節痛には外側を高くした靴の中敷き（インソール），足底板などを用いる
- ●下肢の関節痛がある場合，歩行補助具として杖などを用いる
- ●患部や身体が冷えないようにする

EP 患者教育項目
- ●安静療法，運動療法，物理（寒冷，温熱）療法，装具療法の目的，方法，経過について説明する
- ●薬物療法を行う場合，薬剤の名称，服薬方法，作用，副作用をしっかり説明する
- ●増悪要因である，関節に負担がかかるADLを行っている場合は，修正できるように指導する

- ➲冷却部は患部のみとし，全身が冷えないようにする　**根拠** 寒冷刺激は血管収縮や疼痛の感受性を下げるとともに，炎症の増悪を予防する　**小児**　**高齢者** 小児や高齢者は寒冷に対して耐性が低いため留意する
- ➲低温熱傷に留意する．運動前に疼痛コントロールとして温熱療法を行うのもよい　**根拠** 温熱刺激によって疼痛の感受性を下げ，皮膚の血管拡張，血流増加により，循環がよくなる．増悪要因である寒冷刺激（環境要因）を除去する
- ➲**根拠** 定期的に薬物を投与することで，鎮痛薬の血中濃度の急激な上昇，下降を予防する

- ➲NSAIDsの副作用として胃腸障害，腎障害がある．副作用の早期発見のため継続した観察を行う　**高齢者** NSAIDsの副作用の発現率が若年者より高いため留意する
- ➲患部を清潔にしてから貼付する．貼り替える時は30分程度あけて，通常の皮膚の状態に戻してから貼用する　**根拠** アレルギー反応である発赤，瘙痒を予防する
- ➲**根拠** 関節軟骨は血管がなく，出血がないため創治癒に必要な細胞の遊離や成長因子の動員が起こらない

- ➲装具を装着している間は5～6時間に一度，装着部位の皮膚と循環状況を観察する　**根拠** 固定による皮膚異常と循環障害を早期に発見する
- ➲**根拠** 体重を分散させ，疼痛を軽減する

- ➲**根拠** 健側に杖をつくことで患側の歩行の立脚期の負荷を軽減する
- ➲患部はサポーターを用いて温める．夏はクーラーや扇風機の冷風が直接身体に当たらないようにする．冬は，特に浴室の温度に注意し，入浴後も身体をしっかり乾燥させる　**根拠** 増悪要因である寒冷や気候の変化を軽減する

- ➲**根拠** 関節痛に対する治療の目的，方法，経過などを説明することで，今後の見通しを伝え，不安を軽減する

- ➲正座やあぐらは避ける．立ち上がり動作をする場合は患側の膝をついて座り，健側の膝を立ててから立ち上がるように指導する．長時間の歩行は避け，重いものを持たない．階段は避けて，エレベーターなどを使用する．買い物時はショッピングカートなどを利用するように指導する
- ➲椅子などを利用し，立位での作業を少なくする

- 増悪要因である肥満を解消できるように，カロリーを考えたバランスのよい食事内容と規則正しい食習慣になるように指導する
- 痛風の再発を防止するために，食事，飲酒などの食習慣を改善できるように指導する

⇨ BMI 22を目標に体重をコントロールするよう指導する　根拠 荷重による関節痛を軽減する

⇨ 代謝されて尿酸になるプリン体を含んだ食品（魚介類：アジ，イワシ，エビ，貝など），肉類（レバーなど），アルコール（ビールなど）を控える
根拠 痛風の原因である高尿酸血症を予防する

2 看護問題	看護診断	看護目標（看護成果）
#2 関節痛による睡眠障害がある	**不眠** **関連因子**：不快感，不安，抑うつ症状，不十分な睡眠衛生，ストレッサー（ストレス要因） **診断指標** □注意力の変化 □日中に頻回の昼寝が必要 □睡眠に対する不満 □体力が回復しない睡眠覚醒サイクル □早期覚醒	〈長期目標〉1）必要な睡眠時間と質が確保できる．2）患者が睡眠に対して満足感を述べる 〈短期目標〉1）患者が入眠できる．2）患者が関節痛によって中途覚醒しない．3）患者が睡眠でき，翌日に影響を持ち越さない

看護計画	介入のポイントと根拠
OP 経過観察項目 - 関節痛の程度，性質，性状，持続時間 - 不安，抑うつなど精神的不安定さの有無 - 睡眠時間 - 入眠困難，中途覚醒，早期覚醒の有無 - 翌日への影響の有無 - 関節痛の増悪要因：体位・肢位，寒冷刺激など - 関節痛の緩和要因：体位・肢位，温熱刺激など **TP 看護治療項目** - 就寝前に関節痛が軽減するように薬物などで疼痛をコントロールする - 緩和要因となるように睡眠時の体位・肢位を，枕などを用いて整える - 不安，抑うつなどの訴えに耳を傾ける - 睡眠薬を医師の指示により投与する - 掛けものは軽く柔らかい素材で暖かいものにする．重みが患部に直接かからないように離被架（りひか）などを使用する - 就寝前には周囲を整理して，夜間でもすぐ必要な物を手の届くところに置く **EP 患者教育項目** - 睡眠薬の薬剤の名称，服薬方法，作用，副作用をしっかり説明する	⇨ 根拠 不眠の原因である関節痛，不安，抑うつの状態などを観察するとともに睡眠の量と質を把握して看護計画を立案する ⇨ 根拠 増悪要因，緩和要因である体位・肢位を把握して，睡眠時の体位を整える ⇨ 睡眠時に長時間同一体位となっても苦痛を生じない体位・肢位を患者に確認しながら，枕などを用いて整える　根拠 関節痛による不自然な体位や同一体位の持続から筋肉が緊張し，それに伴う疼痛によって睡眠障害をきたさないようにする ⇨ 離被架などを用いることで逆に寒くならないように配慮する　根拠 増悪要因となる寝具の重みを避ける ⇨ 睡眠薬の効果，副作用などを説明し，理解不足による不安を軽減する

58
関節痛

第8章　筋・骨格系

3 看護問題	看護診断	看護目標（看護成果）
#3　関節痛，身体可動性障害による栄養摂取量の低下がある	栄養摂取バランス異常：必要量以下 **関連因子**：食物への関心不足，抑うつ症状 **診断指標** □食物摂取量が1日あたりの推奨量以下 □筋緊張低下	〈**長期目標**〉1) 1日の推奨量を摂取できる．2) 血清総蛋白値，血清アルブミン値が基準値以内になる 〈**短期目標**〉関節痛が軽減された際に，食物を摂取することができる

看護計画	介入のポイントと根拠
OP 経過観察項目 ●関節痛の程度，性質，性状，持続時間 ●摂食動作による関節痛の増強の有無 ●不安，抑うつなど精神的不安定さの有無 ●食欲不振の有無 ●食事摂取量，水分摂取量 ●血清総蛋白値，血清アルブミン値 ●身長，体重	**根拠** 食欲不振の原因・誘因である関節痛，不安，抑うつの状態などを観察するとともに，栄養摂取量を評価するために食欲，食事摂取量を把握し看護計画を立案する **小児** 成長・発達過程にあるため年齢・活動量に合った栄養をとれているかどうか把握する **高齢者** 関節痛の原因となる疾患に罹患する前から身体的・心理的問題によって蛋白質・エネルギー低栄養状態（protein-energy malnutrition；PEM）となっていることもあるため特に留意する
TP 看護治療項目 ●食事時間に関節痛が軽減するように薬物などで疼痛をコントロールする ●摂食動作によって関節痛が増強する場合は，介助して摂食させる ●食物の選択は，患者の好みも加味して決める ●必要時には高カロリー補助食品などを用いる ●輸液から栄養補充する場合は，指示された量を投与する	⮕摂食動作によって関節痛が増強する前に，できない部分を介助する **根拠** 関節痛が増強してから介助しても疼痛のために摂食することができない ⮕ **根拠** 経口的に1日の推奨量が摂取できない場合は，静脈栄養法が開始されることがある
EP 患者教育項目 ●食品の選択，自助具の使用方法および摂食の介助方法について患者・家族に指導する ●痛風による関節痛がある場合，プリン体を多く含む食品を避ける	⮕患者の嗜好を加味するとともに，高カロリー補助食品を紹介する．関節に負担をかけない自助具の使用方法を指導する ⮕代謝されて尿酸になるプリン体を含んだ食品（魚介類：アジ，イワシ，エビ，貝など），肉類（レバーなど），アルコール（ビールなど）を控える **根拠** 痛風の原因である高尿酸血症を予防する

4 看護問題	看護診断	看護目標（看護成果）
#4　関節痛，身体可動性障害による更衣，摂食，入浴，排泄のセルフケア不足がある	更衣セルフケア不足 **関連因子**：疼痛，不安，倦怠感，不快感，モチベーションの低下など **診断指標** □外見の維持が困難 □さまざまな衣類の着用が困難	〈**長期目標**〉更衣行動に必要な患部の関節可動域範囲が維持ないし拡大する 〈**短期目標**〉1) 満足いくレベルに外見を整えることができる．2) 衣類を着脱できる．3) 衣類のボタンをとめられる．4) 靴下を履ける

1006

□衣類の持ち上げが困難
□衣類の留め閉めが困難

摂食セルフケア不足
関連因子：疼痛，不安，倦怠感，不快感，モチベーションの低下など
診断指標
□食物を口まで運ぶのが困難
□容器の開閉が困難
□カップの持ち上げが困難
□食具の使用が困難

〈**長期目標**〉摂食行動に必要な患部の関節可動域の範囲が維持ないし拡大する
〈**短期目標**〉1) 食物を容器から口に運ぶことができる．2) 容器を開けることができる．3) 器やコップを持ち上げることができる．4) 食具(はし，スプーンなど)を使うことができる

入浴セルフケア不足
関連因子：疼痛，不安，身体可動性障害，モチベーションの低下など
診断指標
□体を洗うことが困難
□体を拭くことが困難

〈**長期目標**〉入浴行動に必要な患部の関節可動域範囲が維持ないし拡大する
〈**短期目標**〉1) 満足いくレベルに身体を洗うことができる．2) 身体を拭くことができる

排泄セルフケア不足
関連因子：疼痛，不安，倦怠感，身体可動性障害など
診断指標
□便座に座るのが困難
□排泄時，衣服の上げ下げが困難
□トイレでの清潔行動完了が困難
□便座からの立ち上がりが困難

〈**長期目標**〉排泄行動に必要な患部の関節可動域範囲が維持ないし拡大する
〈**短期目標**〉1) トイレの便座に座ることができる．2) 排泄時の衣類の上げ下げができる．3) 排泄に伴う清潔行動ができる．4) トイレの便座から立ち上がることができる

58 関節痛

看護計画

OP 経過観察項目
- 関節痛の程度，性質，性状，持続時間
- 更衣動作，摂食動作，入浴動作，排泄動作による関節痛の増強の有無
- 更衣動作，摂食動作，入浴動作，排泄動作のセルフケアの程度
- セルフケアの遂行に必要な歩行，立位，座位の状況
- セルフケアの遂行に必要な関節可動域の範囲
- セルフケアの遂行に必要な筋力の程度
- 不安，抑うつなど精神的不安定さの有無

TP 看護治療項目
- 関節痛によってセルフケアが妨げられないように薬物，温熱刺激などを用いて疼痛コントロールを行う
- セルフケアの遂行に必要な歩行，立位，座位の程度を明らかにし，関節可動域制限が原因であれば関節可動域訓練を，筋力低下が原因であれば筋力増強訓練を行う
- セルフケアの遂行に必要な身体可動性を維持・拡大するために関節可動域訓練を行う

介入のポイントと根拠

根拠 セルフケア不足の原因・誘因である関節痛，関節可動域制限，筋力低下，不安，抑うつの状態などを観察するとともに，更衣動作，摂食動作，入浴動作，排泄動作のセルフケアの程度を把握して看護計画を立案する．関節痛によって日常生活が困難なほど重症であれば，セルフケアの援助が必要となる

関節可動域の測定は原則として他動運動で実施する **根拠** 自動運動は疼痛，意志，筋力，体型などの影響を受けやすく，他動運動の範囲のほうが客観的である

関節可動域訓練は，他動運動，自動介助運動，自動運動と段階的に進め，関節痛が増強しないように行う．他動運動，自動介助運動では無理に強い力で動かさない **根拠** 過剰な外力を加えると疼痛や筋性防御を誘発し，かえって可動域を減少させる

1007

第8章 筋・骨格系

- セルフケアの遂行に必要な関節を支える筋力を増強するために筋力増強訓練を行う

　⮞関節を安静にしなければならない場合は等尺性運動を行う（例：膝関節痛では大腿四頭筋等尺性運動）　根拠 等尺性運動は関節の動きを伴わず筋緊張が変わらない運動である
　⮞安静にしなくてよい場合は等尺性運動と等張性運動を行う（例：膝関節痛では屈曲伸展運動）　根拠 等張性運動は一定の筋力で関節運動を行う
　⮞筋力に応じて，筋再教育訓練，自動介助運動，自動運動，抵抗運動と進めていく

- 更衣動作のなかで患者が必要とする援助の領域を明らかにする．できないところを援助し，またセルフケアができるように援助していく

　⮞衣類は患側から着て，健側から脱がせる．反対側の肩まで手が届かない場合は，孫の手などを利用して引き上げるようにする　根拠 肘関節痛，肩関節痛がある場合は，手が上に上がらない
　⮞ボタン掛けが困難な場合は，ボタンエイドなどの自助具を使用する　根拠 手指関節痛がある場合は，握力が低下し，つまむ動作が困難となる
　⮞立位が困難であれば，椅座位でリーチャー（マジックハンド）を使用してズボン，ショーツなどを引き上げる．ソックス着用時はソックスエイドを使用する　根拠 下肢関節痛がある場合，立位の保持ができない
　⮞洗面動作が困難な場合は，長柄のついた洗顔ブラシ，歯ブラシ，ヘアブラシなどを利用して行う　根拠 肘関節痛，肩関節痛がある場合は，手が顔に届かない

- 摂食動作のなかで患者が必要とする援助の領域を明らかにする．できないところを援助し，またセルフケアができるように援助していく

　⮞口まで食物を運ぶことが困難な場合，柄が太い箸やスプーン，曲がりスプーン，食器の固定具などの自助具を使用したり，健側で患側の肘を支えて肘の屈曲力を補う　根拠 手指関節，肘関節に疼痛がある場合は，口まで食物を運びにくい

- 入浴動作のなかで患者が必要とする援助の領域を明らかにする．できないところを援助し，またセルフケアができるように援助していく

　⮞背部や下肢の清潔が困難な場合，長柄のボディブラシ，長めのループ付きタオルを用いる　根拠 肘関節痛，肩関節痛がある場合は下肢や背中にタオルが届かない
　⮞水道の蛇口はタオルを利用して締める　根拠 手指関節痛があると，蛇口を締める動作ができない

- 排泄動作のなかで患者が必要とする援助の領域を明らかにする．できないところを援助し，またセルフケアができるように援助していく

　⮞和式便器ではなく洋式便器を用いる　根拠 股関節痛，膝関節痛がある場合は洋式便器のほうが関節への負担が少ない
　⮞後方から後始末が困難な場合，前方から行うようにする　根拠 肘関節痛，肩関節痛がある場合，後方からの後始末がしづらい

- 継続的に関節可動域訓練，筋力増強訓練，できる範囲でのセルフケアを実施していることに対して肯定的な強化（ほめる）を提供する

　⮞根拠 肯定的な強化（ほめる）をすることで，自己尊重の低下を予防する

EP 患者教育項目
- 関節痛，変形，拘縮による機能障害をふまえてセルフケアの方法や自助具の使用方法について患者・家族に指導する

　⮞患者が最大限にセルフケアできるように自助具の使用方法について説明，指導する　根拠 患者の自己尊重の低下を予防するとともに，家族の介護負担を軽減する

1008

- 関節痛が慢性化したり，関節変形により ADL に支障をきたす場合は，自助具を入手することや，風呂場や階段に手すりをつけたり，トイレを和式から洋式に変えるなど家屋を改造することを患者・家族に指導する

⇨ 自助具の使用や住宅改造を提案する際は，経済的負担もあるため，利用できる福祉用具購入や居宅簡易住宅改修などの制度も併せて説明する

5

看護問題	看護診断	看護目標（看護成果）
#5 関節痛や身体可動性障害による不安，抑うつ，自己否定，社会活動の低下などで示される自己尊重の低下がある	**自尊感情状況的低下** **関連因子**：ボディイメージ混乱，価値観と一致しない行動，社会的役割の変化を受け入れることが困難など **診断指標** □自己否定的発言 □無力 □目的がない □状況への対処能力を過小評価する □抑うつ症状	〈長期目標〉1）将来に対して肯定的な見通しを表明する．2）身体的機能レベルが維持・回復し自己を否定する発言がない．3）不安，抑うつ，無力感が軽減する．4）社会活動を維持・拡大できる 〈短期目標〉1）不安を言葉に出して表現できる．2）自分を肯定的にとらえ，身の回りのことを自分でできる範囲で実施する．3）自分にも役に立つことがあると思うことができる．4）社会活動を維持しようという意志がある

看護計画 / 介入のポイントと根拠

OP 経過観察項目
- 不安や心配の訴え
- 抑うつ的，無力的な表情，行動
- 自己に対する肯定的・否定的な発言，行動
- 日常生活動作の範囲，社会活動範囲
- 家族との関係，社会的役割の変化
- 状態や治療に対する質問の有無，内容

⇨ 非言語的表現をとらえる　根拠　小児　高齢者　言語表現が十分ではない小児や活動性が低下している高齢者では，言葉以外の訴えの表出を見逃さないよう注意する

TP 看護治療項目
- 関節痛や随伴症状の増強，それに伴う日常生活動作や社会活動の制限など，不安，抑うつなどの原因として考えられるものを取り除く
- 不安が表出できるような態度で接する

- 患者が関節痛やその影響に対処できているときは，できているということを伝える

- 安易に「頑張れ」と励まさない

⇨ 自己尊重を低下させている原因を除去する　根拠　原因を取り除くことにより自己を尊重できるようにする
⇨ 支援的態度で接する　根拠　支援的態度が不安の表出を促す
⇨ できていることはしっかり伝え賞賛する．できていないことについて強調せず，できるための方法を患者とともに検討する　根拠　できていることを強化することで，自己を肯定できる
⇨ 根拠　抑うつ的な状況がある際に励ますと，かえって症状を悪化させることがある　高齢者　加齢などに伴う身体的・社会的変化などにより抑うつ傾向にあることがあるため，特に留意する

EP 患者教育項目
- 治療や処置を行う場合は，説明を十分に行い，不安や心配，質問がないか聞き，丁寧に答える

- わからないこと，心配なことがあれば質問するよう伝える

⇨ 相手の不安の表情をみながら，わかりやすく説明する　根拠　治療や処置の前に説明することで，不安や不要な心配を抱くことのないようにする
⇨ 質問を積極的に受け入れる　根拠　不安や心配を軽減するための対処を促す

58 関節痛

第8章　筋・骨格系

> ●家族に患者ができていることはしっかり伝える
> ように指導する

| STEP❶ アセスメント | STEP❷ 看護課題の明確化 | STEP❸ 計画 | STEP❹ 実施 | STEP❺ 評価 |

病期・病態・重症度に応じたケアのポイント

【急性期】関節痛の原因は様々であり，早期に血液検査，関節X線検査，関節鏡検査などによって，その原因が特定され，適切な治療が行われることが重要となる．骨折，脱臼，捻挫(ねんざ)などの整形外科的な疾患であれば速やかに整復，固定，手術の処置がなされ，その介助および処置に伴う合併症の早期発見のために継続的な観察が必要である．看護ケアとしては，関節痛，随伴症状以外にも全身状態を把握し，異常の早期発見に努めるほか，患部の安静や指示された鎮痛薬の投与などによって疼痛の緩和を図り，患者が安全で安楽な状態となるように看護ケアを実施する．また，痛みを緩和することを第一としてセルフケアを援助する．

【慢性期】患者自身が物理療法，薬物療法，運動療法，装具療法などによって関節痛をコントロールするとともに，更衣・摂食・入浴・排泄のセルフケアができるように患者・家族に指導を行う必要がある．また，急性期の安静療法などによって生じた関節拘縮や筋力低下に対するリハビリテーションを行う．

【重症度】関節痛のために自分で身体が動かせない，ほとんど寝たきりの状態になる，自分の体重負荷による痛みによって長時間同一体位で寝たり，座ったりできない，日常生活動作ができないなどがあれば重症度が高い．関節痛を緩和しながら更衣・食事・入浴・排泄のセルフケアを介助し，関節を動かさないことによる関節拘縮，筋力低下など廃用症候群をきたさないようにリハビリテーションを行う．

看護活動（看護介入）のポイント

診察・治療の介助
- ●関節痛や随伴症状や経過から，原因・誘因を把握する．
- ●原因を特定するための血液検査，関節X線検査，関節鏡検査，関節組織検査，関節液検査などの介助を行う．
- ●関節痛の原因，増悪要因を把握し，取り除く．
- ●指示された薬物（鎮痛薬，副腎皮質ステロイド，免疫抑制薬，抗菌薬など）を正確に投与する．
- ●指示された安静療法，物理療法(寒冷，温熱)，運動療法(関節可動域訓練，筋力増強訓練など)，装具療法を安全に行う．
- ●指示された治療の効果とその副作用を把握する．

関節痛に対する援助
- ●急性期の炎症性，感染性の関節痛には安静療法・寒冷療法を行い，疼痛の軽減を図る．
- ●急性期，回復期，慢性期のどの時期においても増悪要因を取り除き，緩和要因を用いて関節痛を軽減する．
- ●安静時，睡眠時には安楽な良肢位をとる．
- ●急性期，回復期，慢性期のどの時期においても指示された薬物療法を正確に行い，患者自身が疼痛コントロールができるようにする．
- ●指示された安静療法，物理療法，運動療法，装具療法を安全・安楽に行う．

セルフケアに対する援助
- ●急性期など関節痛が強い場合は，セルフケアの自立よりも患者の安全・安楽を第一にケアを行う．すなわち，薬物などを用いて関節痛を軽減させ，動かすことで関節痛が増強しないようにセルフケアを援助する．
- ●慢性の関節痛がある場合は，患者自らが疼痛コントロールをしながら，関節拘縮や筋力低下を予防し，セルフケアレベルの維持・拡大を図ることができるように援助する．

退院指導・療養指導

- 患者自身が，安静療法，薬物療法，温熱療法，また装具などを使用して疼痛コントロールができるようにする．
- 患者・家族に，理学療法士，作業療法士とともに関節可動域訓練，筋力増強訓練などを指導し，セルフケアレベルの維持・拡大を図る．さらに関節に負担がかからない日常生活動作を指導する．
- 患者・家族に必要時，自助具の使用や住宅改造を提案する．
- アルコール過飲や肥満が誘因の場合は，患者・家族に生活習慣病予防も含め栄養士とともに食事療法を指導する．

STEP ❶ アセスメント　STEP ❷ 看護課題の明確化　STEP ❸ 計画　STEP ❹ 実施　STEP ❺ 評価

評価のポイント

看護目標に対する達成度

- 関節痛が軽減しているか．
- 十分な時間と質の睡眠が確保できているか．
- 必要な栄養量が摂取できているか．
- 関節可動域制限や筋力低下を予防し，維持・増大できているか．
- セルフケアレベルの維持・拡大を図ることができているか．
- 患者の心理的・社会的安楽が増大し，自己を肯定的に表現できているか．

● 参考文献

1) 箭野育子：図でわかるエビデンスに基づく痛みの緩和と看護ケア，中央法規出版，2005
2) 塩沢俊一：関節の診かた－関節痛の機序と鑑別診断，兵庫県医師会医学雑誌 46(3)：153-161，2004
3) 田中尚文，千野直一：骨・関節疾患のリハビリテーションの進め方，治療 85(3)：429-434，2003
4) 中島康晴，岩本幸英：治療の実際－日常診療に役立つ関節痛，関節炎の鑑別診断，臨牀と研究 86(7)：939-944，2009
5) 濱路博，山本精三：内科のための関節痛，筋肉痛の診かた－高齢者の関節痛，筋肉痛の注意点，診断と治療 94(7)：97-101，2006
6) 武井修治：四肢・関節痛の鑑別診断のポイント，臨牀と研究 86(4)：457-462，2009
7) 桃原茂樹，山中寿：外用薬の効果と使い方，その特徴，作用機序と副作用，1)貼付剤，d)関節痛，Geriat Med 44 (5)：639-643，2006

58 関節痛

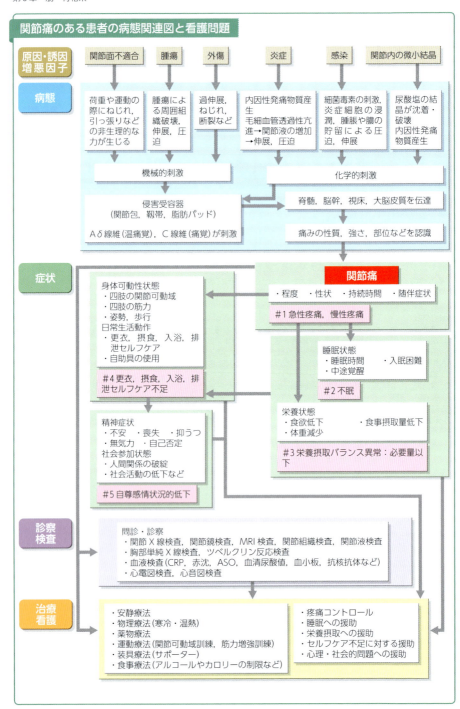

59 四肢のしびれ

入岡 隆・水澤 英洋

目でみる症状

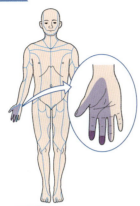

単ニューロパチー
図は正中神経の手根管での絞扼性末梢神経障害（手根管症候群）の場合

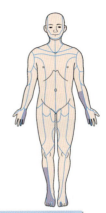

多発性単ニューロパチー
多発ニューロパチー（ポリニューロパチー）と異なり，手袋・靴下型の分布にならない

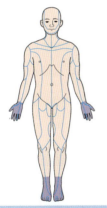

多発ニューロパチー（ポリニューロパチー）
手袋・靴下型のパターン．糖尿病などの全身性疾患，シャルコー・マリー・トゥース病や家族性アミロイドポリニューロパチーなどの遺伝性疾患，免疫介在性ニューロパチーなどにより，四肢の末梢神経が体幹より遠いところから系統的に障害された場合

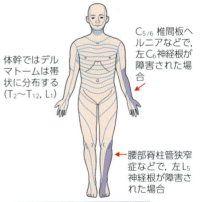

体幹ではデルマトームは帯状に分布する（T_2〜T_{12}, L_1）

$C_{5/6}$ 椎間板ヘルニアなどで，左 C_6 神経根が障害された場合

腰部脊柱管狭窄症などで，左 L_5 神経根が障害された場合

神経根症（ラディキュロパチー）
デルマトーム（皮膚分節感覚帯）に沿った分布パターン．神経根が椎間板ヘルニアなどで障害された場合が多い

▨ しびれのある部位

■ 図 59-1 末梢神経障害におけるしびれの分布パターン

第8章　筋・骨格系

病態生理

しびれは，感覚障害を表す訴えとして頻繁に聞かれる症状である．感覚系伝導路を構成する末梢神経，脊髄，脳を障害する様々な神経系疾患で起こる（「24 感覚障害」の項を参照）．なかでも頻度が高い病態は末梢神経障害である．

- 末梢神経障害によるしびれ，感覚障害の分布パターンは，いくつかの種類に分けられる（図 59-1）．
  - ・単神経障害（単ニューロパチー）：神経分枝の1本だけが障害されたパターン．手根管症候群や肘部管症候群など，絞扼性末梢神経障害が代表的．
  - ・多発神経障害（多発ニューロパチー，ポリニューロパチー）：手袋・靴下型の分布．
  - ・多発性単神経障害（多発性単ニューロパチー）：単ニューロパチーが複数起こったもの．血管炎による末梢神経障害が代表的．
  - ・神経根症（ラディキュロパチー）：脊髄から末梢神経が出てくる部分（神経根）での末梢神経障害．頸椎症や腰椎症などの脊椎疾患によることが多い．しびれはデルマトーム（皮膚分節感覚帯）で解剖学的に説明できる皮膚の特定の領域に分布する．

患者の訴え方

「しびれ」という言葉で表される症状は患者によって様々である．

- **主症状の訴え**
- 感覚が鈍い（感覚低下，感覚鈍麻）．
- ビリビリする，ジーンとする（異常感覚）．
- 感覚が敏感すぎる（感覚過敏）．
- 神経に沿った痛み（神経痛）．
- **随伴症状**
- 末梢神経障害にみられる感覚障害以外の症状として，運動障害（筋力低下，麻痺）や自律神経障害がある（表 59-1）．末梢神経障害の原因によっては，しびれよりも運動障害や自律神経障害のほうが目立つこともある．
  - ・しびれ・感覚障害が目立つ末梢神経障害．
  - ・筋力低下の随伴が目立つ末梢神経障害：ギラン-バレー症候群が代表的．
  - ・自律神経障害（起立性低血圧，尿閉，便秘，イレウス，部分的な発汗低下など）が目立つ末梢神経障害
- 末梢神経障害，神経系疾患以外の病態も，四肢のしびれの原因になりうる．随伴症状に注意して鑑別を進める（表 59-2）．
  - ・四肢の血管疾患：バージャー病，閉塞性動脈硬化症（ASO）などの動脈疾患，静脈血栓症などの静脈疾患．
  - ・過換気症候群：心因性疾患，パニック障害として．

診断

しびれの分布，随伴症状の有無などを確認し，広い視野で診断を進める．

- 末梢神経障害をきたす原因病態は多彩で，しびれの分布や随伴症状の有無など，各種の障害パターンを呈する（図 59-1，表 59-1）．その他の疾患でも四肢のしびれをきたすことがあり（表 59-2），広い視野で診断を進めることが重要である（図 59-2）．

■**表 59-1　随伴症状からみた末梢神経障害の分類**

しびれ・感覚障害が目立つもの	筋力低下が目立つもの	自律神経障害が目立つもの
多発ニューロパチーの多く 　糖尿病性末梢神経障害 　アルコール性ニューロパチー 　ビタミンB12欠乏症 　抗がん剤などの薬剤性ニューロパチーなど	ギラン-バレー症候群 慢性炎症性脱髄性多発ニューロパチー（CIDP） シャルコー-マリー-トゥース病	アミロイドーシス 糖尿病性自律神経ニューロパチー 自己免疫性自律神経性ガングリオノパチー（AAG）

1014

■表 59-2　随伴症状からみた四肢のしびれの原因（末梢神経障害・神経系疾患以外）

疾患の分類		随伴症状
四肢の血管疾患	動脈疾患 　バージャー病，ASO など	冷感，間欠性跛行(はこう)，疼痛，潰瘍・壊疽(えそ)
	静脈疾患 　下肢深部静脈血栓症など	下肢の腫脹，疼痛
その他(心因性)	過換気症候群	過剰な不安，ストレス，パニック症状

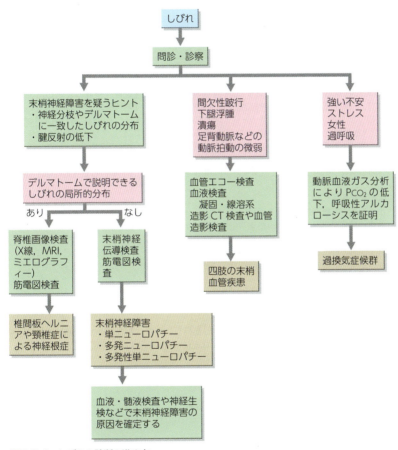

■図 59-2　しびれの診断の進め方

第8章　筋・骨格系

■**表59-3　免疫介在性ニューロパチー（ギラン-バレー症候群，CIDP）の大量免疫グロブリン静注療法**

疾患	保険適用により使われる注射薬剤
ギラン-バレー症候群	献血ベニロン-Ⅰ，献血グロベニン-Ⅰ，献血ヴェノグ
CIDP（慢性炎症性脱髄性多発ニューロパチー）	ロブリンIH

投与方法：体重1kgあたり400mgのグロブリン製剤をゆっくり静脈投与する．通常5日間投与する．
体重50kgの患者の場合，400mg/kg×50kg=20gを1日1回投与．
注意すべき副作用：蛋白製剤に対するアレルギー反応（重篤な場合はアナフィラキシーショック），頭痛（無菌性髄膜炎）など

治療法・対症療法

▎**しびれの原因疾患に対する治療を行う．**

●**治療方針**

●**末梢神経障害**

・内服治療薬：「24 感覚障害」（表24-3）を参照．
・末梢神経障害の特殊な治療：①ギラン-バレー症候群，慢性炎症性脱髄性多発ニューロパチー（CIDP）に対しては，血液浄化療法（単純血漿交換，免疫吸着療法：血液透析のできる施設のみ），大量免疫グロブリン静注療法を行う（表59-3）．②血管炎〔好酸球性多発血管炎性肉芽腫症（チャーグ-ストラウス症候群），結節性多発動脈炎など〕による末梢神経障害に対しては，副腎皮質ステロイドホルモン療法．重篤な場合はステロイドパルス療法を併用する．副腎皮質ステロイドホルモンによる治療に抵抗性の好酸球性多発血管炎性肉芽腫症では，大量免疫グロブリン静注療法や生物学的製剤〔メポリズマブ（遺伝子組換え）（ヌーカラ）：IL-5を阻害〕が追加治療として行われることがある．

●**脊椎疾患による神経根症**

・椎間板ヘルニアなど脊椎疾患に対する手術．
・神経痛に対する神経ブロック：局所麻酔薬や副腎皮質ステロイドホルモンを硬膜外腔などの局所に注射する．

●**過換気症候群**：患者の鼻と口を紙袋で覆い，ゆっくり呼吸させる（ペーパーバッグ法）．過換気により低下したPCO_2（二酸化炭素分圧）を，自分が吐いた二酸化炭素を吸わせることによって上昇させる．

●**薬物療法**

Px 処方例 **血管炎による末梢神経障害**　下記のいずれかを用いる．

●プレドニン錠（5mg）　1回10～12錠　1日1回　朝食後から開始　病勢に応じて緩徐に減量　←副腎皮質ホルモン製剤

※症状が重篤な場合はステロイドパルス療法（点滴による）を行ったのち，上記内服治療を続ける．

●ソル・メドロール注　1,000mgを生理食塩液100mLなどに溶解．1日1回1時間程度で点滴　通常3日間施行　←副腎皮質ホルモン製剤

四肢のしびれのある患者の看護

大木　正隆

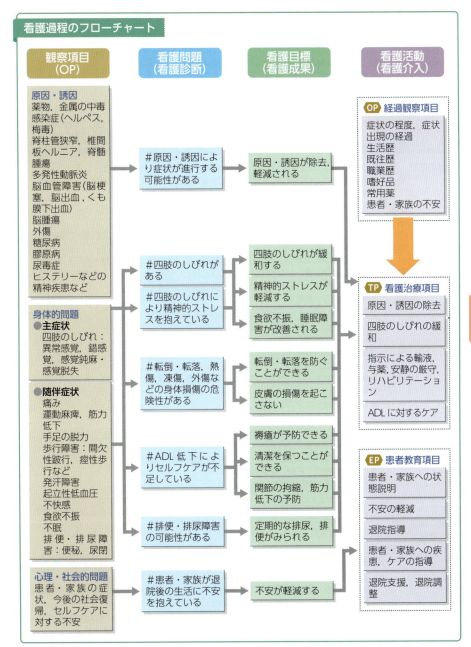

第8章 筋・骨格系

基本的な考え方

● しびれは，感覚伝導路の障害部位により，末梢神経の障害によるもの，脊髄の障害によるもの，脳の障害によるもの，その他ヒステリー性感覚障害に分類される．患者は，運動麻痺や脱力，固縮などの症状を「しびれ」と表現することがあるため，訴えを注意深く聞く必要がある．

緊急 緊急性の高い脳血管障害（脳出血，脳梗塞，くも膜下出血），また一過性脳虚血発作（TIA）に対しては迅速な対応が必要である．これらの疾患を疑わせるサインや情報を見逃さないように，十分な観察，アセスメントを行う．特に突然の意識障害，しびれのほか，悪心・嘔吐，めまい，脱力感，身体の麻痺，筋肉の弛緩，頭痛，不明瞭な話し方，視覚の部分的消失や複視には要注意である．また大脳に障害が生じた場合には麻痺と同じ反対側に感覚障害を起こし，その障害部位によって部分的に感覚異常を起こす場合があるので注意する．

STEP **❶** アセスメント	STEP **❷** 看護課題の明確化	STEP **❸** 計画	STEP **❹** 実施	STEP **❺** 評価

情報収集	アセスメントの視点と根拠・起こりうる看護問題
病歴の把握	患者・家族から四肢のしびれ出現の経過，症状の変化を聞くことで，原因・誘因の特定や全身状態の把握につながり，治療や看護ケアにも重要な情報を得ることができる．
誘因	● 金属，物質，アルコールとの関係 **原因・誘因** 金属，有機溶剤（トルエン，キシレン，トリクロロエチレンなど），アルコール依存症 ● 服薬との関係 **原因・誘因** 抗がん剤，ステロイド薬，抗インフルエンザ薬，抗結核薬，緑内障内服薬など ● 周囲の環境との関係：有機溶剤，化学薬品などの存在，新築建物への転居の有無
随伴症状	● 突然の意識障害，しびれのほか，悪心・嘔吐，めまい，脱力感，身体の麻痺，筋肉の弛緩，頭痛，不明瞭な話し方，視覚の部分的消失や複視
生活歴	● 食事の内容・摂取量 ● 睡眠状態 ● 排尿，排便の回数，量 ● ストレスの有無 ● 仕事上の問題の有無 ● 精神疾患の有無
既往歴	● 高血圧，動脈硬化，脳血管障害，外傷，膠原病，糖尿病，感染症，腫瘍などの既往 ● 手術歴 ● がん化学療法などの治療歴
嗜好品，常用薬	● アルコール摂取の程度，薬物の服用
職業歴	● 有機溶剤，化学薬品などを使用する特殊環境下での仕事 ● 仕事での身体負担の程度
その他	● 腰痛の有無 **高齢者** 椎間板ヘルニア，脊柱管狭窄症 ● 長期間の絶食，飢餓，電解質異常 ● ビタミン B_1 欠乏の有無
主要症状の出現状況，程度，性状の把握	▌症状の出現状況，程度を把握することで，原疾患の特定につながる情報が得られる．
経過	● いつから，どのくらい続いているか． ● 急性発症 **原因・誘因** **緊急** 脳血管障害（脳梗塞，脳出血，くも膜下出血），感染症，アレルギー疾患 ● 緩徐に進行 **原因・誘因** 変性疾患（パーキンソン病，筋萎縮性側索硬化症，脊髄小脳変性症など），栄養障害，代謝性疾患 ● 一時的なしびれの消失の有無 **原因・誘因** **緊急** 一過性脳虚血発作（TIA）に注意
部位	● 手掌の一部，手足指の一部，上腕，上肢，下肢の一部，左右半身など

	性質	●感覚過敏，感覚鈍麻，異常感覚，錯感覚，灼熱感 ●しびれる，うずく，ひびく，不快な感じ，ジンジンする，チクチクする，ムズムズする，ビリビリするなど ●麻痺の有無 ●脱力感の有無
	放散	●しびれの境界線(明瞭，不明瞭)
	時間	●1日の生活の中でしびれの強弱の有無
	部位別症状	●大脳に損傷を起こし，麻痺と同じく反対側に感覚の障害をきたす．また損傷部位によっては感覚異常を起こす場合がある　原因・誘因　緊急　脳血管障害(脳出血，脳梗塞，くも膜下出血)
	手指	●起床時に増強するしびれ，痛み．手や指を動かすと和らぐ　原因・誘因　手根管症候群 ●手指・手首が伸ばしにくい，母指と示指の間のしびれ　原因・誘因　橈骨神経麻痺 ●環指と小指の感覚障害，鷲手変形，手指に力が入らない　原因・誘因　肘部管症候群 ●手指や腕のしびれや痛み，首や肩のうずくような痛み　原因・誘因　胸郭出口症候群
	上肢・下肢・四肢	●手足のしびれ，首の痛み，痙性歩行　原因・誘因　頸椎椎間板ヘルニア ●上肢のしびれや痛み，手指の感覚異常，歩行障害，めまい　原因・誘因　頸椎症 ●脊髄の腫瘍，奇形，癒着，出血が原因で脊髄の中心部に空洞(脳脊髄液の貯留)ができ，脊髄を圧迫することで神経症状が出現．頸髄に生じた場合，頸部から両肩，上肢に温痛覚障害が起こり，痛みや熱さを感じなくなる　原因・誘因　脊髄空洞症 ●椎間板が圧迫されることで脊髄および神経根も圧迫された状態となり，末梢神経，神経根の障害から，しびれなどの感覚障害が起こる．その他，腰痛，下肢の痛み，筋力低下，排便・排尿障害　原因・誘因　腰部椎間板ヘルニア，変形性脊椎症，脊髄腫瘍，炎症性疾患など ●下肢の冷感，しびれ，間欠性跛行(はこう)　原因・誘因　バージャー病，閉塞性動脈硬化症 ●手足のしびれ，痙性歩行，排便・排尿障害　原因・誘因　頸椎後縦靱帯骨化症 ●視力低下，手足の脱力，感覚低下，歩行障害，しゃべりにくさ　原因・誘因　多発性硬化症 ●脚気，手足のむくみやしびれ，筋力低下，ふらつき歩行　原因・誘因　ビタミンB_1欠乏症 ●糖尿病の二次障害の1つである末梢神経(感覚神経，運動神経，自律神経)の障害．手足の末端のしびれや痛み，足の裏に感じる感覚異常，両側の手足の同部位に症状が出現するのが特徴．症状として，異常感覚(しびれ，ジンジンする感覚)，冷感，自発痛，神経痛，感覚麻痺，こむらがえりなど　原因・誘因　糖尿病性神経障害(末梢神経障害) ●下位ニューロン障害(脊髄の損傷，圧迫，裂傷などの神経損傷が原因)として，感覚障害(しびれなど)，運動麻痺，筋力低下など　原因・誘因　緊急　脊髄損傷 ●麻痺，言語障害，てんかん発作　原因・誘因　緊急　神経膠腫 ●全身倦怠感，夏でも汗をかきにくい，記憶力の低下，しわがれ声，しびれ　原因・誘因　甲状腺機能低下症 ●手足がつりやすい，ピリピリするしびれ，けいれん　原因・誘因　副甲状腺機能低下症 ●呼吸困難発作，けいれん，意識混濁，動悸，頻脈，胸苦しさ，息苦しさ，めまい，恐怖，しびれ　原因・誘因　過換気症候群，ヒステリー ●手足のしびれ，脱力感，感冒や下痢等の感染症状　原因・誘因　ギラン-バレー症候群
全身状態，随伴症状の把握		症状出現の経過の把握とともに，しびれや他の症状の有無，随伴症状を観察し，治療，看護計画の立案に有効に反映する．

59 四肢のしびれ

バイタルサイン	● 体温 ➡ 炎症や感染症を鑑別する. ● 血圧, 脈拍・リズム ➡ 循環器疾患を鑑別する. ● 呼吸状態を確認する 原因・誘因 痛みによる浅い呼吸, 精神疾患による過換気, 息苦しさ
全身状態	● 緊急 意識障害の有無を確認する 原因・誘因 脳血管障害 (脳出血, 脳梗塞, くも膜下出血) ● 表情 (表情筋の異常の有無) ● 姿勢・歩行状態:自力歩行, ふらつき, すくみ足, 間欠性跛行の有無 ● 脚気の程度 ● 疼痛の有無, 部位, 程度 ● 不快感の有無 ● 精神的いらだち, 不眠 ● 生活行動範囲の縮小 ● 微細な作業の操作困難 ● 熱傷, 凍傷, 外傷, 転倒・転落, 褥瘡の有無
感覚の障害	● 皮膚にある表在感覚 (皮膚感覚) には, 触覚, 温度覚, 痛覚がある. 表在感覚を支配している神経が損傷を受けると, その支配領域にあたる皮膚に感覚障害が出現するため, 感覚障害部位を皮膚分節 (デルマトーム) (図59-3) に照らし合わせることで神経の損傷部位が特定できる. ● 感覚検査 ・触覚検査:軟らかな筆などを皮膚に軽く触れて, 触れられたのがわかったら返事をしてもらう. ・温度覚検査:温水 (約45℃) の入った試験管と冷水 (約20℃) の入った試験管を2本用意し, 皮膚に触れて温かいか冷たいかを尋ねる. ・痛覚検査:先の尖ったものなどで, 皮膚を遠位から近位に刺激し, 感覚の消失を調べる. ・位置覚検査:患者は閉眼し, 検者は患者の手足の指を母指と示指で挟んで上下に動かし, 患者に方向を尋ねる. ・振動覚検査:音叉 (128Hz) を用いて振動を感じなくなるまでの時間を測定し, 神経支配の損傷を調べる.

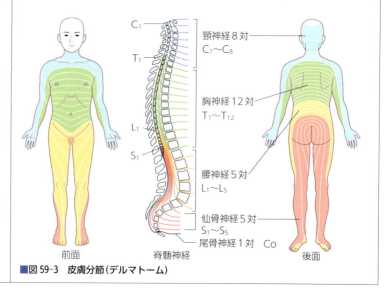

■図59-3 皮膚分節 (デルマトーム)

	🔍 **起こりうる看護問題**：四肢のしびれにより精神的ストレスを抱えている／転倒・転落，熱傷，凍傷，外傷などの身体損傷の危険性がある／患者・家族が退院後の生活に不安を抱えている
患者・家族の心理・社会的側面の把握	**四肢のしびれによる患者・家族の心理・社会的側面に関する情報を得ることで，看護計画の立案に有効に反映させる.** ● 家族構成 ● キーパーソン ● 患者と家族の人間関係 ● 家族の健康状態 ● 家族の時間的余裕 ● 介護保険などの利用の有無 ● 家族への協力者の有無(親戚，近隣住民など) ● 疾患の説明に対する患者・家族の反応 ● 医療に対する患者・家族の希望 ● 自宅退院・転院に対する患者・家族の受け止め方 🔍 **起こりうる看護問題**：患者・家族が退院後の生活に不安を抱えている

STEP ① アセスメント ▸ **STEP ② 看護課題の明確化** ▸ **STEP ③ 計画** ▸ **STEP ④ 実施** ▸ **STEP ⑤ 評価**

看護問題リスト

- #1　四肢のしびれがある (活動-運動パターン)
- #2　四肢のしびれにより精神的ストレスを抱えている (コーピング-ストレス耐性パターン)
- #3　転倒・転落，熱傷，凍傷，外傷などの身体損傷の危険性がある (健康知覚-健康管理パターン)
- #4　患者・家族が退院後の生活に不安を抱えている (自己知覚パターン)

看護問題の優先度の指針

- ● 急性期に最も症状が強い. 第一に苦痛の強いしびれ，痛みを軽減させる. 次に身体への影響として精神的ストレスや，身体損傷の危険性を回避できる対処を早期に行う.
- ● しびれや痛みが伴うと ADL の低下を招くので並行してセルフケアを支援する.
- ● 患者・家族の不安の解消に努める.

STEP ① アセスメント ▸ **STEP ② 看護課題の明確化** ▸ **STEP ③ 計画** ▸ **STEP ④ 実施** ▸ **STEP ⑤ 評価**

1 看護問題	**看護診断**	**看護目標(看護成果)**
#1　四肢のしびれがある	**身体可動性障害** **関連因子**：体調の悪化 **関連する状態**：感覚知覚の障害 (外傷，血管閉塞)，筋骨格系の障害 (骨折) **診断指標** □ 不快感を示す □ ぎこちない動き □ 鈍くなった動き	〈長期目標〉原因や誘因を減少または取り除くことによって，合併症を予防できる 〈短期目標〉原因や誘因を減少または取り除くことによって，四肢のしびれが緩和する

59

四肢のしびれ

第8章　筋・骨格系

看護計画	介入のポイントと根拠
OP 経過観察項目	
●しびれの有無と程度	
・感覚障害の部位，程度，性状などの自覚的症状	➡しびれの有無と程度を定期的に確認する
・しびれの分布，強度の変化	**根拠** しびれの改善あるいは悪化の状況を把握し，医師に報告する
●末梢循環障害の有無と程度	
・末梢の脈拍	
・皮膚色・皮膚温	
・浮腫	
●異常感覚以外の神経症状の有無と程度	
・疼痛	➡新たな疼痛や運動麻痺，尿閉がみられたらドクターコールを行う
・運動麻痺（歩行状態，握力の変化など），けいれんなどの自覚的・他覚的症状	
・尿閉，便秘	
●随伴症状の有無と程度	
・精神的いらだち	
・睡眠時間と程度	➡しびれによる睡眠障害がないか把握する **根拠** 適切な睡眠確保につなげる
・食事の時間帯，食事摂取量と食事摂取に要する時間	➡しびれによる食欲への影響がないか把握する **根拠** 適切な栄養確保につなげる
TP 看護治療項目	
●指示された安静度に基づき，しびれの強い局所の安静を保つ	➡ **根拠** しびれや痛みの部位により，安楽な体位は異なるので，枕などを活用し，患者に確認しながら，最も楽な体位を整える
●安楽な体位を工夫する	
●刺激となる寝衣や寝具を避ける	
●安静度に応じて，温罨法，冷罨法，マッサージなどを試みる	➡温罨法，冷罨法，マッサージにより，しびれや痛みの軽減が期待できる
●静かな環境を整え，休息・夜間の安眠を図る	
●気分転換の方法を探る	➡ **根拠** 指示された安静度に基づき，患者が気分転換できることを工夫し精神の安定を図る
●薬の確実な投与を行うとともに，必要に応じてしびれに対する薬剤の量などを医師に検討してもらう	
EP 患者教育項目	
●安静を守るための援助の必要性を説明する	➡理解不足によって無理な行動をとり，しびれを増大させない **根拠** 正しい理解は症状の悪化を防ぐ
●症状に応じて安静の程度が変化することを説明する	

2 看護問題	看護診断	看護目標（看護成果）
#2　四肢のしびれにより精神的ストレスを抱えている	**ストレス過剰負荷** **関連因子**：資源（リソース）の不足，繰り返されるストレッサー（ストレス要因） **診断指標** □イライラの増大 □怒りの増大を示す □ストレスによる悪影響	〈長期目標〉1) しびれの原因を理解できる．2) 食事，睡眠に満足感が得られる 〈短期目標〉1) 表情が明るくなる．2) 状況的ストレスが軽減できる

看護計画	介入のポイントと根拠
OP 経過観察項目	
●いらだちや怒りの訴えの程度	➡ 根拠 しびれやいらだちは主観的なものであるため，患者の訴えを大切にする．同時に客観的視点での観察も大切になる
●気分の落ち込みの有無	
●活気，精神症状	
●日中の覚醒状況	
●入院前の睡眠時間，時間帯，熟睡感	➡ 根拠 入院前と入院中の睡眠時間などを比較し睡眠時間を評価する
●入院中の睡眠時間，時間帯，熟睡感	
●入眠困難の訴えの有無	➡ 根拠 しびれの程度と夜間の入眠状況を関連させて評価する
●夜間覚醒の有無	
●食事摂取状況	➡ 根拠 しびれの程度と食事摂取状況を関連させて評価する
●食事の嗜好の確認	
●体重	
●血液データ：総蛋白，アルブミン，アルブミン/グロブリン比	➡ 根拠 しびれからのストレスにより，必要な栄養を摂取できていないことがある
TP 看護治療項目	
●状況的ストレスの程度を時間を決めて確認する（ストレスの程度を1〜10とし，どの数字に最も近いか把握する）	➡ 根拠 ストレスの程度を定期的に測定することにより，ストレスを評価し，医師への報告に反映させる
●必要に応じて，睡眠安定薬など薬剤の利用を医師に検討してもらう	
●しびれからくる不眠でない場合には，眠れない理由あるいは不安が表出されるよう，リラクセーションや会話で安心感を与える	➡ 根拠 不眠の原因を特定することが難しい場合もあるので，必要に応じて根気よくコミュニケーションをとることを心がける
●必要に応じて専門家のカウンセリングを勧める	
●栄養状態が改善されない場合は，患者の好む食事を摂取できるよう食事内容などを工夫する	➡栄養状態の改善を促す
●散歩や外出の機会，趣味などを生かして，気分転換が図れるようにする	➡ 根拠 慣れない入院は，気分が滅入ったり落ち込んだりすることがある
EP 患者教育項目	
●しびれの原因について説明する	➡ 根拠 原因を知ることで，しびれに対する不安の軽減が期待できる
●しびれが増強，悪化する要因について説明する	
●しびれは，一時的な障害でなく，長い経過をたどる場合が多いため，時に障害の受容ができるように精神的サポートを行う	

59

四肢のしびれ

3 看護問題	看護診断	看護目標（看護成果）
#3 転倒・転落，熱傷，凍傷，外傷などの身体損傷の危険性がある	**成人転倒転落リスク状態** **危険因子**：不慣れな環境，身体可動性障害，睡眠障害	〈**長期目標**〉1) 転倒・転落を防ぐことができる．2) 皮膚の損傷を起こさない 〈**短期目標**〉身体の損傷を受けない安全行動が理解できる

看護計画	介入のポイントと根拠
OP 経過観察項目	
●全身の皮膚状態	➡患者が自覚していない部位の皮膚に損傷を受けていることがある
●感覚鈍麻の程度	
●転倒・転落の経験の有無	➡ 根拠 転倒・転落の経験は，時として恐怖体験

1023

第8章 筋・骨格系

- ●活気，精神症状
- ●夜間の睡眠状況
- ●排便・排尿状況

TP 看護治療項目
- ●しびれの状態を定期的に確認し，患者の情報を得る
- ●外部からの刺激を避けるため，しびれや痛みのある領域を手袋などで保護する
- ●足にしびれや感覚障害がある場合は，毎日足の状態をチェックする．適切な履き物を選択し，靴下の着用，爪の手入れなどを行う
- ●風や日光の刺激を避ける工夫をする
- ●必要に応じて杖，歩行器，車椅子などの介護用品を使用する
- ●臥床時，車椅子乗車時の圧迫の除去(褥瘡予防用具の使用など)

EP 患者教育項目
- ●給湯器の使用の注意，シャワーの温度調整の方法，冷蔵庫の使用方法など個別に指導する
- ●しびれの程度に応じた安全な移動，歩行方法について説明する
- ●感覚障害の部位を患者が確認できる場合は，定期的に皮膚の損傷がないかを患者自身で確認するよう指導する

となり，活動範囲に影響することがある

➡ **根拠** **高齢者** 頻尿になるケースが多く，突然の排尿の欲求から慌ててしまい，転倒リスクが高まることがある

➡ **根拠** 温度覚，痛覚，触覚などの表在感覚が障害されている場合は，身体の危険を感じることができず，外傷や熱傷，凍傷をきたしやすい

➡ **根拠** 同一体位を長時間とり続けても苦痛を感じにくいため，体位変換の必要性を理解しにくく，褥瘡のリスクが高まる

➡熱傷，凍傷を回避する

➡ **根拠** 位置覚などの深部感覚が障害されている場合は，姿勢を意識したり，バランスをとることが難しいため，転倒・転落，皮膚の損傷を起こしやすい

4 看護問題	看護診断	看護目標(看護成果)
#4 患者・家族が退院後の生活に不安を抱えている	**不安** **関連因子**：満たされないニーズ，ストレッサー(ストレス要因)，人生の目標への葛藤 **診断指標** □不眠 □不安定な気持ち □思考の遮断を訴える □混乱	〈**長期目標**〉患者・家族が不安なく退院することができる 〈**短期目標**〉1)不安を言葉に出して表現できる．2)具体的な解決策を検討・準備できる

看護計画	介入のポイントと根拠
OP 経過観察項目 ●活気，精神状態 ●不眠の有無 ●焦燥感 ●不安，心配事の訴え ●疾患，症状，治療に対する質問の有無 ●家族構成 ●住環境	➡非言語的表現を捉える **根拠** 漠然とした不安は言語的表現が難しい ➡ **根拠** 退院後の生活をスムーズに迎えるために，退院後の生活に関する情報収集が必要となる

TP 看護治療項目
- 不安を表出できるよう十分に傾聴する
- 退院後の不安について，患者だけでなく必要時には家族にも面接する時間をとり，十分に傾聴する
- 経済的な問題がある場合には，退院調整看護師，医療ソーシャルワーカー(MSW)らと連携する
- 退院後，必要となるサービスがスムーズに受けられるように患者・家族の意向を尊重しながら，必要な情報提供を行う
- 患者・家族，退院調整看護師，MSW らと連携し，退院準備を行う(介護保険の申請，身体障害者手帳の申請手続きなど)
- 必要時には，退院前に多職種(医師，院内看護師，訪問看護師など)のカンファレンスに参加してもらい，不安の軽減を図り，安心して退院できるようにする

EP 患者教育項目
- 退院後の転倒や皮膚の損傷を予防するために，住環境で気になることを表出するように説明する〔必要時，試験外泊を試みる．作業療法士(OT)，理学療法士(PT)による退院前の自宅訪問による住環境評価〕
- わからないこと，心配なことがあればいつでも質問するよう伝える

- 支援的態度で接する **根拠** 支援的態度が不安の表出を促す．医療者側から声かけを行い，十分に傾聴することで，不安の原因を特定する

- **根拠** 経済的な問題など，患者が話しにくい話題には，MSW らとの連携により解決方法を探る
- 相手の不安の表情をみながら，わかりやすく説明する．退院後に必要なサービスについて，患者・家族の不安と関連づけながら説明すると効果的である

- 不安の原因を除去する **根拠** 原因を取り除くことにより，不安も消失する

- 質問を積極的に受け入れる **根拠** 不安を軽減するための対処を促す

- 退院後，転倒などがなく，安全に生活が送れるように必要に応じて手すりの配置，スロープの導入，杖や車椅子使用などの検討を行う

STEP❶ アセスメント　STEP❷ 看護課題の明確化　STEP❸ 計画　STEP❹ 実施　STEP❺ 評価

四肢のしびれ

病期・病態・重症度に応じたケアのポイント

- 患者によって，しびれの表現方法は様々である．主観的訴えの把握が重要となるため，感覚異常の程度，部位，性状を細かく情報収集し，アセスメント，看護計画につなげることが大切である．
- 突然の意識障害，しびれのほか，悪心・嘔吐，身体の麻痺，筋肉の弛緩，不明瞭な話し方が随伴症状としてみられる場合は，緊急性の高い脳血管障害などが疑われるため早期の対応が必要となる．

看護活動(看護介入)のポイント

診察・治療の介助
- しびれと随伴症状や経過から，病因を把握する．
- しびれの軽減のために指示された安静度に基づき，しびれの強い局所の安静を保つ．
- 指示された輸液，薬物を正確に投与する．

しびれに対する援助
- 指示された安静度に応じて，温罨法，冷罨法，マッサージなどを試みる．
- 静かな環境となるよう調整し，休息・夜間の良眠を図る．

転倒や身体損傷のリスクに対する援助
- しびれの状態を定期的に確認し，患者の情報を得る．
- 必要に応じて，杖，歩行器，車椅子などの介護用品の使用方法を指導する．
- 外部からの刺激を避けるためにしびれ，痛みのある領域を手袋などで保護する．
- 足にしびれや感覚障害がある場合には，毎日足の状態をチェックする．適切な履き物を選択し，靴下の着用，爪の手入れなどを行う．

第8章　筋・骨格系

退院指導・療養指導

- ●症状に応じた安静の必要性を説明する.
- ●しびれの原因, しびれが増強したり悪化する要因について説明する.
- ●しびれは, 一時的な障害でなく, 長い経過をたどる場合が多いため, 障害が受容できるように精神的サポートを行う.
- ●しびれの程度に応じた安全な移動, 歩行方法について説明する.

STEP ❶ アセスメント　STEP ❷ 看護課題の明確化　STEP ❸ 計画　STEP ❹ 実施　STEP ❺ 評価

評価のポイント

看護目標に対する達成度
- ●しびれが軽減しているか.
- ●食事, 睡眠に満足感が得られているか.
- ●転倒・転落を防ぐことができているか.
- ●皮膚の損傷を起こしていないか.
- ●表情が明るくなっているか.
- ●患者・家族が退院に向けて不安がないか.

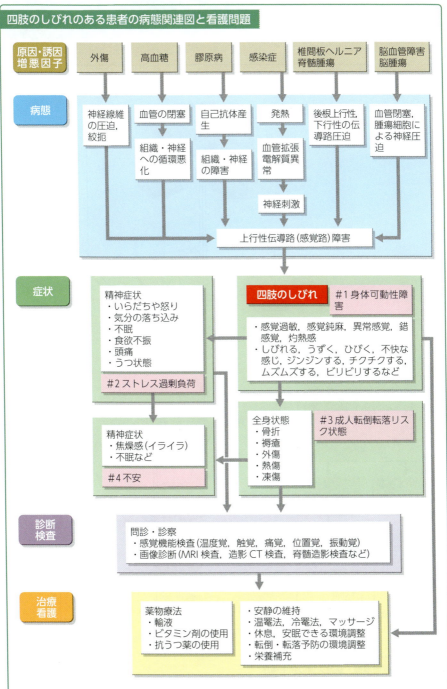

60 運動麻痺・運動失調

小笠原　淳一・神田　隆

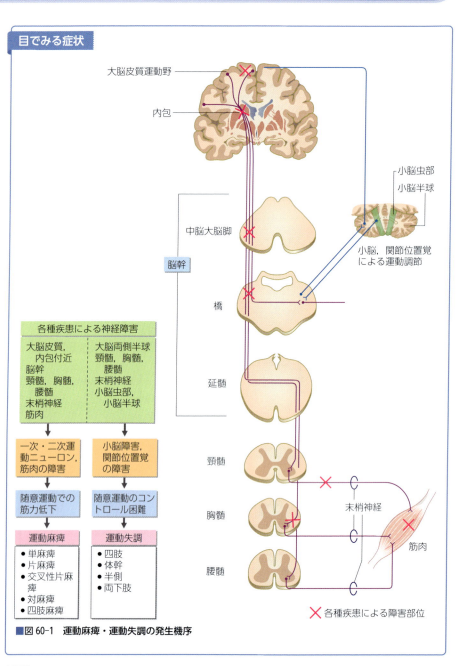

図 60-1　運動麻痺・運動失調の発生機序

病態生理

運動麻痺とは筋力が低下し，力を入れることができなくなった状態のことである．運動失調とは筋力が保たれているにもかかわらず，上手に運動がコントロールできない状態のことである．

- 随意運動では一次(上位)運動ニューロン，二次(下位)運動ニューロン，筋肉が重要な役割を果たす．運動麻痺はこのいずれの部位の障害でも出現する．一次運動ニューロンとは大脳皮質運動野(中心前回)から内包，脳幹，脊髄を経て脊髄前角までの経路である．二次運動ニューロンは脊髄前角から筋肉までの経路であり，末梢性の運動神経のことである．障害部位により単麻痺，片麻痺，交叉性片麻痺，対麻痺，四肢麻痺など様々な型の運動麻痺を呈する．
- 運動失調は運動のコントロールに関わる小脳の障害や，関節位置覚に関わる脊髄後索，末梢神経の障害で出現する．運動失調は，障害部位により四肢，体幹，片側，下肢などに症状が出現する．
- ごく軽微な運動麻痺では，診察上あたかも運動失調のようにみえることもあるので注意が必要である．

患者の訴え方

患者の訴えは運動麻痺，運動失調の出現部位により多彩である．
- **主症状の訴え**
- 運動麻痺：力が入らない，麻痺になった，話しにくい，飲み込みにくい，手が使えない，歩けない，立てないなど．
- 運動失調：うまく手が使えない，ふらつく，バランスがとれない，ろれつが回らないなど．
- **随伴症状**
- 原因疾患により様々な随伴症状を訴える．
  ①中枢神経に原因がある場合は頭痛，悪心・嘔吐，発熱，意識障害，複視，構音障害，呼吸障害など．
  ②脊髄に原因がある場合は排尿・排便障害など．
  ③末梢神経・筋肉に原因がある場合は筋萎縮など．

診断

運動麻痺，運動失調をきたした患者に対しては，まず全身の重症度を判断することが重要である．中枢性疾患のなかには致命的な疾患も少なくない．意識障害，嘔吐がある場合はまず気道の確保を行い，救命を優先する．そののちに症状から障害された神経系の局在部位を推定し，鑑別診断を行う．

- **原因・考えられる疾患**
- 運動麻痺は随意運動に関わる神経系のどの部位の障害でも出現し，多岐にわたる疾患が鑑別診断に挙がる(表60-1)．
- 運動失調も同様であり，多岐にわたる疾患が原因となり，一部は運動麻痺をきたす疾患と重なる(表60-2)．
- **鑑別診断のポイント**
- 症状の出現部位をとらえて，病変の主座が神経系のどこにあるかを考える．症状に左右差はないか，症状は上肢と下肢で差はないか，症状は四肢や体幹に出現しているかどうか．
- 麻痺の出現している筋肉の緊張が亢進しているか低下しているか．緊張が亢進している場合は一次運動ニューロンの障害の可能性が高い．
- 膀胱直腸障害があるかないか．異常がある場合は脊髄障害の可能性が高い．
- 重症感の有無．
- 中枢神経障害などで緊急性があるかどうか．

60

運動麻痺・運動失調

■表 60-1　運動麻痺の原因または考えられる疾患（赤字は緊急対応を要する疾患）

運動麻痺の型	筋肉の緊張	病変部位	主な疾患
単麻痺	亢進	大脳	脳梗塞，脳出血，脳腫瘍など
	低下	末梢神経	神経圧迫症候群，血管炎症候群，腕・腰神経叢炎など
片麻痺	亢進	大脳	脳梗塞，脳出血，脳腫瘍，脳炎，多発性硬化症など
交叉性片麻痺	亢進	脳幹	脳梗塞，脳出血，脳腫瘍，多発性硬化症など
対麻痺	亢進	胸髄・腰髄	椎間板ヘルニア，脊柱管狭窄症，脊髄炎，多発性硬化症，脊髄腫瘍，脊髄血管障害など
四肢麻痺	亢進	頸髄	椎間板ヘルニア，脊柱管狭窄症，脊髄炎，多発性硬化症，脊髄腫瘍，脊髄血管障害など
	低下	末梢神経	ギラン-バレー症候群，慢性炎症性脱髄性多発ニューロパチー（CIDP）など
	低下	筋肉	筋炎，重症筋無力症，低カリウム血性ミオパチー，筋ジストロフィーなど

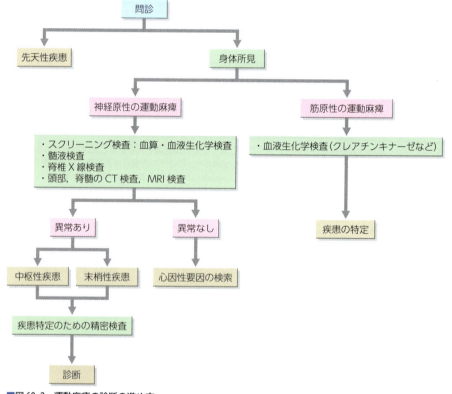

■図 60-2　運動麻痺の診断の進め方

■表 60-2 運動失調の原因または考えられる疾患（赤字は緊急対応を要する疾患）

運動失調の型	病変部位	主な疾患
四肢	両側小脳半球	脳梗塞，脳出血，脳腫瘍，脊髄小脳変性症，小脳炎など
	頸髄	脊柱管狭窄症，脊髄腫瘍など
	末梢神経	慢性炎症性脱髄性多発ニューロパチー（CIDP），傍腫瘍症候群など
体幹	小脳虫部	脳梗塞，脳出血，脳腫瘍，脊髄小脳変性症
半側	小脳半球	脳梗塞，脳出血，脳腫瘍など
両下肢	胸・腰髄	後脊髄動脈症候群，亜急性連合性脊髄変性症，脊柱管狭窄症，脊髄腫瘍など
	末梢神経	CIDP，傍腫瘍症候群など

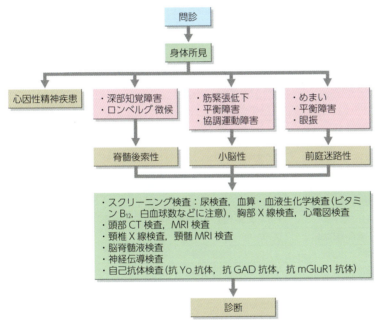

■図 60-3 運動失調の診断の進め方

治療法・対症療法

診断・治療の原則は緊急性のある場合は救命を優先し，その後に原因疾患を確定し，治療を行うことである．漫然とした経過の観察や対症療法は行ってはならない．

●治療方針
● 意識障害，呼吸障害，嘔吐など緊急性がある場合は鑑別・治療の前に救命を優先する．その後に鑑別診断を行う．

第8章 筋・骨格系

● 症状が急速に発症している場合は緊急に対応しなければ不可逆的な後遺症をきたす可能性が高いため，迅速に鑑別診断を行う.
● **薬物療法**
● 運動麻痺・運動失調をきたす疾患はきわめて多岐にわたり，共通した治療はほとんどない(表60-3). 鑑別診断に基づき，疾患に特異的な治療を行うことが常に必要とされる. 最も頻度が高く，また重症度も高い疾患は脳梗塞であり，本稿ではこれについて重点的に記載する.

■表60-3　運動麻痺・運動失調の治療法

	病巣	疾患	治療法(薬物療法の場合は投与する薬を記載)
運動麻痺	一次運動ニューロン	脳梗塞急性期	血栓溶解薬，抗トロンビン薬，抗血小板薬，脳浮腫改善薬，脳保護薬
		脳梗塞慢性期	抗血小板薬，抗凝固薬
		脳出血	降圧薬，止血薬
		脳腫瘍	手術療法，脳浮腫改善薬，ステロイド
		脳炎	抗ウイルス薬，抗菌薬
		多発性硬化症	急性期：ステロイドパルス療法 慢性期：インターフェロン，免疫抑制薬
		椎間板ヘルニア	手術療法
		脊柱管狭窄症	安静，手術療法
		脊髄炎	ステロイド
		脊髄腫瘍	ステロイド，手術療法
		脊髄血管障害	血管内手術，手術
	二次運動ニューロン	ギラン-バレー症候群	血漿交換療法，ガンマグロブリン大量投与療法
		慢性炎症性脱髄性多発ニューロパチー(CIDP)	ステロイド，ガンマグロブリン大量投与療法，免疫抑制薬
		血管炎症候群	ステロイド，免疫抑制薬
		神経圧迫症候群	ビタミン B_{12} 製剤，手術療法
		腕・腰部神経叢炎	ステロイド
	筋肉	筋炎	ステロイド，免疫抑制薬
		重症筋無力症	ステロイド，免疫抑制薬，コリンエステラーゼ阻害薬
		低カリウム性ミオパチー	カリウム補充
運動失調	小脳	脳梗塞急性期	血栓溶解薬，抗トロンビン薬，抗血小板薬，脳浮腫改善薬，脳保護薬
		脳梗塞慢性期	抗血小板薬，抗凝固薬
		脳出血	降圧薬，止血薬
		脳腫瘍	手術療法，脳浮腫改善薬，ステロイド
		小脳炎	ステロイド
		脊髄小脳変性症	TRH(甲状腺刺激ホルモン放出ホルモン)製剤
	脊髄	脊柱管狭窄症	手術療法
		後脊髄動脈症候群	抗血小板薬，抗凝固薬
		亜急性連合性脊髄変性症	ビタミン B_{12} 製剤
		脊髄腫瘍	手術療法
	末梢神経	CIDP	ステロイド，ガンマグロブリン大量投与療法，免疫抑制薬
		傍腫瘍症候群	手術療法

> **Px 処方例** 脳梗塞急性期　下記 1)〜3)のいずれかを用い，必要に応じ 4)もしくは 5)を適宜組み合わせて併用する.
>
> 1) グルトパ注　0.6 mg/kg の 10% を 1〜2 分かけて静脈注射，その後，残りを 1 時間で点滴静注　←血栓溶解薬
>   ※発症 4.5 時間以内に投与開始.
> 2) ノバスタン HI 注 (10 mg/アンプル)　6 アンプル/日　持続静注 (初めの 48 時間)　1 回 1 アンプル　1日 2 回 (その後 5 日間)　←抗トロンビン薬
>   ※発症以降 48 時間以内に投与開始.
> 3) カタクロット注 (40 mg/アンプル)　1 回 1 アンプル　1 日 2 回　点滴静注　2 週間　←抗血小板薬
>   ※発症以降 5 日以内に投与開始.
> 4) グリセオール注 (200 mL/袋)　1 回 200 mL　1 日 1〜3 回　点滴静注　←脳浮腫改善薬
> 5) ラジカット注 (30 mg/アンプル)　1 回 1 アンプル　1 日 2 回　点滴静注　14 日間　←脳保護薬
>
> **Px 処方例** 脳梗塞慢性期：再発予防 (非心原性)　以下のいずれかを用いる.
> ● アスピリン錠　75〜150 mg　1 日 1 回　朝食後　←抗血小板薬
> ● プラビックス錠 (75 mg)　1 回 1 錠　1 日 1 回　朝食後　←抗血小板薬
> ● プレタール OD 錠 (100 mg)　1 回 1 錠　1 日 2 回　朝夕食後　←抗血小板薬
>
> **Px 処方例** 脳梗塞慢性期：再発予防 (心原性)
> ● ワーファリン錠 (1 mg)　1 回 1〜5 錠　1 日 1 回　朝食後　←抗凝固薬
>   ※ PT-INR (プロトロンビン時間国際標準比) が 2.0〜3.0 を目安に増減.
> ● エリキュース錠 (2.5 mg)　1 回 1〜2 錠　1 日 2 回　朝夕食後　←抗凝固薬

■表 60-4　脳梗塞の主な治療薬

分類	一般名	主な商品名	薬の効くメカニズム	主な副作用
血栓溶解薬	アルテプラーゼ (遺伝子組換え)	グルトパ	フィブリンに直接作用して血栓を溶解	脳出血，消化管出血
抗トロンビン薬	アルガトロバン水和物	ノバスタン HI	トロンビンの活性部位と結合して，フィブリン生成，血小板凝集，血管収縮を抑制	脳出血，消化管出血，ショック
抗血小板薬	オザグレルナトリウム	カタクロット	血小板凝集抑制作用	出血
	アスピリン	アスピリン		
	クロピドグレル硫酸塩	プラビックス		
	シロスタゾール	プレタール		
脳浮腫改善薬	(合剤) 濃グリセリン・果糖	グリセオール	頭蓋内圧下降，脳浮腫軽減，脳血流改善作用	アシドーシス
脳保護薬	エダラボン	ラジカット	脳細胞の酸化的障害を抑制	急性腎不全，ネフローゼ症候群
抗凝固薬	ワルファリンカリウム	ワーファリン	抗凝血作用，血栓形成抑制作用	出血
	アピキサバン	エリキュース	第 Xa 因子を阻害することでトロンビンへの変換を抑制し，抗血液凝固作用 (直接的)，抗血小板作用 (間接的) を示す	出血

60

運動麻痺・運動失調

第8章　筋・骨格系

運動麻痺・運動失調のある患者の看護

佐々木　吉子

看護過程のフローチャート

観察項目（OP）	看護問題（看護診断）	看護目標（看護成果）	看護活動（看護介入）

観察項目（OP）

原因・誘因(運動麻痺)
- 一次(上位)運動ニューロン(中枢性)障害
  脳出血，脳梗塞，脳・脊髄腫瘍
- 二次(下位)運動ニューロン(末梢性)障害
  ギラン-バレー症候群，ポリオ
- 神経・筋接合部の障害
  重症筋無力症
- 筋肉の障害
  筋ジストロフィー，多発性筋炎
- 心因性

原因・誘因(運動失調)
- 小脳機能障害
  脊髄小脳変性症，脳血管障害，腫瘍，外傷
- 固有感覚障害

身体的問題(運動麻痺)
- 主症状
  単麻痺，片麻痺，対麻痺，四肢麻痺，限局性の麻痺(顔面，橈骨神経麻痺など)
- 随伴症状
  視力障害，聴力障害，四肢のしびれ，感覚障害，排尿障害など

身体的問題(運動失調)
- 主症状
  めまい，悪心・嘔吐，四肢・体幹の不随意運動，振戦
- 随伴症状
  構音障害，嚥下障害，筋緊張低下など

心理・社会的問題
患者・家族の症状・障害に対する不安

看護問題（看護診断）

- #呼吸筋，呼吸をつかさどる神経の麻痺により呼吸不全のリスクがある
- #目的にかなった身体運動ができない
- #麻痺，筋力低下に伴う転倒・転落のリスクがある
- #身体不動，栄養不足に伴う廃用症候群(褥瘡，関節拘縮など)のリスクがある
- #症状，筋力低下によりセルフケアが不足している
- #言語障害によりコミュニケーションがとりづらい
- #嚥下障害，栄養不足に伴う感染のリスクがある
- #小脳症状，嚥下障害により栄養摂取不足状態にある
- #患者・家族が症状，障害，介護に対する不安を抱えている

看護目標（看護成果）

- 有効な換気が図れる
- 患肢の関節可動域が維持・拡大できる，筋力が維持できる
- 転倒・転落しない
- 廃用症候群にならない
- 摂食，更衣，入浴，排泄ができる
- 効果的に意思疎通が図れる
- 呼吸器感染が起こらない
- 嚥下困難が改善する
- 栄養状態が低下しない
- 不安が軽減する

看護活動（看護介入）

OP 経過観察項目
意識状態(レベル)
症状(運動麻痺，運動失調)の程度
発症の経過
随伴症状の有無・程度
合併症の有無・程度
表情，言動，行動
患者・家族の不安の程度，内容
生活やリハビリテーションに対する意欲，姿勢

TP 看護治療項目
症状の緩和
筋力低下，関節拘縮，褥瘡の予防，良肢位保持
転倒・転落・外傷予防
残存機能を発揮してのセルフケア拡大の援助
コミュニケーション手段拡大の援助
嚥下訓練，誤嚥予防
栄養摂取，補給の援助

EP 患者教育項目
患者・家族への状態説明
不安の軽減
患者・家族への症状，治療の指導
退院指導，ケア技術(介護)指導
活用しうる社会資源についての情報提供，指導

1034

基本的な考え方

- 随伴症状とともに急激に症状 (運動麻痺, 運動失調) が現れた場合は, 短時間のうちに生命危機の状態に陥るような疾患の発症である可能性があり, 緊急対応が必要となる.
- ほとんどが中枢もしくは末梢神経, あるいは筋の疾患であり, 慢性, 進行性で, 難治性であることが少なくない. そのため, 継続した身体的支援はもちろんのこと, 患者・家族への心理・社会的な支援が非常に重要となる.
- 原則は, 原因疾患の治療 (進行を遅らせることを含む) を行いながら, 症状緩和や安楽の援助を行い, また, リハビリテーションにより残存機能を最大限に発揮できるよう支援し, 疾患とともに生きることを支えていく.
- 運動麻痺や運動失調の程度, 随伴症状を観察し, 症状の悪化や合併症の発症を予防する.

緊急 意識障害や呼吸不全, 循環不全を伴う運動麻痺が生じている場合は, 脳幹部や呼吸筋などを支配する中枢・末梢神経の障害が疑われる. 生命を維持するための緊急処置 (気道確保, 人工換気, 静脈路確保) など, 迅速な対応が必要である. また, 発症後, 急激に状態が悪化することもあるので, これらの徴候や情報を見逃さないよう経時的に十分な観察を行う.

STEP❶ アセスメント ▶ STEP❷ 看護課題の明確化 ▶ STEP❸ 計画 ▶ STEP❹ 実施 ▶ STEP❺ 評価

情報収集	アセスメントの視点と根拠・起こりうる看護問題
病歴の把握	患者・家族から症状出現の経過, 症状の変化を聞くことで, 原因・誘因の特定や全身状態の把握につながり, 治療や看護ケアにも重要な情報を得ることができる.
経過	●いつから, どのくらい続いているか. 急激に始まったか, 前駆症状 (頭痛, 気分不快, 悪心・嘔吐, 四肢のしびれ, 意識低下など) があったか. ●症状の変動の有無と程度 ●これまでの日常生活動作 (ADL) 状況と現在の変化 (セルフケア, 排泄コントロール, 移乗, 移動, コミュニケーション, 社会的認知など)
誘因	●過去および現在使用している薬剤 ●食習慣 ●アルコール摂取の有無・程度
生活歴	●喫煙の有無・程度 ●ストレスの有無・程度 ●生活リズム ●運動習慣 ●睡眠状況 ●仕事上の問題 (過重労働, トラブル, 責務など) の有無 ●介護, 育児などの状況
既往歴	●高血圧, 脳血管疾患, 悪性腫瘍, 心疾患, 腎疾患, 糖尿病, 脂質異常症, 内分泌疾患, 深部静脈血栓症などの既往 ●既往症に対する手術 (血管内手術を含む), 化学療法, 放射線照射などの治療歴
家族歴	●家族の高血圧, 脳血管疾患, 遺伝性疾患, 悪性腫瘍, 心疾患, 腎疾患, 糖尿病, 脂質異常症, 内分泌疾患, 深部静脈血栓症などの既往
主要症状・随伴症状の把握	主要症状の出現状況や随伴症状の有無・程度を把握することで, 原因疾患の特定につながる情報が得られる.
前駆症状	●頭痛, 悪心・嘔吐を伴うか 〔原因・誘因〕 中枢性の障害 ●意識レベルの低下があるか 〔原因・誘因〕 中枢性の障害 ●けいれん発作があったか 〔原因・誘因〕 中枢性の障害
麻痺の部位	《四肢の運動麻痺》 ●単麻痺：四肢のうち一肢のみが麻痺 〔原因・誘因〕 限局性の脳腫瘍, 前大脳動脈閉塞, 下位ニューロンの障害などで発生する. ●片麻痺：一側の上下肢が麻痺

60
運動麻痺・運動失調

1035

第8章　筋・骨格系

	・大脳性片麻痺：障害と反対側の上下肢と顔面の麻痺　**原因・誘因** 脳血管疾患，脳腫瘍など大脳の障害
	・交叉性片麻痺：障害と同側の脳神経麻痺，あるいは障害と反対側の上下肢の麻痺　**原因・誘因** 延髄脊髄移行部から第2頸髄までの障害
	・脊髄性片麻痺：障害と同側の上下肢の麻痺(深部感覚の低下を伴う)　**原因・誘因** 脊髄損傷，脊髄腫瘍
	●**対麻痺**：両側下肢が麻痺　**原因・誘因** 脊髄損傷，脊髄腫瘍
	●**四肢麻痺**：上下肢が両側とも麻痺　**原因・誘因** 外傷，多発神経炎(ギラン-バレー症候群)，重症筋無力症(全身型)，筋ジストロフィー，電解質異常(カリウム異常など)
	《頭頸部の運動麻痺》
	●**眼球運動麻痺**：眼球運動をつかさどる脳神経，筋の障害により，眼球運動ができない　**原因・誘因** 脳腫瘍(神経，筋への浸潤，腫瘍による神経圧迫)，脳血管疾患，ホルネル症候群(上位交感神経の麻痺による)
	●**顔面神経麻痺**：顔面神経，筋の障害により，表情筋が麻痺　**原因・誘因** 脳腫瘍(神経，筋への浸潤，腫瘍による神経圧迫)，脳血管疾患，ベル麻痺(原因不明)，水痘・帯状疱疹ウイルス，寒冷刺激，外傷，栄養障害
	《体幹の運動麻痺》
	●**呼吸筋麻痺**：延髄呼吸中枢，呼吸筋をつかさどる脊髄神経，呼吸筋の障害により，呼吸機能が低下あるいは消失　**原因・誘因** 脊髄損傷，脊髄腫瘍，外傷，多発神経炎(ギラン-バレー症候群)，重症筋無力症(全身型)，筋ジストロフィー，電解質異常(カリウム異常など)
麻痺の程度	●完全麻痺：運動が全くできない状態
	●不完全麻痺：ある程度の運動はできるが十分ではない状態
麻痺の性質	●痙性麻痺：一次運動ニューロン(脊髄前角細胞より上位)の障害では，大脳皮質運動野から出される脊髄前角細胞の興奮を抑える信号が伝わらなくなるため，筋緊張，腱反射が亢進する　**原因・誘因** 中枢神経の障害
	●弛緩性麻痺：二次運動ニューロン(脊髄前角細胞以下)の障害では，筋緊張が低下し，腱反射が減衰または消失する　**原因・誘因** 末梢神経の障害
運動麻痺の随伴症状	●意識障害，頭痛，言語障害，嚥下障害，平衡感覚異常，精神症状，視力障害(視力低下，視野狭窄・欠損，複視)，聴力障害，感覚障害，脱力，四肢のしびれ，排尿障害(尿閉，排尿遅延，失禁)，筋力低下，関節拘縮，褥瘡，栄養不足，感染症
	🔍 **起こりうる看護問題**：目的にかなった身体運動ができない／麻痺，筋力低下に伴う転倒・転落のリスクがある／身体不動，栄養不足に伴う廃用症候群のリスクがある／症状，筋力低下により日常生活全般のセルフケアが不足している／言語障害によりコミュニケーションがとりづらい／嚥下障害，栄養不足に伴う感染のリスクがある／小脳症状，嚥下障害により栄養摂取不足状態にある
運動失調の状況	●小脳障害による，四肢の随意運動時の不規則性
	●測定障害：運動開始・停止の遅延，加速・減速の遅れ，速度の不規則性
	●反復拮抗運動不能：運動方向転換の障害
	●運動の分解：2関節以上の運動における同期性の欠如
	●協調運動不能：ADLの順序・調和の障害
	●振戦
	●四肢に対する指鼻試験，踵膝(かかとひざ)試験 ➡目的運動の不規則性をみる.
	●姿勢保持，随意運動の観察，バランス反応試験 ➡姿勢の不安定性をみる.
	●構音障害，嚥下障害，筋力低下
	🔍 **起こりうる看護問題**：目的にかなった身体運動ができない／不随意運動，眼振に伴う転倒・転落のリスクがある／小脳症状，嚥下障害による栄養摂取不足状態にある

全身状態，生命危機の徴候の把握 バイタルサイン		症状出現の経過を把握するとともに，全身状態，生命危機の徴候の有無・程度を観察し，治療，看護計画の立案に有効に反映する． ●体温 ⇒中枢性の体温異常，感染症や内分泌疾患を鑑別する． ●血圧，脈拍・リズム ⇒神経原性ショック，循環器疾患を鑑別する． ●呼吸の有無，状態，経皮的動脈血酸素飽和度（SpO₂）を確認する　緊急 チェーン-ストークス呼吸　原因・誘因 両側大脳半球または間脳の障害　緊急 失調性呼吸　原因・誘因 中脳下部，橋上部の障害，延髄の障害 ●意識レベル　緊急 意識障害　原因・誘因 頭蓋内圧亢進，肝性脳症
	全身状態	●体格 ⇒肥満がないか観察する． ●皮膚 ⇒緊張状態，末梢の冷感・温感の有無・程度
	頭頸部	●頭部，打撲の有無を確認し，原因があるのか二次障害なのかを鑑別する． ●顔貌，表情 ⇒仮面様顔貌など，特徴的な表情がないか確認する． ●瞳孔 ⇒瞳孔不同，瞳孔異常はないか　緊急 瞳孔不同　原因・誘因 ヘルニアによる動眼神経の圧迫　緊急 対光反射の消失　原因・誘因 中脳障害　緊急 共同偏視　原因・誘因 脳出血（被殻出血では出血側をにらむ共同偏視，視床出血では鼻をにらむような凝視） ●眼振 ⇒脳神経，耳鼻科疾患を鑑別する． ●項部硬直の有無　緊急 髄膜刺激症状，反射の亢進・低下，知覚の鈍麻，乳頭浮腫の有無を確認する　原因・誘因 髄膜炎，くも膜下出血
	胸部	●打診，聴診 ⇒心疾患の有無，誤嚥性肺炎，呼吸機能低下の有無を確認する．
	腹部	●腹部の聴診 ⇒腸蠕動音の有無を確認する．
	四肢	●下腿浮腫の有無 ⇒循環器・腎・肝疾患を鑑別する． ●チアノーゼの有無 ⇒呼吸状態，循環動態を評価する． 🔍 起こりうる看護問題：呼吸筋，呼吸をつかさどる神経の麻痺により呼吸不全のリスクがある
患者・家族の心理・社会的側面の把握		運動麻痺，運動失調患者の多くは，「何かおかしい」と体のぎこちなさや，思うように動かない，力が入らない，という感覚を覚えて受診し，様々な検査を受けてようやく診断に至るというケースが少なくない．また，難治性で進行性の場合が多く，診断を待つ間，さらには診断後，患者の将来に対する不安や苦悩は非常に大きいものとなる．一方，家族は，苦悩する患者を目の当たりにし，しばしば長期的な介護や生活様式の変更を求められることになり，身体的・心理的なストレスを生じる． ●患者・家族の思いを傾聴し，不安やつらさを受け止めるとともに，安全・安楽に療養できる環境を整え，疾患とともに生きていく自信がもてるよう情報提供やセルフケア支援を行う． 🔍 起こりうる看護問題：身体不動，栄養不足に伴う廃用症候群のリスクがある／症状，筋力低下により日常生活全般のセルフケアが不足している／患者・家族が疾患，障害，介護に対する不安を抱えている

60 運動麻痺，運動失調

STEP❶ アセスメント　STEP❷ 看護課題の明確化　STEP❸ 計画　STEP❹ 実施　STEP❺ 評価

看護問題リスト

#1　呼吸筋，呼吸をつかさどる神経の麻痺により呼吸不全のリスクがある（活動-運動パターン）
#2　目的にかなった身体運動ができない（活動-運動パターン）
#3　麻痺，筋力低下に伴う転倒・転落のリスクがある（健康知覚-健康管理パターン）
#4　身体不動，栄養不足に伴う廃用症候群のリスクがある（活動-運動パターン）
#5　症状，筋力低下により日常生活全般のセルフケアが不足している（活動-運動パターン）
#6　言語障害によりコミュニケーションがとりづらい（役割-関係パターン）
#7　嚥下障害，栄養不足に伴う感染のリスクがある（栄養-代謝パターン）
#8　小脳症状，嚥下障害により栄養摂取不足状態にある（栄養-代謝パターン）

#9 患者・家族が疾患，障害，介護に対する不安を抱えている（自己知覚パターン）

看護問題の優先度の指針

- 最も注意すべきことは，呼吸中枢や呼吸筋の運動麻痺による呼吸不全，神経原性ショックによる循環不全によって引き起こされる生命危機である．また，運動麻痺や運動失調がみられるということは，神経系に何らかの問題が生じ，時間経過とともに病状が悪化する危険性があることを暗示しており，急性期は，生命危機を回避しつつ，原因に対する早期治療につながるような観察，障害が拡大しないための看護ケアが重要である．
- 運動麻痺，運動失調により，目的にかなった身体運動ができないことは，様々な生活障害をもたらすため，適切な援助によって，廃用症候群や栄養障害，感染などの二次障害を予防する．また残存機能を最大限に生かすためのリハビリテーションを促進することにより，患者のQOLの向上に努める．
- 患者・家族が抱く様々な不安の解消に努める．

STEP① アセスメント　STEP② 看護課題の明確化　STEP③ 計画　STEP④ 実施　STEP⑤ 評価

1 看護問題

看護問題	看護診断	看護目標（看護成果）
#1 呼吸筋，呼吸をつかさどる神経の麻痺により呼吸不全のリスクがある	**非効果的呼吸パターン** **関連因子**：疼痛，不安，肺拡張を妨げる体位，肥満 **関連する状態**：神経筋疾患 **診断指標** □呼吸パターンの異常 □呼吸の深さの変調 □肺活量減少 □補助呼吸筋の使用 □呼吸困難 □低酸素血症 □低換気 □徐呼吸	〈長期目標〉有効な換気が図れる 〈短期目標〉1回換気量，分時換気量が維持され，常時，酸素飽和度95％以上に維持できる

看護計画　介入のポイントと根拠

急性期の緊急対応

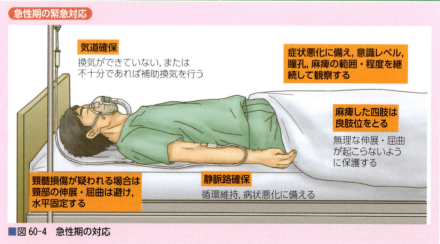

■図60-4　急性期の対応

OP 経過観察項目 ● 緊急性の高い脳血管疾患や頭部重症外傷に対しては迅速な対応が求められる ● 全身状態を把握し，呼吸不全，循環不全，意識障害，頭痛，視力障害，項部硬直（髄膜炎，脳炎，くも膜下出血）などの症状の有無，程度について観察する ● 継続的な観察を怠らない	⇒ まずは，呼吸・循環を含めた全身状態を評価し，危険な症状・徴候がみられたら一次救命処置を行うとともに早急にドクターコールを行う ⇒ 根拠 時間の経過とともに症状が悪化する場合もある
TP 看護治療項目 ● 呼吸不全をきたしている患者には，まず気道確保および換気を維持する ● 頸髄損傷が疑われる場合には，頸部の伸展・屈曲などは行わず水平固定する ● 静脈ルートの確保を行う	⇒ 根拠 低酸素による脳障害を予防する ⇒ 根拠 頸部を伸展・屈曲することで，神経損傷を拡大する危険性がある ⇒ 根拠 血圧低下がみられる場合は循環維持のため，循環が安定していても，今後状態悪化とともに低下する可能性があるので，できるだけ早く静脈路を確保しておく
EP 患者教育項目 ● 患者が抱えている不安を解消する	⇒ 根拠 身体の違和感などから，不安を抱いている
OP 経過観察項目 ● バイタルサイン ● 呼吸様式，経皮的動脈血酸素飽和度（SpO$_2$） ● 意識レベル ● 左右の瞳孔径，対光反射 ● 運動麻痺の範囲・程度，徒手筋力レベル ● 感覚異常の範囲・程度 ● 頭痛，悪心・嘔吐，顔面・四肢のしびれ ● 表情，訴え，不安内容	⇒ 根拠 バイタルサインの変化は状態の悪化（頭蓋内圧亢進，呼吸中枢障害）を反映する ⇒ 根拠 症状や予後について，不安を抱いている可能性がある
TP 看護治療項目 ● 診断がつくまでは，気道確保をしたうえで安静を図る ● 指示された薬剤，輸液を投与する ● 麻痺部の良肢位を保持し，安楽な体位をとる ● 医師から許可されるまでは，絶飲食とする ● ベッドからの転落，転倒を予防する ● 思いや不安を傾聴し，受け止める ● 急性期を脱したら，呼吸筋訓練を実施する	⇒ 根拠 原因が脳出血などの場合は，活動によって出血が持続する危険性があるため，安静を保つ必要がある ⇒ 根拠 無理な伸展・屈曲による二次障害を防ぐ ⇒ 根拠 嚥下障害をきたしている可能性があるため，医師の許可が出てから飲食開始とする ⇒ 根拠 麻痺，運動失調により，バランス保持が困難となる ⇒ 根拠 状態が落ち着くまでは不安が強く，安静保持が困難となったり，呼吸が乱れやすい ⇒ 根拠 呼吸筋麻痺が残る場合，深呼吸訓練により肺の弾力性を高めることで，呼吸機能が向上する
EP 患者教育項目 ● 安静，良肢位保持の必要性を説明する	⇒ 根拠 理解不足による不安を軽減させる 高齢者 認知能力が低下していると，一度の説明では理解が得られにくいため，繰り返し説明する

60 運動麻痺・運動失調

第8章　筋・骨格系

2

看護問題	看護診断	看護目標（看護成果）
#2　目的にかなった身体運動ができない	**身体可動性障害** **関連因子**：活動耐性低下，不安，関節の硬直，筋肉量の不足，不使用，栄養失調 **関連する状態**：拘縮，うつ病 **診断指標** □寝返りが困難 □反応時間の延長 □姿勢が不安定 □まとまりのない（てんでばらばらの）動き □微細運動技能の低下 □粗大運動技能の低下 □関節可動域（ROM）低下	〈**長期目標**〉残存機能を最大限に発揮し，身体運動が維持される 〈**短期目標**〉1）リハビリテーションの意義を理解し，積極的に取り組む姿勢がみられる．2）関節の拘縮，ROM低下，筋力低下が起こらない

看護計画	介入のポイントと根拠
OP 経過観察項目 ●筋肉量減少の有無・程度 ●筋力低下，関節拘縮の有無・程度，関節可動域 ●活動状況，セルフケアの自立度 ●表情，訴え，行動	⊃ **根拠** 活動耐性が低下することにより，筋肉量減少，筋力低下，関節拘縮をきたす ⊃身体可動性の障害が，生活動作に及ぼしている状況を把握する ⊃動けないことによる不安，つらさ，葛藤，無力感，リハビリテーションへの意欲などの心理面を読み取る
TP 看護治療項目 ●急性期は，良肢位を保ちながら，他動的に関節の屈伸運動，体位変換を行い，廃用症候群を予防する ●急性期を脱したら，速やかにリハビリテーションを開始する（四肢の関節運動，姿勢保持，ADLの工夫など） ●残存機能を有効に使うための補助具，自助具を選択する **EP** 患者教育項目 ●身体状況について説明する（必要時医師に説明を依頼する） ●リハビリテーション指導，生活指導，目標設定の支援を行う	⊃ **根拠** 脳出血，脳梗塞などの急性期には，運動方法によっては血圧変動をきたすため，モニタリングを行いながら看護師主導で関節運動を行う ⊃ **根拠** ADLのなかでリハビリテーションを継続していくことが廃用症候群を予防するうえで重要である ⊃ **根拠** 患者は意図しない突然の症状出現で，自身の身体状況を認識できていないことが多い ⊃ **根拠** 効果的にリハビリテーションを進めるには目標をもって段階的，計画的に進めることが重要である

3

看護問題	看護診断	看護目標（看護成果）
#3　麻痺，筋力低下に伴う転倒・転落のリスクがある	**成人転倒転落リスク状態** **危険因子** □興奮性混乱 □散らかった環境 □十分な照明がない □十分なすべり止め用具が浴室に	〈**長期目標**〉転倒・転落しない 〈**短期目標**〉1）麻痺側の良肢位が保たれる．2）安全に移乗，移動ができる

1040

ない
□下肢筋力低下
□認知機能障害
□抑うつ症状
□姿勢バランス障害
□身体可動性障害
□脱水症
□失禁
□肥満
関連する状態：歩行補助具，義足，筋骨格疾患
ハイリスク群：60 歳以上の人，転倒転落歴のある人，拘束（抑制）されている人

看護計画	介入のポイントと根拠
OP 経過観察項目 ● 麻痺，筋力の程度・変化 ● 随伴症状の有無・程度 ● 座位，起立時のバランス保持状況 ● セルフケア能力 ● 危険に対する認識，行動 ● 睡眠状況，疲労状況	⇒ 根拠 リスクの高まりを評価する ⇒ 根拠 姿勢保持が困難な場合，リスクが高まる ⇒ 根拠 認識不足による危険行動がリスクを高める ⇒ 根拠 睡眠不足により転倒リスクが高まる
TP 看護治療項目 ● 環境を整備する（危険物の除去，補助具の設置など） ● 良肢位保持，他動的な関節可動域訓練を実施する	⇒ 転倒・転落を予防するため，および転倒・転落した場合に，二次損傷を防ぐため環境を整える ⇒ 根拠 不良肢位で拘縮が起こると，リハビリテーションや ADL に支障をきたす ⇒ 筋力・関節可動域の拡大を図ることで，身体支持やバランス保持などの身体能力を高める
EP 患者教育項目 ● 生活指導（危険行為，転倒対策，補助具の使用）を行う ● リハビリテーション指導（関節可動域訓練，姿勢保持など）を行う	⇒ リハビリテーションの目的，危険防止についての認識を高め，自発的なリハビリテーション，安全行動を促して身体機能の向上を図る

60 運動麻痺・運動失調

4 看護問題	看護診断	看護目標（看護成果）
#4 身体不動，栄養不足に伴う廃用症候群のリスクがある	**不使用性シンドロームリスク状態** **関連する状態**：意識レベル低下，麻痺，指示による運動制限，拘束（固定）	〈**長期目標**〉残存機能を最大限に発揮して ADL 向上が図れる

看護計画	介入のポイントと根拠
OP 経過観察項目 ● 麻痺，筋力，四肢の関節可動域の程度・変化 ● 体調，活動やリハビリテーションへの意欲，行動 ● セルフケア能力，活動状況	⇒ 廃用症候群の有無・程度を観察する ⇒ 根拠 意欲低下，倦怠感は自発的な活動を妨げる

1041

第8章　筋・骨格系

- 皮膚の状態(発赤，水疱形成の有無・程度)
- 体温，炎症反応(血液データ)

TP 看護治療項目
- 拘縮，筋力低下予防のため他動運動，訓練を行う
- 残存機能を生かすための自助具，補助具を選択する
- 良肢位保持，こまめな体位変換を実施する

EP 患者教育項目
- 体位変換，運動，訓練の必要性を説明する
- 関節可動域訓練，除圧の方法を患者・家族に指導する

- ➡ 褥瘡の徴候を観察する
- ➡ **根拠** 感染を起こすと，体温上昇や炎症反応の陽性化がみられる

- ➡ **根拠** 自発的な運動がない場合，他動的に行わなければさらに症状が進行する
- ➡ **根拠** 自助具を効果的に使用することにより，セルフケアが拡大する
- ➡ 同一局所へ長時間の圧迫を回避する

- ➡ **根拠** 運動を継続し，廃用症候群の発生を予防するには，患者・家族の認識と協力が不可欠である

5 看護問題	看護診断	看護目標(看護成果)
#5　症状，筋力低下により日常生活全般のセルフケアが不足している	**更衣，摂食，入浴，排泄セルフケア不足** **関連因子**：認知機能障害，モチベーションの低下，不快感，倦怠感，不安，脱力，環境上の制約 **関連する状態**：筋骨格系の障害，神経筋疾患，筋骨格疾患，体の部分(一部)を知覚できない，空間的関係を知覚できない **診断指標** □衣類の選択が困難 □衣類の着脱が困難 □食物の咀嚼が困難 □食物の嚥下が困難 □食具の使用が困難 □浴室までの移動が困難 □体を洗うことが困難 □浴槽の湯の温度や量の調節が困難 □トイレでの清潔行動完了が困難 □トイレまで行くのが困難 □便座からの立ち上がりが困難 □便座に座るのが困難 □排泄時，衣服の上げ下げが困難	〈**長期目標**〉残存機能を最大限に発揮して，セルフケア能力を再獲得できる 〈**短期目標**〉1) セルフケアを行う意欲が高まる。2) 効果的に自助具や補助具が使用できる

看護計画	介入のポイントと根拠
OP 経過観察項目 - 麻痺，筋力，四肢の関節可動域の程度・変化 - 体調，活動に対する意欲，行動 - 更衣，摂食，入浴，排泄セルフケアの状況 - 栄養状態，皮膚の状態，病床の整理整頓状態	➡ 障害の程度と期待しうるセルフケア能力を検討する ➡ **根拠** 体調や意欲がリハビリテーションの進行を左右する ➡ **根拠** 実際にどの程度できているかを評価する ➡ **根拠** セルフケア低下の結果として，これらの状態が悪化しうる

1042

TP 看護治療項目 ●残存機能向上のための他動運動，訓練を行う ●残存機能を生かすための自助具，補助具を選ぶ ●残存機能を生かしての更衣，摂食，入浴，排泄の介助（直接介助，環境整備，見守り）を行う	⇨ **根拠** 筋力低下や関節拘縮を防ぎ，必要な機能を向上させる ⇨ **根拠** 残存機能を最大限に発揮させる ⇨ **根拠** 安全・安楽に実施できるようになることが重要であり，より多くの実践を重ねることが必要である
EP 患者教育項目 ●残存機能を生かしての更衣，摂食，入浴，排泄の方法について，患者・家族に指導する ●自助具や補助具の使用方法を患者・家族に説明する ●退院後の環境調整，活用しうる資源について，患者・家族に助言する	⇨実際に繰り返し行ううちに身につくので，退院後の生活を想定して患者・家族に指導する ⇨患者だけでなく，それを支援する家族への指導も重要である ⇨ **根拠** 手すりの設置，バリアフリー化など，患者のセルフケア能力と，家庭の事情を考慮した助言が必要である

6	看護問題	看護診断	看護目標（看護成果）
	#6 言語障害によりコミュニケーションがとりづらい	**言語的コミュニケーション障害** **関連因子**：情動（情緒）不安定，自尊感情が低い，文化規範と一致しない価値観，環境上の制約 **関連する状態**：中枢神経系疾患，新生物（腫瘍），運動ニューロン疾患，末梢神経系疾患 **診断指標** □コミュニケーションの維持が困難 □失語症 □アイコンタクトの欠如 □構音障害 □不適切な言語表現 □社会的交流に参加する意欲の低下	〈長期目標〉意思伝達が円滑にできる 〈短期目標〉新たな手段を活用して意思を伝達することができる

60 運動麻痺・運動失調

看護計画	介入のポイントと根拠
OP 経過観察項目 ●コミュニケーション能力（自発的な発語，声かけに対する反応，発語の量・内容など） ●特有の症状の有無・程度（眼振，顔面麻痺など） ●表情，情緒的反応，活動状況など	⇨障害の程度を観察し，援助の方向性を検討する ⇨コミュニケーションを妨げる要因について，その程度・状況を把握する ⇨意思疎通できないことで，抑うつなどをきたしていないか，また抑うつなどによって，コミュニケーション意欲が低下していないかを観察する
TP 看護治療項目 ●障害に応じた代替コミュニケーション手段を工夫する ●発声訓練，顔面筋の鍛錬，言語聴覚士との連携によるリハビリテーションを行う	⇨ **根拠** 漢字や挿絵によるカード，文字盤などのほうが，意思が伝わりやすいこともある ⇨ **根拠** リハビリテーション室で学習したことを，病床での生活でも継続訓練することにより効果が期待できる

1043

第8章 筋・骨格系

EP 患者教育項目
● リハビリテーションの必要性，方法について説明・指導する

⮕ **根拠** 患者・家族の理解・認識がないと，リハビリテーションは効果的に進まない

7	看護問題	看護診断	看護目標（看護成果）
	#7 嚥下障害，栄養不足に伴う感染のリスクがある	**感染リスク状態** **危険因子**：病原体との接触回避についての知識不足，侵襲的な器具の長期管理が困難，皮膚統合性障害，口腔衛生の不足，栄養不良，不十分な環境衛生，体液のうっ滞 **関連する状態**：線毛運動の減少	〈長期目標〉感染を起こさない 〈短期目標〉1）感染徴候がみられない．2）病原因子について理解し，曝露を避けることができる

看護計画	介入のポイントと根拠
OP 経過観察項目 ● バイタルサイン ● 炎症反応（検査データ）：白血球，CRP ● 発汗，悪寒，不快感，倦怠感 ● 尿路感染，呼吸器感染などの徴候 ● 創部，ルート挿入部などの異常（発赤，排膿など） ● 患者の感染予防への認識，感染予防行動の状況 ● 食事摂取，1日の栄養補給量 **TP 看護治療項目** ● 必要量の栄養を補給する工夫をする ● 血糖コントロールをする ● 全身および局所の清潔を保持する ● 感染源から隔離する（感染症患者，分泌物など） **EP 患者教育項目** ● 感染予防の必要性，具体的予防行動について，患者・家族に指導する	⮕ **根拠** 感染徴候の有無を観察・把握する ⮕ **根拠** 免疫力，体力について把握する ⮕ **根拠** 免疫力，細胞再生能力を高める ⮕ **根拠** 高血糖による免疫力低下を防ぐ ⮕ **根拠** 細菌などの生着・繁殖を防ぐ ⮕ **根拠** 患者自身が十分な感染予防行動をとれない場合も多く，医療者側の配慮が必要である ⮕ **根拠** 感染予防のためには，第一に患者・家族の認識，行動が重要である

8	看護問題	看護診断	看護目標（看護成果）
	#8 小脳症状，嚥下障害により栄養摂取不足状態にある	**嚥下障害，栄養摂取バランス異常：必要量以下** **関連因子**：注意力の変化，タンパク-エネルギー栄養障害，口腔内の損傷，味覚の変化 **診断指標** □嚥下前にむせる □頬の内側に食塊が溜まる □嚥下の遅延 □嚥下痛 □食物摂取量が1日あたりの推奨量以下 □嚥下テストでの口腔相，咽頭相，食道相の異常	〈長期目標〉嚥下障害が改善し，必要量の栄養が摂取できる 〈短期目標〉1）嚥下障害に対するリハビリテーションができる．2）代替栄養法によって必要な栄養が補給される

1044

□体重が年齢・性別理想体重の範囲を下回る

看護計画	介入のポイントと根拠
OP 経過観察項目 ●嚥下障害の程度 ●食事摂取量，1日の栄養補給量 **TP** 看護治療項目 ●食物の加工（切り分け，とろみづけなど）により，飲み込みやすい食事形態に整える ●言語聴覚士との連携のもと，嚥下訓練を実施する ●経口摂取が不十分な場合は医師と相談し，代替栄養（経腸栄養，静脈栄養など）による補給を検討する **EP** 患者教育項目 ●嚥下訓練の目的，内容を患者・家族に指導する ●誤嚥する場合は無理に経口摂取しないよう説明する	➡ 根拠 リハビリテーションの方向性，経口摂取が可能かをアセスメントする ➡ 根拠 1日に必要な栄養量が補給できているか確認する ➡ 根拠 腸管免疫能を高めるためにも，できるだけ経口からの栄養摂取が望ましい ➡ 根拠 継続した嚥下訓練により，機能回復が期待できる ➡ 根拠 栄養不足による免疫力低下，体力低下を防止する ➡ 根拠 訓練を効果的に行うためには，患者自身が認識し，意欲的に取り組むことが重要である ➡ 根拠 誤嚥性肺炎により，全身状態の悪化を招くおそれがある

9 看護問題	看護診断	看護目標（看護成果）
#9 患者・家族が疾患，障害，介護に対する不安を抱えている	不安 関連因子：ストレッサー（ストレス要因），不慣れな状況 診断指標 □不安定な気持ち □不眠 □イライラした気分 □混乱 □緊張感 □自己中心的 □どうすることもできない無力感 □警戒心が増す □食欲不振 □呼吸パターンの変化	〈長期目標〉患者・家族が疾患，障害，介護について見通しをもつことができる 〈短期目標〉1）疾患，障害について理解できる。2）社会資源の活用を含めて，必要な介護について考えることができる

60 運動麻痺・運動失調

看護計画	介入のポイントと根拠
OP 経過観察項目 ●患者・家族の表情，言動，行動 ●家族たちとの面会時の相互関係の様子 ●抱えている不安の内容 **TP** 看護治療項目 ●不安を表出しやすい雰囲気づくり，関係の構築に努め，思いを傾聴する	➡ 根拠 表情，言動，行動，他者とのやりとりの様子から，懸案事の有無，内容を読み取る ➡ 根拠 患者・家族が，安心して心を開きやすい環境を提供する

1045

第8章　筋・骨格系

●患者・家族の疾患や障害に対するつらさを受け止める
●患者・家族に適時，正確な情報提供を行い，疾患や障害に対する理解を助ける
●医療ソーシャルワーカーなどとの調整・連携をとる

EP 患者教育項目
●疾患や障害について，患者・家族に説明・指導する
●家族，親戚に公的サービスなどのソーシャルサポートの活用を促す

⟳泣くことのできる環境の提供，寄り添いなどをする
⟳ 根拠 情報を得ることで，不安が解消する場合もある
⟳ 根拠 専門家につなげることで，思いのほか解決策がみつかる場合がある

⟳一度に情報を与えると衝撃や混乱を招くこともあるので，患者・家族の状況に配慮しながら行う
⟳ 根拠 介護のすべてを限られた家族メンバーで背負うのは負担が大きい

| STEP 1 アセスメント | STEP 2 看護課題の明確化 | STEP 3 計画 | STEP 4 実施 | STEP 5 評価 |

病期・病態・重症度に応じたケアのポイント

【急性期】運動麻痺，運動失調を生じる病態において，呼吸をつかさどる神経や筋の障害，神経原性ショックを呈するような場合には，生命危機に陥っている場合も少なくない．また，脳出血や脳梗塞などが，運動麻痺や運動失調の原因である場合，発症時は軽い症状であっても，時間経過とともに悪化し，麻痺の増強や拡大，意識障害，生命危機に陥る危険性がある．そこで，運動麻痺や運動失調への対応と併せて，病状悪化の予防や継続した注意深い観察により異常の早期発見に努め，早期対処することが重要となる．運動麻痺や運動失調では自発的な運動が妨げられる．これを放置すると，容易に廃用症候群へと進行するため，超急性期は，良肢位保持と他動的な関節可動域運動を行い，循環動態の安定後は，早期から積極的に筋・関節の自動・他動運動を行い，廃用症候群を予防する必要がある．

【回復期】上記の廃用症候群の予防ケアを継続することと併せて，リハビリテーションとして，残存機能を最大限に発揮できるような筋力強化，自助具や補助具を活用してのセルフケア能力の再獲得，社会生活復帰に向けての活動範囲の拡大を図れるような支援を行っていく．発症前と比較して，姿勢の保持力，安定性が低下しているので，安全に過ごせるための環境調整や残存機能を強化して，これらを再構築できるような工夫も必要である．疾患の進行を遅らせたり再発を予防したり，症状を緩和するための治療が必要な場合は，これらが継続できるための患者・家族への支援も重要である．活用しうる社会資源を導入しての生活の再構築，自宅改造など環境面の変更に関する助言なども行う．運動麻痺，運動失調をきたす疾患の多くは，難治性で慢性に経過することが少なくないため，患者・家族への心理・社会的な支援も非常に重要である．

看護活動（看護介入）のポイント

診察・治療の介助
●運動麻痺，運動失調により，思いどおりに身体が動かせない，不随意に動くといった症状があるため，安全に診察や治療が受けられるよう付き添い，介助する．
●指示された輸液，薬剤を正確に投与する．

症状や障害に対する援助
●症状や障害は不可逆的で進行することも多いため，リハビリテーションの目標は患者によって異なる．患者個々の目標を設定し，説明と指導の内容・方法を検討する．
●関節変形や筋力低下は，リハビリテーションを阻害し，患者のQOLを低下させるので，良肢位保持，関節可動域訓練は，体調不良時でも確実に実施する．
●患者の残存機能を最大限に発揮できるよう，補助具や自助具を選択し，効果的に使用できるよう援助する．
●疼痛，しびれ，不快感などは，できるだけ緩和に努め，少しでも快適に過ごせるよう支援する．
●嚥下障害がある場合，口腔内や頸部のマッサージ，嚥下訓練などにより，嚥下機能の再獲得を目指す一方で，誤嚥対策を行う．経口摂取が不十分な場合は，必要な栄養量が補給できるよう代替栄養法を検討する．

- コミュニケーション障害がある場合は，障害に応じた代替手段を工夫し，意思疎通が円滑にできるよう支援する．

患者・家族への心理社会的問題への支援
- 疾患，症状，今後の見通しなどについて，患者・家族に適時，情報提供を行い，不安の緩和を図る．
- 障害の受容までには現実に対する否認など，様々な心理が働くので，患者・家族の気持ちに寄り添い，つらさを受け止める姿勢が重要となる．
- 障害の程度，患者・家族の生活力量（家族という集団が健康に生活する能力）に配慮し，活用しうる社会資源についての情報提供や，退院・転院に向けての連携支援などを行う．

退院指導・療養指導
- 患者・家族が安心して退院後の生活を送れるよう，社会資源の活用や医療連携ができるよう調整する．
- 患者のセルフケア能力を高め，安全に過ごせるための環境変更，補助具，医療器具などの購入・貸与について助言する．
- 継続して医療処置が必要な場合は，患者・家族に方法，留意点について指導する．
- 自宅にこもりがちになると，抑うつを生じたり，活動量が低下して廃用症候群が進行する危険性があるため，外出（散歩，デイサービスの利用など），他者との交流などを意識して行うよう促す．

STEP❶ アセスメント ▶ **STEP❷ 看護課題の明確化** ▶ **STEP❸ 計画** ▶ **STEP❹ 実施** ▶ **STEP❺ 評価**

評価のポイント
看護目標に対する達成度
- 生命危機は回避されているか．
- 残存機能を発揮して，セルフケアができるようになっているか．
- 転倒・転落していないか．
- 嚥下障害が改善しているか．
- 必要な栄養が補給できているか．
- 誤嚥と誤嚥リスクが回避できているか．
- 褥瘡ができていないか．
- コミュニケーションは円滑にとれているか．
- 関節拘縮，筋力低下を生じていないか．
- 感染徴候はないか．
- 患者・家族が疾患，障害，介護などに対して不安が軽減したと表現できているか．

60 運動麻痺・運動失調

第8章 筋・骨格系

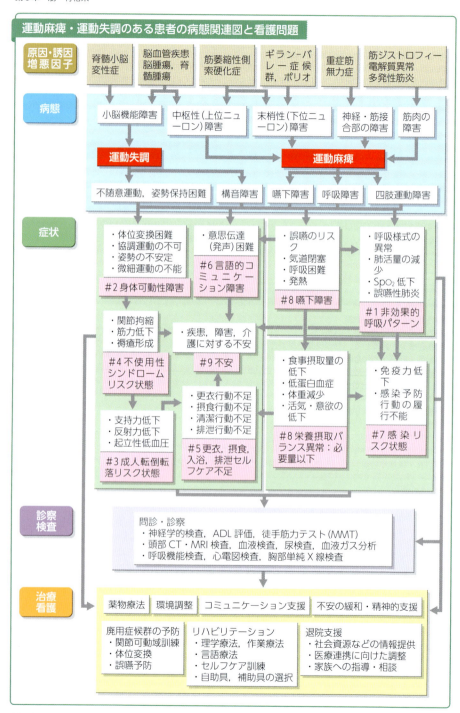

61 筋萎縮

桑原　宏哉・横田　隆徳

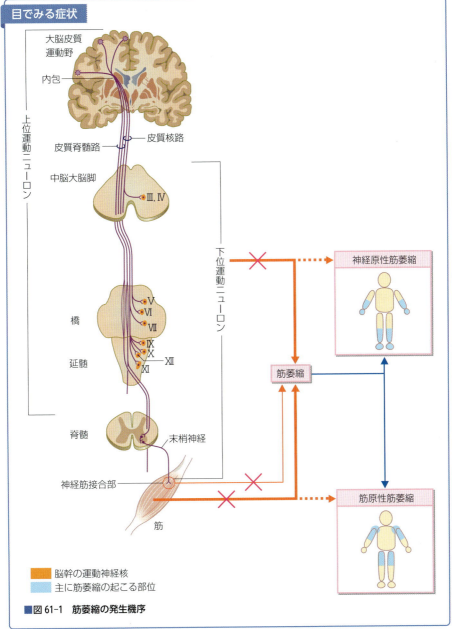

■ 図 61-1　筋萎縮の発生機序

第8章　筋・骨格系

病態生理

筋萎縮とは，いったん正常に発達した筋肉の容積が減少する状態のことである．萎縮した筋肉はふくらみを失った平坦な状態として観察され，筋肉特有の緊張（筋トーヌス）が低下するために触ると小さく柔らかく感じられ，力を入れても硬くならない．

- 筋萎縮は，脳から筋肉への運動の指令が伝わる経路に障害が起きることで出現する．つまり，①上位（一次）運動ニューロン〔大脳皮質の一次運動野（中心前回）から指令を伝える神経細胞〕，②下位（二次）運動ニューロン（上位運動ニューロンに引き続き，脳幹の運動神経核や脊髄前角細胞から指令を伝える神経細胞），③神経筋接合部，④筋肉のいずれの経路に障害があっても筋萎縮が起こりうる．これらのうち病的な萎縮を呈するのは，②の障害（神経原性筋萎縮とも呼ぶ），または④の障害（筋原性筋萎縮とも呼ぶ）の場合が多い（図61-1）．
- 一般に，下位運動ニューロン障害では遠位筋（手部，足部，前腕，下腿）優位の筋萎縮（図61-2）を，筋肉そのものの障害では近位筋（肩・股関節周囲，上腕，大腿）優位の筋萎縮を呈する．
- 長期間の臥床（廃用性）や加齢などによる筋容積の減少も，広い意味で筋萎縮と呼ばれる．

患者の訴え方

通常は筋萎縮のみを訴えることは少なく，筋力低下に伴う症状として訴えることが多い．本人は筋萎縮に気づかず，たまたま他人に指摘されて受診する場合も多い．軽度の筋萎縮の場合は，注意して観察することで初めてわかる場合もある．

- **主症状の訴え**
- 四肢筋：力が弱くなった，手や足が細くなった．
- 上肢筋：物を持ち上げるのが難しくなった，手指を使った細かい動作がしにくくなった．
- 下肢筋：立ち上がるのが難しくなった，走りにくくなった．
- 舌・咽喉頭筋：ろれつが回らなくなった，むせるようになった．
- 全身：体重が減った，疲れやすくなった，など．
- **随伴症状**
- 障害部位や原因疾患により様々な症状を訴える（表61-1，2）．筋肉が勝手にピクピクする（下位運動ニューロンの障害による筋線維束れん縮），筋肉が痛い（筋炎），しびれ・感覚が鈍い（感覚神経の障害を伴う場合），尿失禁や排尿困難，便秘，下痢（脊髄障害による膀胱直腸障害），皮膚症状〔発疹，色素沈着，色調の変化（レイノー現象）〕，知能障害など．

診断

まず，問診により症状の出現した経過や既往歴（外傷の有無を含める），家族歴の確認を行うことが重要である．

- 筋萎縮のみられる部位や随伴症状により障害部位（下位運動ニューロンや筋肉など）を推測し，血液検査や神経生理検査（末梢神経伝導検査や筋電図など），画像検査，神経・筋生検，遺伝子検査などにより鑑別を進める（図61-3）．

1050

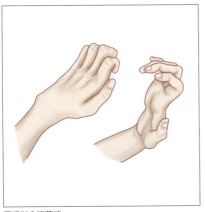
両手指の筋萎縮

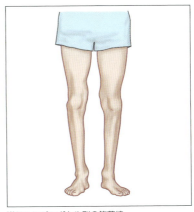
逆シャンペンボトル型の筋萎縮

■図 61-2　様々な筋萎縮のタイプ

■表 61-1　筋萎縮の原因または考えられる疾患(赤字は緊急対応を要する疾患)

障害部位	筋萎縮の分布	代表疾患
下位運動ニューロン	一般に遠位筋優位	筋萎縮性側索硬化症(ALS)
		球脊髄性筋萎縮症(BSMA)：近位筋優位の萎縮
		頸椎症
		脊髄腫瘍，炎症，外傷
		糖尿病性ニューロパチー
		シャルコー-マリー-トゥース病
		圧迫(手根管症候群，橈骨神経麻痺など)
		ギラン-バレー症候群(GBS)
		慢性炎症性脱髄性多発根ニューロパチー(CIDP)
神経筋接合部	まれ	重症筋無力症
筋肉	一般に近位筋優位	進行性筋ジストロフィー
		筋強直性ジストロフィー：顔面，頭頸部優位の萎縮
		先天性ミオパチー
		遠位型ミオパチー：遠位筋優位の萎縮
		多発性筋炎，皮膚筋炎
		ミトコンドリア脳筋症
		代謝・内分泌性ミオパチー(糖尿病など)
		薬剤性ミオパチー(ステロイド剤など)
その他	下肢に多い	長期間の臥床(廃用性)
	全身	加齢

61 筋萎縮

1051

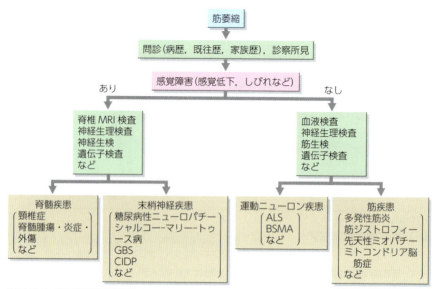

■図61-3 筋萎縮の診断の進め方

■表61-2 筋萎縮の随伴症状と考えられる疾患(赤字は緊急対応を要する疾患)

随伴症状	考えられる疾患
筋線維束れん縮	筋萎縮性側索硬化症(ALS)
筋線維束れん縮,女性化乳房,手指振戦	球脊髄性筋萎縮症(BSMA)
肩の痛み・凝り,しびれ,感覚低下,痙性歩行,膀胱直腸障害	頸椎症,脊髄腫瘍・炎症・外傷
しびれ,感覚低下,起立性低血圧,膀胱直腸障害,発汗障害,インポテンス	糖尿病性ニューロパチー
足の変形(凹足),下肢の感覚障害	シャルコー-マリー-トゥース病
手のしびれ,放散痛	圧迫(手根管症候群,橈骨神経麻痺など)
顔面神経麻痺,しびれ,感覚低下	ギラン-バレー症候群(GBS)
しびれ,感覚低下	慢性炎症性脱髄性多発根ニューロパチー(CIDP)
下腿筋の仮性肥大,知能障害	進行性筋ジストロフィー
斧状顔貌,ミオトニア(力が抜きにくい),前頭部脱毛,知能障害,白内障,不整脈	筋強直性ジストロフィー
高口蓋,側彎,きゃしゃな体つき	先天性ミオパチー
筋痛,関節痛,発熱,皮膚症状(紅斑,レイノー現象など)	多発性筋炎・皮膚筋炎
反復する嘔吐・頭痛の発作,けいれん発作,難聴,知能障害,眼瞼下垂,外眼筋麻痺,不整脈,皮膚症状(多毛,無汗症)	ミトコンドリア脳筋症
褥瘡	長期間の臥床(廃用性)など

治療法・対症療法

原因疾患に対する治療を行うことが中心となる．筋萎縮そのものに対してはリハビリテーションにより筋力の維持や拘縮の予防を期待することができる．

●治療方針
- 免疫介在性の末梢神経障害や筋炎では，ステロイド剤や免疫グロブリン大量静注療法，血漿交換療法，免疫抑制薬といった免疫治療の適応となる．
- 頸椎症や脊髄腫瘍，圧迫による末梢神経障害などでは手術適応となる場合がある．
- 治療法の確立していない疾患〔筋萎縮性側索硬化症（ALS），球脊髄性筋萎縮症（BSMA）などのいわゆる難病〕では，病気の進行を抑える治療が中心となる．

●薬物療法

Px 処方例 筋萎縮性側索硬化症の場合
- リルテック錠（50 mg）　1回1錠　1日2回　朝夕食前　←神経細胞保護薬
- ラジカット内用懸濁液（2.1％）　1回5 mL　1日1回　←神経細胞保護薬

Px 処方例 多発性筋炎の場合
- プレドニン錠（5 mg）　1回6～10錠　朝食後　←抗炎症薬
- プレドニン錠（5 mg）　1回3～5錠　昼食後　←抗炎症薬

Px 処方例 球脊髄性筋萎縮症の場合
- リュープリン SR 注射用（11.25 mg）　12週に1回皮下投与　←性ホルモン産生抑制薬

■表61-3　筋萎縮の主な治療薬

分類	一般名	主な商品名	薬の効くメカニズム	主な副作用
筋萎縮性側索硬化症用薬	リルゾール	リルテック	興奮性アミノ酸のグルタミン酸による毒性を抑制し，神経細胞保護作用を発揮する	肝機能異常，悪心，めまいなど
	エダラボン	ラジカット	フリーラジカルを消失することで神経細胞を保護する	腎不全，肝機能障害など
副腎皮質ホルモン製剤	プレドニゾロン	プレドニン	抗炎症作用，免疫抑制作用など	感染症，消化管障害，精神障害，骨粗鬆症など
球脊髄性筋萎縮症薬	リュープロレリン酢酸塩	リュープリン	下垂体における性ホルモンの産生を抑制する	ほてり，便秘，体重増加，関節痛など

筋萎縮の病期・病態・重症度別にみた治療フローチャート

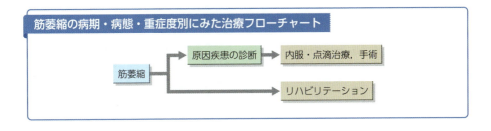

筋萎縮のある患者の看護

大木 正隆

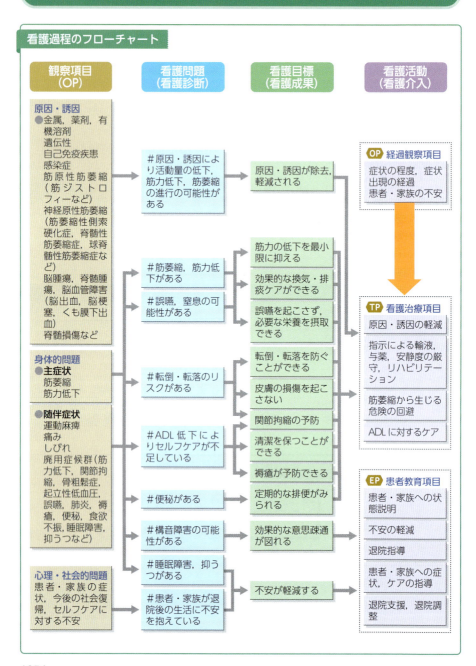

基本的な考え方

●筋萎縮には，主に筋原性筋萎縮（筋線維の変性，壊死，崩壊），神経原性筋萎縮（主に下位運動ニューロンの障害），廃用性筋萎縮（脳血管障害などによる中枢性麻痺や長期臥床によって筋肉を長期間使用しないために発生）がある．筋肉の容積が減少すると，同時に筋力低下もみられることが多い．原因によって，筋力の回復が期待できる状態から筋力の維持が難しい疾患もあるため，疾患に応じた身体的ケア，精神的ケアが必要となる．

緊急 筋原性筋萎縮，神経原性筋萎縮の原因疾患によっては，個人差があるものの進行が早いこともあり，早期の介入が必要になる．また廃用性筋萎縮は，早期のリハビリテーションが有効であることが多いため，迅速な対応が必要である．

STEP ① アセスメント ▶ STEP ② 看護課題の明確化 ▶ STEP ③ 計画 ▶ STEP ④ 実施 ▶ STEP ⑤ 評価

情報収集	アセスメントの視点と根拠・起こりうる看護問題
病歴の把握	**患者・家族から症状出現の経過，症状の変化を聞くことで，原因・誘因の特定や全身状態の把握につながり，治療や看護ケアにも重要な情報を得ることができる．**
誘因	●金属（有機水銀，ヒ素，鉛など），有機溶剤（ノルマルヘキサンなど）との関係 原因・誘因 末梢神経障害による運動障害 **緊急** 中毒性ニューロパチー
	●服薬（抗結核薬，抗がん剤など）との関係 原因・誘因 末梢神経障害による運動障害 **緊急** 中毒性ニューロパチー
	●有機リン剤との関係 原因・誘因 **緊急** 神経筋接合部の障害による全身の筋力低下
	●周囲の環境との関係：有機溶剤，化学薬品などの存在，新築建物への転居の有無
家族歴	●家族の病歴，遺伝性疾患との関係 原因・誘因 進行性筋ジストロフィーなど，家族性筋萎縮性側索硬化症，遺伝性ニューロパチー（シャルコー-マリー-トゥース病など）
随伴症状	●運動麻痺，感覚障害
	●廃用症候群：筋力低下，末梢循環不全や関節拘縮に伴う四肢のだるさや痛み，骨粗鬆（そしょう）症，起立性低血圧，誤嚥，肺炎，褥瘡，便秘，腹部膨満感，食欲不振，睡眠障害，抑うつ
生活歴	●食事の内容，回数，量，むせの有無
	●睡眠状況
	●排便の間隔，量，性状
	●皮膚トラブルの有無
	●1日の活動量，活動時間
	●転倒・転落の有無
	●ストレスの有無
	●仕事上の問題の有無
既往歴	●感染症，自己免疫疾患，筋原性筋萎縮 ➡筋ジストロフィーなど，神経原性筋萎縮 ➡筋萎縮性側索硬化症，脊髄性筋萎縮症，球脊髄性筋萎縮症など
	●脳腫瘍，脊髄腫瘍，脳血管障害（脳出血，脳梗塞，くも膜下出血），脊髄損傷などの既往
	●がん化学療法などの副作用（しびれ）からくる活動性の低下，筋萎縮を考える．
	●糖尿病 原因・誘因 糖尿病性ニューロパチーからの運動障害を考える．
嗜好品，常用薬	●アルコール摂取の程度 原因・誘因 アルコール性末梢神経障害から手足の末梢にしびれ，痛み，脱力，筋萎縮の可能性を考える．
	●薬物（ステロイド薬など）の服用
職業歴	●有機溶剤，化学薬品などを使用する特殊環境下での仕事
	●仕事での身体負担の程度
その他	●ビタミン欠乏 原因・誘因 ビタミン欠乏から起こるニューロパチーによる，しびれ，筋力低下，筋萎縮を考える．

61 筋萎縮

1055

第8章 筋・骨格系

主要症状の出現状況，程度の把握	▌症状の出現状況や程度を把握することで，原疾患の特定につながる情報が得られる．
経過，遺伝性	●いつから，どのくらい続いているか．
	●急激に四肢筋力の低下が始まったか，前駆症状（発症1～2週間前の軽い上気道炎症や下痢など）の有無　`原因・誘因`　`緊急` **ギラン-バレー症候群**
	●筋原性筋萎縮
	・次第に筋肉の萎縮が進行し全身が動かなくなる．腓腹筋の仮性肥大，伴性劣性遺伝　`小児`　`原因・誘因` **デュシェンヌ型筋ジストロフィー**
	・デュシェンヌ型筋ジストロフィーと比べて非定型的な症状と緩慢な経過をたどる．腓腹筋の仮性肥大が著明，有痛性こむら返りがみられる，伴性劣性遺伝　`小児, 思春期`　`原因・誘因` **ベッカー型筋ジストロフィー**
	・常染色体劣性遺伝，体幹近位の四肢筋の筋力低下と筋萎縮，仮性肥大は軽度　`小児～成人`　`原因・誘因` **肢帯型筋ジストロフィー**
	・常染色体優性遺伝，緩徐に進行，停止性のこともあり．顔面諸筋，肩甲帯筋および上腕筋が侵される　`思春期`　`原因・誘因` **顔面肩甲上腕型筋ジストロフィー**
	・遠位部優位の筋力低下，ミオトニア（手を開きづらい），常染色体優性遺伝　`原因・誘因` **筋強直性ジストロフィー**
	●神経原性筋萎縮
	・手指の使いにくさ，しゃべりにくさ，食べ物の飲み込みにくさ．呼吸筋麻痺，球麻痺　`原因・誘因` **筋萎縮性側索硬化症，家族性筋萎縮性側索硬化症**
筋原性筋萎縮の随伴症状	●近位筋の脱力，筋萎縮，筋痛，膠原病との重複．合併症として，間質性肺炎　`原因・誘因` **多発性筋炎**
	●眼の周囲のヘリオトロープ疹，手背皮膚の紅斑，腫脹，筋病理所見において筋組織内血管炎と筋束周囲の著明な筋線維の萎縮　`原因・誘因` **皮膚筋炎**
	●筋生検において，筋の炎症性細胞浸潤に加え，縁どりされた筋線維内の空胞，封入体を認める　`原因・誘因` **封入体筋炎**
神経原性筋萎縮の随伴症状	●手首手掌側で正中神経が物理的に圧迫され，しびれ，母指球筋の筋萎縮を認める　`原因・誘因` **手根管症候群（単ニューロパチー）**
	●糖尿病　`原因・誘因` **糖尿病性ニューロパチー**
	●上肢の部分的筋萎縮，感覚障害，下肢の痙性　`原因・誘因` **変形性頸椎症（圧迫性ミエロパチー）**
	●脊髄腫瘍，奇形，癒着，出血が原因で脊髄の中心部に空洞（脳脊髄液貯留）ができ，脊髄を内側から圧迫することで神経症状が出現
全身状態，随伴症状の把握	▌症状出現の経過の把握とともに，筋萎縮や他の症状の有無，随伴症状を観察し，治療，看護計画の立案に有効に反映する．
バイタルサイン	●体温 ➡炎症や感染症を鑑別する．
	●血圧，脈拍・リズム ➡循環器疾患を鑑別する．
	●呼吸状態　`原因・誘因` 呼吸筋の障害を把握する．
全身状態	●表情（表情筋の異常の有無）
	●姿勢，歩行状態：自力歩行，ふらつき，すくみ足の有無
	●歩行，運動障害などの日内変動の有無　`原因・誘因` **パーキンソン病，重症筋無力症**
	●疼痛の有無
	●不快感の有無
	●精神的いらだち，不眠
	●生活行動範囲の縮小
	●微細な作業の操作困難の有無
	●外傷，転倒，褥瘡の有無
	●脚気の程度

1056

服薬 筋力の評価 上肢，下肢の筋 の弛緩，筋トー ヌスの状態	●球麻痺症状(嚥下障害，咀しゃく障害，構音障害)の有無 ●呼吸筋麻痺症状の有無 ●服用中の薬と服薬状況の確認 ●徒手筋力テストの評価 ●筋の弛緩の有無 [原因・誘因] 筋原性筋萎縮，神経原性筋萎縮 ●筋トーヌス(筋緊張)の亢進の有無 ●筋の痙直(痙縮)の有無 ●筋の固縮の有無 🔍 起こりうる看護問題：転倒・転落のリスクがある／ADL低下によりセルフケアが 不足している／患者・家族が退院後の生活に不安を抱えている
患者・家族の心 理・社会的側面 の把握	**筋萎縮による患者・家族の心理・社会的側面に関する情報を得ることで，看護計画 の立案に有効に反映させる.** ●家族構成 ●キーパーソン ●患者と家族の人間関係 ●家族の健康状態 ●家族の時間的余裕 ●介護保険などの利用の有無 ●家族への協力者の有無(親戚，近隣住民など) ●疾患の説明に対する患者・家族の反応 ●医療に対する患者・家族の希望 ●自宅退院・転院に対する患者・家族の受け止め方 🔍 起こりうる看護問題：患者・家族が退院後の生活に不安を抱えている

STEP❶ アセスメント　STEP❷ 看護課題の明確化　STEP❸ 計画　STEP❹ 実施　STEP❺ 評価

61

筋萎縮

看護問題リスト

#1　筋萎縮，筋力低下がある(活動-運動パターン)
#2　転倒・転落のリスクがある(健康知覚-健康管理パターン)
#3　ADL低下によりセルフケアが不足している(活動-運動パターン)
#4　患者・家族が退院後の生活に不安を抱えている(自己知覚パターン)

看護問題の優先度の指針

●球麻痺，呼吸筋麻痺の症状によりガス交換に障害がある場合には早急に対応する.
●筋萎縮の病因を除去，軽減する. 筋萎縮の進行を軽減させるために状況に応じたリハビリテーション
　を行い筋の維持に努める.
●身体の影響として活動性が制限されるため，転倒・転落のリスクに対する危険の回避を早期に行う.
　またADL(移動，食事，清潔，排泄)を自力で行うことが困難となるため，並行してセルフケアを支
　援する.
●患者・家族の不安の解消に努める.

1057

第 8 章　筋・骨格系

| STEP ❶ アセスメント | STEP ❷ 看護課題の明確化 | STEP ❸ 計画 | STEP ❹ 実施 | STEP ❺ 評価 |

1 看護問題 ／ 看護診断 ／ 看護目標（看護成果）

看護問題	看護診断	看護目標（看護成果）
#1　筋萎縮，筋力低下がある	**身体可動性障害** **関連因子**：関節の硬直，筋肉量の不足，筋力の低下 **診断指標** □歩き方の変化 □姿勢が不安定 □寝返りが困難	〈**長期目標**〉1) 筋力の低下を最小限に抑える。2) 廃用性筋萎縮，拘縮を防止できる。3) 誤嚥性肺炎を起こさない。4) 必要な栄養を摂取できる 〈**短期目標**〉呼吸状態に注意しながら，現在のセルフケアレベルの低下を最小限に抑えることができる

看護計画 ／ 介入のポイントと根拠

OP 経過観察項目
- 表情（表情筋の異常の有無），訴え
- 呼吸状態

  ➡ **根拠** 呼吸の異常は，労作性の息切れによるものや，筋萎縮性側索硬化症などによる呼吸筋の障害が原因のこともある
  ➡ いつもと同じ活動量にもかかわらず，呼吸状態の変化がみられる場合はドクターコールをする

- 血液ガス検査：動脈血の pH，酸素分圧（PaO_2），二酸化炭素分圧（$PaCO_2$）など
- 唾液，痰の性状，量，自己喀痰喀出の有無
- 食事の内容，回数，量，むせの有無
- 球麻痺症状（構音障害，嚥下障害）の有無
- 筋力の弱さ
- 全身の運動障害，麻痺の程度
- 疼痛の有無
- 不快感の有無
- 疲れやすさ，不眠
- いらだち

  ➡ **根拠** 痰の吸引の必要性を判断できる
  ➡ **根拠** 筋萎縮により球麻痺症状がみられると，食事時間の延長，食事摂取量の減少の可能性がある
  ➡ **根拠** 筋萎縮の随伴症状として，運動麻痺や痛み，しびれがあり，ADL に影響を及ぼすことがある
  ➡ **根拠** リハビリテーションの量，内容の目安となる

TP 看護治療項目
- 安楽な体位を工夫する
- 食事形態を工夫する（きざみ食，とろみをつけるなどの工夫．ぱさぱさした食べ物を避ける）
- 誤嚥しにくい姿勢を確保する（ベッドアップ，頸部の前屈を保つなど）
- 適切な自助具を用意する
- 痛み，しびれに対して，温罨法，冷罨法，マッサージなどを試みる
- 医師の指示による輸液，薬剤を確実に投与する
- 安静度に基づき，症状に合ったリハビリテーションを行う
  ・呼吸筋のリハビリテーション

  ・嚥下体操，アイスマッサージなどの嚥下運動をスムーズにするリハビリテーション
  ・全身の関節可動域の屈伸運動，運動機能の低下予防のためのリハビリテーション
- 気分転換の方法を探る

  ➡ **根拠** 食事形態を工夫することで，誤嚥，窒息を予防できる

  ➡ **根拠** 温罨法，冷罨法，マッサージにより，しびれや痛みの軽減が期待できる

  ➡ **根拠** 呼吸筋のリハビリテーションは，気道浄化作用が期待でき，感染などの予防につながる
  ➡ **根拠** 誤嚥防止，誤嚥性肺炎の予防につながる

  ➡ **根拠** 関節拘縮の予防，筋力低下の予防になる．関節拘縮になると動作時に痛みを伴うため，ADL 低下，リハビリテーションへの意欲の減退につながる可能性がある

EP 患者教育項目
- 息苦しさや疲労感が強い場合には，速やかに医療者に報告するように指導する

- 患者に適したリハビリテーションの必要性について説明する
- 疾患の特徴について説明し，過度な活動を控える，疲労を感じた場合は筋肉を十分に休ませるよう指導する

➡患者・家族の理解を得る 根拠 説明することにより，リハビリテーションを受け入れることが期待できる

2 看護問題	看護診断	看護目標（看護成果）
#2 転倒・転落のリスクがある	成人転倒転落リスク状態 危険因子：不慣れな環境，身体可動性障害，睡眠障害，下肢筋力低下	〈長期目標〉 1) 転倒・転落を防ぐことができる．2) 皮膚の損傷を起こさない 〈短期目標〉 転倒・転落，身体の損傷を予防するための安全行動が理解できる

看護計画

OP 経過観察項目
- 視力，聴力，平衡感覚の低下の有無
- 反応速度の低下の有無
- 姿勢・歩行状態：自力歩行，ふらつき，すくみ足の有無
- 1日の活動量

- 疼痛，しびれの有無
- 活気，精神状態
- 夜間の睡眠状況
- 使用中の薬剤の服薬状況
- 外傷，転倒・転落経験の有無

TP 看護治療項目
- 医師，リハビリテーション室と情報交換をしながら，筋力，バランスの評価，病棟で可能なリハビリテーションを実施する
- 医師と連携をとりながら，使用中の薬剤が転倒・転落のリスクを招いていないか評価する
- 患者の状態に応じた環境整備を実施する
  - 適切な補助具（杖や歩行器など），履き物の選定とその置き場所をあらかじめ決めておく
  - ベッド柵の使用，ベッドの高さなどの調整
  - ポータブルトイレの使用
  - ベッドの周囲を患者とともに整理整頓する

EP 患者教育項目
- 患者の状態に応じて，夜間などベッドから離れる時には，ナースコールするよう指導する
- 指示された安静度を説明し，患者・家族に転倒・転落のリスクを知らせる

介入のポイントと根拠

➡ 根拠 高齢者 加齢とともに視力，聴力，平衡感覚，反応速度の低下がみられ，転倒・転落のリスクが高まる

➡ 根拠 自力の行動を日内変動や活動量も考慮しながら観察することで，転倒・転落予防に努める

➡ 根拠 疼痛，しびれが転倒・転落の原因になる可能性がある

➡ 根拠 薬剤の種類や量によって，ふらつきや転倒・転落の原因となることがある

➡ 根拠 病棟とリハビリテーション部門間でリハビリテーションの内容に違いがあると患者が混乱することがある

➡ 根拠 夜間の暗闇で補助具や履き物を探す動作をなくすことで，転倒・転落のリスクを抑える

➡ 根拠 高齢者 頻尿になるケースが多く，突然の排尿の欲求から失禁の不安が生じ，転倒・転落リスクが高まることがある

➡ 根拠 転倒・転落の起こりやすい時間帯は夜間である

➡ 根拠 患者・家族に転倒・転落に関心をもってもらう

61

筋萎縮

第8章　筋・骨格系

3 看護問題	看護診断	看護目標（看護成果）
#3　ADL低下によりセルフケアが不足している	**入浴セルフケア不足** **関連因子**：脱力，疼痛 **関連する状態**：筋骨格疾患，神経筋疾患 **診断指標** □体を洗うことが困難 □体を拭くことが困難 □入浴に必要な物をまとめるのが困難 □浴室までの移動が困難	〈**長期目標**〉1) 身体の清潔を保つことができる．2) スキントラブル（褥瘡など）が起きない 〈**短期目標**〉1) 定期的に清潔ケアを行うことができる．2) 清潔ケアによって爽快感，気分転換を図ることができる

看護計画	介入のポイントと根拠
OP 経過観察項目 ●バイタルサイン ●患者からの訴え（皮膚の瘙痒，痛みなど） ●皮膚の状態（発赤，腫脹，褥瘡，皮膚の脱落など） ●入院前の清潔ケアの方法，頻度，介助の程度 ●入浴動作に必要なADLの状況 ●感覚障害の有無 **TP** 看護治療項目 ●皮膚の状態に合わせて，刺激の少ない石けんなどを使用する ●患者自身のセルフケア能力を十分活用できるようにセルフケアの援助を行う ●浴室はすべりやすいため，転倒には十分注意して援助を行う ●病室で清拭などを行う場合には，室温，プライバシーの確保に努める ●必要に応じて，入浴時・入浴後に関節可動域の屈伸運動を行う **EP** 患者教育項目 ●感覚障害がある場合は，湯温調節の方法など個別に指導する ●食事直前・直後の入浴，長時間の入浴は避けるよう指導する ●入浴後は十分な水分補給をするよう指導する	➡ **根拠** 清潔の援助は，患者の身体的負担を伴うため，清潔ケアの実施が可能かどうかの判断を行う ➡ **根拠** できる限り入院前の清潔ケアに合わせることで，清潔への満足感を得られるようにする ➡ **根拠** 皮膚炎を予防する ➡ **根拠** 現在ある身体機能を活用することは，関節拘縮や廃用性筋萎縮の予防につながる ➡ **根拠** 身体が温められることによって筋緊張が緩和される ➡ **根拠** 熱傷を回避する ➡ **根拠** 脱水の予防に努める

4 看護問題	看護診断	看護目標（看護成果）
#4　患者・家族が退院後の生活に不安を抱えている	**不安** **関連因子**：満たされないニーズ，ストレッサー（ストレス要因），人生の目標への葛藤，価値観の対立 **診断指標** □不眠 □不安定な気持ち □混乱 □思考の遮断を訴える	〈**長期目標**〉患者・家族が不安なく退院することができる 〈**短期目標**〉1) 不安を言葉に出して表現できる．2) 具体的な解決策を検討，準備できる

看護計画	介入のポイントと根拠
OP 経過観察項目 ● 医師からの患者・家族への症状, 疾患の説明内容 ● 活気, 精神状態 ● 不眠の有無 ● 焦燥感の有無 ● 不安, 心配事の訴え ● 疾患, 症状, 治療に対する質問の有無 ● 家族構成, 関係 ● 住環境	⇒ 難病などの疾患の告知, 予後告知の内容によっては, エンド・オブ・ライフケアを意識し, 適切な精神的ケアを実施する ⇒ 非言語的表現をとらえる　**根拠**　漠然とした不安は言語的表現が難しい ⇒ **根拠**　退院後の生活をスムーズに迎えるためには, 入院前に退院後の生活に関する情報収集が必要となる
TP 看護治療項目 ● 不安が表出できるよう十分に傾聴する ● 退院後の不安について, 患者だけでなく必要時は家族にも面接する時間をとり, 十分に傾聴する ● 経済的な問題がある場合には, 退院調整看護師, 医療ソーシャルワーカー (MSW) らと連携する ● 退院後, 必要となるサービスがスムーズに受けられるように患者・家族の意向を尊重しながら, 必要な情報提供を行う ● 患者・家族, 退院調整看護師, MSW らと連携し, 退院準備を行う (介護保険の申請, 身体障害者手帳の申請手続きなど) ● 必要時は, 退院前に多職種間 (医師, 病棟看護師, 訪問看護師など) のカンファレンスに患者が参加できる場を設け, 不安を軽減し, 安心して退院できるようにする	⇒ 支援的態度で接する　**根拠**　支援的態度が不安の表出を促す. 医療者側から声かけを行い, 十分に傾聴することで, 不安の原因を特定する ⇒ **根拠**　経済的な問題など, 患者が話しにくい話題には, MSW らとの連携により解決方法を探る ⇒ 相手の不安の表情をみながら, わかりやすく説明する　**根拠**　退院後に必要なサービスについて, 患者・家族の不安と関連づけながら説明することで, 効果的な説明を行う ⇒ 不安の原因を除去する　**根拠**　原因を取り除くことにより, 不安も消失する ⇒ 質問を積極的に受け入れる　**根拠**　不安を軽減するための対処を促す
EP 患者教育項目 ● 退院後, 転倒, 皮膚の損傷が起こらないように住環境で気になることを表出するよう説明する (必要時, 試験外泊を試みる. 作業療法士 (OT), 理学療法士 (PT) による退院前の自宅訪問による住環境評価) ● 筋萎縮は, 一時的な障害ではなく, 長い経過をたどる場合が多いため, 障害が受容できるように患者・家族の気持ちを受け止め, 精神的サポートを行う ● 筋萎縮の進行状況に応じて, 生命に関わる意思決定を患者・家族が迫られる場面 (胃瘻の造設, 気管切開, 人工呼吸器装着の有無など) では, 意思決定ができるよう必要な情報提供を行い, 支持的態度で接する ● わからないこと, 心配なことがあればいつでも質問するよう伝える	⇒ 退院後は, 転倒などがなく, 安全に生活が送れるように, 必要に応じて手すりの配置, スロープの導入, 杖や車椅子使用などの検討を行う ⇒ **根拠**　障害の受容プロセスに関連した否認, 怒りが予想される ⇒ 患者・家族が重大な意思決定を迫られた場合, 単に情報や選択肢を提示するだけでなく, 関わりの中で何に迷っているのか, 何に不安を感じているのかを明確にしていくことが重要である. 支持的態度で接することで, 患者・家族は不安や迷いを表出し, 意思決定につなげていくことができる

61 筋萎縮

第8章　筋・骨格系

STEP❶ アセスメント　STEP❷ 看護課題の明確化　STEP❸ 計画　STEP❹ 実施　STEP❺ 評価

病期・病態・重症度に応じたケアのポイント

- 筋萎縮は個人差もあるが，筋原性筋萎縮や神経原性筋萎縮の原因によっては進行が早く，早期の治療が必要になることがある．特に末梢神経系障害で生じるギラン-バレー症候群などは，治療開始の遅れが後遺症や予後不良につながるため，積極的に早期治療を行う必要がある．
- 廃用性筋萎縮(脳血管障害などによる中枢性麻痺など)は，早期のリハビリテーションが有効であることが多いため，迅速な対応が必要である．
- 筋萎縮は，難病などの重症度が高く，予後不良の疾患も多い．一時的な障害ではなく，長い経過をたどる場合が多いため，患者・家族の気持ちを受け止め，精神的サポートを行うこと，患者・家族が意思決定できるよう必要な情報提供を行い，支持的態度で接することが重要となる．

看護活動(看護介入)のポイント

診察・治療の介助
- 筋萎縮と随伴症状や経過から，病因を把握する．
- 球麻痺，呼吸筋麻痺の症状によりガス交換に障害がある場合には早急に対応する．
- 指示された輸液，薬物を正確に投与する．

筋萎縮に対する援助
- 筋萎縮の進行を軽減させるために，状況に応じたリハビリテーションを行い機能の維持に努める．
- 身体の影響として活動性が制限されるため，転倒・転落のリスクに対する危険の回避を早期に行う．
- 日常生活動作(移動，食事，清潔，排泄)を自力で行うことが困難となるため，並行してセルフケアを支援する．

退院指導・療養指導

- どのような症状が出現した時に医療機関を受診するか，また連絡をとったらよいか説明する．
- 誤嚥性肺炎，窒息に留意した食事内容について指導する．
- 症状に応じたリハビリテーションの方法について指導する．
- 筋萎縮の程度に応じた安全な移動，歩行方法について説明する．
- セルフケアの援助について，必要時には家族に指導し，退院後無理のない介護ができるようにする．

STEP❶ アセスメント　STEP❷ 看護課題の明確化　STEP❸ 計画　STEP❹ 実施　STEP❺ 評価

評価のポイント

看護目標に対する達成度
- 廃用性筋萎縮，拘縮の進行を予防・緩和できているか．
- 誤嚥性肺炎を起こさず，必要な栄養を摂取できているか．
- 転倒・転落を防ぐことができているか．
- 皮膚の損傷を起こしていないか．
- 身体の清潔を保つことができているか．
- スキントラブル(褥瘡など)を起こしていないか．
- 患者・家族が退院に向けて不安がないか．

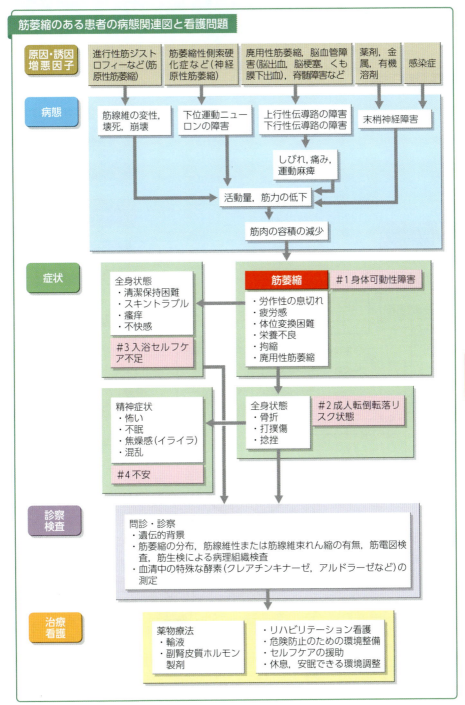

62 不随意運動

小笠原 淳一・神田 隆

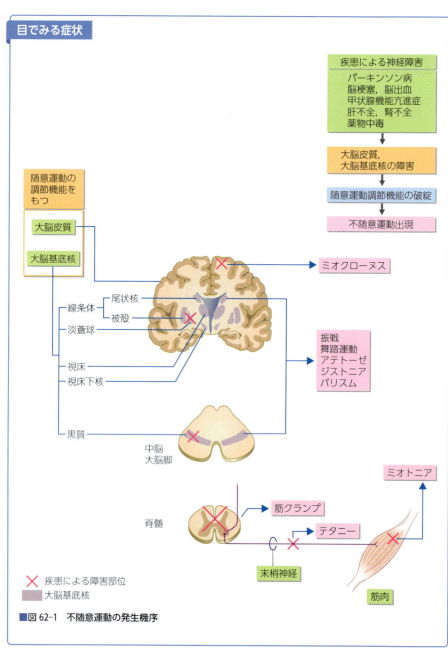

■図 62-1　不随意運動の発生機序

病態生理

不随意運動とは意思によらない非合目的的な運動であり，体の一部もしくは複数の部分に出現する．通常，不随意運動を自由意思により抑制することはできない．意思によらない運動でも，合目的的な運動はこれに含めない．

- 不随意運動は大脳皮質，大脳基底核，脊髄，末梢神経，筋肉など運動発現に携わる多くの神経系の障害が原因部位となり，それぞれで病態が全く異なる．なかでも大脳基底核は運動調節に重要な役割を果たしており，この障害で様々な不随意運動が出現する．
- 大脳基底核は尾状核，被殻，淡蒼球，視床，視床下核，黒質などからなる．
- 主要な不随意運動には，①大脳皮質が原因となるミオクローヌス，②大脳基底核が原因となる振戦，舞踏運動，アテトーゼ，ジストニア，バリスム，③脊髄が原因となる筋クランプ，④末梢神経が原因となるテタニー，⑤筋が原因となるミオトニアなどがある（表62-1）.
- 不随意運動は大脳が原因となる場合を指すことが多く，本項でもこれにならう．

患者の訴え方

不随意運動の症状はその出現部位，種類により実に多彩な訴えとなる．

- **主症状の訴え**
- 不随意運動の出現部位は顔，頸，体幹，四肢，手指などであり，様々な身体部位が訴えの対象になる．
- 運動の性質は，「体が勝手に動く」「けいれんする」「筋肉がぴくぴく動く」「筋肉が突っ張る」「体がねじれる」「震える」「じっとしていられない」「落ち着きがない」などの訴えとなる．
- **随伴症状**
- 原因疾患により種々の随伴症状を伴う．錐体外路疾患の場合，パーキンソニズムを伴うことが多い．また，多くの不随意運動は，その運動の過多を伴うことで筋肉痛，関節痛，発汗，消耗をきたす．持続的な筋収縮を伴う場合は関節，骨格の変形を伴う．また激しい不随意運動に伴い外傷を負うこともある．

62

不随意運動

■表 62-1　不随意運動の特徴

不随意運動	特徴
ミオクローヌス	突然に出現する，急激で持続時間の短い不随意な運動．常同的ではない 安静時に出現するものや感覚刺激で誘発されるものもある
振戦	比較的持続性があり，素早く，常同的で律動性のある反復運動を繰り返す不随意運動 安静時に出現する安静時振戦と，一定の姿勢で出現する姿勢時振戦がある．動作時に出現する場合もある
舞踏運動	不規則で非律動性，非反復性の比較的素早い不随意運動 四肢に出現すると手足をくねらせ，まるで踊っているようにも見える
アテトーゼ	持続的なゆっくりとした不随意運動 一定の姿勢を保つことができず，手足体幹をゆっくりとくねらせるような動きである
ジストニア	持続性の筋収縮をきたし，特定の肢位・姿勢を持続する不随意運動 筋緊張に変化を生じ，ゆっくりと動くこともある．姿勢により症状が変化することもある アテトーゼと区別がつきにくい場合もある
バリスム	急速な激しく素早い運動である．常同的で絶え間ない不随意運動 近位筋に出現することが多く，手足を投げ出すような激しい動きを示す

1065

第8章　筋・骨格系

■表62-2　不随意運動の原因または考えられる疾患

不随意運動	原因疾患
ミオクローヌス	生理的ミオクローヌス：睡眠時ミオクローヌス
	本態性ミオクローヌス：家族性ミオクローヌス
	てんかんに伴うミオクローヌス：持続焦点性てんかん，光過敏性ミオクローヌス，若年性ミオクローヌスてんかん
	症候性ミオクローヌス：クロイツフェルト-ヤコブ病，脳炎，肝不全，腎不全，薬物中毒
振戦	安静時振戦：パーキンソン病
	動作時・姿勢時振戦：生理的振戦，本態性振戦，老人性振戦，甲状腺機能亢進症，ウィルソン病
舞踏運動	一次性：ハンチントン病，老人性舞踏病，妊娠舞踏病
	二次性：シデナム舞踏病，ウィルソン病
アテトーゼ	脳性麻痺後遺症，脳出血，ウィルソン病
ジストニア	痙性斜頸，眼瞼けいれん，書痙
バリスム	脳出血，脳梗塞，糖尿病

診断

不随意運動は症状を観察することにより分類し，診断する．不随意運動が体のどこに出現しているか，運動のパターンが律動的か非律動的か，運動のリズムは規則正しいか不規則か，不随意運動の強さ，振幅，スピードなども分類するための重要な要素となる．

● 姿勢との関連，出現する状況，精神負荷での症状の変化などを考慮し，不随意運動の分類を行う（表62-1，図62-2）．
● 原因・考えられる疾患
● 不随意運動をきたす疾患は表62-2のごとく多岐にわたる．緊急性のある疾患は少ないが，正しく診断できないと適切な治療が行えないため，十分な知識が必要である．
● 鑑別診断のポイント
● 出現している不随意運動の部位・性状を正しく把握し，分類する．
● パーキンソニズムなどの随伴症状があるかどうか．
● 症状の重症度．

治療法・対症療法

不随意運動はそれぞれ病態が異なるため，使用する薬剤も不随意運動ごとにそれぞれ異なる．不適切な投薬は不随意運動の増悪をきたすこともある．まず，不随意運動を正確に分類，診断したのちに正しい薬剤を選択することが重要である．

● 治療方針
● 不随意運動を正確に分類し，正しい薬物を選択する．
● 投薬は少量から開始し，副作用に留意しながら漸増する．
● 原因疾患を検索し，治療介入可能な場合はただちに原因疾患に対する治療を開始する．
● 薬物療法
● 対症療法として，抗てんかん薬，抗パーキンソン病薬，β遮断薬，抗精神病薬，抗不安薬を使用することが多い．
Px 処方例 ミオクローヌス　下記のいずれかを用いる．
● リボトリール錠(0.5 mg)　1回1錠　1日3回　朝昼夕食後　←抗てんかん薬
● デパケンR錠(200 mg)　1回2錠　1日2回　朝夕食後　←抗てんかん薬
● ミオカーム内服液333.3 mg/mL　1回12 mL　1日3回　朝昼夕食後　←ミオクローヌス治療薬

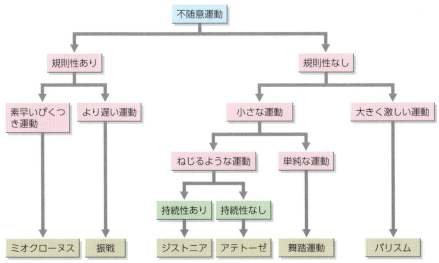

■図 62-2　不随意運動の診断の進め方

> **Px 処方例　振戦：本態性振戦**　下記のいずれか，もしくは併用する．
> ● アロチノロール塩酸塩錠(10 mg)　1回1錠　1日2回　朝夕食後　←β遮断薬
> ● リボトリール錠(0.5 mg)　1回1錠　1日3回　朝昼夕食後　←抗てんかん薬
>
> **Px 処方例　振戦：パーキンソン病**　下記のいずれか，もしくは併用する．
> ● マドパー配合錠　1回1錠　1日3回　朝昼夕食後　←抗パーキンソン病薬
> ● アーテン錠(2 mg)　1回1錠　1日2回　朝夕食後　←抗パーキンソン病薬
>
> **Px 処方例　舞踏運動**　下記のいずれかを用いる．
> ● セレネース錠(0.75 mg)　1回1〜2錠　1日3回　朝昼夕食後　←抗精神病薬
> ● グラマリール錠(50 mg)　1回1錠　1日3回　朝昼夕食後　←抗精神病薬
>
> **Px 処方例　アテトーゼ**　下記のいずれかを用いる．
> ● セルシン錠(5 mg)　1回1〜2錠　1日3回　朝昼夕食後　←抗不安薬
> ● リボトリール錠(0.5 mg)　1回1〜2錠　1日3回　朝昼夕食後　←抗てんかん薬
>
> **Px 処方例　ジストニア**　下記のいずれか，もしくは併用する．
> ● アーテン錠(2 mg)　1回2錠　1日3回　朝昼夕食後　←抗パーキンソン病薬
> ● リボトリール錠(1 mg)　1回1〜2錠　1日3回　朝昼夕食後　←抗てんかん薬
> ● メキシチールカプセル(100 mg)　1回1カプセル　1日3回　朝昼夕食後　←不整脈治療・糖尿病性神経障害治療薬
>
> **Px 処方例　バリスム**　下記のいずれか，もしくは併用する．
> ● セレネース錠(0.75 mg)　1回1〜2錠　1日3回　朝昼夕食後　←抗精神病薬
> ● セルシン錠(5 mg)　1回1〜2錠　1日3回　朝昼夕食後　←抗不安薬

第8章 筋・骨格系

■表62-3 不随意運動の主な治療薬

分類	一般名	主な商品名	薬の効くメカニズム	主な副作用
抗てんかん薬	クロナゼパム	リボトリール	GABA*ニューロンの働きを増強する	眠気，ふらつき，喘鳴など
	バルプロ酸ナトリウム	デパケン	脳内GABA濃度，ドパミン濃度の上昇と，セロトニン代謝の促進	傾眠，眠気，悪心・嘔吐など．重大な副作用として重篤な肝障害（劇症肝炎など）
ミオクローヌス治療薬	ピラセタム	ミオカーム	抗ミオクローヌス作用，抗てんかん作用	下痢，軟便など．連用中の急激な減量ないし中止によるけいれん発作
β遮断薬	アロチノロール塩酸塩	アロチノロール塩酸塩	α・β受容体遮断作用	徐脈，めまい，ふらつきなど
抗パーキンソン病薬	トリヘキシフェニジル塩酸塩	アーテン	コリン作動性神経の機能亢進を抑制	悪性症候群
	（合剤）レボドパ・ベンセラジド塩酸塩	マドパー	血中レボドパ濃度を高め脳内への移行量を増加させる	
抗精神病薬	ハロペリドール	セレネース	ドパミン作動系，ノルアドレナリン作動系に対する抑制作用	
	チアプリド塩酸塩	グラマリール	抗ドパミン作用	
抗不安薬	ジアゼパム	セルシン	脊髄反射を抑制し，筋の過緊張を寛解	眠気，ふらつき
不整脈治療・糖尿病性神経障害治療薬	メキシレチン塩酸塩	メキシチール	神経細胞膜のNa⁺電流を抑制	悪心，腹痛，食欲不振など

＊GABA：γ-アミノ酪酸

不随意運動のある患者の看護

秋山　智

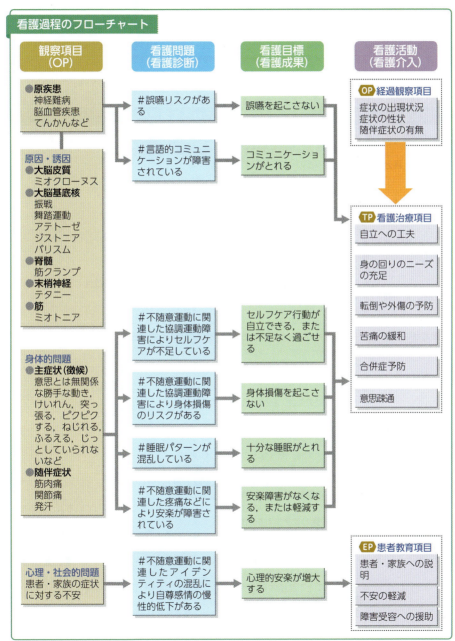

第8章　筋・骨格系

基本的な考え方

● 不随意運動を呈する疾患には神経系の難病が多いため，生涯その症状とつきあわなければならない場合が多い．原因は様々であるが，疾患によって特徴的な動きを呈する．早期にその原因が特定され，適切な治療が行われることが重要である．

● 長期にわたる疾患の管理と，セルフケア能力の維持を図ること，同時に独特の動きである不随意運動に対する心理面のケアも大切である．

緊急 生命に関わるようなものは少ないが，苦痛を感じている患者に対しては，早期に対症療法を行う．また，なかには身体損傷のリスクを伴う動きを呈するものもあるので，注意を要する．

STEP ❶ アセスメント	STEP ❷ 看護課題の明確化	STEP ❸ 計画	STEP ❹ 実施	STEP ❺ 評価

情報収集	アセスメントの視点と根拠・起こりうる看護問題
病歴の把握	**患者・家族から生活歴などを聞くことで，原因・誘因の特定や全身状態の把握につながり，治療や看護ケアにも重要な情報を得ることができる．**
経過	● いつから，どのくらい続いているか． ● 急激に始まったか，前駆症状があったか． ● 出現部位はどこか．
生活歴	● 睡眠状態 ● ストレスの有無 ● 仕事上の問題の有無
既往歴	● 遺伝性疾患の有無，家族歴 ● 出生時の状況 ● 不随意運動出現の有無 ● 高血圧，肝疾患，心疾患，腎疾患，糖尿病，内分泌疾患などの既往
嗜好品，常用薬	● 薬物の服用状況 ● アルコールの摂取状況
主要症状の出現状況，程度の把握	**不随意運動の性状を把握することで患者の苦痛や危険因子の特定につながる情報が得られる．**
症状の性状	● 運動のパターンが律動性か． ● 運動のリズムは規則的か． ● 不随意運動の強さ，振幅，スピード ● 姿勢との関連 ● 出現状況 ● 精神負荷での症状の変化 ● 筋肉痛，関節痛，発汗などの随伴症状の有無
疾患別の動きの性状	● 振戦：律動的に細かくふるえる　**原因・誘因** パーキンソン病など 　・安静時に出現：安静時振戦　**原因・誘因** パーキンソン病 　・一定の姿勢で出現：姿勢時振戦 ● 舞踏運動：不規則で目的のない非対称性の運動で，あたかも踊っているような動き　**原因・誘因** ハンチントン病など ● アテトーゼ：手足や頭をゆっくりとくねらせるような動き　**原因・誘因** 脳性麻痺後遺症など ● ジストニア：筋肉の緊張の異常によって，異常な姿勢・肢位をとる　**原因・誘因** 痙性斜頸など ● バリスム：上下肢全体を投げ出すような，または振り回すような大きく激しい運動　**原因・誘因** 脳出血，脳梗塞など ● ミオクローヌス：手足，全身のビクッとする素早い動き　**原因・誘因** てんかんなど

1070

- **緊急** てんかんの大発作，脳血管障害の急性期
- 🔍 **起こりうる看護問題**：安楽が障害されている／セルフケアが不足している／身体損傷のリスクがある／アイデンティティ混乱により自尊感情の慢性的低下がある／誤嚥リスクがある／言語的コミュニケーションが障害されている／睡眠パターンが混乱している

てんかん大発作への緊急対応

- てんかんは，厳密には「不随意運動」とは別項目で論ずるべき内容だが，関連事項としてここに取りあげる．てんかん発作には，焦点起始発作と全般起始発作がある．それぞれ多種多様な種類があるが，ここでは，強直間代(かんたい)発作など意識消失を伴う大きな発作の緊急対応を述べる．
- 発作が起こったら転倒する前に体を横にして側臥位をとらせ，ベルトや衣類の緊縛などをゆるめる．
- 気道確保を行う．上顎を挙上し，顔を横に向ける．必要に応じて吸引する．
- 舌や口唇をかんでいる場合は，下顎を引いてバイトブロックや舌圧子を口に挿入して保護する．なければ丸めたガーゼなどを代用する．かんでいなければ，無理に入れる必要はない．
- 医師の指示により，血管確保，薬物投与，酸素投与などを行う．
- 嘔吐により，吐物が気道に入り込み，誤嚥を起こすことがある．誤嚥による気道閉塞を起こさないよう，嘔吐時はすぐに顔を横に向け，おさまったら口腔内の吐物を除去する．
- 発作時は無理に押さえつけない．けいれんで頭部を床に打ち付けたりしないように，柔らかいもので保護する．また周囲に危険なものがないようにする．
- 嘔吐による口腔内の汚れ，または衣服・寝具の汚染やにおいは安楽を妨げるので，すぐに片づけて清潔を保つ．
- 騒音(ドアの開閉音や人の声など)や振動，光の刺激などが再発作を誘発することがあるので，環境に留意する．
- 発作がおさまった後もしばらくは安静にさせ，意識が清明になるまで注意深く見守る．

患者・家族の心理・社会的側面の把握

- 特に意識がはっきりしている患者の場合，外見的な面で気にしていることが多い．
- 不随意運動に対してストレスになっていることがあれば，それを聞き出すよう努める．
- 🔍 **起こりうる看護問題**：アイデンティティの混乱により自尊感情の慢性的低下がある／疾患予後に対する不安がある

62 不随意運動

STEP ① アセスメント ▶ **STEP ② 看護課題の明確化** ▶ **STEP ③ 計画** ▶ **STEP ④ 実施** ▶ **STEP ⑤ 評価**

看護問題リスト

- #1 不随意運動に関連した疼痛などにより安楽が障害されている(認知-知覚パターン)
- #2 不随意運動に関連した協調運動障害によりセルフケアが不足している(活動-運動パターン)
- #3 不随意運動に関連した協調運動障害により身体損傷のリスクがある(健康知覚-健康管理パターン)
- #4 不随意運動に関連したアイデンティティの混乱により自尊感情の慢性的低下がある(自己知覚パターン)

看護問題の優先度の指針

- 第一に，苦痛がある場合は軽減させる．協調運動障害が強い場合には，セルフケアの不足を補う援助と同時に，身体損傷リスクを予防することが必要である．
- 外見上異常な運動であるために，アイデンティティに混乱が生じている場合は，精神的なケアも必要

第8章　筋・骨格系

である.
- その他, 原因疾患(脳出血, 脳梗塞, てんかんなど)の特性によっては, 誤嚥リスク, 言語的コミュニケーション障害, 睡眠パターン混乱などがみられる場合もあるので, それらに対処する.

| STEP❶ アセスメント | STEP❷ 看護課題の明確化 | STEP❸ 計画 | STEP❹ 実施 | STEP❺ 評価 |

1 看護問題	看護診断	看護目標(看護成果)
#1　不随意運動に関連した疼痛などにより安楽が障害されている	**安楽障害** **関連する状態**:不随意運動に関連した症状 **診断指標** □心理的苦痛を示す □不快感を示す □状況に不安(落ち着かない) □リラックスすることが困難 □睡眠覚醒サイクルの変化	〈長期目標〉1)疼痛など苦痛が軽減され, 安楽になった様子がみられる. 2)自制可能な範囲になる 〈短期目標〉苦痛の訴えが減少し, 気にならなくなったと述べる

看護計画 / 介入のポイントと根拠

OP 経過観察項目
- 不随意運動の部位, 動き方(運動のパターン, リズム, 強さ, 振幅, スピードなど)

　⮕部位は顔, 頸部, 体幹, 四肢, 手指など様々である
　⮕主症状として体が意思に関係なく勝手に動く, けいれんする, 筋肉がピクピク動く, 突っ張る, ねじれる, ふるえるなどがある

- 筋肉痛, 関節痛など
- 不快感(発汗, 熱感など)
- 体力の消耗
- 生理的な指標(不眠, 食欲不振など)
- 情動的な指標(落ち着きがない, リラックスできないなど)

　⮕随伴症状として, 錐体外路症状, 筋肉痛, 関節痛, 発汗, 体力の消耗などがある
　⮕ 根拠 診断が確定していれば, 原因疾患に特有の動きとして, 看護計画につなげることができる. 確定診断していなければ, 症状観察は診断の参考になる

TP 看護治療項目
- 不随意運動を軽減する薬物が処方されていれば, それを確実に投与する
- 苦痛(筋肉痛, 関節痛など)がある場合は, マッサージ, 罨法, 足浴などを行い, 苦痛を緩和する
- 不快感(発汗, 熱感など)がある場合は, 随時清拭, 更衣, 罨法などを実施する
- 必要に応じて, リハビリテーションなどを取り入れる
- 必要に応じて, 安楽な体位をとり, 休息する
- 患者の訴えをよく聞き, 気持ちを受け止め, 心理面をケアする
- 患者が何も希望しない場合は, 様子を見守る

　⮕不随意運動により, 薬を落とすなど確実に服薬できないことがある
　⮕苦痛や不快感について患者と相談しながら対症療法的に緩和するよう努める

　⮕ 根拠 運動と休息を適度なバランスで取り入れることにより, 症状を緩和できる場合がある

　⮕ 根拠 症状に慣れている患者は, 外見ほど苦痛に感じていない場合もある. そのような状態の時にはあえて介入せずにそっと見守る

EP 患者教育項目
- 薬物療法の必要性を説明する
- 対症療法の必要性を説明する
- 運動や休息の必要性を説明する

　⮕ 根拠 治療法や対処法を理解することで前向きに疾患・症状に対処できる

2

看護問題	看護診断	看護目標（看護成果）
#2 不随意運動に関連した協調運動障害によりセルフケアが不足している	セルフケア不足シンドローム **関連因子**：不随意運動による協調運動障害 **診断指標** □摂食，更衣，排泄，入浴に関するセルフケアの不足	〈長期目標〉セルフケア行動が自立できる，または不足なく過ごせる 〈短期目標〉1）身の回りのことが自分でできる．2）できないことはケアの援助を受け，ニーズが満たされたと述べる

看護計画

OP 経過観察項目
- 摂食：できること，できないこと
- 更衣：できること，できないこと
- 排泄：できること，できないこと
- 入浴：できること，できないこと

TP 看護治療項目
- 基本的には，身の回りのことは自分でしてもらう
- できる限り自立できるような工夫を，患者とともに考える
- 必要な補助具を導入する
- できない部分があれば，必要に応じて介助する

EP 患者教育項目
- 自立と介助のバランスについて説明する
- 家族にも同様に説明する

介入のポイントと根拠

- ADL状況を把握する．パーキンソン病では薬のオンオフ現象の差異にも注意する
- ゆっくりでよく，焦らせないようにする
  - **根拠** 脳神経系の疾患が多いので，可能な範囲で自立に向けるのが基本である
- 患者とともに自立できるような方法を考えることが必要．ただし，パーキンソン病など疾患によっては薬の効き方を考慮することも必要である
- 補助具によって自立できることがあるか，理学療法士（PT）や作業療法士（OT）と相談する
- 患者自身でできることには限度があるので，できない部分は患者のニーズを満たすよう介助する
- 患者・家族の理解を得る **根拠** 家族に説明することにより，医療スタッフと同じ方向でケアができる

62 不随意運動

3

看護問題	看護診断	看護目標（看護成果）
#3 不随意運動に関連した協調運動障害により身体損傷のリスクがある	損傷リスク状態 **危険因子**：神経行動学的症状，院内因子	〈長期目標〉身体を損傷しない 〈短期目標〉1）身体を損傷するような行動をしない．2）身体損傷の予防法を説明できる

看護計画

OP 経過観察項目
- 不随意運動の状態
- 薬の効き方の具合（抗パーキンソン病薬のオンオフ現象）
- 皮膚の状況（擦過傷，打ち身，打撲などの有無）
- 動くことに対する認識
- 周囲の状況（障害物の有無）

介入のポイントと根拠

- 患者の動きを観察し，危険の有無を判断する
- **根拠** パーキンソン病の日内変動は激しいので，オンオフ現象の様子を患者に確認する
- すでにけがをしていることもあるので，常に皮膚の状況を観察する
- 多くは神経疾患なので，単に安静にするよりは，自ら動くことが必要である．ADLの自立と体動について患者の認識を直接聞いて確認する

1073

第8章 筋・骨格系

TP 看護治療項目
- 移動や歩行などは必要に応じて見守り，転倒などを予防する
- 必要に応じて ADL の援助を行う
- トイレ歩行などには付き添う
- ベッドは適切な高さにし，ベッド柵，手すり，踏み台など適切な状況に調整する
- 点滴ラインやカテーテル，インターホンのコード，コンセントなどの存在に注意する
- 滑りにくく脱げにくい履き物を履くようにする
- 障害の程度に応じて，補助具や介護用具を使用する

EP 患者教育項目
- 患者の身体状況を説明する
- 転倒しやすい状況と予防策について患者・家族と話し合う

↪ 身の回りのことで患者が自分でできない部分は危険のないよう介助する．可能な限り自分のことは自分でするのが基本であるが，それが危険につながる場合はその限りではない
↪ 環境を整える　根拠 転倒や外傷の原因になるような因子をあらかじめ取り除くことが大切である

↪ 少しでも自立できるよう工夫する　根拠 自立支援と危険防止の両面を考慮することが大切である

↪ 転倒や外傷の原因や誘因，予防策について患者・家族と話し合う　根拠 転倒や外傷の原因として，周囲の環境以上に患者の認識が重要である

4 看護問題	看護診断	看護目標（看護成果）
#4　不随意運動に関連したアイデンティティの混乱により自尊感情の慢性的低下がある	自尊感情慢性的低下 関連因子：自己効力感が低い，ボディイメージ混乱 診断指標 □恥ずかしさ □自己否定的発言 □絶望感 □不眠	〈長期目標〉心理的安楽が増大する 〈短期目標〉1) 感情を言葉に出して表現できる．2) アイデンティティが安定してきたことを表現できる

看護計画

OP 経過観察項目
- ボディイメージに対する羞恥心の表明
- 不随意運動に対する自己否定的な表現
- 不随意運動に対する悲嘆的な表現
- 不安や緊張の表情，落ち着きがない様子
- 不眠，食欲低下などの身体症状
- 物思いに沈むような様子

TP 看護治療項目
- 必要に応じて医師と患者の橋渡しをする

- 患者の気持ちが表出できるような態度で接する

- 不随意運動が軽減する，または目立たない方法を患者とともに考える
- 手を握る，背中をさするなど，適宜タッチングを行う
- 気分転換になることを患者とともに考える

介入のポイントと根拠

↪ 言語的な表現を捉える　根拠 自己知覚にはボディイメージ，自己尊重，不安，悲嘆などの要素が絡むので，それらに関連する表現を見逃さない
↪ 非言語的表現を捉える．言語には表さない患者も多い．そのような場合は，言葉以外の訴えの表出，すなわち表情や態度，身体症状などを見逃さないよう注意する

↪ わからないこと，心配なことがあれば解決できるよう，必要に応じて医師と患者の橋渡しをする
↪ 支援的態度で接する　根拠 支援的態度が気持ちの表出を促す
↪ 外見上の羞恥心などを少しでも軽減する．完全に取り除くことは難しいので，可能な範囲で考える

↪ 不随意運動のことから気をそらし，気分転換を図ることで，気の持ち方も変わってくる

EP 患者教育項目

- 病状や経過，治療などについて主治医から十分に説明してもらう
- わからないこと，心配なことがあれば質問するよう伝える

- ➲相手の不安の表情をみながら，わかりやすく説明してもらう　根拠 経過や治療などの説明を主治医から受けることで，不要な心配を払拭する

STEP**①** アセスメント　STEP**②** 看護課題の明確化　STEP**③** 計画　STEP**④** 実施　STEP**⑤** 評価

病期・病態・重症度に応じたケアのポイント

【急性期】早期に不随意運動の原因が特定され，適切な治療が行われることが重要である．命に別状があるようなものは少ないが，苦痛を感じている患者に対しては，早期に対症療法を行う．

【慢性期】長期にわたる疾患の管理と，特にセルフケア能力の維持を図ること，同時に独特の動きである不随意運動に対する心理面のケアも大切である．

看護活動（看護介入）のポイント

安楽への介助
- 不随意運動を軽減する薬物が処方されていれば，それを確実に投与する．
- 苦痛（筋肉痛，関節痛など）がある場合は，マッサージ，罨法，足浴などを行い，苦痛を緩和する．
- 不快感（発汗，熱感など）がある場合は，清拭，更衣，罨法などで対処する．

セルフケアに対する援助と危険防止
- 基本的には，身の回りのことは自分でしてもらう．ゆっくりでよいので焦らせないようにする．
- できる限り自立できるような方法を患者とともに考える．必要な補助具を導入する．
- できない部分があれば，必要に応じて介助する．
- 移動や歩行など，必要に応じて見守り，転倒などを予防する．

精神面の援助
- 患者の気持ちが表出できるような態度で接する．
- 手を握る，背中をさするなど，適宜タッチングを行う．その他，気分転換になるようなことを患者とともに考える．

退院指導・療養指導

- 薬物療法の必要性・用法について，再確認する．
- 症状が以前より強く出現してくるようであれば，再度受診するよう説明する．
- 家庭でのセルフケアの必要性について，患者・家族の両者に再確認する．
- 家庭での身体損傷の予防法について，患者・家族の両者に再確認する．
- 精神面の健康にも留意するよう，患者・家族の両者に再確認する．

STEP**①** アセスメント　STEP**②** 看護課題の明確化　STEP**③** 計画　STEP**④** 実施　STEP**⑤** 評価

評価のポイント

看護目標に対する達成度
- 苦痛の訴えが減少し，気にならなくなっているか．
- 身の回りのことが自分でできるようになっているか．
- できないことはケアの援助を受け，ニーズが満たされているか．
- 身体損傷を起こすような行動をとっていないか．
- 身体損傷の予防法が説明できるか．
- 自己の感情を言葉に出して表現できるか．
- アイデンティティの混乱がおさまってきたことを表現できるか．

62
不随意運動

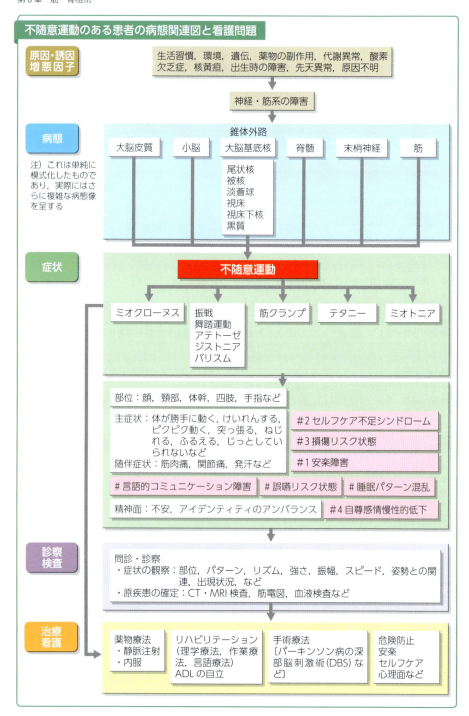

看護診断名索引

□本書の各症状の看護過程の解説で取り上げた看護診断名を五十音順に配列した.
□看護診断名は，T. ヘザー・ハードマン，上鶴重美，カミラ・タカオ・ロペス編，上鶴重美訳『NANDA-I 看護診断―定義と分類 2021-2023』に基づいている.
□＊のついた診断名は，リンダ J. カルペニート『看護診断ハンドブック　第 12 版』によるものであることを示す.

あ

安楽障害　18, 148, 157, 175, 191, 206, 386, 430, 447, 530, 565, 588, 605, 624, 637, 733, 750, 884, 933, 982, 1072
栄養摂取バランス異常：必要量以下　16, 253, 389, 464, 482, 531, 657, 682, 696, 718, 752, 799, 817, 833, 1006, 1044
嚥下障害　674, 1044
悪心　321, 462, 715, 818

か

ガス交換障害　80, 94, 496, 511, 563
活動耐性低下　31, 45, 96, 134, 254, 270, 319, 338, 388, 481, 515, 564, 587, 604, 642, 700, 867
感染リスク状態　117, 136, 160, 191, 208, 256, 301, 514, 834, 882, 902, 934, 946, 985, 1044
機能障害性尿失禁　900
急性混乱リスク状態　387
急性疼痛　317, 586, 655, 736, 848, 919, 963, 1001
下痢　795
言語的コミュニケーション障害　358, 369, 434, 447, 547, 1043
倦怠感　43, 176, 832
更衣セルフケア不足　44, 357, 417, 433, 464, 1006, 1042
口腔粘膜統合性障害　15, 699, 735
高体温　11, 849, 919
高齢者虚弱シンドローム　224
誤嚥リスク状態　356, 659, 680, 718, 767
混合性尿失禁　899

さ

自尊感情状況的低下　819, 1009
自尊感情状況的低下リスク状態　193, 850
自尊感情慢性的低下　241, 371, 1074

た

社会的相互作用障害　404, 450
出血リスク状態　287
消化管運動機能障害　658
消化管運動機能障害リスク状態　767, 781
心臓組織灌流減少リスク状態　623
身体可動性障害　158, 355, 754, 965, 1021, 1040, 1058
心的外傷後シンドローム　401
心拍出量減少　603, 863
睡眠剥奪　385, 515
睡眠パターン混乱　320, 385, 883
ストレス過剰負荷　210, 1022
成人褥瘡　222
成人転倒転落リスク状態　118, 147, 272, 389, 466, 884, 966, 1023, 1040, 1059
摂食セルフケア不足　357, 417, 433, 464, 1007, 1042
セルフケア不足シンドローム＊　1073
セルフネグレクト　81
組織統合性障害　146
損傷リスク状態　62, 337, 416, 432, 449, 638, 1073

た

体液量過剰　131, 865
体液量バランス異常リスク状態　946
体液量不足　13, 115, 255, 463, 684, 698, 717, 765, 780, 797, 864
体液量不足リスク状態　657, 880
知識不足　33, 986
窒息リスク状態　101, 678
低体温　30
電解質バランス異常リスク状態　116, 657, 881

な

入浴セルフケア不足　44, 357, 417, 433, 464, 1007, 1042, 1060

尿閉　866, 899, 934

は

排泄セルフケア不足　44, 357, 417, 433, 464, 1007, 1042
排尿障害　848, 881, 920
非効果的な家族健康自主管理　225
非効果的気道浄化　14, 62, 354, 479, 496, 529
非効果的健康維持行動　192, 242
非効果的健康自主管理　100, 159, 193, 207, 271, 289, 303, 335, 533, 590, 607, 624, 639, 737, 769, 782, 947
非効果的コーピング　32, 118, 241, 403, 904, 968
非効果的呼吸パターン　527, 753, 1038
非効果的脳組織灌流リスク状態　333, 623
非効果的防御力　17
非効果的末梢組織灌流　79, 97, 144, 983
非効果的役割遂行　549, 903

皮膚統合性障害　190, 984
皮膚統合性障害リスク状態　133, 256, 418, 782, 799, 901
肥満　240
不安　19, 63, 82, 99, 161, 177, 194, 209, 304, 338, 359, 390, 402, 420, 434, 448, 465, 482, 497, 513, 532, 550, 567, 589, 606, 626, 641, 660, 738, 801, 835, 851, 868, 885, 921, 935, 948, 969, 1024, 1045, 1060
腹圧性尿失禁　897
不使用性シンドロームリスク状態　967, 1041
不眠　209, 385, 403, 833, 1005
便秘　701, 813
ボディイメージ混乱　132, 149, 419, 755, 835, 987

ま

慢性疼痛　848, 1001
慢性悲哀　370

索引

記号・数字

2型糖尿病治療薬　235
10段階ペインスコア　999

欧文

A

after-drop現象　28, 29, 31

B

BMI　232

C

CFS　37
compromised host　293
CTZ　706

D

DESIGN-R®2020　216, 220
DIC　279
DIC診断基準　279
―― 適用のアルゴリズム　280

F

FT　675

G

GCS　345
GRBAS尺度　538, 544

H

HUS　280

I

ITP　280

J

JCS　345

M

MCV, MCHCの求め方　262
MDRPU　215
medical device related pressure
　ulcer　215
MFR　545

MPT　538, 544
MWST　675

N

Na欠乏性脱水症　106
NPUAP-EPUAP-PPPIAによる
　褥瘡の重症度(深達度)分類
　　　　　　　　　　　　214
NRS　584

O

OHスケール　222

P

PNES　52
PSQI-J　383

R

rewarming shock　28, 29, 31
rhonchi　521
RSST　675

S

SGA　695
stridor　521

T

tinnitus retraining treatment
　　　　　　　　　　　　441
TR　441
TTP　280

V

VAS　383, 584
visual analog scale　383
VLCD　243

W

wheeze　521

和文

あ

悪性リンパ腫　166
アクチグラフィー　383
アジソン病　249

足抜き　227
圧抜き　226, 227
圧迫療法　159
アテトーゼ　1065, 1070
アドヒアランス　626
アナフィラキシーショック
　　　　　　　　　67, 68, 70
アナフィラキシー反応　70
アナフィラキシー様反応　70
アブレーション治療　594
新たな易感染性　296
アロディニア　409
安定狭心症　575

い

易感染性　292, 293
―― にある患者の看護　298
―― にある患者の病態関連図
　　　　　　　　　　　　306
意識障害　342
―― で頭蓋内圧亢進症状がみら
　れた場合の緊急対応　350
―― のある患者の看護　348
―― のある患者の病態関連図
　　　　　　　　　　　　361
―― の主な治療薬　347
―― の原因　343
―― の診断　346
―― の随伴症状　344
―― の発生機序　342
萎縮　183
異常感覚　409, 414
位置覚検査　1020
一次運動ニューロン　1029, 1050
一次性頭痛　309
―― の鑑別　310
一側性の耳鳴　440
溢流性尿失禁　889, 891
医療関連機器圧迫創傷　215
イレウスへの緊急対応
　　　　　　　658, 751, 814
咽頭期　663

う

ウィーズ　509
ウイルス干渉　294
ウォームショック　11

1080

ヴォーン・ウィリアムズ分類
596
運動失調　1028, 1029
── のある患者の看護　1034
── のある患者の病態関連図
1048
── の原因　1031
── の診断　1031
── の治療法　1032
── の発生機序　1028
運動障害性構音障害　367
運動性失語　363, 367
運動麻痺　1028, 1029
── のある患者の看護　1034
── のある患者の病態関連図
1048
── の原因　1030
── の診断　1030
── の治療法　1032
── の発生機序　1028

え

液性免疫　292
エネルギーバランスと体重減少
246
嚥下機能改善手術　667
嚥下困難　663
── のある患者の看護　669
── のある患者の病態関連図
687
嚥下障害診療のアルゴリズム
666
嚥下障害の分類　663
嚥下造影検査における主な観察項
目　666
炎症性下痢　787
炎症性リンパ節腫脹　178
エンテソパチー　992

お

嘔気　706
黄疸　822, 823
── のある患者の看護　828
── のある患者の病態関連図
838
── の主な治療薬　827
── の原因　823

── の診断　825
── の随伴症状　824
── の発生機序　822
嘔吐　705, 706
── のある患者の看護　711
── のある患者の病態関連図
721
── の主な治療薬　710
── の原因　706
── の診断　707
── の随伴症状　708
── の発生機序　705
── への緊急対応　713
オキシヘモグロビン　86
悪心　705, 706
── のある患者の看護　711
── のある患者の病態関連図
721
── の原因　706, 707
── の随伴症状　708
音響遮蔽効果　441
音響分析検査　544
音声治療　548
音声を形成する3要素　538
温度覚検査　1020

か

下位運動ニューロン　1050
咳嗽　470, 471
── のある患者の看護　476
── のある患者の病態関連図
485
── の主な治療薬　475
── の鑑別診断　473
── の原因　473
── の発生機序　470
咳嗽・喀痰の症状からみた鑑別診
断　474
改訂水飲みテスト　675
回転性めまい　454
潰瘍　183
化学受容器　501
化学受容器引金帯　706
核心温　23
喀痰　470, 471
── のある患者の看護　476

── のある患者の病態関連図
485
── の主な治療薬　475
喀痰生成のメカニズム　470
獲得免疫　293, 294
下肢のむくみ　140
── のある患者の看護　139
── のある患者の病態関連図
152
下垂体機能低下症　248
喀血　471, 486, 487
── に対する主な治療薬　490
── のある患者の看護　492
── のある患者の病態関連図
499
── の原因　487
── の診断　489
── の随伴症状　488
── の発生機序　486
── への緊急対応　494
褐色細胞腫　247
褐色斑　182
痂皮　183
かゆみ　197, 198
── のある患者の看護　203
── のある患者の病態関連図
212
── の主な治療薬　201
── の原因　200
── の診断　199
── の随伴症状　200
── の発生機序　197
ガラス圧法　184
感覚過敏　409, 414
感覚系伝導路　408
感覚障害　408, 409
── のある患者の看護　413
── のある患者の病態関連図
422
── の主な治療薬　411
── の原因　410
── の診断　410
── の随伴症状　411
── の分布　408
感覚性失語　363, 367
感覚脱失　414
感覚低下　409, 414

索引

感覚鈍麻　409
眼球運動麻痺　1036
眼球マッサージ　430
間欠熱　8
還元型ヘモグロビン　86
肝細胞性黄疸　824
環状紅斑　182
乾性咳嗽　471
間接訓練　670
間接喉頭鏡検査　545
関節痛　991, 992
―― のある患者の看護　997
―― のある患者の病態関連図
　　　　　　　　　　　　1012
―― の応急処置　1002
―― の主な治療薬　995
―― の原因　992
―― の診断　993
―― の随伴症状　994
関節の基本構造　991
感染性腸炎と薬物治療　790
感染性リンパ節腫脹　178
完全尿閉　855
感染防御低下宿主　293
完全麻痺　1036
感染を引き起こす主な病原体，液
　性免疫障害　294
感染を引き起こす主な病原体，細
　胞性免疫障害　294
間代発作　50
顔面神経麻痺　1036
寒冷誘発試験　973
寒冷利尿　23
関連痛　573, 647

き

機会けいれん　51
気管支動脈塞栓術　490
器質性音声障害　538
気息性嗄声　368
基礎訓練　670
気道狭窄の類型　519
気道狭窄部位別での喘鳴の原因
　　　　　　　　　　　　522
機能性音声障害　538
機能性頭痛　309
機能性尿失禁　889, 891

機能性便秘に対する主な治療薬
　　　　　　　　　　　　808
逆シャンペンボトル型の筋萎縮
　　　　　　　　　　　　1051
急激な視力障害に対する緊急対応
　　　　　　　　　　　429, 430
丘疹　182
急性咳嗽　471
急性冠症候群　575, 579
―― の緊急対応　586
急性期の緊急対応
―― ，悪心・嘔吐　715
―― ，喀痰　479
―― ，関節痛　1002
―― ，胸水貯留　562
―― ，口渇　734
―― ，呼吸困難　511
―― ，失神　333
―― ，ショック　78
―― ，頭痛　317
―― ，窒息　678
―― ，頭蓋内圧亢進　352
―― ，発熱　11
―― ，発疹　190
―― ，麻痺　1038
―― ，めまい　462
―― ，腰痛　963
急性下痢症　789
急性混乱への緊急対応　383
急性腎不全の合併症の主な治療薬
　　　　　　　　　　　　858
急性大動脈解離　579
急性尿閉　855
急性の呼吸困難の診断　502
急性肺塞栓症　67
急性腹症の緊急対応　655
急性便秘　805
胸腔穿刺時の緊急対応　566
胸腔穿刺時の体位　565
胸腔ドレーン挿入時の体位　565
恐怖症　689
狭心痛　573
胸水　554
―― のある患者の看護　558
―― のある患者の病態関連図
　　　　　　　　　　　　570
―― の原因　555

―― の診断　557
―― の発生機序　554
胸水貯留時の随伴症状　556
協調運動性構音障害　367
強直間代発作　59
強直発作　50, 59
胸痛　572, 573
―― のある患者の看護　582
―― のある患者の病態関連図
　　　　　　　　　　　　592
―― の原因　575
―― の随伴症状　576
―― の発生機序　572
―― の問診　574
―― への緊急対応　584
―― を訴える心血管疾患の治療
　　　　　　　　　　　　578
―― を起こす疾患　574
胸部大動脈瘤　547
胸膜液　555
局所性浮腫　122, 123, 129
巨赤芽球性貧血　261, 264
起立性低血圧　630, 631
―― による失神　325
起立性尿蛋白　944
亀裂　183
筋萎縮　1049, 1050, 1055
―― のある患者の看護　1054
―― のある患者の病態関連図
　　　　　　　　　　　　1063
―― の主な治療薬　1053
―― の原因　1051
―― の診断　1052
―― の随伴症状　1052
―― の発生機序　1049
緊急対応
―― ，意識障害で頭蓋内圧亢進症
　状がみられた場合　350
―― ，イレウス　658, 751, 814
―― ，嘔吐　713
―― ，喀血　494
―― ，急激な視力障害　429, 430
―― ，急性冠症候群　586
―― ，急性混乱　383
―― ，急性腹症　655
―― ，胸腔穿刺　566
―― ，胸痛　584

1082

——，動悸　603
——，けいれん　59, 60
——，下血　778
——，下痢　794
——，口渇　732
——，誤嚥　680, 718
——，呼吸困難　509
——，失神　332
——，出血傾向が強い場合　286
——，吐血時のショック状態
　　　　　　　　　　　766
——，ショック　76
——，頭痛　316
——，全身性浮腫　129
——，喘鳴　525
——，せん妄　383
——，脱水　113
——，チアノーゼ　93
——，心肺停止を伴う低体温症
　　　　　　　　　　　29
——，てんかん大発作　1071
——，動悸　601
——，吐血　764
——，肺血栓塞栓症　142
——，発熱　9
——，パニック発作　400, 402
——，貧血　269
——，腹痛　654
——，腹部膨満　749
——，分泌性下痢　796
——，便秘　812
——，発疹　188
——，腰痛　961
緊急的気管支動脈塞栓術　491
筋クランプ　1065
筋原性筋萎縮　1055
緊張型頭痛　309
　——の予防法　319
筋れん縮　50

く

偶発性低体温症　28
クライオバルーンによる肺静脈ア
　ブレーション　595
グラスゴー・コーマ・スケール
　　　　　　　　　　　345
クラックル　509

クリットライン　631
クリティカルコロナイゼーション
　　　　　　　　　　　223
グルバス尺度　538, 544
群発頭痛　309

け

経過別での喘鳴の原因　522
鶏眼　183
痙性麻痺　1036
軽度低体温症　23
経皮的気管支動脈造影　490
稽留熱　8
けいれん　49, 50, 58
　—— のある患者の看護　57
　—— のある患者の病態関連図
　　　　　　　　　　　65
　—— の主な治療薬　56
　—— の様々な症状　49
　—— の診断　54
　—— への緊急対応　59
　—— を生じる薬物　55
けいれん出現時の緊急対応　60
けいれん発作，てんかんに生じる
　　　　　　　　　　　51
けいれん様症状　50, 51
下痢　183
下血　773, 774
　—— のある患者の看護　776
　—— のある患者の病態関連図
　　　　　　　　　　　785
　—— の主な原因　773
　—— の原因　775
　—— の色調　773
　—— への緊急対応　778
血圧値の分類　612
血圧調節に関わる因子　610
血液分布異常性ショック
　　　　　　　　67, 68, 70, 71
結核の抗菌療法　914
欠神発作　59
結節　182
血線状痰　471
血栓性血小板減少性紫斑病　280
血痰　471, 486, 487
　—— に対する主な治療薬　490
　—— のある患者の看護　492

—— のある患者の病態関連図
　　　　　　　　　　　499
—— の原因　487
—— の診断　489
—— の随伴症状　488
—— の発生機序　486
血尿　924, 925
—— と区別すべき尿色調異常
　　　　　　　　　　　926
—— のある患者の看護　930
—— のある患者の病態関連図
　　　　　　　　　　　937
—— の随伴症状　929
—— の発生機序　924
—— をきたす疾患　925
下痢　786, 787
—— のある患者の看護　792
—— のある患者の病態関連図
　　　　　　　　　　　803
—— の主な原因　787
—— の主な治療薬　790
—— の原因　788
—— の診断　789
—— の随伴症状　788
—— の発生機序　786
—— への緊急対応　794
原因菌別細菌性食中毒　794
言語障害　362
—— のある患者の看護　366
—— のある患者の病態関連図
　　　　　　　　　　　373
—— の原因　363
—— の診断　365
—— の随伴症状　364
—— の発生機序　362
原発疹　182
—— と続発疹の種類　183
—— を示す主な皮膚疾患　183
原発性重症免疫不全症の早期診断
　　　　　　　　　　　296
原発性肥満　230
原発性免疫不全症　295, 296
—— を疑う場合の診断　295
原発性レイノー現象　973
腱反射　409
顕微鏡的血尿　925
—— の診察　927

1083

こ

降圧治療の進め方　616
降圧目標　616
高閾値機械受容器　953
構音障害　363
口渇　722, 723, 730
　——　のある患者の看護　729
　——　のある患者の病態関連図
　　　　740
　——　の原因　723
　——　の随伴症状　724
　——　の発生機序　722
　——　への緊急対応　732
口渇時に使われる主な薬　726
高カルシウム血症　249
口腔期　663
高血圧　610, 611, 620
　——　のある患者の看護　619
　——　のある患者の病態関連図
　　　　628
　——　の主な治療薬　617
　——　の進行によって起こる臓器
　　　　障害　610
　——　の診断　613
交差性温痛覚障害　409
交叉性片麻痺　1036
膠質浸透圧　122
甲状腺中毒症　247
高張性脱水　112, 730
高張性脱水症　106
喉頭ストロボスコピー　545
喉頭微細手術　540
喉頭ファイバースコープ検査
　　　　545
喉頭浮腫　122
喉頭用硬性内視鏡検査　545
喉頭用軟性内視鏡検査　545
喉頭枠組み手術　540
高度低体温症　23
高度肥満　243
高度肥満症　232
紅斑　182
抗不整脈薬の副作用　597
硬膜内髄外腫瘍　955
声の衛生指導　548

誤嚥　663
　——　の病態　664
誤嚥時の緊急対応　680, 718
誤嚥防止手術　668
呼吸筋麻痺　1036
呼吸困難　500, 501
　——　のある患者の看護　507
　——　のある患者の病態関連図
　　　　518
　——　の主な治療薬　505
　——　の原因　502
　——　の診断，急性の　502
　——　の診断，慢性の　503
　——　の随伴症状　504
　——　の発生機序　500
　——　への緊急対応　509
呼吸困難時の安楽な体位　512
呼吸ドライブ　501
黒色斑　182
鼓腸をきたす疾患　744
骨粗鬆症性椎体骨折　955
混合性脱水症　106
コンコーダンス　626
昏睡体位のとり方　353

さ

サードスペース　108
細菌性膿疱　182
細菌尿　908
　——　の解釈　909
　——　の原因　908
　——　の症状・検査・診断のポイ
　　　　ント　909
　——　の診断　911
　——　の随伴症状　909
再生不良性貧血　261, 263
　——　の重症度基準　265
最長発声持続時間　538, 544
細胞性免疫　292
細胞内脱水　106
錯感覚　414
嗄声　537, 538
　——　のある患者の看護　542
　——　のある患者の病態関連図
　　　　553
　——　の主な治療薬　541
　——　の原因　539

　——　の診断　540
　——　の随伴症状　539
　——　の発生機序　537
様々な筋萎縮のタイプ　1051
酸化型ヘモグロビン　86

し

視覚障害　423, 424
　——　の主な治療薬　426
　——　の診断，緩徐な視力低下
　　　　426
　——　の診断，急激な視力低下
　　　　425
　——　の随伴症状　424
　——　の発生部位　423
視覚的アナログスケール　584
弛緩性麻痺　1036
色素斑　182
糸球体性血尿と非糸球体性血尿の
　　　　鑑別　926
止血機構　276, 277
　——　と出血傾向の発生機序
　　　　276
四肢のしびれ　1013
　——　のある患者の看護　1017
　——　のある患者の病態関連図
　　　　1027
　——　の原因　1015
四肢麻痺　1036
ジストニア　1065, 1070
自然免疫　293
弛張熱　8
疾患別の治療方針，腰痛　956
失語症　363
失神　324, 325
　——　と鑑別を要する意識障害の
　　　　原因　327
　——　のある患者の看護　330
　——　のある患者の病態関連図
　　　　341
　——　の主な治療薬　328
　——　の原因疾患　326
　——　の診断　327
　——　の発生機序　324
　——　の病態　326
　——　への緊急対応　332
湿性咳嗽　471

シバリング 3, 23
紫斑 182
しびれ 1014, 1018
— の診断 1016
耳鳴 438, 439
— がみられる疾患 440
— のある患者の看護 443
— のある患者の病態関連図
　　452
— の主な治療薬 442
— の原因 438, 439
— の症状 438
— の診断 442
— を起こす代表的な疾患
　　440
ジャクソン・マーチ型運動発作
　　50
視野障害 424
ジャパン・コーマ・スケール
　　345
修正 MRC の呼吸困難度分類
　　503
重篤な脊椎疾患の合併を疑うべき
　red flags 954
終末時排尿痛 841
羞明 424
主観的包括的栄養評価 695
熟眠障害 375
出血傾向 276, 277
— が強い場合の緊急対応
　　286
— のある患者の看護 284
— のある患者の病態関連図
　　291
— の主な治療薬 282
— の原因 277, 278
— の随伴症状 278
— のスクリーニング検査
　　278
— の発生機序 276
出血性疾患の検査所見の比較
　　280
受動的体表復温法 24
腫瘍性リンパ節腫脹 178
腫瘤 182
循環血液量減少性ショック
　　66, 68, 71

上位運動ニューロン 1050
漿液性丘疹 182
状況関連発作 51
小結節 182
症候性血尿 925
症候性頭痛 309
症候性掻痒 204
症候性やせ 251
焦点起始発作 58
焦点性運動発作 50
焦点てんかん 50
上腹部突き上げ法 678
上部消化管出血に対する内視鏡的
　止血術 761
初期排尿痛 841
職業的音声酷使者 549
食後低血圧 630, 631
食事療法, 肥満症の 234
褥瘡 213, 215
— のある患者の看護 219
— のある患者の病態関連図
　　229
— の主な治療薬 217
— の発生機序 213
褥瘡発症後の経過 214
褥瘡発症の要因 215
褥瘡予防の主な福祉用具, 在宅で
　利用できる 227
食道期 663
食欲不振 688, 689
— のある患者の看護 693
— のある患者の病態関連図
　　704
— の原因 690
— の診断 692
— の随伴症状 691
— の発生機序 688
初診時の血圧レベル別の高血圧管
　理計画 615
触覚検査 1020
ショック 66, 68
— の 5P 76, 583
— の主な治療薬 73
— の血行動態 73
— の原因 69
— の診断 72
— の随伴症状 69

— への緊急対応 76
ショック状態にある患者の看護
　　75
ショック状態にある患者の病態関
　連図 84
ショック状態の緊急対応, 吐血時
　の 766
ショック体位 78
視力障害 424
— のある患者の看護 427
— のある患者の病態関連図
　　437
心因性けいれん 56
心因性非てんかん性発作 52
心外閉塞・拘束性ショック
　　67, 68, 71
真菌検査法 184
神経原性筋萎縮 1055
神経根症 1014
神経症性障害 394
神経性やせ症 249
神経痛 409
神経伝達物質の濃度上昇と
　SSRI・SNRI の作用機序 394
心血管疾患に対する薬物療法
　　581
心血管疾患を疑う時の検査 577
心血管疾患を疑う時の診断 577
心原性失神 325
心原性ショック 66, 68, 71
腎後性蛋白尿 939
診察室血圧に基づいた脳心血管病
　リスク層別化 612
心室不整脈 597
侵襲的人工呼吸を考慮すべき状態
　　505
滲出性下痢 787
滲出液 555
滲出性紅斑 182
真珠様爪 198
新生児黄疸 829
腎性蛋白尿 939
腎性貧血 262, 264
振戦 1065, 1070
腎前性蛋白尿 939
腎前性と腎性急性腎不全の鑑別診
　断 856

1085

索引

心タンポナーデ　67, 68
心電図による頻拍の鑑別フロー
　　チャート　595
浸透圧性下痢　787
振動覚検査　1020
深部静脈血栓症の診断テスト
　　　　　　　　　　　143
心房細動　596

す

水疱　182
睡眠覚醒リズム障害　376
睡眠経過　376
睡眠時随伴症　376
睡眠時無呼吸症候群　376
睡眠に影響を与える様々な要因
　　　　　　　　　　　374
睡眠日誌　383
睡眠剥奪　383
睡眠パターン混乱　383
睡眠ポリグラフィー検査
　　　　　　　　375, 383
睡眠ポリグラフィーによる脳波パ
　　ターンと意識レベル　376
数値的評価スケール　584
数値評価尺度　999
スキンテア　220
スクリーニング検査　675
頭痛　308
　── のある患者の看護　314
　── のある患者の病態関連図
　　　　　　　　　　　323
　── の主な治療薬　312
　── の原因　309
　── の診断　311
　── の発生機序　308
　── への緊急対応　316
ストライダー　509
頭鳴り　439
スパズム　50
スワン-ガンツカテーテル　70

せ

声音振盪　560
生活習慣の修正項目　615
青色斑　182
精神生理性不眠症　375

静水圧　122
生体防御機構　292, 293
生理的黄疸　829
生理的蛋白尿　939
咳　471
脊髄性片麻痺　1036
脊柱後彎症　955
赤血球指数　261
赤血球の生成過程　259
摂食嚥下障害の臨床的病態重症度
　　に関する分類　672
摂食訓練　670
切迫性尿失禁　889, 891
背抜き　227
遷延性咳嗽　471
洗眼　430
全身けいれん発作時の身体徴候
　　　　　　　　　　　52
全身倦怠感　36, 37
　── のある患者の看護　40
　── のある患者の病態関連図
　　　　　　　　　　　48
　── の主な治療薬　38
　── の原因　36, 37
　── の診断　39
　── の随伴症状
全身性浮腫　123, 129
　── への緊急対応　129
全般起始発作　59
全般てんかん　50
喘鳴　519, 520
　── が増強する仕組み　519
　── のある患者の看護　523
　── のある患者の病態関連図
　　　　　　　　　　　536
　── の主な治療薬　522
　── の原因，経過別　522
　── の診断　521
　── の分類　521
　── への緊急対応　525
せん妄への緊急対応　383
前立腺肥大症の主な治療薬　858

そ

臓器低灌流　68
早期満腹感　689
造血器腫瘍　262, 264

早朝覚醒　375
増粘剤　677
搔破による皮膚症状　197, 198
瘙痒　197, 198, 204
　── のある患者の看護　203
　── のある患者の病態関連図
　　　　　　　　　　　212
　── の主な治療薬　201
　── の原因　200
　── の診断　199
　── の随伴症状　200
　── の発生機序　197
側視鏡検査　545
続発疹　182
続発性血小板減少　280
粗糙性嗄声　368

た

ダーモスコピー　184
体圧分散寝具の選択　227
体温の測定部位　30
体温の測定方法　30
胎児胸水　559
体質性黄疸　823, 826
　── の比較　825
代償的アプローチ法　667
体性痛　573, 647
大動脈切迫破裂　579
タイトレーション　621
大脳性片麻痺　1036
対麻痺　1036
大量喀血への対応　489
立ちくらみ　454
脱水　105, 106
　── のある患者の看護　111
　── のある患者の病態関連図
　　　　　　　　　　　120
　── の原因　106
　── の診断　108
　── の随伴症状　107
　── のタイプ　113
　── の発生機序　105
　── への緊急対応　113
脱水時の主な輸液製剤　109
多尿　871, 872, 878
　── のある患者の看護　877

1086

―― のある患者の病態関連図　887
―― の原因　872
―― の発生機序　871
多発神経障害　1014
多発性多神経障害　1014
多発性単ニューロパチー　1014
多発ニューロパチー　1014
痰　471
担がん患者　295
単純性やせ　251
弾性ストッキング　145
弾性包帯　145
単神経障害　1014
単ニューロパチー　1014
蛋白尿　938
―― のある患者の看護　943
―― のある患者の病態関連図　950
―― の主な治療薬　941
―― の原因　939
―― の診断　940
―― の発生機序　938
単麻痺　1035

ち

チアノーゼ　85, 86
―― のある患者の看護　91
―― のある患者の病態関連図　104
―― の原因　86
―― の診断　88
―― の随伴症状　87
―― の発生機序　85
―― への緊急対応　93
―― を生じる疾患の主な治療薬　89
窒息のサイン　678, 679
昼間頻尿　872
中枢化学受容器　501
中枢性嘔吐　706
中枢性チアノーゼ　86, 92
中等度低体温症　23
中途覚醒　375
中和抗体　293
聴覚心理的評価　544
超低エネルギー食事療法　243

チョークサイン　101, 678
直接訓練　670
直接喉頭鏡検査　545
直腸性便秘　816
治療的アプローチ法　667
チルト訓練　336, 337

つ

痛覚検査　1020
爪圧迫テスト　980
ツルゴールのチェック　114

て

低血圧　629, 630
―― のある患者の看護　634
―― のある患者の病態関連図　644
―― の主な治療薬　633
―― の原因　630
―― の診断　632
―― の随伴症状　631
―― の発生機序　629
低酸素血症　93
低体温症　22, 23
―― の主な治療薬　26
―― の患者の看護　27
―― の患者の病態関連図　35
―― の原因　24
―― の診断　25
―― の随伴症状　24
―― への緊急対応，心肺停止を伴う　29
低体温による生体反応　22
低張性脱水　112
低張性脱水症　106
デオキシヘモグロビン　86
テタニー　1065
鉄欠乏性貧血　262, 264
デルマトーム　1020
デルモグラフィー　198
転移性脊椎腫瘍　955
てんかん　50, 58
―― に生じるけいれん発作　51
てんかん性失神　325
てんかん性スパズム　50
てんかん大発作への緊急対応　1071

点状出血　277

と

動悸　593, 594, 601
―― のある患者の看護　600
―― のある患者の病態関連図　609
―― の緊急対応　601
―― の原因となる不整脈　593
―― の随伴症状　594
透析低血圧　630
等張性脱水　112
等張性脱水症　106
疼痛の発生機序，関節の　991
糖尿病　247
特異的免疫反応　293
特発性血小板減少性紫斑病　280
吐血　758
―― に対する緊急止血術　768
―― に使われる主な治療薬　761
―― のある患者の看護　762
―― のある患者の病態関連図　772
―― の主な原因疾患　758
―― の原因　759
―― への緊急対応　764
床ずれ　215
閉じ込め症候群　358
徒手リンパドレナージ　158
とろみ調整食品　677

な

内頸動脈後交通動脈分岐部動脈瘤　311
内視鏡的総胆管結石除去術　827
内臓脂肪型，肥満　230
内臓脂肪蓄積の判定　232
内臓痛　573, 647

に

肉眼的血尿　925
―― の経過観察　929
―― の初期診療　928
二次運動ニューロン　1029, 1050
二次性高血圧の原因疾患　614

1087

索引

二次性頭痛　309
　——　の性状　310
二次性低血圧　630
二次性肥満　230
二次性免疫不全症　295
二次性レイノー現象　973
　——　の原因　974
入院患者の睡眠障害　376
入眠困難　375
ニューモシスチス・カリニ　294
入浴時低血圧　630
尿試験紙法　925
尿失禁　888, 889
　——　のある患者の看護　893
　——　のある患者の病態関連図
　　　　　907
　——　の主な治療薬　891
　——　の原因　889
　——　の診断　890
尿失禁質問票　895
尿失禁定量テスト　891
尿沈渣検査法　925
尿閉　854, 855
　——　のある患者の看護　860
　——　のある患者の病態関連図
　　　　　870
　——　の原因　854, 856
　——　の診断　857
尿路・性器感染症の主な抗菌薬
　　　　　912

ね

粘膜出血　277

の

脳梗塞の主な治療薬　1033
囊腫　182
膿性痰　471
能動的体内復温法　24, 31
能動的体表復温法　24, 31
膿尿　841, 908
　——　のある患者の看護　916
　——　のある患者の病態関連図
　　　　　923
　——　の解釈　909
　——　の原因　908

　——　の症状・検査・診断のポイ
　　　ント　909
　——　の診断　911
　——　の随伴症状　909
膿尿・細菌尿の特殊な病態　910
脳ヘルニア　350
膿疱　182
ノンレム睡眠　375

は

敗血症性ショック　9, 67, 68, 70
肺血栓塞栓症　579
肺血栓塞栓症への緊急対応　142
肺尖部キャップ徴候　560
肺動脈カテーテル　70, 72
排尿後痛　841
排尿性低血圧　630
排尿痛　840, 841
　——　のある患者の看護　845
　——　のある患者の病態関連図
　　　　　853
　——　の主な治療薬　844
　——　の原因　842
　——　の診断　842
　——　の随伴症状　842
　——　の発生機序　840
排尿日誌　890, 895
背部叩打法　678
ハイムリック法　678, 679
廃用性筋萎縮　1055
白斑　182
播種性血管内凝固症候群　279
発声時平均呼気流率　545
パッドテスト　891
発熱　2, 3
　——　のある患者の看護　7
　——　のある患者の病態関連図
　　　　　21
　——　の主な治療薬　6
　——　の原因　3
　——　の診断　5
　——　の随伴症状　4
　——　の発生機序　2
　——　への緊急対応　9
パニック発作への緊急対応
　　　　　400, 402
バリズム　1065, 1070

破裂切迫徴候　311
斑　182
瘢痕　183
反射性嘔吐　706
反射性失神　325
反応性リンパ節腫脹　178
反復唾液飲みテスト　675

ひ

皮下脂肪型，肥満　230
ピッツバーグ睡眠質問票　383
非特異的免疫反応　293
皮膚・粘膜バリア機構　293
皮膚・粘膜バリア障害時にみられ
　る感染症の主な原因菌　293
皮膚瘙痒症　204
皮膚分節　1020
肥満　230
　——　に起因ないし関連し減量を
　　　要する健康障害　231
　——　のある患者の看護　237
　——　のある患者の病態関連図
　　　　　245
　——　のタイプ　230
　——　の成り立ちと合併する健康
　　　障害　230
肥満症
　——　とメタボリックシンドロー
　　　ムの関係　231
　——　の診断基準　232
　——　の治療　238
　——　の治療薬　235
肥満症診断　233
肥満度分類　232
病原体と免疫担当細胞の関係
　　　　　294
標準的ウエスト周囲長測定法
　　　　　233
病的蛋白尿　939
表皮剝離　183
びらん　183
貧血　259
　——　に見られる特有の症状
　　　　　262
　——　のある患者の看護　267
　——　のある患者の病態関連図
　　　　　275

—— の主な治療薬　265
—— の原因　261
—— の症状　260
—— の診断　263
—— の診断基準　268
—— の発生機序　259
—— への緊急対応　269
頻尿　871, 872, 878
—— のある患者の看護　877
—— のある患者の病態関連図　887
—— の主な治療薬　875
—— の原因　873
—— の診断　874

ふ

不安　393, 394
—— のある患者の看護　398
—— のある患者の病態関連図　406
—— の機序　393
—— の診断　395
—— の診断に応じて使用される主な薬剤　396
不安定狭心症　575
不安反応　400
フードテスト　675
フェイススケール　584
不完全尿閉　855
不完全麻痺　1036
腹圧性尿失禁　889, 891
—— の発生機序　888
複視　424
腹水をきたす疾患　744
腹痛　646, 647
—— のある患者の看護　652
—— のある患者の病態関連図　662
—— の主な治療薬　651
—— の原因　650
—— の診断　649
—— の随伴症状　650
—— の発生機序　646
—— の部位　647
—— への緊急対応　654

腹部膨満　741, 748
—— に使われる主な治療薬　745
—— のある患者の看護　747
—— のある患者の病態関連図　757
—— への緊急対応　749
腹部膨満感　741
—— の発生機序　741
腹部膨隆　742
—— をきたす機序　742
浮腫　121, 122
—— のある患者の看護　127
—— のある患者の病態関連図　138
—— の主な治療薬　125
—— の原因　122
—— の診断　124
—— の随伴症状　123
—— の発生機序　121
不随意運動　1064, 1065
—— のある患者の看護　1069
—— のある患者の病態関連図　1076
—— の主な治療薬　1068
—— の原因　1066
—— の診断　1067
—— の特徴　1065
—— の発生機序　1064
舞踏運動　1065, 1070
浮動性めまい　454
不眠　374, 375, 383
—— のある患者の看護　381
—— のある患者の病態関連図　392
不眠恐怖　375
不眠症の診断　377
不眠症のタイプと不眠症の主な睡眠薬　378
不眠症の治療　379
ふるえ熱産生　23
ブレーデンスケール　222
プロスタグランジン E_2　3
ブロック療法　958
分泌性下痢　787
—— への緊急対応　796

へ

閉塞性黄疸　823, 826
—— の原因　824
片頭痛　309
べんち　183
便秘　804, 805
—— のある患者の看護　810
—— のある患者の病態関連図　821
—— の原因　805
—— の診断　807
—— の随伴症状　806
—— の発生機序　804
—— への緊急対応　812
便秘治療における生活指導のポイント　807
片麻痺　1035

ほ

蜂窩織炎への対応　155, 160
膀胱拡大術　875
膀胱タンポナーデ　931
膀胱内注入療法　875
膀胱平滑筋注入療法　875
放散痛　573
膨疹　182
乏尿　854, 855
—— のある患者の看護　860
—— のある患者の病態関連図　870
—— の原因　854, 856
—— の診断　857
補液に用いる電解質輸液　726
ホーマンズ徴候　145
母指圧痕像　796
発作性上室頻拍　596
発疹　181, 182
—— のある患者の看護　186
—— のある患者の病態関連図　196
—— の主な治療薬　185
—— の種類　181
—— の診断　184
—— への緊急対応　188
ポリニューロパチー　1014
ポリモーダル受容器　953

本態性低血圧　630

ま

マスカー治療　441
末梢化学受容器　501
末梢神経障害におけるしびれの分
　布パターン　1013
末梢神経障害の分類　1014
末梢性チアノーゼ　86
マニュアルリンパドレナージ
　　　　　　　　　　　158
麻痺性構音障害　367
慢性咳嗽　471
慢性下痢症　789
慢性尿閉　855
慢性の呼吸困難の診断　503
慢性疲労症候群　37
慢性便秘　805

み

ミオクローヌス　50, 1065, 1070
ミオクロニー発作　59
ミオトニア　1065
水欠乏性脱水　730
水欠乏性脱水症　106

む

無菌性膿疱　182
むくみ　122
――，下肢の　140
霧視　424
無症候性血尿　925
無尿　854, 855
―― のある患者の看護　860
―― のある患者の病態関連図
　　　　　　　　　　　870
―― の原因　854, 856
―― の診断　857

め

メトヘモグロビン血症　87
めまい　453, 454
―― のある患者の看護　458
―― のある患者の病態関連図
　　　　　　　　　　　468
―― の主な治療薬　456
―― の原因　454

―― の診断　456
―― の随伴症状　455
―― の発生機序　453
免疫介在性ニューロパチーの大量
　免疫グロブリン静注療法　1015
免疫グロブリン　293
免疫反応　293
免疫不全症　295
―― の治療の考え方　296
免疫抑制作用のある主な分子標的
　薬　297

も

目標体重の目安　234

や

夜間多尿　872
―― の原因　872
夜間頻尿をきたす睡眠障害　873
やせ　246, 247
―― のある患者の看護　250
―― のある患者の病態関連図
　　　　　　　　　　　258
―― の原因　249
―― の診断　248
―― の随伴症状　249
―― の発生機序　246

ゆ

有意の体重変化と判定される場合
　　　　　　　　　　　251
輸液の進め方，脱水　113

よ

よい眠り　382
溶血性尿毒症症候群　280
溶血性貧血　262, 264
腰椎椎間板ヘルニア　956
腰椎変性側彎症　955
腰痛　952
―― に対する安楽な体位　963
―― のある患者の看護　959
―― のある患者の病態関連図
　　　　　　　　　　　971
―― の主な治療薬　958
―― の診断　954
―― の治療法　957

―― の発生機序　952, 953
―― への緊急対応　961

ら

落屑　183
ラディキュロパチー　1014

り

隆起性病変　182
両手指の筋萎縮　1051
良性けいれん，乳児期の　54
両側強直間代発作　50
両側性の耳鳴　440
臨界的定着　223
臨床的病態重症度　672
鱗屑　183
リンパ節腫脹　165, 166, 172
―― のある患者の看護　171
―― のある患者の病態関連図
　　　　　　　　　　　180
―― の主な治療薬　170
―― の原因　167
―― の症状　165
―― の診断　169
―― の随伴症状　168
―― の部位　168
リンパ節の構造　166
リンパ浮腫　124, 140, 147, 153
―― のある患者の病態関連図
　　　　　　　　　153, 164
―― の病期分類　155

れ

レイノー現象　972, 973, 979
―― に使われる主な薬剤　976
―― のある患者の看護　978
―― のある患者の病態関連図
　　　　　　　　　　　990
―― の診断　975
―― の発生機序　972
レスキュードーズ　621
レム睡眠　375
連続的ヘマトクリット測定装置
　　　　　　　　　　　631

ろ

漏出液　555

ロンカイ 509

わ

ワレンベルグ症候群 409

全身	発熱　低体温症　全身倦怠感　けいれん　ショック　チアノーゼ　脱水　浮腫 リンパ節腫脹　発疹　瘙痒(かゆみ)　褥瘡　肥満　やせ　貧血　出血傾向　易感染性
脳・神経	頭痛　失神　意識障害　言語障害　不眠　不安
感覚器	感覚障害　視覚障害　耳鳴　めまい
呼吸器	咳嗽・喀痰　血痰・喀血　呼吸困難　喘鳴　嗄声　胸水
循環器	胸痛　動悸　高血圧　低血圧
消化器	腹痛　嚥下困難　食欲不振　悪心・嘔吐　口渇　腹部膨満(感)　吐血　下血　下痢　便秘　黄疸
腎・泌尿器	排尿痛　乏尿・無尿・尿閉　多尿・頻尿　尿失禁　膿尿・細菌尿　血尿　蛋白尿
筋・骨格	腰痛　レイノー現象　関節痛　四肢のしびれ　運動麻痺・運動失調　筋萎縮　不随意運動